*Dictionnaire
des synonymes
et des antonymes*

Couverture:
Conception graphique de François de Villemure.

ISBN: 2-7621-0971-X

Dépôt légal: 2e trimestre 1979, Bibliothèque nationale du Québec

Achevé d'imprimer en février 1992 sur les presses de Métropole Litho
à Montréal, Québec.

HECTOR DUPUIS

Dictionnaire des synonymes et des antonymes

Édition entièrement refondue par

ROMAIN LÉGARÉ

avec la collaboration de JEANNE ROBERT

fides

SIGNES CONVENTIONNELS ET ABRÉVIATIONS

I —   sens propre d'un mot
II —   sens par extension ou par analogie
III —   sens figuré

adj. .... *adjectif*
adv. .... *adverbe*
ant. .... *antonyme*
can. .... *canadianisme*
ch. .... *choses* (s'oppose à *êtres vivants* ou *personnes*)
loc. adv. ...... *locution adverbiale*
mod. .... *moderne* (emploi d'un usage actuel)
n. .... *nom*, substantif (*n.m.* : nom masculin ; *n.f.* : nom féminin)
péj. .... *péjoratif*
pers. .... *personnes* (s'oppose à *choses*)
pl. .... *pluriel*
prép. .... *préposition*
spécialt. .... *spécialement* (dans un sens plus étroit, moins étendu)
syn. .... *synonyme*
V. .... *voir* (devant un mot souligné, sujet d'un renvoi)
v. .... *verbe*
v. intr. .... *verbe intransitif*
v. pr. .... *verbe pronominal*
v. tr. .... *verbe transitif*
vx .... *vieux* (sens vieilli d'un mot, archaïsme)

anat. .... terme du langage technique de l'*anatomie*
biol. .... terme usité en *biologie*
bot. .... *botanique*
fin. .... *finances*
géogr. .... *géographie*
lit. .... *liturgie*
log. .... *logique*
mar. .... *marine*
milit. .... terme du langage *militaire*
mus. .... *musique*
peint. .... *peinture*
phil. .... *philosophie*
phot. .... *photographie*
relig. .... *religion*
théol. .... *théologie*
typogr. .... *typographie*
vén. .... *vénerie*

PRÉFACE

Au printemps de 1970, le directeur des éditions pédagogiques de Fides m'invitait à réviser le *Dictionnaire des synonymes et des antonymes* d'Hector Dupuis [1], qui avait, depuis sa parution en 1961, remporté un grand succès de librairie tant au Canada qu'en Europe.

Après considération de la tâche à accomplir, j'ai cru bon de procéder à une refonte complète de l'ouvrage par une nouvelle méthode et de nouveaux instruments de travail.

Puisque l'on sait que dans une langue bien faite il n'y a pas de synonymes parfaits, ce dictionnaire se présente donc comme un répertoire de mots français usuels qui ont un sens semblable, analogue, approchant, équivalent ou voisin et qui peuvent être distingués comme les diverses nuances d'une même couleur. De plus, conformément à l'optique de Dupuis, les deux termes synonyme et antonyme « ne désignent pas toujours des antipodes ou des directions opposées de la pensée, mais parfois aussi des directions seulement divergentes ».

De l'édition Dupuis j'ai sélectionné les synonymes et les antonymes qui, semble-t-il, convenaient le mieux ; j'ai retenu, en principe, la nomenclature des mots vedettes, que j'ai soumise cependant à bien des modifications : suppression de mots ou de sens inusités, addition de mots plus usagés, plus utiles, plus conformes à notre civilisation moderne, tels que *diffuser, film, filmer, garage, gare, image, impact* (néologisme), *parking, parquer, réalisateur, remonte-pente,* etc. ; remaniement complet de certaines rubriques, v.g., *amour, augmenter, disposer, harmonie, heureux, histoire, important...*

Ma collaboratrice et moi avons accueilli les termes familiers, populaires, en indiquant les niveaux de langage par ces abréviations : *fam.*

---

1. Décédé le 12 novembre 1967 à l'âge de soixante et onze ans.

(familier), *pop*. (populaire), quelques archaïsmes, quand ils ont une valeur littéraire ; nous avons, par ailleurs, supprimé les termes rares, argotiques ou encore purement techniques, peu utiles au grand public et connus des spécialistes. Nous avons noté, au besoin, les catégories grammaticales : *adjectif, adverbe, nom* (genre, pluriel), *verbe, verbe transitif, intransitif* ou *pronominal*, quelques locutions.

Pour ne pas grossir excessivement ce volume, nous avons dû nous résigner à faire quelques renvois de rubriques, ainsi que l'indique l'abréviation *V. (voir)* devant un mot mis en italique. De plus, quelques synonymes soulignés dans le corps du texte invitent à se référer à eux, s'il est nécessaire.

En somme, nous avons essayé de présenter un choix plus précis, plus riche, souvent plus moderne des synonymes et des antonymes.

La principale innovation de cette édition, c'est le *classement alphabétique des sens* de chaque mot vedette : les familles sémantiques sont unies par le lien de l'analogie, par le jeu des associations d'idées ; elles sont séparées par un tiret. Nous croyons qu'une telle classification facilitera la tâche de celui qui doit écrire, car ce qu'il cherche à l'instant, c'est l'équivalent du sens propre, extensif ou figuré d'un mot ; en allant directement à la famille sémantique qui l'intéresse, il simplifie sa besogne, alors que l'édition de Dupuis l'entravait quelque peu en ne présentant qu'en vrac les mots, les diverses catégories de verbes.

La pratique des dictionnaires révèle à l'observateur la triple signification des mots : le sens *propre*, le sens *par extension* ou *par analogie* et le sens *figuré*. Tout bon dictionnaire s'appuie sur ces trois pivots de la langue, car, au lieu de créer un mot pour chaque chose, pour chaque idée, l'homme charge le même mot de plusieurs significations ; il soulage d'autant sa mémoire, tout en l'enrichissant. Nous indiquons chacun des trois sens susmentionnés par des signes conventionnels, des chiffres romains (I, II, III) et pour chacun nous établissons l'ordre alphabétique :

I — le sens *propre*, c'est-à-dire le sens littéral, précis, réel, usuel, étymologique, primitif et d'ordinaire matériel, concret ; c'est le fondement du mot, c'est celui que nous mettons en premier lieu ;

II — le sens *par extension* ou *par analogie*, celui qui tient le milieu entre le sens propre et le sens figuré, qui exprime un développement ou une nuance du sens propre ;

III — le sens *figuré*, celui « qui comporte le transfert sémantique d'une image concrète à des relations abstraites » (dictionnaire Robert), c'est donc le sens abstrait, métaphorique, symbolique, immatériel, spirituel, moral.

Un caractère commun unit les divers sens.

Les limites des différents sens d'un mot ne sont pas toujours nettement définies ni clairement discernables ; les nuances sont diversement interprétées par des linguistes, ainsi certains dictionnaires transposent au sens extensif ce que d'autres mettent au sens figuré ; de même, l'enchaînement et la filiation des dérivations s'avèrent souvent difficiles. Le synonymiste ne peut être absolu, il sait sa tâche délicate ; toutefois, il aura la paix de la conscience si, malgré un certain embarras empirique, il s'applique à offrir au lecteur les bouquets bien assortis de groupes sémantiques, tout invitants dans leurs frondaisons même parfois imprécises, flottantes.

Un mot placé dans tel sens n'est pas ordinairement répété dans un autre sens (v.g. *union* dans *entente*). Nous laissons au jugement du lecteur, à son esprit de créativité le meilleur emploi de tel mot, soit au propre soit au figuré.

Les antonymes correspondent aux synonymes selon le classement des significations.

Fallait-il insérer des *canadianismes* ? Une telle initiative ne marquerait-elle pas ce dictionnaire d'une note distinctive ? N'indiquerait-elle pas, si modestement que ce soit, l'originalité canadienne ou québécoise, cherchant de nos jours son identité, son orientation au milieu d'âpres discussions linguistiques ?

Pour notre part, nous n'avons retenu qu'une vingtaine de canadianismes, ceux qui peuvent enrichir le vocabulaire des pays francophones ou qui ont déjà été acceptés par des dictionnaires français (v.g. *dict*. Robert, *Petit Larousse illustré*, P. Dupré, *Encyclopédie du bon français dans l'usage contemporain*, Paris, Éditions de Trévise, [1972], 3 vol.). En voici la liste : *abatis, annonceur, avant-midi, banc de neige, barachois, bleuet* (« un des canadianismes les plus légitimes et les mieux réussis », d'après le Frère Marie-Victorin, excellent écrivain et botaniste réputé), *bordée de neige, bouscueil, à la brunante, canot, cru, débarbouillette, érablière, fiable, frasil, magasinage, magasiner, poudrerie, savane, sucrerie, tire, traversier, tuque, vivoir.*

Ma besogne a été abrégée et facilitée par la collaboration appréciée de Jeanne Robert, C.N.D., licenciée ès lettres de l'Université Laval (1966), détenant les certificats de philologie et de grammaire française, de français moderne, de didactique d'une langue seconde, de littérature française et canadienne. Depuis plusieurs années, elle enseigne le français dans la région de Québec. Elle a participé largement à la refonte de l'ouvrage d'Hector Dupuis.

Madame Claire Morin-Marcotte, de Québec, mérite aussi un hommage reconnaissant pour la transcription dactylographique des notes originales.

Nous souhaitons que cette édition entièrement refondue, plus étoffée, d'allure plus moderne que la précédente atteigne ses buts : faciliter une consultation rapide et simple, d'après la distribution des diverses significations des mots ; éviter les répétitions ; favoriser la précision et la richesse du vocabulaire.

La linguistique affirme son impact sur les media d'information : elle impose de plus en plus ses mots d'ordre, ses phrases à effet ; elle s'honore quand ses slogans sont honnêtement informateurs, grammaticalement corrects selon les niveaux de langage ; elle devient savoureuse quand elle trouve des sentences frappantes, du genre de celle-ci : « Concision dans le style, précision dans la pensée, décision dans la vie » (V. Hugo).

ROMAIN LÉGARÉ, O.F.M.

Montréal
avril 1975

A

Abaissement

Syn. **I.** Affaissement, baisse, chute, descente. **II.** Amoindrissement, dévaluation, diminution, rabais, rabaissement, réduction. **III.** Abâtardissement, abjection, affaiblissement, aplatissement, avilissement, bassesse, décadence, déchéance, déclin, dégénérescence, dégradation, déliquescence, dévalorisation, humiliation. *Ant.* **I.** Élévation, exhaussement, relèvement. **II.** Accroissement, augmentation, hausse. **III.** Avancement, ennoblissement, épanouissement, exaltation, progrès, regain.

Abaisser

Syn. **I.** Affaisser, amener, baisser. **II.** Alléger, amoindrir, diminuer. **III.** Abattre, affaiblir, avilir, confondre, dégrader, déprécier, dévaloriser, dévaluer, écraser, humilier, mortifier, rabaisser, rabattre, rapetisser, ravaler. *Ant.* **I.** Élever, hausser, relever. **II.** Accroître, augmenter, majorer. **III.** Exalter, glorifier, louer, rehausser, valoriser.

Abandon

Syn. **I.** Abdication, cession, concession, délaissement, désistement, dessaisissement, don, rejet, renonciation, répudiation. — Défection, démission, départ, désertion, fuite, lâchage, plaquage *(pop.)*. — Incurie, insouciance, laisser-aller, négligence. — Confiance, détachement, naturel, nonchalance. *Ant.* **I.** Acquisition, maintien. — Soin. — Méfiance, raideur, tension.

Abandonner

Syn. **I.** Abdiquer, céder, concéder, confier, (se) démettre, (se) départir, (se) désister, (se) dessaisir, donner, rejeter, renoncer, répudier. — Délaisser, démission-ner, déserter, évacuer, fuir, lâcher, laisser, plaquer *(pop.)*, quitter, résigner, (se) retirer. *Ant.* **I.** Accéder, accepter, adopter, occuper, réintégrer, reprendre. — Conserver, défendre, entretenir, maintenir, protéger, secourir, tenir bon, ferme.

Abasourdir

Syn. **I.** Assourdir. **III.** Abrutir, étourdir. — Accabler, consterner, ébahir, étonner, hébéter, sidérer, stupéfier. *Ant.* **I.** Éveiller. **III.** Calmer, rasséréner, rassurer, stimuler.

Abâtardir

Syn. **I.** Altérer, corrompre, dégénérer, dégrader, dénaturer. **III.** Avilir, pervertir, vicier. *Ant.* **I.** Améliorer, assainir, sélectionner. **III.** Ennoblir, épurer, régénérer, relever.

Abatis *(can.)*

Syn. **I.** Arbres abattus, branchages, terrain partiellement essouché.

Abattement

Syn. **I.** Affaiblissement, épuisement, faiblesse, fatigue, lassitude, prostration, torpeur. — Accablement, affaissement, alanguissement, anéantissement, apathie, consternation, découragement, démoralisation, dépression, désespoir, effondrement, langueur. *Ant.* **I.** Énergie, excitation, force, vigueur, vitalité. — Allant, courage, exaltation, fermeté, joie, optimisme.

Abattre

Syn. **I.** Abaisser, abolir, couper, démanteler, démolir, détruire, enlever, jeter à bas, raser, renverser, retrancher, ruiner, saper, terrasser. — Culbuter, tuer, vaincre. **III.** Épuiser, fatiguer. — Accabler,

anéantir, atterrer, consterner, décourager, démonter, démoraliser, déprimer, désespérer.
Ant. **I.** Bâtir, construire, édifier, élever. — Tenir. **III.** Fortifier. — Aiguillonner, encourager, réconforter, relever, remonter, stimuler.

Abdication V. *Abandon*

Abdiquer V. *Abandonner*

Aberration
Syn. **I.** Aveuglement, écart, égarement, erreur, folie, fourvoiement, non-sens, paralogisme, sophisme.
Ant. **I.** Bon sens, intelligence, jugement, logique, vérité.

Abêtir
Syn. **I.** Abrutir, bêtifier, crétiniser, hébéter.
Ant. **I.** Éduquer, éveiller, former.

Abhorrer
Syn. **I.** Abominer, détester, exécrer, haïr.
Ant. **I.** Adorer, aduler, aimer, bénir, chérir.

Abîme
Syn. **I.** Abysse, gouffre, malstrom (maelstrom), précipice. **III.** Néant, désastre, perte, ruine.
Ant. **I.** Éminence, faîte, hauteur. **III.** Essor, fortune.

Abject
Syn. **I.** Abominable, bas, dégoûtant, dégradant, déshonorant, écœurant, grossier, honteux, ignoble, ignominieux, indigne, infâme, infect, méprisable, misérable, odieux, répugnant, sale, sordide, taré, vil, vilain.
Ant. **I.** Admirable, attrayant, digne, distingué, élevé, éminent, glorieux, noble, respectable, sublime, supérieur, sympathique, vénérable.

Abjection
Syn. **I.** Abaissement, aplatissement, avilissement, bassesse, chute, déchéance, dé-
gradation, déshonneur, ignominie, indignité, infamie, opprobre, servilisme, vilenie.
Ant. **I.** Dignité, distinction, élévation, fierté, gloire, honneur, noblesse.

Abjurer
Syn. **I.** Abandonner, apostasier, quitter, renier, renoncer, rétracter.
Ant. **I.** Conserver, (se) convertir, maintenir, persévérer.

Ablation
Syn. **I.** Amputation, énucléation, excision, exérèse, extraction, mutilation, opération, résection.
Ant. **I.** Greffe, prothèse, remplacement.

Ablution (s)
Syn. **I.** Bain, débarbouillage, immersion, lavage, lotion, nettoyage. **III.** Purification.

Abnégation
Syn. **I.** Altruisme, désintéressement, dévouement, holocauste, oubli de soi-même, renoncement, sacrifice.
Ant. **I.** Avarice, avidité, cupidité, égoïsme, intérêt, rapacité.

Abolir
Syn. **I.** Abroger, anéantir, annihiler, annuler, casser, dénoncer, détruire, dissoudre, effacer, infirmer, invalider, rapporter, résilier, rescinder, révoquer, supprimer.
Ant. **I.** Ajouter, confirmer, conserver, consolider, constituer, créer, établir, fonder, former, maintenir, prolonger, promulguer, renouveler, valider.

Abolition
Syn. **I.** Abrogation, anéantissement, annulation, cassation, disparition, dissolution, effacement, extinction, invalidation, rescision, résiliation, révocation, suppression.
Ant. **I.** Adoption, confirmation, conservation, consolidation, constitution, création, fondation, formation, maintien, perpétuation, prolongation, renouvellement, validation.

Abominable

Syn. **I.** Affreux, atroce, damnable, damné, déplorable, détestable, épouvantable, exécrable, horrible, inqualifiable, maudit, mauvais, monstrueux.

Ant. **I.** Admirable, agréable, attrayant, beau, bon, charmant, excellent, irréprochable, louable, sublime.

Abomination

Syn. **I.** Aversion, dégoût, exécration, haine, horreur, répulsion.

Ant. **I.** Amour, attrait, beauté, charme, sympathie.

Abominer

Syn. **I.** Abhorrer, détester, exécrer, haïr.

Ant. **I.** Aimer, bénir, chérir, estimer.

Abondamment

Syn. **I.** Amplement, à foison, à profusion, à satiété, à souhait, à volonté, beaucoup, considérablement, copieusement, en abondance, extrêmement, généreusement, largement, profusément, richement, suffisamment, surabondamment.

Ant. **I.** Avaricieusement, chichement, étroitement, insuffisamment, légèrement, maigrement, mesquinement, parcimonieusement, pauvrement, petitement, peu.

Abondance

Syn. **I.** Affluence, afflux, ampleur, débordement, exubérance, fécondité, fertilité, multiplicité, pléthore, profusion, surabondance. — Aisance, fortune, luxe, opulence, prospérité, richesse.

Ant. **I.** Aridité, défaut, disette, insuffisance, manque, parcimonie, pénurie, privation, rareté. — Dèche, dénuement, gêne, indigence, misère, pauvreté.

Abondant

Syn. **I.** Ample, considérable, copieux, exubérant, fécond, fertile, fructueux, luxuriant, nombreux, opulent, plantureux, plein de, riche en, surabondant. **II.** Pléthorique.

Ant. **I.** Aride, infructueux, insuffisant, limité, maigre, misérable, pauvre, rare, restreint, stérile.

Abonder

Syn. **I.** Foisonner, fourmiller, grouiller, être prodigue de, pulluler, regorger, surabonder.

Ant. **I.** Manquer, être rare.

Abord (D')

Syn. **I.** Au premier abord, de prime abord, tout d'abord, aussitôt, avant tout, d'emblée, sur l'heure, immédiatement, incontinent, à l'instant, instantanément, au préalable, premièrement, sur-le-champ, tout de suite.

Ant. **I.** Après, ensuite, par la suite, plus tard, postérieurement, puis, subséquemment, ultérieurement.

Aborder

Syn. **I.** Accéder, accoster, approcher, atteindre, gagner, rallier, rejoindre, toucher. — Attaquer, éperonner, heurter, rencontrer. **III.** Entamer, entreprendre.

Ant. **I.** Appareiller, éviter, fuir, quitter. **III.** Éluder.

Abords

Syn. **I.** Alentours, approches, environs, parages, proximité, voisinage.

Ant. **I.** Distance, éloignement.

Aborigène

Syn. **I.** Autochtone, indigène, natif, naturel, originaire.

Ant. **I.** Étranger, exotique, immigré, importé.

Aboucher (et S')

Syn. (V. tr.) **I.** Joindre. *(V. pr.)* **III.** Communiquer, conférer, contacter, (se) mettre en rapport, (se) rencontrer, (se) réunir.

Ant. **III.** (S') éviter, (se) méconnaître, (se) taire.

Aboutir

Syn. **I.** Aller à, arriver à, conduire à, finir à, mener à, (se) terminer à, tomber dans.

III. Atteindre à, parvenir à, réussir.
Ant. I. (S') éloigner. III. Échouer, (s') éterniser, (se) prolonger, rater.

Aboyer
Syn. I. Crier, donner de la voix, glapir, hurler, japper. III. Clabauder, criailler, dénigrer, médire, vociférer.
Ant. I. (Se) taire. III. Louer.

Abracadabrant
Syn. I. Anormal, baroque, bizarre, étrange, exagéré, extraordinaire, extravagant, fantasmagorique, fantasque, fantastique, farfelu, incohérent, incompréhensible, inconcevable, incroyable, invraisemblable, saugrenu, singulier, stupéfiant.
Ant. I. Compréhensible, général, mesuré, naturel, normal, ordinaire, ordonné, réglé, sensé, simple.

Abrégé
Syn. I. Raccourci, réduction. — Analyse, argument, bréviaire, compendium, condensé, digest, épitomé, extrait, manuel, notice, précis, résumé, sommaire, somme.
Ant. I. Amplification, développement, ensemble, explication.

Abréger
Syn. I. Amoindrir, condenser, diminuer, écourter, raccourcir, réduire, resserrer, restreindre, résumer, schématiser.
Ant. I. Ajouter, allonger, amplifier, augmenter, développer, élargir, étirer, expliquer.

Abreuver
Syn. I. Faire boire abondamment, désaltérer. II. Arroser, imbiber, imprégner, inonder, mouiller. III. Accabler, combler, couvrir, saturer.
Ant. I et II. Assoiffer, priver, tarir. III. Épargner, ménager.

Abri (et À l')
Syn. I. Asile, baraque, cabane, couvert, gîte, hutte, refuge, remise, retraite, tente.

II. Bouclier, havre, port, protection, rempart. — *(Loc.)* Abrité, à couvert de, hors d'atteinte, protégé, réfugié, (en) sécurité, (en) sûreté.
Ant. II. Danger, insécurité, péril, plein air. — *(Loc.)* À ciel ouvert, à découvert, à la belle étoile, en danger, en péril, en plein air, en rase campagne, exposé, sans défense, sans gîte.

Abrogation
Syn. I. Abolition, annulation, cassation, révocation, suppression.
Ant. I. Adoption, confirmation, maintien, prolongation, promulgation, renouvellement.

Abroger
Syn. I. V. *Abolir*

Abrupt
Syn. I. Âpre, escarpé, malaisé, montant, (à) pic, raide, rapide, rude. III. Heurté, revêche.
Ant. I. Aplani, doux, nivelé, plat, uni. III. Affable, courtois.

Abruti
Syn. I. Abêti, accablé, étourdi, surmené. II. Ahuri, hébété, idiot, imbécile, stupide.
Ant. I. Alerte, dispos. II. Éveillé, intelligent.

Abrutir
Syn. I. Altérer, dégrader. II. Abêtir, crétiniser. — Abasourdir, assourdir, étourdir, hébéter, surmener.
Ant. I. Élever, éveiller, stimuler. II. Ménager.

Abscons
Syn. I. Abstrait, abstrus, fumeux, obscur.
Ant. I. Clair, facile, précis.

Absence
Syn. I. Disparition, éloignement, séparation. II. Congé. III. Carence, défaut, lacune, manque, omission, oubli. — Distraction, éclipse.
Ant. I. Apparition, assistance, présence.

Absenter (S')
Syn. **I.** (S'en) aller, disparaître, (s') éclipser, (s') éloigner, manquer, partir, quitter, sortir.
Ant. **I.** Apparaître, assister à, demeurer, (être) présent, rester.

Absolu
Syn. **I.** Complet, entier, intégral, plein, total. **II.** Achevé, idéal, parfait. — Arbitraire, autocratique, autoritaire, césarien, despotique, dictatorial, discrétionnaire, dominateur, illimité, omnipotent, souverain, totalitaire, tyrannique. — Cassant, catégorique, dogmatique, impératif, impérieux, intransigeant, péremptoire, tranchant.
Ant. **I.** Contingent, limité, partiel, relatif, restreint. **II.** Imparfait. — Démocratique, dépendant, subordonné. — Conciliant, indulgent, libéral.

Absolution
Syn. **I.** Pardon, rémission. **II** *(Dr.)* Acquittement, amnistie, grâce.
Ant. **I.** Condamnation.

Absolutisme
Syn. **I.** Arbitraire, autocratie, autoritarisme, caporalisme, césarisme, despotisme, dictature, domination, omnipotence, totalitarisme, tyrannie.
Ant. **I.** Anarchie, démocratie, émancipation, libéralisme, régime constitutionnel, république.

Absorber (et S')
Syn. *(V. tr.)* **I.** Aspirer, avaler, boire, consommer, gober, ingurgiter, manger, prendre. **II.** Imbiber, imprégner, pomper. **III.** Annexer, assimiler, consumer, détruire, dévorer, engloutir. — Accaparer, retenir. *(V. pr.)* **III.** (S') abîmer, (se) concentrer, (s') enfoncer, (se) perdre, (se) plonger.
Ant. *(V. tr.)* **I.** Dégorger, rejeter. **II.** Assécher. **III.** Détacher. *(V. pr.)* **III.** (Se) détacher, (se) distraire, (se) divertir.

Absoudre
Syn. **I.** *(Théol.)* Délier, pardonner, remettre. **II.** *(Dr.)* Acquitter, amnistier, disculper, excuser, gracier, innocenter, justifier, réhabiliter, renvoyer.
Ant. **I.** Anathématiser, condamner, excommunier, lier. **II.** Inculper.

Abstenir (S')
Syn. **I.** (S') empêcher, éviter, (se) garder, (s') interdire, (se) récuser, (se) refuser. — (Se) passer, (se) priver, renoncer.
Ant. **I.** Agir, assister, participer, prendre part, (se) prononcer. — (Se) permettre, rechercher.

Abstention
Syn. **I.** Absence, neutralité, non-intervention.
Ant. **I.** Action, collaboration, contribution, intervention, participation.

Abstinence
Syn. **I.** Diète, jeûne, pénitence, privation, sobriété, tempérance.
Ant. **I.** Abus, bombance, bonne chère, gourmandise, intempérance.

Abstraction (Faire)
Syn. **I.** Écarter, éliminer, exclure, laisser de côté, négliger, omettre.
Ant. **I.** Englober, faire entrer en ligne de compte, faire état, inclure, tenir compte.

Abstrait
Syn. **I.** Désincarné, immatériel, invisible, métaphysique, profond, subtil. — Exact, pur *(science).* **II.** Abscons, abstrus, difficile. — Non-figuratif *(art).*
Ant. **I.** Concret, positif, visible. — Appliqué, expérimental. **II.** Clair, facile. — Figuratif.

Absurde
Syn. **I.** Aberrant, bête, déraisonnable, extravagant, fou, idiot, illogique, inepte, insane, insensé, ridicule, saugrenu, sot, stupide.
Ant. **I.** Fondé, intelligent, judicieux, juste, logique, posé, raisonnable, sage, sensé.

Absurdité

Syn. **I.** Aberration, bêtise, déraison, divagation, extravagance, folie, idiotie,
illogisme, incohérence, ineptie, insanité,
non-sens. sottise, stupidité.
Ant. **I.** Bien-fondé, bon sens, chose sen-
sée, cohérence, intelligence, jugement, logique, raison, sagesse, sens commun.

Abus

Syn. **I.** Démesure, exagération, excès,
faute, intempérance, outrance. — Illégalité, injustice.
Ant. **I.** Mesure, modération, pondération,
retenue, sobriété. — Justice, légalité.

Abuser (et S')

Syn. **I** *(V. tr. ind.)* Exagérer, mésuser. outrepasser. **II** *(V. tr. dir.)* Duper, égarer,
enjôler, leurrer, mystifier, séduire, surprendre, tromper, violer. *(V. pr.)* (Se) faire illusion, (s') illusionner, (se) leurrer,
(se) méprendre, (se) tromper.
Ant. **I.** Atténuer, modérer, user modérément. **II.** Détromper, éclairer, renseigner.
— Désabuser, désenchanter.

Abusif

Syn. **I.** Démesuré, exagéré, excessif, exorbitant, extravagant, extrême, immodéré,
mauvais, outrancier, outré. **II.** Impropre,
incorrect.
Ant. **I.** Atténué, convenable, mesuré, modéré, raisonnable, sage, tempéré. **II.** Normal, propre.

Académique

Syn. **II.** Châtié, correct, impeccable, noble, recherché. — Compassé, conventionnel, froid, pompeux.
Ant. **II.** Argotique, familier, incorrect, relâché, vulgaire. — Naturel, simple, spontané.

Acariâtre

Syn. **I.** Acerbe, acrimonieux, aigre, atrabilaire, bilieux, bougon, bourru, chagrin,
chipie, déplaisant, difficile, grincheux,
grognon, hargneux, incommode, insocia-

ble, intraitable, maussade, morose, ours,
pimbêche, rébarbatif, rêche, renfrogné,
revêche, ronchonneur.
Ant. **I.** Abordable, accueillant, affable,
agréable, aimable, amène, avenant, charmant, civil, courtois, doux, gentil, liant,
obligeant, plaisant, prévenant, sociable.

Accablement

Syn. **I.** Abattement, affaissement, découragement, dépression, épuisement, fatigue, langueur, prostration.
Ant. **I.** Courage, énergie, ressort, vigueur.

Accabler

Syn. **I.** Écraser, grever, opprimer, pressurer, surcharger, terrasser. **II.** Charger,
confondre, ennuyer, excéder, fatiguer,
harasser. **III.** Abreuver, humilier. —
Combler.
Ant. **I.** Décharger, libérer, soulager. **II.**
Ragaillardir, réconforter, reposer.

Accaparement

Syn. **I.** Centralisation, monopolisation,
trust, usurpation.
Ant. **I.** Distribution, partage, répartition.

Accaparer

Syn. **I.** (S') approprier, centraliser,
(s') emparer, envahir. monopoliser, occuper, retenir, truster, usurper.
Ant. **I.** Décentraliser, distribuer, partager,
répartir.

Accéder

Syn. **I.** Aborder, entrer, pénétrer. **III.** Arriver, atteindre, parvenir. **I.** Adhérer à.
II. Accepter, accorder, acquiescer, autoriser, concéder, condescendre, consentir,
permettre, (se) rendre, souscrire à.
Ant. **I.** Sortir. **III.** Manquer, quitter, rater. **II.** Empêcher, interdire, refuser, rejeter, résister.

Accélérer

Syn. *(V. tr.)* **I.** Hâter, précipiter, presser.
III. Activer, avancer, brusquer, expédier,
stimuler. *(V. intr.)* **I.** *(Auto)* Appuyer sur,
peser. pousser. — *(Sport)* Sprinter.

Ant. (V. tr.) **I.** Modérer, ralentir. **III.** Retarder, retenir. *(V. intr.)* **I.** Diminuer, freiner, réduire.

Accentuer
Syn. **I.** Augmenter, insister sur, intensifier, marteler, montrer, renforcer, scander, souligner.
Ant. **I.** Atténuer, modérer, réduire.

Acceptable
Syn. **I.** Admissible, convenable, passable, recevable, satisfaisant, valable.
Ant. **I.** Inacceptable, inadmissible, insatisfaisant, irrecevable.

Accepter
Syn. **I.** Accéder à, accueillir, acquiescer, adhérer à, admettre, adopter, agréer, approuver, consentir à, croire, prendre, recevoir. — (S') accommoder, (se) résigner à, souffrir, subir, supporter, tolérer.
Ant. **I.** Décliner, dédaigner, dénier, écarter, exclure, (s') opposer, récuser, refuser, rejeter, renvoyer, repousser. — (S') insurger, (se) revolter.

Acception
Syn. **I.** Désignation, portée, sens, signification, valeur. — Acceptation, égard, préférence.

Accès
Syn. **I.** Abord, approche, chemin, entrée, ouverture, seuil, voie. **III.** Accueil, introduction. **I** *(Méd.)* Attaque, atteinte, bouffée, crise, poussée, quinte.
Ant. **I.** Issue, sortie. — Accalmie, calme.

Accessible
Syn. **I.** Abordable, approchable. **II.** *(Pers.)* Accueillant, ouvert, sensible. — *(Ch.)* Clair, compréhensible, intelligible, pénétrable.
Ant. **I.** Inabordable, inaccessible. **II.** Insensible, intraitable. — Ardu, difficile, impénétrable, incompréhensible, inintelligible, obscur, secret.

Accessoire
Syn. **I.** Annexe, complémentaire, concomitant, incident, secondaire, subsidiaire, supplémentaire. **II.** Insignifiant, négligeable.
Ant. **I.** Essentiel, principal. **II.** Important, nécessaire.

Accident
Syn. **I.** *(Phil.)* Attribut, phénomène, substance. — Accrochage, adversité, aventure, catastrophe, choc, chute, collision, contretemps, coup, ennui, explosion, malheur, mésaventure, revers, vicissitude. **II.** *(Méd.)* Complication, lésion. — *(Géo.)* Aspérité, mouvement (de terrain), pli, relief.

Accidenté
Syn. **I.** Inégal, irrégulier, montagneux, montueux, mouvementé, varié.
Ant. **I.** Égal, nivelé, plat, régulier, uni.

Accidentel
Syn. **I.** Contingent, exceptionnel, fortuit, imprévu, inaccoutumé, inhabituel, occasionnel. — *(Phil.)* Accessoire, extrinsèque.
Ant. **I.** Certain, constant, fatal, nécessaire, normal, régulier. — Absolu, intrinsèque, substantiel.

Accidentellement
Syn. **I.** (D') aventure, dans un accident, fortuitement, (par) hasard, inopinément.
Ant. **I.** Constamment, fatalement, intentionnellement, normalement.

Acclamation
Syn. **I.** Applaudissement, bravo, délire, hourra, ovation, transports, vivat.
Ant. **I.** Désapprobation, huées, sifflet.

Acclamer
Syn. **I.** Applaudir, bisser, ovationner, rappeler, saluer.
Ant. **I.** Conspuer, huer, siffler.

Acclimater
Syn. **I.** Accoutumer, familiariser, habituer, naturaliser. **III.** Importer, introduire.

Ant. **I.** Désaccoutumer, déshabituer, désorienter, exporter.

Accointances
Syn. **I.** Commerce, connaissance, fréquentation, rapports, relations.

Accolade
Syn. **I.** Baiser, embrassade, embrassement, enlacement, étreinte.

Accoler
Syn. **I.** Adjoindre, ajouter, joindre, juxtaposer, unir.
Ant. **I.** Désunir, disjoindre, séparer.

Accommodant
Syn. **I.** Arrangeant, bienveillant, complaisant, conciliant, coulant, débonnaire, facile, indulgent, obligeant, serviable, sociable, traitable.
Ant. **I.** Blessant, déplaisant, désobligeant, difficile, dur, exigeant, inflexible, insociable, intraitable.

Accommodement
Syn. **I.** Accord, arrangement, composition, compromis, concession, conciliation, engagement, entente, marché, rapprochement, transaction.
Ant. **I.** Chicane, contestation, désaccord, désunion, dissentiment, litige, querelle.

Accommoder (et S')
Syn. *(V. tr.)* **I.** Adapter, agencer, aménager, approprier, arranger, disposer, installer, organiser, préparer. — Apprêter, assaisonner. **III.** Allier, concilier. *(V. pr.)* Accepter, admettre, (se) contenter, (s') habituer, (se) soumettre, supporter.
Ant. **I.** Déranger, entraver, gêner, opposer, séparer. **III.** Opposer. — *(V. pr.)* Refuser.

Accompagnement
Syn. **I.** Cortège, équipage, escorte, suite. **III.** Conséquence, résultat.

Accompagner
Syn. **I.** Chaperonner, conduire, convoyer, escorter, flanquer, guider, protéger, raccompagner, reconduire, suivre, venir avec.
Ant. **I.** Abandonner, quitter, précéder, succéder.

Accompli
Syn. **I.** Effectué, révolu. — Achevé, complet, consommé, idéal, incomparable, modèle, parfait. — Définitif.
Ant. **I.** Grossier, imparfait, inachevé, incomplet, négligé.

Accomplir
Syn. **I** Achever, (s') acquitter de, commettre, conclure, consommer, effectuer, exécuter, faire, finir, observer, perpétrer, procéder à, produire, réaliser, remplir, suivre, terminer.
Ant. **I.** Commencer, désobéir, différer, ébaucher, échouer, esquisser, refuser, rejeter.

Accomplissement
Syn. **I.** Achèvement, exécution, réalisation.
Ant. **I.** Ébauche, esquisse, préparation.

Accord
Syn. *(Pers.)* **I.** Communion, concert, concorde, ensemble, entente, fraternité, harmonie, intelligence, paix, sympathie, union. — Alliance, collusion, complicité, connivence. — Accommodement, arrangement, compromis, convention, pacte, traité, transaction. **II.** Approbation, autorisation, consentement, permission. — *(Ch.)* **I.** Adaptation, affinité, analogie, cohérence, compatibilité, conformité, correspondance, équilibre, proportion, symétrie. — Concordance. — *(Mus.)* Consonance
Ant. *(Pers.)* **I.** Brouille, conflit, désaccord, discorde, dispute, mésentente, rupture. — Hostilité. — *(Ch.)* Contraste, disparité, incompatibilité, opposition. — Dissonance.

Accorder (et S')
Syn. **I.** *(Pers.)* *(V. tr.)* Allier, associer, raccommoder, réconcilier, réunir, unir. —

Adjuger, allouer, attribuer, concéder, consentir à, décerner, donner, exaucer, impartir, octroyer, permettre, satisfaire. — Admettre, avouer, confesser, convenir, reconnaître. — Attacher. *(V. pr.)* (Se) concerter, (s') entendre, fraterniser, (se) mettre d'accord, sympathiser. — *(Ch.)* *(V. tr.)* Adapter, agencer, allier, apparier, approprier, assembler, associer, assortir, concilier, harmoniser. — *(V. pr.)* (Se) concilier, (s') harmoniser.
Ant. **I.** *(Pers.)* Brouiller, désaccorder, diviser, opposer. — Contester, nier, refuser, rejeter, repousser. — (Se) détester, (se) disputer, (se) haïr. — *(Ch.)* Contraster, détonner, jurer. — (S') opposer.

Accoster
Syn. **I.** Aborder, (s') approcher, arriver à, atteindre, toucher.
Ant. **I.** (S') éloigner, fuir, reculer.

Accoucher
Syn. **I.** Enfanter, engendrer, mettre au monde, mettre bas. **III.** Créer, produire.

Accouplement
Syn. **I.** Appareillement, appariement, croisement, reproduction, sélection. **III.** Assemblage, union.

Accoupler (et S')
Syn. **I.** *(V. tr.)* Appareiller, apparier, croiser, hybrider, mâtiner, métisser, unir. — *(V. pr.)* Côcher, couvrir, frayer, lutter, monter, saillir, servir. **III.** Accoler, allier, assembler, joindre, jumeler, unir.
Ant. **I.** Désunir, séparer.

Accoutrement
Syn. **I.** Affublement, attifement, défroque, déguisement, équipage, fagotage, harnachement.

Accoutrer
Syn. **I.** Affubler, attifer, déguiser, fagoter, fringuer, nipper.

Accoutumance
Syn. **I.** Acclimatement, adaptation, coutume, habitude, routine. — *(Méd.)* Immunisation, insensibilisation, mithridatisation.
Ant. **I.** *(Méd.)* Allergie, anaphylaxie.

Accroc
Syn. **I.** Déchirure. **III.** Anicroche, complication, contretemps, embarras, empêchement, entorse, incident, obstacle, tache.

Accrocher
Syn. **I.** Appendre, attacher, pendre, suspendre. — Déchirer. **II.** Bousculer, déplacer, heurter. **III.** Aborder, arrêter, immobiliser, retarder, retenir. — Attraper, gagner, saisir.
Ant. **I.** Décrocher, dépendre, détacher. **II.** Éviter. **III.** Lâcher, laisser. — Rater.

Accroissement
Syn. **I.** Accumulation, aggravation, agrandissement, augmentation, élévation, grossissement, progression, recrudescence, redoublement, regain.
Ant. **I.** Amoindrissement, baisse, diminution, perte.

Accroître V. *Augmenter*

Accueil
Syn. **I.** Abord, bienvenue, réception, traitement.

Accueillir
Syn. **I.** Accepter, admettre, adopter, agréer, héberger, recevoir. **III.** Assaillir, saluer. — Apprendre.
Ant. **I.** Écarter, éconduire, évincer, rejeter, repousser.

Acculer
Syn. **I.** Contraindre, forcer, pousser, réduire.

Accumuler
Syn. **I.** Agglomérer, amasser, amonceler, empiler, entasser, grouper, rassembler, réunir, thésauriser.

Ant. **I.** Dilapider, disperser, disséminer, dissiper, diviser, éparpiller, gaspiller, prodiguer, répandre.

Accusateur
Syn. **I.** Délateur, dénonciateur, indicateur, mouchard, plaignant, rapporteur, sycophante.
Ant. **I.** Accusé, incriminé, inculpé, prévenu.

Accusation
Syn. **I.** Allégation, attaque, dénonciation, imputation, incrimination, inculpation, plainte, poursuite, réquisitoire. **II.** Critique, reproche.
Ant. **I.** Défense, disculpation.

Accuser
Syn. **I.** Attaquer, blâmer, charger, citer, critiquer, dénigrer, dénoncer, imputer, incriminer, inculper, porter plainte, poursuivre, reprocher, taxer, vilipender. **II.** Confesser. **III.** Accentuer, dessiner, indiquer, marquer, montrer, révéler, souligner.
Ant. **I.** Défendre, disculper, exalter, innocenter, justifier, louer, réhabiliter. **III.** Cacher.

Acerbe
Syn. **I.** Acéré, âcre, acrimonieux, agressif, aigre, âpre, blessant, caustique, dur, incisif, insultant, mordant, offensant, piquant, rogue, sarcastique, satirique, virulent.
Ant. **I.** Affable, aimable, bienveillant, bon, charmant, clément, compatissant, conciliant, doux, indulgent.

Acéré
Syn. **I.** Affilé, aigu, aiguisé, coupant, dur, piquant, pointu, tranchant. **III.** V. *Acerbe*
Ant. **I.** Émoussé, épointé.

Acharné
Syn. **I.** Enragé, furieux, opiniâtre.
Ant. **I.** Désintéressé, faible, indifférent, versatile.

Acharnement
Syn. **I.** Ardeur, élan, fougue, furie, rage, obstination, opiniâtreté.
Ant. **I.** Mollesse.

Achat
Syn. **I.** Acquisition, commissions, courses, emplettes, marché, provisions.
Ant. **I.** Cession, écoulement, liquidation, vente.

Acheminer (et S')
Syn. *(V. tr.)* **I.** Conduire, diriger, envoyer, transporter. *(V. pr.)* **I.** *(Pers.)* Aller, avancer, cheminer, (se) diriger vers, marcher vers, (se) porter, (se) rendre. **III.** *(Ch.)* Aboutir, tendre à.
Ant. *(V. tr.)* **I.** Éloigner de, immobiliser. *(V. pr.)* **I.** (S') arrêter, stopper.

Acheter
Syn. **I.** Acquérir, obtenir, (se) procurer. **III.** Corrompre, gagner, soudoyer, stipendier.
Ant. **I.** Céder, écouler, vendre.

Acheteur
Syn. **I.** Acquéreur, client, pratique, preneur.
Ant. **I.** Adjudicateur, marchand, négociant, vendeur.

Achèvement
Syn. **I.** Aboutissement, accomplissement, conclusion, consommation, couronnement, dénouement, exécution, fin, parachèvement, terminaison. **II.** Perfection.
Ant. **I.** Commencement. **II.** Ébauche.

Achever
Syn. **I.** Accomplir, clore, compléter, conclure, couronner, finir, parachever, parfaire, terminer. **II.** Anéantir, donner le coup de grâce, exécuter, perdre, ruiner, tuer.
Ant. **I.** Commencer, entreprendre. **II.** Épargner.

Achopper
Syn. **I.** Buter, trébucher.
Ant. **I.** Éviter.

Acide
Syn. I. Acidulé, âcre, aigre, aigrelet, mordant, piquant, sur, suret, suri. III. Acerbe, amer, désagréable.
Ant. I. Doux, succulent, sucré. III. Agréable, aimable, charmant.

Acolyte
Syn. I. Servant. II. Adjoint, aide, compagnon, compère, complice.
Ant. II. Adversaire, émule, opposant, rival.

À-coup
Syn. I. Accès, cahot, heurt, raté, retard, saccade, secousse.

Acquéreur V. Acheteur

Acquérir
Syn. I. Acheter, (se) procurer. II. Conquérir, gagner, obtenir, prendre. — Valoir.
Ant. I. Aliéner, céder, donner, vendre. — Perdre.

Acquiescement
Syn. I. Acceptation, accord, adhésion, adoption, agrément, approbation, assentiment, autorisation, consentement, permission, ratification.
Ant. I. Désapprobation, opposition, refus.

Acquiescer
Syn. I. Accepter, accorder, adhérer, approuver, consentir, déférer, ratifier, souscrire.
Ant. I. Désapprouver, disconvenir, (s') opposer, refuser.

Acquisition V. Achat

Acquit
Syn. I. Décharge, libération, paiement, quittance, quitus, récépissé, reçu.

Acquittement
Syn. I. Absolution, élargissement, pardon, relâchement, relaxe. — Décharge, libération, paiement, règlement, remboursement.

Ant. I. Arrestation, détention, incarcération. — Dette, obligation.

Acquitter
Syn. I. (Pers.) Absoudre, élargir, libérer, pardonner, relâcher. — (Ch.) Faire honneur, payer, régler, rembourser, solder. III. Accomplir, remplir, satisfaire à.
Ant. I. Condamner, punir. — Devoir. III. Manquer à.

Âcre
Syn. I. Acide, aigre, corrosif, mordant, piquant. III. Acerbe, âpre, irritant, rude, sévère.
Ant. I. Doux, suave, sucré, succulent. III. Accort, affable, aimable, courtois, gracieux.

Âcreté
Syn. I. Acidité. III. Acrimonie, aigreur, amertume, hargne.
Ant. III. Douceur, suavité.

Acrimonie
Syn. III. Âcreté, aigreur, amertume, âpreté, fiel, hargne, malignité, maussaderie.
Ant. III. Affabilité, bonté, douceur, engouement, jovialité.

Acrimonieux
Syn. III. Acariâtre, acerbe, agressif, aigre, coléreux, désagréable, détestable, grincheux, hargneux, offensant.
Ant. III. Affable, aimable, bon, calme, doux, enjoué, gai, jovial, joyeux.

Acrobate
Syn. I. Cascadeur, équilibriste, funambule, gymnaste, jongleur, trapéziste.

Acte
Syn. I. Action, contrat, décision, décret, démarche, document, fait, loi, mémoire(s), mesure. — Épisode, geste, péripétie, trait.

Acteur
Syn. I. Artiste, bouffon, cabotin, comédien, interprète, mime, pantomime. —

Cascadeur, comparse, doublure, figurant.
— Étoile, star, vedette. III. Protagoniste.

Actif
Syn. **I.** *(Pers.)* Affairé, agissant, diligent, dynamique, empressé, énergique, entreprenant, expéditif, laborieux, prompt, rapide, remuant, travailleur, vif, zélé. — *(Ch.)* Efficace, efficient, puissant, violent. *Ant.* **I.** Apathique, désœuvré, indolent, mou, nonchalant, oisif, passif. — Inefficace, inopérant.

Action
Syn. **I.** Acte, activité, coup, effort, entreprise, exploit, fait, fonctionnement, influence, initiative, jeu, marche, mouvement, œuvre, opération, travail. — Bataille, choc, combat, engagement, mêlée, rencontre. — *(Dr.)* Demande, plainte, poursuite, recours. — Intrigue, péripétie, scénario. — *(Fin.)* Obligation, part, valeur. *Ant.* **I.** Désœuvrement, inaction, indolence, oisiveté, passivité. — Paix. — *(Dr.)* Désistement, renoncement.

Actionnaire
Syn. **I.** Associé, bailleur de fonds, commanditaire, détenteur de titres, intéressé, sociétaire.

Actionner
Syn. **I.** *(Pers. Dr.)* Accuser, assigner, attaquer, citer, ester, intenter, intimer, poursuivre, traduire. — *(Ch.)* Agiter, exciter, faire agir, faire fonctionner, mouvoir, pousser. *Ant.* **I.** Abandonner, (se) désister, renoncer. — Arrêter, freiner, immobiliser.

Activement
Syn. **I.** Ardemment, diligemment, énergiquement, prestement, rapidement, vivement. *Ant.* **I.** Mollement.

Activer
Syn. **I.** Accélérer, aviver, exciter, hâter, pousser, presser, stimuler. *Ant.* **I.** Freiner, ralentir, retarder.

Activité
Syn. **I.** Animation, ardeur, célérité, diligence, dynamisme, empressement, énergie, entrain, mouvement, vivacité, zèle. **II.** Occupation. *Ant.* **I.** Apathie, inactivité, inertie, lenteur, paresse. **II.** Chômage, non-activité, retraite.

Actuel
Syn. **I.** Contemporain, courant, en cours, moderne, présent. — Effectif, réel. *Ant.* **I.** Ancien, antérieur, futur, passé, postérieur. — Démodé. — Fictif, potentiel, virtuel.

Actuellement
Syn. **I.** Aujourd'hui, de nos jours, maintenant, pour le moment, à présent, présentement, de notre temps. — Effectivement. *Ant.* **I.** Anciennement, antérieurement, autrefois, bientôt, demain, prochainement. — Virtuellement.

Adage
Syn. **I.** Aphorisme, apophtegme, devise, dicton, maxime, pensée, proverbe, sentence.

Adagio
Syn. **I.** Gravement, lentement, posément. *Ant.* **I.** Prestissimo, presto, très vite, vite.

Adaptation
Syn. **I.** Application, harmonisation. — Acclimatation, mimétisme, transformation. *Ant.* **I.** Inadaptation. — Immutabilité.

Adapter (et S')
Syn. *(V. tr.)* **I.** Accommoder, accorder, ajuster, approprier, arranger, conformer. — *(V. pr.)* **I.** (S') acclimater, aller, cadrer avec, convenir à, (s') habituer, (s') harmoniser. *Ant.* **I.** Séparer, disconvenir, opposer.

Additionner
Syn. **I.** Ajouter, sommer, totaliser. *Ant.* **I.** Enlever, soustraire.

Adepte
Syn. **II.** Adhérent, affilié, champion, défenseur, disciple, fidèle, initié, partisan, prosélyte, sectateur, séide, tenant.
Ant. **I.** Adversaire, antagoniste, opposant, profane, rival.

Adéquat
Syn. **I.** Approprié, convenable, juste, pertinent, propre.
Ant. **I.** Inadéquat.

Adhérence
Syn. **I.** Cohérence, cohésion, collement, connexion, jonction, liaison, soudure, union.
Ant. **I.** Décollement, désunion, disjonction, séparation.

Adhérent
Syn. **I.** *(Adj.)* Attaché, collé, fixé, joint, lié, soudé. − *(N.)* Adepte, affilié, associé, membre, partisan, sociétaire.
Ant. **I.** Décollé, détaché, disjoint, séparé. − Adversaire, antagoniste, dissident.

Adhérer
Syn. **I.** *(Ch.)* − Agglutiner, coller, conglutiner, (s') incruster, souder, tenir. **III.** *(Pers.)* − Accepter, acquiescer, adopter, (s') affilier, agréger, approuver, (s') associer, entrer dans, (s') inscrire, (se) rallier à, souscrire à.
Ant. **I.** Arracher, décoller, détacher. **III.** Démissionner, (se) désolidariser, (s') opposer, rejeter, (se) séparer.

Adhésion
Syn. **III.** Acceptation, accord, acquiescement, affiliation, approbation, assentiment, consentement, entrée, union.
Ant. **III.** Démission, désaccord, désapprobation, désunion, dissidence, opposition, refus.

Adjacent
Syn. **I.** Attenant, avoisinant, contigu, environnant, joignant, jouxte, juxtaposé, limitrophe, mitoyen, prochain, proche, rapproché, voisin.

Ant. **I.** Distant, éloigné, isolé, lointain, reculé.

Adjectif
Syn. **I.** Attribut, épithète, qualificatif.

Adjoindre
Syn. **I.** Ajouter, associer, attacher, joindre, unir.
Ant. **I.** Enlever, retirer, retrancher.

Adjoint
Syn. **I.** Aide, assistant, associé, auxiliaire, collaborateur.
Ant. **I.** Chef, titulaire.

Adjuration
Syn. **I.** Exorcisme, prière, supplication.

Adjurer
Syn. **I.** Conjurer, demander, implorer, supplier.

Admettre
Syn. **I.** Accepter, accueillir, adopter, agréer, approuver, autoriser, recevoir. − Avouer, concéder, consentir, convenir de, croire, penser, reconnaître, supposer. − Comporter, permettre, souffrir, supporter, tolérer.
Ant. **I.** Écarter, éconduire, évincer, rejeter. − Contredire, nier. − Exclure.

Administration
Syn. **I.** Bureaucratie, conduite, direction, gérance, gestion, gouvernement, intendance, maniement, régie, régime.

Administrer
Syn. **I.** Conduire (une affaire), diriger, gérer, gouverner, mener, régir. − Appliquer (un remède), conférer (un sacrement), donner, flanquer (des coups), présenter, produire (une preuve).

Admirable
Syn. **I.** Beau, délïcieux, éblouissant, étonnant, excellent, exquis, extraordinaire, féerique, incomparable, magnifique, merveilleux, mirifique, mirobolant, prodigieux, ravissant, remarquable, splendide, superbe.

Ant. **I.** Abject, abominable, détestable, exécrable, horrible, ignoble, laid, mauvais, médiocre, méprisable, ordinaire, vilain.

Admiration
Syn. **I.** Éblouissement, émerveillement, engouement, enthousiasme, ravissement, vénération.
Ant. **I.** Dédain, dégoût, horreur, mépris.

Admirer
Syn. **I.** Apprécier, contempler, (s') émerveiller, estimer, (s') extasier, goûter, (se) pâmer, vénérer.
Ant. **I.** Daigner, décevoir, mépriser.

Admissible
Syn. **I.** Acceptable, croyable, plausible, recevable, supportable, tolérable, valable.
Ant. **I.** Inacceptable, inadmissible, incroyable. — Recalé, refusé.

Admission
Syn. **I.** Affiliation, entrée, initiation, introduction, réception.
Ant. **I.** Échec, exclusion, refus, sortie.

Admonestation
Syn. **I.** Admonition, animadversion, avertissement, blâme, critique, leçon, mercuriale, morale, objurgation, remontrance, représentation, réprimande, réprobation, reproche, semonce, sermon.
Ant. **I.** Approbation, compliment, congratulation, éloge, félicitation, louange.

Admonester
Syn. **I.** Avertir, blâmer, catéchiser, chapitrer, disputer, gourmander, gronder, houspiller, moraliser, morigéner, remontrer, reprendre, réprimander, semoncer, sermonner, tancer.
Ant. **I.** Approuver, complimenter, congratuler, féliciter, louanger, louer.

Adolescence
Syn. **I.** Jeunesse. **III.** Fleur de l'âge, printemps de la vie.
Ant. **I.** Vieillesse. **III.** Automne de la vie.

Adolescent
Syn. **I.** Éphèbe, jeune homme, jouvenceau.
Ant. **I.** Barbon, patriarche, vieillard.

Adonner (S')
Syn. **I.** (S') appliquer, (se) consacrer, (se) donner, (se) livrer, (s') occuper, vaquer, (se) vouer.
Ant. **I.** Abandonner, (se) détourner de.

Adopter
Syn. **I.** *(Dr.)* Prendre légalement. **III.** Admettre, approuver, choisir, embrasser, préférer, prendre, sanctionner, suivre, voter.
Ant. **III.** Abandonner, désapprouver, éliminer, refuser, rejeter.

Adoption
Syn. **I.** Attachement, liaison. **III.** Admission, approbation, sanction, vote.
Ant. **III.** Désapprobation, exclusion, refus, rejet, renvoi.

Adorable
Syn. **I.** Aimable, charmant, délicieux, divin, exquis, gentil, gracieux, parfait, ravissant, sublime.
Ant. **I.** Abominable, déplaisant, désagréable, détestable, exécrable, haïssable, hideux, imparfait, insupportable, laid, odieux.

Adorateur
Syn. **II.** Admirateur, contemplateur, dévot, enthousiaste, fervent, fidèle.
Ant. **II.** Athée, contempteur, impie, infidèle.

Adoration
Syn. **I.** Dévotion, lâtrie. **II.** Admiration, amour, attachement, contemplation, culte, enthousiasme, religion, vénération.
Ant. **II.** Aversion, exécration, haine, impiété, mépris.

Adorer
Syn. **I.** Aimer, glorifier, servir (Dieu). **II.** Aimer (avec passion), apprécier, honorer,

idolâtrer, révérer, vénérer.
Ant. **I.** Blasphémer, maudire. **II.** Abhorrer, détester, exécrer, haïr, mépriser.

Adosser
Syn. **I.** Accoter, appuyer, arc-bouter, placer contre, soutenir.

Adoucir
Syn. **I.** Affaiblir, atténuer, édulcorer, lénifier, sucrer. — Polir. **III.** Alléger, amadouer, apaiser, calmer, consoler, corriger, emmieller, mitiger, modérer, réduire, soulager, tempérer, voiler.
Ant. **I.** Aigrir, épicer, saler. **III.** Accentuer, aggraver, empirer, envenimer, exciter, irriter.

Adoucissement
Syn. **I.** Radoucissement. **III.** Allégement, atténuation, mitigation, modération, réduction, soulagement.
Ant. **III.** Aggravation, excitation, irritation.

Adresse
Syn. **I.** Destination, suscription. — Communication, discours. — Dextérité, escamotage, habileté, jonglerie, prestidigitation. **II.** Art, diplomatie, doigté, entregent, finesse, industrie, ingéniosité, intelligence, ruse, savoir-faire, subtilité.
Ant. **II.** Balourdise, gaucherie, inexpérience, inhabileté, maladresse.

Adresser
Syn. **I.** Dédier, diriger, donner, envoyer, expédier, offrir, présenter.

Adroit
Syn. **I.** *(Corps)* Agile, exercé, leste, preste, rompu, souple. **II.** *(Esprit)* Capable, dégourdi, délié, entendu, expérimenté, expert, fin, habile, industrieux, ingénieux, intelligent, rusé.
Ant. **II.** Balourd, engourdi, gauche, inapte, inepte, inexpérimenté, inhabile, lourd, maladroit.

Adulateur
Syn. **I.** Cajoleur, complimenteur, doucereux, encenseur, enjôleur, flagorneur, flatteur, louangeur, mielleux, obséquieux, patelin.
Ant. **I.** Arrogant, bourru, censeur, critiqueur, droit, franc, frondeur, sincère, tranchant.

Adulation
Syn. **I.** Flagornerie, flatterie, hypocrisie, obséquiosité, servilité.
Ant. **I.** Blâme, critique, intransigeance, loyauté, sincérité.

Aduler
Syn. **I.** Encenser, flagorner, flatter. — Choyer, fêter.
Ant. **I.** Critiquer, honnir.

Adultère
Syn. **I.** Infidélité, trahison.
Ant. **I.** Chasteté, fidélité.

Advenir
Syn. **I.** Apparaître, arriver, échoir, (se) manifester, résulter, surgir, survenir.

Adversaire
Syn. **I.** Antagoniste, compétiteur, concurrent, contradicteur, ennemi, opposant, rival.
Ant. **I.** Aide, allié, ami, auxiliaire, défenseur, partenaire, partisan, protecteur.

Adversité
Syn. **I.** Détresse, déveine, disgrâce, épreuve, fatalité, guigne, infortune, malchance, malheur, misère, revers, tribulations.
Ant. **I.** Bien-être, bonheur, chance, prospérité, réussite, succès, veine.

Aérer
Syn. **I.** Ventiler. **II.** Alléger, éclaircir. **III.** Assainir, purifier.
Ant. **I.** Tenir fermé. **II.** Alourdir. **III.** Vicier.

Affabilité
Syn. **I.** Amabilité, aménité, bienveillance,

civilité, courtoisie, (bonne) grâce, politesse, urbanité.
Ant. **I.** Aigreur, brusquerie, goujaterie, hauteur, impolitesse, incivilité, rudesse.

Affable
Syn. **I.** Abordable, accueillant, aimable, amène, bienveillant, charmant, civil, courtois, distingué, engageant, gentil, gracieux, liant, poli, sociable.
Ant. **I.** Brusque, désagréable, détestable, dur, froid, grossier, impoli, incivil, revêche.

Affadir
Syn. **I.** Edulcorer, rendre insipide.
Ant. **I.** Pimenter, relever.

Affadissant
Syn. **III.** Ennuyeux, fastidieux, insipide.
Ant. **III.** Exaltant, excitant, savoureux.

Affaiblir
Syn. **I.** Abattre, alanguir, altérer, amollir, anémier, appauvrir, aveulir, baisser, débiliter, décliner, dépérir, déprimer, diminuer, ébranler, énerver, épuiser, exténuer, miner, réduire. **II.** *(Art)* Adoucir, atténuer, édulcorer, infirmer.
Ant. **I.** Accroître, affermir, augmenter, consolider, fortifier, remonter, renforcer, stimuler, vivifier. **II.** Exagérer, grossir.

Affaiblissant
Syn. **I.** Amollissant, anémiant, appauvrissant, débilitant, déprimant, énervant, épuisant, étiolant, exténuant.
Ant. **I.** Fortifiant, réconfortant, stimulant, vivifiant.

Affaiblissement
Syn. **I.** Abattement, alanguissement, altération, amollissement, anémie, appauvrissement, atrophie, baisse, décadence, déclin, déperdition, dépérissement, diminution, épuisement, étiolement, exténuation, faiblesse, fatigue, langueur.
Ant. **I.** Accroissement, augmentation, épanouissement, regain, renforcement.

Affaire (s)
Syn. **I.** Aventure, cas, difficulté, ennui, événement, histoire, question, scandale. — Compte. — Débat, dispute, procès, querelle. — Combat, conflit. — *(Pl.)* Activités, besogne, commerce, entreprise, finance, marché, occupation, situation, transaction. — Effets (personnels), garderobe, vêtements.

Affairé
Syn. **I.** Accablé, accaparé, actif, agissant, occupé, pris, surchargé.
Ant. **I.** Désœuvré, inoccupé, oisif.

Affaissement
Syn. **I.** Chute, dépression, éboulement, écroulement, effondrement, glissement, tassement. **III.** Abattement, accablement, affaiblissement, alanguissement, dépression, diminution, prostration.
Ant. **I.** Élévation, soulèvement. **III.** Allant, énergie, entrain, force, regain, relèvement, réveil.

Affaisser (S')
Syn. **I.** (S') abattre, (s') affaler, (s') avachir, céder, choir, (se) courber, crouler, (s') ébouler, (s') écrouler, (s') enfoncer, fléchir, plier, ployer, rompre, tomber. **III.** (S') affaiblir, décliner, succomber.
Ant. **I.** (Se) redresser. **III.** (Se) relever, résister, tenir bon.

Affaler (S')
Syn. **I.** (S') affaisser, (s') écrouler, (s') effondrer, glisser, (se) laisser tomber.
Ant. **I.** (S') élever, (se) redresser, (se) relever.

Affamé
Syn. **I.** Crève-la-faim, famélique, meurt-de-faim, miséreux, vorace. **III.** Altéré, avide, insatiable.
Ant. **I.** Assouvi, gavé, rassasié, repu. **III.** Satisfait.

Affectation
Syn. **I.** Adjonction, application, assignation, attribution, destination, emploi, im-

17

putation, usage, utilité. — Afféterie, apprêt, comédie, emphase, étalage, exagération, fausseté, faux semblant, hypocrisie, imitation, mièvrerie, mignardise, minauderie, ostentation, pose, préciosité, prétention, recherche, simulation.
Ant. **I.** Désaffectation. — Candeur, franchise, naturel, simplicité, sincérité, vérité.

Affecté
Syn. **I.** Apprêté, cérémonieux, compassé, composé, contourné, contraint, empesé, étudié, exagéré, façonnier, feint, forcé, gourmé, hypocrite, maniéré, mièvre, mignard, minaudier, poseur, prétentieux, raide, recherché.
Ant. **I.** Candide, droit, franc, humble, ingénu, modeste, naturel, simple, sincère, vrai.

Affecter
Syn. **I.** Appliquer, assigner, attribuer, consacrer, désigner, destiner, imputer, nommer. — Afficher, étaler, exagérer, faire semblant, feindre, simuler. — Affliger, attrister, émouvoir, frapper, peiner, toucher.
Ant. **I.** Désaffecter. — Cacher. — Consoler, fortifier.

Affection
Syn. **I.** Amitié, amour, attachement, attrait, béguin, dilection, estime, inclination, passion, tendresse. — *(Méd.)* Mal, maladie.
Ant. **I.** Antipathie, aversion, désaffection, froideur, hostilité, indifférence, inimitié.

Affectionner
Syn. **I.** Aimer, (être) attaché à, chérir.
Ant. **I.** (Se) détacher, détester.

Affectueux
Syn. **I.** Aimant, bon, câlin, caressant, tendre.
Ant. **I.** Dur, froid, malveillant.

Affermir
Syn. **III.** Assurer, consolider, fortifier,
raffermir, renforcer.
Ant. **III.** Affaiblir, amollir, ébranler.

Affermissement
Syn. **III.** Consolidation.
Ant. **III.** Affaiblissement.

Afféterie
Syn. **I.** Affectation, mièvrerie, minauderie, préciosité.
Ant. **I.** Naturel, simplicité, vérité.

Affiche
Syn. **I.** Annonce, avis, écriteau, enseigne, pancarte, panneau-réclame, placard, proclamation, publicité, réclame.

Afficher
Syn. **I.** Annoncer, placarder. **III.** Affecter, arborer, déployer, (faire) étalage de, étaler, exhiber, exposer, montrer, (faire) parade de, révéler.
Ant. **III.** Cacher, celer, dissimuler, masquer, taire, voiler.

Affidé
Syn. **I.** Acolyte, agent secret, compère, complice, espion, partisan.

Affiler
Syn. **I.** Affûter, aiguiser, émoudre, repasser.
Ant. **I.** Ebrécher, émousser.

Affiliation
Syn. **I.** Adhésion, admission, entrée, initiation, inscription, rattachement.
Ant. **I.** Démission, expulsion.

Affilié
Syn. **I.** Adhérent.

Affinage
Syn. **I.** Épuration, purification, raffinage.

Affiner (et S')
Syn. (V. tr.) **I.** Épurer, purifier, raffiner. **III.** Améliorer, perfectionner, polir. *(V. pr.)* **III.** (Se) civiliser, (se) dégrossir, devenir plus fin.
Ant. **I.** Alourdir, épaissir.

Affinité
Syn. **I.** Alliance, parenté. — Accord, analogie, conformité, connexion, convenance, corrélation, correspondance, harmonie, liaison, lien, rapport, ressemblance, similitude, sympathie. — Cohésion *(chimie).*
Ant. **I.** Antipathie, désaccord, différence, dissemblance, opposition.

Affirmation
Syn. **I.** Affirmative, allégation, assertion, assurance, attestation, confirmation, déclaration, dire, proposition, renforcement. — Expression, manifestation.
Ant. **I.** Dénégation, doute, question. — Démenti, négation.

Affirmer
Syn. **I.** Alléguer, assurer, attester, avancer, certifier, confirmer, déclarer, dire, exprimer, garantir, jurer, maintenir, manifester, montrer, prétendre, proclamer, protester, prouver, soutenir.
Ant. **I.** Cacher, contester, contredire, démentir, dénier, désavouer, infirmer, nier, rétracter.

Affliction
Syn. **I.** Amertume, chagrin, déchirement, désespoir, désolation, détresse, deuil, douleur, mal, peine, souffrance, tourment, tribulation, tristesse.
Ant. **I.** Allégresse, bonheur, consolation, gaieté, joie, ravissement.

Affliger
Syn. **I.** Affecter, atterrer, attrister, consterner, contrarier, contrister, désespérer, désoler, mécontenter, navrer, peiner, tourmenter.
Ant. **I.** Consoler, égayer, rasséréner, ravir, réconforter, réjouir, soulager.

Affluence
Syn. **I.** Afflux, arrivée, attroupement, cohue, concours, foule, fourmilière, masse, multitude, presse, rassemblement, régiment. **III.** Abondance, débordement.

Ant. **I.** Manque, poignée, rareté. **III.** Insuffisance, pénurie.

Affluer
Syn. **I.** Accourir, arriver. **III.** Abonder.
Ant. **I.** (S') arrêter, fuir. **III.** Manquer.

Affolement
Syn. **I.** Agitation, bouleversement, désarroi, émoi, épouvante, frayeur, inquiétude, panique, peur, terreur, trouble.
Ant. **I.** Calme, flegme, impassibilité, placidité, sang-froid.

Affoler
Syn. **I.** Bouleverser, effrayer, épouvanter, terrifier, troubler.
Ant. **I.** Calmer, rassurer.

Affranchir
Syn. **I.** Décharger, dégager, dégrever, délivrer, dispenser, émanciper, exempter, exonérer, libérer. — Timbrer (une lettre).
Ant. **I.** Asservir, assujettir, imposer, soumettre, subjuguer.

Affreux
Syn. **I.** Abominable, atroce, dégoûtant, détestable, difforme, effrayant, effroyable, épouvantable, hideux, horrible, laid, méchant, monstrueux, repoussant, répugnant, terrible, vilain.
Ant. **I.** Agréable, attirant, beau, bon, charmant, gracieux, joli, majestueux, plaisant, splendide, superbe.

Affriolant
Syn. **III.** Aguichant, aimable, alléchant, appétissant, attirant, désirable, engageant, plaisant, séduisant.
Ant. **III.** Choquant, dégoûtant, déplaisant, laid, rebutant, repoussant.

Affront
Syn. **I.** Avanie, blessure, brimade, camouflet, humiliation, impertinence, injure, insolence, insulte, nasarde, offense, outrage, vexation.
Ant. **I.** Civilité, compliment, éloge, hommage, louange.

Affronter
Syn. **I.** Braver, courir, défier, (se) dresser, (s') exposer, (faire) face à, (s') opposer, rencontrer.
Ant. **I.** Éluder, éviter, fuir.

Affublé
Syn. **I.** Accoutré, attifé, fagoté, nippé.

Affûter V. *Aiguiser*

Agaçant
Syn. **I.** Contrariant, crispant, désagréable, énervant, exaspérant, horripilant, impatientant, insupportable, irritant, obsédant.
Ant. **I.** Agréable, calmant, plaisant.

Agacement
Syn. **I.** Énervement, exaspération, impatience, irritation.
Ant. **I.** Calme, détente, repos.

Agacer
Syn. **I.** Crisper, énerver, irriter. **II.** Affrioler, aguicher *(fam.)*, provoquer. **III.** Asticoter *(fam.)*, contrarier, embêter *(fam.)*, exaspérer, exciter, impatienter, taquiner.
Ant. **I.** Adoucir, apaiser, calmer. **II.** Dégoûter, repousser. **III.** Délasser, distraire, reposer, tranquilliser.

Âge
Syn. **I.** Époque, ère, génération, maturité, temps, vie, vieillesse.

Âgé
Syn. **I.** À l'âge de, vieilli, vieux. — Aîné, cadet.
Ant. **I.** Jeune.

Agencer
Syn. **I.** Accommoder, ajuster, aménager, arranger, calculer, combiner, composer. disposer, équilibrer, harmoniser, ordonner, organiser, régler.
Ant. **I.** Défaire, dégarnir, dérégler, déséquilibrer, désorganiser, embrouiller, mêler.

Agenouiller (S')
Syn. **I.** (S') incliner, (se) mettre à genoux, (se) prosterner. **III.** (S') humilier, (se) soumettre.
Ant. **I.** (Se) relever. **III.** Affronter, (se) dresser contre, (s') élever contre, (se) révolter, tenir tête.

Agent
Syn. **I.** Commis, courtier, délégué, émissaire, employé, fonctionnaire, gérant, intermédiaire, mandataire, policier, préposé, représentant. — Cause, facteur, instrument, principe.

Agglomération
Syn. **I.** Accumulation, amas, amoncellement, éboulis, entassement, groupement, réunion.
Ant. **I.** Désagrégation, dispersion, dissémination, éparpillement, séparation.

Agglomérer
Syn. **I.** Accumuler, agglutiner, agréger, amasser, amonceler, assembler, associer, entasser, grouper, joindre, mêler.
Ant. **I.** Désagréger, désunir, disjoindre, disperser, disséminer, diviser, éparpiller, séparer.

Aggravation
Svn. **I.** Accroissement, augmentation. — Complication, exaspération, recrudescence, redoublement.
Ant. **I.** Adoucissement, amélioration, atténuation, diminution, réduction.

Aggraver
Syn. **I.** Accroître, aigrir, alourdir, augmenter, empirer, envenimer, exaspérer, irriter, redoubler, renforcer.
Ant. **I.** Adoucir, alléger, améliorer, atténuer, calmer, diminuer.

Agile
Syn. **I.** Alerte, allègre, dispos, ingambe, léger, leste, preste, prompt, rapide. **III.** Adroit, souple, vif.
Ant. **I.** et **III.** Engourdi, gauche, lambin, lent, lourd, pesant.

Agiotage
Syn. **I.** Boursicotage, fricotage, spéculation, trafic, tripotage.

Agir
Syn. **I.** *(Dr.)* Actionner, ester, intenter, poursuivre. — Entreprendre, faire, fonctionner, procéder, travailler. — Animer, (se) comporter, (s') employer, intervenir, mener, (en) user. — Influer, opérer.
Ant. **I.** Atermoyer, différer, éluder, fuir, omettre, paresser, traîner.

Agissant
Syn. **I.** Actif, effectif, efficace, influent, opérant, vivant.
Ant. **I.** Inactif, inefficace, inopérant, vain.

Agissements
Syn. **I.** Combines *(pop.)*, conduite, intrigues, machinations, manèges, manigances, manœuvres, menées, pratiques, roueries, tractations, tripotages.

Agitateur
Syn. **I.** Factieux, fauteur, fomentateur, instigateur, insurgé, meneur, mutin, provocateur, rebelle, révolté, révolutionnaire, séditieux, trublion.
Ant. **I.** Homme calme, discipliné, fidèle, obéissant, pacificateur, soumis.

Agitation
Syn. **I.** Animation, grouillement, mouvement, remue-ménage, trouble, turbulence. **III.** Bouleversement, émotion, excitation, nervosité. — Effervescence, fermentation, perturbation, remous, soulèvement.
Ant. **I.** et **III.** Calme, ordre, paix, repos.

Agiter
Syn. **I.** Ballotter, brandir, ébranler, remuer, secouer. **III.** Bouleverser, émouvoir, exciter, inquiéter, préoccuper, tourmenter, transporter. — Débattre, discuter, soulever, traiter.
Ant. **I.** Immobiliser. **III.** Calmer, rassurer. — Céder.

Agonie
Syn. **I.** Dernière heure, derniers moments, extrémité, fin. **III.** Chute, déclin.
Ant. **I.** et **III.** Naissance, renaissance, résurrection.

Agrafer
Syn. **I.** Attacher. — Accrocher. — *(Pop.)* Arrêter, attraper, prendre.
Ant. **I.** Dégrafer, détacher. — Libérer.

Agréable
Syn. **I.** *(Ch.)* Attirant, attrayant, délectable, délicat, délicieux, doux, enchanteur, exquis, savoureux, séduisant, suave, subtil, succulent. *(Pers.)* Affable, aimable, avenant, beau, charmant, gentil, gracieux, joli, sympathique.
Ant. **I.** *(Ch.)* Âcre, aigre, blessant, contrariant, déplaisant, désagréable, détestable, ennuyeux, fâcheux, incommodant, insipide, pénible, repoussant. *(Pers.)* Antipathique, bourru, désobligeant, détestable, disgracieux, hargneux, impoli, importun, odieux.

Agréer
Syn. **I.** *(V. tr.)* Accepter, accueillir, admettre, approuver, incorporer, recevoir. — *(V. intr.)* Convenir, plaire.
Ant. **I.** Décliner, désapprouver, récuser, refuser, rejeter. — Déplaire.

Agréger
Syn. **I.** Joindre, réunir, unir. **III.** Adjoindre, admettre, affilier, associer, incorporer.
Ant. **I.** Désagréger, désunir. **III.** Détacher, dissocier, renvoyer.

Agrément
Syn. **I.** Accord, acquiescement, adhésion, approbation, autorisation, consentement, ratification. **II.** Attrait, charme, grâce, plaisir, séduction.
Ant. **I.** Désapprobation, opposition, refus. **II.** Défaut, déplaisir, désagrément, laideur.

Agrémenter
Syn. **I.** Broder, décorer, émailler, embellir, enjoliver, enrichir, garnir, ornementer, orner, parer, relever.
Ant. **I.** Dégarnir, déparer, enlaidir.

Agrès
Syn. **I.** Apparaux, équipement, gréement.

Agressif
Syn. **I.** Acerbe, batailleur, combatif, menaçant, provocant, pugnace, querelleur, violent.
Ant. **I.** Doux, inoffensif, pacifique.

Agression
Syn. **I.** Assaut, attaque, offensive.
Ant. **I.** Défense, défensive, protection, résistance, riposte.

Agriculteur
Syn. **I.** Cultivateur, fermier, laboureur, maraîcher, paysan, terrien.
Ant. **I.** Citadin.

Aguerri
Syn. **I.** Accoutumé, entraîné, éprouvé, fort, habitué, préparé. **III.** Affermi, cuirassé, endurci, rompu.
Ant. **I.** Affaibli, amolli, faible, inexpérimenté, nouveau, novice.

Aguichant
Syn. **I.** Affolant, excitant, provocant.
Ant. **I.** Apaisant, froid, réservé.

Ahuri
Syn. **I.** Abasourdi, abruti, déconcerté, ébahi, éberlué, estomaqué, étonné, étourdi, interdit, interloqué, médusé, pétrifié, sidéré, stupéfait, stupéfié, surpris, troublé.
Ant. **I.** Calme, froid, rasséréné, rassuré, réjoui, serein.

Aide
Syn. **I.** *(N.f.)* Appui, assistance, collaboration, concours, coopération, main-forte, protection, réconfort, renfort, rescousse, secours, soutien, subside. — *(N.m.)*

Adjoint, assistant, auxiliaire, collaborateur, coopérateur, second.
Ant. **I.** *(N.f.)* Empêchement, entrave, gêne, nuisance, obstacle. *(N.m.)* Adversaire, ennemi. — Principal.

Aider
Syn. **I.** Appuyer, assister, collaborer, concourir, contribuer, coopérer, épauler, faciliter, favoriser, participer, patronner, protéger, seconder, secourir, servir, soulager, soutenir, subventionner.
Ant. **I.** Abandonner, contrarier, desservir, gêner, nuire.

Aïeul
Syn. **I.** Ancêtre, ascendant, grand-père, patriarche.
Ant. **I.** Descendant, petit-fils.

Aigre
Syn. **I.** Acide, acidulé, âcre, aigrelet, amer, âpre, secret, sur, tourné, vert. — Aigu, criard, déplaisant, perçant. **III.** Cuisant, désagréable, froid. — *(Pers.)* Acerbe, acrimonieux, agressif, blessant, malveillant, mordant, piquant, rébarbatif, revêche.
Ant. **I.** Doux, suave, sucré. — Agréable. **III.** *(Pers.)* Aimable, attirant, bienveillant, bon, charmant, compatissant, conciliant, engageant, tendre.

Aigreur
Syn. **I.** Acidité. **III.** Âcreté, acrimonie, amertume, animosité, âpreté, causticité, colère, fiel, mordant, rancune, ressentiment.
Ant. **I.** Douceur. **III.** Aménité, bienveillance, bonté, paix, sérénité, tendresse.

Aigrir
Syn. **I.** Altérer, corrompre, (faire) tourner. **III.** Exaspérer, excéder, indisposer, irriter.
Ant. **III.** Adoucir, consoler.

Aigu
Syn. **I.** Acéré, effilé, piquant, pointu. **III.** Aigre, criard, perçant, strident, suraigu.

— Cuisant, mordant, vif, violent. — Incisif, pénétrant, subtil.
Ant. **I.** Émoussé. **III.** Étouffé, grave, sourd, voilé. — Chronique. — Épais, obtus.

Aiguillonner
Syn. **I.** Piquer. **III.** Animer, encourager, enhardir, éperonner, exciter, exhorter, inciter, inviter à, porter à, pousser à, presser, provoquer, stimuler.
Ant. **III.** Arrêter, calmer, modérer, refréner, retenir.

Aiguiser
Syn. **I.** Affiler, affûter, appointer, émoudre, repasser. **III.** Affiner, aviver, exciter, polir, stimuler.
Ant. **I.** Émousser. **III.** Alourdir.

Aile
Syn. **I.** Aileron, élytre. **II.** Flanc, gardeboue. **III.** Protection, surveillance.

Aimable
Syn. **I.** Accort, affable, amène, attentionné, avenant, complaisant, courtois, engageant, gentil, gracieux, obligeant, poli, prévenant, sociable, sympathique.
Ant. **I.** Antipathique, bourru, désagréable, désobligeant, haïssable, hargneux, impoli, insociable, insupportable, rébarbatif.

Aimant
Syn. **I.** Affectueux, sensible, tendre.
Ant. **I.** Dur, froid, insensible.

Aimer
Syn. **I.** *(Pers.)* Adorer, affectionner, chérir, (s') énamourer, (s') engouer, (s') éprendre, estimer, idolâtrer, raffoler, vénérer. — *(Ch.)* Apprécier, goûter, (s') intéresser à, (se) plaire à.
Ant. **I.** Abhorrer, (se) détacher, détester, exécrer, haïr.

Air
Syn. **I.** Ambiance, atmosphère, ciel, climat, espace, éther, vent. — Allure, appa-

rence, aspect, attitude, contenance, dehors, expression, extérieur, façon, figure, maintien, manière, mine, physionomie, visage. — Aria, chanson, chant, mélodie.

Aisance
Syn. **I.** Assurance, facilité, grâce, liberté, naturel. — Abondance, fortune, prospérité, richesse.
Ant. **I.** Difficulté, embarras. — Gêne, indigence.

Aise
Syn. (Adj.) **I.** Content, heureux. *(N.)* **I.** Aisance, bien-être, commodités, confort. **II.** Contentement, euphorie, plaisir, satisfaction.
Ant. (Adj.) **I.** Mécontent, morose. *(N.)* **I.** Gêne, malaise, pauvreté, privation. **II.** Angoisse, chagrin, déplaisir.

Aisé
Syn. **I.** Éxécutable, facile, faisable. — Commode, praticable. — Fortuné, riche. **III.** Coulant *(style)*, naturel, simple.
Ant. **I.** Difficile, laborieux, malaisé, pénible. — Impraticable, incommode. — Pauvre. **III.** Compliqué, embarrassé, gêné.

Ajournement
Syn. **I.** Atermoiement, délai, prolongation, prorogation, remise, renvoi, retard, sursis.
Ant. **I.** Anticipation, exécution.

Ajourner
Syn. **I.** Atermoyer, différer, lanterner, proroger, reculer, remettre, renvoyer, reporter, retarder, surseoir, temporiser. — Coller, recaler, refuser.
Ant. **I.** Anticiper, exécuter. — Admettre, recevoir.

Ajouter
Syn. **I.** Accroître, additionner, adjoindre, augmenter, compléter, insérer, intercaler, introduire, joindre, rajouter, surajouter.
Ant. **I.** Déduire, enlever, ôter, retrancher, soustraire.

Ajustement
Syn. **I.** Adaptation, agencement, arrangement, assemblage, raccord, réglage. **II.** Habillement, mise, tenue, toilette.
Ant. **I.** Dérangement.

Ajuster
Syn. **I.** Adapter, aléser, disposer, monter, ordonner, régler. — Viser. — Parer. **III.** Accorder, concilier.
Ant. **I.** Déranger, dérégler.

Alarmant
Syn. **I.** Angoissant, critique, dangereux, inquiétant.
Ant. **I.** Rassurant.

Alarme
Syn. **I.** Alerte, appel. **II.** Crainte, effroi, émoi, inquiétude, peur, souci, trouble.
Ant. **II.** Paix, tranquillité.

Alarmer
Syn. **I.** Affoler, apeurer, effrayer, émouvoir, épouvanter, inquiéter, intriguer.
Ant. **I.** Rassurer, tranquilliser.

Alarmiste
Syn. **I.** Défaitiste, paniquard, pessimiste.
Ant. **I.** Optimiste.

Aléatoire
Syn. **I.** Douteux, hasardeux, incertain, problématique.
Ant. **I.** Assuré, certain, sûr.

Alentour(s)
Syn. **I.** *(Adv.)* Autour, à proximité. *(N.pl.)* Abords, environs, parages, voisinage.
Ant. **I.** Au loin. — Éloignement.

Alerte
Syn. *(Adj.)* **I.** Vigilant. **II.** Agile, éveillé, fringant, leste, preste, rapide, vif. *(N.)* **I.** Alarme. **II.** Crainte, danger, frayeur, menace.
Ant. *(Adj.)* **I.** Distrait, inattentif. **II.** Ankylosé, endormi, engourdi, inerte, lent, lourd, pesant. *(N.)* **II.** Courage, sécurité.

Algarade
Syn. **I.** Accrochage, apostrophe, dispute, emportement, engueulade, incartade, insulte, interpellation, invective, querelle, scène, sortie.
Ant. **I.** Accord, entente, louanges.

Aliéner
Syn. **I.** *(Dr.)* Abandonner, adjuger, céder, (se) défaire, disposer de, donner, transférer, vendre. **II.** Détourner, écarter, éloigner, mécontenter, perdre.
Ant. **I.** Conserver, garder. **II.** Attirer, contenter, plaire.

Aliment (s)
Syn. **I.** Comestible, denrée, mangeaille, manger, mets, nourriture, pâture, pitance, provisions, ration, ravitaillement, subsistance, victuailles, vivres.

Alimenter
Syn. **I.** Entretenir, nourrir, soutenir, sustenter. **II.** Approvisionner, fournir, pourvoir, ravitailler.
Ant. **I.** Affamer, couper les vivres, priver, rationner, retrancher, supprimer.

Alléchant
Syn. **I.** Appétissant. **II.** V. *Allécher*

Allécher
Syn. **I.** Appâter. **II.** Affrioler, attirer, capter, captiver, séduire, tenter.
Ant. **II.** Dégoûter, écœurer, éloigner, repousser.

Alléger
Syn. **I.** Délester. **II.** Améliorer, amoindrir, apaiser, atténuer, calmer, débarrasser, décharger, dégrever, diminuer, soulager, tempérer.
Ant. **I.** Charger, lister. **II.** Accabler, aggraver, alourdir, appesantir, augmenter, empirer, grever, surcharger.

Allégorie
Syn. **I.** Apologue, comparaison, emblème, fable, figure, image, métaphore, symbole.
Ant. **I.** Réalisme, réalité.

Allégorique
Syn. **I.** Emblématique, figuratif, figuré, métaphorique, parabolique, symbolique.
Ant. **I.** Littéral, réaliste.

Allègre
Syn. **I.** Agile, alerte, dispos, gai, léger, preste, sémillant, vif.
Ant. **I.** Apathique, indolent, lent, lourd, mou, nonchalant, triste.

Allégresse
Syn. **I.** Enthousiasme, joie, jubilation, liesse, réjouissance.
Ant. **I.** Consternation, tristesse.

Alléguer
Syn. **I.** Avancer, citer, fournir, invoquer, prétendre, prétexter, (se) prévaloir de, produire.
Ant. **I.** Prouver, réfuter.

Aller (et **S'en**)
Syn. **I.** *(V. intr.)* (S') acheminer, avancer, cheminer, déambuler, (se) diriger, gagner, marcher, (se) mouvoir, (se) porter, (se) rendre, (se) transporter, voyager. — Conduire, mener. — Fonctionner. — *(V. pr.)* Décliner, déguerpir, disparaître, (s') éloigner, mourir, partir, quitter.
Ant. **I.** Revenir de, venir. — (S') arrêter.

Alliance
Syn. **I.** Accord, association, coalition, confédération, entente, liaison, ligue, pacte, traité, union. — Affinité, mariage, parenté. **II.** Anneau, bague, jonc.
Ant. **I.** Désaccord, désunion, divorce, rupture, séparation.

Allié
Syn. **I.** Ami, appui, associé, auxiliaire, coalisé, confédéré, fédéré, partenaire, satellite, second. — Parent, proche.
Ant. **I.** Ennemi, opposé.

Allier
Syn. **I.** Associer, coaliser, combiner, concilier, confédérer, fédérer, grouper, harmoniser, joindre, liguer, marier, mêler, unir.

Ant. **I.** Brouiller, désolidariser, désunir, diviser, opposer, séparer.

Allocation
Syn. **I.** Aide, attribution, distribution, dotation, gratification, indemnité, octroi, prestation, secours, subsides, subvention.

Allocution
Syn. **I.** Causerie, discours, entretien, laïus, propos, toast.

Allonger
Syn. **I.** Augmenter, déployer, développer, étendre, étirer, prolonger, rallonger. — Proroger.
Ant. **I.** Diminuer, écourter, raccourcir, réduire, retirer, rétrécir, restreindre.

Allouer
Syn. **I.** Accorder, attribuer, concéder, donner, gratifier, octroyer.
Ant. **I.** Priver, refuser, retirer.

Allumer
Syn. **I.** Éclairer, enflammer, incendier, mettre le feu. **III.** Attiser, exciter, fomenter, provoquer, susciter.
Ant. **I.** Eteindre. **III.** Calmer, pacifier.

Allure
Syn. **I.** Démarche, erre*(vx),* mouvement, pas, train, vitesse. **III.** Air, aspect, attitude, comportement, conduite, dégaine *(fam.),* façon, maintien. — Course, déroulement, marche, rythme, tournure.

Almanach
Syn. **I.** Agenda, calendrier, éphéméride. **II.** Annuaire.

Alors
Syn. **I.** En ce cas-là, en ce moment-là, en ce temps-là, lors.
Ant. **I.** Actuellement, aujourd'hui, de nos jours, maintenant.

Alourdir
Syn. **I.** Appesantir, charger, écraser, surcharger. **II.** Engraisser, épaissir. **III.** Accabler, grever.

Ant. **I.** Alléger, décharger, délester, diminuer, lester, soulager. **II.** (S') affiner, maigrir. **III.** Dégrever.

Altération
Syn. **I.** Changement, modification. — Corruption, déformation, dégradation, détérioration, falsification.
Ant. **I.** Conservation, fraîcheur, intégrité, permanence.

Altercation
Syn. **I.** Algarade, chamaillerie, chicane, contention, controverse, débat, démêlé, discussion, dispute, empoignade, engueulade, grabuge, noise, prise de bec, querelle, scène, sortie.
Ant. **I.** Bonne entente, concorde, harmonie, paix, unanimité.

Altérer
Syn. **I.** Assoiffer. **II.** Changer, modifier, transformer. — Abâtardir, avilir, corrompre, défigurer, déformer, dégrader, dénaturer, détourner, falsifier, fausser, frelater, truquer.
Ant. **I.** Abreuver, désaltérer. **II.** Embellir, enjoliver, épurer, purifier.

Alternance
Syn. **I.** Changement, succession, suite, superposition, transposition, variation. — Rotation.
Ant. **I.** Continuité.

Alterner
Syn. **I.** Changer, diversifier, (se) remplacer, renouveler, se succéder, varier.
Ant. **I.** Conserver, garder, tenir.

Altesse
Syn. **I.** Prince, princesse.

Altier
Syn. **I.** Arrogant, dédaigneux, élevé, fier, haut, hautain, impérieux, infatué, insolent, méprisant, orgueilleux, rogue.
Ant. **I.** Affable, débonnaire, humble, modeste, réservé, simple, timide.

Altitude
Syn. **I.** Élévation, hauteur.

Altruisme
Syn. **I.** Abnégation, bienveillance, bonté, désintéressement, humanité, oubli de soi, philanthropie, sympathie.
Ant. **I.** Antipathie, avarice, cupidité, dureté, égoïsme, indifférence, malveillance, misanthropie, rapacité.

Amabilité
Syn. **I.** Affabilité, aménité, bienveillance, complaisance, courtoisie, civilité, gentillesse, obligeance, politesse, urbanité.
Ant. **I.** Brutalité, froideur, grossièreté, indifférence, rudesse.

Amaigrissement
Syn. **I.** Atrophie, cachexie, consomption, dépérissement, dessèchement, émaciation, étiolement, marasme.
Ant. **I.** Alourdissement, engraissement, obésité.

Amalgame
Syn. **I.** Alliage. **II.** *(Fam.)* Assemblage, combinaison, fusion, mélange, réunion.
Ant. **I.** Désagrégation, division, séparation.

Amant
Syn. **I.** Admirateur, ami, amoureux, bien-aimé, céladon, chéri, galant, soupirant, tourtereau.
Ant. **I.** Ennemi, indifférent.

Amarre
Syn. **I.** Attache, câble, chaîne, cordage, corde.

Amas
Syn. **I.** Accumulation, amoncellement, bloc, fatras, masse, monceau, pile, tas. **II.** *(Pers.)* Affluence, attroupement, ramassis.
Ant. **I.** Désagrégation, dispersion, éparpillement.

Amasser
Syn. **I.** Accumuler, agglomérer, amonceler, assembler, capitaliser, collectionner, cumuler, économiser, emmagasiner, empiler, entasser, épargner, glaner, ramasser, réunir, thésauriser. **III.** Compiler, rassembler, recueillir.
Ant. **I.** Dilapider, disperser, dissiper, distribuer, épandre, éparpiller, gaspiller, partager, répandre.

Amateur
Syn. **I.** Adepte, admirateur, amant, ami, amoureux, collectionneur, connaisseur, curieux, dilettante.
Ant. **I.** Ignorant, indifférent, profane, professionnel.

Ambassade
Syn. **I.** Consulat, charge, diplomatie, mandat, mission, représentation.

Ambassadeur
Syn. **I.** Agent, chargé d'affaires, député, diplomate, émissaire, envoyé, légat, messager, plénipotentiaire, représentant.

Ambiance
Syn. **I et III.** Atmosphère, climat, décor, entourage, milieu.

Ambigu
Syn. **I.** Ambivalent, amphibologique, confus, double, douteux, énigmatique, équivoque, imprécis, incertain, indécis, louche, obscur, sibyllin.
Ant. **I.** Catégorique, certain, clair, évident, franc, limpide, net, précis.

Ambiguïté
Syn. **I.** Ambivalence *(phil.)*, amphibologie, double sens, énigme, équivoque, incertitude, obscurité.
Ant. **I.** Clarté, limpidité, netteté, précision.

Ambitieux
Syn. **I.** *(Pers.)* Arriviste, égoïste, intrigant, mégalomane, présomptueux, prétentieux. **III.** *(Style)* Affecté, pompeux, pompier *(fam.)*, recherché.

Ant. **I.** Désintéressé, humble, modeste. **III.** Naturel, simple.

Ambition
Syn. **I.** Appétit, aspiration, convoitise, cupidité, désir, espérance, espoir, mégalomanie, passion, prétention, recherche. **II.** But, dessein, idéal, rêve, souhait, visée, vue.
Ant. **I.** Désintéressement, humilité, indifférence, modestie, simplicité.

Ambitionner
Syn. **I.** Aspirer à, briguer, brûler de, convoiter, désirer, envier, poursuivre, prétendre à, rechercher, rêver, souhaiter.
Ant. **I.** Dédaigner, éviter, fuir, mépriser, négliger.

Ambulant
Syn. **I.** Errant, instable, itinérant, mobile, nomade.
Ant. **I.** Fixe, immobile, sédentaire, stable, stationnaire.

Âme(s)
Syn. **I.** Cœur, conscience, dedans, esprit, fond, force, intelligence, pensée, principe, souffle *(fig.)*, vie. — *(Pl.)* Habitants, individus. **II.** Agent, animateur, cerveau, chef, cheville ouvrière, dirigeant, entraîneur, moteur, responsable.
Ant. **I.** Corps, matière. **II.** Destructeur, subordonné, suiveur.

Amélioration(s)
Syn. **I.** Avancement, changement, correction, mieux, perfectionnement, progrès, redressement, regain, rénovation, révision, transformation. — *(Pl.)* Commodités, embellissement, impenses, réparations, restauration.
Ant. **I.** Aggravation, déclin, dégradation, détérioration, endommagement, enlaidissement.

Améliorer
Syn. **I.** Amender, bonifier, corriger, embellir, épurer, perfectionner, raffiner, re-

dresser, réformer, rénover, réparer, restaurer, retoucher, réviser.
Ant. **I.** Aggraver, altérer, avarier, dégrader, détériorer, empirer, endommager, enlaidir, gâter.

Aménager V. *Arranger*

Amende
Syn. **I.** Astreinte *(dr.)*, condamnation, contravention, peine, punition, sanction. **III.** Réparation.

Amendement
Syn. **I.** *(Agric.)* Amélioration, ameublissement. — *(Polit.)* Changement, correction, modification, réforme, révision.

Amender
Syn. **I.** Améliorer, changer, corriger. — *(Agric.)* Ameublir, fertiliser. — *(Polit.)* Modifier, réformer, réviser.
Ant. **I.** Corrompre, gâter, vicier. — Dessécher, épuiser.

Amener
Syn. **I.** Conduire, introduire, mener, ramener. — *(Ch.)* Acheminer, apporter, tirer, traîner. **III.** *(Pers.)* Attirer, déterminer à, engager, entraîner. — *(Ch.)* Causer, diriger, ménager, occasionner, porter, pousser, préparer, présenter, produire, provoquer, susciter.
Ant. **I.** Écarter, éloigner, emmener, empêcher, repousser.

Aménité V. *Amabilité*

Amer
Syn. **I.** Acide, âcre, aigre, âpre. **III.** Affligeant, cruel, désagréable, douloureux, pénible, sombre, triste. — *(Propos)* Acerbe, blessant, dur, fielleux, mordant, sarcastique.
Ant. **I.** Doux, exquis, suave, succulent, sucré. **III.** Agréable, gai, heureux, réjouissant. — Affectueux, aimable, amical, bienveillant.

Amertume
Syn. **I.** Âcreté, aigreur, âpreté. **III.** Afflic-

tion, chagrin, déception, douleur, peine, tristesse. — Acrimonie, animosité, fiel, ironie, méchanceté.
Ant. **I.** Douceur. **III.** Bonheur, joie, plaisir. — Amabilité, aménité, bienveillance, suavité.

Ameuter
Syn. **I.** Appeler, assembler, rameuter. **III.** Attrouper, déchaîner, exciter, monter, rassembler, soulever.
Ant. **III.** Apaiser, calmer, démobiliser, disperser, réprimer, retenir.

Ami
Syn. *(N.)* **I.** Camarade, compagnon, connaissance, copain *(fam.)*, familier, intime. **III.** Adepte, allié, partisan. *(Adj.)* **I.** Affectueux, amical, bienveillant, dévoué. **II.** Allié, assorti. Favorable, propice.
Ant. *(N.)* **I.** Adversaire, antagoniste, ennemi, rival. *(Adj.)* **I.** Antipathique, hostile, inamical, malveillant. **II.** Défavorable, importun, nuisible.

Amincir
Syn. **I.** Affiner, allégir, amaigrir, amenuiser, amoindrir, dégrossir, diminuer, réduire.
Ant. **I.** Élargir, épaissir, grossir.

Amitié
Syn. **I.** Affection, attachement, camaraderie, inclination, liaison, penchant, sympathie, tendresse. — Accord, cordialité, entente, (bonne) intelligence.
Ant. **I.** Antipathie, aversion, désaffection, haine, hostilité, indifférence, répulsion. — Désaccord, mésintelligence, refroidissement.

Amnistie
Syn. **I.** Abolition, acquittement, élargissement, grâce, oubli, pardon (général), remise de peine.
Ant. **I.** Condamnation, peine, punition, sentence.

Amoindrir
Syn. **I.** *(Dimension)* Abréger, condenser,

contracter, diminuer, entamer, mutiler, raccourcir, rapetisser, réduire, restreindre, rogner. — *(Force)* Affaiblir, amincir, atténuer, épuiser. **III.** *(Valeur.* **Pers.)** Abaisser, diminuer, rabaisser.
Ant. **I.** Accroître, agrandir, ajouter, allonger, augmenter, dilater, étendre, grossir. — Amplifier, décupler, développer. **III.** Exalter, relever.

Amonceler V. *Accumuler*

Amorce
Syn. **I.** Appât. **III.** Attraction, attrait, invite. — Commencement, ébauche.
Ant. **III.** Achèvement, conclusion.

Amorcer
Syn. **I.** Affriander, allécher, appâter. **III.** Aborder, amadouer, engager, séduire. — Commencer, débuter, ébaucher, entamer, préparer.
Ant. **I.** Désamorcer. **III.** Écarter, éloigner, repousser, retirer. — Achever, différer, éluder, interrompre.

Amortir
Syn. **I.** Affaiblir, assourdir, atténuer, étouffer, modérer, réduire. — *(Fin.)* Effacer, éteindre (une dette), rembourser, reconstituer (le capital). **III.** Adoucir, attiédir, calmer, émousser.
Ant. **I.** Amplifier, augmenter. — Devoir, perdre. **III.** Accentuer, attiser, aviver, envenimer, exciter, renforcer, stimuler.

Amour
Syn. **I.** Affection, attachement, inclination, tendresse. — *(Dieu)* Adoration, charité, culte, dévotion, dilection, ferveur, piété. — *(Humains)* Altruisme, dévouement, fraternité, philanthropie. — Ardeur, attraction, flamme, flirt, inclination, passion, penchant, sentiment, tendresse. — *(Ch.)* Admiration, engouement, estime, goût, intérêt, plaisir.
Ant. **I.** Antipathie, aversion, désaffection, exécration, froideur, haine, horreur, indifférence, inimitié, mépris, rancune, répulsion.

Amoureux
Syn. **I.** *(Pers.)* *(N.)* Amant, ami, bienaimé, galant, soupirant. — *(Adj.)* Affectueux, affolé, ardent, attaché, enflammé, entiché, épris, passionné, tendre. — *(Ch.)* Admirateur, amateur, avide, fanatique, féru, fervent, fou de.
Ant. **I.** *(Pers.)* Antipathique, ennemi, frigide, froid, haineux, indifférent. — *(Ch.)* Détaché.

Amour-propre
Syn. **I.** Dignité, émulation, fierté, respect (de soi). — *(Péj.)* Égoïsme, susceptibilité.
Ant. **I.** Altruisme, humilité, modestie, simplicité.

Amphibologique
Syn. **I.** À double sens, ambigu, embrouillé, équivoque, inintelligible, obscur.
Ant. **I.** Clair, évident, intelligible, juste, limpide, net, précis.

Ample
Syn. **I.** Développé, étendu, grand, immense, large, sonore, spacieux, vaste. **III.** Abondant, considérable, copieux, étendu.
Ant. **I.** Ajusté, confiné, étroit, exigu, limité, petit, resserré, restreint. **III.** Étriqué, modeste.

Amplement
Syn. **I.** Abondamment, à foison, beaucoup, considérablement, copieusement, en abondance, grandement, largement, spacieusement.
Ant. **I.** Étroitement, insuffisamment, mincement, parcimonieusement, petitement, peu, sobrement.

Amplification
Syn. **I.** Accroissement, agrandissement, augmentation, crescendo, développement, dilatation, disproportion, exagération, extension, grossissement, outrance.
Ant. **I.** Abréviation, décroissement, diminution, exactitude, resserrement, sobriété.

Amplifier
Syn. **I.** Accroître, agrandir, augmenter, développer, dilater, embellir, étendre, exagérer, grossir, paraphraser, renchérir.
Ant. **I.** Abréger, amoindrir, décroître, diminuer, rapetisser, réduire, simplifier.

Ampoulé
Syn. **I.** Affecté, boursouflé, déclamatoire, emphatique, empesé, enflé, exagéré, grandiloquent, guindé, pindarique, pompeux, prétentieux, redondant, ronflant, solennel, sonore.
Ant. **I.** Aisé, familier, humble, mesuré, modeste, naturel, négligé, net, simple.

Amulette
Syn. **I.** Fétiche, gri-gri, mascotte, porte-bonheur, talisman.

Amusant
Syn. **I.** Comique, distrayant, divertissant, drôle, gai, plaisant, réjouissant, spirituel.
Ant. **I.** Assommant, ennuyeux, fastidieux, triste.

Amusement
Syn. **I.** Agrément, délassement, distraction, diversion, divertissement, ébat, ébattement, jeu, passe-temps, plaisir, récréation.
Ant. **I.** Désagrément, difficulté, embêtement, ennui, peine.

Amuser
Syn. **I.** Délasser, dérider, distraire, divertir, ébaudir, égayer, récréer, régaler, réjouir. — *(Péj.)* Abuser, duper, leurrer, tromper.
Ant. **I.** Attrister, chagriner, contrarier, embêter, ennuyer, fatiguer, importuner.

Anachorète
Syn. **I.** Ascète, cénobite, ermite, reclus, sauvage, solitaire.
Ant. **I.** Épicurien, libertin, viveur.

Anachronisme
Syn. **I.** Erreur, métachronisme, parachronisme, prochronisme.

Ant. **I.** Authenticité, certitude, exactitude, vérité.

Analogie
Syn. **I.** Affinité, conformité, correspondance, parenté, rapport, rapprochement, ressemblance, similitude.
Ant. **I.** Contraste, différence, disparité, dissemblance, opposition, paradoxe.

Analogue
Syn. **I.** Analogique, comparable, correspondant, équivalent, identique, ressemblant, semblable, voisin.
Ant. **I.** Autre, contraire, différent, disparate, dissemblable, hétérogène, opposé, paradoxal.

Analyse
Syn. **I.** Décomposition, dissection, étude, observation. **II.** Abrégé, compte rendu, sommaire.
Ant. **I.** Rassemblement, réunion, synthèse.

Analyser
Syn. **I.** Décomposer, disséquer, étudier, examiner, préciser. **II.** Rendre compte, résumer.
Ant. **I.** Rassembler, reconstituer, réunir, synthétiser.

Anarchie
Syn. **I.** Chaos, confusion, désordre, trouble.
Ant. **I.** Concorde, despotisme, discipline, entente, harmonie, ordre, paix, soumission.

Anathème
Syn. **I.** Excommunication. **III.** Blâme, condamnation, exécration, interdit, malédiction, réprobation.
Ant. **III.** Admiration, affection, approbation, bénédiction, louange, réhabilitation.

Ancêtre
Syn. **I.** Aïeul, aîné, ascendant, grand-père, père. **III.** Devancier, prédécesseur.
Ant. **I.** Descendant, enfant, postérité. **III.** Contemporain, successeur.

Ancien
Syn. **I.** Âgé, antédiluvien, antique, archaïque, désuet, primitif, réchauffé, suranné, vétuste, vieux.
Ant. **I.** Actuel, à la page, frais, jeune, moderne, neuf, nouveau, récent, vert.

Anciennement
Syn. **I.** Antan, autrefois, jadis, naguère.
Ant. **I.** Actuellement, à l'avenir, aujourd'hui, de nos jours, désormais, dorénavant, maintenant, récemment.

Ancrer
Syn. **I.** Affourcher, amarrer, attacher, mouiller, stopper. **III.** Consolider, enraciner, fixer, implanter, imprégner, inculquer.
Ant. **I.** Démarrer, désancrer, détacher. **III.** Affaiblir, extirper, rouler.

Âne
Syn. **I.** Aliboron, baudet, bourricot, bourrique, grison, onagre, roussin d'Arcadie. **III.** Balourd, benêt, bête, idiot, ignorant, imbécile, paresseux, sot.
Ant. **III.** Débrouillard, ingénieux, intelligent, savant, travailleur.

Anéantir
Syn. **I.** Annihiler, exterminer, ruiner. **II.** Abattre, abolir, annuler, consumer, démolir, détruire, dévaster, écraser, effacer, engloutir, éteindre, pulvériser, radier, raser, supprimer. **III.** Accabler, briser, consterner, épuiser, excéder, exténuer, fatiguer, stupéfier.
Ant. **I** et **II.** Affermir, conserver, consolider, construire, créer, édifier, ériger, fortifier, maintenir, prolonger, protéger, restaurer. **III.** Charmer, enthousiasmer, réveiller, stimuler.

Anéantissement
Syn. **I.** Annihilation, consommation, disparition, extinction, fin, mort, néant. **II.** Abolition, annulation, destruction, dévastation, écrasement, effondrement, engloutissement, perte, renversement,

ruine. **III.** Abattement, accablement, épuisement, prostration.
Ant. **I** et **II.** Construction, création, fondation, maintien, rétablissement. **III.** Encouragement, enthousiasme, espoir, optimisme, relèvement.

Anecdote
Syn. **I.** Écho, fait, histoire, historiette.

Ânerie
Syn. **I.** Balourdise, bourde, gaucherie, grossièreté, ignorance, imbécillité, stupidité.
Ant. **I.** Finesse, savoir, science, subtilité.

Ânesse V. *Âne*

Anfractuosité
Syn. **I.** Cavité, creux, détour, enfoncement, inégalité, lézarde, trou.
Ant. **I.** Égalité, nivellement.

Ange
Syn. **I.** Archange, chérubin, envoyé, esprit de Dieu, messager.
Ant. **I.** Démon, diable, satan, vilain.

Angélique
Syn. **II.** Céleste, parfait, séraphique.
Ant. **II.** Diabolique, infernal, satanique.

Angle
Syn. **II.** Arête, coin, coude, encoignure, intersection.

Angoisse
Syn. **I.** Affliction, affres, anxiété, crainte, désespoir, désolation, épouvante, inquiétude, peur, souci, tourment, transe, trouble.
Ant. **I.** Assurance, calme, placidité, quiétude, sérénité, tranquillité.

Animal
Syn. **I.** Bestiole, bête, brute, pécore *(vx)*.

Animation
Syn. **I.** Action, activité, affairement, mouvement, vie. **III.** Agitation, ardeur, chaleur, élan, énervement, entrain, exci-

tation, feu, flamme, remuement, trémoussement, vivacité.
Ant. **III.** Apathie, calme, froideur, repos, torpeur.

Animer
Syn. **I.** Créer, insuffler la vie. **II.** Activer, agir sur, diriger, inspirer, mouvoir, promouvoir, vivifier. **III.** Aiguillonner, aviver, électriser, encourager, enflammer, éveiller, inciter, stimuler.
Ant. **I.** Arrêter, décourager, engourdir, éteindre, freiner, paralyser, refréner, retenir.

Animosité
Syn. **I.** Antipathie, âpreté, colère, emportement, haine, inimitié, rancœur, ressentiment, véhémence, violence.
Ant. **I.** Affection, amour, bienveillance, cordialité, douceur, modération, sympathie.

Annales
Syn. **I.** Archives, chroniques, éphémérides, fastes, histoire.

Anneau
Syn. **I.** Alliance, bague, boucle, chevalière, jonc, virole.

Année
Syn. **I.** An, millésime.

Annexe
Syn. **I.** Allonge, appendice, dépendance, succursale.

Annexé
Syn. **I.** Accolé, adhérent, adjoint, attaché, joint.
Ant. **I.** Dégagé, détaché, disjoint, écarté, éloigné, isolé, séparé.

Annihiler V. *Anéantir*

Annonce
Syn. **I.** Affiche, avis, ban, communication, communiqué, déclaration, notification, nouvelle, placard, proclamation, publication, réclame. **III.** Indice, prédiction, présage, signe.

Annoncer
Syn. **I.** Afficher, apprendre, aviser, communiquer, déclarer, dire, divulguer, ébruiter, indiquer, informer, manifester, notifier, publier, signaler. — Augurer, dénoter, prédire, préluder, présager, pressentir, promettre.
Ant. **I.** Cacher, dissimuler, taire.

Annonceur *(can.)*
Syn. **I.** Animateur, meneur de jeu, présentateur, speaker.

Annoter
Syn. **I.** Commenter, gloser, noter.

Annulation
Syn. **I.** Abrogation, cassation, infirmation, invalidation, révocation, suppression.
Ant. **I.** Confirmation, maintien, ratification, validation.

Annuler
Syn. **I.** Abolir, abroger, anéantir, casser, contremander, décommander, défaire, dissoudre, effacer, infirmer, invalider, rescinder, résilier, résoudre, révoquer, supprimer.
Ant. **I.** Confirmer, maintenir, ratifier, valider.

Anomalie
Syn. **I.** Bizarrerie, défaut, difformité, étrangeté, incohérence, inégalité, irrégularité, lacune, monstruosité.
Ant. **I.** Régularité.

Anormal
Syn. **I.** Bizarre, désordonné, difforme, étrange, irrégulier.
Ant. **I.** Commun, naturel, normal, ordinaire, ordonné, régulier.

Antagoniste
Syn. **I.** Adversaire, compétiteur, concurrent, ennemi, opposant, rival.
Ant. **I.** Allié, ami, associé, partenaire.

Antécédent
Syn. **I.** Antérieur, précédent.

Ant. **I.** Conséquent, subséquent, ultérieur.

Antérieur
Syn. **I.** Antécédent, précédent, préexistant.
Ant. **I.** Postérieur, posthume, suivant, ultérieur.

Anthologie
Syn. **I.** Analecta, chrestomathie, collection, extraits, florilège, mélanges, morceaux choisis, pages choisies, recueil, spicilège.

Antidote
Syn. **I.** Contrepoison, remède. **III.** Dérivatif, préservatif.

Antipathie
Syn. **I.** Animosité, aversion, dégoût, éloignement, haine, hostilité, mésestime, prévention, répugnance, ressentiment.
Ant. **I.** Affinité, attachement, sympathie.

Antique
Syn. **I.** Ancien, archaïque, démodé, désuet, lointain, passé, primitif, suranné, vieux.
Ant. **I.** Actuel, contemporain, inédit, jeune, moderne, neuf, nouveau.

Antithèse
Syn. **I.** Contradiction, contraire, contraste, opposition.
Ant. **I.** Analogie, thèse.

Antonyme
Syn. **I.** Contraire, opposé.
Ant. **I.** Équivalent, synonyme.

Antre
Syn. **I.** Abri, cachette, caverne, gîte, grotte, réduit, refuge, repaire, retraite, souterrain, trou.

Anxiété
Syn. **I.** Alarme, angoisse, crainte, énervement, fébrilité, inquiétude, perplexité, peur, souci, tourment, transe.
Ant. **I.** Calme, confiance, paix, patience, sérénité, tranquillité.

Apaiser
Syn. **I.** Adoucir, calmer, détendre, éteindre, modérer, neutraliser, pacifier, rasséréner, refréner, retenir, tempérer, tranquilliser.
Ant. **I.** Agacer, aigrir, allumer, attiser, déchaîner, émotionner, énerver, envenimer, exciter, inquiéter, raviver, troubler.

Apathie
Syn. **I.** Atonie, impassibilité, inactivité, indifférence, indolence, inertie, insensibilité, langueur, marasme, mollesse, nonchalance, torpeur.
Ant. **I.** Activité, ardeur, énergie, enthousiasme, sensibilité.

Apercevoir
Syn. **I.** Découvrir, discerner, distinguer, entrevoir, percevoir, remarquer, repérer, voir. **III.** Comprendre, constater, saisir, sentir.
Ant. **I.** Perdre de vue.

Aperçu
Syn. **I.** Appréciation, coup d'œil, échantillon, estimation, idée, vue. — Compte rendu, esquisse, exposé sommaire, note, remarque.

Aphorisme
Syn. **I.** Adage, apophtegme, axiome, formule, maxime, pensée, précepte, proverbe, sentence.

Aplanir
Syn. **I.** Aplatir, écraser, égaliser, niveler. **III.** Faciliter, préparer.
Ant. **I.** Soulever. **III.** Compliquer.

Aplatissement
Syn. **I.** Compression, écrasement. **III.** Abaissement, abattement, éreintement, platitude.
Ant. **I.** Gonflement, relèvement. **III.** Fierté, hauteur, vigueur.

Aplomb
Syn. **I.** Verticalité. **II.** Equilibre, stabilité. **III.** Assurance, audace, confiance, cran,

culot, justesse, hardiesse, toupet.
Ant. **I.** Obliquité. **II.** Déséquilibre, instabilité. **III.** Couardise, crainte, doute, gêne, hésitation, incertitude, timidité.

Apocryphe
Syn. **II.** Controuvé, erroné, faux, inauthentique, supposé.
Ant. **II.** Authentique, canonique, certain, reconnu.

Apologie
Syn. **I.** Défense, disculpation, éloge, justification, louange, plaidoyer.
Ant. **I.** Blâme, condamnation, critique, réprobation, satire.

Apologue
Syn. **I.** Allégorie, fable, parabole, symbole.

Apophtegme
Syn. **V.** *Aphorisme*

Apostasie
Syn. **I.** Abandon, abjuration, renonciation. **III.** Désertion, inconstance, reniement.
Ant. **I.** Constance, conversion, fidélité, persévérance, persistance.

Apostasier
Syn. **I.** Abandonner, adjurer, déserter, renier.
Ant. **I.** Convertir (se), demeurer, persévérer, réaffirmer, renouveler.

Apostolat
Syn. **I.** Évangélisation, ministère, mission, prédication, propagation. **III.** Prosélytisme.
Ant. **III.** Laisser-aller, négligence.

Apostrophe
Syn. **II.** Admonestation, algarade, interpellation.
Ant. **II.** Apologie, félicitations, louanges.

Apostropher
Syn. **I.** Appeler, interpeller, semoncer, sermonner.
Ant. **I.** Féliciter, louanger, vanter.

Apothéose
Syn. **I.** Auréole, déification. **III.** Glorification, triomphe.

Apôtre
Syn. **I.** Disciple, envoyé. **II.** Évangélisateur, missionnaire, prédicateur. **III.** Allié, ami, combattant, défenseur, propagateur, prophète, vulgarisateur.
Ant. **III.** Adversaire, antagoniste, dénigreur, ennemi, opposant.

Apparaître
Syn. **I.** Arriver, (se) montrer, paraître, poindre, surgir, survenir.
Ant. **I.** Décamper, disparaître, (s') éclipser, (s') esquiver, fausser compagnie.

Apparat
Syn. **I.** Appareil, cérémonial, décor, éclat, grandeur, magnificence, mise en scène, pompe, solennité, splendeur. **II.** Étalage, faste, ostentation.
Ant. **II.** Humilité, modestie, simplicité, sobriété.

Appareil
Syn. **I.** Apparat. **II.** Attirail, engin, instrument, machine.

Appareiller
Syn. **I.** Accoupler, apparier, assortir, joindre, unir. — Gréer.
Ant. **I.** Dépareiller, désaccoupler, désassembler, disjoindre, écarter. — Amarrer, mouiller.

Apparence
Syn. **I.** Air, aspect, dehors, écorce, extérieur, façade, figure, forme, mine, physionomie, plausibilité, probabilité, semblant, surface, teinte, tournure, vernis, vraisemblance.
Ant. **I.** Certitude, essence, évidence, intérieur, réalité, substance.

Apparent
Syn. **I.** Ostensible, visible. **III.** Clair, évident, manifeste, remarquable. — Coloré, plausible, prétendu, probable, spécieux, vraisemblable.

Ant. **I.** Caché, invisible, latent, secret. **III.** Effectif, réel, véritable, vrai.

Apparition
Syn. **I.** Arrivée, éruption, manifestation, publication, venue. **II.** Fantôme, vision, vue.
Ant. **I.** Départ, disparition, éclipse.

Appartement
Syn. **I.** Chez-soi, demeure, domicile, duplex, foyer, garçonnière, habitation, home, intérieur, lares, local, logement, logis, maison, pénates, pied-à-terre, résidence.

Appartenir
Syn. **I.** Concerner, convenir, dépendre de, être à, être membre, faire partie, relever de.
Ant. **I.** Être indépendant de, libre de.

Appas
Syn. **I.** Atours, attraits, avantages, beautés, charmes, grâces, sex-appeal.
Ant. **I.** Défauts, désavantages, infirmités, laideur.

Appât
Syn. **I.** Amorce, appeau, asticot, attrape. **III.** Embûche, leurre, piège, ruse, trappe, traquenard, tromperie.

Appauvrissement
Syn. **I.** Affaiblissement, amaigrissement, anémie, dégénérescence, épuisement, étiolement.
Ant. **I.** Accroissement, engraissement, enrichissement.

Appeler
Syn. **I.** Baptiser, dénommer, nommer, qualifier, surnommer. — Apostropher, héler, interpeller. — Convier, convoquer, demander, inviter. — Choisir, désigner, destiner à, élire. — *(Dr.)* Assigner, citer. — *(Milit.)* Incorporer, mobiliser.
Ant. **I.** Chasser, congédier, renvoyer. — Éviter, ignorer, repousser.

Appendice
Syn. **I.** Extrémité, prolongement, queue. **II.** Addition, ajouté, épilogue, postface, supplément. **III.** Complément, dépendance.
Ant. **II.** Avant-propos, introduction, préface, prologue.

Appendre
Syn. **I.** Accrocher, attacher, pendre, suspendre.
Ant. **I.** Décrocher, dépendre, détacher.

Appesantir
Syn. **I.** Alourdir. **III.** Accabler, frapper.
Ant. **I.** Alléger, décharger.

Appétit
Syn. **I.** Appétence, besoin, faim, fringale. **II.** Ambition, aspiration, avidité, désir, goût, inclination, instinct, passion, penchant, tendance.
Ant. **I.** Anoxerie, dégoût, inappétence, répugnance, répulsion, retenue, satiété.

Applaudir
Syn. **I.** Acclamer, approuver, battre des mains, bisser, claquer des mains, complimenter, congratuler, exalter, féliciter, glorifier, louanger, louer, ovationner, (se) réjouir de.
Ant. **I.** Blâmer, conspuer, critiquer, décrier, désapprouver, honnir, huer, siffler.

Applaudissement
Syn. **I.** Acclamation, ban, bravo. **III.** Approbation, compliment, éloge, encouragement, félicitation, louange, vivat.
Ant. **I.** Désapprobation, huée, sifflet.

Application
Syn. **I.** Affectation, attribution, destination. **III.** Assiduité, attention, concentration, diligence, étude, soin, travail, zèle.
Ant. **III.** Distraction, inapplication, inattention, négligence, paresse.

Appliquer
Syn. **I.** Apposer, coller, étendre, mettre, placer, plaquer, poser. — Affecter, attri-

buer, destiner, imputer. — *(Fam.)* Administrer, asséner, infliger. **III.** Adapter, employer, mettre en pratique, utiliser. — Concentrer (son esprit), diriger vers, tendre.
Ant. **I.** Décoller, écarter, enlever, ôter, séparer. **III.** Négliger. — Être distrait.

Appointements
Syn. **I.** Émoluments, gages, honoraires, paye, rétribution, salaire, solde, traitement.

Apporter
Syn. **I.** Amener, porter, transférer, transporter. **III.** Causer, produire, susciter. — Employer, mettre, prendre. — Alléguer, citer, donner, fournir.
Ant. **I.** Écarter, éloigner, emporter, enlever, remporter, retirer.

Apposer
Syn. **I.** Appliquer, mettre, placer. **II.** Imprimer, marquer, parapher, sceller, signer.
Ant. **II.** Desceller, effacer, enlever, raturer, rayer, retrancher, supprimer.

Apprécier
Syn. **I.** Estimer, évaluer, expertiser. **II.** Comprendre, déterminer, discerner, peser, saisir, sentir. **III.** Aimer, goûter, jouir de, priser.
Ant. **I.** Décrier, dédaigner, déprécier, ignorer, méconnaître, mépriser, mésestimer, négliger, repousser.

Appréhender
Syn. **I.** Arrêter, attraper, pincer *(fam.),* prendre, (se) saisir de. — (S') alarmer, avoir peur, craindre, redouter, trembler.
Ant. **I.** Lâcher, relâcher. — Braver, espérer, rassurer, risquer.

Apprendre
Syn. **I.** Annoncer, aviser, déclarer, informer, renseigner, révéler. — Approfondir, assimiler, creuser, découvrir, enseigner, étudier, instruire, (s') instruire, montrer.

Ant. **I.** Cacher, désapprendre, dissimuler, ignorer, oublier, taire.

Apprêté
Syn. **I.** Affecté, composé, emprunté, étudié, hypocrite.
Ant. **I.** Aisé, franc, humble, naturel, simple, sincère, spontané, vrai.

Apprêter
Syn. **I.** Accommoder, arranger, assaisonner, combiner, cuisiner, disposer, épicer, façonner, préparer, relever. — Parer.
Ant. **I.** Défaire, déranger, gâter, improviser, négliger.

Apprivoisé
Syn. **I.** Domestique, domestiqué, dompté, dressé. **III.** Accoutumé, familiarisé, sociable, soumis.
Ant. **I.** Effarouché, sauvage. **III.** Gêné, insoumis, rébarbatif, récalcitrant, timide.

Approbation
Syn. **I.** Acceptation, acquiescement, adhésion, adoption, agrément, assentiment, autorisation, confirmation, consentement, endossement, entérinement, ratification, sanction. — Applaudissement, suffrage.
Ant. **I.** Blâme, condamnation, critique, désapprobation, désaveu, dissentiment, opposition, refus, renvoi, répudiation.

Approche(s)
Syn. **I.** Abords, accès, alentours, parage, proximité, voisinage. **III.** Arrivée, venue.
Ant. **I.** Confins, distance, écart, lointain. — Départ, écartement, éloignement, séparation.

Approcher (et S')
Syn. **I.** *(V. tr.)*, Aborder, joindre, mettre auprès, rapprocher. — *(V. pr.)* Accéder, accoster, confiner, côtoyer, toucher.
Ant. **I.** Distancer, écarter, éloigner, espacer, éviter, reculer, repousser. — (S') écarter, (s') éloigner.

Approfondir
Syn. **I.** Affouiller, caver, creuser, fouiller,

fouir. **III.** Analyser, étudier, examiner, explorer, pénétrer, scruter, sonder. *Ant.* **I.** Combler. **III.** Ébaucher, effleurer.

Approprier (et S')
Syn. **I.** *(V. tr.)* Accorder, adapter, conformer. — *(V. pr.)* Accaparer, (s') adjuger, (s') appliquer, (s') arroger, (s') assimiler, (s') attribuer, (s') emparer, occuper, prendre, ravir, usurper. *Ant.* **I.** Donner, remettre, rendre, restituer. — Décliner, (se) départir, (se) désintéresser, (se) désister, (se) sacrifier.

Approuver
Syn. **I.** Accéder, accepter, accorder, acquiescer, adhérer, admettre, agréer, applaudir, autoriser, concéder, confirmer, endosser, entériner, permettre, ratifier, sanctionner. — Apprécier, encourager, louer. *Ant.* **I.** Blâmer, censurer, condamner, critiquer, désapprouver, désavouer, interdire, refuser, repousser, reprocher, réprouver.

Approvisionner
Syn. **I.** Alimenter, assortir, fournir, garnir, munir, nantir, nourrir, pourvoir, ravitailler, remplir. *Ant.* **I.** Affamer, consommer, dégarnir, démunir, dépouiller, désapprovisionner, vider.

Appui
Syn. **I.** Accotement, adossement, arc-boutant, base, colonne, contrefort, épaulement, étai, fondement, pied, pilastre, poteau, rampe, soutènement, support, tasseau, tuteur. **III.** Aide, assistance, concours, coopération, protection, réconfort, secours, soutien. *Ant.* **III.** Abandon, embarras, entrave, hostilité, lâchage, nuisance, obstacle.

Appuyer (et S')
Syn. (V. tr.) **I.** Accoter, adosser, arc-bouter, buter, étançonner, étayer, maintenir, soutenir, tenir. **III.** Aider, approuver, assister, encourager, épauler, patronner, pistonner, protéger, recommander, seconder, secourir. *(V. intr.)* **I.** Peser. **III.** Insister, souligner. *(V. pr.)* **III.** (Se) baser, compter sur, (se) fonder, reposer sur. *Ant.* **I.** Enlever, entraver, saper. **III.** Combattre, décourager, désapprouver, nuire, (s') opposer, refuser. — Effleurer, glisser, négliger.

Après
Syn. **I.** À la suite, derrière, plus loin. — Ensuite, plus tard, postérieurement, puis, subséquemment. *Ant.* **I.** Avant, devant. — Antérieurement, auparavant, maintenant, précédemment, sur-le-champ, tout de suite.

Âpreté
Syn. **I.** Acidité, âcreté, aspérité. **III.** Amertume, austérité, dureté, rigidité, rudesse, sévérité. *Ant.* **I.** Douceur, suavité. **III.** Affabilité, amabilité, délicatesse, gentillesse.

Apte
Syn. **I.** Approprié, bon à, capable, disposé, incliné, propre à, susceptible de. *Ant.* **I.** Impropre, inapte, incapable, maladroit.

Aptitude
Syn. **I.** Adresse, capacité, disposition, facilité, habileté, inclination, prédisposition, tendance. *Ant.* **I.** Inaptitude, incapacité, incompétence.

Aqueux
Syn. **I.** Humide, imbibé, mouillé, trempé. *Ant.* **I.** Anhydre, aride, égoutté, sec.

Aquilin
Syn. **I.** Arqué, busqué, crochu, recourbé. *Ant.* **I.** Droit.

Arbitrage
Syn. **I.** Compromis, conciliation, décision, médiation, verdict.

Arbitre
Syn. **I.** Conciliateur, juge, médiateur. **II.** Maître absolu.

Arbre
Syn. **I.** Arbrisseau, arbuste, plante. **II.** Axe, essieu. — Descendance, lignée.

Arc
Syn. **I.** Arceau, arche, cintre, courbure, dôme, voussure.

Arcade
Syn. **I.** Arcature, arche, dôme, voûte.

Arc-boutant
Syn. **I.** Appui, contrefort, étai, pivot, renfort, soutien. — Bossoir, porte-manteau.

Archaïque
Syn. **I.** Ancestral, ancien, antédiluvien, antique, désuet, passé, patriarchal, préhistorique, primitif, suranné.
Ant. **I.** Actuel, contemporain, dernier cri, frais, inédit, moderne, neuf, nouveau, récent.

Archives
Syn. **I.** Annales, chroniques, collection, documents, écrits, histoire, mémoires, recueil, relations. **II.** Bibliothèque, dépôt. **III.** Monument, témoignage.

Ardent
Syn. **I.** Bouillant, brûlant, chaud, embrasé, enflammé, fumant, incandescent. **III.** Bouillonnant, dévoué, enthousiaste, fougueux, impétueux, véhément, vif, violent, vivace.
Ant. **I.** Éteint, froid. **III.** Calme, endormi, engourdi, flegmatique, glacial, indolent, inerte, morne, nonchalant, terne, tiède.

Ardeur
Syn. **I.** Chaleur, feu, flamme. **III.** Acharnement, activité, cœur, courage, élan, énergie, entrain, force, fougue, passion, vigueur, vivacité.
Ant. **III.** Flegme, froideur, inactivité, indifférence, indolence, inertie, insensibilité, mollesse, nonchalance.

Arène
Syn. **I.** Amphithéâtre, champ de bataille, espace sablé, lice, piste.

Argent
Syn. **I.** Deniers, écus, espèces, finance, fonds, monnaie, numéraire, pécule, ressources, sous.

Arguer
Syn. **I.** Argumenter, conclure, déduire, expliquer, inférer. — Accuser, inculper, objecter, prétendre. — Prétexter, (se) prévaloir de.
Ant. **I.** Accepter, acquiescer, admettre, agréer, approuver, concéder, consentir, disculper.

Argument
Syn. **I.** Abrégé, exposé, sommaire. — Argumentation, démonstration, raison, raisonnement. — Preuve, témoignage.

Aride
Syn. **I.** Desséché, sec. **II.** Désert, improductif, inculte, maigre, pauvre, stérile. **III.** Ardu, difficile, ingrat, rébarbatif, sévère.
Ant. **I.** Humide. **II.** Fécond, fertile, riche. **III.** Agréable, attrayant, intéressant, passionnant.

Aristocratie
Syn. **I.** Bourgeoisie, caste, classe, noblesse. **III.** Élite.
Ant. **I.** Démocratie, foule, plèbe, populace, populo, prolétariat. **III.** Lie, rebut.

Armes
Syn. **I.** Armement, armure. — Armoiries, blason, panoplie.

Armistice
Syn. **I.** Suspension d'armes, répit, trêve.

Armoire
Syn. **I.** Bahut, buffet, cabinet, commode, meuble, vitrine.

Armoiries
Syn. **I.** Armes, blason, écu, écusson.

Aromatique
Syn. **I.** Aromatisé, embaumé, odorant, odoriférant, parfumé, suave.
Ant. **I.** Dégoûtant, empesté, fétide, infect, nauséabond, puant, répugnant.

Arôme
Syn. **I.** Odeur, parfum.
Ant. **I.** Fétidité, infection, pestilence, puanteur.

Arpenteur
Syn. **I.** Géomètre, mesureur.

Arqué
Syn. **I.** Busqué, cambré, convexe, courbe, voûté.
Ant. **I.** Droit.

Arracher
Syn. **I.** Déplanter, déraciner, déterrer, extirper, sarcler. − Détacher, enlever, extraire, ôter, tirer. − Prendre, ravir. **II.** Bannir, chasser, éloigner, expulser.
Ant. **I.** Emblaver, enraciner, ensemencer, planter, semencer. − Enfoncer, poser, renfoncer.

Arranger (et **S'**)
Syn. (V. tr.) **I.** Accommoder, adapter, agencer, aménager, disposer, ordonner, ranger. − Apprêter, préparer. − Combiner, organiser. − Habiller, orner, parer. −- Rajuster, réparer. − Concilier, régler. − *(Fam.)* Malmener, maltraiter. − **III.** *(Fam.)* Replâtrer. *(V. pr.)* **I.** **(S')** accorder, (se) contenter, (s') entendre.
Ant. **I.** Bouleverser, briser, défaire, déplacer, déranger, disloquer, enchevêtrer. − Dérégler, désorganiser, troubler. − (Se) brouiller, (se) quereller.

Arrêter (et **S'**)
Syn. (V. tr.) **I.** Attacher, bloquer, contenir, empêcher, enrayer, entraver, fixer, immobiliser, intercepter, interrompre, maintenir, paralyser, suspendre. **II.** Appréhender, capturer, (s') emparer, empoigner, saisir. **III.** Assujettir, juguler, refréner, réprimer. − Décider, déterminer, ré-

gler, résoudre. *(V. pr.)* **I.** Demeurer, faire halte, séjourner, stationner, stopper. − Cesser, terminer. − **(S')** attarder, insister sur.
Ant. (V. tr.) **I.** Actionner, agiter, déplacer, entraîner, mouvoir, remuer, secouer. **II.** Libérer, relâcher. **III.** Encourager, exciter, stimuler. *(V. pr.)* **I.** Aller, (se) hâter, marcher, passer. − Continuer, poursuivre.

Arrière (et **En**)
Syn. **I.** À distance, à la queue, après, derrière, loin. − En retard.
Ant. **I.** Avant. − (En) avance.

Arriéré
Syn. **I.** Échu, impayé. **III.** Démodé, rétrograde, suranné, vieux. − Attardé, inintelligent.
Ant. **I.** Acquitté. **III.** Avancé, évolué, moderne. − Avancé, développé, surdoué.

Arriver
Syn. **I.** Aborder, accéder, accoster, apparaître, approcher, atteindre, atterrir, débarquer, entrer, gagner, parvenir, pénétrer, surgir, survenir, toucher. **II.** (Se) lever, venir. **III.** Percer, prospérer, réussir. − (Se) produire.
Ant. **I.** Abandonner, (s'en) aller, démarrer, (s') éloigner, partir. **III.** Échouer, manquer, rater (son but).

Arrogant
Syn. **I.** Altier, cassant, cavalier, dédaigneux, fat, fier, hautain, impertinent, important, insolent, insultant, orgueilleux, outrecuidant, prétentieux, rogue, suffisant.
Ant. **I.** Affable, civil, déférent, familier, humain, humble, modeste, soumis.

Arroger (**S'**) V. *(S') Approprier*

Arroser
Syn. **I.** Asperger, baigner, bassiner, doucher, imbiber, inonder, irriguer, mouiller, submerger, tremper.

Ant. **I.** Assécher, dessécher, drainer, égoutter, éponger, essuyer, étancher, sécher, tarir.

Art
Syn. **I.** Façon, manière. — Adresse, artifice, dextérité, entregent, génie, habileté, industrie, savoir-faire, talent. — État, métier, profession. — Beau, beauté, esthétique, idéal.
Ant. **I.** Gaucherie, impair, impéritie, inhabileté, maladresse.

Artère
Syn. **I.** Vaisseau, veine. **III.** Avenue, boulevard, rue, voie.

Articulation
Syn. **I.** *(Anat.)* Attache, charnière, emboîtement, jointure, jonction, nœud. — Prononciation.
Ant. **I.** Désarticulation, désunion, disjonction, dislocation.

Articuler
Syn. **I.** Assembler, joindre, lier, unir. — Affirmer, émettre, exposer, exprimer, proférer, prononcer.
Ant. **I.** Désarticuler, désunir. — Bafouer, bredouiller.

Artifice
Syn. **I.** Adresse, art, astuce, déguisement, feinte, finesse, fraude, leurre, manège, mensonge, ruse, subterfuge, tromperie. — Fusée, pièce pyrotechnique.
Ant. **I.** Authenticité, franchise, naturel, réalisme, réalité.

Artificiel
Syn. **I.** Contrefait, fabriqué, factice, faux, imité, postiche, simulé. **II.** Affecté, conventionnel, déguisé, emprunté, fardé, feint, forcé, truqué.
Ant. **I. et II.** Authentique, naturel, original, originel, réel, sincère, véritable, vrai.

Artiste
Syn. **I.** Acteur, comédien, étoile, exécutant, musicien, star, vedette, virtuose.

Ant. **I.** Amateur, apprenti, clerc, débutant, incompétent, novice.

As
Syn. **I.** Célébrité, champion, premier, vedette.

Ascendance
Syn. **I.** Ancêtre, ascendant, extraction, hérédité, lignage, naissance, origine.
Ant. **I.** Descendance, filiation, postérité, suite.

Asile
Syn. **II.** Abri, demeure, gîte, habitation, refuge, retraite. **III.** Défense, protection, sauvegarde, secours.

Aspect
Syn. **I.** Spectacle, vue. — Air, allure, apparence, dehors, exposition, extérieur, figure, forme, image, tournure, train. — Angle, aperçu, côté, face, jour, perspective.

Asperger
Syn. **I.** Abreuver, arroser, doucher, humecter, mouiller.
Ant. **I.** Assécher, dessécher, éponger, essuyer, étancher, sécher, tarir.

Aspérité
Syn. **I.** Arête, bosse, crête, pic, protubérance, relief, rugosité, saillie, sommet. **III.** Rudesse.
Ant. **I.** Poli, velouté. **III.** Douceur, égalité, politesse.

Asphalte
Syn. **I.** Bitume.

Aspirations
Syn. **I.** Inhalation, inspiration, respiration. **III.** Ambition, attrait, but, convoitise, désir, élan, mouvement, prétention, rêve, souhait, vues.
Ant. **I.** Expiration. **III.** Abattement, affaissement, découragement, désespoir, indifférence, nonchalance.

Aspirer
Syn. **I.** Absorber, avaler, humer, inhaler, inspirer, renifler, respirer. **III.** Ambitionner, convoiter, désirer, prétendre, soupirer, tendre, vouloir.
Ant. **I.** (S') évanouir, exhaler, expirer, souffler. **III.** Désespérer, (se) désintéresser, négliger, renoncer.

Assaillir
Syn. **I.** Agresser, attaquer, fondre sur, (se) ruer, sauter. **III.** Harceler, importuner, incommoder, tourmenter.
Ant. **I.** Accommoder, aider, défendre, garder, préserver, protéger, sauvegarder. **III.** Rassurer.

Assainir
Syn. **I.** Clarifier, désinfecter, épurer, filtrer, purifier, raffiner.
Ant. **I.** Altérer, corrompre, empester, empoisonner, vicier.

Assaisonner
Syn. **I.** Accommoder, ailler, apprêter, épicer, pimenter, poivrer, relever, saler, vinaigrer. **III.** Agrémenter, rehausser.
Ant. **I.** et **III.** Affadir, appauvrir, corrompre, gâter.

Assassin
Syn. **I.** Coupe-jarret, criminel, homicide, meurtrier, sicaire, tueur.

Assaut
Syn. **I.** Abordage, agression, attaque, bataille, charge, combat, coup de main, engagement, escarmouche, lutte, offensive, poussée, rixe, voies de fait. **III.** Compétition, concours, émulation, lutte, tournoi.
Ant. **I.** Calme, collaboration, paix, repos.

Assemblée
Syn. **I.** Agglomération, assistance, association, attroupement, compagnie, congrès, foule, groupement, meeting, rassemblement, réunion, séance, union. – Concile. – Gouvernement. Législature, Parlement.
Ant. **I.** Solitude.

Assembler
Syn. **I.** Accoler, adjoindre, agglomérer, allier, associer, attrouper, grouper, joindre, marier, rapprocher, rassembler, réunir. – Coller, coudre, emboîter, enchâsser, relier, souder. – Accumuler, amasser, amonceler, collectionner, masser, ramasser, recueillir.
Ant. **I.** Désunir, disjoindre, disloquer, diviser, éparpiller, séparer.

Assentiment
Syn. **I.** Acceptation, accord, acquiescement, adhésion, approbation, appui, consentement.
Ant. **I.** Censure, désapprobation, désaveu, récusation, réprobation.

Asseoir (et S')
Syn. (*V. tr.*) **I.** Équilibrer, établir, fixer, installer, poser. **III.** Affermir, appuyer, fonder. (*V. pr.*) **I.** (S') accroupir, (s') installer, trôner.
Ant. **I.** Déséquilibrer, lever. **III.** Renverser. **I.** (Se) dresser, (s') élever, (se) hausser, (se) lever, (se) soulever.

Asservir
Syn. **I.** Assujettir, astreindre, contraindre, dominer, dompter, opprimer, soumettre, subjuguer, tyranniser. **III.** Régir, régner sur.
Ant. **I.** Affranchir, dégager, délivrer, émanciper, libérer, relâcher.

Assesseur
Syn. **I.** Adjoint, aide, assistant, substitut, suppléant.

Assez
Syn. **I.** Passablement, suffisamment, suffit.
Ant. **I.** Insuffisamment, peu.

Assiduité
Syn. **I.** Application, continuité, exactitude, fidélité, ponctualité, régularité. – Fréquentation, visite.
Ant. **I.** Inexactitude, irrégularité, négligence. – Interruption, relâche.

Assidûment
Syn. **I.** Constamment, continuellement, exactement, incessamment, ponctuellement, régulièrement, sans cesse, sans relâche, toujours.
Ant. **I.** Inexactement, irrégulièrement, jamais, négligemment, parfois, quelquefois, rarement.

Assiéger
Syn. **I.** Assaillir, bloquer, cerner, emprisonner, encercler, entourer, investir. **III.** Accabler, importuner, inquiéter, obséder, presser, talonner, tourmenter, tracasser.
Ant. **I.** Abandonner, lever (le siège). **III.** Délivrer, libérer, rasséréner, tranquilliser.

Assiette
Syn. **I.** Écuelle, plat, plateau, soucoupe. **II.** Assise, base, fondement, position, situation.

Assigner
Syn. **I.** Affecter, attribuer, conférer, donner. **II.** Délimiter, déterminer, fixer, indiquer. — *(Dr.)* Appeler, citer en justice, convoquer.
Ant. **I.** Démettre, destituer, ôter, retrancher.

Assimiler
Syn. **I.** Absorber, digérer, élaborer. — Amalgamer, fondre, incorporer, intégrer. — Comparer, identifier, rapprocher.
Ant. **I.** Différencier, distinguer, séparer, varier. — Isoler.

Assistance
Syn. **II.** Assemblée, auditoire, foule, public, spectateur. **III.** Aide, appui, bienfaisance, présence, secours, soutien, support.
Ant. **III.** Abandon, égoïsme, entrave, nuisance, préjudice.

Assister
Syn. *(V. intr.)* **I.** Entendre, être présent, être témoin, suivre, voir. **II.** Participer, prendre part. *(V. tr.)* **I.** Accompagner, aider, appuyer, réconforter, secon-
der, secourir, servir, soigner, soutenir.
Ant. **I.** Être absent, manquer. — Abandonner, délaisser, desservir, ennuyer, gêner, importuner, nuire.

Association
Syn. **I.** Assemblage, groupement, réunion, union. — Collaboration, coopération, participation. — Communauté, compagnie, confédération, confrérie, fédération, groupe, société.

Associé
Syn. **I.** Acolyte, adepte, adjoint, affidé, allié, bras droit, coéquipier, collaborateur, collègue, compagnon, complice, confrère, coopérateur, partenaire. — *(Dr.)* Actionnaire, adhérent, commanditaire, membre, sociétaire.
Ant. **I.** Adversaire, compétiteur, concurrent, ennemi, rival.

Associer (et S')
Syn. **I.** *(V. tr.)* Lier, rapprocher, unir. — Adjoindre, affilier, agréger, allier, coaliser, enrôler, fédérer, incorporer, intégrer, intéresser, liguer, solidariser. — *(V. pr.)* (S') adjoindre, (s') allier.
Ant. **I.** Délier, dissocier, diviser, isoler, séparer.

Assortiment
Syn. **I.** Arrangement, assemblage, association, disposition, jeu. — Choix, collection, garniture, lot, variété.

Assortir
Syn. **I.** Accorder, accoupler, agrémenter, appareiller, apparier, arranger, associer, convenir, harmoniser, mélanger. — Réunir, unir. — Approvisionner, fournir.
Ant. **I.** Dépareiller, déranger, désassortir, jurer (avec).

Assoupir (et S')
Syn. *(V. tr.)* **I.** Endormir. **III.** Amoindrir, apaiser, atténuer, calmer, diminuer, engourdir, mitiger, modérer. *(V. pr.)* **I.** Reposer, roupiller, (s') endormir, somnoler.

Ant. **I.** Éveiller, ranimer, réveiller. **III.** Énerver, exaspérer, exciter.

Assouplir
Syn. **I.** Rendre flexible, souple. **III.** Adoucir, former, plier, soumettre. — Atténuer, corriger.
Ant. **I.** Bander, durcir, engourdir, raidir, tendre.

Assourdir
Syn. **I.** Abasourdir, étourdir. — Affaiblir, amoindrir, amortir, étouffer. — **III.** Assommer, excéder, fatiguer.
Ant. **I.** Accroître, amplifier, augmenter, développer, exagérer, grossir.

Assourdissant
Syn. **I.** Étouffant, étourdissant. **III.** Fatigant.
Ant. **I.** Calmant, reposant.

Assouvir
Syn. **I.** Apaiser, étancher, rassasier, satisfaire. **III.** Combler, contenter, repaître, saturer.
Ant. **I.** Affamer, assoiffer. **III.** Décevoir, exciter, mécontenter, ôter, priver.

Assujettir
Syn. **I.** Attacher, enchaîner, fixer, lier. **II.** Asservir, dominer, dompter, opprimer, subjuguer. — Astreindre, contraindre, obliger.
Ant. **I.** Dégager, délier, désenchaîner. **II.** Affranchir, délivrer, libérer, relâcher, relaxer.

Assujettissement
Syn. **I.** Conquête, domination, esclavage, soumission, sujétion. **II.** Asservissement, contrainte, dépendance, subordination.
Ant. **I.** Affranchissement, délivrance, émancipation, indépendance, libération. **II.** Autonomie, dispense, exemption.

Assurance
Syn. **I.** Aisance, aplomb, audace, caractère, confiance, cran, culot, fermeté, hardiesse, sang-froid, sûreté, toupet. —

Affirmation, déclaration, expression, promesse. — Gage, garantie, preuve. — Certitude, conviction, espérance, persuasion. — Contrat, mutuelle, police, prime, sécurité sociale.
Ant. **I.** Appréhension, crainte, défiance, doute, embarras, hésitation, incertitude, méfiance, perplexité, timidité.

Assurer
Syn. **I.** Affermir, assujettir, consolider, étayer, fixer, immobiliser, solidifier. — Affirmer, attester, certifier, soutenir. — Garantir, répondre, témoigner.
Ant. **I.** Ébranler, risquer. — Contester, démentir, nier. — Douter, hésiter.

Astuce
Syn. **I.** Artifice, ficelle, finesse, stratagème. — Adresse, habileté, hypocrisie, malice, perfidie, rouerie, ruse.
Ant. **I.** Candeur, droiture, équité, franchise, honnêteté, innocence, loyauté, rectitude.

Astucieux
Syn. **I.** Malin, perfide, roublard (*fam.*), rusé. **II.** Adroit, fin, intelligent.
Ant. **I.** Candide, droit, franc, loyal. **II.** Grossier, inintelligent.

Atelier
Syn. **I.** Boutique, chantier, couture, étal, fabrique, laboratoire, manufacture, ouvroir, studio, usine.

Atermoiement
Syn. **II.** Ajournement, délai, remise, retard, sursis. — Faux-fuyant, hésitation, indécision, tergiversation.
Ant. **I.** À temps, hâte, précipitation. — Décision, diligence.

Atermoyer
Syn. **I.** Ajourner, attendre, différer, reculer, remettre, renvoyer, retarder, surseoir, temporiser. — Hésiter, tergiverser.
Ant. **I.** Accélérer, activer, avancer, brusquer, expédier, précipiter, presser, talonner. — (Se) décider.

Atome
Syn. **I.** Corpuscule, molécule, neutron, proton. **III.** Brin, grain, parcelle, particule.
Ant. **I.** Immensité, le grand Tout, le monde, l'univers.

Atout
Syn. **III.** Avantage, chance, corde à son arc, faveur, moyen, privilège, supériorité.
Ant. **III.** Déboire, guigne, handicap, malchance, obstacle, préjudice.

Atrabilaire
Syn. **I.** Bilieux, hypocondriaque, mélancolique. **III.** Acariâtre, acerbe, acrimonieux, hargneux, rébarbatif, revêche.
Ant. **III.** Aimable, gai, insouciant, optimiste.

Atroce
Syn. **I.** Abominable, affreux, barbare, cruel, dénaturé, effroyable, épouvantable, farouche, féroce, hideux, horrible, inhumain, monstrueux, repoussant, sanguinaire. — Très mauvais.
Ant. **I.** Agréable, attrayant, bon, civil, doux, élevé, humain.

Atrocité
Syn. **I.** Barbarie, brutalité, cruauté, férocité, inhumanité, monstruosité, sauvagerie. — Crime, torture.
Ant. **I.** Bonté, douceur, humanité.

Attache (s)
Syn. **I.** Chaîne, lien, nœud. **III.** *(Pl.)* Accointances, liens, relations.

Attachement
Syn. **I.** Affection, amitié, amour, estime. — Constance, fidélité.
Ant. **I.** Antipathie, aversion, dégoût, détachement, froideur, indifférence. — Infidélité.

Attacher
Syn. **I.** Adapter, annexer, assembler, fixer, joindre, lier, ligoter, réunir. **III.** Adjoindre, associer. — Accorder, attribuer,

donner. — Intéresser, plaire.
Ant. **I.** Délier, désunir, détacher, disjoindre, isoler, libérer, séparer.

Attaque
Syn. **I.** Agression, assaut, bombardement, charge, combat, envahissement, invasion, irruption, offensive, poussée, raid, siège. **III.** Injure, insulte, invective.
Ant. **I.** Défense, défensive, riposte. **III.** Aide, appui, protection. — Apologie, réplique.

Attaquer
Syn. **I.** Agresser, assaillir, assiéger, charger, foncer, fondre sur, (se) ruer sur, tomber sur. — Altérer, atteindre, corroder, détériorer, miner, ronger. — Aborder, commencer, entamer, entreprendre. **III.** Accuser, combattre, critiquer, dénigrer, harceler, insulter, provoquer, vilipender.
Ant. **I.** Défendre, résister, riposter, sauvegarder, sauver. — Décaper, dérouiller, entretenir, protéger. — Achever. **III.** Appuyer, collaborer, louer, répliquer.

Atteindre
Syn. **I.** Arriver à, gagner, joindre, parvenir à, toucher. — Attaquer, attraper, blesser, frapper, léser. — Rejoindre. **III.** Ébranler, heurter, offenser, troubler. — Accéder à, parvenir à. — Accomplir, réaliser, rencontrer.
Ant. **I** et **III.** Échapper, échouer, faillir, manquer, rater.

Attenant
Syn. **I.** Adjacent, avoisinant, contigu, jouxtant, limitrophe, proche, touchant, voisin.
Ant. **I.** Distant, éloigné, loin, reculé, séparé.

Attendre
Syn. (V. tr.) **I.** Guetter, prendre, saisir. — Compter sur, désirer, escompter, espérer, exiger, prévoir, vouloir ; craindre, redouter. **III.** Être destiné — réservé, menacer.

Ant. **I.** *(V. tr.)* Agir, anticiper, hâter, presser, procéder. — *(V. intr.)* (S'en) aller, partir.

Attendrir (et S')
Syn. *(V. tr.)* **I.** Amollir. **III.** Émouvoir, fléchir, impressionner, remuer, toucher. *(V. pr,)* **III.** (S') apitoyer, compatir. *Ant.* *(V. tr.)* **I.** Durcir, raidir. **III.** Exaspérer, laisser indifférent, mécontenter, refroidir. — *(V. pr.)* (S') endurcir.

Attentat
Syn. **I.** Agression, complot, crime, forfait, viol. **III.** Offense, outrage. *Ant.* **I.** Assistance, bienfait, don, service.

Attente
Syn. **I.** Faction, pause, station. **III.** Anticipation, espoir, expectative, prévision. — Désir, présomption, souhait. *Ant.* **III.** Apparition, arrivée, avènement, réalisation.

Attention (s)
Syn. **I.** Absorption, application, concentration, considération, curiosité, exactitude, méditation, réflexion, soin, souci, tension, vigilance. — *(Pl.)* Égards, ménagements, prévenances, sollicitude. *Ant.* **I.** Dissipation, distraction, étourderie, inattention, irréflexion. — Brutalité, grossièreté.

Atténuer
Syn. **I.** Calmer. **III.** Adoucir, apaiser, assoupir, diminuer, modérer, réduire, tempérer. *Ant.* **I.** Aggraver, augmenter, empirer, exacerber, exagérer, grossir.

Attester
Syn. **I.** Affirmer, assurer, avancer, certifier, confirmer, garantir, prétendre, soutenir, témoigner. **III.** Annoncer, indiquer, révéler. *Ant.* **I.** Contester, contredire, démentir, dénier, désavouer, nier, réfuter, rejeter.

Attirant
Syn. **I.** Attractif. **III.** Alléchant, attachant, attrayant, captivant, charmant, enchanteur, engageant, enjôleur, fascinant, insinuant, prenant, séduisant. *Ant.* **I.** Répulsif. **III.** Dégoûtant, désagréable, écœurant, laid, rebutant, repoussant.

Attirer
Syn. **I.** Amener, conduire, prendre. **II.** Allécher, amorcer, appâter, entraîner, inviter, recruter. **III.** Captiver, fasciner, gagner, rapprocher, séduire. — Appeler, causer, occasionner, provoquer. *Ant.* **I.** et **III.** Chasser, détourner, écarter, éloigner, rebuter, repousser.

Attouchement
Syn. **I.** Caresse, contact, effleurement, frôlement, toucher. *Ant.* **I.** Distance, écart, écartement, éloignement.

Attractif
Syn. **I.** Aimanté, attracteur. **III.** Attachant, captivant, intéressant. *Ant.* **I.** Répulsif. **III.** Dégoûtant, ignoble, laid.

Attrait
Syn. **I.** Agrément, appas, attirance, charme, enchantement, fascination, grâce, inclination, penchant, séduction. *Ant.* **I.** Aversion, dégoût, éloignement, répulsion.

Attrape
Syn. **I.** Embûche, embuscade, guetapens, piège, traquenard. **III.** Blague, duperie, espièglerie, facétie, farce, fumisterie, leurre, mystification, niche, tour (bon, mauvais), tromperie. *Ant.* **III.** Réalité, vérité.

Attraper
Syn. **I.** Agripper, escamoter, escroquer, gripper, happer, prendre, saisir. **III.** Abuser, duper, enjôler, tromper. — Surprendre.

Ant. **I.** Échapper, éviter, fuir, manquer, (s') éloigner, (s') esquiver. **III.** Éluder, (s'en) tirer.

Attrayant
Syn. **I.** Agréable, attachant, attirant, beau, captivant, charmant, magnifique, séduisant.
Ant. **I.** Dégoûtant, déplaisant, laid, rebutant, repoussant.

Attribuer (et **S'**)
Syn. **I.** *(V. tr.)* Accorder, adjuger, affecter, allouer, annexer, assigner, attacher, conférer, décerner, donner, octroyer. — Imputer, prêter, (en) référer. — *(V. pr.)* (S') appliquer, (s') approprier, (s') arroger, réclamer, revendiquer.
Ant. **I.** Enlever, extirper, ravir, refuser, retirer, soustraire. — Abandonner, concéder, décliner, rejeter, renoncer.

Attribut
Syn. **I.** Caractère, droit, marque, particularité, propriété, qualité, signe. **II.** Anagramme, blason, couleur, écu, écusson, emblème, enseigne, initiale, symbole. — Prédicat.
Ant. **I.** Généralité. **II.** Sujet.

Attrister
Syn. **I.** Affecter, affliger, atterrer, chagriner, consterner, contrister, désoler, fâcher, navrer, peiner.
Ant. **I.** Amuser, consoler, distraire, divertir, égayer, réconforter, récréer, réjouir.

Attroupement
Syn. **I.** Assemblée, cohue, foule, groupe, groupement, ralliement. — Manifestation, rassemblement.
Ant. **I.** Dispersion.

Aubaine
Syn. **II.** Chance, gain, fortune, occasion, profit.
Ant. **II.** Infortune, malchance, perte.

Auberge
Syn. **I.** Cabaret, gargote, guinguette, hôtel, hôtellerie, motel, pension, taverne.

Aucun
Syn. **I.** Nul, pas un, personne.
Ant. **I.** Beaucoup, maint, plusieurs, tous.

Audace
Syn. **I.** Assurance, bravoure, courage, cran, crânerie, détermination, énergie, fermeté, front, hardiesse, intrépidité. — Innovation, originalité. — *(Péj.)* Aplomb, arrogance, bravade, cynisme, effronterie, impudence, outrecuidance, présomption, témérité.
Ant. **I.** Lâcheté, peur, timidité. — Gêne, humilité, réserve, respect.

Audacieux
Syn. **I.** Brave, courageux, crâne, décidé, déterminé, hardi, intrépide. — Neuf, nouveau, novateur. — *(Péj.)* Arrogant, cynique, effronté, hasardeux, insolent, osé, outrecuidant, présomptueux, téméraire.
Ant. **I.** Couard, craintif, embarrassé, faible, gêné, indécis, timide. — Humble, respectueux.

Auge
Syn. **I.** Auget, crèche, mangeoire, trémie.

Augmenter
Syn. **I.** *(V. tr.)* *(En dimension)* Accroître, agrandir, ajouter à, allonger, amplifier, développer, élargir, étendre, gonfler, grossir. — *(En intensité)* Accélérer, accentuer, aggraver, fortifier, intensifier, progresser, renforcer. — *(En quantité)* Accumuler, décupler, doubler, multiplier, redoubler. — *(En valeur)* Enchérir, exagérer, hausser, majorer. — *(V. intr.)* Croître, grandir, monter, renchérir.
Ant. **I.** *(V. tr.)* Comprimer, dégonfler, diminuer, écourter, limiter, restreindre. — Affaiblir, amoindrir, amortir, atténuer, modérer, relâcher. — Abaisser, décimer, diviser. — Avilir, baisser, déprécier, déyaloriser, dévaluer, liquider, rabattre. — *(V. intr.)* Décroître, tomber.

Aujourd'hui

Syn. **I.** En ce jour. **II.** Actuellement, à présent, de nos jours, de notre temps, en ce moment, maintenant, présentement. *Ant.* **I.** Autrefois, hier, jadis, naguère. **II.** À l'avenir, bientôt, demain, désormais, dorénavant, prochainement, tantôt.

Aumône

Syn. **I.** Bienfait, charité, don, donation, générosité, gratuité, largesse, libéralité, obole, offrande, présent, prodigalité, quête. **III.** Faveur, grâce. *Ant.* **I.** Avarice, cupidité, égoïsme, ladrerie, méfait, mesquinerie.

Auparavant

Syn. **I.** Avant, d'abord, préalablement, en premier lieu. *Ant.* **I.** Après, dorénavant, ensuite.

Auprès (et Auprès de)

Syn. **I.** Adjacent, attenant, avoisinant, bord à bord, contigu, près(de), proche, tout près, voisin. *Ant.* **I.** À distance, éloigné, loin.

Auspices

Syn. **III.** Appui, direction, égide, patronage, protection, sauvegarde, tutelle. *Ant.* **III.** En dépit de, malgré, nonobstant.

Aussi

Syn. **I.** Autant, de même, également, encore, itou *(pop.)*, pareillement. — Ainsi, au surplus, c'est pourquoi, de plus, en conséquence, partant. *Ant.* **I.** En moins, excepté, moins.

Aussitôt

Syn. **I.** À l'instant même, d'abord, d'emblée, dès l'abord, dès lors, illico, immédiatement, incontinent, instantanément, séance tenante, soudain, sur-le-champ, tout de suite. *Ant.* **I.** Après, avant, en conséquence, ensuite, lentement, longtemps après, subséquemment.

Austère

Syn. **I.** *(Pers.)* — Ascétique, dur, frugal, glacial, grave, puritain, raide, rigide, rigoriste, rigoureux, sec, sérieux, sévère. **II.** *(Ch.)* — Dépouillé, froid, simple, sobre, triste, uni. *Ant.* **I.** Dissolu, sensuel, voluptueux. — Accommodant, aimable, bon, doux, gai, sympathique. **II.** Enjoué, facétieux, plaisant.

Austérité(s)

Syn. **I.** Ascétisme, dureté, froideur, frugalité, gravité, puritanisme, raideur, rigidité, rigorisme, sévérité, sobriété. — *(Pl)* Mortifications, pénitences, privations, restrictions. *Ant.* **I.** Débauche, douceur, facilité, gaieté, sensualité. — Abondance, bonne chère, plaisir.

Auteur

Syn. **I.** Agent, artisan, cause, créateur, fondateur, initiateur, inventeur, promoteur, responsable. — Compositeur, écrivain, homme de lettres. *Ant.* **I.** Créature, œuvre, produit. — Lecteur, public.

Authentique

Syn. **I.** Inattaquable, notarié, officiel, original, public, solennel. — Canonique. **II.** Assuré, avéré, certain, certifié, confirmé, établi, évident, incontestable, indéniable, positif, prouvé, réel, sûr, véridique, vrai. *Ant.* **I.** Erroné, falsifié, faux, inauthentique. — Apocryphe. **II.** Contestable, douteux, fictif, incertain, irréel.

Automate

Syn. **I.** Androïde, machine, robot. **III.** Fantoche, inconscient, jouet, marionnette, pantin. *Ant.* **III.** Conscient, responsable.

Autonomie

Syn. **I.** Affranchissement, émancipation, indépendance, liberté, souveraineté. *Ant.* **I.** Asservissement, assujettissement, colonialisme, dépendance, esclavage, soumission, subordination, tutelle.

Autorisation
Syn. **I.** Accord, consentement, permission. — Concession, permis. — Dispense, exemption.
Ant. **I.** Défense, empêchement, interdiction, refus.

Autoriser
Syn. **I.** Acquiescer, concéder, consentir, permettre. — Habiliter. — Dispenser, exempter.
Ant. **I.** Défendre, empêcher, interdire, prohiber, proscrire, refuser.

Autorité
Syn. **I.** Commandement, domination, empire, force, poigne, pouvoir, puissance, souveraineté. **II.** Ascendant, capacité, compétence, crédit, influence, poids, prestige.
Ant. **I.** Anarchie, déchéance, dépendance, mollesse, subordination. **II.** Incompétence, discrédit.

Autre
Syn. **I.** Différent, disparate, dissemblable, distinct, étranger, hétérogène.
Ant. **I.** Analogue, comparable, égal, homogène, identique, même, pareil, semblable.

Autrefois
Syn. **I.** Anciennement, antan, dans l'antiquité, jadis, naguère.
Ant. **I.** Actuellement, aujourd'hui, encore, maintenant, (à) présent.

Autrui
Syn. **I.** Autres, frère, prochain, semblable.
Ant. **I.** Soi, soi-même.

Auxiliaire V. *Aide*

Avaler
Syn. **I.** Absorber, consommer, déglutir, dévorer, gober, humer, ingérer, ingurgi-ter. **III.** Accepter, admettre, endurer, subir.
Ant. **I.** Cracher, rejeter, sécréter, vomir. **III.** Refuser.

Avancement
Syn. **I.** Amélioration, avance, développement, marche, perfectionnement, progrès, progression. — Essor, promotion.
Ant. **I.** Arrêt, décadence, déchéance, faillite, recul, stagnation, statu quo.

Avant
Syn. **I.** *(Espace)* Devant. — *(Temps)* Antérieurement, auparavant, ci-devant, préalablement, précédemment.
Ant. **I.** Arrière, derrière. — Après, depuis, ensuite.

Avantage
Syn. **I.** Atout, avance, dessus, prééminence, prérogative, supériorité. — Gain, succès, victoire. — Privilège. — Bénéfice, intérêt, profit, utilité.
Ant. **I.** Désavantage, détriment, dommage, inconvénient, préjudice.

Avantager
Syn. **I.** Accorder, attribuer, céder, combler, doter, douer, favoriser, gratifier, privilégier.
Ant. **I.** Dépouiller, désavantager, déshériter, desservir, frustrer, léser, préjudicier.

Avantageux
Syn. **I.** Accommodant, favorable, fructueux, précieux, profitable, utile. — Flatteur.
Ant. **I.** Défavorable, désavantageux, fâcheux, nuisible, préjudiciable.

Avant-midi *(can.)*
Syn. **I.** Matinée.

Avare
Syn. **I.** Avaricieux, chiche, cupide, fessemathieu, grigou *(fam.)*, grippe-sou, harpagon, ladre, lésineur, liardeur, mesquin, parcimonieux, pingre, radin, rapace, rapiat *(fam.)*, rat *(fig.)*, regardant, thésauri-

seur. **III.** Économe, ménager.
Ant. **I.** Dépensier, désintéressé, dilapidateur, dissipateur, gaspilleur, généreux, large, libéral, prodigue.

Avarice
Syn. **I.** Avidité, égoïsme, ladrerie, parcimonie, pingrerie.
Ant. **I.** Désintéressement, dissipation, générosité, largesse, libéralité.

Avenant
Syn. **I.** Accort, affable, agréable, aimable, condescendant, courtois, déférent, empressé, gentil, gracieux, plaisant.
Ant. **I.** Déplaisant, désagréable, détestable, disgracieux, ennuyeux, haïssable, malcommode, rebutant.

Avènement
Syn. **I.** Accession, apparition, arrivée, naissance, venue.
Ant. **I.** Abdication, déchéance, disparition, fin, mort.

Avenir (et Dans l')
Syn. **I.** Futur, lendemain, postérité. — Carrière, destin, destinée. — *(Loc.)* Dans (ou par) la suite, demain, désormais, dorénavant, plus tard, prochainement.
Ant. **I.** Antiquité, passé, présent. — Aujourd'hui, autrefois, jadis, naguère.

Aventure
Syn. **I.** Accident, circonstance, conjecture, entreprise, épisode, événement, fait, incident. — Intrigue, liaison, passade, rencontre.

Aventurer (et S')
Syn. **I.** *(V. tr.)* Commettre, compromettre, essayer, hasarder, jouer, risquer, tenter. — *(V. pr.)* (S') engager, (s') exposer, pénétrer.
Ant. **I.** (Se) défier, prendre garde, prévenir, prévoir.

Aventureux
Syn. **I.** Audacieux, entreprenant, hardi, téméraire. — Dangereux, hasardeux, osé.

Ant. **I.** Averti, avisé, circonspect, prudent. — Sage, sûr.

Avéré
Syn. **I.** Assuré, authentique, certain, démontré, fondé, incontestable, indéniable, indiscutable, indubitable, irrécusable, irréfutable, notoire, patent, péremptoire, prouvé, reconnu, véritable, vrai.
Ant. **I.** Contestable, contesté, controversé, discutable, douteux, faux, fictif, incertain, réfutable.

Avérer (S')
Syn. **I.** Apparaître, (se) manifester, (se) montrer, paraître, ressortir, (se) révéler.

Aversion
Syn. **I.** Animosité, antipathie, détestation, éloignement, exécration, (en) grippe, haine, horreur, hostilité, inimitié, répugnance, répulsion.
Ant. **I.** Amour, bienveillance, cordialité, goût, inclination, sympathie.

Averti
Syn. **I.** Compétent, expérimenté, instruit, renseigné. — Avisé, prudent, sage.
Ant. **I.** Ignorant, incompétent, inexpérimenté. — Naïf, imprudent, malavisé.

Avertir
Syn. **I.** Alerter, annoncer, apprendre, aviser, dire, donner avis, indiquer, informer, instruire, montrer, notifier, prévenir, renseigner, signaler. — Blâmer, menacer, réprimander.
Ant. **I.** Cacher, dissimuler, taire. — Complimenter, féliciter.

Avertissement
Syn. **I.** Avis, communication, conseil, indication, information, instruction, recommandation. — Prémonition, présage, pressentiment, signalement, signe. — Admonestation, monition, observation, préavis, remontrance. **II.** Avant-propos, préface, prologue.
Ant. **I.** Silence. **II.** Appendice, conclusion, épilogue, postface.

Aveu

Syn. **I.** Approbation, consentement. — Confession, confidence, déclaration, mea-culpa, reconnaissance, révélation. *Ant.* **I.** Blâme, critique, désaveu. — Dénégation, négation, secret, silence.

Aveuglement

Syn. **III.** Égarement, trouble. — Erreur, fascination, folie, illusion, obstination, passion. *Ant.* **III.** Clairvoyance, discernement, lucidité, lumière, pénétration, perspicacité, sagacité, tact.

Aveugler

Syn. **I.** Rendre aveugle. — *(Mar.)* Boucher (une voie d'eau), calfater. **II.** Éblouir, voiler. **III.** Affoler, égarer, enticher, fasciner, hypnotiser, illusionner, séduire, troubler. *Ant.* **III.** Dessiller, détromper, éclairer, guider, instruire, ouvrir les yeux.

Avide

Syn. **I.** Affamé, assoiffé, glouton, goinfre, goulu, gourmand, vorace. **III.** Ambitieux, cupide, désireux, insatiable, rapace. *Ant.* **III.** Désintéressé, détaché, indifférent, raisonnable.

Avidité

Syn. **I.** Appétit, gloutonnerie, goinfrerie, voracité. **III.** Ambition, concupiscence, convoitise, cupidité, désir, envie. *Ant.* **I.** Anorexie. **III.** Abnégation, désintéressement, détachement, indifférence, renoncement, retenue, sobriété, tempérance.

Avilir

Syn. **I.** Abaisser, corrompre, déconsidérer, dégrader, déshonorer, discréditer, flétrir, humilier, mépriser, rabaisser, salir, vilipender. — Déprécier, dévaluer. *Ant.* **I.** Élever, ennoblir, exalter, glorifier, honorer. — Améliorer, revaloriser.

Avis

Syn. **I.** Conseil, opinion, sentiment. — Annonce, avertissement, ban, communication, communiqué, indication, proclamation.

Avisé

Syn. **I.** Averti, circonspect, clairvoyant, fin, habile, intelligent, perspicace, prudent, réfléchi. *Ant.* **I.** Aventureux, hasardeux, imprudent, irréfléchi, malavisé.

Aviser

Syn. **I.** Apercevoir, distinguer, remarquer. — Avertir, informer, notifier, prévenir.

Avocat

Syn. **I.** Conseil, défenseur, plaideur. **III.** Apôtre, champion, médiateur, protecteur, serviteur, soutien, tenant. *Ant.* **I.** Accusateur. **III.** Adversaire, ennemi, persécuteur, provocateur.

Avoir

Syn. **I.** *(V. tr.)* Bénéficier de, détenir, jouir de, posséder, tenir. — Acquérir, obtenir, (se) procurer, recevoir, remporter. — *(N.)* Actif, argent, bien, crédit, fortune, possession, richesse. *Ant.* **I.** *(V. tr.)* Manquer, (être) privé de. — Laisser, perdre, rater. — *(N.)* Débit, dette, manque, passif.

Avortement

Syn. **I.** Expulsion provoquée, délibérée (du fœtus avant terme). **III.** Echec, insuccès. *Ant.* **I.** Enfantement. **III.** Aboutissement, réussite, succès.

Avorter

Syn. **I.** Expulser (un fœtus non viable). **III.** Échouer, manquer, rater. *Ant.* **I.** Accoucher (à terme), enfanter. **III.** Aboutir, réussir.

Avouer

Syn. **I.** Accorder, admettre, concéder, convenir, déclarer, reconnaître. — (S') ac-

cuser de, confesser, (se) déboutonner *(fam.)*, décharger (sa conscience).
Ant. **I.** Cacher, contester, désavouer, dissimuler, nier, taire.

Axiome
Syn. **I.** Évidence, postulat, prémisse, proposition, théorème, vérité (première). **II.**

Aphorisme, apophtegme, maxime, sentence.
Ant. **I.** Approximation, conclusion, énigme, erreur, fausseté, paralogisme, sophisme.

Azur
Syn. **I.** Bleu clair. **II.** Air, ciel, firmament.

B

Babil
Syn. **I.** Babillage, babillement, caquet *(fig., fam.)*, gazouillis, ramage. **II.** Bruit, murmure.
Ant. **I.** et **II.** Discrétion, laconisme, mutisme, silence.

Babillard V. *Bavard*

Babiller
Syn. **I.** Bavarder, cailleter, jaboter *(fam., vx)*, jacasser, jaser. **II.** Caqueter, gazouiller.
Ant. **I.** Faire silence, (se) taire.

Babiole
Syn. **I.** Breloque, brimborion, camelote, colifichet, jouet, joujou. **III.** Bagatelle, broutille, futilité, rien.
Ant. **I.** Bijou, joyau, trésor.

Babord
Syn. **I.** Gauche.
Ant. **I.** Droite, tribord.

Bâcler
Syn. **I.** *(Vx)* Fermer. **III.** *(Fam.)* Expédier, gâcher, saboter, sabrer, torcher *(fig.)*, torchonner *(fig. et fam.)*.
Ant. **III.** Fignoler *(fam.)*, soigner.

Badaud
Syn. **I.** Curieux, flaneur, gobe-mouches, passant, promeneur.

Badin
Syn. **I.** Amusant, divertissant, drôle, enjoué, folâtre, folichon, gai, léger.

Ant. **I.** Austère, grave, posé, sérieux, sévère, solennel.

Badinage
Syn. **I.** Amusement, badinerie, folâtrerie, plaisanterie.
Ant. **I.** Gravité, importance, sérieux, solennité.

Badiner
Syn. **I.** (S') amuser, batifoler, folâtrer, jouer, plaisanter.
Ant. **I.** Méditer, peser, penser, raisonner, réfléchir.

Bafouer
Syn. **I.** Conspuer, honnir, outrager, persifler, railler, ridiculiser, vilipender.
Ant. **I.** Accueillir, agréer, exalter, louer.

Bagage
Syn. **I.** Attirail, ballot, colis, équipement, malles, paquets. **III.** Connaissances.

Bagatelle
Syn. **I.** Babiole, bricole, frivolité. **III.** Futilité, rien, vétille.
Ant. **I.** Fortune, joyau, richesse, trésor. **III.** Sérieux, valeur.

Bagne
Syn. **I.** Chiourme, pénitencier, travaux forcés. **III.** Enfer *(fig.)*.

Baigner
Syn. *(V. tr.)* **I.** Immerger, laver, nettoyer, plonger. — Arroser, irriguer. **II.** Inonder, mouiller, noyer. **III.** Entourer, imprégner,

pénétrer, remplir. *(V. intr.)* **I. Tremper.**
Ant. **I.** Assécher, dessécher, essuyer, étancher, sécher.

Bain
Syn. **I.** Ablution, baignade, immersion, toilette, trempette *(fam.).* — **Héliothérapie,** hydrothérapie. — **Baignoire, douche,** piscine, sauna, thermes.

Baiser
Syn. **I.** Accolade, bécot *(fam.),* bise *(fam.),* embrassade, embrassement. **III.** Caresse, contact.

Baisse
Syn. **I.** Abaissement, affaissement, chute, descente, diminution, effondrement. **III.** Affaiblissement, déclin.
Ant. **I.** Augmentation, élévation, exhaussement, hausse, majoration, montée. **III.** Raffermissement, relèvement.

Baisser
Syn. **I.** *(V. tr.)* Abaisser, descendre, incliner, rabattre. — *(V. intr.)* Décliner, décroître, diminuer, faiblir.
Ant. **I.** Élever, hausser, lever, monter. — Accroître, augmenter, majorer, surélever.

Balance
Syn. **I.** Bascule, peson, romaine, trébuchet. **III.** Équilibre, justice, rapport.

Balancement
Syn. **I.** Bercement, branle, oscillation, vacillation, va-et-vient. **II.** Flottement, hésitation. **III.** Équilibre, pondération, symétrie.
Ant. **I.** Immobilité, stabilité. **II.** Décision. **III.** Asymétrie, désordre.

Balancer
Syn. (V. tr.) **I.** Agiter, ballotter, bercer, branler, dodeliner, ébranler, mouvoir, osciller, remuer, secouer. **III.** Comparer, examiner, peser. — Compenser, équilibrer. *(V. intr.)* **I.** Hésiter.
Ant. **I.** Immobiliser. — Décider.

Balançoire
Syn. **I.** Bascule, escarpolette. **III.** Baliverne, propos en l'air, sornette.

Balayer
Syn. **I.** Brosser, déblayer, enlever, épousseter, nettoyer. **III.** Chasser, débarrasser, disperser, supprimer.
Ant. **I.** Salir, souiller. **III.** Embarrasser, encombrer.

Balbutier
Syn. **I.** Ânonner, bafouiller, bégayer, bredouiller, marmotter.
Ant. **I.** Articuler, exprimer, prononcer (distinctement).

Baliverne
Syn. **I.** Billevesée, calembredaine, enfantillage, fadaise, faribole, puérilité, rien, sornette, sottise.

Ballonner
Syn. **I.** Distendre, enfler, gonfler.
Ant. **I.** Aplatir, dégonfler, désenfler.

Ballotter
Syn. **I.** Agiter, balancer, bercer, remuer, secouer. **III.** Tirailler.
Ant. **I.** Apaiser, calmer, fixer, stabiliser, tranquilliser.

Balourdise
Syn. **I.** Ânerie, bêtise, gaffe, grossièreté, impertinence, impolitesse, inconvenance, insolence, maladresse, stupidité.
Ant. **I.** Convenances, civilité, délicatesse, finesse, politesse, subtilité.

Banal
Syn. **I.** Commun, connu, courant, facile, fréquent, insignifiant, insipide, ordinaire, poncif, quelconque, rebattu, ressassé, simple, trivial, vulgaire.
Ant. **I.** Curieux, extraordinaire, important, inédit, inusité, nouveau, original, rare, recherché, remarquable.

Banalité
Syn. **I.** Cliché, évidence, insignifiance,

lapalissade, lieu commun, platitude, poncif, truisme.
Ant. **I.** Curiosité, nouveauté, originalité, relief.

Banc de neige *(can.)*
Syn. **I.** Congère.

Bande
Syn. **I.** Bandage, bandeau, bandelette, écharpe, lien, sangle. **II.** Barre, lisière, zone. — Film, pellicule. — *(Pers.)* Association, compagnie, groupe, parti, troupe. *(Péj.)* Clan, clique, gang, ligue.

Bandit
Syn. **I.** Apache, brigand, cambrioleur, chenapan, coupe-jarret, criminel, forban, gangster, malandrin, malfaiteur, pillard, pirate, vaurien.
Ant. **I.** Héros, saint. — Victime.

Bannir
Syn. **I.** Chasser, déporter, exiler, expatrier, expulser, proscrire, reléguer. **III.** Abolir, écarter, éloigner, exclure, rejeter, supprimer.
Ant. **I.** Rapatrier, rappeler. **III.** Accueillir, adopter, convier, recevoir.

Bannissement
Syn. **I.** Déportation, exil, expatriation, expulsion, ostracisme, proscription, relégation, renvoi.
Ant. **I.** Rapatriement, rappel. — Accueil, admission, convocation, invitation.

Banqueroute
Syn. **I.** Déconfiture, faillite, krach. **III.** Ruine.
Ant. **I.** Prospérité, réussite, succès.

Banquet
Syn. **I.** Agapes, bonne chère, festin, fête, noce, régal, réjouissance, ripaille *(fam.)*.

Bar
Syn. **I.** Buvette, café, comptoir, débit de boissons, guinguette, taverne.

Barachois *(can.)*
Syn. **I.** Lagune. **II.** Banc de sable.

Barbare
Syn. **I.** Inculte, primitif, sauvage. **III.** Béotien, grossier, rude. — Atroce, brutal, cruel, farouche, féroce, impitoyable, inhumain, sadique.
Ant. **I.** Civilisé, policé, raffiné. **III.** Bon, charitable, doux, humain, secourable.

Barbarie
Syn. **I.** Grossièreté, ignorance, rudesse. **III.** Atrocité, brutalité, cruauté, dureté, férocité, inhumanité, sadisme, vandalisme.
Ant. **I.** Civilisation, raffinement. **III.** Bonté, charité, douceur, humanité.

Barboter
Syn. **I.** (Se) crotter, (s') embourber, (s') envaser, patauger, (se) salir, (se) souiller. **III.** Déraisonner, (s') empêtrer, (se) perdre, (se) troubler.
Ant. **I.** (Se) curer, (se) décrasser, (se) laver, (se) nettoyer. **III.** (Se) débrouiller, (se) dépêtrer, (se) retrouver.

Barbouillage
Syn. **I.** Gribouillage, gribouillis, griffonnage, grimoire.
Ant. **I.** Calligraphie, débarbouillage.

Barbouiller
Syn. **I.** Maculer, salir, souiller, tacher. — Enduire. **II.** Peinturer, peinturlurer. — Gribouiller, griffonner.
Ant. **I.** Débarbouiller, laver, nettoyer. **II.** Calligraphier.

Barbouilleur
Syn. **III.** *(Fig.)* Écrivailleur, écrivassier, plumitif. — Badigeonneur.

Baril
Syn. **I.** Barrique, futaille, tonneau, tonnelet.

Bariolé
Syn. **I.** Bigarré, chiné, jaspé, multicolore, panaché, peinturluré, varié.
Ant. **I.** Uni, uniforme.

Baroque
Syn. **II.** Abracadabrant, biscornu, bizarre, étrange, excentrique, fantastique, irrégulier, rococo.
Ant. **II.** Normal, régulier. — Classique.

Barre
Syn. **I.** Barreau, bâton, croisillon, tige, traverse, tringle. **II.** Bande, ligne. — Rature, trait.

Barrer
Syn. **I.** Clore. **II.** Boucher, couper, empêcher, interdire, murer, obstruer. — Biffer, effacer, raturer, rayer.
Ant. **I.** Débarrer, déclore, enfoncer, ouvrir. **II.** Inscrire, remettre.

Barrière
Syn. **I.** Barrage, claire-voie, clôture, échalier, haie, palissade. **III.** Digue, empêchement, fossé, obstacle.
Ant. **I.** Accès, ouverture, passage, trait d'union.

Bas
Syn. **I.** Abaissé, baissé, inférieur, infime. — *(Mus.)* Grave. **III.** Abject, faible, grave, ignoble, lâche, trivial, vil.
Ant. **I.** Élevé, haut, levé, relevé. — Aigu *(son)*, fort. **III.** Grand, magnanime, noble, sublime.

Basané
Syn. **I.** Bistré, bronzé, brun, hâlé, noirâtre, tanné.
Ant. **I.** Blanchâtre, blême, pâle.

Basculer
Syn. **I.** Capoter, chavirer, choir, culbuter, dégringoler, (se) renverser, tomber.
Ant. **I.** Équilibrer, (se) mettre sur pied, redresser, (se) tenir.

Base
Syn. **I.** Appui, assiette, assise, dessous, fond, fondation, fondement, pied, piédestal, socle. **III.** Principe, soutien, support.

Ant. **I.** Cime, crête, faîte, pic, point culminant, tête, toit.

Bassesse
Syn. **I.** Abaissement, abjection, avilissement, dégradation, infériorité, servilité. — *(Action)* Compromission, courbette, flatterie, ignominie, indignité, platitude, trivialité, vilenie.
Ant. **I.** Élévation, générosité, grandeur, honorabilité, magnanimité, noblesse. — Désintéressement, distinction.

Bataille
Syn. **I.** Action, combat, engagement, lutte, mêlée, opération.
Ant. **I.** Concorde, entente, harmonie, paix.

Batailler
Syn. **I.** Affronter, (se) bagarrer *(fam.)*, (se) battre. **III.** Combattre, lutter. — Contester, disputer, revendiquer.
Ant. **III.** (Se) comprendre, concéder, convenir, (s') entendre, (se) plier.

Bâtard
Syn. **I.** Illégitime, naturel. **II.** Croisé, hybride, mâtiné, métis. — Altéré, dégénéré.
Ant. **I.** Légal, légitime. **II.** Racé. — Pur.

Bateau
Syn. **I.** Barque, bâtiment, cargo, embarcation, navire, paquebot, vaisseau, yacht.

Batelier
Syn. **I.** Canotier, marinier, nautonnier, passeur, rameur.

Bâtir
Syn. **I.** Construire, édifier, élever, ériger. **III.** Créer, établir, fonder, instituer, inventer, organiser.
Ant. **I.** Abattre, anéantir, annihiler, démanteler, démolir, détruire, raser, renverser, ruiner, supprimer.

Bâton
Syn. **I.** Baguette, barre, bâtonnet, canne, gaule, gourdine, massue, matraque, rondin, trique.

Battage
Syn. **I.** Dépiquage. **III.** *(Fam.)* Bluff, bruit, publicité, réclame.
Ant. **III.** Sincérité, vérité.

Battre (et Se)
Syn. (V. tr.) **I.** Assommer, bâtonner, brutaliser, cogner, cravacher, fesser, fouetter, frapper, gifler, malmener, maltraiter, rosser, rouer de coups, tabasser, taper. **II.** Anéantir, défaire, (l') emporter sur, gagner, triompher de, vaincre. *(V. pr.)* **I.** Combattre, lutter, (se) mesurer.
Ant. (V. tr.) **I.** Caresser, choyer, défendre, dorloter, protéger. **II.** Capjtuler, céder, (se) rendre, (être) vaincu. *(V. pr.)* **I.** Abandonner.

Baume
Syn. **I.** Résine. **III.** Adoucissement, apaisement, consolation, dictame, réconfort, remède, soulagement, sympathie.
Ant. **I.** Poison, venin. **III.** Découragement, écœurement, meurtrissure, peine.

Bavard
Syn. (N.) **I.** Babillard, discoureur, jaseur, parleur, phraseur, pie *(fig.)*, rhéteur. **II.** Cancanier, commère. *(Adj.)* **I.** Loquace, prolixe, verbeux. **II.** Indiscret.
Ant. **I.** Laconique, muet, silencieux, taciturne. **II.** Discret.

Bavardage
Syn. **I.** Babillage, bagou, caquet, caquetage, galimatias, jacasserie, loquacité, papotage, parlote, verbiage. **II.** Cancan, commérage, potin, racontar.
Ant. **I.** Cachotterie, mutisme, silence. **II.** Circonspection, discrétion, retenue.

Bavarder
Syn. **I.** Babiller, cailleter, caqueter, causer, jaspiner, papoter, tailler une bavette *(pop.)*. **II.** Cancaner, déblatérer, divulguer, jaser.
Ant. **I.** (Être) silencieux, (se) taire. **II.** (Être) circonspect, discret, (se) retenir.

Béatitude
Syn. **I.** Bien-être, bonheur parfait, contentement, enchantement, euphorie, extase, félicité, joie, quiétude, ravissement, satisfaction.
Ant. **I.** Affliction, angoisse, déception, dépit, douleur, inquiétude, mécontentement, mélancolie, peine, torture, tourment, tristesse.

Beau
Syn. **I.** Admirable, agréable, bienséant, charmant, convenable, élevé, enchanteur, généreux, grand, imposant, intéressant, magistral, magnifique, majestueux, précieux, pur, radieux, splendide, superbe.
Ant. **I.** Affreux, choquant, dégoûtant, désagréable, disgracieux, enlaidi, hideux, ignoble, laid, répugnant, sale, vilain.

Beaucoup
Syn. **I.** Abondamment, amplement, considérablement, copieusement, énormément, extrêmement, (à) foison, force, fort, (à) gogo *(fam.)*, grandement, immensément, largement, moult, nombre de, (à) profusion, (à) satiété, (à) souhait.
Ant. **I.** Peu, rien. — Aucun, nul, personne.

Beauté
Syn. **I.** Attrait, charme, délicatesse, éclat, finesse, grâce, gracieuseté, grandeur, harmonie, joliesse, majesté, perfection, richesse, splendeur.
Ant. **I.** Abjection, bassesse, dégoût, honnête, ignominie, indignité, répugnance, répulsion.

Bégayer
Syn. **I.** Balbutier, bredouiller, hésiter.
Ant. **I.** Articuler, prononcer (nettement).

Belliqueux
Syn. **I.** Agressif, batailleur, belliciste, chicanier, combatif, guerrier, martial, querelleur, rétif, révolutionnaire.
Ant. **I.** Calme, conciliant, doux, média-

teur, pacifique, pacifiste, paisible, placide, posé, tranquille.

Belvédère
Syn. I. Kiosque, mirador, observatoire, pavillon, terrasse, tour, tourelle.

Bénédiction
Syn. I. Bonheur, chance, grâce, protection. II. Consécration. — Abondance, bienfait, don, faveur, prospérité, succès. III. Affection, estime, reconnaissance, remerciement.
Ant. I. Anathème, exécration, malédiction, réprobation.

Bénéfice
Syn. I. Avantage, bienfait, faveur, grâce, privilège, récompense, service, utilité. II. Boni, gain, excédent, produit, profit, rapport, revenu.
Ant. I. Désavantage, dommage, inconvénient, préjudice, ruine. II. Déficit, perte.

Benêt
Syn. I. Badaud, dadais, godiche, niais, nigaud, sot.
Ant. Fin, futé, malin.

Bénignité
Syn. I. Bienfaisance, bienveillance, bonté, débonnaireté, douceur, humanité, indulgence, mansuétude.
Ant. I. Malignité, méchanceté, perfidie.

Bénin
Syn. I. Bon, calme, débonnaire, doux, faible, favorable, humain, indulgent, propice. *(Ch.)* I. Anodin, inoffensif, léger. III. Favorable, propice.
Ant. I. Cruel, défavorable, désavantageux, impitoyable, méchant. — Dangereux, grave, malin, néfaste, sérieux.

Bénir
Syn. I. Protéger. — Consacrer, oindre, sacrer. — Exalter, glorifier, louer, remercier.
Ant. I. Condamner, exécrer, maudire, réprouver.

Béquille
Syn. I. Bâton, canne, support, tuteur. III. Appui, soutien.

Bercail
Syn. I. Bergerie, étable. III. Famille, foyer, maison, sein (de l'Eglise).

Berceau
Syn. I. Ber, bercelonnette, moïse. III. Commencement, origine.
Ant. I. Tombe. III. Fin, mort, terme, trépas.

Bercer (et Se)
Syn. (V. tr.) I. V. *Balancer.* III. Adoucir, apaiser, calmer, charmer, consoler, endormir. — Amuser, leurrer. *(V. pr.)* I. (Se) balancer. III. (S') illusionner.
Ant. (V. tr.) I. Immobiliser. III. Aviver, éveiller, inquiéter, tourmenter. *(V. pr.)* III. Désabuser.

Berger
Syn. I. Gardien (de moutons). II. Pâtre. III. Chef, conducteur, guide, pasteur, surveillant.

Berner
Syn. III. Blaguer, duper, gouailler, jouer, (se) moquer, railler, ridiculiser, tromper.
Ant. III. Démystifier, détromper.

Besogne
Syn. I. Corvée, occupation, ouvrage, peine, tâche, travail.
Ant. I. Arrêt, délassement, détente, distraction, récréation, repos, trêve.

Besogner
Syn. I. Manœuvrer, peiner, suer, travailler, trimer.
Ant. I. (S') amuser, (s') arrêter, (se) détendre, (se) distraire, (se) récréer, (se) reposer.

Besogneux
Syn. I. Gueux, indigent, mendiant, miséreux, nécessiteux, pauvre, quêteux.
Ant. I. Aisé, cossu, crésus, fortuné, opulent, prospère, riche.

Besoin
Syn. **I.** Appétence, appétit, désir, envie, exigence, nécessité. — Dénuement, disette, gêne, indigence, manque, misère, pauvreté, pénurie, privation. *Ant.* **I.** Dégoût, satiété. — Abondance, aisance, bien-être, fortune, opulence, prospérité, richesse, surplus.

Bête
Syn. **I.** *(N.)* Animal, bestiole, brute, fauve. **III.** *(Adj.)* Balourd, benêt, buse, butor, cruche, déplaisant, épais, ganache, imbécile, inintelligent, lourdaud, malveillant, niais, nigaud, sot, stupide. *Ant.* **III.** Adroit, agréable, bienveillant, bon, charmant, débrouillard, délicat, fin, futé, ingénieux, intelligent, spirituel, subtil.

Bêtise
Syn. **I.** Idiotie, imbécillité, incongruité, naïveté, niaiserie, nigauderie, sottise, stupidité. — Ânerie, balourdise, bévue, bourde, gaffe *(fam.)*, maladresse. — Bagatelle, enfantillage, folie. *Ant.* **I.** Amabilité, bon sens, délicatesse, esprit, finesse, gentillesse, ingéniosité, intelligence, prudence, responsabilité, sérieux, subtilité.

Bévue
Syn. **I.** Aberration, bêtise, bourde, égarement, erreur, étourderie, faute, gaffe, impair, maladresse, méprise, pas de clerc, sottise. *Ant.* **I.** Adresse, bon sens, clairvoyance, finesse, sagacité, sagesse.

Biais (et De)
Syn. **I.** *(N.)* Détour, obliquité. — *(Loc.)* Obliquement, (par) ricochet, (de) travers. *Ant.* **I.** Ligne directe. — De front.

Biaiser
Syn. **I.** Dévier, obliquer. **III.** Gauchir, louvoyer, tergiverser. *Ant.* **I.** Aller droit au but, marcher droit.

Bien
Syn. *(N.)* **I.** Acquêts, avoir, capital, domaine, fortune, héritage, patrimoine, propriété, richesse. **III.** Bonheur, charité, devoir, droit, idéal, justice, perfection, vertu. — Avantage, bienfait, intérêt, profit, service, utilité. — *(Adv.)* **I.** Assurément, certes, (à) merveille, oui. — Beaucoup, nombreux. — *(Adj.)* Beau, bon, compétent, consciencieux, distingué, honnête, intègre, sérieux. *Ant.* **I.** Pauvreté, pénurie. **III.** Mal. — Dommage, préjudice. **I.** Non. — Peu, rien. Incompétent, léger, malhonnête.

Bien-être
Syn. **I.** Agrément, aise, béatitude, bonheur, enchantement, félicité, joie, plaisir, quiétude, ravissement, satisfaction. — *(Situation)* Aisance, confort, prospérité. *Ant.* **I.** Angoisse, contrainte, détresse, inquiétude, malaise, peine, souffrance. — Besoin, gêne, incommodité, mendicité, misère, pauvreté, pénurie, privation.

Bienfaisance
Syn. **I.** Bienveillance, bonté, charité, dévouement, générosité, humanité, philanthropie. — Bienfait, faveur. *Ant.* **I.** Malfaisance, malice, malignité, malveillance, méchanceté. — Méfait, tort.

Bienfait
Syn. **I.** Aumône, avantage, cadeau, charité, don, faveur, générosité, grâce, largesse, libéralité, obole, (bon) office, présent, secours, service. *Ant.* **I.** Méfait, préjudice, tort.

Bienfaiteur
Syn. **I.** Donateur, mécène, protecteur, sauveur. *Ant.* **I.** Ennemi.

Bienséance
Syn. **I.** Convenance, décence, décorum, étiquette, politesse, protocole, savoir-vivre, usage. *Ant.* **I.** Impolitesse, incongruité, inconvenance, indécence, insolence, malséance, sans-gêne.

Bientôt
Syn. **I.** Demain, incessamment, (sous) peu, prochainement, tantôt, (sans) tarder, tôt.
Ant. **I.** (Dans) longtemps, tardivement.

Bienveillance
Syn. **I.** Affabilité, altruisme, bénignité, bienfaisance, bonté, condescendance, débonnaireté, déférence, douceur, égard, humanité, indulgence, respect.
Ant. **I.** Animosité, cruauté, hostilité, inimitié, malveillance, méchanceté, rancune, ressentiment.

Bienveillant
Syn. **I.** Accueillant, affable, bienfaisant, bon, débonnaire, doux, favorable, hospitalier, humain, indulgent, obligeant.
Ant. **I.** Désobligeant, hostile, malveillant, mauvais, méchant, rancunier, sévère.

Bienvenue
Syn. **I.** (Bon) accueil, admission, réception (cordiale).
Ant. **I.** (Mauvais) accueil, congédiement, exclusion, expulsion, renvoi.

Biffer
Syn. **I.** Abolir, annuler, barrer, effacer, enlever, ôter, raturer, rayer, retrancher, révoquer, supprimer.
Ant. **I.** Ajouter, confirmer, conserver, garder, incorporer, maintenir, perpétuer, ratifier, surajouter.

Bifurquer
Syn. **I.** (Se) dédoubler, diverger, (se) diviser, fourcher, (se) séparer. **III.** (Se) diriger vers, (s') orienter vers.
Ant. **I.** (Se) raccorder, (se) rejoindre, (se) réunir.

Bigarré
Syn. **I.** Bariolé, chamarré, diapré. **II.** Disparate, hétérogène, mêlé, varié.
Ant. **II.** Homogène, uni, uniforme.

Bigot
Syn. **I.** Cafard, cagot, (faux) dévot, hypo-crite, pharisien, tartufe.
Ant. **I.** Franc, libéral, sincère.

Bijou
Syn. **I.** Garniture, joyau, ornement, parure, trésor. **III.** Chef-d'œuvre.
Ant. **I.** Bagatelle, breloque, brimborion, camelote, colifichet, jouet.

Bilatéral
Syn. **I.** À deux côtés, double, conjoint, mutuel, réciproque, synallagmatique.
Ant. **I.** D'un seul côté, unilatéral.

Bile
Syn. **I.** Amer, fiel. **III.** Angoisse, chagrin, colère, emportement, ennui, humeur, hypocondrie, inquiétude, mélancolie, souci, tristesse.
Ant. **III.** Apaisement, calme, distraction, douceur, gaieté, quiétude, placidité, sérénité.

Billet
Syn. **I.** Lettre, missive, mot. — Avis, circulaire. — Coupon, promesse, reconnaissance. — Bank-note, coupure, devise, papier-monnaie. — Carte, numéro, ticket. — Certificat.

Bis
Syn. **I.** *(Adj.)* Grisâtre, gris brun. *(Adv.)* Encore, rappel, une seconde fois.

Bisser
Syn. **I.** Recommencer, redoubler, répéter. **II.** Applaudir, rappeler, réclamer.
Ant. **I.** Cesser. **II.** Huer, siffler.

Bizarre
Syn. **I.** *(Ch.)* Baroque, cocasse, curieux, étonnant, étrange, extraordinaire, extravagant, inattendu, insolite, rare, singulier. *(Pers.)* Bourru, capricieux, excentrique, fantasque, quinteux.
Ant. **I.** Banal, courant, normal, ordinaire, simple. — Equilibré, pondéré.

Blackbouler
Syn. **I.** Battre, coller *(fam.)*, éconduire, éliminer, évincer, exclure, nuire, refuser, repousser.

Ant. I. Aider, attirer, défendre, protéger, recevoir, secourir.

Blafard
Syn. **I.** Blanchâtre, blême, cadavérique, hâve, livide, pâle, pâlot, terne.
Ant. **I.** Brillant, coloré, éblouissant, éclatant, vermeil, vif.

Blague
Syn. **III.** *(Fam.)* Attrape, bobard, farce, galéjade, hâblerie, mensonge, plaisanterie, vanterie.
Ant. **III.** Franchise, gravité, réalité, sérieux, vérité.

Blaguer
Syn. **I.** *(V. intr. Fam.)* Badiner, mentir, plaisanter, railler. — *(V. tr. Fam.)* (Se) moquer, taquiner.
Ant. **I.** Affirmer, attester, certifier, prouver, raisonner, (être) sérieux.

Blâme
Syn. **I.** Admonestation, censure, condamnation, critique, désapprobation, désaveu, grief, réprimande, réprobation, reproche, semonce.
Ant. **I.** Approbation, compliment, éloge, félicitation, flatterie, louange.

Blâmer
Syn. **I.** Anathématiser, censurer, condamner, critiquer, désapprouver, désavouer, flétrir, reprendre, réprimander, reprocher, sermonner, stigmatiser, tancer.
Ant. **I.** Approuver, complimenter, défendre, disculper, encourager, excuser, féliciter, glorifier, justifier, louanger, vanter.

Blanc
Syn. **I.** Blanchâtre, laiteux, opalin. — Blême, pâle. — Net, propre, pur. **III.** Immaculé, innocent, lilial, virginal.
Ant. **I.** Assombri, flétri, noir, taré, terni, — Maculé, malpropre, souillé, taché. **III.** Impur.

Blanc-bec
Syn. **III.** Béjaune, ignorant, imbécile, inexpérimenté, niais, nigaud, novice.
Ant. **III.** Adroit, avisé, expérimenté, habile, intelligent, inventif.

Blanchir
Syn. *(V. tr.)* **I.** Éclaircir, laver, lessiver, nettoyer, purifier, rendre blanc, rendre propre, savonner. **III.** Disculper, innocenter, justifier. — *(V. intr.)* Blêmir, pâlir.
Ant. **I.** Éclabousser, noircir, salir, souiller, tacher. **III.** Accuser, inculper, ternir.

Blasphème
Syn. **I.** Grossièreté, imprécation, injure, juron, outrage.
Ant. **I.** Hommage, invocation, louange, prière, respect, vénération.

Blême
Syn. **I.** Blafard, blanc, décoloré, défraîchi, éteint, exsangue, fané, flétri, hâve, livide, pâle, terne.
Ant. **I.** Animé, carmin, coloré, éblouissant, éclatant, empourpré, étincelant, frais, hâlé, luisant, pourpre, rougeaud, sanguin, solide, vermeil, vigoureux.

Blesser
Syn. **I.** Balafrer, contusionner, écharper, égratigner, estropier, léser, meurtrir, mutiler, toucher. **II.** Affecter. **III.** Choquer, contrarier, déplaire, irriter, offenser, piquer, vexer.
Ant. **I.** Guérir, panser, soigner, traiter. **III.** Complimenter, épargner, flatter, louer.

Blessure
Syn. **I.** Coupure, écorchure, égratignure, lésion, meurtrissure, morsure, mutilation, plaie. **III.** Affliction, chagrin, coup. offense, peine.
Ant. **I.** Pansement. **III.** Baume, consolation, joie, soulagement.

Bleu
Syn. **I.** *(Adj.)* Azur, bleuâtre, céruléen. — *(N.)* Ecchymose, meurtrissure.

Bleuet *(can.)*
Syn. **I.** Airelle, fausse-myrtille.

Bloc
Syn. **I.** Masse, monolithe, pavé, roche, rocher. **II.** Agglomération, amas, assemblage, quantité. **III.** Coalition, front, groupement, rassemblement, union. — Ensemble, totalité, tout. *Ant.* **I.** Élément, fragment, miette, morceau, parcelle. **III.** Rupture, scission. — Moitié, partie.

Bloquer
Syn. **I.** Assiéger, cerner, investir. **II.** Coincer, immobiliser, serrer. — Arrêter, boucher, empêcher, entraver, gêner, obstruer. *Ant.* **I.** Dégager, lever (le siège), libérer. **II.** Débarrasser, débloquer.

Blottir (Se)
Syn. **I.** (S') accroupir, (se) pelotonner, (se) ramasser, (se) recroqueviller, (se) replier, (se) tasser. **II.** (Se) cacher, (s') enfouir, (se) réfugier, (se) presser, (se) serrer (contre). *Ant.* **I.** (S') étirer. **II.** Affronter, (se) découvrir, (s') exposer, (se) montrer.

Bluff
Syn. **II.** Chantage, exagération, épate, esbroufe, intimidation, tromperie, vantardise. *Ant.* **II.** Naturel, simplicité, sincérité.

Bocage V. *Bois*

Boire
Syn. **I.** (S') abreuver, absorber, avaler, consommer, (se) désaltérer, engloutir, étancher, gober, humer, ingurgiter, lamper, (se) rafraîchir, sabler, siroter, trinquer. — (S') enivrer, (se) soûler. *Ant.* **I.** Rejeter, vomir. — (S') abstenir, (être) sobre.

Bois
Syn. **I.** Bocage, boqueteau, bosquet, bouquet (d'arbres), forêt, fourré, futaie, massif, taillis, touffe d'arbres. — Branche, brin, brindille, bûche, copeau, éclat, fagot, fascine, rondin, tronc.

Boiser
Syn. **I.** Garnir d'arbres, planter, reboiser, transplanter. *Ant.* **I.** Abattre, bûcher, couper, déboiser, dégarnir.

Boisson
Syn. **I.** Boire, breuvage, consommation, liqueur, liquide, potion, rafraîchissement, spiritueux, tournée. — Alcoolisme, ivresse. *Ant.* **I.** Aliment, comestible, manger, solide. — Sobriété, tempérance.

Boîte
Syn. **I.** Caisse, cassette, coffre, coffret, écrin.

Boiter
Syn. **I.** Boitiller, claudiquer, clocher, clopiner, traîner la jambe. *Ant.* **I.** Marcher droit.

Boiteux
Syn. **I.** Bancal, bancroche, claudicant, éclopé. **II.** *(Ch.)* Branlant, inégal, instable. **III.** Chancelant, défectueux, faux, insuffisant, maladroit. *Ant.* **I.** Alerte, ingambe. **II.** (D') aplomb, égal, symétrique. **III.** Droit, juste, logique, solide, sûr.

Bol
Syn. **I.** Coupe, gobelet, jatte, récipient, tasse.

Bon
Syn. **I.** Avantageux, convenable, efficace, exact, excellent, favorable, salutaire, utile, valable. — Agréable, délicieux, fameux, savoureux. — *(Pers.)* Aimable, attirant, bienfaisant, charitable, distingué, droit, élevé, habile, heureux, honnête,

humain, juste, obligeant, secourable,
simple, tendre, vertueux.
Ant. **I.** Défavorable, fatal, funeste, malsain, néfaste, nuisible, pernicieux. —
Acerbe, âpre, mauvais. — *(Pers.)* Désobligeant, dur, implacable, inhumain, injuste, malhonnête, méchant, pervers,
rude.

Bond
Syn. **I.** Bondissement, cabriole, culbute,
gambade, pirouette, rejaillissement, ricochet, saut, soubresaut.
Ant. **I.** Immobilité.

Bonheur
Syn. **I.** Chance. — Béatitude, bien-être,
contentement, enchantement, félicité,
fortune, joie, plaisir, prospérité, ravissement, satisfaction.
Ant. **I.** Malchance. — Adversité, angoisse, calamité, détresse, échec, infortune, inquiétude, malheur, misère, peine.

Bonhomie
Syn. **I.** Bonté, douceur, familiarité, simplicité. — Crédulité.
Ant. **I.** Affectation, dissimulation, étalage,
ostentation, suffisance, vantardise.

Bonhomme
Syn. **I.** Bon enfant. — Homme doux,
homme naïf, homme simple. — Agé,
vieux. — *(Fam.)* Mauvais dessin.
Ant. **I.** Butor, grossier, impoli, malappris.

Boni
Syn. **I.** Avantage, bénéfice, excédent,
gain, gratification, profit.
Ant. **I.** Déficit, diminution, moins-value.

Bonjour
Syn. **I.** Adieu, au revoir, salut, salutation.

Bonnet
Syn. **I.** Béret, calotte, coiffe, coiffure,
couvre-chef.

Bonté
Syn. **I.** Excellence, perfection. — Aménité, bénignité, bienfaisance, bienveillance,

bonhomie, charité, civilité, clémence,
compassion, débonnaireté, dévouement,
douceur, générosité, humanité, indulgence, magnanimité, mansuétude, miséricorde, philanthropie, pitié, suavité,
tendresse.
Ant. **I.** Cruauté, dureté, haine, implacabilité, incivilité, inhumanité, malfaisance,
malice, malignité, malveillance, méchanceté, perfidie, rudesse, sévérité.

Bord
Syn. **I.** Bordage, bordé. — Berge, côte,
grève, littoral, plage, rivage, rive. — Bordure, contour, côté, frange, limite, lisière,
marge, orée, périphérie, pourtour, rebord.
Ant. **I.** Centre, cœur, intérieur, milieu.

Bordée de neige *(can.)*
Syn. **I.** Forte chute, grosse tombée de
neige.

Border
Syn. **I.** Avoisiner, caboter, côtoyer,
effleurer, longer, suivre. **II.** Disposer, entourer, garnir, occuper, parsemer.
Ant. **I.** Déborder.

Bordereau
Syn. **I.** État, justificatif, liste, mémoire,
note, récapitulatif, relevé.

Bordure
Syn. **I.** Bord, cadre, garniture, liséré, li-
sière, ourlet.
Ant. **I.** Centre, cœur, foyer, milieu, sein.

Borgne
Syn. **I.** Défectueux. **III.** Louche, mal
famé, suspect.
Ant. **I.** Normal. **III.** (Bien) coté, renommé, réputé, (bien) vu.

Bornage
Syn. **I.** *(Dr.)* Délimitation, limitation, séparation. — *(Mar.)* Cabotage.

Borne
Syn. **I.** Délimitation, démarcation, division, frontière, limite, terme. **III.** Cadre,
mesure, obstacle.

Borner

Syn. **I.** Délimiter, déterminer, limiter, marquer, séparer. **II.** Confiner à, terminer. **III.** Circonscrire, modérer, réduire, restreindre.

Ant. **I.** Accroître, agrandir, augmenter, élargir, étendre. **III.** Continuer, développer, éterniser, perpétuer, persister.

Bosquet V. *Bois*

Bossu

Syn. **I.** Contrefait, difforme, disgracieux, gibbeux, laid, tordu, voûté. **II.** Bosselé, inégal, montueux.

Ant. **I.** Alerte, droit, élégant, gracieux, preste, svelte. **II.** Égal, plat.

Boucan

Syn. **I.** *(Pop.)* Bruit, charivari, sabbat, tapage, tohu-bohu, vacarme.

Ant. **I.** Calme, paix, quiétude, silence.

Boucaner

Syn. *(V. tr.)* **I.** Brûler, fumer, noircir, sécher, tanner. — *(V. intr.)* Chasser.

Bouche

Syn. **I.** *(Pop.)* Bec, gueule. **II.** Cavité, orifice, ouverture. — Embouchure.

Boucher

Syn. **I.** Clore, fermer, obturer. — *(Mar.)* Aveugler, calfeutrer. **II.** Barrer, barricader, emmurer, intercepter, murer, obstruer.

Ant. **I.** Déblayer, déboucher, élargir, enfoncer, ouvrir, percer.

Boucherie

Syn. **I.** Abattage. **II.** Carnage, massacre, tuerie.

Bouchonner

Syn. **I.** Friper. — Brosser, étriller, frictionner, nettoyer, panser, soigner. — **III.** *(Fam.)* Cajoler, caresser.

Ant. **I.** Encrasser, salir. **III.** Rudoyer.

Boucle

Syn. **I.** Agrafe, anneau, bijou, broche, fermail, fibule, ornement. **III.** Courbe, spirale.

Boucler

Syn. **I.** Friser, onduler. — Attacher, fermer, serrer. **III.** Emprisonner, enfermer, retenir.

Ant. **I.** Défaire, défriser. — Déboucler, dégrafer, détacher. **III.** Libérer.

Bouclier

Syn. **I.** Cuirasse, écu, égide, pavois, pelta, targe. **III.** Défense, protection, rempart, sauvegarde.

Bouderie

Syn. **I.** Dépit, fâcherie, lippe, mauvaise humeur, moue.

Ant. **I.** Accueil, affabilité, amabilité, bonne humeur, sourire.

Boue (et **Lancer de la**)

Syn. **I.** Bourbe, cloaque, crotte, fange, gâchis, limon, saleté, vase. **III.** Calomnier, éclabousser, injurier, insulter, invectiver, outrager, salir.

Ant. **III.** Flatter, honorer, louanger, louer, rendre hommage.

Bouffe

Syn. **II.** Amusant, burlesque, comique, désopilant, divertissant, drôle, risible.

Ant. **II.** Digne, endormant, ennuyant, imposant, sérieux, solennel.

Bouffi

Syn. **I.** Boursouflé, gonflé, gras, gros, joufflu, mafflu, plein, rond, soufflé. **III.** Ampoulé, emphatique, enflé.

Ant. **I.** Aplati, dégonflé, désenflé, efflanqué, plat. **III.** Simple, sobre.

Bouffonnerie

Syn. **I.** Drôlerie, farce, plaisanterie. — Balourdise, bêtise, bourde, facétie, niaiserie, sottise, stupidité.

Ant. **I.** Gravité. — Esprit, finesse.

Bouge

Syn. **I.** Antre, galetas, réduit, taudis.

Ant. I. Castel, château, hôtel, palace, palais.

Bouger
Syn. I. Remuer, (s') agiter, avancer, (se) déplacer, marcher, (se) mouvoir, partir, reculer.
Ant. I. (S') arrêter, (s') immobiliser, (se) fixer, rester.

Bougonner
Syn. I. *(Fam.)* Grogner, grommeler, maugréer, murmurer, ronchonner.
Ant. I. Complimenter, louanger, (se) taire.

Boule
Syn. I. Balle, ballon, bille, boulet, globe, sphère.

Boulette
Syn. I. Croquette. III. *(Fam.)* Bêtise, bévue, erreur, gaffe, maladresse, sottise.
Ant. III. Adresse, finesse, trait d'esprit.

Boulevard
Syn. I. Allée, avenue, cours, promenade, rue.

Bouleversement
Syn. I. Changement, dérangement, désordre, modification, perturbation, renversement, révolution, soulèvement, trouble. III. Altération, choc, émotion.
Ant. I. et III. Apaisement, calme, ordre, paix, tranquillité.

Bouleverser
Syn. I. Abattre, chambarder, déranger, perturber, renverser, ruiner. III. Émouvoir, secouer, troubler.
Ant. I. Ranger. III. Apaiser, calmer, pacifier, rasséréner, tranquilliser.

Bouquet
Syn. I. Bocage, bosquet. II. Assemblage, botte, faisceau, gerbe, touffe. − Arôme, parfum. III. Cadeau, conclusion, couronnement.

Bourbe
Syn. I. Boue, vase. III. Fange, impureté, saleté.
Ant. III. Propreté, pureté, salubrité.

Bourde
Syn. I. *(Vx)* Conte, mensonge. II. Bêtise, bévue, blague, gaffe.
Ant. I. Réalité, vérité. II. Adresse, finesse.

Bourdonnement
Syn. I. Bruit, murmure, ronron, tintement, vrombissement. II. Rumeur, tapage.
Ant. I. et II. Calme, silence.

Bourg
Syn. I. Agglomération, bourgade, écart, hameau, localité, patelin, village.
Ant. I. Capitale, cité, métropole.

Bourgeois
Syn. I. Citadin. − Rentier, riche. II. Civil. − Employeur, patron. − *(Péj.)* Béotien, pantouflard *(fam.)*, philistin.
Ant. I. Campagnard. − Noble, paysan. II. Militaire. − Ouvrier, prolétaire. − Artiste.

Bourrasque
Syn. I. Cyclone, grain, orage, ouragan, rafale, simoun, tempête, tourbillon, tourmente, typhon. III. Accès, agitation.
Ant. I. Bonace, calme.

Bourrer (et Se)
Syn. (V. tr.) I. Charger, combler, emplir, garnir. − Empailler, matelasser, rembourrer. II. Farcir, truffer. − Gaver, rassasier, remplir. III. *(Pop.)* Bluffer, mentir, (en) faire accroire, tromper. *(V. pr.)* I. (S') empiffrer, (se) gorger, manger.
Ant. I. Débourrer, épuiser, vider. *(V. pr.)* I. Jeûner, (se) priver.

Bourriquet V. *Âne*

Bourru
Syn. I. Rude. III. Acariâtre, bougon, brusque, brutal, chagrin, désagréable,

grincheux, grognon, grossier, hargneux, incommode, maussade, quinteux, rébarbatif, rechigné, renfrogné, revêche.
Ant. **III.** Affable, agréable, aimable, amène, avenant, bienveillant, câlin, charmant, humain, indulgent, inoffensif, liant, obligeant, sociable.

Bourse
Syn. **I.** Aumonière, boursicot, escarcelle, porte-monnaie, réticule, sac, sacoche. — Pension, subvention. — Agiotage, marché, spéculation.

Boursouflé
Syn. **I.** Bouffi, enflé, gonflé, joufflu. **III.** Ampoulé, emphatique, vaniteux.
Ant. **I.** Aplati, creux, efflanqué, émacié. **III.** Humble, modeste, naturel.

Bouscueil *(can.)*
Syn. **I.** Débâcle (des rivières).

Bousculer
Syn. **I.** Bouleverser, chasser, déranger, heurter, mettre en désordre, refouler, renverser. **III.** Hâter, presser.
Ant. **I.** Affermir, calmer, ordonner, retenir, solidifier. **III.** Attendre, retarder.

Boustifaille
Syn. **I.** *(Pop.)* Bombance, bonne chère, bouffe *(pop.)*, festin, mangeaille, victuailles, vivres.

Bout
Syn. **I.** Fragment, morceau, petite quantité. — Bord, borne, extrémité, garniture. **II.** Fin, limite, terme.
Ant. **I.** Milieu, tout. **II.** Commencement, début, départ, origine.

Boutade
Syn. **I.** Esprit, fantaisie, plaisanterie, saillie, trait. — Accès, à-coup, caprice.
Ant. **I.** Bouffonnerie, drôlerie, facétie. — Raison.

Bouteille
Syn. **I.** Carafe, carafon, fiasque, fiole, flacon, gourde, litre.

Boutique
Syn. **I.** Débit, dépôt, échoppe, entrepôt, magasin. — Atelier. **III.** *(Fam.)* Baraque.

Boutonner
Syn. **I.** Agrafer, attacher, fermer, fixer, joindre.
Ant. **I.** Déboutonner, dégager, dégrafer, délier, détacher, ouvrir.

Bouture
Syn. **I.** Fragment, griffe, griffon, marcotte, plançon, pousse, racine, rejeton.

Boyau(x)
Syn. **I.** Entrailles, intestins, tripes, viscères. **II.** Conduit, tube, tuyau. — Passage, tranchée.

Braillard
Syn. **I.** *(Fam.)* Brailleur, gueulard, hurleur. — Pleurnicheur *(sens canadien)*.

Brailler
Syn. **I.** Beugler, braire, crier, hurler, vociférer.
Ant. **I.** Chuchoter, murmurer.

Brancard
Syn. **I.** Limon, limonière, longeron. **II.** Bard, civière.

Branche
Syn. **I.** Baguette, bâton, bouture, branchage, branchette, brindille, broutille, ente, ergot, plançon, pousse, rameau, ramée, ramification, ramille, ramure, rejeton, scion, surgeon. **III.** Division, partie, section, spécialité. — Lignée.
Ant. **I.** Racine, souche, tronc.

Brancher
Syn. **I.** (Se) percher. — Connecter, joindre, rattacher.
Ant. **I.** Couper, débrancher, isoler.

Brandir
Syn. **I** Agiter, pointer, remuer.
Ant. **I.** Rengainer.

Brandon
Syn. **I.** Flambeau, torche. **II.** Tison. **III.** Cause, provocation.

Branler
Syn. **I.** *(V. tr.)* Agiter, balancer, bouger, remuer, secouer. — *(V. intr.)* Chanceler, osciller, vaciller.
Ant. **I.** Arrêter, assujettir, attacher, consolider, fixer, immobiliser, rester, river, tenir.

Braque
Syn. **II.** *(Fam.)* Anormal, balourd, bizarre, écervelé, épais, étourdi, étourneau, imbécile, inconséquent, lourdaud, toqué.
Ant. **II.** Conséquent, dégourdi, équilibré, intelligent, judicieux, normal, sage, sérieux, spirituel.

Braquer
Syn. *(V. tr.)* **I.** Diriger, fixer, mirer, pointer, viser. — *(V. intr.) (Auto)* Obliquer, tourner, virer.

Bras
Syn. **III.** Autorité, puissance. — Appui, défenseur. — Aide, associé.

Brasier
Syn. **I.** Feu, foyer, fournaise, incendie.

Brasser
Syn. **I.** Agiter, confondre, mêler, pétrir, remuer. — Ourdir, perpétrer, tramer.
Ant. **I.** Arrêter, démêler, fixer, installer, ranger. — Apaiser.

Bravade
Syn. **I.** Défi, fanfaronnade, gasconnade, hâblerie, incitation, provocation.
Ant. **I.** Appréhension, frayeur, peur, timidité, trac.

Brave
Syn. **I.** Audacieux, courageux, crâne *(vx)*, décidé, hardi, héroïque, intrépide, résolu, vaillant, valeureux. — Bon, honnête.
Ant. **I.** Couard, craintif, effrayé, inquiet, lâche, peureux, poltron, timide. — Malhonnête, mauvais.

Braver
Syn. **I.** Affronter, défier, (s') exposer,

faire face à, (se) hasarder, jeter le gant, menacer, (s') opposer, provoquer, risquer. — Crâner *(fam.)*, narguer.
Ant. **I.** Battre en retraite, déserter, (s') esquiver, éviter, fuir, rebrousser, reculer, (se) soumettre. — Respecter.

Bravoure
Syn. **I.** Audace, cœur, courage, crânerie, hardiesse, héroïsme, intrépidité, résolution, vaillance, valeur.
Ant. **I.** Couardise, crainte, effroi, hésitation, lâcheté, peur, poltronnerie, timidité.

Brèche
Syn. **I.** Col, entrée, fente, ouverture, passage, trou, trouée, vide. **III.** Dommage, perte, tort.
Ant. **I.** Fermeture, lien, soudure. **III.** Avantage, profit.

Bredouille
Syn. **I.** Battu, déconfit, déçu, désappointé, mis en échec.
Ant. **I.** Content, encouragé, glorieux, satisfait, triomphant, victorieux.

Bredouiller
Syn. **I.** Ânonner, bafouiller, balbutier, bégayer, marmonner, marmotter.
Ant. **I.** Accentuer, bien articuler, bien exprimer, préciser, prononcer.

Bref
Syn. **I.** Court, momentané. **II.** Autoritaire, brusque, concis, impératif, laconique, prompt, sec, succinct. — Abrégé, minuscule, petit.
Ant. **I.** Ample, long. **II.** Confus, délayé, embrouillé, prolixe, verbeux.

Breuvage V. *Boisson*

Brevet
Syn. **I.** Certificat, charte, diplôme, droit d'auteur, grade, licence, patente, titre. **III.** Assurance, garantie.

Bribes
Syn. **I.** Débris, fragments, lambeaux, miettes, parcelles, restes, riens.

Ant. I. Bloc, ensemble, entité, masse, total, tout.

Bride
Syn. **I.** Bande, bridon, frein, guide, lien, obstacle, rêne. **III.** Retenue.

Brider
Syn. **I.** Assujettir, attacher, joindre, lier, serrer, unir. **III.** Contenir, empêcher, freiner, réprimer, retenir.
Ant. **I.** Débrider, délier, desserrer, détacher, disjoindre. **III.** Délivrer, libérer.

Brièveté
Syn. **I.** Courte durée. — Concision, laconisme.
Ant. **I.** Durée. — Longueur, prolixité.

Brigand V. *Bandit*

Brigue
Syn. **I.** Cabale, complot, conjuration, conspiration, faction, intrigue, manigance, manœuvre.

Briguer
Syn. **I.** Ambitionner, cabaler, comploter, intriguer, manœuvrer, ourdir, rechercher, solliciter, souhaiter.
Ant. **I.** Décliner, refuser.

Brillant
Syn. (N.) **I.** Brio, éclat, lustre, splendeur. *(Adj.)* **I.** Chatoyant, éclatant, étincelant, flamboyant, luisant, lumineux, radieux, rayonnant, scintillant. **III.** Beau, distingué, doué, remarquable, splendide.
Ant. (N.) **I.** Laideur, obscurité. *(Adj.)* **I.** Assombri, décoloré, indiscret, livide, mat, obscur, obscurci, ombreux, pâle, sombre, ténébreux, terne, voilé. **III.** Effacé, médiocre.

Briller
Syn. **I.** Chatoyer, éblouir, éclairer, étinceler, flamboyer, irradier, luire, miroiter, rayonner, reluire, resplendir, rutiler, scintiller. **III.** (Se) distinguer, exceller, paraître, primer, réussir.

Ant. **I.** Assombrir, décolorer, dépolir, embrumer, masquer, obscurcir, pâlir, ternir. **III.** Echouer, (s') éclipser, (s') effacer.

Brimade
Syn. **I.** Epreuve, jeu, plaisanterie. **II.** Avanie, tracas, vexation.
Ant. **II.** Admiration, respect.

Brise
Syn. **I.** Air, souffle, vent, zéphir.
Ant. **I.** Aquilon, bise, bourrasque, cyclone, grain, ouragan, rafale, typhon.

Briser
Syn. **I.** Annihiler, casser, déchirer, démolir, désunir, détruire, disjoindre, disloquer, fracasser, morceler, rompre. **III.** Éreinter, fatiguer, harasser, importuner. — Abattre, accabler, affaiblir, décourager.
Ant. **I.** Ajuster, arranger, consolider, joindre, réparer. **III.** Fortifier, récréer.

Brocanter
Syn. **I.** Acheter, échanger, négocier, revendre, trafiquer, troquer.

Broder
Syn. **I.** Décorer, festonner, garnir, orner, parer. **III.** Amplifier, embellir, enjoliver, exagérer, inventer.
Ant. **I.** Déparer. **III.** Amoindrir, diminuer, enlaidir.

Broncher
Syn. **I.** Achopper, bouger, buter, chopper, trébucher. **III.** Faillir, hésiter. (se) tromper. — Manifester, murmurer.
Ant. **I.** Affermir, (s') arrêter, déterminer, (se) fixer, immobiliser, (se) stabiliser.

Bronzé
Syn. **I.** Basané, bruni, hâlé.
Ant. **I.** Blanc, clair.

Brosser
Syn. **I.** Balayer, épousseter, étriller, frotter, nettoyer. **II.** Ébaucher, peindre. **III.** Battre, rosser.

Ant. **I.** Encrasser, maculer, salir, souiller.
II. Barbouiller.

Brouillard
Syn. **I.** Brume, nuage, vapeur. **III.** Confusion, obscurité.
Ant. **I.** Clarté, éclaircie, éclat, lueur, lumière.

Brouiller
Syn. **I.** Bouleverser, confondre, enchevêtrer, mélanger, mêler. — Agiter, altérer, déranger, détraquer. **III.** Compliquer, embrouiller, troubler. — Désunir, diviser, séparer. *Ant.* **I.** Arranger, classer, débrouiller, démêler. **III.** Clarifier, éclaircir. — Raccommoder, réconcilier.

Brouter
Syn. **I.** Manger, paître, tondre.

Broyer (et Broyer du noir)
Syn. **I.** Casser, concasser, écraser, égruger, moudre, piler, pulvériser, triturer. **III.** (S') attrister, (se) décourager, (se) plaindre. *Ant.* **I.** Comprimer, condenser, réunir. **III.** (S') amuser, (se) distraire, (se) divertir, (s') égayer, (s') encourager, espérer.

Bruire
Syn. **I.** Bourdonner, chuchoter, fredonner, frémir, murmurer, résonner. *Ant.* **I.** (Se) taire.

Bruit
Syn. **I.** Brouhaha, bruissement, cri, fracas, grondement, ronron, son, tapage, ton, tumulte, vacarme. **III.** Éclat, retentissement, rumeur, scandale. *Ant.* **I.** Calme, mutisme, silence.

Brûlant
Syn. **I.** Bouillant, chaud, torride. **III.** Animé, ardent, passionné, vif. — Dangereux, délicat, épineux. *Ant.* **I.** Congelé, froid, gelé, glacé, glacial. **III.** Alourdi, endormi, languissant, tiède. — Anodin, facile.

Brûler
Syn. *(V. tr.)* **I.** Calciner, carboniser, chauffer, consumer, embraser, griller, incendier, incinérer, roussir. **III,** Dévorer, enfiévrer, enflammer, envier. *(V. intr.)* **I.** (Se) consumer, flamber. **III.** (Être) ardent, aspirer à, désirer, envier. *Ant.* **I.** Éteindre, glacer, refroidir. **III.** (Être) indifférent, — tiède.

Brume
Syn. **I.** Brouillard, brumasse. **III.** Obscurité, ombre. — Incertitude, mélancolie, tristesse, voile. *Ant.* **I.** Clarté, éclaircie, éclat, lumière, soleil. **III.** Limpidité. — Certitude, gaieté, joie.

Brunante (À la) *(can.)*
Syn. **I.** (À la) brune, au crépuscule, au déclin du jour.

Brusquer
Syn. **I.** *(Ch.)* Accélérer, hâter, précipiter, presser. — *(Pers.)* Maltraiter, rudoyer, secouer. *Ant.* **I.** Ajourner, attendre, différer, mitonner, préméditer, ralentir, remettre, retarder, surseoir. — Cajoler, ménager.

Brutal
Syn. **I.** Âpre, barbare, bourru, cruel, emporté, féroce, furieux, grossier, inhumain, rude, sauvage, violent. *Ant.* **I.** Affable, bon, délicat, doux, galant, humain, indulgent, inoffensif, plaisant, poli, tendre.

Brute
Syn. **I.** Animal, bête. **III.** *V. Brutal.*

Bûcher
Syn. **I.** Abattre, couper, dégrossir, fendre. **III.** *(Fam.)* Besogner, étudier, peiner, suer, travailler, trimer. *Ant.* **III.** (Se) désintéresser, fainéanter, faire la paresse.

Buffet
Syn. **I.** Armoire, bahut, comptoir, dressoir. — Restaurant.

Buisson
Syn. **I.** Arbrisseaux, bois, broussaille, fourré, maquis, taille, taillis, touffe.

Bureau
Syn. **I.** Meuble, pupitre, secrétaire, table (de travail). **II.** *(Lieu)* Cabinet, étude, greffe, guichet, studio. — Établissement d'administration publique, office, secrétariat. — *(Pers.)* Administration, agence, comité, commission, direction, service, vote.

Buriner
Syn. **I.** Graver. **II.** Marquer, souligner. **III** *(Pop.)* — Bûcher.
Ant. **I.** Polir. **II.** Effleurer. **III.** Flâner.

But
Syn. **I.** Cible, objectif, visée. **II.** Terme. **III.** Ambition, désir, dessein, destination, fin, intention, objet, propos, raison, rêve, vue.
Ant. **II.** Départ (point de). **III.** Apathie, désintéressement, froideur, indécision, indifférence, insouciance.

Buter (et Se)
Syn. *(V. intr.)* **I.** Achopper, broncher, heurter, trébucher. **III.** (Se) heurter.

(V. tr.) **I.** Appuyer, étayer, soutenir. **III.** Braquer. *(V. pr.)* **I.** (Se) heurter. **III.** (S') entêter, (s') obstiner, (s') opiniâtrer.
Ant. **I.** Contourner, franchir (un obstacle). **III.** Changer (d'idée), (se) désintéresser, lâcher, laisser, négliger, renoncer.

Butin
Syn. **I.** Capture, dépouilles, matériel, prise, proie, trophée. **II.** Pillerie, vol. **III.** Bénéfice, découverte, gain, profit, récolte, richesse, trouvaille.
Ant. **I.** Perte.

Butiner
Syn. **I.** Amasser. **III.** Glaner, récolter, recueillir.
Ant. **III.** Disperser, propager, répandre, semer.

Butor V. *Brutal*

Butte
Syn. **I.** Colline, élévation, éminence, hauteur, monticule, tertre. **III.** *(Être en butte à)* (Servir de) cible, (être) exposé à, (donner) prise à, (être) victime de.
Ant. **I.** Creux, dépression, plaine.

C

Cabale
Syn. **III.** Brigue, complot, conjuration, conspiration, intrigue, menée. — Clique, coterie, faction, ligue, parti.

Cabane
Syn. **I.** Baraque, bicoque, cahute, case, chaumière, gourbi, hutte, masure, paillote.
Ant. **I.** Castel, château, hôtel, palais.

Cabaret
Syn. **I.** Bar, bistrot, boîte de nuit, café-concert, débit (de boissons), estaminet, guinguette, restaurant, taverne.

Câble
Syn. **I.** Cordage, corde, filin.

Caboche
Syn. **I.** *(Fam.)* Cerveau, cervelle, tête. — Clou.

Cabosser (et Se)
Syn. **I.** Bosseler, bossuer, déformer. **II.** (Se) meurtrir.

Cabotin
Syn. **I.** *(Péj.)* Acteur, cabot. **II.** Comédien, hâbleur, histrion, hypocrite, m'as-tu-vu.

Cabrer (Se)
Syn. **I.** (Se) dresser. **III.** (S') emporter, (s') entêter, (s') insurger, (s') irriter, (s') opiniâtrer, (s') opposer, protester, (se) raidir, (se) rebiffer, (se) révolter. *Ant.* **III.** Apaiser, (s') asseoir, céder, patienter.

Cabriole
Syn. **I.** Bond, culbute, gambade, pirouette, saut, voltige. **III.** Chute, dégringolade *(fam.)*.

Cache
Syn. **I.** Abri, antre, cachette, nid, refuge, retraite, terrier. *Ant.* **I.** Étalage, exhibition, exposition, montre, parade.

Caché
Syn. **I.** Anonyme, clandestin, confidentiel, dissimulé, énigmatique, ésotérique, furtif, impénétrable, incognito, intime, invisible, latent, masqué, mystérieux, obscur, occulte, profond, secret, sibyllin, subreptice, voilé. *Ant.* **I.** Apparent, clair, découvert, dévoilé, distinct, divulgué, éclatant, évident, facile, manifeste, ostensible, perceptible, visible, vu.

Cacher (et Se)
Syn. (V. tr.) **I.** Abriter, camoufler *(fam.)*, celer, dissimuler, enfermer, enfouir, enterrer, envelopper, masquer, sceller, serrer. **II.** Boucher (la vue), éclipser, intercepter, obscurcir, obstruer. **III.** Déguiser, étouffer *(fig.)*, farder, feindre, pallier, simuler, taire, voiler. *(V. pr.)* **I.** (Se) blottir, (se) dérober, disparaître, (se) nicher, (se) pelotonner, (se) réfugier, (se) soustraire, (se) tapir, (se) terrer. — Éviter, fuir. *Ant. (V. tr.)* **I.** Afficher, arborer, décacheter, déceler, découvrir, déplier, étaler, exhiber, exposer, manifester, montrer, produire. **II.** Déboucher, éclairer, ouvrir. **III.** Avouer, dévoiler, divulguer, exprimer, extérioriser, révéler. *(V. pr.)* **I.** Apparaître, (se) montrer, paraître.

Cachet
Syn. **I.** Sceau, tampon, timbre. **II.** Empreinte, estampille. **III.** Caractéristique, greffe, originalité, patte, signe. **I.** Rétribution. — Capsule, comprimé, médicament, pastille.

Cacheter
Syn. **I.** Cirer, coller, estampiller, fermer, plomber, poinçonner, sceller, timbrer. *Ant.* **I.** Décacheter, déplier, desceller, ouvrir.

Cachette
Syn. **I.** Antre, asile, cache, refuge, retraite, terrier. **III.** Mystère, secret. *Ant.* **I.** Étalage, exhibition, exposition, montre, parade, révélation.

Cachot
Syn. **I.** Cabanon, cellule, geôle, in-pace, pénitencier, prison, violon *(pop.)*.

Cacophonie
Syn. **I.** Bruit, confusion, désaccord, discordance, dissonance, tapage, tintamarre. *Ant.* **I.** Accord, cadence, consonance, harmonie, régularité.

Cadeau
Syn. **I.** Avantage, don, donation, dot, étrenne, gratification, libéralité, offrande, pourboire, présent, prix, souvenir.

Cadenas
Syn. **I.** Fermeture, loquet, serrure, sûreté, verrou.

Cadenasser
Syn. **I.** Écrouer, emprisonner, enfermer, verrouiller. *Ant.* **I.** Élargir, libérer.

Cadence
Syn. **I.** Accord, harmonie, mesure, mouvement, nombre, rythme. *Ant.* **I.** Discordance, irrégularité.

Cadencer
Syn. **I.** Accorder, mesurer, rythmer. *Ant.* **I.** Désunir, discorder.

Cadre
Syn. **I.** Bordure, châssis, encadrement. **III.** Décor, entourage, milieu. — Limites. — Ensemble.

Cadrer
Syn. **I.** (S') accorder, (s') assortir, concorder, convenir. *Ant.* **I.** Contredire, déparer, détonner, jurer.

Caduc
Syn. **II.** *(Pers.)* Abattu, affaibli, cassé, chancelant, chétif, débile, épuisé, faible, impotent, usé, vieux. **III.** *(Ch.)* Abandonné, démodé, dépassé, désuet, périmé, suranné. — *(Dr.)* Annulé, nul. *Ant.* **II.** Ferme, frais, jeune, juvénile, neuf, persistant, robuste, tenace, vigoureux, vivace. **III.** Actuel, nouveau, récent. — Valable, valide.

Caducité
Syn. **I.** Débilité, décrépitude, faiblesse, usure, vieillesse. **III.** Vanité. *Ant.* **I.** Force, jeunesse, vigueur. **III.** Valeur.

Cafard
Syn. **I.** Bigot, cagot, hypocrite, imposteur, perfide, tartufe. **II.** Délateur, dénonciateur, espion, mouchard, rapporteur. **III.** Mélancolie, spleen. *Ant.* **I.** Franc, loyal, ouvert, sincère. **III.** Gaieté, joie.

Café-concert
Syn. **I.** Boîte, boui-boui *(fam.)*, cabaret, music-hall.

Cage
Syn. **I.** Enceinte, épinette, loge, mue, niche, nichoir, tournette, volière. **II.** Ménagerie. — *(Fam.)* Prison.

Cagot
Syn. **I.** Bigot, cafard, chattemite, hypocrite, pharisien. *Ant.* **I.** Franc, loyal, sincère.

Cahier
Syn. **I.** Agenda, album, bloc-notes, calepin, carnet, livret, registre.

Cahoter
Syn. *(V. tr.)* **I.** Agiter, ballotter, brinquebaler, secouer. **III.** Malmener. *(V. intr.)* **I.** Brinquebaler. *Ant.* **I.** Apaiser, stabiliser, tranquilliser.

Cailler
Syn. **I.** Coaguler, condenser, durcir, épaissir, figer, grumeler, solidifier. *Ant.* **I.** Éclaircir, liquéfier, vaporiser.

Cajoler
Syn. **I.** Aduler, amadouer, câliner, caresser, choyer, dorloter, enjôler, flagorner, flatter. *Ant.* **I.** Brusquer, maltraiter, rabrouer, rudoyer.

Cal
Syn. **I.** Callosité, calus, cor, durillon.

Calamité
Syn. **I.** Cataclysme, catastrophe, désastre, désolation, fatalité, fléau, malheur, revers. *Ant.* **I.** Bénédiction, bonheur, chance, félicité.

Calciner
Syn. **I.** Brûler, carboniser, cuire, dessécher, griller, torréfier. *Ant.* **I.** Éteindre, geler, glacer, refroidir.

Calculer
Syn. **I.** Chiffrer, compter. **II.** Estimer, évaluer, prévoir, supputer. — Arranger, combiner, coordonner, préméditer, réfléchir. *Ant.* **II.** Agir, effectuer, exécuter, réaliser.

Cale
Syn. **I.** Coin, étai, étançon, soutien, support.

Calembredaine
Syn. **I.** Baliverne, bourde, plaisanterie, sornette, vain propos. *Ant.* **I.** Bon sens, sérieux, trait d'esprit.

Calendrier
Syn. **I.** Almanach, annuaire, éphéméride, ordo.

Caler
Syn. *(V. intr.)* **I.** Enfoncer. — (S') arrêter, (s') immobiliser *(moteur)*. **III.** Céder, reculer. *(V. tr.)* **I.** Abaisser, assujettir, baisser, bloquer, étayer, fixer, stabiliser. *Ant.* *(V. intr.)* **I.** Émerger, flotter, nager, surnager. **III.** Poursuivre, résister, tenir. *(V. tr.)* **I.** Décaler, lâcher. (se) mouvoir.

Calfeutrer (et Se)
Syn. *(V. tr.)* **I.** Boucher, fermer. *(V. pr.)* **III.** (S') enfermer. *Ant.* **I.** Aérer, déboucher, dégager, ouvrir. — Sortir.

Calibre
Syn. **I.** Capacité, diamètre, dimension, format, grandeur, grosseur, taille, volume. **III.** *(Fam.)* Acabit, classe, espèce, genre, qualité.

Calibrer
Syn. **I.** Mesurer, proportionner. **II.** Classer. *Ant.* **I.** Disproportionner.

Calice
Syn. **I.** Enveloppe des fleurs. — Coupe, vase. **III.** Afflictions, amertume, douleur, malheur.
Ant. **III.** Allégresse, béatitude, bonheur, joie.

Câlin
Syn. **I.** Aguichant, cajoleur, caressant, doux, fin.
Ant. **I.** Bourru, brusque, détestable, dur, rogue, rude.

Câliner V. *Cajoler*

Callosité V. *Cal*

Calme
Syn. **I.** *(N.)* Accalmie, bonace. — Apaisement, assurance, détente, douceur, flegme, impassibilité, maîtrise de soi, mansuétude, modération, paix, patience, placidité, quiétude, repos, résignation, sangfroid, sérénité, tranquillité. *(Adj.)* Bénin, doux, flegmatique, froid, impassible, maître (de soi), paisible, placide, pondéré, posé, quiet, rassis, réfléchi, serein, tranquille.
Ant. **I.** *(N.)* Brouhaha, ouragan, tempête. — Agitation, ardeur, crainte, désordre, émeute, émoi, émotion, nervosité, querelle, rixe, surexcitation, trouble, tumulte. *(Adj.)* Agité, désordonné, ébranlé, ému, exalté, excité, inquiet, nerveux, remué, secoué, troublé.

Calmer
Syn. **I.** Adoucir, alléger, apaiser, consoler, dompter, éteindre, maîtriser, modérer, pacifier, rasséréner, rassurer, soulager, tranquilliser.
Ant. **I.** Agiter, apeurer, attiser, effaroucher, énerver, exciter, irriter, remuer, secouer, tourmenter, troubler.

Calomnie
Syn. **I.** Accusation, attaque, dénigrement, détraction, diffamation, mensonge.
Ant. **I.** Apologie, défense, éloge, panégyrique, rétractation.

Calomnier
Syn. **I.** Attaquer, baver sur, déblatérer, décrier, dénigrer, diffamer, noircir.
Ant. **I.** Défendre, glorifier, laver (d'une calomnie).

Calque
Syn. **I.** Copie, décalque, duplicata, reproduction. **III.** Démarquage, imitation.
Ant. **I.** Modèle, original.

Calus V. *Cal*

Camarade
Syn. **I.** Ami, associé, collègue, compagnon, condisciple, confrère, connaissance, copain, égal.
Ant. **I.** Adversaire, compétiteur, émule, rival.

Cambrer
Syn. **I.** Arc-bouter, arquer, arrondir, bus-

quer, cintrer, couder, courber, infléchir, plier, ployer, voûter.
Ant. **I.** Aplatir, redresser.

Cambuse
Syn. **II.** Antre, bouge, cabane, réduit, taudis.
Ant. **II.** Castel, château, palace, palais.

Camoufler V. *Cacher*

Campagne
Syn. **I.** Champs, nature, excursion, villégiature. **II.** Combat, guerre, expédition, opération. — Croisade, entreprise, propagande. *Ant.* **I.** Ville.

Camper (et Se)
Syn. *(V. intr.)* **I.** Bivouaquer, cantonner, (s') établir, (s') installer, pratiquer le camping, vivre au camp. **III.** Séjourner. *(V. tr.)* **II.** Affermir, établir, fixer, installer, mettre, placer, poser. **III.** Croquer, esquisser, tracer vivement. *(V. pr.)* **I.** (Se) dresser, (se) planter.
Ant. **I.** Décamper, déménager, disparaître, fuir, partir.

Camus
Syn. **I.** Court, écrasé, plat. **III.** *(Fam.)* Ébahi, embarrassé, interdit.
Ant. **I.** Aquilin, pointu. **III.** Rassuré, sûr (de soi).

Canal
Syn. **I.** Aqueduc, bief, caniveau, chéneau, conduit, égout, gargouille, gouttière, rigole, tuyau. **II.** Chenal, détroit, passe. — *(Anat. bot.)* Conduit, tube, vaisseau. **III.** Entremise, filière, intermédiaire, voie.

Canarder
Syn. *(V. tr.)* **I.** Chasser, tirer. *(V. intr.)* **I.** Criailler, fausser.

Cancan
Syn. **I.** Bavardage, clabauderie, commérage, médisance, potin, racontar, ragot, scandale.
Ant. **I.** Discrétion, mutisme, réserve.

Cancaner
Syn. **I.** Crier. **III.** Bavarder, commérer, dénigrer, médire, papoter.
Ant. **III.** Cacher, (se) taire, voiler.

Cancre
Syn. *(Fam.)* **I.** Paresseux, nul.
Ant. **I.** As, crack en *(fig.* et *fam.)*, fort (en thème).

Candeur
Syn. **I.** Crédulité, franchise, ingénuité, innocence, naïveté, pureté, simplicité, sincérité.
Ant. **I.** Cynisme, dissimulation, fourberie, hypocrisie, ruse, sournoiserie.

Candide
Syn. **I.** Crédule, franc, ingénu, innocent, naïf, naturel, pur, simple, sincère.
Ant. **I.** Faux, fourbe, retors, rusé, vicieux.

Canevas
Syn. **I.** Toile. **II.** Charpente, croquis, donnée, ébauche, esquisse, essai, plan, projet, schéma, squelette, structure, thème.

Canne
Syn. **II.** Badine, baguette, bâton, roseau, stick. — Ligne. **III.** Appui.

Canneler
Syn. **I.** Graver, rainer, sillonner, strier.
Ant. **I.** Lisser, niveler, polir, unir.

Cannelure
Syn. **I.** Moulure, rainure, strie.

Cannibale
Syn. **I.** Anthropophage. **III.** Homme cruel, féroce, sauvage, ogre.
Ant. **III.** Doux, humain.

Canon
Syn. **I.** Pièce d'artillerie. — Décision, décret, loi, règle, règlement. — Prières de la messe. — Idéal, modèle, type.

Canonique
Syn. **I.** Conforme, exact, obligatoire, réglé, réglementaire, régulier. — Approuvé,

authentique, inspiré.
Ant. **I.** Discrétionnaire, facultatif. —
Apocryphe.

Canoniser
Syn. **I.** Béatifier, glorifier.
Ant. **I.** Anathématiser, maudire, réprouver.

Canot *(can.)*
Syn. **I.** Canadienne, canoë, kayac, périssoire.

Capable
Syn. **I.** Apte, habile, propre à, susceptible. **II.** Adroit, compétent, dégourdi, doué, entendu, expérimenté, expert, fort, industrieux, ingénieux, intelligent, qualifié, savant, talentueux, versé.
Ant. **II.** Endormi, ignorant, impuissant, inapte, incapable, inexpérimenté, inhabile, lourd, novice.

Capacité
Syn. **I.** Contenance, cubage, épaisseur, grosseur, mesure, quantité, profondeur, tonnage, volume. — Aptitude, faculté, force, pouvoir. **II.** Compétence, disposition, expérience, génie, inclination, intelligence, savoir, science, talent, valeur.
Ant. **II.** Ignorance, impéritie, impuissance, inaptitude, incapacité, incompétence, insuffisance, lourdeur, manque.

Capital
Syn. **II.** Essentiel, fondamental, important, primordial, principal, suprême.
Ant. **II.** Accessoire, insignifiant, négligeable, secondaire.

Capiteux
Syn. **I.** Alcoolisé, grisant, enivrant, exaltant, surexcitant, troublant.
Ant. **I.** Anodin, apaisant, bénin.

Capitulation
Syn. **I.** Cession, défaite, reddition, retraite. **III.** Abandon.
Ant. **I.** Résistance, triomphe, victoire. **III.** Intransigeance, refus.

Caprice
Syn. **I.** Accès, bizarrerie, boutade, chimère, extravagance, fantaisie, folie, foucade, frasque, fredaine, humeur, lubie, marotte, singularité, utopie, variation.
Ant. **I.** Constance, persévérance, raison, sagesse, sérieux, ténacité, volonté.

Capricieux
Syn. **I.** Bizarre, changeant, extravagant, fantaisiste, fantasque, inconstant, inégal, instable, irrégulier, léger, lunatique, variable, versatile.
Ant. **I.** Constant, persévérant, raisonnable, tenace.

Capter
Syn. **I.** Attirer, attraper, captiver, circonvenir, (se) concilier, duper, enjôler, fourvoyer, gagner. — Canaliser. — Intercepter, recevoir, saisir. **III.** Rassembler, recueillir, réunir.
Ant. **I.** (S') aliéner. — Disperser, répandre. — Écarter, perdre.

Captieux
Syn. **I.** Artificieux, enjôleur, fallacieux, insidieux, sophistiqué, spécieux, trompeur.
Ant. **I.** Correct, droit, franc, loyal, ouvert, sincère, vrai.

Captif
Syn. **I.** Détenu, écroué, emprisonné, enchaîné, enfermé, forçat, prisonnier, reclus, séquestré. **III.** Asservi, attaché, esclave.
Ant. **I.** Affranchi, délivré, élargi, émancipé, gracié, indépendant, libéré, libre, relâché. **III.** Détaché, épanoui.

Captiver
Syn. **I.** Attacher, capter, charmer, conquérir, dompter, enchanter, enjôler, ensorceler, entraîner, fasciner, gagner, intéresser, passionner, plaire, saisir, séduire, soumettre, subjuguer.
Ant. **I.** Ennuyer, libérer.

Captivité
Syn. **I.** Emprisonnement, réclusion. **III.** Assujettissement, dépendance, esclavage, servitude, sujétion.
Ant. **I.** Élargissement, libération. **III.** Affranchissement, autonomie, émancipation, indépendance.

Capture
Syn. **I.** Arrestation, coup de filet, prise, saisie. **II.** Butin, dépouilles, proie, trophée.
Ant. **I.** Délivrance, élargissement, émancipation, grâce, libération.

Caquet
Syn. **I.** Babil, bavardage, commérage, criaillerie, jacasserie, jactance, piaillerie.
Ant. **I.** Discrétion, laconisme, modestie, mutisme.

Caqueter
Syn. **I.** Glousser. **III.** *(Fam.)* Babiller, bavarder, cancaner, commérer, jaboter, jacasser, jaser, médire.
Ant. **III.** Cacher, bien parler, (se) taire.

Caractère
Syn. **I.** Écriture, inscription, lettre, sigle, signe, trait, type. **II.** *(Ch.)* Attribut, caractéristique, critérium, essence, indice, marque, propriété, qualité, sens, signification, spécificité, style. — *(Pers.)* Air, allure, apparence, aspect, cachet, expression, manière, originalité, prérogative, relief, titre. — Comportement, constitution, idiosyncrasie, individualité, nature, naturel, personnalité, tempérament. — Courage, détermination, énergie, fermeté, ténacité, trempe, volonté.

Caractéristique
Syn. *(N.)* V. *Caractère.* *(Adj.)* **I.** Distinctif, déterminant, essentiel, original, particulier, personnel, propre, remarquable, spécifique, typique.
Ant. **I.** Banal, inférieur, insignifiant, médiocre, négligeable.

Carcasse
Syn. **I.** Charpente, ossature, ossements, squelette. **II.** Armature. — Châssis d'auto. **III.** Canevas, plan.
Ant. **I.** Chair. **III.** Enjolivement, revêtement.

Carême
Syn. **I.** Abstinence, austérité, jeûne, pénitence, privation, restriction.
Ant. **I.** Bombance, bonne chère, carnaval, noce, réjouissance.

Caresse
Syn. **I.** Accolade, attouchement, baiser, cajolerie, câlinerie, chatterie, contact, effleurement, embrassement, étreinte, frôlement, mamours *(fam.)*, pression, tendresse.
Ant. **I.** Brutalité, coup, rudesse, sévices.

Caresser
Syn. **I.** Amadouer, cajoler, câliner, choyer, dorloter, effleurer, embrasser, enjôler, enlacer, étreindre, flatter, frôler, presser, serrer, toucher. **III.** Entretenir, nourrir.
Ant. **I.** Asséner, battre, brutaliser, chicaner, frapper, malmener, repousser, rudoyer, secouer.

Caricature
Syn. **I.** Charge, dessin, effigie, fantaisie, peinture. **III.** Déformation, parodie, satire, simulacre.
Ant. **III.** Flatterie, idéalisation.

Caricaturer
Syn. **III.** Altérer, charger, contrefaire, défigurer, parodier, railler, ridiculiser.
Ant. **III.** Embellir, enjoliver, respecter.

Carillonner
Syn. **I.** Annoncer, résonner, sonner, tinter. **III.** Publier.

Carnage
Syn. **II.** Boucherie, destruction, hécatombe, massacre, pogrom, tuerie. **III.** Destruction, dévastation, ruine.
Ant. **III.** Paix, ordre.

Carnaval

Syn. **I.** Amusement, célébrations, déguisement, divertissement, mascarade, métamorphose, travesti. *Ant.* **I.** Austérité, carême, jeûne, pénitence, recueillement.

Carré

Syn. **III.** Droit, ferme, franc, loyal, net, ouvert, sincère. *Ant.* **III.** Artificieux, circonspect, douteux, hésitant, insidieux, perfide, réticent, rusé, trompeur.

Carrière

Syn. **I.** Mine, minière. — Curriculum vitæ, état, métier, occupation, profession. — Cours, durée (de la vie).

Cas

Syn. **I.** Circonstance, conjoncture, événement, matière, occasion, occurrence, possibilité.

Casanier

Syn. **I.** Pantouflard *(fam.)*, sédentaire, solitaire. *Ant.* **I.** Bohème, nomade, promeneur.

Cascade

Syn. **I.** Cascatelle, cataracte, chute. **III.** Irrégularité, saccade, série.

Caser

Syn. **I.** Ranger, serrer. **II.** Loger, placer. **III.** Établir, fixer, installer. *Ant.* **I.** Déplacer.

Caserne

Syn. **I.** Baraquement, casernement, quartier.

Casier

Syn. **I.** Classeur, compartiment, fichier, rayons, tiroir. **II.** Dossier.

Casque

Syn. **I.** *(Anciennement)* Armet, armure, bassinet, bourguignotte, cabasset, heaume, morion, salade. **II.** Calotte, chapeau, coiffure, séchoir.

Casqué

Syn. **I.** Coiffé, couvert. *Ant.* **I.** Décoiffé, découvert.

Cassant

Syn. **I.** Cassable, fragile. **III.** Absolu, autoritaire, bourru, brusque, dur, impérieux, insolent, intransigeant, péremptoire, tranchant. *Ant.* **I.** Flexible, pliant, résistant, solide. **III.** Délicat, doux, flatteur, indulgent, melliflue, onctueux, patelin, tendre.

Cassé

Syn. **I.** Rompu. — Courbé. **III.** Âgé, anémique, brisé, caduc, débile, faible, infirme, tremblant, vieux. *Ant.* **III.** Dur, fort, rajeuni, sain, vert, vif, vigoureux, viril.

Casser

Syn. **I.** Abîmer, briser, broyer, concasser, détériorer, détruire, disloquer, fracasser, fracturer, rompre. **III.** *(Dr.)* Abolir, abroger, annuler, infirmer, rejeter, révoquer. *Ant.* **I.** Arranger, raccommoder, recoller, réparer. **III.** Confirmer, ratifier, valider.

Cassure

Syn. **I.** Brisure, crevasse, débris, destruction, disjonction, dislocation, faille, fêlure, fente, fissure, fracture. **III.** Coupure, fêlure, rupture, séparation. *Ant.* **I.** Raccommodage, recollage, réparation, restauration, soudure. **III.** Rapprochement, réconciliation, union.

Casuel

Syn. **I.** *(Adj.)* Accidentel, contingent, éventuel, fortuit, occasionnel. — *(N.)* Avantage, émoluments, gain, profit, rémunération, rétribution, revenu. *Ant.* **I.** Assuré, certain, invariable, sûr. — Fixe *(n.)*

Cataclysme V. *Catastrophe*

Catalogue

Syn. **I.** Dénombrement, énumération, état, inventaire, liste, mémoire, nomenclature, relevé, répertoire, rôle. — Bibliographie, collection, fichier, index, table.

Catastrophe
Syn. **I.** Bouleversement, calamité, cataclysme, coup, désastre, drame, fléau, infortune, malheur. — Dénouement, péripétie. — *(Fam.)* Accident, ennui. *Ant.* **I.** Bonheur, chance, succès.

Catéchiser
Syn. **I.** Évangéliser, initier, instruire, persuader, prêcher. **III.** *(Fam.)* Endoctriner, moraliser, sermonner.

Catégorique
Syn. **I.** Impératif. **II.** Absolu, affirmatif, clair, explicite, formel, franc, indiscutable, net, précis, tranchant, volontaire. *Ant.* **I.** Hypothétique. **II.** Ambigu, confus, embrouillé, énigmatique, équivoque, évasif, fuyant, hésitant, imprécis, incertain, mystérieux.

Cauchemar
Syn. **I.** Angoisse, délire, hallucination, peur. **II.** Rêve, songe. **III.** Obsession, tourment. *Ant.* **I. II. et III.** Assurance, certitude, existence, fait, matière, réalité.

Caudataire
Syn. **I.** Porte-queue, suivant. **III.** Adulateur, flatteur, obséquieux, plat. *Ant.* **III.** Franc, indépendant, sincère.

Cause
Syn. **I.** Agent, auteur, base, créateur, fondement, moteur, principe. — Mobile, motif, objet, occasion, origine, pourquoi, raison, semence, source, sujet. But, considération, intention, prétexte. — *(Dr.)* Affaire, cas, dossier. **II.** Intérêt, parti. *Ant.* **I.** Conséquence, effet, résultat.

Causer
Syn. **I.** *(V. tr.)* Amener, apporter, attirer, déclencher, déterminer, entraîner, exciter, faire, fomenter, inspirer, motiver, occasionner, produire, provoquer, susciter.

— *(V. intr.)* Bavarder, conférer avec, converser, deviser, s'entretenir, parler. *Ant.* **I.** Dériver, procéder de, tenir de, venir de. — (Se) taire.

Causerie
Syn. **I.** Bavardage, causette, conversation, colloque, dialogue, entretien. — Allocution, conférence, discours.

Caustique
Syn. **I.** Acide, brûlant, corrodant, corrosif, cuisant, irritant. **III.** Acerbe, aigre, moqueur, mordant, narquois, piquant, poignant, sarcastique, satirique. *Ant.* **I.** Doux. **III.** Bénin, bienveillant, louangeur.

Cauteleux
Syn. **I.** Hypocrite, mielleux, patelin, sournois. *Ant.* **I.** Carré, ferme, franc, loyal, naïf, net, sincère.

Caution
Syn. **I.** Assurance, cautionnement, gage, garantie, sûreté. **II.** Garant, otage, répondant. — Appui, soutien, patronage.

Cautionner
Syn. **I.** Avaliser, garantir, répondre. **II.** Approuver, soutenir. *Ant.* **I. et II.** Compromettre, désavouer.

Cave
Syn. **I.** Caveau, cellier, excavation, silo, sous-sol, souterrain. *Ant.* **I.** Comble, grenier, toit.

Caver
Syn. **I.** Creuser, miner. *Ant.* **I.** Combler, remplir.

Caverne
Syn. **I.** Grotte. **II.** Antre, cachette, excavation, repaire, retraite, souterrain, tanière, terrier, trou.

Caverneux
Syn. **I.** Creux. **III.** Grave, profond, sépulcral, sourd.

Ant. **I.** Plein. **III.** Aigu, clair, léger, perçant.

Cavité
Syn. **I.** Alvéole, anfractuosité, brèche, caverne, creux, crevasse, excavation, fente, ouverture, rainure, strie, trou, vide. *Ant.* **I.** Ados, bosse, butte, élévation, éminence, protubérance, talus, tertre.

Cécité
Syn. **I.** Amaurose. **III.** Aveuglement. *Ant.* **I.** Perception, vision. **III.** Clairvoyance.

Céder
Syn. **I.** *(V. tr.)* Abandonner, concéder, donner, laisser, livrer, passer, transmettre. — Rétrocéder, transférer, vendre. — *(V. intr.)* *(Pers.)* Acquiescer, approuver, consentir, déférer, (s') incliner, (se) soumettre, succomber. — Abdiquer, abjurer, capituler, fléchir, lâcher, plier, (se) rendre, renoncer, transiger. *(Ch.)* Casser, ployer, rompre. *Ant.* **I.** *(V. tr.)* Conserver, garder, tenir, retenir. — *(V. intr.)* Résister. — (S') entêter, refuser, (se) révolter, tenir bon.

Ceindre
Syn. **I.** Attacher, orner, revêtir. **II.** Clôturer, encercler, enclore, enfermer, entourer, envelopper, environner, palissader, renfermer. *Ant.* **I.** Dépouiller, détacher, dévêtir. **II.** Dégager, libérer, relâcher.

Ceinture
Syn. **I.** Bande, bandelette, baudrier, ceinturon, cordelière, écharpe. **II.** Encadrement, enceinte, entourage. — Banlieue, zone.

Célèbre
Syn. **I.** Eclatant, éminent, fameux, glorieux, historique, illustre, immortel, légendaire, notoire, renommé, réputé. *Ant.* **I.** Caché, ignoré, inconnu, nul, obscur, oublié.

Célébrer
Syn. **I.** Chômer, commémorer, fêter, solenniser. **II.** Chanter, dire. — Encenser, exalter, glorifier, louer, prôner, publier, vanter. *Ant.* **II.** Abaisser, décrier, déprécier, oublier, ravaler.

Célébrité
Syn. **I.** Eclat, gloire, illustration, notoriété, popularité, renom, renommée, réputation. **II.** As, étoile, gloire, star, vedette. *Ant.* **I.** Impopularité, nullité, obscurité, oubli. **II.** Inconnu.

Celer *V.* *Cacher*

Célérité
Syn. **I.** Activité, agilité, diligence, empressement, promptitude, rapidité, vélocité, vitesse. *Ant.* **I.** Apathie, flânerie, indolence, inertie, lenteur, longueur, lourdeur, mollesse, paresse, traînerie.

Céleste
Syn. **I.** Aérien, cosmique. — Bienheureux, divin, merveilleux, parfait, ravissant, surnaturel. **III.** Elevé, haut. *Ant.* **I.** Diabolique, ignoble, impur, infernal, laid, terrestre, satané. — Humain. **III.** Bas.

Célibataire
Syn. **I.** Garçon, fille, libre. *Ant.* **I.** Marié(e).

Cellule
Syn. **I.** Chambre, chambrette, loge, cabanon, cachot, oubliette, prison. **II.** Alvéole, cavité, compartiment. **III.** Groupe, noyau, section.

Cénacle
Syn. **II.** Cercle, club. — Coterie.

Cénotaphe
Syn. **I.** Mausolée, sarcophage, sépulcre, tombe, tombeau.

Censure
Syn. **I.** Blâme, condamnation, critique, désapprobation, examen, jugement, réprobation. — *(Relig.)* Excommunication, index, interdit, monition, suspense. *Ant.* **I.** Apologie, approbation, éloge, exaltation, flatterie, louange. — Réhabilitation, réintégration.

Censurer
Syn. **I.** Blâmer, caviarder, condamner, couper, critiquer, désapprouver, flétrir, fronder, improuver, interdire, punir, reprendre, réprimander, reprocher, réprouver, supprimer, tancer. *Ant.* **I.** Approuver, confirmer, flatter, louer, permettre, ratifier, vanter.

Centraliser
Syn. **I.** Concentrer, rassembler, réunir. *Ant.* **I.** Décentraliser, diviser, séparer.

Centre
Syn. **I.** Axe. **II.** Cœur, foyer, milieu, noyau. — Base, principe, siège, voûte (clef de). Agglomération, cité, ville. — Ensemble, groupement, organisme. *Ant.* **I.** et **II.** Bord, borne, bout, côté, extérieur, limite, lisière, orée, périphérie, tour.

Cependant
Syn. **I.** Mais, néanmoins, nonobstant, pourtant, toutefois.

Céramique
Syn. **I.** Faïence, grès, porcelaine, poterie, terre cuite.

Cerbère
Syn. **III.** Garde, gardien, geôlier, portier, sentinelle, surveillant.

Cerceau
Syn. **I.** Cercle, disque, feuillard, frette, sphère.

Cercle
Syn. **I.** Aréole, auréole, cerne, disque, halo, rond. **II.** Bandage, cerceau, frette. — Circonférence, orbe. — Circuit, péri-

ple. — Association, cénacle, club, groupe. **III.** Domaine, entourage, étendue, limite. *Ant.* **I.** Carré, droite.

Cercler
Syn. **I.** Borner, clore, courber, enclore, enrouler, entourer, garnir. *Ant.* **I.** Déployer, dérouler, étendre.

Céréale
Syn. **I.** Avoine, blé, graminée, maïs, millet, orge, riz, seigle, sorgho.

Cérémonie(s)
Syn. **I.** Célébration, fête, solennité. — *(Liturgie)* Culte, office, procession, rite. **II.** Anniversaire, commémoration, cortège, défilé, gala, inauguration, parade, réception. — Apparat, appareil, éclat, grandeur, luxe, pompe. — *(Pl.)* Civilités, convenances, décorum, déférence, façons, formalités, formes, honneurs, manières, politesses, protocole. *Ant.* **II.** Bonne franquette, naturel, rondeur, simplicité.

Cérémonieux
Syn. **I.** Affecté, apprêté, compassé, façonnier, formaliste, guindé, maniéré, obséquieux, poli, recherché, solennel. *Ant.* **I.** Familier, humble, libre, naturel, simple, sans-façon.

Cerner
Syn. **I.** Entourer, encercler, envelopper. **II.** Assiéger, bloquer, investir. **III.** Circonscrire. *Ant.* **I.** Dépister, détourner, écarter, éloigner, espacer, éviter. **II.** Libérer. **III.** Étendre.

Certain
Syn. **I.** Absolu, admis, assuré, authentique, avéré, clair, démontré, déterminé, évident, exact, formel, garanti, immanquable, incontestable, indiscutable, indubitable, infaillible, irréfutable, manifeste, net, officiel, palpable, réel, solide, tangible, vrai. — *(Pers.)* Affirmatif, convaincu, sûr.

Ant. **I.** Aléatoire, ambigu, chancelant, confus, contestable, discutable, douteux, embrouillé, erroné, équivoque, faux, hypothétique, incertain, inconnu, indécis, indéterminé, obscur, précaire, problématique, récusable, réfutable, vague, variable. — Hésitant, irrésolu, oscillant, sceptique.

Certainement
Syn. **I.** Fatalement, indubitablement, inévitablement, infailliblement, nécessairement, sûrement. **II.** Absolument, assurément, certes, évidemment, oui, parfaitement, réellement, vraiment.
Ant. **I. et II.** Aucunement, du tout, invraisemblablement, nullement, peut-être.

Certitude
Syn. **I.** Évidence, vérité, sûreté. — Assurance, conviction, croyance, opinion. — Autorité, clarté, fermeté, infaillibilité, netteté, stabilité.
Ant. **I.** Doute, hésitation, hypothèse, illusion, incertitude, indécision, perplexité, tâtonnement, variabilité, versatilité.

Cerveau
Syn. **I.** Encéphale. **III.** Entendement, esprit, intelligence, jugement, raison. — Auteur, meneur. — Centre.

Cervelle
Syn. **I.** Cerveau, cervelet, méninges, substance grise, tête. **III.** Esprit, jugement.

Cessation
Syn. **I.** Abandon, arrêt, discontinuation, discontinuité, fin, interruption, suspension.
Ant. **I.** Continuation, continuité, maintien, persistance, prolongement, reprise.

Cesser
Syn. **I.** Abandonner, arrêter, discontinuer, finir, interrompre, lâcher, quitter, suspendre.
Ant. **I.** Continuer, durer, maintenir, persister, poursuivre, prolonger, recommencer.

Cession
Syn. **I.** *(Dr.)* Abandon, aliénation, délaissement, renonciation, transfert, transmission.
Ant. **I.** Achat, acquisition, conservation, garde, restriction, réserve.

Césure
Syn. **I.** Coupe, coupure, hémistiche, interruption, pause, repos.

Chafouin
Syn. **I.** Cauteleux, chétif, grêle, rusé, sournois.
Ant. **I.** Avenant, corpulent, franc, sincère.

Chagrin
Syn. **I.** Affliction, amertume, cafard, désolation, douleur, mélancolie, peine, souci, souffrance, tourment, tristesse.
Ant. **I.** Agrément, allégresse, charme, contentement, délice, gaieté, joie, jubilation, satisfaction, volupté.

Chagriner
Syn. **I.** Affecter, affliger, assombrir, contrarier, contrister, désoler, ennuyer, fatiguer, lasser, navrer, peiner.
Ant. **I.** Consoler, égayer, rasséréner, réjouir, satisfaire.

Chahut
Syn. **I.** *(Fam.)* Bacchanale, bruit, chambard *(fam.)*, charivari, désordre, sabbat, tapage, tintamarre, tumulte, vacarme.
Ant. **I.** Paix, silence, tranquillité.

Chaîne
Syn. **I.** Attache, chaînette, lien. **III.** Asservissement, captivité, dépendance, esclavage, servitude, sujétion. — Attachement, union. — Continuité, enchaînement, série, succession, suite.
Ant. **III.** Autonomie, indépendance, liberté. — Discontinuité.

Chaire
Syn. **I.** Ambon, tribune. **III.** Faculté, prédication, professorat.

Chaleur

Syn. **I.** Ardeur, brûlure, feu, flamme, incendie. **III.** Animation, cœur, effervescence, élan, énergie, enthousiasme, exaltation, ferveur, force, passion, véhémence, vigueur, vivacité. *Ant.* **I.** Froid, froidure. **III.** Antipathie, apathie, calme, dégoût, flegme, froideur, indifférence, lenteur.

Chaleureux

Syn. **I.** Animé, ardent, bouillant, chaud, empressé, enflammé, enthousiaste, fervent, prompt, véhément, vif, zélé. *Ant.* **I.** Antipathique, flegmatique, froid, glacé, glacial, impassible, indifférent, insensible, lent, sévère, tiède.

Chamailler (Se)

Syn. **I.** *(Fam.)* (Se) chicaner, (se) disputer, (se) quereller. *Ant.* **I.** (S') accorder, (s') entendre, (se) rapprocher.

Champ

Syn. **I.** Culture, espace, glèbe, lopin, pâturage, prairie, pré, terrain, terroir. **III.** Carrière, cercle, état, profession, sphère. — Matière, sujet.

Champêtre

Syn. **I.** Agreste, bucolique, pastoral, rural, rustique. *Ant.* **I.** Urbain.

Chance

Syn. **I.** Aléa, atout, fortune, hasard, heur, risque, sort. — Éventualité, probabilité. — Aubaine, bonheur, filon, réussite, veine. *Ant.* **I.** Calamité, déveine, échec, guignon, infortune, insuccès, malchance, malheur, misère, revers.

Chanceler

Syn. **I.** Basculer, branler, buter, chavirer, chopper, flageoler, glisser, lâcher, tituber, trébucher, vaciller. **III.** Faiblir, hésiter, trembler. *Ant.* **I** (S') affermir, (se) dresser, (s') établir, (se) fixer, solidifier, tenir bon.

Change

Syn. **I.** Échange, permutation, troc. *Ant.* **I.** Accaparement, cartel, conservation, embargo, trust.

Changeant

Syn. **I.** Amovible, capricieux, divers, éphémère, fantasque, flottant, incertain, inconsistant, inconstant, indécis, inégal, infidèle, instable, léger, lunatique, mobile, mouvant, vacillant, variable, versatile, volage. *Ant.* **I.** Certain, consistant, constant, décidé, durable, égal, fixe, immuable, inébranlable, invariable, persistant, solide, stable, tenace.

Changement

Syn. **I.** Altération, avatar, bouleversement, évolution, métamorphose, modification, mue, mutation, remplacement, transformation, variation. — Déguisement, travestissement. — Amendement, conversion, correction, écart, réforme. — Désaveu, palinodie, revirement, volteface. — Innovation. — Différence, diversité, nuance, variété. *Ant.* **I.** Constance, continuation, continuité, durée, fixité, invariabilité, persévérance, résistance, stabilité.

Changer

Syn. **I.** Céder, échanger, remplacer, troquer. — Déplacer, déranger, intervertir, transférer. — Altérer, corriger, dénaturer, innover, modifier, rectifier, réformer, remanier, transformer. — Convertir, métamorphoser, transmuer. — Permuter. — Diversifier, varier. *Ant.* **I.** Conserver, garder, maintenir, persévérer, persister, tenir. — Demeurer, durer, subsister.

Chanson

Syn. **I.** Air, chant, mélodie, mélopée, morceau, romance. **II.** Babil, bruit, gazouillis, murmure, ramage. **III.** *(Fam.)* Refrain, rengaine. — Baliverne, sornette.

Chantage

Syn. **I.** Duperie, escroquerie, extorsion, filouterie, prélèvement, pression, tromperie, vol.

Ant. **I.** Droiture, franchise, probité, rectitude, sincérité.

Chantant

Syn. **I.** Doux, gazouillant, mélodieux, murmurant, musical, suave.

Ant. **I.** Cacophonique, discordant, faux.

Chanter

Syn. *(V. intr.)* **I.** Chantonner, fredonner, moduler, vocaliser. **II.** Gazouiller, roucouler. *(V. tr.)* **I.** Exécuter. **III.** Célébrer, exalter, proclamer. — *(Fam. Péj.)* Conter, dire, rabacher, raconter, répéter.

Chanteur

Syn. **I.** Chansonnier, chantre.

Chaos

Syn. **I.** Bouleversement, cataclysme, confusion, désordre, fouillis, mêlée, pêlemêle, tohu-bohu. **III.** Anarchie, désorganisation, incohérence, marasme, perturbation, trouble.

Ant. **I.** et **III.** Disposition, harmonie, ordre, organisation, prospérité.

Chaperonner

Syn. **III.** Accompagner, suivre, surveiller, veiller sur.

Ant. **III.** Abandonner, délaisser, déserter, lâcher, nuire.

Chapitrer

Syn. **III.** Admonester, blâmer, gourmander, gronder, morigéner, reprendre, réprimander, semoncer, sermonner, tancer.

Ant. **III.** Aduler, applaudir, complimenter, encenser, féliciter, flatter, glorifier, louanger, vanter.

Charbon

Syn. **I.** Anthracite, combustible, houille, lignite.

Charge

Syn. **I.** Cargaison, chargement, faix, fardeau, poids, somme. **III.** Corvée, dette, imposition, obligation, redevance, servitude. — Dignité, emploi, fonction, ministère, office, poste. — Attribution, commission, ordre. — Accusation, attaque. — Caricature, imitation.

Ant. **I.** et **III.** Allégement, décharge, diminution, soulagement. — Retraite.

Charger

Syn. **I.** Accabler, lester, surcharger. — Mettre, placer. — Encombrer, remplir. **III.** Écraser, grever, imposer. — Caricaturer, exagérer, grossir, outrer. — Accuser, calomnier, noircir.

Ant. **I.** Alléger, décharger, soulager. **III.** Amoindrir, atténuer, diminuer.

Charitable

Syn. **I.** Bienfaisant, donnant, doux, généreux, indulgent, libéral, secourable, sensible, tendre.

Ant. **I.** Avare, cruel, dur, égoïste, inhumain.

Charité

Syn. **I.** Amour. — Altruisme, bienfaisance, bonté, générosité, humanité, indulgence, miséricorde, philanthropie, tendresse. **II.** Assistance, aumône, don, secours.

Ant. **I.** Avarice, cruauté, dureté, égoïsme, haine, inhumanité, méchanceté, misanthropie, vengeance.

Charivari V. *Chahut*

Charmant

Syn. **I.** *(Ch.)* Agréable, attachant, attirant, attrayant, beau, captivant, coquet, délicat, délicieux, enchanteur, ensorcelant, fascinant, intéressant, joli, merveilleux, ravissant, séduisant. — *(Pers.)* Affable, aimable, avenant, gentil, gracieux, obligeant, poli, sympathique.

Ant. **I.** Affreux, choquant, désagréable, ennuyeux, hideux, laid, rebutant, repoussant. — Antipathique, déplaisant, désobligeant, détestable, impoli, insupportable.

Charme(s)
Syn. **I.** Enchantement, ensorcellement, fascination, incantation, prestige, sortilège. — Agrément, attirance, beauté, grâce, séduction. — *(Pl.)* Appas, attraits, avantages (physiques), sex-appeal. *Ant.* **I.** Désavantage, horreur, laideur, monstruosité.

Charmer
Syn. **I.** Enchanter, ensorceler, fasciner. **III.** Adoucir, apaiser. — Attirer, captiver, complaire, délecter, éblouir, enivrer, enjôler, enthousiasmer, entraîner, ravir, séduire, transporter. *Ant.* **I.** Dégriser, désenchanter. **III.** Attrister, dégoûter, déplaire, mécontenter, offenser, répugner.

Charmille
Syn. **I.** Allée, berceau, bocage, bosquet, buisson, haie.

Charnel
Syn. **I.** Corporel, naturel, physique, sexuel. **II.** Matériel, sensible, tangible, temporel, terrestre. **III.** Animal, impur, lascif, libidineux, lubrique, luxurieux, paillard, sensuel, voluptueux. *Ant.* **I.** Spirituel. **II.** Idéal, immatériel, surnaturel. **III.** Platonique, pur.

Charnu
Syn. **I.** Corpulent, dodu, épais, nourrissant, potelé, rondelet. *Ant.* **I.** Aminci, atrophié, décharné, émacié, grêle, maigre, sec. — Osseux.

Charrier
Syn. **I.** Charroyer, traîner, transporter, véhiculer, voiturer. **II.** Chasser, emporter, entraîner. *Ant.* **I.** Abandonner, jeter, lâcher, laisser.

Charte
Syn. **I.** Acte, arrêt, code, constitution, droit, écrit, loi, précepte, règle, règlement, statut, titres.

Chasse
Syn. **I.** Affût, battue, braconnage, traque. **II.** Bannissement, démarche, persécution, poursuite, quête, recherche.

Chasser
Syn. **I.** Braconner, débucher, débusquer, déloger, dénicher, dépister, rabattre, traquer. **II.** Bannir, bouter, congédier, éconduire, expulser, pourchasser, poursuivre, pousser, refouler, renvoyer. **III.** Dissiper. *Ant.* **II.** Accueillir, admettre, appeler, attirer, convier, convoquer, inviter, recevoir.

Châssis
Syn. **I.** Bâti, cadre, charpente, encadrement, vitrage.

Chaste
Syn. **I.** Continent, décent, fidèle, immaculé, innocent, modeste, pudique, pur, sage, vertueux, vierge, virginal. *Ant.* **I.** Charnel, débauché, immoral, impudique, impur, infidèle, lascif, libre, sensuel, vicieux, voluptueux.

Chasteté
Syn. **I.** Blancheur, continence, décence, fidélité, innocence, pudeur, pudicité, virginité. *Ant.* **I.** Débauche, immoralité, impudicité, impureté, incontinence, infidélité, luxure, sensualité, vice, volupté.

Château
Syn. **I.** Castel, demeure, gentilhommière, hôtel, manoir, palace, palais. *Ant.* **I.** Cabane, mansarde, masure, réduit, taudis.

Châtier
Syn. **I.** Punir, réprimer. **II.** Mortifier. **III.** Corriger, épurer, perfectionner, polir, soigner. *Ant.* **I.** Encourager, récompenser. **III.** Négliger.

Châtiment
Syn. **I.** Condamnation, correction, expia-

tion, peine, pénalité, punition, sanction.
Ant. **I.** Cadeau, compensation, dédommagement, don, gratification, récompense.

Chatouiller
Syn. **I.** Titiller, toucher. **II.** Agacer, exciter, picoter, piquer. **III.** Charmer, Flatter. *Ant.* **II.** Calmer, rudoyer. **III.** Déplaire.

Chatouilleux
Syn. **I.** Sensible. **III.** Irascible, irritable, ombrageux, susceptible. *Ant.* **III.** Calme, débonnaire, flegmatique, froid, paisible, placide.

Chatoyer
Syn. **I.** Brasiller, briller, éblouir, étinceler, flamboyer, illuminer, luire, miroiter, papilloter, rayonner, refléter, reluire, resplendir, rutiler, scintiller. *Ant.* **I.** Amoindrir, assombrir, décatir, délustrer, noircir, ternir.

Chatterie
Syn. **I.** Cajolerie, câlinerie, caresse, enjôlement, flatterie. − Friandise, gâterie. *Ant.* **I.** Dureté, implacabilité, raideur, répulsion, rigueur, rudesse, rudoiement, sévérité.

Chaud
Syn. **I.** Ardent, bouillant, brûlant, caniculaire, échauffé, enflammé, fumant, incandescent, torride, tropical. **III.** Animé, chaleureux, empressé, enthousiaste, fervent, véhément, vif, zélé. *Ant.* **I.** Frais, froid, gelé, glacé. **III.** Alangui, indifférent, traînant, transi.

Chauffer
Syn. **I.** Bouillir, braiser, brûler, échauffer, enflammer, griller, réchauffer, surchauffer. **III.** Activer, animer, exciter, presser. *Ant.* **I.** Éteindre, glacer, rafraîchir, refroidir, transir. **III.** Atténuer.

Chauffeur
Syn. **I.** Conducteur, machiniste, routier. − Chauffard.

Chaumière
Syn. **I.** Baraque, bicoque, bouge, cabane, cahute, case, gourbi, hutte, masure, taudis. *Ant.* **I.** Castel, château, hôtel, palace, palais.

Chaussée
Syn. **I.** Digue, levée, remblai, talus. − Artère, avenue, boulevard, passage, route, rue, voie.

Chauve
Syn. **I.** Dégarni, déplumé. **III.** Aride, dénudé, dépouillé, nu, pelé, stérile. *Ant.* **I.** Chevelu, poilu, touffu, velu.

Chauvin
Syn. **I.** Cocardier, fanatique, patriotard, xénophobe. *Ant.* **I.** Impartial, indifférent, large, neutre, ouvert.

Chef
Syn. **I.** Tête. − Autorité. − Animateur, commandant, directeur, dirigeant, fondateur, général, gouvernant, maître, meneur, patron, responsable. *Ant.* **I.** Dépendant, employé, fonctionnaire, inférieur, second, serf, serviteur, subalterne, subordonné.

Chef-lieu
Syn. **I.** Bourg, centre, cité, préfecture, village, ville.

Chemin
Syn. **I.** Allée, artère, avenue, boulevard, piste, ravin, route, rue, sente, sentier, voie. **II.** Direction, distance, itinéraire, parcours, trajet. **III.** Manière, méthode, moyen.

Chemineau
Syn. **I.** Clochard, Juif errant, mendiant, nomade, rôdeur, trimardeur, vagabond, va-nu-pieds.

Chenu
Syn. **I.** Blanc, blanchissant, vieux. **II.** Suranné. − Excellent, fameux, parfait.

Ant. **I.** et **II.** Frais, jeune, juvénile, vigoureux. — Mauvais, médiocre.

Cher
Syn. **I.** Adoré, adulé, affectionné, aimé, chéri. **II.** Estimable, inestimable, précieux. — Coûteux, dispendieux, exorbitant, inabordable, onéreux. *Ant.* **I.** Abandonné, désagréable, détestable, odieux. **II.** Banal, insignifiant, négligeable. — Gratuit, modique *(prix)*.

Chercher
Syn. **I.** (S') enquérir, examiner, explorer, fouiller, fureter, quérir, rechercher, sonder, scruter. **III.** Désirer. — *(Chercher à)* S'efforcer, essayer, (s') évertuer, tenter, viser. *Ant.* **I.** Trouver. **III.** (Être) indifférent.

Chérir
Syn. **I.** Adorer, aduler, affectionner, aimer, apprécier, préférer, vénérer. *Ant.* **I.** Abhorrer, délaisser, détester, haïr, réprouver.

Chétif
Syn. **I.** Débile, faible, fluet, frêle, grêle, gringalet, maigrelet, malingre, menu, mince, rachitique, ténu. **III.** Calamiteux, effacé, mesquin, misérable, modeste, pauvre, piètre, petit, piteux. *Ant.* **I.** Ample, développé, énorme, fort, géant, grand, gros, imposant, large, résistant, rubicond, robuste, sain, solide, vigoureux, volumineux. **III.** Abondant, riche.

Chevauchée
Syn. **I.** Course, promenade, randonnée, reconnaissance, tournée, trajet. — Cavalcade.

Chevaucher
Syn. **I.** Caracoler, galoper, monter, parader, trotter. **III.** (Se) croiser, empiéter, mordre (sur), (se) recouvrir, (être) superposé.

Chevelure
Syn. **I.** Cheveux, coiffure, crinière *(fam.)*, tignasse *(fam.)*, toison.

Chevet
Syn. **I.** Couche, lit, oreiller, tête, traversin.

Cheviller
Syn. **I.** Assembler, attacher, boulonner, fixer, joindre, retenir, visser. **III.** Remplir. *Ant.* **I.** Désunir, disjoindre, dévisser, ôter.

Chevrotement
Syn. **I.** Bêlement, tremblement. **II.** Trémolo.

Chic
Syn. **I.** *(N.)* Distinction, élégance, grâce. *(Adj.)* *(Fam.)* Beau, distingué, élégant. *(Pers.)* Aimable, bon, brave, généreux, gentil, sympathique. *Ant.* **I.** Accoutrement, affublement, bizarrerie, inélégance. — Fagoté, inélégant. — Moche.

Chicane
Syn. **I.** Altercation, bisbille, chamaillerie, chicanerie, chipotage, conflit, contestation, controverse, critique, démêlé, désaccord, différend, dispute, dissidence, empoignade, litige, mésentente, noise, procès, querelle, tracasserie. *Ant.* **I.** Accord, amitié, conciliation, concorde, droiture, harmonie, loyauté, paix, sympathie, union.

Chiche
Syn. **I.** *(Pers.)* V. *Avare.* — *(Ch.)* Chétif, maigre, mesquin, mesuré, modeste, petit, sordide. *Ant.* **I.** *(Ch.)* Abondant, copieux, riche.

Chicot
Syn. **I.** Débris, fragment, morceau.

Chiendent
Syn. **I.** Ivraie, mauvaise herbe. **III.** Difficulté, embarras, ennui, obstacle. *Ant.* **I.** Bon grain, froment. **III.** Aisance, commodité, débarras.

Chiffon
Syn. **I.** Chiffe, défroque, guenille, haillon, lambeau, loque, oripeau.
Ant. **I.** Vêtement opulent, riche, somptueux.

Chiffonner
Syn. **I.** Friper, froisser, plisser. **III.** Attrister, chagriner, contrarier, ennuyer, préoccuper, tracasser.
Ant. **I.** Défroisser, presser, repasser. **III.** Adoucir, apaiser, égayer, rasséréner, réjouir.

Chiffre
Syn. **I.** Nombre, unité. **II.** Montant, somme, total. — Estimation, indice, taux, valeur. — Code. — Marque, monogramme.

Chiffrer
Syn. **I.** Calculer, compter, estimer, évaluer, numéroter, tabler, totaliser.
Ant. **I.** Déchiffrer.

Chimère
Syn. **I.** Apparence, caprice, erreur, fantaisie, fantasme, fantôme, fiction, folie, hallucination, idée, illusion, imagination, mirage, rêve, songe, utopie, vision.
Ant. **I.** Certitude, document, existence, fait, objectivité, preuve, raison, réalité, réel.

Chimérique
Syn. **I.** Fantastique, fou, illusoire, imaginaire, impossible, inventé, invraisemblable, irréalisable, irréel, utopique, vain. — Rêveur, romanesque, utopiste, visionnaire.
Ant. **I.** Positif, réel, solide, vrai.

Chinoiserie
Syn. **III.** Bizarrerie, caprice, étrangeté, extravagance, fantaisie, formalisme, formalité, singularité, subtilité.
Ant. **III.** Simplicité.

Chiquer
Syn. **I.** Mâcher, mâchonner, mastiquer.

Chloroforme
Syn. **I.** Anesthésique, somnifère.
Ant. **I.** Excitant, stimulant.

Chloroformer
Syn. **I.** Anesthésier, endormir, insensibiliser. **III.** Avachir.
Ant. **III.** Activer, aiguillonner, animer, exciter, réveiller, stimuler.

Choc
Syn. **I.** Collision, coup, heurt, percussion, rencontre. — Assaut, attaque, bataille, combat, lutte. **III.** Conflit, opposition. — Agitation, atteinte, commotion, ébranlement, émotion, mouvement, secousse.
Ant. **I.** Adoucissement, apaisement, atténuation. **III.** Accord, assentiment, entente, paix.

Chœur
Syn. **I.** Chorale, concert, orchestre.

Choir
Syn. **I.** (S') abattre, (s') affaisser, (s') affaler, culbuter, dégringoler, (s') écrouler, (s') effondrer, tomber. **III.** *(Fam. Laisser choir).* Abandonner, laisser tomber, plaquer.
Ant. **I.** et **III.** Élever, (se) raidir, rehausser, (se) relever, rétablir, (se) tenir.

Choisir
Syn. **I.** Adopter, désigner, distinguer, élire, nommer, opter, préférer, prendre, retenir, sélectionner, trier. — (S') engager, (se) prononcer, trancher.
Ant. **I.** (S') abstenir, attendre, hésiter, (se) réserver, temporiser.

Choix
Syn. **I.** Adoption, élection, option, prédilection, préférence, sélection, triage. — Aristocratie, crème, élite, fleur. — Assortiment, collection. — Anthologie, recueil.
Ant. **I.** Abstention, indécision, obligation.

Chômage
Syn. **I.** Désœuvrement, grève, inactivité,

manque de travail, morte-saison, suspension.
Ant. **I.** Activité, fonctionnement, occupation, œuvre, opération, travail.

Chômer
Syn. **I.** Cesser, suspendre le travail, manquer de travail. — Célébrer, fêter, (se) récréer, solenniser.
Ant. **I.** Besogner, fonctionner, manœuvrer, œuvrer, opérer, peiner, travailler, trimer.

Choquer
Syn. **I.** Cogner, frapper, heurter. — Trinquer. **III.** Blesser, contrarier, (se) formaliser, froisser, mécontenter, offenser, offusquer, scandaliser.
Ant. **III.** Charmer, flatter, plaire, réjouir, séduire.

Chorégraphie
Syn. **I.** Art de la danse, ballet.

Choyer
Syn. **I.** Cajoler, dorloter, gâter, mignoter. **III.** Cultiver, entretenir.
Ant. **I.** Brusquer, rudoyer. **III.** Négliger.

Christ
Syn. **I.** Jésus, Messie, Oint, Rédempteur, Sauveur. **II.** Croix. — Crucifix.
Ant. **I.** Antéchrist.

Chroniques
Syn. **I.** Annales, faits, histoire, mémoires, récits, relations. **II.** Bruits, potins. — Articles, courrier, nouvelles, propos.

Chroniqueur
Syn. **I.** Historien, mémorialiste. **II.** Correspondant, écrivain, journaliste, littérateur, nouvelliste, publiciste, rédacteur, reporter.

Chute
Syn. **I.** Affaissement, culbute, dégringolade, descente, écroulement. **II.** Cascade, cascatelle, cataracte, saut. — Décadence, défaite, disgrâce, faillite, insuccès, renversement, ruine. — Déchéan-

ce, faute, péché. — Dépréciation, dévaluation, effondrement.
Ant. **I.** Ascension, levée, montée. **II.** Contrition, pénitence, repentir. — Prospérité, redressement, relèvement, succès.

Chuter
Syn. **I.** Choir, dégringoler, échouer, tomber. **III.** Déchoir, pécher.
Ant. **I.** (Se) redresser, (se) relever. **III.** (S') amender, croître, renaître.

Cible
Syn. **I.** But, objectif. **III.** Point de mire, visée.

Cicatrice
Syn. **I.** Balafre, blessure, marque, signe, souvenir, stigmate, trace.

Cicatriser
Syn. **I.** Fermer, guérir. **III.** Adoucir, apaiser, calmer, consoler.
Ant. **I.** et **III.** Aviver, balafrer, envenimer, irriter, ouvrir, rouvrir.

Ciel
Syn. **I.** Air, atmosphère, espace, éther, firmament. **III.** Cieux, éden, paradis.
Ant. **I.** Érèbe, terre. **III.** Enfer, géhenne.

Cime
Syn. **I.** Arête, crête, faîte, hauteur, pic, pinacle, pointe, sommet, tête. **III.** Apogée, comble.
Ant. **I.** Bas, base, fondation, fondement, pied, racine, socle.

Cimenter
Syn. **I.** Assembler, bétonner, coller, jointoyer. **III.** Affermir, confirmer, consolider, fixer, immobiliser, lier, raffermir, sceller, unir.
Ant. **I.** et **III.** Affaiblir, désagréger, desceller, ébranler, saper.

Cingler
Syn. **I.** Faire voile, naviguer. — Cravacher, fouetter, frapper. **III.** Blesser, critiquer, fustiger.

Ant. **I.** Jeter l'ancre. **III.** Cajoler, caresser, complimenter, enjôler, flatter.

Cintre
Syn. **I.** Arc, arceau, courbure, voussure.
— Lunule.

Circonférence
Syn. **I.** Cerceau, cercle, circuit, contour, enceinte, périphérie, pourtour, rond, tour.
Ant. **I.** Carré, centre, cube, droite.

Circonlocution
Syn. **I.** Ambages, détour, périphrase.
Ant. **I.** Brièveté, concision, précision.

Circonscrire
Syn. **I.** Borner, cerner, enclore, entourer, localiser, limiter, renfermer.
Ant. **I.** Accroître, agrandir, allonger, développer, élargir, éloigner, étendre.

Circonspect
Syn. **I.** Attentif, averti, avisé, discret, mesuré, précautionneux, prudent, réfléchi, réservé, retenu, sage.
Ant. **I.** Aventureux, étourdi, imprudent, inattentif, inconséquent, irréfléchi, léger, malhabile, téméraire.

Circonspection
Syn. **I.** Attention, calme, considération, discernement, discrétion, habileté, ménagement, mesure, modération, précaution, prudence, réflexion, réserve, retenue, sagesse.
Ant. **I.** Étourderie, imprudence, inattention, inconséquence, irréflexion, légèreté, maladresse, témérité.

Circonstance
Syn. **I.** Cas, coïncidence, condition, conjoncture, détail, détermination, entrefaite, événement, éventualité, hasard, modalité, moment, occasion, occurrence, opportunité, particularité, situation.
Ant. **I.** Coutume, habitude, mode, routine, tradition, usage.

Circonvolution
Syn. **I.** Circuit, contour, enroulement, sinuosité, tour.

Circuit
Syn. **I.** Contour, détour, enceinte, pourtour, tour. **II.** Périple, randonnée, tournée, voyage.

Circulation
Syn. **I.** Mouvement. **II.** Roulement. — Passage, trafic, transport. — Diffusion, expansion, lancement, propagation, transmission.
Ant. **I.** et **II.** Arrêt, étape, halte, interruption, répit.

Circuler
Syn. **I.** Aller, courir, défiler, marcher, (se) mouvoir, parcourir, remuer, rouler, venir. — Passer, (se) promener. **II.** (Se) renouveler, (se) diffuser, (se) propager, (se) répandre.
Ant. **I.** Arrêter, (se) détendre, (s') immobiliser, stationner.

Cirque
Syn. **I.** Amphithéâtre, arène, colisée, hippodrome, piste, représentation, scène, spectacle, stade.

Ciseler
Syn. **I.** Inciser, sculpter, tailler. **III.** Parfaire, polir.
Ant. **III.** Bâcler, négliger.

Citadelle
Syn. **I.** Bastion, château-fort, forteresse, fortification.

Citation
Syn. **I.** *(Dr.)* Acte, déclaration, déposition, rappel, sommation. **II.** Exploit, proclamation, témoignage. — Épigraphe, exemple, extrait, passage, texte.

Cité
Syn. **I.** Centre, métropole, ville.

Citer
Syn. **I.** *(Dr.)* Appeler (en justice), assi-

gner, convoquer, intimer. **II.** Alléguer, consigner, mentionner, produire, rappeler, rapporter. — Évoquer, indiquer, nommer, signaler. *Ant.* **II.** Cacher, dissimuler.

Citerne
Syn. **I.** Bassin, puits, réservoir.

Citoyen
Syn. **I.** Habitant, résidant. *Ant.* **I.** Étranger.

Civière
Syn. **I.** Bard, bayart, brancard, litière. — Oiseau (à mortier).

Civil
Syn. **I.** Civique. — Laïque. — Affable, aimable, courtois, empressé, honnête, poli. *Ant.* **I.** Militaire. — Religieux. — Brutal, discourtois, gracieux, impoli, incivil, malhonnête, rustre.

Civilisation
Syn. **I.** Avancement, culture, développement, évolution, perfectionnement, progrès. *Ant.* **I.** Barbarie, cruauté, déchéance, dégénérescence, ignorance, inhumanité, nature, sauvagerie.

Civiliser
Syn. **I.** Affiner, améliorer, cultiver, dégrossir, éduquer, perfectionner, policer, polir, réformer. *Ant.* **I.** Abâtardir, abrutir, dégrader.

Civilité(s)
Syn. **I.** Affabilité, amabilité, courtoisie, gentillesse, honnêteté, politesse, raffinement, savoir-vivre, urbanité. — *(Pl.)* Compliments, convenances, devoirs, hommages, salutations, usages. *Ant.* **I.** Bêtise, grossièreté, impolitesse, incivilité, injure, insolence, insulte, offense, outrage.

Civique
Syn. **I.** Civil, patriotique. *Ant.* **I.** Antipatriotique, incivique.

Civisme
Syn. **I.** Attachement, dévouement, loyalisme, patriotisme. *Ant.* **I.** Antipatriotisme, incivisme.

Clabauder
Syn. **I.** Aboyer, hurler. **III.** *(Fam.)* Cancaner, criailler, dénigrer, médire. *Ant.* **I.** (Se) taire. **III.** Exalter, glorifier, louer, vanter.

Clabauderie
Syn **I.** Aboiement, hurlement. **III.** Cancan, clameur, cri, criaillerie, critique, médisance, rumeur, vocifération. *Ant.* **III.** Acclamation, applaudissement, éloge, louange, satisfaction.

Clair
Syn. **I.** Éclairé, éclatant, limpide, lumineux, serein, vif. — Brillant, luisant, net, pur, transparent. — Fluide, liquide. — Lâche. — Aigu, argentin. — **III.** Distinct, explicite, précis. — Certain, évident, formel, incontestable, indubitable, manifeste, notoire, patent, sûr. — Lucide, pénétrant, perspicace. *Ant.* **I.** Brumeux, couvert, foncé, sombre. — Dépoli, translucide. — Compact, dense, épais. — Grave, sourd, voilé. **III.** Compliqué, confus, difficile, embrouillé, équivoque, indistinct, obscur. — Contestable, douteux, incertain, louche, secret, ténébreux.

Clairement
Syn. **I.** Distinctement, nettement. **III.** Explicitement, intelligemment, simplement.

Clairsemé
Syn. **I.** Éparpillé, épars, espacé, rare. *Ant.* **I.** Compact, dense, nourri, pressé, serré.

Clairvoyance
Syn. **I.** Acuité, discernement, finesse, flair *(fam.),* intuition, jugement, lucidité, pénétration, perspicacité, sagacité, tact. *Ant.* **I.** Aveuglement, confusion, égarement, légèreté, maladresse, obscurcissement, trouble.

Clairvoyant
Syn. **III.** Averti, avisé, fin, intelligent, lucide, pénétrant, perspicace, sagace.
Ant. **III.** Aveugle, fou, maladroit.

Clamer
Syn. **I.** Crier, hurler, proclamer, publier.
Ant. **I.** Cacher, taire, (se) taire, voiler.

Clameur
Syn. **I.** Acclamation, bruit, cri, tumulte, vacarme. **III.** Clabauderie, plainte, réclamation.
Ant. **I.** Apaisement, calme, paix, silence, tranquillité.

Clan
Syn. **I.** Peuplade, tribu. — Association, bande, caste, cénacle, chapelle, classe, coterie, gang, parti, rangs.
Ant. **I.** Individu.

Clandestin
Syn. **I.** Caché, défendu, dérobé, dissimulé, éclipsé, furtif, mystérieux, occulte, prohibé, secret, subreptice.
Ant. **I.** Autorisé, dévoilé, légal, licite, officiel, permis, public.

Clapoter
Syn. **I.** Agiter, bouillonner, bruire, remuer.

Claquer
Syn. *(V. intr.)* **I.** Applaudir, battre. — Grelotter, trembler. **III.** *(Pop.)* Crever, mourir. *(V. tr.)* **I.** *(Pers.)* Frapper, gifler, taper. — *(Ch.)* Fermer violemment. — *(Fam.)* Dépenser, gaspiller.

Clarifier
Syn. **I.** Assainir, épurer, filtrer, nettoyer, purifier. **III.** Éclaircir, élucider.
Ant. **I.** Embrouiller, épaissir, troubler. **III.** Obscurcir.

Clarté
Syn. **I.** Éclat, embrasement, lueur, luminosité, nitescence, pureté. **II.** Limpidité, transparence. **III.** Lucidité, netteté, précision.

Ant. **I.** Brouillard, obscurité, ombre, ténèbres. **III.** Confusion, incertitude, trouble.

Classe
Syn. **I.** Caste, catégorie, état, gent, groupe, ordre. — Division, espèce, rang, sorte. **II.** Cours, école, enseignement, leçon, salle. — Qualité, valeur.

Classer
Syn. **I.** Arranger, assortir, ordonner, placer, ranger, trier. — Classifier, différencier, diviser, répartir, séparer. **II.** Assigner, cataloguer, grouper, sérier. **III.** Définir. — Abandonner, régler.
Ant. **I.** Brouiller, déclasser, déranger, embrouiller, enchevêtrer, mêler.

Clause
Syn. **I.** Arrangement, article, condition, convention, disposition, paragraphe, stipulation.

Claustrer
Syn. **II.** Cacher, claquemurer, cloîtrer, dérober, emprisonner, enfermer, entourer, limiter, renfermer, séquestrer.
Ant. **II.** Affranchir, dégager, délier, délivrer, élargir, exhiber, libérer, montrer, présenter, relâcher, sortir.

Clémence
Syn. **I.** Bonté, compassion, complaisance, douceur, générosité, humanité, indulgence, magnanimité, miséricorde.
Ant. **I.** Barbarie, cruauté, dureté, inclémence, inhumanité, rigueur, sévérité.

Clément
Syn. **I.** Bon, complaisant, doux, favorable, généreux, humain, indulgent, magnanime, miséricordieux, propice.
Ant. **I.** Barbare, cruel, dur, implacable, inclément, inflexible, inhumain, rigoureux, sévère.

Client
Syn. **I.** Acheteur, acquéreur, chaland, pratique, preneur. — Passager. — Malade, patient. — Fidèle, habitué.

Ant. I. Commerçant, fournisseur, marchand, patron, représentant, vendeur.

Climat
Syn. **I.** Ciel, température. — Contrée, pays, région. — Ambiance, atmosphère, milieu.

Clique
Syn. **I.** *(Fam.)* Bande, cabale, coterie.

Cloche
Syn. **I.** Bourdon, carillon, clarine, clochette, grelot, sonnaille, sonnette, timbre. **II.** Couvercle, vase. — *(Biol.)* Ampoule, cloque, phlyctène *(méd.).*

Clocher
Syn. *(N.)* **I.** Beffroi, campanile, clocheton, tour. **II.** Église, pays natal (village ou ville).

Clocher
Syn. *(V.)* **III.** *(Fam.)* Aller mal, (être) défectueux, laisser à désirer.
Ant. **III.** Fonctionner normalement.

Cloison
Syn. **I.** Mur, muraille, paroi. — Barrière, division, séparation.

Cloître
Syn. **II.** Abbaye, communauté, couvent, monastère, prieuré. — Préau. **III.** Réclusion, retraite.

Clore
Syn. **I.** Boucher, enclore, enfermer, entourer, fermer. **III.** Achever, arrêter, finir, terminer.
Ant. **I.** Déboucher, déclore, ouvrir. **III.** Commencer.

Clouer
Syn. **I.** Assembler, assujettir, consolider, enfoncer, planter. **II.** Ficher. **III.** Fixer, immobiliser, retenir.
Ant. **I.** Déclouer, défaire, détacher. **III.** Mouvoir.

Clown
Syn. **I.** Bateleur, bouffon, farceur, paillasse, pitre.

Coaguler
Syn. **I.** Cailler, condenser, durcir, épaissir, figer, grumeler, solidifier. **III.** (Se) cristalliser.
Ant. **I.** Délayer, éclaircir, fondre, liquéfier.

Coaliser (et Se)
Syn. *(V. tr.)* **I.** Ameuter, grouper, réunir. — *(V. pr)* **I.** (S') allier, (s') associer, (se) confédérer, (se) liguer, (s') unir. **II.** (Se) concerter, (se) joindre.
Ant. *(V. tr.)* **I.** Brouiller, désunir, disjoindre. *(V. pr.)* **I.** et **II.** (S') isoler, (se) nuire, s'opposer, se séparer.

Coalition
Syn. **I.** Alliance, association, bloc, cartel, confédération, entente, front, ligue, phalange, trust, union.
Ant. **I.** Désunion, discorde, isolationnisme, rupture, scission.

Cocasse
Syn. *(Fam.)* **I.** Amusant, bizarre, bouffe, burlesque, comique, divertissant, drôle, extraordinaire, risible.
Ant. **I.** Ennuyeux, sérieux.

Cocher
Syn. **I.** Automédon, charretier, conducteur, phaéton, roulier, voiturier.

Cochon
Syn. **I.** Goret, porc, pourceau. **II.** Dégoûtant, malpropre, sale. — Grivois, égrillard, licencieux, salé.
Ant. **II.** Bon, net, propre. — Honnête, pudique.

Coercition
Syn. **I.** Contrainte, devoir, exigence, nécessité, obligation, pouvoir.
Ant. **I.** Affranchissement, amusement, discrétion, indépendance, laisser-aller, libération, liberté.

Cœur

Syn. **I.** Ame, caractère, conscience, esprit. — Centre, milieu. **III.** Énergie, enthousiasme, entrain, goût, intérêt, zèle. — Affection, amour, attachement, inclination, passion, sensibilité, sentiment, tendresse. — Bonté, charité, compassion, dévouement, générosité. — Bravoure, courage, hardiesse, intrépidité, vaillance, valeur. *Ant.* **III.** Apathie, insensibilité, sanscœur. — Bassesse, brutalité, dureté, égoïsme, méchanceté. — Couardise, lâcheté, poltronnerie.

Coffre

Syn. **I.** Bahut, boîte, caisse, cassette, coffre-fort, coffret, huche, pétrin, saloir. Malle. **III.** *(Fam.)* Poitrine.

Coffrer

Syn. (Fam.) **I.** Arrêter, écrouer, empoigner, emprisonner, incarcérer, interner, saisir. *Ant.* **I.** Élargir, lâcher, libérer, relâcher.

Cogner

Syn. **I.** Battre, frapper, heurter, rosser *(pop.)*, taper. *Ant.* **I.** Eluder, éviter, parer.

Cohérence

Syn. **I.** Adhérence, affinité, agrégation, cohésion, connexion, homogénéité. **III.** Accord, liaison, rapport, union. *Ant.* **I.** Désagrégation. **III.** Confusion, discordance, incohérence.

Cohésion

Syn. **I.** Adhérence, agglomération, attraction, coordination, indivision. **II.** Solidarité, union, unité. *Ant.* **I.** Confusion, désagrégation, dispersion, division, sectionnement. **II.** Désunion, éloignement, séparation.

Cohue

Syn. **I.** Affluence, attroupement, foule, multitude, populace. — Bousculade, brouhaha, confusion, désordre, tumulte, vacarme. *Ant.* **I.** Calme, ordre, silence.

Coi

Syn. **I.** Abasourdi, muet, sidéré, stupéfait, tranquille. *Ant.* **I.** Agité, bavard, bruyant.

Coiffeur

Syn. **I.** Artiste (capillaire), barbier, figaro, perruquier.

Coiffure

Syn. **I.** Béret, bonnet, calotte, capuchon, casque, casquette, chapeau, coiffe, couvre-chef, képi, serre-tête, toque. — Boucle, chignon, natte, torsade, tresse.

Coin

Syn. **I.** Angle, écoinçon, encoignure, intersection, recoin, renfoncement. — Cale. — Corne. **II.** Cachette, écart, endroit, lieu, solitude. **III.** Cachet, caractère, empreinte, marque, sceau.

Coincer

Syn. **I.** Bloquer, caler, enfoncer, immobiliser, serrer. *(Pers.)* **I.** Acculer, retenir (dans un coin). **III.** Coller *(fam.)*, embarrasser. *Ant.* **I.** Débloquer, desserrer, écarter, espacer. **III.** Aider.

Col

Syn. **I.** Encolure, faux col. — Goulot. — Brèche, défilé, détroit, gorge, pas, passage, passe, port. *Ant.* **I.** Évasement. — Mont, sommet.

Colère

Syn. **I.** Bile, courroux, crise, déchaînement, dépit, emportement, exaspération, explosion, frénésie, fureur, furie, indignation, ire *(vx)*, irritation, rage, révolte, rogne, violence. *Ant.* **I.** Apaisement, calme, douceur, équilibre, mesure, modération, placidité, pondération, retenue, sagesse, sang-froid, sérénité.

Colifichet V. *Babiole*

Collaborer
Syn. **I.** Aider, appuyer, (s') associer, concourir, contribuer, coopérer, participer à, prendre part à, soutenir.
Ant. **I.** (S') abstenir, contrecarrer, déprécier, incommoder, léser, nuire.

Colle
Syn. **I.** Empois, glu, poix. **III.** Attrape, question difficile, consigne, retenue.

Collecte
Syn. **I.** Demande, quête, sollicitation, souscription. **II.** Ramassage, récolte.

Collection
Syn. **I.** Accumulation. — Amas, assemblage, assortiment, ensemble, groupe, réunion. **II.** Bibliothèque, discothèque, galerie, musée, numismatique, philatélie, pinacothèque. — Recueil.
Ant. **I.** Division, éparpillement.

Collègue
Syn. **I.** Adjoint, associé, camarade, compagnon, confrère.
Ant. **I.** Étranger, intrus.

Coller
Syn. **I.** Adhérer, agglutiner, appliquer, assembler, fixer. **II.** Appuyer, mettre, placer. **III.** *(Fam.)* Consigner, punir. — Ajourner, refuser.
Ant. **I.** Arracher, décoller, détacher. **III.** Admettre, aider.

Collier
Syn. **I.** Carcan, cercle, ornement. **III.** Chaîne, corvée, joug, labeur.
Ant. **III.** Délivrance, facilité, repos.

Colliger
Syn. **I.** Assembler, collectionner, rassembler, réunir.
Ant. **I.** Diviser, partager, sectionner, séparer.

Colline
Syn. **I.** Butte, côte, coteau, éminence, hauteur, mamelon, relief.
Ant. **I.** Creux, plaine, ravin, val, vallée, vallon.

Collision
Syn. **I.** Choc, heurt, impact. **II.** Bagarre, combat, échauffourée, rencontre. **III.** Désaccord, opposition.
Ant. **I.** Évitage *(mar.)*, évitement. **III.** Accord, entente.

Colloque
Syn. **I.** Conciliabule, conférence, conversation, dialogue, discussion, entretien, pourparler, symposium.

Colon
Syn. **I.** Colonisateur, pionnier, planteur. — Agriculteur, fermier, métayer, paysan.
Ant. **I.** Citadin, urbain.

Colonne
Syn. **I.** Pilastre, pilier, pylône. — Aiguille, cippe, obélisque, stèle. **III.** Equipe, file, troupe. — Soutien, support.

Colorer
Syn. **I.** Colorier, enluminer, peindre, teindre, teinter. — Agrémenter, embellir, enjoliver, farder, orner, parer.
Ant. **I.** Décolorer, déteindre, ternir. — Enlaidir, salir.

Coloris V. *Couleur*

Colossal V. *Gigantesque*

Colosse
Syn. **II.** Géant, hercule, mastodonte.
Ant. **II.** Avorton, bambin, gnome, lilliputien, nabot, nain, petit, pygmée.

Colporter
Syn. **I.** Transporter. **III.** Commérer, divulguer, ébruiter, propager, raconter, rapporter, répandre.
Ant. **III.** Cacher, garder, omettre, taire, (se) taire.

Combat
Syn. **I.** Action, assaut, attaque, bagarre, bataille, choc, collision, conflit, duel,

échauffourée, engagement, escarmouche, guerre, hostilité, lutte, massacre, mêlée, rencontre, rixe. — Pugilat. **III.** Contestation, débat, dispute, querelle. — Antagonisme, émulation, rivalité, tournoi. *Ant.* **I.** et **III.** Armistice, calme, concorde, entente, entraide, harmonie, paix, trêve, union.

Combattant
Syn. **I.** Assaillant, belligérant, guerrier, soldat. **II.** Adversaire, antagoniste, compétiteur, rival. — Champion. *Ant.* **I.** Démobilisé, pacifique, réformé, retraité.

Combattre
Syn. **I.** Assaillir, attaquer, (se) battre, charger, engager, lutter(contre). **III.** Contredire, empêcher, enrayer, nuire, (s') opposer, réfuter. *Ant.* **I.** Apaiser, calmer, concilier, pacifier. **III.** Aider, approuver, collaborer, diffuser, répandre, soutenir.

Combien
Syn. **I.** A quel point, comme, que, quel nombre, quel prix, quelle quantité, quelle valeur.

Combinaison
Syn. **I.** Arrangement, assemblage, composition, mélange, réunion. **III.** Agencement, calcul, combine, manigance, manœuvre, plan, système, truc. *Ant.* **I.** Analyse, décomposition, dissolution. **III.** Désunion, routine.

Combiner
Syn. **I.** Arranger, assembler, associer, composer, disposer, mélanger, ordonner, unir. **III.** Calculer, concerter, établir, organiser, préparer. — Machiner, manigancer. *Ant.* **I.** Déranger, désunir, embrouiller, isoler, séparer.

Comble
Syn. **I.** Cime, couronnement, faîte, pina-

cle, toit, sommet, surplus, trop-plein. **III.** Apogée, excès, maximum, summum, zénith. *Ant.* **I.** Bas, base, cave, fondation. **III.** Insuffisance, minimum.

Combler
Syn. **I.** Surcharger. **II.** Boucher, niveler, remplir. **III.** Accabler, charger, couvrir. — Contenter, couronner, exaucer, satisfaire. *Ant.* **I.** Creuser, vider. **III.** Alléger, décharger, diminuer, priver, soulager. — Nuire, refuser.

Combustible
Syn. *(N.)* **I.** Bois, carburant, charbon comburant. *(Adj.)* **III.** Inflammable. *Ant.* **I.** Incombustible.

Combustion
Syn. **I.** Brûlage, calcination, déflagration, feu, ignition, incendie, inflammation, oxydation. **III.** Conflagration, effervescence. *Ant.* **I.** Extinction. **III.** Apaisement, ordre.

Comédien
Syn. **I.** Acteur, artiste, bouffon, cabotin, clown, farceur, mime.

Comestible
Syn. **I.** *(N.)* Aliment, denrée, mangeaille, provision, subsistance, victuaille, vivre. — *(Adj.)* Mangeable. *Ant.* **I.** Immangeable, incomestible, vénéneux.

Comique
Syn. **I.** Amusant, bouffon, burlesque, cocasse, désopilant, drôle, gai, grotesque, hilarant, impayable, plaisant, risible, spirituel. *Ant.* **I.** Désolant, dramatique, grave, imposant, pathétique, sérieux, touchant, tragique, triste.

Commandant
Syn. **I.** Capitaine, chef, général, officier,

patron, supérieur.
Ant. **I.** Inférieur, soldat, subalterne.

Commandement
Syn. **I.** Arrêt, arrêté, consigne, décret, édit, injonction, instruction, invite, loi, ordre, précepte, prescription, rescrit. — Autorité, direction, pouvoir, puissance.
Ant. **I.** Acceptation, discipline, impuissance, obéissance, soumission.

Commander
Syn. **I.** Décider, décréter, dicter, diriger, dominer, édicter, enjoindre, exiger, gouverner, imposer, intimer, maîtriser, mener, ordonner, prescrire, régenter, régir, sommer.
Ant. **I.** Accepter, accomplir, céder, (se) conformer, décommander, exécuter, obéir, observer, plier, (se) soumettre, suivre.

Commanditaire
Syn. **I.** Acolyte, actionnaire, affilié, associé, bailleur de fonds, intéressé, prêteur.
Ant. **I.** Désintéressé, emprunteur, parasitaire.

Commémoration
Syn. **I.** Anniversaire, célébration, fête, mémento, mémoire, rappel, réminiscence, souvenir.

Commencement
Syn. **I.** Aube, aurore, avènement, cause, début, déclenchement, départ, ébauche, entrée, essai, essor, exorde, naissance orée, origine, ouverture, préambule, préface, préliminaire, prélude, prémices, principe, seuil, source.
Ant. **I.** Achèvement, but, clôture, conclusion, conséquence, dénouement, effet, fin, issue, limite, résultat, solution, terme, terminaison.

Commencer ⁴
Syn. **I.** Amorcer, attaquer, débuter, déclencher, démarrer, ébaucher, engager, entamer, entreprendre, entrer, inaugurer,

(se) mettre à, ouvrir, préluder. — Partir.
Ant. **I.** Aboutir, accomplir, achever, cesser, clore, clôturer, compléter, conclure, continuer, couronner, finir, poursuivre, terminer.

Commensal
Syn. **I.** Compagnon, condisciple, confrère, convive, hôte, invité.
Ant. **I.** Étranger, intrus.

Commentaire
Syn. **I.** Annotation, exégèse, explication, glose, interprétation, note, remarque, scolie. **III.** Bavardage, commérage, médisance.
Ant. **III.** Mutisme, réticence, silence.

Commenter
Syn. **I.** Développer, expliquer, exposer, interpréter, gloser, parler de. **II.** Broder.
Ant. **I.** Passer sous silence, (se) taire.

Commerçant
Syn. **I.** Boutiquier, détaillant, fournisseur, marchand, négociant, trafiquant.
Ant. **I.** Acheteur, chaland, client, patron, pratique.

Commerce
Syn. **I.** Affaires, échange, exportation, importation, négoce, trafic, traite, troc. **II.** Boutique, débit, magasin.

Commettre (et Se)
Syn. **I.** *(V. tr.)* Accomplir, exécuter, faire, perpétrer. — Confier, employer, préposer. — *(V. pr.)* (Se) compromettre, (s') exposer.
Ant. **I.** Démettre, éluder, éviter, fuir, omettre, refuser, retirer. — (S') écarter.

Commis
Syn. **I.** Agent, employé, préposé, représentant (de commerce), subalterne, vendeur, voyageur.
Ant. **I.** Bourgeois, marchand, négociant, patron.

Commisération
Syn. **I.** Apitoiement, attendrissement,

bonté, compression, humanité, miséricorde, pardon, pitié.
Ant. **I.** Cruauté, dureté, implacabilité, indifférence, insensibilité, méchanceté, rigueur, rudesse, sévérité.

Commissaire
Syn. **I.** Délégué, fonctionnaire, officier de police, ordonnateur.

Commission
Syn. **I.** Attribution, bureau, charge, comité, délégation, mandat, mission, pouvoir. **II.** Courtage, boni, guelte, pourboire, pourcentage, prime, remise, rémunération, ristourne, tantième. — Fidéicommis, course, emplette, message, provisions.

Commissionnaire
Syn. **I.** Courtier, intermédiaire, mandataire, représentant. — Chasseur, groom, messager, porteur.

Commode
Syn. **I.** *(Ch.)* Accessible, avantageux, convenable, favorable, maniable, opportun, pratique, propre, utile. — *(Pers.)* Agréable, aisé, doux, facile, indulgent, simple, traitable. — Complaisant, relâché.
Ant. **I.** Défavorable, difficile, embarrassant, gênant, incommode, inconfortable, inutilisable. — Acariâtre, ardu, austère, désagréable, déplaisant, désobligeant, jaloux.

Commodité
Syn. **I.** Agrément, aisance, aise, avantage, confort, facilité, faveur, utilité.
Ant. **I.** Complication, désagrément, désavantage, difficulté, embarras, gêne, incommodité, inconvénient, malaise, préjudice.

Commotion
Syn. **I.** Choc, explosion, heurt, mouvement, secousse, séisme, tremblement, vibration. **III.** Bouleversement, ébranlement, émoi, énervement, traumatisme, trouble.

Ant. **III.** Apaisement, calme, placidité, quiétude, repos, sang-froid, sérénité, tranquillité.

Commuer
Syn. **I.** Changer, intervertir, modifier, remanier, remplacer, substituer, transformer.
Ant. **I.** Appliquer, conserver, garder, imposer, infliger.

Commun
Syn. **I.** Collectif, général, mutuel, public, universel. — Abondant, banal, courant, fréquent, habituel, nombreux, ordinaire, rebattu, répandu, usuel. — **II.** *(Péj.)* Quelconque, trivial, vulgaire.
Ant. **I.** Différent, distinct, individuel, original, particulier, personnel, singulier, spécial, unique. — Curieux, étonnant, étrange, exceptionnel, extraordinaire, inaccoutumé, inédit, inouï, insigne, insolite, introuvable, précieux, rare, recherché, remarquable. **II.** Distingué, noble.

Communauté
Syn. **I.** Association, collectivité, corporation, corps. — État, groupement, nation, patrie, société. — Cloître, congrégation, couvent, monastère, ordre. — **III.** Accord, affinité, généralité, indivision, parité, similitude, unanimité, unité.
Ant. **I.** Isolement, solitude. **III.** Disparité, dissemblance, diversité, inégalité.

Communicatif
Syn. **I.** Contagieux, épidémique. — *(Pers.)* Causant, confiant, démonstratif, expansif, exubérant, ouvert.
Ant. **I.** Incommunicable. — Concentré, défiant, dissimulé, secret, taciturne.

Communication
Syn. **I.** Correspondance, échange, liaison, rapport, relation. **II.** Adresse, annonce, avis, déclaration, dépêche, diffusion, information, message, note, nouvelle, renseignement, transmission. — Artère, circulation, route, transport.

Communion
Syn. **I.** Accord, communication, communauté, correspondance, union. — Chrétienté, confession, église, humanité, société. — Cène, eucharistie, viatique.

Communiquer
Syn. **I.** *(Pers.)* Adresser, annoncer, confier, correspondre, dire, divulguer, donner, échanger, livrer, publier. — *(Ch.)* Relier. — Donner, imprimer, passer, transmettre.
Ant. **I.** Cacher, interrompre, omettre, taire. — Garder.

Commutation
Syn. **I.** Changement, diminution, modification, réduction, remplacement, substitution.
Ant. **I.** Aggravation, maintien, permanence.

Compact
Syn. **I.** Dense, épais, gros, lourd, serré.
Ant. **I.** Desserré, dispersé, épars, lâche, léger, mou, ténu.

Compagne
Syn. **I.** Aide, amie, collaboratrice, collègue. — Épouse, femme, moitié.

Compagnie
Syn. **I.** Présence. — Assemblée, assistance, association, bande, communauté, entourage, groupe, réunion, société, troupe.
Ant. **I.** Abandon, absence, délaissement, isolement, solitude.

Compagnon
Syn. **I.** Ami, associé, camarade, collaborateur, collègue, commensal, condisciple, copain, partenaire.
Ant. **I.** Adversaire, compétiteur, émule, opposant, rival.

Comparaison
Syn. **I.** Analogie, analyse, assimilation, collationnement, confrontation, corrélation, parallèle, parité, rapprochement, si-

militude. **III.** Allusion, image, métaphore.
Ant. **I.** Dissemblance, éloignement, exception, exclusion, exclusivité, réserve.

Comparer
Syn. **I.** Analyser, assimiler, collationner, conférer, confronter, évaluer, examiner, mesurer, rapprocher.
Ant. **I.** Éloigner, excepter, exclure, retrancher.

Compartiment
Syn. **I.** Case, caisson, division, pièce, rayon. **III.** Partie, recoin.
Ant. **I.** et **III.** Ensemble, totalité, tout.

Compassion
Syn. **I.** Apitoiement, attendrissement, bonté, charité, commisération, grâce, humanité, miséricorde, pitié, sensibilité.
Ant. **I.** Cruauté, dureté, froideur, impassibilité, implacabilité, indifférence, insensibilité, méchanceté, rigueur, rudesse, sévérité.

Compatir
Syn. **I.** (S') apitoyer, (s') attendrir, consoler, (se) pencher sur, réconforter, soulager, sympathiser.
Ant. **I.** (S') endurcir, repousser, résister, rudoyer.

Compatissant
Syn. **I.** Bienfaisant, bon, charitable, humain, humanitaire, miséricordieux, philanthrope, pitoyable, secourable, sensible.
Ant. **I.** Dur, insensible.

Compensation
Syn. **I.** Dédommagement, échange, indemnité, réparation. — Balance, contrepoids, égalité, équilibre, équivalence. **II.** Consolation, correctif, récompense, revanche.
Ant. **I.** Aggravation, amende, peine. — Déséquilibre, inégalité.

Compenser
Syn. **I.** Balancer, contre-balancer, corriger, couvrir, dédommager, équilibrer, neutraliser, racheter, remédier, réparer.
Ant. **I.** Accentuer, aggraver, (s') ajouter, déséquilibrer.

Compère
Syn. **I.** *(Vx)* Parrain. — *(Fam.)* Camarade, compagnon, copain. **III.** Acolyte, complice.

Compétence
Syn. **I.** Attribution, autorité, pouvoir, ressort. **II.** Adresse, aptitude, art, capacité, dextérité, expérience, habileté, qualification, savoir, savoir-faire, science. **III.** *(Fam.)* Sommité.
Ant. **II.** Ignorance, impéritie, inaptitude, incapacité, incompétence, inexpérience, infériorité, insuffisance, maladresse.

Compétent
Syn. **II.** Capable, connaisseur, entendu, expert, maître, qualifié, savant.
Ant. **I.** Incompétent.

Compétiteur
Syn. **I.** Adversaire, aspirant, candidat, concurrent, émule, opposant, rival.
Ant. **I.** Adepte, aide, associé, collaborateur, partenaire, partisan, supporteur.

Compétition
Syn. **I.** Concours, concurrence, conflit, rivalité. — Championnat, coupe, critérium, épreuve, match.

Complainte
Syn. **I.** Cantilène, romance. — *(Vx)* Jérémiade, lamentation, plainte.
Ant. **I.** Chant joyeux.

Complaire (Se)
Syn. **I.** Aimer, chérir, (se) délecter, (se) plaire.
Ant. **I.** Détester, haïr.

Complaisance
Syn. **I.** Affection, amabilité, amitié, attention, bienveillance, civilité, condescen-dance, déférence, diligence, empressement, obligeance, prévenance, serviabilité, soin, zèle. — Contentement, faiblesse, indulgence, satisfaction.
Ant. **I.** Contrariété, désagrément, désobligeance, dureté, ennui, malveillance, sévérité.

Complaisant
Syn. **I.** Aimable, arrangement, attentionné, commode, condescendant, coulant, déférent, facile, galant, obligeant, poli, prévenant, serviable. — Indulgent, satisfait.
Ant. **I.** Dur, sévère.

Complément
Syn. **I.** Achèvement, addenda, addition, annexe, appendice, appoint, couronnement, reste, suite, supplément, surcroît, surplus.
Ant. **I.** Amorce, commencement, défaut, lacune, manque.

Complet
Syn. **I.** Entier, intact, intégral, plénier, total. — Bondé, bourré, chargé, plein, surchargé. **III.** Absolu, achevé, accompli, adéquat, équilibré, exhaustif, parfait, universel.
Ant. **I.** Incomplet. — Désert, réduit, restreint, vide. **III.** Abrégé, ébauché, esquissé, imparfait, inadéquat, superficiel.

Compléter
Syn. **I.** Achever, adjoindre, ajouter, finir, joindre, parachever, parfaire, rajouter, rapporter, suppléer, terminer.
Ant. **I.** Abréger, alléger, commencer, diminuer, ébaucher, esquisser, réduire, soustraire.

Complexe V. *Compliqué*

Complexion
Syn. **I.** Constitution, nature, organisme, tempérament.

Complication
Syn. **I.** Complexité, embrouillement. —

Accident, accroc, anicroche, cérémonie, contretemps, détour, difficulté, embarras, empêchement, ennui, obstacle. — *(Méd.)* Aggravation. *Ant.* Clarification. — Aisance, bonheur, facilité, réussite, simplicité.

Complicité
Syn. **II.** Accointance, accord, collusion, connivence, entente, intelligence. *Ant.* **II.** Désaccord, hostilité, indifférence.

Compliment (s)
Syn. **I.** Congratulation, éloge, félicitation, lounage. — *(Pl.)* Civilités. *Ant.* **I.** Affront, blâme, désapprobation, injure, reproche, sarcasme.

Compliqué
Syn. **I.** Ardu, complexe, composé, confus, délicat, difficile, difficultueux, embarrassé, embrouillé, emmêlé, enchevêtré, entortillé, épineux, gênant, indéchiffrable, inextricable, laborieux, pénible. *Ant.* **I.** Aisé, clair, déchiffrable, facile, net, simple.

Complot
Syn. **I.** Conjuration, conspiration, machination. **II.** Association, brigue, cabale, intrigue, menée, trame.

Comploter
Syn. **I.** Conjurer, conspirer, machiner. **II.** Briguer, cabaler, (se) coaliser, intriguer, manigancer, ourdir, projeter, tramer.

Comporter (et Se)
Syn. **I.** *(V. tr.)* Admettre, avoir, comprendre, (se) composer de, contenir, emporter, impliquer, inclure, permettre, renfermer, souffrir, supporter. — *(V. pr.)* Agir, (se) conduire, être, (se) sentir, (se) trouver. *Ant.* **I.** Défendre, exclure, interdire, refuser.

Composé
Syn. **I.** Complexe. **III.** Affecté, compassé, étudié. *Ant.* **I.** Indivisible, simple, un. **III.** Naturel, spontané.

Composer
Syn. (V. tr.) **I.** Agencer, apprêter, arranger, assembler, combiner, constituer, former, organiser, régler. — Bâtir, charpenter, créer, écrire, inventer, produire. **II.** Affecter, étudier. *(V. intr.)* **I.** (S') entendre, pactiser, transiger. *Ant.* **I.** Décomposer, défaire, désorganiser, dissocier, isoler, sectionner, simplifier. — *(V. intr.)* Résister.

Composition
Syn. **I.** Agencement, arrangement, assemblage, combinaison, constitution, disposition, fabrication, organisation, structure, teneur. — Devoir, dissertation, élaboration, rédaction. • *Ant.* **I.** Analyse, décomposition, désorganisation, destruction, désunion, division, séparation.

Compréhension
Syn. **I.** Entendement, esprit, intelligence, jugement. **II.** Clarté, compréhensibilité, facilité, pénétration, perspicacité, vision, vivacité. — *(Pers.)* Bienveillance, indulgence, largeur (d'esprit), tolérance. *Ant.* **II.** Embarras, énigme, ignorance, incompréhension, obscurité. — Intolérance, obstination, sévérité.

Comprendre
Syn. **I.** Comporter, compter, contenir, embrasser, englober, envelopper, impliquer, inclure, incorporer, intégrer, renfermer. **II.** Apercevoir, concevoir, connaître, discerner, distinguer, entendre, interpréter, pénétrer, saisir, sentir, voir. *Ant.* **I.** Excepter, exclure, omettre. **II.** Embrouiller, ignorer, méconnaître.

Comprimer
Syn. **I.** Écraser, étreindre, presser, resserrer, serrer, tasser. **III.** Arrêter, empêcher, refouler, réprimer, retenir. *Ant.* **I.** Assouplir, décomprimer, desserrer, dilater, étendre. **III.** Étaler, exprimer, extérioriser.

Compromettre
Syn. **I.** Diminuer, exposer, hasarder, impliquer, nuire à, risquer. **II.** Déconsidérer, déshonorer, discréditer.
Ant. **I.** Affermir, assurer, garantir. **II.** Aider, considérer, estimer, honorer, rassurer.

Compter
Syn. **I.** *(V. tr.)* Calculer, dénombrer, inventorier, recenser, supputer. — *(Compter pour)* Estimer, évaluer, réputer. — *(V. intr.)* Espérer, penser.
Ant. **I.** Décompter, exclure, omettre, rabattre.

Concéder
Syn. **I.** Accorder, allouer, céder, donner, octroyer. **III.** Admettre, avouer, convenir, reconnaître.
Ant. **I.** Contester, dédaigner, récuser, refuser, rejeter, renvoyer.

Concentrer
Syn. **I.** Accumuler, assembler, centraliser, grouper, rassembler, réunir. **III.** Canaliser. — Contenir, dissimuler.
Ant. **I.** Diluer, disperser, disséminer, dissiper, diviser, éparpiller. **III.** Partager. — Extérioriser.

Conception
Syn. **I.** Enfantement, fécondation, génération. **II.** Compréhension, discernement, entendement, intelligence, jugement. — Concept, connaissance, doctrine, idée, notion, opinion, pensée, point de vue, réflexion, théorie, type.
Ant. **II.** Ignorance, incompréhension.

Concerner
Syn. **I.** (S') appliquer, atteindre, intéresser, porter sur, (se) rapporter à, regarder, toucher, viser.
Ant. **I.** Être étranger à.

Concert
Syn. **I.** Audition, chœur, festival, harmonie, orchestre, récital. **III.** Accord, intelligence, unanimité, union.

Ant. **I.** Cacophonie, discordance. **III.** Contradiction, désaccord, discorde, opposition.

Concerter (et Se)
Syn. **I.** *(V. tr.)* Arranger, combiner, organiser, préméditer, préparer, projeter. — *(V. pr.)* (Se) consulter, (s') entendre.
Ant. **I.** Désorganiser, disperser. — Rompre.

Concession
Syn. **I.** Aliénation, approbation, autorisation, cession, don, octroi, permis, vente. **III.** Abandon, compromis, désistement, renoncement, transaction.
Ant. **I.** Refus, rejet. **III.** Contestation, dispute, intransigeance.

Concevoir
Syn. **I.** Enfanter, engendrer, féconder. **III.** Comprendre, créer, croire, entendre, former, imaginer, inventer, penser, saisir, trouver.
Ant. **I.** Avorter, (être) stérile.

Concierge
Syn. **I.** Cerbère *(ironiq.)*, gardien, pipelet *(pop.)*, portier.

Conciliabule
Syn. **II.** Assemblée, cabale, concile, conférence, conspiration, pourparler, réunion, tête-à-tête.

Conciliant
Syn. **I.** Accommodant, arrangeant, complaisant, conciliateur, coulant, facile, maniable, souple, tolérant, traitable. **II.** Apaisant, doux.
Ant. **I.** Absolu, agressif, désagréable, dur, intolérant, intraitable.

Conciliation
Syn. **I.** Accommodement, accord, arbitrage, arrangement, concorde, entente, médiation, rapprochement, transaction, réconciliation.
Ant. **I.** Désaccord, opposition, rupture, séparation.

Concilier
Syn. **I.** Accorder, acquérir, allier, arbitrer, arranger, attirer, gagner, raccommoder *(fam.)*, raccorder, réunir.
Ant. **I.** Brouiller, choquer, désunir, diviser, opposer.

Concis
Syn. **I.** Abrégé, bref, court, dense, dépouillé, incisif, laconique, lapidaire, serré, sobre, succinct.
Ant. **I.** Diffus, étiré, long, prolixe, verbeux.

Conclure
Syn. **I.** Achever, arrêter, contracter, décider, finir, fixer, régler, résoudre, signer, terminer, traiter. **II.** Déduire, démontrer, induire, inférer.
Ant. **I.** Commencer, entreprendre, essayer. **II.** Exposer, préfacer, présenter.

Conclusion
Syn. **I.** *(Affaire)* Aboutissement, arrangement, couronnement, décision, entente, fin, issue, réalisation, règlement, résultat, solution, terminaison. — *(Oeuvre)* Dénouement, épilogue, leçon, morale, moralité, péroraison. **II.** Conséquence, déduction, enseignement, preuve.
Ant. **I.** Amorce, commencement, début, ébauche, naissance, source. — Avant-propos, exorde, introduction, préambule, préliminaires, prologue. **II.** Prémisses, principe.

Concomitant
Syn. **I.** Coexistant, coïncidant, parallèle, secondaire, simultané.
Ant. **I.** Divergent, successif.

Concordance
Syn. **I.** Accord, analogie, coïncidence, conformité, convenance, convergence, correspondance, égalité, harmonie, parité, ressemblance, similitude, unité.
Ant. **I.** Contradiction, désaccord, discordance, divergence.

Concorde
Syn. **I.** Accord, entente, fraternité, harmonie, intelligence, paix, union.
Ant. **I.** Conflit, désaccord, désunion, discorde, dissension, division, mésentente, mésintelligence, zizanie.

Concorder
Syn. **I.** Cadrer, coïncider, convenir, converger, correspondre.
Ant. **I.** Contraster, (s') exclure, (s') opposer.

Concourir
Syn. **I.** Aider à, aspirer, coïncider, collaborer, conspirer à, contribuer à, converger, coopérer, correspondre, participer, tendre à. **III.** (Être en) concurrence, disputer, jouter, lutter, prendre part.
Ant. **I.** (S') abstenir, contrecarrer, diverger, (s') opposer. **III.** Abandonner, lâcher.

Concours
Syn. **I.** Affluence, foule, multitude, rassemblement. — Coïncidence, concomitance, rencontre, réunion. — Accord, aide, appui, collaboration, coopération, intervention, participation. — Compétition, examen, session. — Exhibition (solennelle), exposition. — *(Sport)* Challenge, coupe, épreuve, match, tournoi.
Ant. **I.** Abstention, entrave, neutralité, omission, opposition.

Concret
Syn. **I.** Apparent, clair, matériel, ostensible, palpable, positif, pratique, réaliste, réel.
Ant. **I.** Abstrait, caché, invisible, métaphysique.

Concupiscence
Syn. **I.** Appétit, ardeur, avidité, convoitise, cupidité, désir, envie, passion, penchant, sensualité.
Ant. **I.** Chasteté, continence, désintéressement, innocence, pureté.

Concurrence
Syn. **I.** Compétition, concours, conflit, dispute, émulation, lutte, rivalité.
Ant. **I.** Aide, association, coopération, entente, entraide, harmonie, monopole.

Concussion
Syn. **I.** Déprédation, exaction, extorsion, malversation, péculat, tripotage, vol.
Ant. **I.** Droiture, équité, fidélité, honnêteté.

Condamnation
Syn. **I.** Blâme, châtiment, censure, désaveu, interdiction, peine, punition, réprobation, sanction, sentence.
Ant. **I.** Absolution, acquittement, approbation, décharge, éloge, libération, nonlieu, pardon, rédemption, rémission.

Condamner
Syn. **I.** Bannir, blâmer, censurer, critiquer, désapprouver, désavouer, flétrir, maudire, proscrire, réprimander, réprouver, stigmatiser. **II.** Astreindre, contraindre, forcer, obliger, réduire à. **III.** Barrer, boucher, fermer, murer, obstruer.
Ant. **I.** Absoudre, acquitter, amnistier, approuver, disculper, excuser, gracier, innocenter, libérer, pardonner, recommander.

Condenser
Syn. **I.** Comprimer, concentrer, contracter, réduire. **III.** Abréger, dépouiller, ramasser, resserrer.
Ant. **I.** Dilater, diluer, évaporer. **III.** Amplifier, développer, étendre.

Condescendance
Syn. **I.** Complaisance. — *(Péj.)* Arrogance, hauteur, supériorité.
Ant. **I.** Dureté. — Déférence.

Condition(s)
Syn. *(Pl.)* **I.** Arrangement, clause, convention, disposition, formalité, modalité, obligation, prix, stipulation, tarif. — Circonstance, conjoncture. — *(Pers.)* **I.**

Classe, emploi, état, profession, rang, situation. **II.** Destinée, sort.
Ant. **I.** Cause, conséquence, fin.

Conditionner
Syn. **I.** Fabriquer. — Emballer. **III.** Commander, décider de, dépendre de, déterminer, soumettre.
Ant. **III.** Dégager, libérer.

Conduire
Syn. **I.** Accompagner, diriger, emmener, escorter, guider, manœuvrer, mener, orienter, piloter, transporter. **II.** Administrer, commander, gouverner, régir, surveiller. **III.** Animer, entraîner, inspirer, porter, pousser, soulever. — Aboutir.
Ant. **I.** Abandonner, arrêter, empêcher, immobiliser, interrompre, laisser, stopper. **II.** Exécuter, obéir, servir.

Conduit
Syn. **I.** Aqueduc, boyau, canal, canalisation, collecteur, conduite, drain, écoulement, égout, gazoduc, oléoduc, pipe-line, siphon, tube, tuyau. — *(Anat.)* Artère, méat, veine, voie.
Ant. **I.** Coupe-circuit, fermeture, valve.

Conduite
Syn. **I.** *V. Conduit.* — Accompagnement, direction. — Pilotage, volant. **II** Administration, charge, commandement, gestion, gouvernement, influence, régie. **III.** Agissement, attitude, comportement, façon, manière, procédé, tenue.

Confection
Syn. **I.** Exécution, fabrication, façon, préparation, réalisation.

Confédération
Syn. **I.** Alliance, association, coalition, fédération, groupement, ligue, union.
Ant. **I.** Dissolution, séparatisme.

Conférence
Syn. **I.** Assemblée, colloque, congrès, conseil, conversation, discussion, entre-

tien, forum, pourparlers. **II.** Causerie, cours, discours.

Conférer
Syn. **I.** *(V. tr.)* Accorder, administrer, attacher, attribuer, décerner, décorer, déférer, donner. — Collationner, comparer. — *(V. intr.)* Causer, discuter, (s') entretenir, parler.
Ant. **I.** Enlever, refuser, retirer.

Confesser
Syn. **I.** Déclarer (ses péchés). **II.** Admettre, avouer, convenir de, proclamer, reconnaître.
Ant. **II.** Cacher, contester, dénier, désavouer, nier, rejeter.

Confesseur
Syn. **I.** Confident, directeur (de conscience).
Ant. **I.** Pénitent.

Confession
Syn. **I.** Confesse, pénitence. — Aveu, déclaration, reconnaissance. **II.** Communion, credo, croyance, Église, foi, religion.
Ant. **I.** Contestation, dénégation, négation, silence.

Confiance
Syn. **I.** Créance, crédit, croyance, espérance, foi. — Assurance, hardiesse, quiétude, sécurité, sérénité, tranquillité.
Ant. **I.** Défiance, méfiance. — Appréhension, crainte, doute, incrédulité, suspicion.

Confidence
Syn. **I.** Aveu, communication, confession, révélation, secret.
Ant. **I.** Cachotterie.

Confier (et Se)
Syn. **I.** *(V. tr.)* Abandonner, communiquer, fournir, laisser, livrer, remettre. — *(V. pr.)* Compter sur, déballer *(fam.)*, (s') épancher, (se) fier, (s') ouvrir.

Ant. **I.** Ôter, retirer. — Appréhender, cacher, (se) défier, dissimuler, (se) méfier, taire.

Confiner (et Se)
Syn. *(V. intr.)* **I.** Aboutir à, avoisiner, borner, finir à, toucher à. **III.** Approcher de, côtoyer, friser, raser. *(V. tr.)* **I.** Cacher, enclore, enfermer, reléguer, renfermer, séquestrer. *(V. pr.)* **I.** (Se) cloîtrer, (s') isoler, (se) retirer. **III.** (Se) cantonner, (se) limiter, (se) spécialiser.
Ant. **I.** Éloigner. — Aérer, délivrer, ouvrir. — (Se) libérer. **III.** Déborder, (se) répandre.

Confins
Syn. **I.** Bornes, frontières, limites, lisières. **II.** Bouts, extrémités.
Ant. **I.** Centre, intérieur, milieu.

Confirmation
Syn. **I.** Affirmation, assurance, attestation, certitude, consécration, ratification, sanction. — *(Relig.)* Sacrement.
Ant. **I.** Abrogation, annulation, contestation, désaveu, réprobation, rétractation.

Confirmer
Syn. **I.** Affermir, affirmer, assurer, attester, certifier, corroborer, démontrer, garantir, légaliser, raffermir, ratifier, sanctionner, valider, vérifier. — *(Relig.)* Conférer le sacrement de confirmation.
Ant. **I.** Annuler, contester, contredire, dédire, démentir, nier, réfuter, rétracter.

Conflagration
Syn. **I.** *(Vx)* Incendie. **III.** Bouleversement, guerre, hostilité.
Ant. **III.** Calme, paix.

Conflit
Syn. **I.** Combat, guerre, mêlée. **III.** Antagonisme, bataille, choc, collision, compétition, conflagration, contestation, engagement, grève, heurt, lutte, mésentente, opposition, tiraillement.
Ant. **I.** et **III.** Accord, concorde, entente, harmonie, paix, union.

Confondre

Syn. **I.** Amalgamer, fusionner, mélanger, mêler, unir. **III.** Ahurir, atterrer, brouiller, consterner, étonner, interdire, stupéfier, troubler.
Ant. **I.** Discerner, distinguer, séparer. **III.** Aider, calmer, comprendre, tranquilliser.

Conformation

Syn. **I.** Configuration, constitution, façon, forme, organisation, structure.

Conforme

Syn. **I.** Analogue, identique, pareil, semblable, similaire. — Bon, correct, exact, littéral, textuel, vrai. — Adapté, ajusté, approprié, convenable.
Ant. **I.** Contraire, différent, dissemblable. — Altéré, contrefait, déformé, difforme, mensonger. — Opposé.

Conformer (et Se)

Syn. **I.** (*V. tr.*) Accorder, adapter, approprier, calquer sur, copier, imiter. — (*V. pr.*) (S') assujettir, (se) modeler, obéir, observer, (se) plier, (se) régler, respecter, (se) soumettre, suivre.
Ant. **I.** Différencier, opposer. — Contrevenir, (se) refuser, résister.

Conformiste

Syn. **I.** Conservateur, intégriste, orthodoxe, traditionaliste.
Ant. **I.** Anarchiste, anticonformiste, dissident, indépendant, non-conformiste.

Conformité

Syn. **I.** Accord, affinité, analogie, concordance, convenance, ressemblance, similitude, unité. — Adhésion, soumission. Conformisme, orthodoxie.
Ant. **I.** Désaccord, différence, dissemblance, non-conformité, opposition.

Confort

Syn. **I.** Aises, bien-être, commodités, standing.
Ant. **I.** Inconfort.

Confortable

Syn. **I.** Agréable, aisé, bourgeois, douillet. **II.** Important.
Ant. **I.** Désagréable, incommode, inconfortable. **II.** Minime.

Confraternité

Syn. **I.** Amitié, bonnes relations, entente, entraide, fraternité.
Ant. **I.** Antipathie, aversion, hostilité, inimitié, mépris.

Confrère

Syn. **I.** Associé, camarade, collègue, compagnon, condisciple, copain, pair, partenaire.
Ant. **I.** Étranger, inconnu.

Confronter

Syn. **I.** (*Pers.*) Comparer, mettre en présence. **II.** (*Ch.*) Accoler, collationner, conférer, rapprocher, vérifier, vidimer.
Ant. **I.** et **II.** Isoler, séparer.

Confus

Syn. **I.** Confondu, désordonné, disparate, imprécis, indistinct, vague. **III.** Compliqué, embrouillé, équivoque, filandreux, indécis, indéterminé, nébuleux, obscur. — (*Pers.*) Déconcerté, désolé, embarrassé, ennuyé, gêné, honteux, interdit, navré, penaud, troublé.
Ant. **I.** Clair, distinct, net, précis. **III.** Défini, déterminé, évident, exact, explicite, ordonné, simple. — Assuré, désinvolte, libre.

Confusion

Syn. **I.** Chaos, désarroi, désorganisation, désordre, fouillis, imbroglio, mélange, méli-mélo, pêle-mêle, salade. — Ambiguïté, erreur, méprise. **III.** (*Pers.*) Dépit, embarras, gêne, honte, trouble.
Ant. **I.** Clarté, distinction, harmonie, méthode, netteté, ordre, précision. — Soin. **III.** Assurance, désinvolture.

Congé

Syn. **I.** Autorisation, délassement, loisir, permission, relâche, repos, vacances. —

Exclusion, expulsion, renvoi, séparation. *Ant.* **I.** Activité, labeur, occupation, travail. — Embauchage.

Congédier
Syn. **I.** Chasser, donner congé, éconduire, expédier, expulser, mettre à la porte, licencier, remercier, renvoyer, révoquer. *Ant.* **I.** Admettre, appeler, convier, convoquer, embaucher, engager, enrôler, inviter, ramener.

Congélation
Syn. **I.** Concrétion, durcissement, épaississement, froidure, gelure *(méd.)*, réfrigération, refroidissement, solidification. **II.** Coagulation. *Ant.* **I.** Dégel, fusion, liquéfaction, réchauffement.

Congénère
Syn. **I.** Pareil, ressemblant, semblable. *Ant.* **I.** Différent, dissemblable.

Congratuler V. *Féliciter*

Congrès
Syn. **I.** Assemblée, conférence, meeting, réunion, séance, symposium.

Congru
Syn. **I.** *(Vx)* Approprié, convenable, exact, pertinent. — Insuffisant, pauvre. *Ant.* **I.** Incongru. — Suffisant.

Conjecture
Syn. **I.** Hypothèse, présomption, prévision, probabilité, pronostic, soupçon, supposition. *Ant.* **I.** Certitude, conviction, évidence, persuasion.

Conjecturer
Syn. **I.** Augurer, deviner, présumer, prévoir, soupçonner, supposer.

Conjointement
Syn. **I.** (De) concert, concurremment, ensemble, simultanément. *Ant.* **I.** Individuellement, (à) part, séparément.

Conjonction
Syn. **I.** Rencontre, réunion, union. *Ant.* **I.** Disjonction, séparation.

Conjoncture
Syn. **I.** Cas, circonstance, état, occasion, occurrence, situation.

Conjuguer
Syn. **I.** Combiner, joindre, unir. *Ant.* **I.** Disperser, opposer.

Conjuration (s)
Syn. **I.** Cabale, complot, conspiration. — *(Théol.)* Adjuration, exorcisme. **II.** Charme (magique). — *(Pl.)* Prières (instantes), supplications. *Ant.* **I.** Maléfice, sortilège.

Conjurer
Syn. **I.** Charmer, chasser, exorciser. **II.** Détourner, dissiper, écarter (un danger). — Adjurer, implorer, prier, supplier. — Projeter ensemble. *Ant.* **II.** Attirer, évoquer, invoquer.

Connaissance
Syn. **I.** Compréhension, conscience, discernement, entendement, intelligence, sentiment. — Aperçu, élément, idée, notion, rudiment. — Compétence, culture, savoir, science. **II.** Ami, relation. *Ant.* **I.** Doute, ignorance, inconscience, inexpérience. **II.** Inconnu.

Connaisseur
Syn. **I.** Amateur, averti, expert, habile, renseigné, versé. *Ant.* **I.** Apprenti, commençant, ignorant, incompétent, profane.

Connexe
Syn. **I.** Analogue, dépendant, joint, lié, semblable, uni, voisin. *Ant.* **I.** Distant, dissemblable, indépendant, séparé.

Connexion
Syn. **I.** Affinité, analogie, cohérence, liaison, lien, rapport, union. *Ant.* **I.** Indépendance, séparation.

Connivence
Syn. V. *Complicité*

Conquérir
Syn. **I.** Asservir, assujettir, dominer.
dompter, soumettre, subjuguer, vaincre.
III. Attirer, capter, captiver, charmer, ga-
gner, plaire, séduire.
Ant. **I.** Abandonner, perdre.

Conquête
Syn. **I.** Appropriation, asservissement, assujettissement, domination, obtention,
prise, soumission, victoire. **III.** Attirance,
séduction.
Ant. **I.** Abandon, défaite, échec, perte.

Consacré
Syn. **I.** Béni, oint, saint. **II.** Courant, habituel, rituel, usité, usuel.
Ant. **I.** Maudit, profane. **II.** Archaïque,
désuet.

Consacrer
Syn. **I.** Bénir, oindre, ordonner, sacrer,
sanctifier, vouer. **II.** Accorder, affecter,
appliquer, dédier, destiner, dévouer,
donner. — Affermir, ratifier, sanctionner.
Ant. **I.** Profaner, violer. **II.** Abandonner.
— Abolir, annuler, invalider.

Consanguinité
Syn. **I.** Alliance, atavisme, filiation, lignée, origine, parenté, sang, souche,
source.
Ant. **I.** Disparité, utérin.

Conscience
Syn. **I.** Connaissance, discernement, idée,
pensée, perception, sensation, sentiment.
Cœur, for intérieur. — Honnêteté, probité, scrupule, soin.
Ant. **I.** Inconscience, inconscient. — Malhonnêteté.

Consciencieux
Syn. **I.** Appliqué, attentif, délicat, exact,
honnête, minutieux, ponctuel, probe,
scrupuleux, sérieux, soigneux, travailleur
Ant. **I.** Indélicat, malhonnête. — Bâclé.

Conscription
Syn. **I.** Appel aux armes, enrôlement, le-
vée, mobilisation, recrutement.
Ant. **I.** Licenciement.

Consécration
Syn. **I.** Bénédiction, onction. **II.** Confir-
mation, ratification, sanction, validation.
— Apothéose, triomphe, victoire.
Ant. **I.** Profanation, violation. **II.** Aboli-
tion, annulation. — Défaite.

Conseil
Syn. **I.** Admonition, avertissement, avis,
direction, exhortation, impulsion, incitation, indication, inspiration, instigation,
orientation, proposition, recommandation, suggestion. — *(Vx)* Parti, résolution.
— *(Dr.)* Assemblée, chambre, compagnie,
corps, juridiction, organisme. **II.** Réunion, session, séance.

Conseiller
Syn. (V. tr.) **I.** Engager, entraîner, exhorter, inciter, influencer, inspirer, pousser
à, presser, proposer, recommander, souffler, suggérer. — Avertir, aviser, conduire, diriger, guider, orienter. *(N.)* **I.**
Guide, inspirateur, instigateur, mentor. —
Fonctionnaire, membre d'un conseil.
Ant. **I.** Déconseiller, défendre, détourner,
dissuader, interdire. — Consulter, interroger.

Consentement
Syn. **I.** Acceptation, accord, acquiescement, adhésion, agrément, approbation,
assentiment, autorisation, permission, ratification.
Ant. **I.** Désaccord, désapprobation, défense, interdiction, opposition, prohibition, refus.

Consentir
Syn. **I.** *(V. intr.)* Accéder, accepter, acquiescer, adhérer, approuver, céder, permettre, (se) prêter à, (se) résigner, souscrire. — *(V. tr. Dr.)* Accorder, octroyer.
Ant. **I.** Défendre, désapprouver, empêcher, interdire, (s') opposer, refuser.

Conséquence
Syn. **I.** Contrecoup, effet, réaction, répercussion, résultat, retentissement, séquelle, suite. — *(Log.)* Conclusion, corollaire, déduction.
Ant. **I.** Cause, condition, origine, principe, source. — Prémisse.

Conséquent
Syn. **I.** Conforme, logique, raisonnable.
Ant. **I.** Absurde, illogique, incohérent, inconséquent.

Conservation
Syn. **I.** Entretien, garde, maintien, préservation, protection, sauvegarde.
Ant. **I.** Altération, détérioration, gaspillage, perte.

Conserver
Syn. **I.** Détenir. — Entretenir, garantir, garder, maintenir, ménager, perpétuer, préserver, prolonger, protéger, réserver, sauvegarder, sauver.
Ant. **I.** Abandonner, aliéner, céder, démolir, dépenser, détruire, dilapider, dissiper, perdre.

Considérable
Syn. **I.** Éminent, notable, remarquable. **II.** Ample, colossal, démesuré, élevé, énorme, étendu, géant, gigantesque, grand, gros, haut, illimité, immense, important, imposant, infini, large, long, massif, spacieux, vaste.
Ant. **I.** et **II.** Banal, étroit, exigu, faible, imperceptible, inférieur, infime, insignifiant, limité, médiocre, minime, minuscule, petit, ténu.

Considérablement
Syn. **I.** Abondamment, amplement, beaucoup, copieusement, démesurément, énormément, formidablement, grandement, hautement, immensément, infiniment, largement, notablement, passablement.
Ant. **I.** Banalement, faiblement, humblement, parcimonieusement, petitement, peu.

Considération(s)
Syn. **I.** Acception, attention, étude, examen. — *(Pl.)* Motifs, raisons. — Notes, observations, pensées, réflexions, remarques. **II.** Crédit, déférence, égard, estime, hommage, honneur, ménagement, renommée, réputation, respect, vénération.
Ant. **I.** Réalisation. **II.** Déconsidération, dédain, ignorance, mépris, mésestime.

Considérer
Syn. **I.** Contempler, observer, regarder, voir. **III.** Apprécier, approfondir, balancer, avoir égard à, envisager, étudier, examiner, faire cas, peser, prendre garde à, (se) préoccuper de, remarquer, tenir compte. — Estimer, révérer, vénérer. — *(Considérer comme)* Juger, réputer, tenir pour, traiter de.
Ant. **III.** Déconsidérer, dédaigner, exclure, ignorer, mépriser, négliger.

Consolant
Syn. **I.** Apaisant, calmant, consolateur, encourageant, réconfortant, tranquillisant.
Ant. **I.** Affligeant, attristant, blessant, chagrinant, démoralisant, désespérant, désolant, navrant.

Consolation
Syn. **I.** Adoucissement, apaisement, baume, encouragement, réconfort, soulagement, sympathie. **II.** Compensation, dédommagement, joie, plaisir, satisfaction.
Ant. **I.** et **II.** Affliction, blessure, chagrin, démoralisation, désespérance, désespoir, désolation, malheur, meurtrissure, peine, souffrance, tourment, tribulation.

Consoler
Syn. **I.** Apaiser, calmer, cicatriser, distraire, encourager, guérir, raffermir, ragaillardir, rasséréner, réconforter, relever, remonter, soulager, sympathiser, tranquilliser. **II.** Adoucir, alléger, atténuer, dédommager, diminuer, endormir.

Ant. **I.** Accabler, affliger, alarmer, angoisser, attrister, chagriner, contrister, désespérer, désoler, inquiéter, navrer, oppresser, peiner, tourmenter.

Consolider
Syn. **I.** Affermir, arc-bouter, assurer, cimenter, étayer, fortifier, raffermir, renforcer, soutenir, stabiliser. **III.** Confirmer, enraciner, implanter.
Ant. **I.** Abattre, affaiblir, démolir, ébranler, miner, renverser, ruiner, saper. **III.** Déraciner.

Consommation
Syn. **I.** Aboutissement, achèvement, couronnement, dénouement, fin, terminaison. − Usage, utilisation. − Boisson, rafraîchissement.
Ant. **I.** Commencement, début. − Production.

Consommé
Syn. **I.** *(Adj.)* Accompli, achevé, parfait. − *(N.)* Bouillon.
Ant. **I.** Imparfait, inachevé.

Consommer
Syn. **I.** Accomplir, achever, commettre, couronner, parfaire, terminer. − User de, utiliser. − Absorber, boire, manger, (se) nourrir de. − Brûler, consumer, employer.
Ant. **I.** Commencer, laisser. − Créer, cultiver, économiser, fabriquer, produire. − (Se) priver.

Conspiration V. *Complot*

Conspirer *(V. tr.)* **I.** V. *Comploter.* *(V. intr. Ch.)* **III.** Concourir, contribuer à, tendre à.

Conspuer
Syn. **I.** Bafouer, honnir, huer, persifler, railler, siffler, vilipender.
Ant. **I.** Acclamer, applaudir, encenser, exalter, glorifier, louer, vanter.

Constamment
Syn. **I.** Assidûment, à tout instant, continuellement, éternellement, fréquemment, incessamment, inlassablement, invariablement, sans arrêt, sans cesse, sans relâche, toujours, tout le temps.
Ant. **I.** Accidentellement, fortuitement, jamais, occasionnellement, onc *(vx)*, par hasard, quelquefois, rarement.

Constance
Syn. **I.** *(Pers.)* Courage, énergie, fermeté, force, résolution. − Acharnement, attachement, fidélité, opiniâtreté, persévérance. −− *(Ch.)* Continuité, invariabilité, permanence, persistance, régularité, stabilité.
Ant. **I.** Couardise, lâcheté, légèreté, mollesse. − Changement, inconstance, infidélité. − Fragilité, instabilité, variabilité.

Constant
Syn. **I.** *(Pers.)* Courageux, décidé, ferme, inébranlable, inflexible, résolu. − Assidu, attaché à, fidèle, obstiné, opiniâtre, persévérant, régulier. − *(Ch.)* Continuel, durable, fixe, invariable, permanent, perpétuel, persistant, quotidien, soutenu, stable. **II.** Assuré, avéré, certain.
Ant. **I.** *(Pers.)* Indécis, irrésolu. − Changeant, fragile, inconstant, infidèle, instable, léger, lunatique, versatile, volage. − *(Ch.)* Éphémère, momentané, muable, passager, périssable, précaire, provisoire, superficiel, temporaire, variable. **II.** Incertain.

Constater
Syn. **I.** Apercevoir, avérer, consigner, enregistrer, éprouver, établir, noter, observer, reconnaître, remarquer, sentir, vérifier, voir.
Ant. **I.** Ignorer, négliger, omettre, oublier.

Constellé
Syn. **I.** Émaillé, étoilé, parsemé, semé. **II.** Brillant.

Consternation
Syn. **I.** Abattement, accablement, cha-

grin, désolation, douleur, épouvante, étonnement, mélancolie, tristesse, stupéfaction, stupeur. *Ant.* **I.** Calme, joie, sérénité.

Consterner
Syn. **I.** Abattre, accabler, affliger, anéantir, atterrer, attrister, chagriner, désoler, effondrer, épouvanter, navrer, stupéfier, terrasser. *Ant.* **I.** Adoucir, alléger, atténuer, calmer, cicatriser, consoler, encourager, réjouir, soulager.

Constitution
Syn. **I.** Arrangement, composition, forme, organisation, structure, texture. — Caractère, complexion, conformation, nature, personnalité, tempérament. — Création, édification, élaboration, établissement, fondation, formation. — Charte, loi, règlement.

Construire
Syn. **I.** Bâtir, édifier, élever, ériger. **III.** Agencer, arranger, assembler, composer, créer, échafauder, élaborer, établir, forger, former, imaginer, tracer. *Ant.* **I.** et **III.** Abattre, défaire, démolir, détruire, miner, renverser, ruiner, saper.

Consultation
Syn. **I.** Avis, conférence, conseil, délibération, direction, étude, information, renseignement, suggestion. — *(Méd.)* Examen, visite. — Enquête, plébiscite, référendum, vote.

Consulter
Syn. *(V. tr.)* **I.** Demander, (s') enquérir, (s') informer, interroger, questionner, sonder. **II.** Compulser, dépouiller (une documentation), étudier, examiner, lire, parcourir (un ouvrage), (se) référer à, regarder. — *(V. intr. Méd.)* Conférer, délibérer. **III.** Écouter, suivre. *Ant.* **I.** et **II.** Conseiller, décider, diriger, éclairer, instruire, renseigner, répondre. **III.** Écarter, négliger.

Consumer
Syn. **I.** Brûler, calciner, dévorer, embraser, incendier. **II.** Absorber, consommer, dissiper, engloutir. **III.** Abattre, détruire, épuiser, fatiguer, miner, ronger, ruiner, user. *Ant.* **I.** Éteindre. **II.** Conserver, entretenir. **III.** Affermir, fortifier.

Contact
Syn. **I.** Adhérence, attouchement, contiguïté, effleurement, jonction, liaison, tact, toucher. **II.** *(Pers.)* Fréquentation, rapport, relation, rencontre, voisinage. — Communication, rapprochement. *Ant.* **I.** et **II.** Distance, éloignement, isolement, séparation.

Contagion
Syn. **I.** Communication, contamination, infection, transmission. **II.** Diffusion, imitation, influence, propagation. *Ant.* **I.** Assainissement, prévention, prophylaxie, vaccination. **II.** Isolement.

Contaminer
Syn. **I.** Contagionner, gagner, infecter, polluer, souiller, transmettre. **III.** Corrompre, salir. *Ant.* **I.** Aseptiser, assainir, guérir, immuniser, préserver, purifier. **III.** Améliorer.

Contemplatif
Syn. **I.** Contemplateur, méditatif. **II.** Pensif, rêveur. *Ant.* **I.** Actif. **II.** Pratique, réaliste.

Contempler
Syn. **I.** Admirer, considérer, envisager, examiner, observer, regarder. **III.** Méditer. *Ant.* **I.** Dédaigner, détester, ignorer, mépriser.

Contemporain
Syn. **I.** Actuel, du même temps, moderne, présent. *Ant.* **I.** Ancien, antérieur, postérieur.

Contenance
Syn. **I.** Capacité, contenu, mesure,

superficie, volume. — *(Pers.)* Air, allure, aplomb, assurance, attitude, maintien, mine, physionomie, prestance, tenue.

Contenir
Syn. **I.** Comporter, comprendre, compter, embrasser, enfermer, englober, impliquer, inclure, mesurer, recéler, recevoir, renfermer, tenir. — Arrêter, assujettir, empêcher, endiguer, maîtriser, maintenir, refouler, refréner, réprimer, retenir. *Ant.* **I.** Exclure. — Abandonner, céder, lâcher, obéir, (se) soumettre.

Content
Syn. **I.** Aise, béat, charmé, enchanté, gai, heureux, joyeux, ravi, satisfait. *Ant.* **I.** Attristé, choqué, déçu, ennuyé, insatisfait, mécontent, triste.

Contentement V. *Bonheur*

Contenter
Syn. **I.** Apaiser, calmer, combler, exaucer, plaire à, satisfaire, suffire à. **II.** Assouvir. *Ant.* **I.** Attrister, contrarier, décevoir, déplaire, mécontenter.

Conter
Syn. **I.** Décrire, dire, exposer, narrer, peindre, raconter, rapporter, relater, retracer. *Ant.* **I.** Cacher, celer, garder, omettre, taire.

Contestation
Syn. **I.** Altercation, chicane, conflit, contradiction, controverse, débat, démêlé, différend, discussion, dispute, litige, opposition, querelle. *Ant.* **I.** Acceptation, accord, acquiescement, admission, approbation, assentiment, entente, paix.

Contester
Syn. **I.** Chicaner, contredire, controverser, débattre, dénier, discuter, disputer, nier, récuser, refuser, révoquer (en doute).

Ant. **I.** Acquiescer, adhérer, admettre, agréer, approuver, attester, concéder, reconnaître.

Contexture
Syn. **I.** Agencement, arrangement, composition, organisation, structure. — Entrecroisement, tissu, tissure, trame.

Contigu
Syn. **I.** Accolé, adjacent, adossé, attenant, avoisinant, connexe, environnant, jouxtant, limitrophe, mitoyen, proche, voisin. **III.** Analogue, semblable. *Ant.* **I.** Distant, éloigné, lointain, reculé, séparé. **III.** Différent, opposé.

Continence
Syn. **I.** Chasteté, pudeur, pudicité, pureté. *Ant.* **I.** Concupiscence, dérèglement, incontinence, intempérance, jouissance, luxure.

Continent
Syn. **I.** Chaste, décent, innocent, pudique, pur, vertueux. **II.** Abstinent, tempérant. *Ant.* **I.** Charnel, débauché, déréglé, impudique, incontinent, vicieux. **II.** Intempérant.

Continu
Syn. **I.** Assidu, constant, continuel, incessant, ininterrompu, opiniâtre, permanent, persistant, soutenu, suivi. *Ant.* **I.** Coupé, discontinu, divisé, entrecoupé, intermittent, interrompu, sporadique, suspendu.

Continuation
Syn. **I.** Continuité, poursuite, prolongation, prolongement, suite. *Ant.* **I.** Arrêt, cessation, discontinuation, interruption, suspension.

Continuel
Syn. **I.** Constant, continu, durable, éternel, fixe, fréquent, immortel, perpétuel, sempiternel.

Ant. **I.** Bref, discontinué, entrecoupé, épisodique, intermittent, momentané, rare, temporaire.

Continuellement
Syn. **I.** (Sans) arrêt, (sans) cesse, constamment, continûment, éternellement, perpétuellement, (sans) relâche, (sans) répit, sempiternellement, toujours, tout le temps. *Ant.* **I.** Jamais, onc *(vx)*, provisoirement, temporairement, de temps en temps.

Continuer
Syn. **I.** *(V. tr.)* Étendre, pousser, prolonger. — Éterniser, (s') obstiner à, perpétuer, persister, poursuivre, reprendre. — *(V. intr.)* Durer, (se) poursuivre, (se) prolonger. *Ant.* **I.** Abandonner, arrêter, cesser, discontinuer, interrompre, suspendre. — Borner, dissoudre, empêcher, finir, paralyser.

Continuité
Syn. **I.** Constance, enchaînement, maintien, permanence, perpétuation, persistance. *Ant.* **I.** Ajournement, arrêt, discontinuité, dissolution, interruption, suspension.

Contorsion
Syn. **I.** Contraction, convulsion, torsion. **II.** Grimace. **III.** Déformation.

Contour
Syn. **I.** Bord, bordure, cercle, circuit, délinéament, limite, périmètre, périphérie, pourtour, tour. — Courbe, galbe, forme, ligne, profil. — Détour, lacet, méandre. *Ant.* **I.** Centre, intérieur, milieu, sein.

Contracter
Syn. **I.** (S') engager, (se) lier. **II.** Devoir, (s') endetter. **I.** Acquérir, gagner, prendre. — Attraper (une maladie). — Diminuer, raccourcir, raidir, réduire, resserrer, tasser, tendre. *Ant.* **I.** (Se) libérer, perdre, rompre. —

Guérir. — Agrandir, amplifier, décontracter, détendre, développer, dilater, gonfler.

Contradiction
Syn. **I.** Chicane, conflit, contestation, démenti, dénégation, désaccord, discordance, négation, objection, opposition, réfutation. — Antinomie, incompatibilité, inconséquene. *Ant.* **I.** Accord, approbation, concordance, entente, harmonie, identité, unanimité.

Contraindre
Syn. **I.** Assujettir, comprimer, contenir, empêcher, entraver, gêner, refouler, refréner, réprimer, retenir. — Acculer, astreindre, entraîner, forcer, obliger, pousser, presser. *Ant.* **I.** Aider, permettre. — Libérer.

Contrainte
Syn. **I.** Astreinte, coercition, compression, force, pression, violence. **II.** Discipline, loi, obligation. — Affectation, assujettissement, dépendance, esclavage, gêne, oppression, sujétion. *Ant.* **I.** Affranchissement, libération, liberté. **II.** Aisance, facilité, laisser-aller, naturel.

Contraire
Syn. **I.** *(N.)* Antithèse, antonyme, contraste, contrepartie, contre-pied, inverse, opposition. — *(Adj.)* Antinomique, contradictoire, incompatible, inverse, opposé, paradoxal. — Adverse, antagoniste, contre-indiqué, dangereux, défavorable, désavantageux, hostile, nuisible, préjudiciable. *Ant.* **I.** *(N.)* Synonyme. — *(Adj.)* Analogue, identique, même, pareil, ressemblant, semblable. — Conforme, favorable, propice.

Contrarier
Syn. **I.** Contrecarrer, contredire, déran-

ger, entraver, gêner, heurter, nuire à, (s') opposer à, résister à. **II.** Blesser, chagriner, désoler, embêter, ennuyer, fâcher, mécontenter.
Ant. **I.** Aider, avantager, favoriser. **II.** Contenter, plaire, réjouir.

Contrariété
Syn. **I.** Agacement, contradiction, contretemps, déboire, déception, dépit, déplaisir, ennui, irritation, mécontentement, souci.
Ant. **I.** Agrément, approbation, complaisance, insouciance, joie, satisfaction.

Contraste
Syn. **I.** Antithèse, conflit, contradiction, différence, disparité, dissemblance, diversité, opposition, relief, variété.
Ant. **I.** Accord, affinité, analogie, conformité, corrélation, identité, ressemblance, similitude.

Contrat
Syn. **I.** Accommodement, accord, arrangement, compromis, convention, engagement, entente, marché, pacte, règlement, stipulation, traité.
Ant. **I.** Indépendance, liberté.

Contre
Syn. **I.** À côté de, auprès de, en face de, près de. — Contrairement à. **II.** Malgré, nonobstant.
Ant. **I.** Loin. — Conformément. **II.** Avec, pour.

Contrebande
Syn. **I.** Fraude, tromperie.
Ant. **I.** Commerce honnête, permis, légal.

Contrecoup
Syn. **I.** Choc, ricochet. **III.** Conséquence, effet, réaction, répercussion, suite.

Contredire
Syn. **I.** Contester, critiquer, dédire, démentir, désavouer, infirmer, nier, objecter, opposer, réfuter. **II.** Contrarier.
Ant. **I.** Accepter, approuver, appuyer, confirmer, corroborer.

Contrée
Syn. **I.** Endroit, lieu, parage, pays, région, territoire, zone.

Contrefaçon
Syn. **I.** Contrefaction *(dr.)*, copie, falsification, faux, fraude, frelatage, imitation, pastiche, plagiat, reproduction.
Ant. **I.** Création, modèle, original.

Contrefaire
Syn. **I.** Calquer, caricaturer, copier, imiter, mimer, parodier, pasticher, reproduire, singer. — Altérer, décomposer, défigurer, déformer, déguiser, dénaturer, falsifier, simuler.
Ant. **I.** Créer, inventer, respecter, restituer.

Contre-pied V. *Contraire*

Contrepoids
Syn. **III.** Compensation, contrepartie, équilibre, frein.
Ant. **III.** Déséquilibre, inégalité.

Contrepoison
Syn. **I.** Antidote. **III.** Correctif, remède.

Contresens
Syn. **I.** Aberration, absurdité, erreur, illogime, non-sens.
Ant. **I.** Exactitude, fidélité.

Contretemps
Syn. **I.** Accident, accroc *(fig.)*, complication, difficulté, empêchement, ennui, obstacle.
Ant. **I.** Arrangement, facilité.

Contrevenir
Syn. **I.** Déroger, désobéir, enfreindre, transgresser, violer.
Ant. **I.** (Se) conformer, obéir, observer, suivre.

Contribuer
Syn. **I.** Collaborer, concourir, coopérer, cotiser, fournir à, participer, souscrire.
Ant. **I.** (S') abstenir, contrarier, entraver, nuire.

Contribution
Syn. **I.** Cotisation, dîme, dû, écot, impôt, obole, offrande, quote-part, souscription, taxe, tribut. — Aide, appoint, apport, concours, participation.
Ant. **I.** Abstention, entrave, obstacle.

Contrister
Syn. **I.** Abattre, accabler, affliger, attrister, chagriner, consterner, désoler, fâcher, mortifier, navrer, peiner.
Ant. **I.** Amuser, dérider, distraire, divertir, égayer, plaire, rasséréner, ravir, réconforter, réjouir.

Contrit
Syn. **I.** Pénitent, repentant. **II.** Chagrin, confus, désolé, honteux, mortifié, navré, peiné, penaud.
Ant. **I.** Impénitent. **II.** Amusé, consolé, content, diverti, égayé, épanoui, fier, réjoui.

Contrition
Syn. **I.** Affliction, attrition, componction, douleur, ferme propos, regret, remords, repentir.
Ant. **I.** Endurcissement, impénitence, récidive.

Contrôle
Syn. **I.** Examen, inspection, pointage, vérification. **III.** Censure, critique. — Domination, maîtrise (de soi), retenue, sang-froid.
Ant. **I.** Indifférence, négligence, relâchement. **III.** Laisser-aller, sujétion.

Contrôler
Syn. **I.** Examiner, inspecter, poinçonner, pointer, vérifier. — Collationner. **III.** Censurer, critiquer — Contenir, dominer, maîtriser.
Ant. **I.** (Se) désintéresser, infirmer, laisser aller, négliger. **III.** Céder, succomber.

Controuvé
Syn. **I.** Apocryphe, erroné, faux, imaginé, inventé, mensonger.

Ant. **I.** Authentique, certain, fondé, exact, réel, vrai.

Controverse
Syn. **I.** Conflit, contestation, débat, discussion, dispute, polémique.
Ant. **I.** Acceptation, acquiescement, adhésion, approbation, entente, ratification.

Contusion
Syn. **I.** Blessure, bleu, bosse, ecchymose, lésion, meurtrissure.

Convaincre
Syn. **I.** Confondre, démontrer, entraîner, établir, montrer, persuader, prouver.
Ant. **I.** Dissuader.

Convenable
Syn. **I.** Adapté, approprié, conforme, expédient, favorable, opportun, pertinent, propice. — Acceptable, bon, passable, suffisant. — Normal, raisonnable. Bienséant, correct, décent, honnête, honorable, présentable, séant, sortable.
Ant. **I.** Déplacé, impropre, inadéquat, incongru, inconvenant, incorrect, indécent, inopportun, intempestif, malséant.

Convenance(s)
Syn. **I.** Accord, affinité, analogie, compatibilité, conformité, correspondance, harmonie, pertinence, propriété, rapport. **II.** Choix, commodité, goût, gré. — *(Pl.)* Bienséance, décence, étiquette, protocole, savoir-vivre, usage.
Ant. **I.** Disconvenance, impropriété. **II.** Grossièreté, impertinence, impolitesse, inconvenance, insolence.

Convenir
Syn. **I.** *(Ch.)* Cadrer, concorder, correspondre. — Agréer, aller, arranger, plaire, sourire. — *(Pers.)* Admettre, avouer, concéder, reconnaître. — (S') accorder, (s') arranger, arrêter, décider, (s') entendre, régler.
Ant. **I.** Disconvenir, (s') opposer. — Contester, contrecarrer.

Convention(s)
Syn. **I.** Accord, alliance, arrangement, contrat, engagement, entente, marché, pacte, traité, transaction. — *(Pl.)* Moyens, procédés. — V. *Convenances.*
Ant. **I.** Désaccord, désunion, dissentiment, division.

Converger
Syn. **I.** Aboutir, aller, (se) concentrer, concourir, (se) diriger, (se) rencontrer. **III.** Tendre.
Ant. **I.** Détourner, diverger, (s') éloigner.

Conversation
Syn. **I.** Badinage, bavardage, causerie, causette, colloque, communication, conciliabule, conférence, dialogue, entretien, interview, palabre, parlote, pourparlers, propos, tête-à-tête.
Ant. **I.** Mutisme, silence.

Conversion
Syn. **I.** Adhésion, adjuration, changement. **II.** Palinodie, revirement, volteface. — *(Vx)* Métamorphose, mutation, transformation. — *(Fin.)* Convertissement.
Ant. **I.** Endurcissement, impénitence, récidive.

Convertir
Syn. **I.** Amener, changer, gagner, rallier. **II.** Transformer, transmuter.
Ant. **I.** Détourner, dissuader, endurcir, perdre. **II.** Maintenir, rester (le même).

Conviction
Syn. **I.** Adhésion, assurance, certitude, confiance, croyance, évidence, foi, persuasion.
Ant. **I.** Conjecture, crainte, hésitation, incertitude, indécision, scepticisme.

Convier
Syn. **I.** Appeler, convoquer, inviter, mander, prier, réunir. **III.** Attirer, engager, exciter, inciter, induire, solliciter.
Ant. **I.** et **II.** Chasser, congédier, écarter, éconduire, évincer, expulser, ignorer.

Convive
Syn. **I.** Commensal, convié, hôte, invité. — *(Péj.)* Écornifleur, parasite, pique-assiette *(fam.)*
Ant. **I.** Amphitryon, hôte, maître (maîtresse) de maison.

Convoiter
Syn. **I.** Ambitionner, aspirer à, briguer, désirer, envier, guigner, rechercher, souhaiter, soupirer après, vouloir.
Ant. **I.** Dédaigner, mépriser, refuser, repousser.

Convoitise
Syn. **I.** Appétence, appétit, avidité, concupiscence, cupidité, désir, envie, rapacité.
Ant. **I.** Indifférence, répulsion.

Coopérer V. *Collaborer*

Coordination
Syn. **I.** Agencement, harmonisation, organisation, union.
Ant. **I.** Confusion, désordre, incoordination.

Copie
Syn. **I.** Calque, double, duplicata, exemplaire, fac-similé, photocopie, reproduction, transcription. **II.** Contrefaçon, faux, imitation, maquette, pastiche, plagiat. — Devoir, manuscrit. **III.** Réplique.
Ant. **I.** Modèle, original.

Copier
Syn. **I.** Calquer, noter, recopier, reproduire, transcrire. **II.** Tricher. — Contrefaire, imiter, mimer.
Ant. **I.** et **II.** Créer, inventer.

Copieusement
Syn. **I.** Abondamment, amplement, beaucoup, considérablement, énormément, généreusement, grandement, largement.
Ant. **I.** Avaricieusement, chichement, faiblement, maigrement, mesquinement, parcimonieusement, pauvrement, petitement.

Coquet
Syn. **I.** Dandy, élégant, gracieux. — *(Fam.)* Gentil, important, joli, rondelet. **II.** Aguichant, provocant.
Ant. **I.** Commun, inélégant. — Insignifiant, ordinaire. **II.** Froid, réservé.

Coquetterie
Syn. **I.** Affectation, agrément, atours, attrait, charme, chic *(fam.)*, élégance, flirt, galanterie, grâce, mignardise, prétention, provocation, séduction.
Ant. **I.** Candeur, indifférence, ingénuité, laisser-aller, naturel, négligence, simplicité, sincérité.

Coquin
Syn. **I.** *(N.)* Bandit, faquin, fripon, garnement, maraud, pendard, vaurien. — *(Adj.)* Astucieux, espiègle, malicieux.
Ant. **I.** Homme droit, probe, vertueux.

Cordage
Syn. **I.** Amarre, câble, corde, filin, grelin, manœuvres, orin.

Cordial
Syn. **I.** Réconfortant, remontant, stimulant, tonique. **III.** Amical, chaleureux, franc, sincère, sympathique.
Ant. **I.** Affaiblissant, débilitant. **III.** Antipathique, froid, indifférent, insensible.

Coriace
Syn. **I.** Dur, ferme, résistant. **III.** Tenace.
Ant. **I.** Flasque, mou, tendre. **III.** Souple

Corne
Syn. **I.** Andouiller, bois, perche, ramure. — Callosité. **II.** Avertisseur, cor. — Pointe, saillie.

Cornu
Syn. **I.** Pointu, saillant. **III.** Biscornu, bizarre, extravagant, saugrenu.
Ant. **III.** Normal, raisonnable, simple.

Corporation
Syn. **I.** Association, collège, communauté, corps, métier, ordre.

Corps
Syn. **I.** Carcasse *(fam.)*, chair, organisme. — Cadavre. **II.** Consistance, force, épaisseur, solidité. — Partie principale. **III.** Association, collège, communauté, corporation, ensemble, organe, société. — Collection.

Corpulent
Syn. **I.** Bedonnant, dodu, énorme, gras, gros, obèse, ventru.
Ant. **I.** Élancé, émacié, étriqué, fluet, frêle, maigre, mince.

Correct
Syn. **I.** Bon, conforme, exact, fidèle, juste, précis, régulier. **III.** *(Fam.)* Acceptable, convenable, honnête, moyen, passable. — Bienséant, courtois, décent, franc, impeccable, soigné.
Ant. **I.** Fautif, faux, incorrect, inexact, mauvais. **III.** Excellent. — Déplacé, indécent, mal élevé, ridicule.

Correction
Syn. **I.** Amendement, modification, rature, rectification, réforme. — Châtiment, punition, raclée, rossée, volée. — Exactitude, fidélité, justesse. — Bienséance, politesse, savoir-vivre.
Ant. **I.** Aggravation. — Récompense. — Incorrection. — Impolitesse.

Correspondance
Syn. **I.** Affinité, conformité, corrélation, équilibre, harmonie, proportion, rapport, ressemblance, symétrie. **II.** Billet, courrier, dépêche, lettre, missive, télégramme. — Entretien.
Ant. **I.** Désaccord, discordance, opposition.

Correspondre
Syn. **I.** (S') accorder, coïncider, concorder, convenir, équivaloir, harmoniser, (se) rapporter, répondre. **II.** Communiquer. — (S') écrire, télégraphier.
Ant. **I.** (S') opposer.

Corridor
Syn. **I.** Couloir, galerie, passage.

Corriger (et Se)
Syn. **I.** *(V. tr.)* Amender, bonifier, rectifier, redresser, réformer, relever, reprendre, retoucher, réviser, revoir. — Battre, châtier, punir. — *(V. pr.)* (S') améliorer, (s') amender.
Ant. **I.** Altérer, détériorer, endommager, gâter, pervertir.

Corroborer
Syn. **I.** Appuyer, confirmer, fortifier, renforcer.
Ant. **I.** Démentir, infirmer.

Corroder
Syn. **I.** Attaquer, consumer, désagréger, manger, miner, mordre, ronger.
Ant. **I.** Améliorer, conserver, réparer, restaurer.

Corrompre
Syn. **I.** Abîmer, altérer, avarier, contaminer, décomposer, dénaturer, empoisonner, gâter, infecter, polluer, pourrir, putréfier, souiller. **III.** Avilir, démoraliser, dépraver, détériorer, gangrener, perdre, pervertir, séduire. — Acheter, soudoyer, stipendier, suborner.
Ant. **I.** Assainir, épurer, purifier. **III.** Améliorer, corriger, édifier, perfectionner.

Corrompu
Syn. **I.** Altéré, gâté, pourri, vicié. **III.** Faux, mauvais. — Bas, débauché, démoralisé, dépravé, déréglé, dévergondé, dissolu, pervers, perverti, vicieux.
Ant. **I.** Assaini, frais. **III.** Édifiant, pur, vertueux.

Corruption
Syn. **I.** Altération, décomposition, pourrissement, putréfaction. **III.** Abjection, avilissement, bassesse, débauche, dépravation, dérèglement, perversion, souillure, vice.

Ant. **I.** Assainissement, épuration, purification. **III.** Amélioration, correction, édification, moralisation, perfectionnement, pureté, vertu.

Corvée
Syn. **I.** Besogne, devoir, labeur, service, travail.

Cosse
Syn. **I.** Écale, écalure, enveloppe, gaine, glume, gousse, tégument.

Cossu
Syn. **III.** *(Fam.)* Aisé, fastueux, fortuné, opulent, riche.
Ant. **III.** Indigent, pauvre.

Costume
Syn. **I.** Accoutrement, affublement, complet, effets, habillement, habit, mise, tenue, toilette, vêtement.

Cote
Syn. **I.** Cotisation, contribution, impôt, taxe. — Cotation, cours. — Note. — **III.** Popularité, renommée.

Côte
Syn. **I.** Côté. — Saillie. — Colline, coteau, déclivité, descente, montée, pente, raidillon. — Bord, falaise, littoral, plage, rivage.

Côté
Syn. **I.** Flanc, hanche. — Bord, bordure, face, ligne, pan, profil. — Direction, endroit, partie, point. **III.** Aspect, défaut, qualité, travers. — Parenté, voisinage.

Coterie
Syn. **I.** Association, cabale, camarilla, caste, cénacle, cercle, chapelle, clan, clique, mafia, secte, tribu.

Cotisation
Syn. **I.** Contribution, écot, quote-part.

Cotonneux
Syn. **I.** Duveté, tomenteux. **III.** Flasque, mollasse, mou, ouaté.
Ant. **I.** et **III.** Âpre, dur, rude, rugueux.

Cou

Syn. **I.** Col, encolure, gorge, nuque. **II.** Goulot.

Couard

Syn. **I.** Capon, lâche, poltron.

Ant. **I.** Brave, courageux.

Couardise

Syn. **I.** Lâcheté, peur, poltronnerie, pusillanimité.

Ant. **I.** Bravoure, courage.

Coucher (et Se)

Syn. *(V. tr.)* **I.** Aliter, allonger. – Courber, incliner, pencher. – Viser. **III.** Consigner, enregistrer, inscrire, porter. *(V. pr.)* **I.** (S')aliter, (s') allonger, (s') étendre.

Ant. **I.** Dresser, élever, lever. **III.** Déconsigner, omettre. **I.** (Se) lever.

Coude

Syn. **II.** Angle, courbe, détour, saillie, tournant.

Coudoyer

Syn. **I.** Heurter. **II.** Côtoyer, frôler. **III.** Frayer, fréquenter, rencontrer.

Ant. **I., II.** et **III.** Éviter, fuir.

Coudre

Syn. **I.** Assembler, attacher, bâtir, faufiler, piquer, raccommoder. – Brocher. – Suturer. **III.** Joindre, lier, réunir.

Ant. **I.** Découdre, défaire, défaufiler, détacher. **III.** Désunir, disjoindre.

Coulant

Syn. **I.** Fluide, liquide. **III.** Agréable, aisé, facile, naturel. – *(Fam.)* Accommodant, indulgent, large.

Ant. **I.** Compact, solide. **III.** Compliqué, difficile. – Dur, implacable, malcommode, sévère.

Couler

Syn. *(V. intr.)* **I.** Dégouliner, dégoutter, (se) déverser, (s') écouler, (s') épandre, filer, fuir, jaillir, (se) répandre, ruisseler, suinter. – *(Mar.)* (S') abîmer, chavirer,

(s') enfoncer, (s') engloutir, faire naufrage, (se) perdre, sombrer. **II.** Circuler. **III.** (S') enfuir, passer. *(V. tr.)* **I.** Filtrer, passer, verser. – Glisser, introduire, pénétrer. – Clicher, fondre, mouler. – Saborder, submerger. **III.** Discréditer, perdre, ruiner.

Ant. **I.** Figer, geler. – Émerger, flotter, stagner.

Couleur

Syn. **I.** Carnation, coloration, coloris, nuance, teint, teinte, ton, tonalité. **III.** Brillant, éclat, relief, vivacité. – Apparence, prétexte, subterfuge.

Coulisse

Syn. **I.** Glissière, rainure. **III.** Dessous, secret.

Couloir

Syn. **I.** Corridor, galerie, passage. – *(Géogr.)* Détroit, gorge, goulet.

Coup

Syn. **I.** Choc, collision, ébranlement, heurt, secousse, tamponnement. – Bourrade, contusion, dégelée, gifle, horion, rossée, sévices, taloche, tape, voies de fait, volée. – Bruit, décharge, détonation, son. **III.** Attaque, atteinte, blessure, commotion.

Ant. **I.** Caresse. **III.** Apaisement, consolation.

Coupable

Syn. **I.** *(Pers.)* Délinquant, fautif, pécheur, responsable. **II.** *(Ch.)* Blâmable, condamnable, punissable, répréhensible.

Ant. **I.** Acquitté, disculpé, innocent. **II.** Louable.

Couper

Syn. **I.** Amputer, découper, détacher, diviser, écourter, entailler, entamer, hacher, inciser, raccourcir, retrancher, rogner, sectionner, séparer, tailler. **III.** Interrompre, ôter, retirer.

Ant. **I.** Ajouter, allonger, augmenter,

greffer, joindre, lier, rapprocher, rassembler, réunir, unir. **III.** Continuer, établir, prolonger.

Couple
Syn. **I.** Duo, paire, tandem. **II.** Époux, ménage.
Ant. **I.** Individu, unité. **II.** Célibataire, esseulé.

Coupure
Syn. **I.** Balafre, blessure, boutonnière, entaille, estafilade, incision, sectionnement, taillade. — Coche, encoche. **III.** Coupe sombre. — Cassure, fossé, séparation. — Censure, retranchement, suppression.
Ant. **I.** Addition, assemblage, augmentation, rapprochement. — Unité. **III.** Conservation, maintien.

Courage
Syn. **I.** Ardeur, audace, bravoure, cœur, cran, crânerie, énergie, fermeté, hardiesse, héroïsme, intrépidité, résolution, vaillance, valeur, zèle.
Ant. **I.** Couardise, crainte, faiblesse, frousse *(pop.)*, lâcheté, peur, poltronnerie, pusillanimité, timidité.

Courageux
Syn. **I.** Ardent, audacieux, bouillant, brave, casse-cou, crâne, décidé, déterminé, énergique, ferme, fort, hardi, héroïque, indomptable, intrépide, mâle, résolu, téméraire, vaillant, valeureux, viril.
Ant. **I.** Couard, craintif, faible, froussard *(pop.)*, hésitant, lâche, peureux, poltron, pusillanime, timide, timoré.

Courant
Syn. **I.** *(N.)* Cours, direction, évolution, mode, mouvement, savoir. — *(Adj.)* Banal, commun, fréquent, habituel, normal, ordinaire, répandu, usuel.
Ant. **I.** *(N.)* Opposition. — *(Adj.)* Exceptionnel, extraordinaire, inhabituel, spécial, rare.

Courber
Syn. **I.** Arquer, arrondir, cambrer, cintrer, fléchir, incurver, infléchir, pencher, plier, ployer, recourber, replier, tordre. **III.** Baisser, céder, incliner. — Abaisser, assujettir, dominer, dompter, humilier, rabattre, soumettre.
Ant. **I.** Dresser, raidir, redresser, relever. **III.** Défier. — (Se) relever.

Courbette
Syn. **I.** Inclination, révérence, salut. **III.** Amabilité, attentions, bassesse, empressement, obséquiosité, platitude, politesse, prévenance, salamalec.
Ant. **III.** Indépendance, indifférence, réserve, sévérité.

Courir
Syn. *(V. intr.)* **I.** Décamper, (se) dépêcher, détaler, (s') empresser, filer, galoper, (se) hâter, trotter, voler. — Parcourir. **III.** Circuler, (se) communiquer, (se) répandre. — (S') étendre, se prolonger. *(V. tr.)* **I.** Parcourir, sillonner, traverser. **II.** Chercher, poursuivre, rechercher. — Hanter, fréquenter.
Ant. **I.** *(V. intr.)* Aller lentement, arrêter, faire étape, faire halte, immobiliser, marcher, piétiner, reprendre haleine, stationner, stopper. — *(V. tr.)* Éviter, fuir, laisser.

Couronnement
Syn. **I.** Sacre. **II.** Faîte, sommet. **III.** Aboutissement, accomplissement, achèvement, fin, perfection, récompense.
Ant. **I.** Abdication, déposition. **II.** Base, pied. **III.** Commencement, début, ébauche, inauguration, ouverture.

Couronner
Syn. **I.** Auréoler, ceindre, consacrer, sacrer. **III.** Honorer, récompenser. — Accomplir, achever, conclure, finir, parachever, parfaire.
Ant. **I.** Découronner, détrôner, renverser. **III.** Dépouiller, déshonorer. — Commencer, échouer.

Course (s)
Syn. **I.** Excursion, marche, parcours, promenade, randonnée, trajet. — *(Sports)* Compétition, corrida, épreuve, hippisme, marathon, rallye, régate, rush, sprint, turf. **II.** *(Pl.)* Achats, commissions, emplettes. **III.** Cours, mouvement. — Fuite, succession, suite.
Ant. **I.** et **III.** Arrêt, délai, escale, étape, halte, immobilité, interruption, pause, relâche, répit, repos, trêve.

Court
Syn. **I.** *(Espace)* Courtaud, minuscule, nain, petit, rabougri, raccourci, ras. — *(Temps)* Bref, éphémère, passager, temporaire, transitoire. — Prompt, rapide. **II.** Juste, insuffisant. — Abrégé, concis, condensé, elliptique, laconique, succinct.
Ant. **I.** Allongé, démesuré, énorme, étiré, géant, grand, long. — Durable, éternel, interminable, prolongé, stable. **II.** Suffisant. — Diffus, prolixe.

Courtier
Syn. **I.** Agent, commissaire, intermédiaire, placier, représentant.

Courtisan
Syn. **I.** Favori, menin. **III.** Adulateur, complimenteur, flagorneur, flatteur, louangeur.
Ant. **III.** Désintéressé, hautain, indépendant.

Courtois
Syn. **I.** Affable, aimable, amène, avenant, charmant, civil, complaisant, correct, élégant, galant, gracieux, plaisant, poli, serviable, sociable.
Ant. **I.** Discourtois, grossier, impoli, incivil, inconvenant, insolent, insultant, maladroit, malotru.

Couteau
Syn. **I.** Canif, couperet, coutelas, navaja, poignard.

Coûter
Syn. **I.** (S') élever à, monter à, revenir à, valoir. **II.** Causer, occasionner.

Coûteux
Syn. **I.** Cher, dispendieux, hors de prix, onéreux, ruineux. **III.** Dangereux.
Ant. **I.** Économique, gratuit, (bon) marché.

Coutume
Syn. **I.** Habitude, mode, mœurs, tradition, us, usage.
Ant. **I.** Anomalie, exception, innovation, nouveauté, singularité.

Coutumier
Syn. **I.** Familier, fréquent, habituel, ordinaire, traditionnel, usager, usuel.
Ant. **I.** Anormal, exceptionnel, extraordinaire, inaccoutumé, inattendu, occasionnel, particulier, singulier.

Couver
Syn. **I.** Incuber. **III.** Entretenir, nourrir, préparer, tramer. — Choyer, dorloter.
Ant. **I.** Éclore. **III.** Abandonner, délaisser, négliger. — Maltraiter, rudoyer.

Couvert
Syn. **I.** *(N.)* Abri, logement, ombrage. — Ustensiles de table. — *(Adj.)* Chargé de, vêtu. — Abrité, protégé. — Caché, dissimulé, secret. — Brumeux, gris, nuageux, sombre.
Ant. **I.** Dénudé. — Aperçu, découvert, dévoilé. — Clair.

Couvrir
Syn. **I.** Abriter, coiffer, envelopper, garnir, habiller, vêtir, voiler. **II.** Dominer, étouffer. **III.** Garantir, justifier, protéger. — Cacher, celer, déguiser, excuser, effacer, réparer. — Accabler, combler.
Ant. **I.** Découvrir, dégarnir, dénuder, déshabiller, dévoiler, montrer. **III.** Déceler, étaler, révéler.

Cracher
Syn. **I.** Crachoter, expectorer, graillonner, saliver. **III.** *(Fam.)* Calomnier, insulter, outrager, proférer.
Ant. **I.** Absorber, avaler, gober, happer. **III.** Aimer, louer, respecter.

Craindre
Syn. **I.** (S') alarmer, appréhender, avoir peur, être effrayé, être épouvanté, frémir, frissonner, redouter, trembler, tressaillir. — Hésiter à. **II.** Respecter, révérer, vénérer. *Ant.* **I.** Affronter, braver, attaquer, (se) hasarder, oser, (se) risquer. **II.** Blasphémer, mépriser.

Crainte
Syn. **I.** Alarme, angoisse, anxiété, appréhension, effarement, effroi, épouvante, frayeur, frousse, inquiétude, hésitation, peur, phobie, terreur. **II.** Respect, révérence, vénération. *Ant.* **I.** Assurance, audace, bravoure, certitude, courage, hardiesse, intrépidité, témérité. **II.** Irrévérence, mépris.

Cran
Syn. **I.** Coche, degré, encoche, entaille. **III.** *(Fam.)* Assurance, audace, courage, détermination, endurance, énergie, fermeté. *Ant.* **III.** Couardise, crainte, épouvante, inquiétude, lâcheté, nonchalance, peur.

Crâne
Syn. (N.) **II.** Cerveau, front, tête. *(Adj.)* **III.** Brave, courageux, décidé, intrépide. — Gaillard. *Ant. (Adj.)* **III.** Peureux, poltron.

Crapule
Syn. **II.** *(Fam.)* — Bandit, canaille, escroc, voleur, voyou. *Ant.* **II.** Gentleman, personne honnête.

Crasse
Syn. **I.** Malpropreté, misère, ordure, saleté. **II.** *(Fam.)* Misère. **III.** *(Fam.)* Bassesse, méchanceté, vacherie. *Ant.* **I.** Propreté. **II.** Aisance. **III.** Gentillesse.

Crasseux
Syn. **I.** Dégoûtant, malpropre, misérable, sale, sordide. **II.** Misérable. *Ant.* **I.** Décrassé, net, propre.

Créateur
Syn. **I.** Dieu, Éternel, Être suprême, Tout-Puissant. **II.** Auteur, fondateur, initiateur, innovateur, inventeur, père, pionnier, producteur, promoteur. *Ant.* **I.** Créature. **II.** Démolisseur, destructeur, imitateur.

Crédit
Syn. **I.** Avoir. — *(Dr.)* Tempérament, terme. — Avance, prêt, titre, valeur. **II.** Ascendant, autorité, confiance, considération, faveur, force, importance, influence, poids. *Ant.* **I.** Débit, doit. **II.** Défaveur, défiance, dépréciation, discrédit, méfiance.

Crédule
Syn. **I.** Candide, confiant, gobeur, gogo, ingénu, jobard, naïf, simple. *Ant.* **I.** Clairvoyant, défiant, incrédule, méfiant, sceptique, soupçonneux.

Crédulité
Syn. **I.** Bonhomie, candeur, confiance aveugle, naïveté, superstition. *Ant.* **I.** Défiance, doute, incertitude, incrédulité, méfiance, scepticisme, soupçon.

Créer
Syn. **I.** Faire, former. **II.** Composer, concevoir, constituer, construire, élaborer, enfanter, engendrer, établir, fabriquer, façonner, fonder, imaginer, instaurer, instituer, inventer, organiser, procréer, produire. — Causer, occasionner, susciter. *Ant.* **I.** et **II.** Abolir, abroger, anéantir, annihiler, détruire, supprimer.

Crépu
Syn. **I.** Bouclé, crêpé, crépelé, frisé, ondulé. *Ant.* **I.** Lisse, plat, raide, uni.

Crétin
Syn. **I.** Goitreux, idiot, rachitique. **II.** Borné, dégénéré, hébété, imbécile, sot, stupide.

Ant. **II.** Débrouillard, fin, intelligent, lucide, sagace.

Creuser
Syn. **I.** Affouiller, défoncer, évider, excaver, forer, fouiller, fouir, miner, percer, perforer, raviner, saper, trouer. — Cambrer, échancrer. **III.** Approfondir, pénétrer, scruter, sonder.
Ant. **I.** Bomber, combler, emplir, gonfler, remplir, renfler. **III.** Effleurer.

Creux
Syn. *(N.)* **I.** Cavité, concavité, enfoncement, excavation, trou. — *(Adj.)* Cave, concave, enfoncé, évidé, profond, vide. — Amaigri, maigre. **III.** Chimérique, futile, insensé, pauvre, vain.
Ant. **I.** Bosse, proéminence, saillie. — Bombé, convexe, plein, proéminent, rempli, renflé, saillant. — Rebondi. **III.** Important, riche, sensé, substantiel.

Crevasse (s)
Syn. **I.** Cassure, craquelure, déchirure, faille, fente, fissure, lézarde, ouverture. — *(Pl.)* Engelures, gerçures.

Crever
Syn. *(V. tr.)* **I.** Déchirer, percer, rompre. **II.** *(Fam.)* Épuiser, éreinter, fatiguer. **III.** Fendre (le cœur). *(V. intr.)* **I.** Éclater, exploser. **II.** *(Pop.)* Claquer, mourir.
Ant. *(V. tr.)* **I.** Boucher, réparer, résister, tenir. **II.** Reposer. *(V. intr.)* **II.** Naître, vivre.

Cri
Syn. **I.** Bruit, son. **II.** Appel, clameur, criaillerie, exclamation, gémissement, gueulement, huée, hurlement, ovation, S.O.S., vocifération.
Ant. **I.** et **II.** Murmure, silence.

Criard
Syn. **I.** Aigu, braillard, bruyant, choquant, discordant, gueulard, perçant, tapageur.
Ant. **I.** Agréable, discret, doux, harmonieux, silencieux, sobre.

Crible
Syn. **I.** Blutoir, claie, passoire, sas, tamis.

Crier
Syn. **I.** *(V. intr.)* Beugler, brailler, clamer, (s') égosiller, (s') époumonner, gémir, gueuler, hurler, piailler, rugir, tempêter, tonitruer, vociférer. — *(V. tr.)* Proclamer, publier, répandre.
Ant. **I.** Chuchoter, murmurer, (se) taire.

Crime
Syn. **I.** Assassinat, attentat, brigandage, délit, faute, forfait, infraction, mal, meurtre, péché, scélératesse, violation.
Ant. **I.** Aide, bienfait, charité, exploit, innocence, prouesse.

Crise
Syn. **I.** *(Méd.)* Accès, attaque, atteinte, bouffée, poussée. **II.** Conflit, danger, débâcle, dépression, détresse, difficulté, impasse, krach, malaise, marasme, misère, péril, tension, trouble.
Ant. **I.** Accalmie, calme, latence, rémission. **II.** Abondance, chance, épanouissement, prospérité, réussite.

Critique
Syn. **II.** Analyse, appréciation, avis, examen, idée, jugement, observation, opinion, remarque, sens, sentiment. — Attaque, blâme, censure, condamnation, dénigrement, diatribe, éreintement, satire, vitupération.
Ant. **II.** Apologie, approbation, éloge, justification, louange, plaidoyer.

Critiquer
Syn. **I.** Analyser, discuter, étudier, examiner, juger. — *(Péj.)* Attaquer, blâmer, calomnier, censurer, condamner, contester, contredire, démolir, dénigrer, désapprouver, discuter, éreinter, réprouver, stigmatiser, vitupérer.
Ant. **I.** Admirer, aduler, apprécier, approuver, féliciter, flatter, louer, préconiser.

Crochu
Syn. **I.** Aquilin, arqué, busqué, cintré, courbé, recourbé. **III.** Avide, rapace.
Ant. **I.** Droit, rectiligne. **III.** Désintéressé, indifférent.

Croire
Syn. **I.** Accepter, admettre, adopter, ajouter foi à, avoir confiance, (se) fier à. — *(Péj.)* Avaler, gober. — Considérer, estimer, (se) figurer, (s') imaginer, juger, penser, présumer, supposer, tenir pour.
Ant. **I.** Contester, contredire, débattre, démentir, discuter, douter, hésiter, (se) méfier, nier, protester, récuser, renier, soupçonner.

Croisement
Syn. **I.** Entrelacement, mélange. — Carrefour, croisée, intersection. — Accouplement, hybridation, métissage. — Greffe.

Croiser
Syn. **I.** Couper, traverser. — Rencontrer. — Effacer, rayer. — Hybrider, mâtiner, métisser.
Ant. **I.** Décroiser.

Croissance
Syn. **I.** Développement, pousse, poussée. — *(Ch.)* Accroissement, agrandissement, augmentation, avancement, progrès, progression.
Ant. **I.** Affaiblissement, atrophie, décadence, déclin, décroissance, décroissement, dégénérescence, diminution.

Croître
Syn. **I.** (Se) développer, grandir, grossir, pousser, profiter, progresser. — *(Ch.)* Augmenter, (s') étendre, gagner. — (S') élever, monter, venir.
Ant. **I.** Amoindrir, baisser, décliner, décroître, dégénérer, diminuer, dépérir, rapetisser.

Croquer
Syn. **I.** Broyer, dévorer, manger. **III.** Dilapider, dissiper, engloutir, gaspiller.

(Peint.) **I.** Camper, caricaturer, dessiner, ébaucher, esquisser.
Ant. **I.** Sucer. **III.** Économiser. **I.** Fignoler *(fam.)*, lécher.

Croquis
Syn. **I.** Crayon, dessin, ébauche, épure, esquisse.
Ant. **I.** Tableau.

Crouler
Syn. **I.** *(Ch.)* (S') abattre, (s') affaisser, (s') ébouler, ébranler, (s') écrouler, (s') effondrer, succomber, tomber (en ruine) — *(Pers.)* *(Se laisser crouler)* (S'affaler. **III.** *(Faire crouler)* Détruire, renverser, ruiner.

Croupir
Syn. **I.** (Se) corrompre, dormir, moisir, pourrir, séjourner, stagner. **III.** (S') encroûter.
Ant. **I.** Couler, courir. **III.** (S') amender, (se) corriger, revivre.

Croûte
Syn. **II.** Croûton. — Dépôt, écorce, escarre. — Couche, surface. **III.** *(Fam.)* Mauvais tableau.
Ant. **I.** Mie.

Croyance
Syn. **I.** Certitude, confession, confiance, conviction, foi, opinion.
Ant. **I.** Agnosticisme, défiance, doute, hérésie, incrédulité, incroyance, scepticisme.

Cru *(can.)*
Syn. **I.** Froid et humide.
Ant. **I.** Chaud et sec.

Cruauté
Syn. **I.** Atrocité, barbarie, brutalité, dureté, férocité, inhumanité, méchanceté, sadisme, sauvagerie. **III.** Hostilité, inclémence, rigueur, rudesse.
Ant. **I.** et **III.** Bienveillance, bonté, charité, clémence, compassion, douceur, humanité, indulgence, mansuétude, miséricorde, tendresse.

Cruel
Syn. **I.** *(Pers.)* Barbare, brutal, dénaturé, dur, farouche, féroce, impitoyable, implacable, inhumain, méchant, sadique, sanguinaire, sauvage. — *(Ch.)* Affligeant, affreux, douloureux, fâcheux, pénible, rude, rigoureux.
Ant. **I.** Bienveillant, bon, clément, délicat, doux, humain, indulgent.

Crypte
Syn. **I.** Cave, caveau, creux, enfoncement, grotte, souterrain.

Cueillette
Syn. **I.** Cueillaison, moisson, récolte, vendange.
Ant. **I.** Ensemencement, semailles, semence.

Cueillir
Syn. **I.** Détacher, récolter, vendanger. **II.** *(Fam.)* Arrêter, pincer. **III.** Acquérir, moissonner, prendre, ramasser, recueillir.
Ant. **I.** Ensemencer, laisser, semer. **III.** Disperser, éparpiller, gaspiller, propager.

Cuire
Syn. **I.** *(V. tr.)* Bouillir, braiser, chauffer, fricasser, frire, gratiner, griller, mijoter, mitonner, rissoler, rôtir, torréfier. — *(V. intr.)* Brûler, picoter, piquer.
Ant. **I.** Congeler, geler, refroidir, tiédir.

Cuisant
Syn. **I.** Âpre, mordant, piquant, torride. **III.** Acéré, aigu, blessant, brûlant, cruel, douloureux, vif, virulent.
Ant. **I.** Frais, refroidissant. **III.** Adoucissant, apaisant, calmant, doux.

Cuistre
Syn. **I.** Balourd, lourdaud, pédant.
Ant. **I.** Délicat, fin, humble.

Culbute
Syn. **I.** Cabriole, galipette, roulé-boulé, saut, voltige. **II.** Chute, dégringolade. **III.** Écroulement, faillite, renversement, ruine.

Culbuter
Syn. **(V. intr.)** **I.** Basculer, capoter, chavirer, dégringoler, tomber, verser. — *(V. tr.)* Renverser. **II.** Démolir, enfoncer, repousser, vaincre.
Ant. **I.** (Se) redresser, (se) relever. **II.** Échouer, perdre.

Culte
Syn. **I.** Adoration, confession, croyance, dévotion, église, foi, piété, religion. **III.** Amour, attachement, dévouement, respect, vénération.
Ant. **I.** Indifférence. **III.** Haine.

Cultivé
Syn. **III.** Calé, docte, éclairé, érudit, ferré, fort, instruit, lettré, savant.
Ant. **III.** Ignare, ignorant, inculte.

Culture
Syn. **III.** Civilisation, connaissance, éducation, érudition, instruction, savoir, science.
Ant. **III.** Ignorance, inculture.

Cupidité
Syn. **I.** Âpreté, avidité, concupiscence, convoitise, envie, rapacité.
Ant. **I.** Abnégation, désintéressement, détachement, dévouement, générosité.

Cure
Syn. **I.** Régime, soins, traitement. — Presbytère.

Curieusement
Syn. **I.** Bizarrement, drôlement, étrangement.
Ant. **I.** Indifféremment, naturellement, ordinairement.

Curieux
Syn. **I.** *(Pers.)* *(N.)* Amateur, collectionneur. — Badaud, flâneur. — Chercheur, fouineur, fureteur, investigateur. — *(Adj.)* Avide, anxieux, désireux, indiscret, inquisiteur, scru-

tateur. — *(Ch.)* Amusant, attachant, bizarre, drôle, étonnant, étrange, singulier, surprenant.
Ant. **I.** *(Pers.)* Blasé, discret, indifférent, insouciant, réservé. — *(Ch.)* Banal, commun, naturel, quelconque.

Curiosité
Syn. **I.** *(Pers.)* Appétit, intérêt, recherche, soif de connaître. — *(Péj.)* Indiscrétion, ingérence, intrusion. — *(Ch.)* Bizarrerie, étrangeté. — Nouveauté, rareté.
Ant. **I.** Incuriosité, indifférence. — Discrétion, réserve. — Banalité, vieillerie.

Cuver
Syn. **I.** Fermenter. **III.** *(Fam.)* Digérer.

Cyclone
Syn. **I.** Bourrasque, ouragan, tempête,

tornade, tourbillon, trombe, typhon.
Ant. **I.** Brise, calme, zéphir.

Cylindrer
Syn. **I.** Aplatir, calandrer, presser.

Cynique
Syn. **II.** Effronté, éhonté, immoral, impudent.
Ant. **II.** Conformiste, timide.

Cynisme
Syn. **II.** Effronterie, impertinence, impolitesse, impudence, incivilité, inconvenance, insolence, licence, outrecuidance, sans-gêne.
Ant. **II.** Civilité, conformisme, gêne, modestie, politesse, retenue, scrupule, timidité.

D

Dada
Syn. **III.** *(Fam.)* Idée fixe, manie, marotte, tic.

Dadais
Syn. **I.** Niais, nigaud, sot.
Ant. **I.** Fin, habile, spirituel.

Daigner
Syn. **I.** Acquiescer, agréer, condescendre, consentir, vouloir.
Ant. **I.** Décliner, dédaigner, écarter, éloigner, mépriser, refuser, renvoyer, repousser.

Dais
Syn. **I.** Baldaquin, ciel de lit. **III.** Abri, voûte.

Dallage
Syn. **I.** Assemblage, carrelage, mosaïque, pavage, pavé, revêtement.

Damnation
Syn. **I.** Châtiment, dam, feu éternel, supplice.

Ant. **I.** Bénédiction, délice, délivrance, récompense, repos, salut.

Damner
Syn. **I.** Châtier, maudire, supplicier, torturer, tourmenter. **II.** Faire enrager, impatienter.
Ant. **I.** Bénir, convertir, délivrer, sauver.

Dandiner (Se)
Syn. **I.** (S') agiter, (se) balancer, bringuebaler, (se) déhancher, (se) dodeliner, (se) mouvoir.
Ant. **I.** (S') arrêter, (se) fixer, (s') immobiliser, (se) redresser.

Danger
Syn. **I.** Détresse, écueil, hasard, inconvénient, menace, péril, risque.
Ant. **I.** Assurance, calme, sécurité, sûreté, tranquillité.

Dangereux
Syn. **I.** Angoissant, aventureux, critique, hasardeux, méchant, menaçant, nuisible,

périlleux, pernicieux, redoutable, risqué, téméraire.
Ant. **I.** Avantageux, bon, calmant, efficace, inoffensif, propice, rassurant, sûr.

Dans
Syn. **I.** Au cours de, au milieu de, au sein de, chez, dedans, en, en dedans, parmi.
Ant. **I.** Ailleurs, à l'extérieur, au dehors, hors de.

Danse
Syn. **I.** Bal, ballet, chorégraphie, contredanse, entrechat, évolution, gigue, rigodon, sauterie, surprise-party.

Danser
Syn. **I.** (S') agiter, gambader, gambiller *(pop.)*, gigoter *(fam.)*, sauter, sautiller, (se) trémousser *(péj.)*, valser. **II.** (Se) mouvoir.
Ant. **I.** Faire tapisserie *(fam.)*.

Danseur (euse)
Syn. **I.** Acrobate, almée, ballerine, cavalier, chorégraphe, coryphée, rat, valseur, vis-à-vis.

Dard
Syn. **I.** Javelot, lance, pique. **II.** Aiguillon. **III.** Trait acéré.

Darder
Syn. **I.** Décocher. **III.** Dresser, jeter, lancer, percer, piquer.

Dauber
Syn. **I.** Cuire. — Battre, frapper. **III.** Dénigrer, discréditer, (se) moquer, railler.
Ant. **III.** Choyer, louanger, vanter.

Davantage V. *Plus*

Dé
Syn. **I.** Cube. — Étui de métal.

Débâcle
Syn. **I.** Dégel. **III.** *(Fam.)* Catastrophe, chute, culbute, débandade, déconfiture, défaite, démolition, déroute, désastre, échec, écroulement, effondrement, faillite, fin, naufrage, revers, ruine.
Ant. **I.** Embâcle. **III.** Gain, redressement, réussite, succès.

Déballer
Syn. **I.** Étaler, ouvrir, vider.
Ant. **I.** Cacher, emballer, empaqueter, envelopper.

Débandade
Syn. **I.** Débâcle, déroute, dispersion, fuite, ruée, sauve-qui-peut.
Ant. **I.** Discipline, ordre, ralliement, rassemblement.

Débander (et Se)
Syn. **I.** *(V.* tr.*)* Diviser, mettre en fuite. — *(V. pr.)* (Se) disperser, (s') enfuir.
Ant. **I.** Grouper, rallier, rassembler.

Débarbouiller
Syn. **I.** Décrasser, laver, nettoyer. **III.** *(Fam.)* Tirer d'embarras.
Ant. **I.** Barbouiller, maculer, salir, souiller, tacher.

Débarbouillette *(can.)*
Syn. **I.** Gant, main de toilette.

Débarcadère
Syn. **I.** Appontement, arrivée, débarquement, embarcadère, port, quai.

Débarquer
Syn. *(V. tr.)* **II.** Décharger. **III.** *(Fam.)* Congédier, destituer, écarter. *(V. intr.)* **I.** Arriver, atteindre, descendre, toucher.
Ant. **I.** Embarquer, monter. **III.** Réintégrer.

Débarrasser
Syn. **I.** Alléger, déblayer, décharger, défaire, dégager, délivrer, désobstruer, dépêtrer, déposséder, désencombrer, enlever, libérer, nettoyer, soulager, supprimer.
Ant. **I.** Affliger, charger, embarrasser, entraver, gêner.

Débat V. *Discussion*

Débattre

Syn. **I.** Agiter, délibérer, discuter, examiner, marchander, négocier, parlementer.
Ant. **I.** (S') accorder, admettre, convenir, (s') entendre.

Débauche

Syn. **I.** Corruption, débordement, déportement, dérèglement, dévergondage, dissolution, excès, immoralité, impudicité, inconduite, incontinence, indécence, intempérance, libertinage, licence, luxure, orgie, perversion, vice. **III.** Profusion, surabondance.
Ant. **I.** Austérité, chasteté, continence, décence, dignité, édification, honnêteté, moralité, sagesse, vertu. **III.** Modération.

Débauché

Syn. **I.** Bambocheur, corrompu, coureur, dépravé, déréglé, dévergondé, dissipé, dissolu, immoral, impudique, libertin, licencieux, luxurieux, noceur, pervers, perverti, vicieux, viveur.
Ant. **I.** Ascète, austère, chaste, digne, rangé, sage, vertueux.

Débile

Syn. **I.** Affaibli, cacochyme, chétif, délicat, égrotant, étiolé, faible, fluet, fragile, frêle, grêle, informe, malingre, souffreteux. **III.** Chancelant, impuissant.
Ant. **I.** Fort, puissant, résistant, robuste, sain, solide, valide, vigoureux. **III.** Énergique.

Débit

Syn. **I.** Affaires, commerce, négoce, trafic, vente. — Bar, bistro, café, comptoir, mastroquet, zinc. — Dette, doit, dû.
Ant. **I.** Actif, avoir, créance, crédit.

Débiter

Syn. **I.** Découper, dépecer, détailler, diviser, morceler, partager. **II.** Servir, vendre. **III.** Déclamer, dégoiser *(pop.)*, prononcer, réciter.
Ant. **I.** Réunir, unir. **II.** Acheter, acquérir, créditer, procurer. **III.** Se taire.

Déblai

Syn. **I.** Débarras, décombres, dégagement, démolitions, gravats, nettoyage, plâtras, terrassement.
Ant. **I.** Amas, embarras, encombrement, entassement, entrave, obstacle, obstruction, remblai.

Déblatérer

Syn. **I.** Calomnier, déclamer contre, dénigrer, diffamer, invectiver, médire de, vilipender, vitupérer.
Ant. **I.** Complimenter, défendre, féliciter, louanger, louer, (se) taire, vanter.

Déblayer

Syn. **I.** Arracher, débarrasser, dégager, enlever, nettoyer, retirer. **III.** Aplanir, balayer, préparer.
Ant. **I.** Embarrasser, encombrer, entraver, obstruer, remblayer.

Déboires

Syn. **III.** Contrariétés, déceptions, déconvenues, désagréments, désappointements, désillusions, échecs, ennuis, épreuves, infortunes, revers.
Ant. **III.** Réussites, satisfactions, succès.

Déboîter

Syn. **I.** Démonter, désassembler, désunir, disjoindre, séparer. — *(Méd.)* Démancher, démettre, désarticuler, disloquer, luxer, rompre.
Ant. **I.** Ajuster, assembler, emboîter, joindre, unir. — Remboîter, remettre.

Débonnaire

Syn. **I.** Accommodant, bénin, bon, bonasse, clément, complaisant, conciliant, doux, faible, indulgent, inoffensif, pacifique, paternel, patient.
Ant. **I.** Agressif, bourru, cruel, dur, emporté, insociable, malfaisant, méchant, sévère, terrible.

Débonnaireté

Syn. **I.** Bénignité, bonté, complaisance, douceur, faiblesse, indulgence, mollesse.

Ant. **I.** Dureté, emportement, méchanceté, sévérité.

Débordement
Syn. **I.** Crue, inondation. — Expansion, invasion, irruption. **III.** Effusion, explosion, exubérance, profusion, surabondance. — Abus, débauche, excès.
Ant. **I.** Assèchement, drainage. — Retraite. **III.** Calme, équilibre, modération, retenue.

Déborder
Syn. *(V. intr.)* **I.** Couler, (se) déverser, (s') échapper, inonder, noyer, (se) répandre, submerger **II.** Déferler, envahir, regorger, surabonder. **III.** (Se) déchaîner, éclater, (s') emporter, exploser. *(V. tr.)* **I.** Dépasser, franchir.
Ant. **I.** Contenir. **III.** (Se) calmer, (se) contrôler, (se) maîtriser.

Débouché
Syn. **I.** Déversoir, extrémité, issue, sortie. **II.** Écoulement, marché, placement. **III.** Champ d'action, espoirs, horizon, perspectives, possibilité.
Ant. **I.** Barrière, entrave, impasse, obstruction. **II.** Blocus, embargo. **III.** Chômage, cul-de-sac.

Déboucher
Syn. *(V. tr.)* **I.** Déblayer, dégager, désobstruer, libérer. — Décapsuler, ouvrir. *(V. intr.)* **I.** Surgir. — Arriver à, donner sur, (se) jeter dans, sortir, tomber dans. **III.** Aboutir.
Ant. **I.** Boucher, engorger, reboucher. — Fermer. — (S') engager, (s') engouffrer. **III.** Échouer.

Débourrer
Syn. **I.** Débarrasser, vider.
Ant. **I.** Bourrer, rembourrer.

Débourser
Syn. **I.** Dépenser, payer, verser.
Ant. **I.** Épargner, ménager.

Debout
Syn. **I.** Dressé, droit, levé, sur pied.
Ant. **I.** Accroupi, agenouillé, assis, couché, courbé, étendu.

Débris
Syn. **I.** Fragments, miettes, morceaux. — Déchets, détritus, résidus. — Décombres, épaves, restes, ruines.

Début(s)
Syn. **I.** **V.** *Commencement.* **II.** *(Pl.)* Apprentissage, cléricature, entrée, essai.
Ant. **II.** Expérience, maîtrise, métier.

Décacheter
Syn. **I.** Déchirer, déplier, desceller, ouvrir.
Ant. **I.** Cacheter, fermer, plomber, sceller.

Décadence
Syn. **III.** Abaissement, affaiblissement, affaissement, avilissement, chute, crépuscule, déchéance, déclin, décrépitude, dégénérescence, dégradation, déliquescence, dépérissement, destruction, renversement, ruine.
Ant. **III.** Croissance, élévation, épanouissement, importance, montée, progrès, puissance.

Décamper
Syn. **II.** Déguerpir, déloger, déménager, détaler, (s') enfuir, filer, fuir, partir, (se) sauver.
Ant. **II.** Arriver, camper, demeurer, (s') établir, (s') installer, (se) poster, séjourner.

Décapiter
Syn. **I.** Couper la tête, décoller, exécuter, guillotiner, trancher la tête. **II.** Découronner, écimer, étêter. **III.** Abattre, détruire, tuer.
Ant. **I.**, **II.** et **III.** Conserver, défendre, épargner, protéger.

Décéder
Syn. **I.** Expirer, mourir, passer, trépasser.

Ant. I. Être, exister, naître, ressusciter, revivre, subsister.

Déceler
Syn. I. Annoncer, découvrir, démontrer, dénoter, détecter, deviner, dévoiler, indiquer, manifester, montrer, percevoir, remarquer, révéler, signaler, trahir.
Ant. I. Cacher, celer, dissimuler, enfouir, ignorer, taire, voiler.

Décemment
Syn. I. Convenablement, correctement, honnêtement, modestement, raisonnablement.
Ant. I. Déraisonnablement, exagérément, indignement, malhonnêtement.

Décence
Syn. I. Bienséance, chasteté, convenance, dignité, discrétion, gravité, modestie, pudeur, pudicité, réserve, retenue, tenue.
Ant. I. Cynisme, effronterie, grivoiserie, grossièreté, immodestie, inconvenance, indécence, indiscrétion, licence, pornographie.

Décent
Syn. I. Bienséant, chaste, convenable, correct, digne, discret, honnête, modeste, pudique, réservé.
Ant. I. Déplacé, déshonnête, grivois, grossier, immodeste, impudique, inconvenant, incorrect, indécent, indigne, licencieux, malhonnête, pornographique.

Déception
Syn. I. Déboire, déconvenue, décompte, dégrisement, dépit, désappointement, désenchantement, désillusion, échec, insuccès, mécompte.
Ant. I. Contentement, joie, satisfaction, succès, triomphe.

Décerner
Syn. I. Accorder, adjuger, attribuer, conférer, donner, octroyer, remettre.
Ant. I. Enlever, ôter, refuser, rejeter, retenir.

Décès
Syn. I. Fin, mort, trépas.
Ant. I. Existence, naissance, vie.

Décevoir
Syn. I. (Vx) Abuser, attraper, leurrer. — (Mod.) Désappointer, frustrer, mécontenter, tromper.
Ant. I. Combler, contenter, enchanter, répondre à l'attente, satisfaire.

Déchaîner
Syn. I. Délier, détacher, libérer. **III.** Ameuter, causer, déborder, déclencher, éclater, exciter, exploser, occasionner, provoquer, soulever.
Ant. I. Attacher, enchaîner, lier. **III.** Apaiser, calmer, contenir, maîtriser.

Décharge
Syn. I. Déchargeoir. — Dépotoir. — Déchargement, fusillade, salve, volée. — (Dr.) Acquit, quittance, récépissé, reçu.
Ant. I. Chargement. — Charge, imposition, obligation.

Décharger (et Se)
Syn. (V. tr.) I. Alléger, débarder, débarquer, débarrasser (de sa charge), diminuer, enlever, ôter, soulager. **II.** Asséner, tirer. **III.** Dégrever, dispenser, exempter, exonérer, libérer. — Blanchir, disculper, innocenter, justifier. (V. pr.) **I.** (Se) déverser, (s') écouler, (se) jeter.
Ant. I. Alourdir, charger, surcharger. **III.** Accabler, aggraver, augmenter, grever, imposer, obérer, taxer. — Accuser, condamner.

Décharné
Syn. I. Amaigri, émacié, étique, maigre. **II.** Aride, pauvre, sec.
Ant. I. Charnu, gras. **II.** Luxuriant, riche.

Déchausser
Syn. I. Débotter. **II.** Dégravoyer, dénuder, dépouiller, déraciner, saper.
Ant. I. et II. Chausser, consolider, enraciner, renforcer.

Déchéance
Syn. **I.** Abaissement, abjection, chute, décadence, déclassement, déclin, dégradation, déposition, destitution, disgrâce, indignité, ruine.
Ant. **I.** Ascension, élévation, importance, progrès, redressement.

Déchet
Syn. **I.** Chute, copeau, débris, détritus, épluchure, perte, résidu, rognure, scorie.

Déchiffrer
Syn. **I.** Décoder, décrypter, lire. **III.** Découvrir, démêler, deviner, discerner, éclaircir, expliquer, pénétrer, résoudre, saisir.
Ant. **I.** Chiffrer. **III.** Compliquer, confondre, embrouiller, enchevêtrer, mélanger, mêler, obscurcir.

Déchiqueter
Syn. **I.** Déchirer, désagréger, diviser, émietter, mettre en pièces, morceler, pulvériser, sectionner, séparer, taillader, tailler.
Ant. **I.** Ajouter, allonger, conserver, refaire, réunir.

Déchirer
Syn. **I.** Accrocher, déchiqueter, défaire, dilacérer, écorcher, égratigner, érafler, lacérer, mettre en charpie. **III.** Fendre, percer, traverser. — Affliger, arracher, fendre (le cœur), meurtrir. — Diviser. — Calomnier, diffamer, médire.
Ant. **I.** Assembler, attacher, coudre, lier, raccommoder, rapiécer, rattacher, recoudre. **III.** Consoler, louanger, pacifier, réconcilier.

Déchoir
Syn. **I.** S'abaisser, (s') avilir, (se) déclasser, dégénérer, (se) dégrader, déroger, descendre, rétrograder, tomber. — (S') affaiblir, (s') amoindrir, baisser, décliner, décroître, vieillir.
Ant. **I.** Augmenter, (s') élever, ennoblir, monter, progresser, (se) relever.

Décidé
Syn. **I.** *(Pers.)* Assuré, audacieux, courageux, crâne, délibéré, déterminé, ferme, hardi, résolu, volontaire. — *(Ch.)* Arrêté, certain, fixé, net, réglé.
Ant. **I.** Chancelant, flottant, hésitant, indécis, irrésolu, perplexe, versatile. — Incertain.

Décider
Syn. **I.** Arbitrer, arrêter, convenir de, décréter, définir, déterminer, disposer, édicter, fixer, ordonner, régler, résoudre, statuer, trancher, vouloir. — Convaincre, entraîner, persuader, pousser, provoquer.
Ant. **I.** Atermoyer, balancer, différer, douter, flotter, hésiter, lanterner, tâtonner, tergiverser. — Freiner, retenir.

Décisif
Syn. **I.** Capital, concluant, convaincant, critique, crucial, définitif, dernier, déterminant, dogmatique, formel, important, incontestable, indiscutable, irrévocable, péremptoire, probant, tranchant.
Ant. **I.** Accessoire, hésitant, imprécis, incertain, indécis, indéfini, indéterminé, mobile, négligeable, variable.

Décision
Syn. **I.** *(Acte)* Arrêt, canon, conclusion, décret, délibération, édit, jugement, ordonnance, règlement, résolution, sentence, verdict. — Choix, conclusion, dessein, intention, parti. — *(Faculté)* Assurance, audace, caractère, courage, fermeté, hardiesse, initiative, ténacité, volonté.
Ant. **I.** Fluctuation, hésitation, indécision, indétermination, irrésolution, perplexité, tâtonnement, tergiversation.

Déclamer
Syn. **I.** *(V. tr.)* Débiter, dire, prononcer, réciter, scander. — *(V. intr.)* Invectiver.

Déclaration
Syn. **I.** Affirmation, annonce, aveu, ban, communication, communiqué, confession, confidence, déposition, discours,

édit, énonciation, énumération *(dr.)*, manifeste, notification, proclamation, publication, révélation, témoignage.

Déclarer
Syn. **I.** Affirmer, annoncer, avouer, communiquer, confesser, découvrir, dénoncer, dévoiler, divulguer, manifester, proclamer, publier, révéler, signaler, signifier. *Ant.* **I.** Cacher, dissimuler, garder, omettre, oublier, taire.

Déclassement
Syn. **I.** Avilissement, déchéance, dévalorisation, mutation. *Ant.* **I.** Classement.

Déclencher
Syn. **I.** Manœuvrer, mouvoir. **III.** Causer, commencer, déterminer, entraîner, faciliter, inaugurer, lancer, occasionner, ouvrir, provoquer. *Ant.* **I.** Enclencher. **III.** Arrêter, clore, embarrasser, empêcher, paralyser, retarder.

Déclin
Syn. **I.** Couchant, crépuscule, décours, décroissance, décroît. **II.** Baisse, caducité, chute, décadence, décrépitude, fin, sénilité, vieillesse. *Ant.* **I.** Aurore. **II.** Commencement, épanouissement, essor, jeunesse, progrès.

Décliner
Syn. **I.** *(V. tr.)* Écarter, refuser, rejeter, repousser. — Dire, énoncer. — *(V. intr.)* Affaiblir, baisser, décroître, dépérir, diminuer, empirer, péricliter, tomber. *Ant.* **I.** Accepter. — Croître, (s') épanouir, progresser.

Déclivité
Syn. **I.** Côte, descente, inclinaison, obliquité, pente, versant. *Ant.* **I.** Nappe, nivellement, surface.

Décocher
Syn. **I.** Darder, émettre, envoyer, jeter, lancer, tirer.

Décombres
Syn. **I.** Déblais, débris, gravats, plâtras, restes, ruines, vestiges.

Décomposer
Syn. **I.** Analyser, désagréger, désintégrer, disséquer, dissocier, diviser, réduire, résoudre, scinder, séparer. — Corrompre, désorganiser, gâter, pourrir, putréfier. **III.** Détruire, dissoudre. — Altérer, (se) convulser, troubler. *Ant.* **I.** Assembler, combiner, composer, conserver, joindre, rassembler, réunir, synthétiser. — Conserver, maintenir.

Décomposition
Syn. **I.** Analyse, désagrégation, désintégration, division, séparation. — Corruption, désorganisation, dissolution, gangrène, pourriture, putréfaction, putridité. **III.** Agonie, décadence, mort. — Altération, convulsion, trouble. *Ant.* **I.** Combinaison, composition, synthèse. — Conservation, fraîcheur. **III.** Essor, vie. — Calme, impassibilité.

Décompter
Syn. **I.** Déduire, défalquer, enlever, ôter, prélever, rabattre, retenir, retrancher, rogner, soustraire. *Ant.* **I.** Accroître, ajouter, compter, majorer, multiplier, redoubler, surajouter.

Déconcertant
Syn. **I.** Bizarre, curieux, démoralisant, déroutant, embarrassant, étonnant, imprévu, inattendu, incompréhensible, surprenant, troublant. *Ant.* **I.** Banal, rassurant.

Déconcerter
Syn. **I.** Ahurir, confondre, décontenancer, démonter, dérouter, désarçonner, désorienter, effarer, embarrasser, interdire, interloquer, stupéfier, surprendre, troubler. *Ant.* **I.** Apaiser, calmer, encourager, enhardir, orienter, pacifier, rassurer.

Déconfit
Syn. **III.** Confus, déconcerté, déçu, dépité, embarrassé, honteux, humilié, penaud.
Ant. **III.** Fier, triomphant.

Déconfiture
Syn. **III.** *(Fam.)* Banqueroute, échec, faillite, krach, ruine.
Ant. **III.** Succès, triomphe.

Décontenancer
Syn. **I.** Déconcerter, démonter, désappointer, embarrasser, interloquer, saisir, troubler.
Ant. **I.** Calmer, encourager, rassurer.

Déconvenue
Syn. **I.** Contrariété, déception, dépit, déplaisir, désappointement, désillusion, échec, humiliation, insuccès, mésaventure.
Ant. **I.** Chance, encouragement, gloire, réussite, succès, triomphe.

Décoration
Syn. **I.** Embellissement, ornementation. **II.** Ornement. — Couronne, croix, distinction, emblème, insigne, lauriers, parure, symbole.
Ant. **I. et II.** Dégradation, dépouillement, disgrâce.

Décorer
Syn. **I.** Agrémenter, embellir, enguirlander, enjoliver, festonner, garnir, orner, parer. **II.** Honorer, revêtir. — Médailler.
Ant. **I. et II.** Dégrader, déparer, déshonorer, endommager, gâter, salir.

Découler
Syn. **III.** (Se) déduire, dériver, émaner, (s') ensuivre, procéder, provenir, résulter, venir.
Ant. **III.** Causer, entraîner, provoquer.

Découper
Syn. **I.** Charcuter, couper, débiter, démembrer, dépecer, diviser, sectionner, tailler. — Chantourner. — Ébrancher. **III.**

Dessiner, détacher, profiler.
Ant. **I.** Accoler, assembler, assimiler, confondre, lier, réunir.

Découragement
Syn. **I.** Abattement, accablement, affaissement, anéantissement, cafard, démoralisation, désenchantement, désespérance, désespoir, écœurement, lassitude, marasme, prostration.
Ant. **I.** Confiance, contentement, courage, encouragement, énergie, espérance, faveur, satisfaction, stimulation.

Découverte
Syn. **I.** Exploration, recherche, reconnaissance, révélation. — Invention, trouvaille.

Découvrir
Syn. **I.** Dégarnir, dénuder, déshabiller. — Inventer, trouver. — Dégoter *(fam.)*, dénicher. **II.** Déceler, dépister, détecter, deviner, percer, pénétrer. **III.** Apercevoir, apprendre, comprendre, saisir, voir. — Confesser, démasquer, dévoiler, divulguer, éventer, manifester, montrer, publier, révéler.
Ant. **I.** Couvrir. **III.** Cacher, dissimuler, taire.

Décrasser
Syn. **I.** Brosser, débarbouiller, laver, nettoyer. **III.** *(Fam.)* Dégrossir.
Ant. **I.** Barbouiller, encrasser, maculer, salir, souiller, tacher.

Décrépitude
Syn. **I.** Caducité, déclin, faiblesse, sénilité, vieillesse. **III.** Décadence.
Ant. **I. et III.** Jeunesse, vigueur.

Décret
Syn. **I.** Bulle. — Arrêté, ordonnance. **II.** Arrêt, commandement, décision, loi, ordre, règlement, verdict.

Décréter
Syn. **I.** Commander, décider, ordonner, régler.
Ant. **I.** Dérégler, obéir.

Décrier
Syn. **I.** Calomnier, dénigrer, déprécier, discréditer.
Ant. **I.** Célébrer, exalter, louer, prôner, vanter.

Décrire
Syn. **I.** Dépeindre, détailler, exposer, peindre, raconter, représenter, retracer, tracer.
Ant. **I.** Cacher, dissimuler.

Décrocher
Syn. **I.** Déclouer, délier, dépendre, détacher, enlever. **III.** *(Fam.)* Atteindre, dégoter *(fam.)*, dénicher, gagner, obtenir.
Ant. **I.** Accrocher, attacher, clouer, fixer, pendre. **III.** Échouer, perdre.

Décroissance
Syn. **I.** Décours, décroissement, décroît. **III.** Amoindrissement, décadence, déclin, décrépitude, diminution.
Ant. **III.** Accroissement, augmentation, croissance, développement, progrès.

Décroître
Syn. **I.** (S') affaiblir, (s') amoindrir, baisser, décliner, diminuer, tomber.
Ant. **I.** (S') accroître, augmenter, croître, grandir, grossir, progresser.

Décrotter
Syn. **I.** Débarbouiller, laver, nettoyer. **III.** *(Fam.)* Dégrossir.
Ant. **I.** Crotter, salir. **III.** Abêtir.

Dédaigner
Syn. **I.** Abandonner, détester, faire fi, mépriser, négliger, refuser, rejeter, repousser, tourner le dos à.
Ant. **I.** Apprécier, considérer, convoiter, désirer, estimer, faire cas, vouloir.

Dédaigneux
Syn. **I.** Altier, arrogant, condescendant, distant, fier, haut, hautain, impérieux, indépendant, insolent, méprisant, orgueilleux, rogue, supérieur.
Ant. **I.** Admiratif, attentif, débonnaire,

déférent, humble, poli, respectueux, révérencieux.

Dédain
Syn. **I.** Arrogance, condescendance, dérision, fierté, hauteur, insolence, mépris, mésestime, morgue, orgueil.
Ant. **I.** Admiration, bienveillance, considération, déférence, désir, estime, politesse, respect, souci.

Dédale
Syn. **I.** Labyrinthe. **III.** Complication, confusion, embarras, enchevêtrement, fouillis.
Ant. **III.** Arrangement, clarté, ordre, précision, simplicité.

Dedans
Syn. **I.** *(N.)* Âme, centre, cœur, contenu, intérieur. — *(Adv.)* Au-dedans, à l'intérieur, au sein de, dans, intérieurement, parmi.
Ant. **I.** Dehors, extérieur, façade. — À côté, à l'extérieur, alentour, dehors.

Dédicace
Syn. **I.** Consécration. **III.** Autographe, don, envoi, hommage, offrande, présent.

Dédier
Syn. **I.** Consacrer, dévouer, offrir, vouer. **III.** Adresser, dédicacer, faire hommage.

Dédire (Se)
Syn. **I.** (Se) contredire, (se) démentir, (se) désavouer, disconvenir, (se) raviser, renier, (se) rétracter, revenir sur, révoquer.
Ant. **I.** Attester, confirmer, corroborer, maintenir, ratifier, tenir sa parole.

Dédommagement
Syn. **I.** Compensation, dommages-intérêts, indemnité, remboursement, réparation. **III.** Consolation.
Ant. **I.** Dommage, refus.

Dédoubler
Syn. **I.** Diviser, partager, séparer.
Ant. **I.** Doubler, répéter.

Déduire

Syn. **I.** Décompter, défalquer, enlever, extraire, ôter, rabattre, retenir, retirer, retrancher, soustraire. — Conclure, démontrer, inférer, raisonner.
Ant. **I.** Additionner, ajouter, augmenter, majorer. — Induire.

Défaillance

Syn. **I.** Évanouissement, faiblesse, incapacité. **III.** Absence, défaut, manque.
Ant. **I.** Énergie, fermeté, force, puissance, vigueur. **III.** Maintien, présence, stabilité.

Défaillir

Syn. **I.** *(Pers.)* (S') évanouir, faiblir, (se) pâmer, (se) trouver mal. — *(Ch.)* (S') affaiblir, décliner, diminuer.
Ant. **I.** (Se) maintenir, (se) remonter. — Augmenter, redoubler.

Défaire

Syn. **I.** Abattre, anéantir, démantibuler, démolir, détruire, supprimer. — Déballer, dénouer, déranger, détacher. **III.** Débarrasser, délivrer. — Abolir, annuler, rompre. — Battre, enfoncer, mettre en déroute, vaincre.
Ant. **I.** Assembler, attacher, consolider, construire, établir, exécuter, fabriquer, façonner, faire, produire. **III.** Imposer. — Maintenir. — Tenir.

Défaite

Syn. **I.** Débâcle, débandade, déroute, désarroi, désastre, échec, fuite, insuccès, revers. — Échappatoire, excuse, fauxfuyant, prétexte.
Ant. **I.** Lauriers, réussite, succès, triomphe, victoire.

Défalquer V. *Déduire*

Défaut

Syn. **I.** Absence, carence, déséquilibre, faute, insuffisance, lacune, manque, pénurie, privation, rareté. — Anomalie, défectuosité, difformité, malformation, tare, vice. — Inconvénient, incorrection, irré-gularité, maladresse. — Faiblesse, imperfection, mal, manquement, négligence, péché, ridicule, travers.
Ant. **I.** Abondance, excès. — Correction, intégrité, précision, qualité, régularité, symétrie. — Mérite, perfection, vertu.

Défaveur

Syn. **I.** Adversité, défiance, discrédit, disgrâce, hostilité, inimitié, limogeage *(fam.)*, revers.
Ant. **I.** Avantage, bienfait, faveur, grâce, service.

Défavorable

Syn. **I.** Adverse, contraire, désavantageux, dommageable, ennemi, hostile, inopportun, mauvais, nuisible, opposé, préjudiciable, ruineux. — Péjoratif.
Ant. **I.** Avantageux, avenant, bienveillant, favorable, obligeant, profitable, propice, prospère. — Mélioratif.

Défection

Syn. **I.** Abandon, absence, débandade, délaissement, déroute, désertion, fuite, lâchage, trahison.
Ant. **I.** Attachement, fidélité, ralliement.

Défectueux

Syn. **I.** Boiteux, fautif, imparfait, incorrect, manqué, mauvais, vicieux.
Ant. **I.** Correct, exact, irréprochable, parfait, soigné.

Défectuosité

Syn. **I.** Défaut, difformité, imperfection, insuffisance, lacune, malfaçon, vice.
Ant. **I.** Conformité, correction, exactitude, perfection.

Défendre (et Se)

Syn. **I.** *(V. tr.)* Appuyer, couvrir, garantir, garder, maintenir, protéger, sauvegarder, sauver, secourir, soutenir, tenir. — Plaider. — Empêcher, interdire, prohiber, proscrire. — *(V. pr.)* (Se) battre, lutter, résister, riposter. — (Se) disculper, (s') excuser, (s') expliquer, (se) justifier, réfuter, répondre.

Ant. **I.** Assaillir, attaquer. − Accuser. − Autoriser, concéder, ordonner, permettre, tolérer. − *(V. pr.)* Capituler, (se) rendre. − Inculper.

Défendu
Syn. **I.** Mis à couvert, protégé. − Illégitime, incorrect, interdit, prohibé, mauvais. *Ant.* **I.** Abandonné. − Autorisé, consenti, légal, légitime, licite, permis.

Défense
Syn. **I.** Aide, protection, rescousse, résistance, sauvegarde, secours, soutien. − Apologie, disculpation, excuse, justification, plaidoirie, plaidoyer. − Interdiction, prohibition. *Ant.* **I.** Agression, attaque, offensive. − Accusation, inculpation, réquisitoire. − Autorisation, consentement, permission, tolérance.

Défenseur
Syn. **I.** Champion, chevalier, protecteur, redresseur (de torts), soutien. **III.** Apôtre, appui, avocat, partisan, tenant. *Ant.* **I.** Agresseur, assaillant, déserteur. **III.** Accusateur, adversaire.

Déférence
Syn. **I.** Complaisance, considération, égard, estime, politesse, respect, révérence, vénération. *Ant.* **I.** Arrogance, dédain, impolitesse, incivilité, insolence, irrespect, morgue.

Déférer
Syn. **I.** *(V. tr.) (Dr.)* Actionner, assigner, citer, traduire (en justice). − *(Vx)* Accorder, attribuer, conférer, décerner, donner. − *(V. intr.)* Acquiescer, céder, obtempérer. *Ant.* **I.** Abandonner, renoncer à. − Refuser, résister.

Défi
Syn. **I.** Épreuve, lutte. − Bravade, cartel, menace, provocation. *Ant.* **I.** Soumission.

Défiance
Syn. **I.** Appréhension, crainte, doute, incrédulité, inquiétude, méfiance, peur, prévention, réserve, soupçon, suspicion. *Ant.* **I.** Assurance, confiance, foi, repos.

Déficit
Syn. **I.** Absence, dette, manque, passif, perte. *Ant.* **I.** Actif, bénéfice, complément, excédent, profit, supplément, surplus.

Défier (et Se)
Syn. **I.** *(V. tr.)* Affronter, braver, inciter, narguer, provoquer. − *(V. pr.)* Craindre, douter, (se) garder, (se) méfier, soupçonner, suspecter. *Ant.* **I.** Fuir, respecter. − (S') abandonner, (s') appuyer, compter sur, (se) fier.

Défigurer
Syn. **I.** Abîmer, altérer, changer, enlaidir, gâter. **III.** Caricaturer, dénaturer, fausser, transformer, travestir. *Ant.* **I.** Arranger, embellir. **III.** Respecter, restituer.

Défilé
Syn. **I.** *(Géogr.)* Col, couloir, détroit, gorge, pas, passe, passage. **II.** Colonne, cortège, file, procession, revue, succession, suite, théorie. *Ant.* **I.** Plaine, plateau, sommet.

Défiler (et Se)
Syn. **I.** *(V. tr.)* Défaufiler, effiler, effilocher. − *(V. intr.)* Aller, évoluer, manœuvrer, marcher, passer. − *(V. pr.)* (Se) dérober, disparaître, (s') esquiver, filer. *Ant.* **I.** Enfiler. − Arrêter, faire halte, se reposer.

Définir
Syn. **I.** Décider, déterminer, expliquer, fixer, préciser, spécifier. *Ant.* **I.** Compliquer, confondre, embrouiller, mêler.

Définitif
Syn. **I.** Décisif, déterminé, final, fixe, ir-

rémédiable, irrévocable, perpétuel. *Ant.* **I.** Momentané, provisoire.

Défoncer
Syn. **II.** Abîmer, bêcher, briser, casser, creuser, détruire, disloquer, effondrer, enfoncer, éventrer, labourer. *Ant.* **II.** Consolider, renforcer.

Déformation
Syn. **I.** Altération, changement, corruption, falsification, modification. *Ant.* **I.** Correction, embellissement, enjolivement, redressement.

Déformer
Syn. **I.** Altérer, changer, contrefaire, modifier, transformer. **III.** Corrompre, défigurer, dénaturer, dépraver, gâter, travestir. *Ant.* **I.** Corriger, embellir, former, parfaire. **III.** Redresser, réformer.

Défricher
Syn. **I.** Déboiser, débroussailler, dégager, éclaircir, essarter, nettoyer. **III** Déblayer, débrouiller, dégrossir, démêler, préparer. *Ant.* **I.** Laisser en friche. **III.** Embrouiller, emmêler, enchevêtrer.

Dégagement
Syn. **I.** Déblaiement, passage. — Communication, corridor, couloir, issue, sortie. **II.** Diffusion, échappement, émanation, production *(chimie).* **III.** Affranchissement, dégrèvement, délivrance, émancipation, indépendance, libération, retrait. *Ant.* **I.** Cul-de-sac, impasse. **II.** Absorption. **III.** Assujettissement, contrainte, dépendance, engagement, obligation.

Dégager
Syn. **I.** Débarrasser, déblayer, débloquer, dépêtrer, désencombrer. — Délivrer, ôter, retirer. — Émettre, exhaler, produire, répandre. **III.** Abstraire, distinguer, extraire, isoler, séparer, tirer. — Affranchir, décharger, dégrever, dispenser, exonérer, libérer, soustraire.

Ant. **I.** Bloquer, encombrer. — Engager, mettre. — Absorber. **III.** Confondre, mêler. — Assujettir, grever, surcharger.

Dégarnir
Syn. **I.** Découvrir, démeubler, déparer, dépouiller, enlever, retirer, supprimer, vider. *Ant.* **I.** Décorer, garnir, meubler, munir, orner, pourvoir.

Dégât
Syn. **I.** Débris, décombres, dépradation, destruction, détérioration, dévastation, dommage, ravage, ruine. *Ant.* **I.** Réparation, restauration, rétablissement.

Dégénérer
Syn. **I.** (S') abâtardir, changer, (se) transformer. **II.** (S') affaiblir, (s') avilir, baisser, déchoir, décliner, décroître, (se) détériorer, rétrograder, tomber. *Ant.* **I.** Améliorer, régénérer. **II.** Fleurir, progresser.

Dégénérescence
Syn. **I.** Abâtardissement. **III.** Déchéance, déclin, décrépitude, ruine. *Ant.* **I.** et **II.** Amélioration, progrès, relèvement.

Dégourdi
Syn. **I.** Avisé, astucieux, débrouillard, déluré, éveillé, habile, malin. *Ant.* **I.** Engourdi, gauche, gourd, maladroit.

Dégoût
Syn. **I.** Aversion, écœurement, haut-le-cœur, inappétence, nausée, répugnance, répulsion. **III.** Antipathie, éloignement, exécration, haine, horreur. *Ant.* **I.** et **III.** Agrément, appétit, attrait, contentement, désir, envie, goût, satisfaction, sympathie.

Dégoûtant
Syn. **I.** Déplaisant, écœurant, fétide, immonde, infect, innommable, malpropre,

nauséabond, puant, rebutant, repoussant, répugnant. **III.** Abject, cochon *(fam.)*, décourageant, démoralisant, ignoble, insupportable, odieux, révoltant, sale.
Ant. **I.** Appétissant, attirant, délectable, propre, ragoûtant. **III.** Beau, correct, noble, sérieux.

Dégoûter
Syn. **I.** Abattre, décourager, déplaire, écœurer, éloigner, ennuyer, fatiguer, lasser, rebuter, répugner.
Ant **I.** Attirer, charmer, délecter, plaire, supporter, tolérer.

Dégradation
Syn. **I.** Dégât, délabrement, détérioration, dommage, mutilation. **III.** Abjection, avilissement, décadence, déchéance, déshonneur, ignominie, opprobre.
Ant. **I.** Amélioration, réfection, réparation. **III.** Réhabilitation.

Dégrader
Syn. **I.** Abîmer, détériorer, endommager, mutiler. **III.** Abaisser, avilir, casser, déchoir, déconsidérer, déshonorer, destituer, dévaluer, disqualifier, humilier, rabaisser.
Ant. **I.** Améliorer, réparer. **III.** Anoblir, honorer, réhabiliter, réinstaller, relever, remettre, rétablir.

Dégrafer
Syn. **I.** Défaire, détacher, ôter.
Ant. **I.** Agrafer, attacher, joindre.

Dégraisser
Syn. **I.** Amincir, dégrossir, délarder, démaigrir. − Détacher, laver, nettoyer.
Ant. **I.** Graisser. − Salir, tacher.

Degré
Syn. **I.** Escalier, gradin, marche, palier, pas. **II.** Gradation, nuance. − Graduation, mesure, poids, titre. − Acheminement, classe, division, échelon, grade, niveau, position, rang, stade, transition.

Dégrèvement
Syn. **I.** Adoucissement, amoindrissement, détaxe, diminution, exonération, immunité, libération, reduction, remise.
Ant. **I.** Dette, hypothèque, imposition, impôt, surcharge, taxe.

Dégrever
Syn. **I.** Décharger, dispenser, exempter, exonérer, soulager.
Ant. **I.** Alourdir, grever.

Dégringolade
Syn. **I.** *(Fam.)* Chute, culbute, descente, éboulement, écroulement, effondrement, glissade. **III.** Décadence, déchéance, ruine.
Ant. **I.** Montée, remontée. **III.** Amélioration, progrès, réussite, rénovation, transformation.

Dégringoler
Syn. **I.** *(Fam.)* Culbuter, débouler, descendre, dévaler, glisser, rouler, tomber. **III.** Déchoir.
Ant. **I.** Grimper, monter, remonter. **III.** Progresser, réussir.

Déguerpir
Syn. **I.** Décamper, disparaître, (s') échapper, (s') éclipser, (s') enfuir, (s') esquiver, filer, fuir, partir, (se) sauver.
Ant. **I.** Apparaître, approcher, arriver, demeurer, (s') installer, rester.

Déguiser
Syn. **I.** Accoutrer, affubler, costumer, masquer, travestir. **II.** Arranger, cacher, camoufler, changer, colorer, contrefaire, couvrir, décorer de, dénaturer, dissimuler, envelopper, falsifier, farder, feindre, maquiller, pallier, simuler, tromper, voiler.
Ant. **II.** Découvrir, dévoiler, dire, divulguer, publier, révéler.

Dehors
Syn. **I.** Extérieur, façade, face. **II.** Air, apparence, aspect.

Ant. **I.** Centre, cœur, dedans, fond, intérieur.

Délabrer
Syn. **I.** Abîmer, déchirer, dégrader, démolir, détériorer, endommager. **III.** Gâter, ravager, ruiner.
Ant. **I.** Améliorer, entretenir, reconstruire, restaurer, rétablir.

Délai
Syn. **I.** Ajournement, atermoiement, prolongation, remise, répit, sursis.
Ant. **I.** Cessation.

Délaissement
Syn. **I.** Abandon, défection, désertion, isolement. — *(Dr.)* Cession, renonciation.
Ant. **I.** Aide, appui, secours, soutien. — Appropriation.

Délaisser
Syn. **I.** Abandonner, déserter, (se) désintéresser, lâcher, laisser, laisser tomber, négliger, planter là, plaquer, quitter. — *(Dr.)* Renoncer.
Ant. **I.** Aider, assister, conserver, entourer, fréquenter, garder, secourir, visiter.

Délassement
Syn. **I.** Détente, loisirs, récréation, repos. **II.** Amusement, distraction, divertissement.
Ant. **I.** Fatigue. **II.** Travail.

Délateur
Syn. **I.** Accusateur, dénonciateur, espion, indicateur, mouchard, sycophante, traître.
Ant. **I.** Ami, avocat, défenseur, médiateur, protecteur.

Délayer
Syn. **I.** Amalgamer, combiner, confondre, détremper, diluer, dissoudre, étendre, fondre, gâcher, liquéfier. **II.** Noyer.
Ant. **I.** Comprimer, concentrer, condenser, épaissir, presser, solidifier, retremper.

Délectable
Syn. **I.** Agréable, appétissant, bon, délicat, délicieux, doux, excellent, exquis, friand, savoureux, succulent.
Ant. **I.** Amer, dégoûtant, désagréable, détestable, insupportable, mauvais, odieux, sûr.

Délégué
Syn. **I.** Agent, ambassadeur, chargé d'affaire, commissaire, député, émissaire, envoyé, légat, mandataire, nonce, représentant.
Ant. **I.** Commettant, électeur.

Délétère
Syn. **I.** Asphyxiant, corrompu, dangereux, empoisonnant, insalubre, irrespirable, malsain, méphitique, nocif, nuisible, pollué, toxique. **III.** Corrupteur, néfaste, nuisible.
Ant. **I.** Salubre, sain, vivifiant.

Délibération
Syn. **I.** Conseil, débat, décision, délibéré, discussion, examen, réflexion, résolution.
Ant. **I.** Irréflexion, négligence.

Délibéré
Syn. **I.** Conscient, à dessein, exprès, intentionnel, réfléchi, volontaire, voulu. **II.** Arrêté, assuré, décidé, déterminé, ferme.
Ant. **I.** et **II.** Contraint, forcé, gauche, involontaire.

Délibérer
Syn. *(V. intr.)* **I.** Consulter, débattre, discuter, examiner. — Hésiter, réfléchir, (s') interroger, tergiverser. *(V. tr.)* **II.** Décider, résoudre.
Ant. **I.** Agir.

Délicat
Syn. *(Ch.)* **I.** Délié, fin, fluet, fragile, frêle, gracile, grêle, léger, menu, mince, sensible, subtil, ténu. — Agréable, bon, délectable, délicieux, exquis, raffiné, recherché. **II.** Élégant, gracieux, joli, mignon. **III.** Complexe, compliqué, dange-

reux, difficile, embarrassant, épineux, malaisé, périlleux, scabreux. *(Pers.)* **III.** Courtois, doux, obligeant, poli, prévenant. — Exigeant, pénétrant. — Probe, prude, scrupuleux. *Ant.* **I.** Fort, gros, membru, robuste, solide, vigoureux. — Déplaisant, insipide. **II.** Grotesque, lourd. **III.** Facile, simple. *(Pers.)* Indélicat, vulgaire. — Balourd, épais. — Large, laxiste.

Délicatesse
Syn. (Ch.) **I.** Débilité, faiblesse, fragilité, gracilité, ténuité. — Agrément, douceur, finesse, recherche. **II.** Adresse, élégance, habileté, joliesse, raffinement. **III.** Complexité, difficulté, subtilité. *(Pers.)* Amabilité, discrétion, gentillesse, obligeance, prévenance, tact. — Pénétration, sagacité, sensibilité. — Scrupule. *Ant.* **I.** Robustesse, vigueur. — Désagrément, fadeur. **II.** Grossièreté, laideur. **III.** Facilité, simplicité. *(Pers.)* Brutalité, lourdeur, maladresse. — Aveuglement, insensibilité. — Indélicatesse, vulgarité.

Délice (s)
Syn. **I.** Félicité, joie, ravissement, régal. — Blandice, charme, enchantement, jouissance, plaisir, satisfaction, volupté. *Ant.* **I.** Dégoût, écœurement, ennui, horreur, supplice.

Délicieux
Syn. **I.** Agréable, charmant, délectable, délicat, divin, enchanteur, exquis, merveilleux, ravissant, savoureux, suave. *Ant.* **I.** Affreux, amer, déplaisant, désagréable, fade, horrible, insipide, mauvais, repoussant.

Délié
Syn. **I.** Délicat, élancé, fin, grêle, menu, mince, souple, svelte, ténu. **III.** Pénétrant, subtil. — Agile, débrouillard, dégourdi, éveillé, habile, preste. *Ant.* **I.** Epais, gros, lourd. **III.** Obtus. — Empoté, gauche, maladroit.

Délier
Syn. **I.** Défaire, délacer, dénouer, désenchaîner, desserrer, détacher, relâcher. **III.** Absoudre, affranchir, dégager, délivrer, exempter, libérer, relever. *Ant.* **I.** Attacher, enchaîner, ficeler, lier, nouer. **III.** Condamner, détenir, engager.

Délimiter
Syn. **I.** Borner, limiter, marquer. **III.** Caractériser, circonscrire, définir, déterminer, fixer, restreindre. *Ant.* **I.** Élargir. **III.** Déborder, développer, étendre.

Délirant
Syn. **I.** Désordonné. **III.** Ardent, débordant, déréglé, enivrant, étourdissant, excessif, extravagant, exubérant, fou, frénétique, passionnant. *Ant.* **I.** et **III.** Calme, ordonné, raisonné, réfléchi, sensé.

Délire
Syn. **I.** Divagation, égarement, hallucination. **III.** Agitation, enthousiasme, exaltation, exultation, frémissement, frénésie, surexcitation, transport. *Ant.* **I.** Lucidité. **III.** Bon sens, calme, retenue, sang-froid.

Délit
Syn. **I.** Contravention, crime, dérogation, faute, forfait, infraction, manquement, transgression, violation. *Ant.* **I.** (Bonne) action, bienfait, observation, respect.

Délivrer
Syn. **I.** Livrer, remettre. — V. *Libérer*. *Ant.* **I.** Garder.

Déloger
Syn. **I.** *(V. intr.)* Abandonner, (plier) bagage, décamper, déguerpir, déménager, disparaître, filer, laisser, partir. — Quitter. — *(V. tr.)* Chasser, débusquer, expulser, renvoyer, vider. *Ant.* **I.** Camper, demeurer, établir, garder, installer, loger, poster, séjourner.

Déloyal
Syn. **I.** Faux, filou, fourbe, hypocrite, infidèle, lâche, malhonnête, perfide, renégat, traître, trompeur, véreux.
Ant. **I.** Droit, fidèle, franc, loyal, ouvert, sincère.

Déluge
Syn. **II.** Averse, cataracte, débordement, flot, inondation, irruption, pluie, torrent, trombe. **III.** Abondance, afflux, déferlement, flux.
Ant. **II.** Aridité, sécheresse. **III.** Manque, rareté.

Déluré
Syn. **I.** Débrouillard, dégagé, dégourdi, effronté, éveillé, fripon, malin, vif.
Ant. **I.** Empoté, endormi, niais.

Demande
Syn. **I.** Démarche, désir, écrit, imploration, instance, pétition, placet, prière, quête, réclamation, requête, revendication, sollicitation, souhait, supplication, supplique, vœu. — Interrogation, question.
Ant. **I.** Offre, réponse.

Demander
Syn. **I.** Désirer, exiger, implorer, mendier, prier, quémander, quêter, réclamer, revendiquer, souhaiter, solliciter, vouloir. — Commander, enjoindre, ordonner, prescrire. — Interroger, questionner. — *(Ch.)* Appeler, nécessiter, requérir.
Ant. **I.** Obtenir, prendre, recevoir. — Décommander. — Répondre.

Démanteler V. *Abattre*

Démarche
Syn. **I.** Air, allure, maintien, marche, pas, port. **II.** Attitude, chemin, cheminement, comportement, conduite. — Demande, intervention, requête, sollicitation.

Démarrer
Syn. (V. tr.) **II.** Mettre en mouvement. **III.** *(Fam.)* Commencer, entreprendre.

(V. intr.) **I.** Rompre (les amarres), quitter (le port). **II.** (S'en) aller, partir. **III.** Commencer à fonctionner.
Ant. **I.** Demeurer, piétiner, rester. **III.** Achever, terminer.

Démêler
Syn. **I.** Débrouiller, distinguer, séparer, trier. **III.** Discerner, distinguer, éclaircir. — Débattre, discuter.
Ant. **I. et III.** Brouiller, confondre, embrouiller, emmêler, enchevêtrer, mélanger, mêler.

Démembrer
Syn. **I.** Arracher, briser, découper, dépecer, désunir, détacher, disloquer, disséquer, écarteler, morceler, mutiler, tailler. **III.** Diviser, partager, séparer.
Ant. **I. et III.** Attacher, rassembler, remembrer, unifier.

Déménager
Syn. **I.** Charrier, charroyer, déplacer, emporter, enlever, transporter. **II.** Partir. **III.** *(Fam.)* Déraisonner.
Ant. **I.** Emménager, (s') installer.

Démence
Syn. **I.** Aliénation, folie. **II.** Aberration, déraison, divagation, égarement, extravagance, manie.
Ant. **I. et II.** Équilibre, raison.

Démener (Se)
Syn. **I.** (S') agiter, (se) débattre, (se) mouvoir, (se) remuer. **III.** (Se) débrouiller, (se) dépenser, discuter, lutter, (se) multiplier.
Ant. **I.** Rester tranquille. **III.** (Se) désintéresser.

Démenti
Syn. **I.** Contestation, contradiction, dénégation, déni, désaveu, infirmation, opposition, réfutation.
Ant. **I.** Attestation, aveu, confirmation, corroboration, ratification.

Démentir
Syn. **I.** Contester, contredire, dédire, désavouer, infirmer, nier, opposer, réfuter, rejeter. **III.** *(Ch.)* Décevoir, tromper.
Ant. **I.** Affirmer, appuyer, assurer, attester, certifier, confirmer, corroborer, garantir, ratifier, soutenir.

Démesuré
Syn. **I.** Colossal, énorme, gigantesque, immense, monstrueux. **III.** Abusif, exagéré, excessif, exorbitant, extraordinaire, extrême, infini, outré.
Ant. **I.** et **III.** Commun, faible, infime, insignifiant, médiocre, modéré, moyen, ordinaire, petit, simple.

Démettre
Syn. **I.** Déboîter, désarticuler, disloquer, luxer. — Casser, chasser, congédier, débouter, déplacer, destituer, licencier, relever de, remercier, renvoyer, révoquer.
Ant. **I.** Remettre, replacer. — Admettre, convier, employer, engager, réintégrer, reprendre.

Demeure
Syn. **I.** Bercail, chez-soi, couvert, domicile, feu *(fig.)*, foyer, gîte, habitation, home, logement, logis, maison, pied-à-terre, résidence, séjour.

Demeurer
Syn. **I.** Gîter, habiter, loger, nicher, percher, résider, séjourner, vivre. — (S') attarder, rester. — *(Ch.)* Continuer, durer, (se) maintenir, persister, subsister.
Ant. **I.** Changer, décamper, déguerpir, déloger, filer, partir, quitter, sortir, vider (les lieux). — Disparaître.

Demi (et À)
Syn. **I.** Mi, semi. — Imparfaitement, (à) moitié, presque.
Ant. **I.** Complet, entier. — Complètement, parfaitement.

Démission
Syn. **I.** Abandon, abdication, désiste-
ment, renonciation, résignation.
Ant. **I.** Maintien.

Démodé
Syn. **I.** Archaïque, dépassé, désuet, périmé, suranné, vieillot.
Ant. **I.** (D') avant-garde, (à la) mode.

Démolir
Syn. **I.** Abattre, abîmer, anéantir, briser, casser, culbuter, défaire, déglinguer *(fam.)*, démanteler, démantibuler, démonter, détraquer, détruire, raser, renverser, ruiner, supprimer.
Ant. **I.** Bâtir, construire, créer, édifier, élaborer, élever, ériger, établir, fonder, reconstruire, relever, réparer.

Démon
Syn. **I.** Diable, Lucifer, Malin, Satan. **II.** Esprit, génie, lutin. **III.** Furie, harpie.
Ant. **I.** Ange, archange.

Démoniaque
Syn. **I.** Diabolique, satanique.
Ant. **I.** Angélique, divin.

Démonstratif
Syn. **I.** Apodictique, convaincant, évident, probant. — *(Pers.)* Communicatif, expansif, exubérant, ouvert.
Ant. **I.** Confus, incertain. — Fermé, froid, renfermé, réservé, taciturne.

Démonstration
Syn. **I.** Argument, déduction, expérience, explication, justification, preuve. — Étalage, manifestation, marque, protestation, témoignage.

Démonter
Syn. **I.** Désarçonner. — Défaire, dérégler, désassembler, désunir, détraquer. **III.** Ahurir, déconcerter, décontenancer, interloquer, renverser.
Ant. **I.** Assembler, monter, remonter, unir. **III.** Encourager, rassurer, relever, stimuler.

Démontrer
Syn. **I.** Attester, établir, expliquer, indi-

quer, justifier, montrer, prouver, témoigner de, vérifier.
Ant. **I.** Contester, démentir, désavouer, infirmer.

Démoraliser
Syn. **I.** Abattre, décourager, démonter, désorienter, lasser, rebuter.
Ant. **I.** Encourager, exhorter, galvaniser, remonter.

Démunir
Syn. **I.** Dégarnir, déposséder, dépouiller, spolier.
Ant. **I.** Approvisionner, enrichir, équiper, munir.

Dénaturer
Syn. **I.** Altérer, vicier. **III.** Contrefaire, défigurer, déformer, falsifier, fausser, frelater, transformer, travestir, tronquer, truquer.
Ant. **I.** Conserver, purifier. **III.** Respecter, restituer.

Dénégation
Syn. **I.** Contestation, démenti, déni, désaveu, négation.
Ant. **I.** Acceptation, attestation, aveu, reconnaissance.

Dénicher
Syn. *(V. tr.)* **I.** Chasser, débusquer. **II.** Découvrir, dégoter *(fam.)*, trouver. *(V. intr.)* **I.** Partir. **III.** (S') enfuir, (s') évader, (se) sauver.
Ant. **I.** Abriter, accepter, accueillir. **III.** Résider, séjourner.

Dénigrer
Syn. **I.** Accuser, attaquer, calomnier, critiquer, décrier, déprécier, déshonorer, diffamer, discréditer, mépriser, noircir, rabaisser, salir.
Ant. **I.** Approuver, exalter, louer, vanter.

Dénombrement
Syn. **I.** Compte, énumération, inventaire, liste, nomenclature, recensement.

Dénoncer
Syn. **I.** Accuser, cafarder, déférer, donner, incriminer, livrer, moucharder, rapporter, trahir, vendre. **II.** Stigmatiser. **III.** Annoncer, dénoter, indiquer, montrer, signaler.
Ant. **I.** Défendre, justifier, seconder, servir. **II.** Féliciter. **III.** Cacher, taire.

Dénonciateur
Syn. **I.** Accusateur, délateur, détracteur, indicateur, mouchard, sycophante.
Ant. **I.** Aide, avocat, défenseur, médiateur, protecteur.

Dénouement
Syn. **I.** Aboutissement, achèvement, conclusion, épilogue, fin, issue, résultat, solution, terme.
Ant. **I.** Commencement, début, exposition, préparation, prologue.

Dénouer
Syn. **I.** Défaire, dégager, délacer, délier, desserrer, détacher. **III.** Démêler, éclaircir, résoudre.
Ant. **I.** Attacher, entrelacer, lier, nouer, renouer. **III.** Embrouiller, mêler.

Denrée
Syn. **I.** Aliment, comestible, provisions, subsistance, vivres.

Dense
Syn. **I.** Abondant, compact, dru, épais, impénétrable, lourd, serré, touffu. **III.** Concis, condensé, ramassé.
Ant. **I.** Clair, clairsemé, dilaté, éclairci, rare, raréfié.

Dénuder
Syn. **I.** Découvrir, dégarnir, dépouiller, déshabiller, dévêtir.
Ant. **I.** Couvrir, garnir, habiller, vêtir.

Dénué
Syn. **I.** Démuni, dépouillé, dépourvu, destitué, nu, pauvre, privé de.
Ant. **I.** Doté, muni, nanti, pourvu, riche.

Dénuement
Syn. **I.** Besoin, gêne, indigence, misère, pauvreté.
Ant. **I.** Abondance, aisance, prospérité, richesse.

Départir (et Se)
Syn. **I.** *(V. tr.)* Accorder, attribuer, dispenser, distribuer, donner, importer, partager, répartir. — *(V. pr.)* Abandonner, renoncer à.
Ant. **I.** Conserver, garder.

Dépasser
Syn. **I.** Devancer, distancer, doubler, franchir, passer. **II.** Déborder, excéder, mordre sur, saillir, sortir de, surplomber. **III.** Surpasser. — Abuser, exagérer, outrepasser. — Dérouter, étonner.
Ant. **I.** Rester en deçà, rétrograder, suivre de loin, talonner, tirer de l'arrière. **III.** Égaler.

Dépaysé
Syn. **I.** Désorienté, égaré, perdu. **III.** Déconcerté, dérouté, embarrassé, gêné.
Ant. **I.** Orienté, rassuré. **III.** Enhardi, sûr.

Dépecer
Syn. **I.** Couper, débiter, découper, démembrer, disséquer, diviser, morceler.
Ant. **I.** Joindre, rassembler, réunir.

Dépêche
Syn. **I.** Avis, billet, câblogramme, lettre, message, missive, pli, pneumatique, télégramme.

Dépêcher (et Se)
Syn. **I.** *(V. tr.)* Déléguer, député, envoyer, expédier, transmettre. — *(V. pr.)* Accélérer, (s') empresser, (se) grouiller *(pop.)*, (se) hâter, (se) presser, (se) remuer.
Ant. **I.** Représenter, recevoir. — Lambiner, traîner.

Dépeindre
Syn. **V.** *Décrire*

Dépenaillé
Syn. **I.** *(Fam.)* Débraillé, déguenillé, loqueteux, négligé.
Ant. **I.** Bien mis, correct.

Dépendance
Syn. **I.** Annexe, appartenances, communs, filiale, succursale. — Asservissement, assujettissement, contrainte, esclavage, gêne, obédience, servitude, soumission, subordination, sujétion, vassalité. — Corrélation, enchaînement, interdépendance, liaison, solidarité.
Ant. **I.** Affranchissement, autonomie, délivrance, émancipation, indépendance, liberté.

Dépens (et Aux)
Syn. **I.** Frais judiciaires, (à la) charge de, (aux) crochets de, (au) détriment de, (aux) frais de, (au) prix de.

Dépense
Syn. **I.** Charge, débit, débours, déboursé, décaissement, déficit, frais, perte, sortie. — Dilapidation, dissipation, gaspillage, prodigalité. **III.** Consommation, emploi, usage. — Étalage, exhibition, montre.
Ant. **I.** Crédit, économie, gain, recette, rentrée, revenu.

Dépenser
Syn. **I.** Débourser, payer. — Dilapider, dissiper, gaspiller. **III.** Consacrer, déployer, employer, prodiguer.
Ant. **I.** Amasser, conserver, économiser, encaisser, épargner, ménager.

Dépensier
Syn. **I.** Dilapidateur, dissipateur, gaspilleur, gouffre, panier percé, prodigue.
Ant. **I.** Avare, économe, ladre, mesquin, parcimonieux, pingre, regardant.

Dépérir
Syn. **I.** (S') affaiblir, (s') altérer, (s') anémier, (s') atrophier, (se) consumer, (se) délabrer, (s') étioler, (se) faner, languir. **III.** Baisser, décliner, décroître, (se) détériorer, diminuer, mourir, péricliter.

Ant. **I.** et **III.** (Se) développer, (s') épanouir, renaître, (se) restaurer.

Dépérissement
Syn. **I.** Affaiblissement, amaigrissement, anémie, épuisement, étiolement, langueur. **III.** Baisse, décadence, déclin, diminution, ruine.
Ant. **I.** Accroissement, développement, épanouissement. **III.** Essor, floraison.

Dépêtrer (et **Se)**
Syn. (V. tr.) **II.** Débarrasser, sortir, tirer. *(V. pr.)* **I.** (Se) dégager, (se) délivrer, (se) tirer d'embarras.
Ant. **II.** Empêtrer. **I.** (S') encombrer.

Dépeupler
Syn. **I.** Décimer, dégarnir, dépouiller, diminuer. **II.** Éclaircir, épuiser.
Ant. **I.** et **II.** Augmenter, garnir, multiplier, peupler, repeupler, surpeupler.

Dépit
Syn. **I.** Aigreur, amertume, colère, contrariété, désappointement, emportement, fureur, irritation, jalousie, mécontentement, rage, rancœur, ressentiment.
Ant. **I.** Calme, contentement, douceur, joie, sang-froid, satisfaction.

Dépiter
Syn. **I.** Chagriner, contrarier, décevoir, désappointer, fâcher, froisser, mécontenter, mortifier, vexer.
Ant. **I.** Combler, contenter, satisfaire.

Déplacé
Syn. **I.** Choquant, impertinent, incongru, inconvenant, incorrect, inopportun, insolent, malséant, malsonnant, scabreux.
Ant. **I.** Bienséant, bienvenu, convenable, décent, opportun, poli.

Déplacer
Syn. **I.** Bouger, changer, déménager, déranger, intervertir, inverser, permuter, transférer, transposer.
Ant. **I.** Laisser, maintenir, remettre, replacer, rétablir.

Déplaire
Syn. **I.** Dégoûter, ennuyer, rebuter, répugner. — Blesser, chagriner, choquer, contrarier, fâcher, gêner, importuner, indisposer, irriter, offenser, offusquer, peiner, vexer.
Ant. **I.** Plaire, séduire, apaiser, calmer, ravir.

Déplaisant
Syn. **I.** Agaçant, antipathique, blessant, choquant, contrariant, dégoûtant, désagréable, désobligeant, disgracieux, ennuyeux, fâcheux, gênant, importun, inopportun, irritant, pénible, répugnant.
Ant. **I.** Agréable, aimable, amène, attrayant, charmant, engageant, plaisant.

Déplaisir
Syn. **I.** Amertume, contrariété, mécontentement.
Ant. **I.** Contentement, plaisir, satisfaction.

Déplier
Syn. **I.** Déballer, défaire, déficeler, dépaqueter, déployer, dérouler, développer, étaler, étendre, ouvrir.
Ant. **I.** Emballer, empaqueter, enrouler, entortiller, plier, ranger, replier.

Déploiement
Syn. **I.** Extension. — Déferlage. **III.** Démonstration, étalage, exhibition, manifestation, parade.
Ant. **I.** Contraction. — Pliage. **III.** Dissimulation.

Déplorable
Syn. **I.** Affligeant, blâmable, désastreux, désagréable, détestable, exécrable, fâcheux, laid, lamentable, navrant, pénible, regrettable, triste.
Ant. **I.** Agréable, béni, enviable, excellent, heureux, inespéré, remarquable.

Déplorer
Syn. **I.** Compatir à, (avoir) pitié, plaindre, pleurer, regretter.

Ant. I. Apprécier, (se) féliciter, (se) réjouir.

Déployer

Syn. **I.** Déferler, déplier, dérouler, développer, étaler, étendre, ouvrir. **III.** Employer, manifester, prodiguer, user de. — Arborer, exhiber. (faire) parade. *Ant.* **I.** Envelopper, plier, ployer, replier, rouler. **III.** Cacher, mesurer.

Déportation

Syn. **I.** Bannissement, éloignement, exil, ostracisme, proscription, relégation, transportation. *Ant.* **I.** Rapatriement.

Déportements

Syn. **I.** Débauche, débordements, déréglements, désordres, dévergondages, écarts de conduite, excès, inconduite, licence. *Ant.* **I.** Continence, modération, privation, réserve.

Déporter

Syn. **I.** Bannir, éloigner, exiler, proscrire, reléguer, transporter. — Déplacer, détourner, dévier, écarter. *Ant.* **I.** Gracier, ramener, rapatrier. — Garder, rapprocher.

Déposer

Syn. (V. tr.) **I.** Laisser, mettre, placer, poser. — Confier, consigner, emmagasiner, entreposer, mettre, produire, remettre, verser. — Enlever, ôter. **III.** Abandonner, (se) dépouiller, quitter. — Abdiquer, démettre, destituer, disgracier, limoger, relever, renvoyer, révoquer. *(V. intr.)* **I.** *(Dr.)* Témoigner. — *(Ch.)* (Se) décanter, précipiter. *Ant.* **I.** Prendre, retirer. **III.** Couronner, nommer, réintégrer.

Déposition

Syn. **I.** Déchéance, destitution. — *(Dr.)* Déclaration, témoignage. *Ant.* **I.** Investiture, réintégration.

Déposséder

Syn. **I.** Dépouiller, déshériter, dessaisir, enlever, exproprier, évincer, frustrer, ôter, priver, spolier, supplanter. *Ant.* **I.** Avoir, donner, enrichir, posséder, réintégrer, rendre.

Dépôt

Syn. **I.** Caution, cautionnement, consignation, couverture, gage, garantie, provision, séquestre. — Entrepôt, magasin, réserve, stock. — Garage. — Prison. — Incrustation, lie, précipité, tartre. — Alluvion, sédiment. *Ant.* **I.** Retrait.

Dépouille (s)

Syn. **I.** Peau. **III.** Cadavre. **I.** *(Pl.)* Butin, capture, prise, proie, trophée.

Dépouillement

Syn. **I.** Détachement, privation, renoncement. — Sobriété. — Examen, relevé. *Ant.* **I.** Possession. — Exubérance.

Dépouiller

Syn. **I.** Dépiauter, écorcher, ôter. — Dégager, dégarnir, dénuder, déshabiller, dévêtir. — Démunir, déposséder, déshériter, détrousser, dévaliser, piller, plumer, priver, spolier, tondre, voler. — Arracher, enlever, quitter, perdre, retirer. — Analyser, décompter, établir le compte, examiner. **III.** Renoncer à. *Ant.* **I.** Garnir, habiller, mettre, revêtir, vêtir. — Acquérir, donner, enrichir, remettre, restituer. **III.** Garder.

Dépourvu V. *Dénué*

Dépravé

Syn. **I.** Perverti. — Corrompu, pervers, vicieux. *Ant.* **I.** Normal, sain.

Déprécier

Syn. **I.** Abaisser, attaquer, avilir, critiquer, déconsidérer, décrier, dénigrer, dépriser, dévaloriser, dévaluer, discréditer, méconnaître, méjuger, mépriser, mésestimer, minimiser, rabaisser, ravaler, salir, sous-estimer, ternir. *Ant.* **I.** Admirer, apprécier, estimer, exalter, glorifier, louer, magnifier, surestimer, vanter.

Déprédation
Syn. **I.** Brigandage, dégât, dégradation, destruction, détérioration, dévastation, dommage, pillage, rapine. — Concussion, détournement, dilapidation, exaction, malversation, prévarication. *Ant.* **I.** Conservation, don, protection, rénovation, restitution.

Dépression
Syn. **I.** Affaissement, concavité, creux, enfoncement. **III.** Abattement, asthénie, découragement, marasme, mélancolie, neurasthénie. — Crise, récession. *Ant.* **I.** Élévation, éminence, sommet, soulèvement. **III.** Euphorie, exaltation, excitation, vitalité. — Expansion, hausse, progrès, prospérité.

Déprimer
Syn. **I.** Affaisser, enfoncer. **III.** Abattre, décourager, démoraliser. *Ant.* **I.** Bomber. **III.** Exalter, réjouir, remonter, revigorer.

Député
Syn. **I.** Agent, ambassadeur, commissionnaire, délégué, envoyé, légat, mandataire, représentant. — Élu du peuple, parlementaire.

Déraciner
Syn. **I.** Abattre, arracher, déplanter, déterrer, enlever, essoucher. **II.** Extraire. **III.** Déporter, exiler, expatrier. — Détruire, extirper. *Ant.* **I.** Enfoncer, enraciner, planter. **III.** Rapatrier. — Ajouter.

Déraisonnable
Syn. **I.** Absurde, bête, excessif, extravagant, insensé, irrationnel, irréfléchi. *Ant.* **I.** Acceptable, convenable, légitime, modéré, normal, raisonnable, sensé.

Dérangement
Syn. **I.** Bouleversement, chambardement, changement, déplacement, dérèglement, désorganisation, détraquement, remueménage. — Intervention, permutation, transposition. **III.** Désordre, gêne, trouble. *Ant.* **I.** et **III.** Arrangement, ordre, rangement, règlement, tranquillité.

Déranger
Syn. **I.** Altérer, bouleverser, chambarder *(fam.)*, défaire, déglinguer *(fam.)*, déplacer, dérégler, désorganiser, détraquer, disloquer. **III.** Déséquilibrer. — Changer, contrarier, contrecarrer, distraire, embarrasser, ennuyer, gêner, importuner, interrompre, perturber, troubler. *Ant.* **I.** Arranger, classer, disposer, ordonner, organiser, placer, ranger, régler. **III.** Équilibrer. — Aider, laisser terminer.

Déréglé
Syn. **I.** Dérangé, désaxé, désorganisé, détraqué, irrégulier. **III.** Démesuré, déséquilibré, désordonné, excessif. — Débauché, libertin. *Ant.* **I.** Organisé, réglé, régulier. **III.** Équilibré, mesuré, ordonné, rangé. — Raisonnable, sage.

Dérider
Syn. **III.** Amuser, désopiler, détendre, égayer, épanouir, réjouir. *Ant.* **III.** Attrister, chagriner, contrister, déplaire.

Dérision
Syn. **I.** Dédain, ironie, mépris, moquerie, persiflage, raillerie, risée, sarcasme. *Ant.* **I.** Bienveillance, charité, considération, déférence, estime, respect.

Dérisoire
Syn. **I.** Insignifiant, minable, minime, nul, piètre, pitoyable, ridicule. *Ant.* **I.** Imposant, important, respectueux, sérieux.

Dérive (À la)
Syn. I. À l'abandon, à l'aveuglette, à vau-l'eau.

Dériver
Syn. I. *(V. tr.)* Détourner, dévier, perdre sa route. — *(V. intr.)* Découler, émaner, (s') ensuivre, procéder, provenir, résulter, venir.
Ant. I. Remettre dans la voie. — Causer, provoquer.

Dérober (et Se)
Syn. (V. tr.) I. Dépouiller, détrousser, dévaliser, distraire, escroquer, extorquer, prendre, soustraire, soutirer, subtiliser, surprendre, usurper, voler. II. Cacher, dissimuler, marquer, voiler. — Enlever, ôter, retirer. *(V. pr.)* I. (Se) cacher, disparaître, échapper, (s') éclipser, (se) sauver. III. Éluder, esquiver, éviter, fuir, manquer à.
Ant. (V. tr.) I. Donner, rembourser, remettre, rendre, restituer. II. Montrer. — Livrer. *(V. pr.)* I. (Se) montrer. III. Accepter, affronter, faire.

Dérogation
Syn. I. Entorse *(fig.)*, exception, infraction, violation.
Ant. I. Conformité, observance.

Déroger
Syn. I. Enfreindre, transgresser, violer. II. (S') abaisser, déchoir, manquer.
Ant. I. Observer, respecter. II. Garder, tenir (son rang).

Dérouler (et Se)
Syn. I. *(V. tr.)* Déplier, déployer, développer, dévider, étaler, étendre, montrer. — *(V. pr.)* Avoir lieu, (s') écouler, (se) passer.
Ant. I. Enrouler, envelopper, replier, rouler. — (S') arrêter.

Déroute
Syn. I. Débâcle, débandade, défaite, dé-

sarroi, désordre, échec, fuite, insuccès, revers.
Ant. I. Ordre, résistance, victoire.

Dérouter
Syn. I. Détourner, dévier. III. Confondre, déconcerter, décontenancer, désorienter, troubler.
Ant. III. Apaiser, encourager, rassurer.

Derrière
Syn. (N.) I. Arrière, dos, fond, revers, verso. II. Arrière-train, croupe, postérieur, séant, siège. *(Prép.)* I. Après, (en) arrière, (au) dos, (en) queue, (à la) queue leu leu, (à la) suite.
Ant. I. Avant, devant, façade, front. — (En) avant, devant, (en) premier.

Désabuser
Syn. I. Désenchanter, détromper, désillusionner.
Ant. I. Abuser, tromper.

Désaccord
Syn. I. *(Pers.)* Brouille, désunion, différend, discorde, dissension, dissentiment, mésentente, mésintelligence. — *(Ch.)* Contraste, discordance, incompatibilité, opposition.
Ant. I. Accord, alliance, entente, harmonie, pacte, paix, traité. — Analogie, identité.

Désagréable
Syn. I. *(Ch.)* Acide, âcre, aigre, blessant, déplaisant, douloureux, ennuyeux, fâcheux, gênant, incommodant, intolérable, mauvais, pénible. — *(Pers.)* Acariâtre, antipathique, atrabilaire, désobligeant, grossier, haïssable, impoli, importun, insupportable, odieux.
Ant. I. Agréable, beau, délicat, délicieux, enchanteur, encourageant, gracieux, plaisant. — Affable, aimable, charmant, gentil, joli, poli, sympathique.

Désagréger
Syn. I. Disjoindre, dissocier, dissoudre, diviser. III. Décomposer, désunir,

détruire, disloquer, morceler, pulvériser, séparer.
Ant. **I.** Agréger, agglomérer, assembler, combiner, composer, fusionner, joindre. **III.** Renforcer, unifier, unir.

Désagrément
Syn. **I.** Contrariété, contretemps, déplaisir, désenchantement, difficulté, embarras, ennui, mécontentement, souci, tracas.
Ant. **I.** Agrément, charme, enchantement, plaisir.

Désaltérer
Syn. **I.** Abreuver, apaiser (la soif), boire, étancher (la soif), rafraîchir. **III.** Combler, satisfaire, soulager.
Ant. **I.** et **III.** Altérer, assoiffer.

Désappointer
Syn. **I.** Décevoir, déconcerter, décontenancer, démonter, mécontenter, tromper.
Ant. **I.** Combler, contenter, satisfaire.

Désapprendre
Syn. **I.** Oublier, perdre.
Ant. **I.** (Se) rappeler.

Désapprobation
Syn. **I.** Admonestation, blâme, condamnation, critique, désaveu, improbation, opposition, réprimande, réprobation.
Ant. **I.** Acquiescement, agrément, adhésion, approbation, consentement.

Désapprouver
Syn. **I.** Blâmer, censurer, condamner, critiquer, désavouer, huer, improuver, protester, rejeter, reprocher, réprouver, siffler.
Ant. **I.** Applaudir à, apprécier, approuver, consentir, féliciter, louer, ratifier, soutenir.

Désarçonner
Syn. **I.** Démonter, vider (les étriers). **III.** Confondre, déconcerter, troubler.
Ant. **I.** Monter. **III.** Aider, mettre à l'aise, plaire.

Désarmer
Syn. **I.** Démilitariser, dépouiller. **II.** Désamorcer. **III.** Adoucir, apaiser, attendrir, céder, fléchir, renoncer, toucher.
Ant. **I.** Armer. **III.** Endurcir, enhardir, entêter.

Désarroi
Syn. **I.** Angoisse, confusion, désordre, détresse, égarement, embarras, perturbation, trouble.
Ant. **I.** Assurance, calme, fermeté, harmonie, ordre, paix.

Désastre
Syn. **I.** Bouleversement, calamité, cataclysme, catastrophe, fléau, malheur. — Banqueroute, déconfiture, faillite, ruine. — Défaite, déroute.
Ant. **I.** Bonheur, fortune, prospérité, réussite, salut, succès, victoire.

Désastreux
Syn. **I.** Atroce, catastrophique, épouvantable, fatal, funeste, malheureux, mauvais, néfaste, ruineux.
Ant. **I.** Avantageux, encourageant, favorable, heureux, propice, salutaire.

Désavantage
Syn. **I.** Désagrément, détriment, handicap, inconvénient, infériorité, préjudice, tort.
Ant. **I.** Agrément, avantage, bénéfice, faveur, gain, profit.

Désavantager
Syn. **I.** Défavoriser, déshériter, desservir, frustrer, handicaper, léser, nuire.
Ant. **I.** Avantager, doter, favoriser.

Désavantageux V. *Défavorable*

Désaveu
Syn. **I.** Démenti, dénégation, déni, désapprobation, négation, palinodie, reniement, réticence, rétractation. — Condamnation.
Ant. **I.** Approbation, aveu, confirmation, reconnaissance.

Désavouer

Syn. **I.** Blâmer, condamner, critiquer, dénier, désapprouver, nier, renier, réprouver.

Ant. **I.** Approuver, avouer, confirmer, ratifier, reconnaître.

Descendance

Syn. **I.** Avenir, extraction, filiation, génération, lignée, postérité, progéniture.

Ant. **I.** Ascendance.

Descendre

Syn. (V. intr.) (Pers.) **I.** Dégringoler, dévaler, rouler, tomber. — Aborder, débarquer. **II.** Loger. — Envahir, (se) ruer. **III.** (S') abaisser, déchoir, (se) ravaler. — Venir de. *(Ch.)* **I.** Couler, glisser. — Baisser, décroître, diminuer, (se) retirer. — Incliner, pencher. **III.** Émaner, provenir. *(V. tr.)* **I.** Parcourir, suivre. **II.** Déposer. — Mettre plus bas, transporter. — *(Fam.)* Abattre, tuer.

Ant. (V. intr.) **I.** Gravir, grimper. — (S') embarquer. **III.** (S') élever. **I.** Augmenter, hausser, lever, relever, remonter.

Descente

Syn. (Pers.) **I.** Chute, dégringolade. **II.** Débarquement, incursion, irruption, raid. — *(Dr.)* Perquisition, recherche.

Ant. **I.** Ascension, montée. — Côte, élévation, remontée.

Description

Syn. **I.** *(Linéaire)* Croquis, dessin, ébauche, esquisse, image, peinture, plan, portrait. — *(Littéraire)* Analyse, aperçu, explication, exposé, narration, scène, récit. — *(Documentaire)* Détail, état, inventaire, monographie, signalement, tableau, topographie.

Désenchanter

Syn. **III.** Décevoir, désappointer, désillusionner.

Ant. **III.** Charmer, émerveiller, enchanter, enthousiasmer.

Désert

Syn. (N.) **I.** Pampa, Sahara, solitude, steppe. **III.** Néant, rien, solitude, vide. *(Adj.)* **I.** Abandonné, aride, dépeuplé, déserté, désertique, désolé, inhabité, sauvage, solitaire, vide.

Ant. (N.) **I.** Oasis. — Foule, monde. **III.** Plénitude. *(Adj.)* **I.** Fertile, fréquenté, habité, occupé, peuplé, plein.

Déserter

Syn. **I.** Abandonner, délaisser, fuir, quitter. **III.** Lâcher, renier, trahir.

Ant. **I.** Rester, revenir. **III.** Rallier, rejoindre.

Déserteur

Syn. **I.** Évadé, fugitif, fuyard, insoumis, lâcheur, traître, transfuge. **III.** Apostat, renégat.

Ant. **I.** et **III.** Défenseur, fidèle.

Désertion

Syn. **I.** Défection, délaissement, fuite, insoumission, trahison. **III.** Abandon, lâchage, reniement.

Ant. **I.** et **III.** Attachement, constance, dévouement, fidélité, ralliement.

Désespoir

Syn. **I.** Abattement, accablement, affaissement, affliction, affolement, consternation, découragement, démoralisation, dépression, désespérance, désolation, prostration.

Ant. **I.** Confiance, consolation, courage, encouragement, espérance, espoir, foi.

Déshabiller

Syn. **I.** Dépouiller, dévêtir, enlever. **III.** Découvrir, démasquer, montrer.

Ant. **I.** Habiller, vêtir. **III.** Cacher, dissimuler.

Déshériter

Syn. **I.** Dépouiller, enlever, exhéréder, frustrer, ôter. **III.** Désavantager, priver.

Ant. **I.** et **III.** Avantager, combler, doter.

Déshonnête
Syn. **I.** Graveleux, grivois, inconvenant, indécent, leste, libre, licencieux, polisson, obscène, osé, sale.
Ant. **I.** Convenant, décent, édifiant, propre.

Déshonneur
Syn. **I.** Abjection, flétrissure, honte, ignominie, infamie, opprobre, turpitude.
Ant. **I.** Dignité, gloire, honneur, intégrité, loyauté, probité.

Déshonorant
Syn. **I.** Abject, avilissant, dégradant, flétrissant, honteux, ignominieux, infamant, scandaleux.
Ant. **I.** Digne, estimable, glorieux, honorable, insigne, méritant, respectable.

Déshonorer
Syn. **I.** Avilir, déconsidérer, décrier, dénigrer, déprécier, diffamer, discréditer, entacher, flétrir, salir, souiller, ternir. **II.** Abîmer, défigurer, dégrader, déparer, détruire l'harmonie, gâter.
Ant. **I.** Apprécier, considérer, exalter, glorifier, honorer, louer, vanter. **II.** Améliorer, réparer.

Désigner
Syn. **I.** Indiquer, marquer, montrer, signaler. — Appeler, assigner, choisir, commettre, déléguer, dénommer, élire, fixer, qualifier. — *(Ch.)* Représenter, signifier, symboliser.
Ant. **I.** Cacher, ignorer, taire.

Désinfecter
Syn. **I.** Assainir, nettoyer, purifier, stériliser.
Ant. **I.** Contaminer, empester, empoisonner, infecter.

Désintéressé
Syn. **I.** Détaché, généreux. **II.** Bénévole, gratuit. — Impartial, objectif.
Ant. **I.** Attaché, avare. **II.** Égoïste, intéressé. — Partial, subjectif.

Désintéressement
Syn. **I.** Abnégation, altruisme, détachement, dévouement, générosité. **II.** Compensation, dédommagement, indemnisation, réparation.
Ant. **I.** Attachement, avarice, avidité, cupidité, égoïsme, intérêt.

Désinvolte
Syn. **I.** Aisé, décontracté, dégagé. **III.** Effronté, (mal) élevé, insolent, sans-gêne.
Ant. **I.** Maladroit. **III.** Déférent, réservé, sérieux.

Désinvolture
Syn. **I.** Abandon, effronterie, impertinence, insolence, laisser-aller, légèreté, sans-gêne.
Ant. **I.** Délicatesse, retenue, savoir-vivre.

Désir
Syn. **I.** Ambition, appétence, appétit, aspiration, convoitise, cupidité, envie, inclination, penchant, rêve, souhait, visée, vœu. — Concupiscence, libido, passion.
Ant. **I.** Apathie, dédain, inappétence, indifférence, indolence, mépris, nonchalance, peur, répulsion.

Désirer
Syn. **I.** Ambitionner, aspirer à, attendre, briguer, convoiter, envier, espérer, languir après, prétendre à, rechercher, rêver, souhaiter, soupirer après, tendre à, vers, tenir à, viser, vouloir.
Ant. **I.** Craindre, dédaigner, mépriser, refuser, regretter, renoncer.

Désister (Se)
Syn. **I.** Abandonner, (se) départir, renoncer, retirer sa candidature.
Ant. **I.** Maintenir.

Désobéir
Syn. **I.** (S') opposer, (se) rebeller, résister, (se) révolter. **II.** Contrevenir, déroger, enfreindre, transgresser, violer.
Ant. **I.** Écouter, obéir. **II.** (Se) plier, respecter, servir, (se) soumettre, suivre.

Désobéissance
Syn. **I.** Indiscipline, indocilité, infraction, insoumission, insubordination, rébellion, résistance, révolte. **II.** Contravention, transgression, violation.
Ant. **I.** Discipline, docilité, obéissance, soumission, subordination. **II.** Observance, observation.

Désobliger
Syn. **I.** Blesser, choquer, contrarier, déplaire, froisser, indisposer, mécontenter, peiner, vexer.
Ant. **I.** Aider, contenter, obliger, plaire, secourir, servir.

Désœuvré
Syn. **I.** Apathique, inactif, inoccupé, oisif, paresseux.
Ant. **I.** Actif, affairé, occupé.

Désœuvrement
Syn. **I.** Inaction, inactivité, inertie, inoccupation, oisiveté.
Ant. **I.** Activité, besogne, diligence, emploi, entrain, occupation.

Désolation
Syn. **I.** Aridité, dégât, destruction, dévastation, dommage, ravage, ruine, sauvagerie, vide. **III.** Affliction, consternation, détresse, douleur, peine, tourment.
Ant. **III.** Apaisement, consolation, contentement, joie, réconfort.

Désoler
Syn. **I.** Dévaster, ravager, ruiner. **III.** Affliger, attrister, consterner, contrarier, importuner, navrer, peiner.
Ant. **I.** Épargner. **III.** Consoler, ravir, réconforter, réjouir.

Désordre
Syn. **I.** Chaos, confusion, dérangement, désorganisation, fouillis, gabegie, pagaïe, pêle-mêle, tohu-bohu. — Altération, désarroi, perturbation, trouble. — Agitation, anarchie, bagarre, chahut, émeute, manifestation, querelle, tumulte. — Débauche, dérèglement, dissipation, licence.

Ant. **I.** Cohérence, méthode, ordre, organisation, système. — Mesure, règle.

Désorganisation
Syn. **I.** Anarchie, confusion, désagrégation, désordre, dislocation, imbroglio, perturbation, trouble.
Ant. **I.** Aménagement, arrangement, disposition, distribution, organisation.

Désorienter
Syn. **II.** Égarer, perdre. **III.** Déconcerter, décontenancer, démonter, (être) déphasé, dérouter, embarrasser, interloquer, interdire, troubler.
Ant. **II.** Diriger, orienter. **III.** Encourager, rassurer.

Despote
Syn. **I.** Autocrate, dictateur, dominateur, maître, oppresseur, tyran, tyranneau.
Ant. **I.** Bienfaiteur, démocrate. — Esclave, serviteur, sujet.

Despotisme
Syn. **I.** Absolutisme, autocratie, césarisme, dictature, tyrannie.
Ant. **I.** Démocratie, libéralisme. — Faiblesse.

Dessaler
Syn. **I.** Adoucir. **III.** *(Fam.)* Dégourdir, déniaiser.
Ant. **I.** Saler. **III.** Abêtir, crétiniser.

Dessécher
Syn. **I.** Assécher, éponger, étancher, sécher. — Épuiser, tarir, vider. **II.** Brûler, calciner, déshydrater, griller, rôtir. — Amaigrir, consumer, exténuer. **III.** Endurcir, insensibiliser, racornir. — Languir.
Ant. **I.** Humidifier, mouiller. **II.** Arroser. **III.** Attendrir, émouvoir.

Dessein (et À)
Syn. **I.** But, conception, décision, détermination, entreprise, idée, intention, objet, parti, plan, projet, propos, résolution, visée, volonté, vue. — *(Loc. adv.)* Exprès,

délibérément, intentionnellement, volontairement.
Ant. **I.** Hésitation, incertitude, indécision, mollesse. — Involontairement, malgré soi.

Desserrer
Syn. **I.** Défaire, dégrafer, délacer, délier, dénouer, détacher, dévisser, relâcher.
Ant. **I.** Comprimer, étreindre, lacer, nouer, presser, resserrer, sangler, serrer, visser.

Dessin
Syn. **I.** Académie, calque, canevas, caricature, carton, coupe, crayon, croquis, ébauche, épure, esquisse, étude, figure, fusain, image, lavis, motif, nature morte, nu, patron, paysage, portrait, relevé (de plan), silhouette, tracé, vignette. **III.** Conception, projet.

Dessiner
Syn. **I.** Crayonner, croquer, ébaucher, esquisser, figurer, représenter, reproduire, tracer. **II.** Accuser, former, indiquer, montrer, présenter, (faire) ressortir, souligner. **III.** Dépeindre, peindre.
Ant. **I.** Estomper.

Dessous
Syn. **I.** Bas, envers, inférieur. **II.** Sous-vêtement. **III.** Désavantage, infériorité. — Secret.
Ant. **I.** Dessus. **III.** Avantage, supériorité.

Dessus
Syn. **I.** Endroit, haut, supérieur. **III.** Avantage, meilleur, prééminence, supériorité.
Ant. **I.** Dessous. **III.** Désavantage, infériorité.

Destin
Syn. **I.** Apanage, avenir, chance, destinée, étoile, existence, fatalité, fatum, fortune, hasard, lot, sort, vie.

Destiner
Syn. **I.** Prédestiner, promettre. — Affecter, appliquer, assigner, attribuer, consacrer, garder, préparer, réserver.

Destituer
Syn. **I.** Casser, congédier, déchoir, dégrader, démettre, déposer, licencier, limoger, relever de, renvoyer, révoquer.
Ant. **I.** Garder, nommer, réintégrer.

Destruction
Syn. **I.** Dégât, démolition, dévastation, dommage. — Anéantissement, dégradation, extermination, massacre.
Ant. **I.** Construction, création, édification, maintien.

Désunion
Syn. **I.** Désaccord, discorde, dissentiment, division, mésentente, mésintelligence.
Ant. **I.** Concorde, entente, harmonie, union.

Désunir
Syn. **I.** Désassembler, détacher, disjoindre, disloquer, isoler, séparer. **III.** Brouiller, désolidariser, diviser.
Ant. **I.** Assembler, joindre, rapprocher, souder, unir. **III.** Coaliser, réconcilier, (se) solidariser.

Détachement
Syn. **I.** *(Milit.)* Escorte, patrouille. **III.** Abnégation, oubli, renoncement, sacrifice. — Désintéressement, désintérêt, froideur, indifférence, insensibilité, insouciance.
Ant. **III.** Avidité, égoïsme. — Affection, amour, attachement, intérêt, sensibilité, souci.

Détacher
Syn. **I.** Déboutonner, décoller, décrocher, défaire, dégager, dégrafer, délacer, délier, dénouer, désenchaîner, libérer, séparer. — Extraire, isoler. — Déléguer, dépêcher. — Accentuer, appuyer, articuler, marteler, souligner. **III.** Arracher, désaffectionner, détourner, distraire, éloigner. **I.** Dégraisser, nettoyer.
Ant. **I.** Assembler, attacher, ficeler, fixer, joindre, lier, unir. — Adjoindre, rappro-

cher. – Effleurer, négliger. **III.** Affectionner, réunir. **I.** Salir, souiller, tacher.

Détail
Syn. **I.** Énumération. **II.** Accessoire, bagatelle, circonstance, élément, particularité, vétille.
Ant. **I.** et **II.** Ensemble, (en) gros, important, principal.

Déteindre
Syn. *(V. tr.)* **I.** Faire perdre sa couleur. *(V. intr.* **I.** (Se) décolorer. **III.** Influencer, marquer.
Ant. **I.** Colorer, peindre, teindre.

Détendre
Syn. **I.** Débander, décontracter, desserrer, lâcher, relâcher. **III.** Amuser, distraire, divertir, égayer, récréer, reposer.
Ant. **I.** Contracter, tendre. **III.** Ennuyer, importuner.

Détenir
Syn. **I.** Avoir, garder, posséder. – Emprisonner, retenir en captivité.
Ant. **I.** Donner, laisser, perdre. – Délivrer, libérer.

Déterger
Syn. **I.** Laver, nettoyer, purifier.
Ant. **I.** Encrasser, encroûter, salir.

Détérioration
Syn. **I.** Avarie, dégât, dégradation, dommage, endommagement, ruine. **III.** Baisse, décadence.
Ant. **I.** Amélioration, entretien, réparation. **III.** Relèvement.

Détermination
Syn. **I.** Caractérisation, définition, délimitation, estimation, fixation, limitation. – Décision, délibération, dessein, fermeté, intention, parti, résolution, volonté.
Ant. **I.** Imprécision, indétermination, vague. – Hésitation, indécision, irrésolution.

Déterminer
Syn. **I.** Arrêter, borner, caractériser, défi-nir, délimiter, estimer, établir, évaluer, fixer, marquer, mesurer, préciser, régler, spécifier. – Amener, décider, engager, entraîner, inciter, persuader, porter, pousser. **II.** *(Ch.)* Causer, déclencher, occasionner, produire, provoquer.
Ant. **I.** Embrouiller, estomper. – Détourner, empêcher de, hésiter.

Déterrer
Syn. **I.** Arracher, exhumer. **III.** Déceler, découvrir, dénicher, dévoiler, ressortir, ressusciter.
Ant. **I.** Enfouir, ensevelir, enterrer, inhumer. **III.** Cacher.

Détestable
Syn. **I.** Abominable, affreux, exécrable, haïssable, horrible, mauvais, méprisable, odieux, vilain.
Ant. **I.** Admirable, adorable, agréable, bon, excellent, exquis.

Détester
Syn. **I.** Abhorrer, abominer, condamner, exécrer, haïr, maudire, réprouver.
Ant. **I.** Admirer, adorer, aimer.

Détonation
Syn. **I.** Bruit, coup, décharge, déflagration, éclatement, explosion, fracas.

Détour
Syn. **I.** Angle, coude, courbe, méandre, repli, sinuosité, tournant. – Circuit, crochet, déviation. **III.** Biais, circonlocution, faux-fuyant, périphrase, ruse, subterfuge.
Ant. **I.** Raccourci. **III.** Droiture, franchise, simplicité.

Détournement
Syn. **I.** Dérivation, dérive, déroutement, détour, déviation. – *(Dr.)* Malversation. – Enlèvement, rapt.

Détourner
Syn. **I.** Dériver, dérouter, dévier, obliquer. – Écarter, éloigner, esquiver, éviter, parer. – *(Dr.)* Divertir, soustraire. **III.** Arracher à, déconseiller, déranger, dissuader, distraire.

Ant. I. Orienter, redresser, remettre dans la voie. — Restituer. **III.** Accepter, recevoir, conseiller, diriger, encourager, stimuler.

Détracteur
Syn. I. Accusateur, adversaire, critique, dénigreur, ennemi.
Ant. I. Admirateur, ami, partisan.

Détresse
Syn. I. Adversité, affliction, angoisse, danger, dénuement, désarroi, disgrâce, indigence, infortune, malheur, misère. — *(Mar.)* Perdition, S.O.S.
Ant. I. Bien-être, paix, prospérité, sécurité, tranquillité. — Salut.

Détriment (Au)
Syn. I. Au désavantage, au préjudice.
Ant. I. Avantage.

Détroit
Syn. I. Bras de mer, canal, col, défilé, pas, passage, pertuis.

Détromper
Syn. I. Désabuser, désillusionner, dessiller les yeux, éclairer, ouvrir les yeux, tirer d'erreur.
Ant. I. Abuser, duper, leurrer, tromper.

Détruire
Syn. I. Abattre, anéantir, brûler, consumer, défaire, démolir, engloutir, exterminer, massacrer, miner, raser, ravager, renverser, ruiner, saper, supprimer.
Ant. I. Bâtir, conserver, construire, créer, édifier, établir, faire, fonder.

Dette
Syn. I. Débet, débit, déficit, devoir, dû, emprunt, passif, solde. **III.** Engagement, obligation.
Ant. I. Actif, avoir, créance, crédit. **III.** Désengagement, liberté.

Deuil
Syn. I. Affliction, douleur, tristesse, perte. — Enterrement.
Ant. I. Bonheur, joie.

Dévaler
Syn. I. Dégringoler, descendre, glisser, rouler, tomber.
Ant. I. Escalader, gravir, grimper, monter.

Dévaliser
Syn. I. Cambrioler, dépouiller, détrousser, piller, ravir, voler.
Ant. I. Remettre, rendre, restituer.

Devancer
Syn. I. Dépasser, distancer, gagner de vitesse, semer *(pop.)*. — Précéder. **III.** Primer, surclasser, surpasser. — Prévenir. — Anticiper, prévoir.
Ant. I. Succéder, suivre. — Céder. **III.** Attendre. — Différer.

Devancier
Syn. I. Aïeul, aîné, ancêtre, précurseur, prédécesseur.
Ant. I. Contemporain, descendant, successeur.

Devant
Syn. (N.) I. Antérieur, avant, façade. — *(Adv.)* (En) tête. — Antérieurement, auparavant. — *(Prép.) I.* (En) avant, (en) face, vis-à-vis. **II.** (En) comparaison de, (à l') égard de, (en) présence de, (aux) yeux de.
Ant. I. Arrière, derrière, dos. — Après, (à la) suite, suivant.

Devanture
Syn. I. Devant, façade. **II.** Étalage, montre, vitrine.
Ant. I. Arrière-boutique, fond.

Dévaster
Syn. I. Décimer, désoler, détruire, raser, ravager, ruiner, saccager.
Ant. I. Reconstruire, réparer, repeupler, restaurer, rétablir.

Développement
Syn. I. Déballage, déploiement, déroulement, extension. **III.** Croissance, épanouissement, évolution, marche, proces-

sus, progression, suite. — Accroissement, augmentation, essor, expansion, progrès. — Amplification, éclaircissement, explication, exposé. *Ant.* **I.** Enroulement, enveloppement, repliement. **III.** Déclin, régression. — Diminution, recul, ruine. — Résumé.

Développer
Syn. **I.** Déballer, déplier, déployer, dérouler, étaler, étendre. **III.** Accroître, agrandir, augmenter, cultiver, éduquer, former, progresser. — Amplifier, détailler, éclaircir, expliquer, exposer, présenter, traiter. *Ant.* **I.** Emballer, enrouler, envelopper. **III.** Atrophier, réduire, restreindre. — Abréger, raccourcir.

Déverser
Syn. **I.** Renverser, verser. **II.** Amener, débarquer, décharger. **III.** Épancher, épandre, répandre. *Ant.* **I.** Capter, garder, recevoir, retenir. **II.** Charger. **III.** Arrêter, contenir, maîtriser, refouler.

Dévêtir
Syn. **I.** Découvrir, dénuder, dépouiller, déshabiller, enlever, ôter. *Ant.* **I.** Couvrir, habiller, vêtir.

Déviation
Syn. **I.** Dérivation, dérive, détournement. — Détour. **III.** Aberration, déviationnisme, écart, erreur, hérésie.

Dévier
Syn. (V. tr.) **I.** Déformer, déjeter, infléchir. — Dériver, détourner. — Déporter, (s') écarter. *(V. intr.)* **I.** Biaiser, bifurquer, dérouter, (se) détourner, diverger, obliquer. **III.** Changer, dévoyer, (s') écarter, (s') égarer, (s') éloigner, errer, sortir de. *Ant.* **I.** Aligner, rectifier, redresser, remettre (dans la voie).

Devin
Syn. **I.** Astrologue, augure, clairvoyant,

mage, magicien, prophète, pythie, pythonisse, sibylle, sorcier, vaticinateur, visionnaire, voyant.

Deviner
Syn. **I.** Annoncer, augurer, dévoiler, prédire, présager, prévoir, pronostiquer, prophétiser, vaticiner. — Conjecturer, déceler, découvrir, démasquer, détecter, (se) douter de, entrevoir, flairer *(fam.)*, imaginer, pénétrer, pressentir, savoir, soupçonner, subodorer, voir. *Ant.* **I.** Errer, ignorer, (se) méprendre.

Dévisager
Syn. **I.** Affronter, arrêter, attacher, dévorer (des yeux), examiner, fixer, observer, regarder, reluquer *(fam.)*, toiser *(fam.)*.

Devise
Syn. **I.** Emblème, figure, maxime, mot d'ordre, sentence, slogan, symbole. — *(Fin.)* Change, monnaie étrangère.

Deviser V. *Parler*

Dévoiler
Syn. **I.** Découvrir. **III.** Déceler, démasquer, divulguer, manifester, mettre à nu, prédire, publier, révéler. *Ant.* **I.** et **III.** Cacher, celer, couvrir, déguiser, dissimuler, taire, voiler.

Devoir (s)
Syn. **I.** Charge, corvée, dette, fonction, nécessité, obligation, office, responsabilité, tâche, travail. — Composition, copie, épreuve, exercice. — *(Pl.)* Civilités, hommages, respects.

Dévolu
Syn. **I.** Acquis, attribué, cédé, échu, réservé, transféré, transporté. *Ant.* **I.** Dérobé, refusé.

Dévorer
Syn. **I.** Engloutir, engouffrer, manger (avidement). **II.** Absorber, anéantir, avaler, consumer, détruire, dilapider, dissiper, piller, prendre, ruiner. **III.** Ronger, tourmenter.

Ant. **II.** Conserver, protéger, sauvegarder, sauver.

Dévot
Syn. **I.** Croyant, fervent, pieux, pratiquant, religieux. — *(Péj.)* Bigot, cafard, cagot, pharisien, tartufe.
Ant. **I.** Impie, incroyant, infidèle. — Sincère.

Dévotion
Syn. **I.** Adoration, culte, exercice (spirituel), ferveur, mysticisme, onction, piété, prière. **II.** Attachement, dévouement, respect, vénération. — *(Péj.)* Bigoterie, tartuferie.
Ant. **I.** Impiété. **II.** Indifférence.

Dévouement
Syn. **I.** Abnégation, affection, attachement, bienveillance, bonté, cœur, constance, don de soi, empressement, fidélité, héroïsme, loyalisme, sacrifice, soin, zèle.
Ant. **I.** Apathie, désertion, égoïsme, indifférence.

Dévouer (et Se)
Syn. **I.** *(V tr.)* Consacrer, dédier, offrir, vouer. — *(V. pr.)* (S') appliquer à, (se) livrer, (se) sacrifier.
Ant. **I.** Délaisser, rebuter, réfuter.

Dextérité
Syn. **I.** Adresse, agilité, art, habileté, prestesse, savoir-faire, vivacité.
Ant. **I.** Gaucherie, lenteur, maladresse.

Diable (A la)
Syn. **I.** Bâclé, (sans) conscience, (en) désordre, (à la) hâte, hâtivement, (sans) méthode, négligemment, (sans) soin.
Ant. **I.** Méthodiquement, méticuleusement, soigneusement, (avec) ordre, (avec) soin, (avec) zèle.

Diabolique
Syn. **I.** Démoniaque. **III.** Infernal, méchant, méphistophélique, pernicieux, pervers, sarcastique, satanique.
Ant. **I.** et **III.** Angélique, bon, divin, idéal, innocent, vertueux.

Dialecte
Syn. **I.** Idiome, langue, parler, patois.

Dialectique
Syn. **I.** Argumentation, logique, raisonnement. — Dialogue, maïeutique.

Dialoguer V. *Parler*

Diane
Syn. **I.** Avertissement, réveil, signal, sonnerie.

Diaphane
Syn. **I.** Hyalin, translucide, transparent.
Ant. **I.** Obscur, opaque, sombre.

Diapré
Syn. **I.** Chatoyant, constellé, émaillé.
Ant. **I.** Uni.

Dictateur
Syn. **I.** Autocrate, despote, tyran.

Dictatorial
Syn. **I.** Absolu, arbitraire, autocratique, césarien, despotique, discrétionnaire, oppressif, souverain, totalitaire, tyrannique. **III.** Impérieux, tranchant.
Ant. **I.** Conciliant, libéral. **III.** Humble, soumis.

Dictature V. *Absolutisme*

Dicter
Syn. **I.** Faire écrire. **III.** Commander, conseiller, enjoindre, imposer, inspirer, ordonner, prescrire, provoquer, régler, souffler, suggérer.
Ant. **III.** Exécuter, obéir à, suivre.

Diction
Syn. **I.** Articulation, débit, élocution, prononciation.

Dictionnaire
Syn. **I.** Encyclopédie, glossaire, lexique, répertoire, vocabulaire. **III.** Érudit, savant.

Dicton
Syn. **I.** Adage, aphorisme, apophtegme, formule, maxime, parole, pensée, précepte, proverbe.

Diffamer
Syn. **I.** Attaquer, calomnier, décrier, dénigrer, déshonorer, discréditer, flétrir, médire de, noircir, salir.
Ant. **I.** Encenser, estimer, honorer, louer.

Différence
Syn. **I.** Disconvenance, disparité, disproportion, dissemblance, dissidence, distinction, dissimilitude, divergence, diversité, écart, inégalité, nuance, opposition, variété.
Ant. **I.** Analogie, conformité, égalité, identité, parité, rapport, ressemblance, similitude.

Différend
Syn. **I.** Contestation, débat, démêlé, désaccord, discussion, dispute, mésentente, polémique, querelle.
Ant. **I.** Accommodement, accord, concorde, entente, harmonie, paix, rapprochement, réconciliation.

Différent
Syn. **I.** Autre, contraire, disparate, dissemblable, distinct, divergent, divers, éloigné, inégal, hétéroclite, hétérogène, varié.
Ant. **I.** Analogue, égal, équivalent, homogène, identique, même, pareil, ressemblant, semblable.

Différer
Syn. **I.** (*V. intr.*) (Se) différencier, (se) distinguer, diverger, (s') opposer. — (*V. tr.*) Ajourner, atermoyer, attendre, éloigner, reculer, remettre, renvoyer, reporter, retarder, surseoir, temporiser.
Ant. **I.** (Se) confondre, (se) ressembler. — Avancer, hâter.

Difficile
Syn. **I.** (*Ch.*) Ardu, compliqué, confus, délicat, dur, embarrassant, embrouillé, épineux, laborieux, malaisé, pénible, rude. — Dangereux, escarpé, impraticable, inaccessible, périlleux. — (*Pers.*) Acariâtre, capricieux, contrariant, insociable, ombrageux, raffiné.
Ant. **I.** (*Ch.*) Agréable, aisé, commode, élémentaire, facile, pratique, simple. — Abordable, accessible. — (*Pers.*) Accommodant, aimable, conciliant, coulant.

Difficulté
Syn. **I.** Accroc, achoppement, anicroche, complication, embarras, empêchement, ennui, entrave, gêne, obstacle, panne, peine, tracas, traverse.
Ant. **I.** Aisance, facilité, simplicité.

Difforme
Syn. **I.** Contrefait, déformé, déjeté, disgracié, infirme, laid, tordu, tors.
Ant. **I.** Beau, gracieux, normal, parfait, régulier.

Diffus
Syn. **I.** Répandu. **III.** Abondant, délayé, prolixe, redondant, verbeux.
Ant. **III.** Bref, concis, court, laconique, précis, succinct.

Diffuser
Syn. **I.** Disperser, distribuer, propager, répandre. — Émettre, transmettre.
Ant. **I.** Concentrer.

Diffusion
Syn. **I.** Émission, radiodiffusion, transmission. **II.** Dissémination, distribution, expansion, invasion, propagation, vulgarisation.
Ant. **I. et II.** Concentration, convergence.

Digérer
Syn. **I.** Assimiler. **III.** (*Fam.*) Avaler, endurer, souffrir, subir, supporter.
Ant. **I.** Ingérer, rejeter. **III.** (S') opposer, regimber, (se) révolter.

Digne
Syn. **I.** Approprié, conforme, convenable, décent, (à la hauteur de), séant. — Honnête, honorable, méritant. — Auguste, fier, grave, imposant, majestueux, noble, respectable, solennel.
Ant. **I.** Indigne. — Déshonorant, ignoble, odieux, révoltant, vil. — Familier.

Dignement
Syn. I. Honorablement, justement, noblement.
Ant. I. Indignement.

Dignité
Syn. I. Distinction, honneur, investiture, prérogative, promotion. — Grandeur, noblesse. — Amour-propre, convenance, décence, fierté, gravité, majesté, réserve, respectabilité, retenue, solennité. *Ant.* I. Avilissement, déshonneur. — Bassesse, indignité. — Familiarité, laisser-aller.

Digue
Syn. I. Barrage, brise-lames, chaussée, écluse, estacade, jetée, levée, môle. III. Barrière, entrave, frein, obstacle. *Ant.* I. Ouverture, passage. III. Aide, liberté.

Dilapider
Syn. I. Croquer *(fam.)*, dépenser, dissiper, gaspiller, manger, prodiguer. *Ant.* I. Accumuler, amasser, conserver, épargner, ménager, (se) priver, thésauriser.

Dilatation
Syn. I. Accroissement, agrandissement, augmentation, distension, enflure, expansion, extension, gonflement, grossissement. *Ant.* I. Compression, contraction, diminution, resserrement.

Dilater
Syn. I. Agrandir, ballonner, boursoufler, enfler, étendre, étirer, gonfler, grossir, ouvrir. III. Épanouir, réjouir. *Ant.* I. Comprimer, condenser, contracter, diminuer, resserrer, rétrécir. III. Ennuyer.

Diligence
Syn. I. Célérité, empressement, zèle. — Coche, omnibus, patache. *Ant.* I. Apathie, lenteur, négligence.

Diligent
Syn. I. Actif, appliqué, assidu, empressé, expéditif, prompt, rapide, zélé. *Ant.* I. Lent, négligent, paresseux.

Diluer
Syn. I. Baptiser *(fig.* et *fam.)*, couper, délayer, détremper, dissoudre, étendre, fondre, mouiller, noyer, tremper. III. Affaiblir, atténuer. *Ant.* I. Condenser, décanter, dessécher. III. Accentuer, renforcer.

Dîme
Syn. I. Capitation, contribution, droit, impôt, prestation, redevance.

Dimension
Syn. I. Calibre, étendue, format, grandeur, grosseur, mesure, pointure, proportion, taille.

Diminuer
Syn. (V. tr.) (En dimension) I. Abaisser, amincir, comprimer, concentrer, condenser, rapetisser, réduire, resserrer, rétrécir. *(En qualité)* I. Affaiblir, appauvrir, atrophier, atténuer, détériorer. II. *(Texte)* Abréger, amputer, écourter, édulcorer, tempérer, tronquer. *(En valeur)* I. Alléger, amoindrir, amortir, avilir, dévaloriser, dévaluer, rabattre, solder. III. Déprécier, désavantager, discréditer, rabaisser, rabattre. *(En force morale ou physique)* I. Abattre, épuiser, miner, modérer, ralentir. *(V. intr.)* I. Baisser, décliner, décroître, faiblir, pâlir, raccourcir. *Ant. (V. tr.)* I. Agrandir, allonger, augmenter, grossir. — Accroître, développer. II. Ajouter, amplifier. I. Monter, remonter, valoriser. III. Apprécier, surestimer. — *(V. intr.)* (S') accroître, croître, (se) fortifier.

Diminution
Syn. I. Amoindrissement, baisse, décroissance, décroissement, rabais, raccourcissement, réduction, restriction. — Affaiblissement, atténuation, déperdition.

Ant. **I.** Accroissement, agrandissement, amplification, augmentation, croissance, dilatation, majoration, surcroît. — Recrudescence.

Diplomate
Syn. **I.** Ambassadeur, négociateur. **III.** Adroit, avisé, circonspect, fin, habile, rusé, souple, subtil. *Ant.* **III.** Imprudent, maladroit, téméraire.

Diplôme
Syn. **I.** Baccalauréat, brevet, certificat, doctorat, licence, maîtrise, parchemin, patente, titre.

Dire
Syn. **I.** Articuler, débiter, déclamer, déclarer, émettre, parler, proférer, prononcer, réciter. — Affirmer, assurer, communiquer, confier, dévoiler, énoncer, expliquer, exprimer, prétendre, publier, répéter. **II.** Croire, juger, penser. — Conter, narrer, raconter, rapporter, relater. **III.** Annoncer, dénoter, désigner, donner, faire savoir, indiquer, manifester, montrer. *Ant.* **I., II.** et **III.** Cacher, déguiser, dissimuler, ignorer, écouter, entendre, omettre, taire.

Direct
Syn. **I.** Droit, rectiligne. **III.** Franc, immédiat, naturel, rigoureux, sans ambages, sans détour. *Ant.* **I.** Indirect. **III.** Détourné, dévié, oblique, sinueux.

Directeur
Syn. **I.** Administrateur, chef, dirigeant, gérant, maître, patron, président, principal, responsable, tête. — Confesseur, conseiller. *Ant.* **I.** Dépendant, élève, inférieur, subalterne, sujet.

Direction
Syn. **I.** Côté, ligne, sens, orientation. — Conduite, gouverne, pilotage, timonerie,

volant. — Administration, animation, autorité, commandement, directorat, gestion, gouvernement, organisation, présidence, service, surveillance, tête.

Diriger (et **Se**)
Syn. (*V. tr.*) **I.** Acheminer, aiguiller, amener, braquer, conduire, envoyer, expédier, guider, manœuvrer, orienter, piloter, pointer, porter, tourner. — Administrer, commander, gérer, gouverner, mener, organiser, régir, **II.** Régenter. **III.** Conseiller, inspirer. (*V. pr.*) **I.** Aller, (s') avancer, marcher, (se) rendre, vaquer. *Ant.* **I.** Dériver, dérouter, détourner, égarer. — Obéir, suivre. **III.** Déconseiller. — Abandonner, laisser.

Discernement
Syn. **III.** Acuité, circonspection, clairvoyance, discrimination, distinction, finesse, jugement, lucidité, pénétration, perspicacité, prudence, réflexion, (bon) sens, tact. *Ant.* **III.** Aveuglement, confusion, étourderie, imprévoyance, irréflexion, légèreté.

Discerner
Syn. **I.** Apercevoir, deviner, distinguer, identifier, percevoir, reconnaître, repérer, sentir, voir. **III.** Apprécier, comprendre, découvrir, démêler, différencier, remarquer, saisir, séparer. *Ant.* **I.** et **III.** Confondre, mêler.

Disciple
Syn. **I.** Écolier, élève, étudiant. **II.** Adepte, apôtre, partisan, tenant. *Ant.* **I.** Maître, professeur. **II.** Adversaire, antagoniste, opposant.

Discipline
Syn. **I.** Art, étude, matière, science. — Loi, obéissance, ordre, règle, règlement, soumission. *Ant.* **I.** Anarchie, désordre, indiscipline.

Discipliner
Syn. **I.** Assujettir, dompter, dresser, éduquer, élever, former, plier, soumettre. **II.** Maîtriser.
Ant. **I.** Déchaîner, révolter. **II.** Abandonner, laisser aller.

Discontinuation
Syn. **I.** Arrêt, cessation, interruption, suspension.
Ant. **I.** Continuation, continuité.

Discontinuer
Syn. **I.** Arrêter, cesser, interrompre, stopper, suspendre.
Ant. **I.** Continuer, persister.

Disconvenance
Syn. **I.** Désaccord, différence, disproportion, incompatibilité.
Ant. **I.** Accord, convenance.

Disconvenir
Syn. **I.** Contester, démentir, désavouer, nier.
Ant. **I.** Avouer, convenir de, reconnaître.

Discordant
Syn. **I.** Cacophonique, confus, criard, dissonant, faux. — Contraire, incompatible, opposé.
Ant. **I.** Harmonieux, mélodieux, musical. — Compatible, concordant.

Discorde
Syn. **I.** Désaccord, désunion, dissension, division, mésentente, mésintelligence, zizanie.
Ant. **I.** Accord, concorde, entente, harmonie, médiation, union.

Discourir
Syn. **I.** Bavarder, disserter, haranguer, palabrer, parler, pérorer.

Discours
Syn. **I.** Allocution, causerie, conférence, harangue, improvisation, laïus, oraison, plaidoirie, speech, toast. — Exposé, leçon, traité. **II.** *(Péj.)* Babil, bavardage, parlote.

Discourtois
Syn. **I.** Effronté, grossier, impoli, incivil, inélégant, malappris, rustre.
Ant. **I.** Affable, civil, correct, courtois, galant, poli.

Discrédit
Syn. **I.** Baisse, déconsidération, défaveur, disgrâce, oubli.
Ant. **I.** Considération, crédit, faveur, louange, respect.

Discréditer
Syn. **I.** Abandonner, déconsidérer, décrier, dénigrer, déprécier, disqualifier.
Ant. **I.** Accréditer, vanter.

Discret
Syn. **I.** Circonspect, décent, délicat, distingué, mesuré, modéré, modeste, poli, pondéré, réservé, retenu, sobre.
Ant. **I.** Bavard, criard, indélicat, indiscret, intrus, voyant.

Discrétion
Syn. **I.** Circonspection, décence, délicatesse, discernement, mesure, modération, pondération, réserve, retenue, silence, sobriété, tact.
Ant. **I.** Bavardage, impudence, indélicatesse, indiscrétion, sans-gêne.

Disculper
Syn. **I.** Acquitter, blanchir, décharger, excuser, innocenter, justifier, pardonner.
Ant. **I.** Accuser, blâmer, condamner, imputer, incriminer, inculper.

Discussion
Syn. **I.** Étude, examen. — Conversation, débat, délibération, échange de vues, négociation. — Argutie, bavardage, ergotage, logomachie. — Altercation, chicane, conflit, contestation, controverse, démêlé, désaccord, différend, dispute, litige, polémique, querelle.
Ant. **I.** Acceptation, accord, approbation, compréhension, entente, harmonie, unanimité.

Discuter
Syn. **I.** *(V. tr.)* Agiter, analyser, considérer, controverser, critiquer, débattre, examiner, traiter. — Contester, douter de. — *(V. intr.)* Conférer, négocier, parlementer. — Bavarder, discutailler, disputer, épiloguer, ergoter, palabrer, protester.
Ant. **I.** Accepter, admettre, croire, reconnaître.

Disert
Syn. **I.** Brillant, convaincant, élégant, fleuri, persuasif, spirituel.
Ant. **I.** Banal, bredouilleur, ordinaire, plat, rococo, terne.

Disette
Syn. **I.** Besoin, dénuement, détresse, famine, indigence, manque, misère, nécessité, pauvreté, pénurie, rareté.
Ant. **I.** Abondance, aisance, libéralité, luxuriance, opulence, profusion, ressource, richesse.

Disgrâce
Syn. **I.** Difformité, laideur. — Défaveur. **II.** Chute, déchéance, destitution. **III.** Adversité, détresse, discrédit, infortune, malheur, misère.
Ant. **I.** Beauté, grâce. — Faveur. **II.** Investiture, nomination, réhabilitation. — Appui, avantage, bienfait, bienveillance, bonheur, crédit, fortune.

Disgracieux
Syn. **I.** Déplaisant, désagréable, détestable, discourtois, ennuyeux, fâcheux, ingrat, laid, malgracieux.
Ant. **I.** Agréable, aimable, beau, délicat, gracieux, joli, plaisant.

Disjoindre
Syn. **I.** Couper, déboîter, démonter, désagréger, désarticuler, désassembler, désunir, détacher, disloquer, écarter, séparer. **III.** Isoler.
Ant. **I.** Assembler, combiner, grouper, joindre, rapprocher, rejoindre, relier, unir. **III.** Réunir.

Disjonction
Syn. **I.** Désunion, écartement, séparation.
Ant. **I.** Conjonction, jonction.

Disloquer
Syn. **I.** Déboîter, démancher, démantibuler *(fam.)*, démettre, désarticuler, disjoindre, fouler, fracturer, luxer, rompre. **II.** Briser, casser, démolir, déranger, désunir, détraquer, disperser, diviser, fausser, séparer. **III.** Démembrer.
Ant. **I.** Assembler, emboîter, joindre, monter, remboîter, remettre. **III.** Unifier.

Disparaître
Syn. **I.** (S'en) aller, (se) cacher, (se) dissimuler, (se) dissiper, (s') éclipser, (s') effacer, (s') envoler, (s') estomper, (s') évaporer, (se) volatiser. — Décamper, (s') éloigner, (s') esquiver, filer, fuir, partir, (se) retirer, (se) sauver, sortir. — Décéder, (s') éteindre, finir, mourir, succomber. — *(Ch.)* (Se) dissiper, (s') effacer, (s') estomper, passer, périr, sombrer, tomber.
Ant. **I.** Apparaître, (s') exhiber, (se) montrer, paraître, reparaître. — Arriver, revenir. — Commencer, demeurer, être, rester, vivre. — *(Ch.)* Éclore, naître, poindre.

Disparate
Syn. **I.** Composite, différent, discordant, dissemblable, divers, hétérogène, mêlé.
Ant. **I.** Assorti, harmonieux, homogène, pareil, semblable, similaire.

Disparité
Syn. **I.** Contraste, différence, disproportion, dissemblance, dissonance, diversité, hétérogénéité, inégalité.
Ant. **I.** Accord, conformité, égalité, harmonie, homogénéité, parité, proportion, rapport.

Dispense
Syn. **I.** Autorisation, exemption, permission. — Exonération, franchise, immunité, libération.
Ant. **I.** Obligation. — Assujettissement, surcharge, surtaxe.

Dispenser
Syn. **I.** Accorder, départir, distribuer, donner, prodiguer, répandre, répartir. — Affranchir, décharger, dégager, dégrever, délier, épargner, exempter, exonérer, libérer, permettre, relever, soustraire. *Ant.* **I.** Accaparer, garder. — Accuser, assujettir, astreindre, charger, contraindre, embarrasser, exiger, forcer, obliger.

Disperser
Syn. **I.** Disséminer, dissiper, éparpiller, parsemer, répandre, semer. — Distribuer, diviser, émietter, répartir, séparer. — Balayer, chasser, débander, mettre en fuite. *Ant.* **I.** Agglomérer, assembler, centraliser, concentrer, grouper, masser, rassembler, réunir.

Disponible
Syn. **I.** Aliénable, inoccupé, libre, vacant, vide. *Ant.* **I.** Employé, engagé, indisponible, occupé.

Dispos
Syn. **I.** Agile, alerte, allègre, éveillé, (en) forme, frais, gaillard, ingambe, léger, leste, preste, reposé, sain, souple, vif. *Ant.* **I.** Abattu, fatigué, indisposé, las, lourd, malade.

Disposer
Syn. **I.** *(V. tr.)* Accommoder, adapter, agencer, aligner, aménager, apprêter, approprier, arranger, caser, distribuer, établir, installer, mettre, organiser, placer, ranger, répartir. — Décider, déterminer, engager, inciter, pousser, préparer. — *(V. intr.)* Décréter, dicter, ordonner, prescrire, régler, régir. — Aliéner, avoir, employer, jouir, prendre, (se) servir de, user de, utiliser. *Ant.* **I.** *(V. tr.)* Bouleverser, culbuter, déclasser, déplacer, déranger, désorganiser, renverser. — *(V. intr.)* Obéir, contrarier, indisposer, perdre.

Dispositif
Syn. **I.** Organisation, plan, préparatif. — Appareil, machine, mécanisme. **II.** Agencement, procédé, truc *(fam.)*.

Disposition (s)
Syn. **I.** Agencement, cadre, classement, composition, coordination, distribution, économie, groupement, harmonie, méthode, ordonnance, ordre, organisation, plan, structure, symétrie. — Disponibilité, service, usage. — État, humeur, sentiment. — *(Dr.)* Clause, stipulation. — *(Pl.)* Arrangements, décisions, mesures, précautions, préparatifs, résolutions. — Aptitudes, dons, facilité, faculté, goût, inclinations, penchants, prédispositions, propensions, qualités, tendances, vocation. *Ant.* **I.** Désordre, désorganisation.

Dispute V. *Discussion*

Disputer
Syn. **I.** *(V. intr.)* Débattre, discuter. — Rivaliser. *(V. tr.)* Défendre, soutenir. — Briguer, concurrencer, contester, défier, lutter pour, (se) mesurer avec. — *(Fam.)* Gronder, réprimander. *Ant.* **I.** (S') accorder, (s') entendre. — Céder, renoncer à. — Féliciter.

Disqualifier
Syn. **I.** Exclure, rejeter. **III.** Déconsidérer, démettre, déshonorer, discréditer. *Ant.* **I.** Admettre, appeler, attirer. **III.** Considérer, honorer, qualifier.

Disque
Syn. **I.** Cercle, palet. — Enregistrement, microsillon, plaque.

Disséminer V. *Disperser*

Dissension
Syn. **I.** Chicane, conflit, déchirement, désaccord, discorde, dissentiment, division, mésintelligence, opposition, querelle. *Ant.* **I.** Accord, concorde, entente, harmonie.

Dissidence
Syn. **I.** Dissentiment, divergence, division, mésintelligence, rébellion, révolte, schisme, scission, sécession, séparation.
Ant. **I.** Accord, concorde, conformisme, union.

Dissimuler
Syn. **I.** Atténuer, cacher, celer, couvrir, déguiser, enfouir, envelopper, feindre, masquer, pallier, refouler, retenir, taire, voiler.
Ant. **I.** Avouer, confesser, déceler, découvrir, démasquer, dévoiler, exhiber, montrer.

Dissiper
Syn. **I.** Chasser, disperser, écarter, éliminer, éloigner, repousser. — Anéantir, consumer, dépenser, dévorer, dilapider, gaspiller, prodiguer. **III.** Gâcher, perdre, ruiner. **I.** Distraire, détourner de l'application, de la réflexion.
Ant. **I.** Accumuler, économiser. — Assagir.

Dissocier
Syn. **I.** Désagréger, désintégrer, désunir, séparer. **II.** Désunir, désorganiser, diviser. **III.** Disjoindre, distinguer.
Ant. **I.** Associer, combiner, mêler, unir. **II.** Rapprocher, réunir.

Dissoudre
Syn. **I.** Délayer, détruire, diluer, dissocier, fondre, liquéfier, résoudre. **II.** *(Dr.)* Abroger, annuler, défaire, proroger (une assemblée), rompre. — Interdire, supprimer. **III.** Anéantir, ruiner.
Ant. **I.** Constituer, cristalliser, précipiter, souder. **II.** Ratifier, valider. — Convoquer, réunir (une assemblée). — Conserver, garder. **III.** Raffermir.

Dissuader
Syn. **I.** Déconseiller, décourager, dégoûter, détourner, écarter, éloigner.
Ant. **I.** Conseiller, convaincre, convertir, décider, encourager, inviter, persuader.

Distance
Syn. **I.** Chemin, écart, écartement, éloignement, espace, étendue, intervalle, parcours, portée, trajet. **III.** Différence, disparité, dissemblance.
Ant. **I.** Approche, contiguïté, proximité, voisinage. **III.** Égalité, intimité, similitude.

Distancer
Syn. **I.** Dépasser, devancer, semer *(fam.)*, surpasser. **II.** Éloigner, espacer.
Ant. **I.** et **II.** Accompagner, approcher, coudoyer, escorter, suivre, talonner.

Distant
Syn. **I.** Écarté, éloigné, espacé, lointain. — Ancien, reculé. **III.** *(Pers.)* Fier, froid, réservé.
Ant. **I.** Adjacent, attenant, contigu, proche, voisin. **III.** Accueillant, aimable, familier.

Distendre
Syn. **I.** Allonger. — Ballonner, dilater, étendre, étirer, tendre, tirer.
Ant. **I.** Contracter, serrer.

Distiller
Syn. **I.** Cohober, dégoutter, épurer, extraire, raffiner, rectifier, sécréter, sublimer. **III.** Épancher, répandre, verser.
Ant. **I.** Arrêter, assécher, tarir.

Distinct
Syn. **I.** Autre, différent, indépendant, séparé. — Clair, net, visible.
Ant. **I.** Analogue, identique, même, semblable. — Confus, équivoque, indistinct.

Distingué
Syn. **I.** Brillant, célèbre, connu, éminent, illustre, remarquable, supérieur. — Courtois, digne, élégant, (bien) élevé.
Ant. **I.** Inférieur, médiocre, ordinaire, vulgaire. — Commun, grossier, trivial.

Distinguer
Syn. **I.** Caractériser, démêler, différencier, discriminer, isoler, séparer. — Aper-

cevoir, découvrir, percevoir, reconnaître, remarquer.
Ant. **I.** Confondre, identifier, mêler.

Distraction
Syn. **I.** Absence, bévue, erreur, étourderie, inadvertance, inapplication, inattention, irréflexion, mégarde, oubli. — Amusement, délassement, dérivatif, détente, diversion, divertissement, passe-temps, récréation.
Ant. **I.** Absorption, application, attention, concentration, réflexion, vigilance. — Ennui, monotonie, recueillement, travail.

Distraire
Syn. **I.** Détacher, détourner, enlever, retrancher, soustraire. — Déranger. **II.** Amuser, délasser, désennuyer, divertir, égayer, récréer, réjouir.
Ant. **I.** Ajouter, assembler, unir. — Accabler, ennuyer, fatiguer, lasser, tourmenter.

Distrait
Syn. **III.** Absent, étourdi, inappliqué, inattentif, rêveur, superficiel, vague.
Ant. **III.** Appliqué, attentif, présent, réfléchi, sérieux.

Distribuer
Syn. **I.** Assigner, attribuer, dispenser, donner, gratifier, partager, répandre, répartir. — Amener, conduire, fournir. **II.** Prodiguer. — Agencer, arranger, classer, coordonner, disposer, diviser, ordonner, organiser.
Ant. **I.** Accaparer, conserver, garder, recueillir, retenir. **II.** Déranger, désorganiser.

Distribution
Syn. **I.** Attribution, diffusion, don, partage, répartition. **II.** Agencement, arrangement, classement, classification, disposition, ordonnance, ordre.
Ant **I.** Ramassage, rassemblement, récupération. **II.** Dérangement, désordre.

Divaguer
Syn. **III.** Délirer, dérailler, déraisonner, extravaguer, radoter, rêver.
Ant. **III.** Penser, raisonner, réfléchir.

Divergence
I. Dispersion, écartement. **III.** Désaccord, différence, opposition.
Ant. **I.** Convergence. **III.** Accord, concordance.

Divers
Syn. **I.** Changeant, composite, disparate, hétéroclite, hétérogène, inégal, varié. *(Pl.)* Différent, dissemblable, distinct. — Plusieurs, quelques.
Ant. **I.** Homogène, identique, semblable, un, uniforme, unique.

Divertir
Syn. **I.** Détonner, distraire, soustraire. — Amuser, délasser, dérider, égayer, récréer, réjouir.
Ant. **I.** Donner. — Attrister, ennuyer, importuner.

Divertissement
Syn. **I.** Agrément, amusement, attraction, délassement, distraction, ébats, jeu, passe-temps, plaisir, récréation, réjouissance. — Intermède.
Ant. **I.** Affaires, devoir, ouvrage, travail. — Contrariété, ennui, tracas.

Dividende
Syn. **I.** Annuité, bénéfice, gain, intérêt, profit, rendement, rente, revenu, ristourne.

Divination
Syn. **I.** Horoscope, magie, oracle, prophétie, vaticination. **II.** Attente, conjecture, intuition, présage, prescience, pressentiment, prévision, pronostic.
Ant. **II.** Aveuglement.

Diviniser
Syn. **I.** Déifier, sanctifier. **III.** Exalter, glorifier, immortaliser, magnifier.
Ant. **III.** Avilir, humilier, rabaisser.

DIVINITÉ

Divinité
Syn. **I.** Déité, Dieu, maître, souverain, Très-Haut.
Ant. **I.** Humanité.

Diviser
Syn. **I.** Couper, décomposer, démembrer, disjoindre, dissocier, fractionner, fragmenter, morceler, partager, scinder, sectionner, séparer, subdiviser, tronquer. **III.** Analyser, classer, distribuer, répartir. — Brouiller, désunir, opposer. *Ant.* **I.** Associer, combiner, fusionner, grouper, multiplier, réunir, unifier, unir. **III.** Rapprocher, réconcilier.

Division
Syn. **I.** Coupure, démembrement, fission, fraction, fractionnement, fragmentation, morcellement, parcelle, partage, partie, pièce, sectionnement, segmentation, séparation, tranche. — Répartition. — Branche, catégorie, classe, famille, groupe, ordre. **III.** Désaccord, discorde, dissension, mésintelligence, opposition, rupture, scission. *Ant.* **I.** Groupement, indivision, rassemblement, réunion, union. — Multiplication. — Ensemble, total. **III.** Accord, rapprochement, réconciliation.

Divorce
Syn. **I.** Rupture, séparation. **III.** Désaccord, désunion, dissension, divergence, opposition. *Ant.* **I.** Mariage. **III.** Accord, entente, union.

Divorcer
Syn. **I.** Rompre, (se) séparer. **III.** Renoncer à. *Ant.* **I.** (Se) marier, (s') unir.

Divulguer
Syn. **I.** Dévoiler, ébruiter, proclamer, propager, publier, répandre, révéler, trahir. *Ant.* **I.** Cacher, déguiser, dissimuler, feindre, taire, voiler.

Docile
Syn. **I.** Discipliné, doux, facile, flexible, maniable, obéissant, sage, soumis, souple. *Ant.* **I.** Désobéissant, difficile, entêté, indiscipliné, indocile, insoumis, rebelle, récalcitrant, réfractaire, rétif, têtu.

Docilité
Syn. **I.** Discipline, douceur, obéissance, sagesse, soumission, souplesse. *Ant.* **I.** Désobéissance, indiscipline, indocilité, insoumission, insubordination, rébellion, révolte.

Docte
Syn. **I.** Calé, compétent, cultivé, éclairé, érudit, ferré, instruit, lettré, pédant, savant. *Ant.* **I.** Analphabète, ignare, ignorant, illettré.

Doctrine
Syn. **I.** Dogme, enseignement, opinion, principes, savoir, science, système, théorie.

Documents
Syn. **I.** Actes, annales, archives, documentation, dossier, matériaux, papier, pièces, renseignements, titres.

Dodu
Syn. **I.** Corpulent, gras, grassouillet, gros, joufflu, obèse, pansu, potelé, plein, rebondi, replet. *Ant.* **I.** Chétif, étique, étiré, fluet, frêle, maigre, malingre, mince.

Dogmatique
Syn. **I.** Absolu, affirmatif, autoritaire, catégorique, doctrinaire, impérieux, péremptoire, systématique. **II.** Décisif, doctoral, intransigeant, pédant, prétentieux, sentencieux, tranchant. *Ant.* **I.** et **II.** Erroné, faux, hésitant, indécis, modeste, tolérant.

Dogme
Syn. **I.** Article (de foi), credo, croyance, doctrine, foi, loi, religion.
Ant. **I.** Doute, erreur, incroyance.

Doit
Syn. **I.** Débit, passif.
Ant. **I.** Actif, avoir, crédit.

Doléances
Syn. **I.** Demandes, griefs, jérémiades, lamentations, plaintes, réclamations, récriminations, représentations.

Dolent
Syn. **I.** Geignard, plaintif, pleurard, pleurnicheur.
Ant. **I.** Content, gai, joyeux.

Domaine
Syn. **I.** Bien, chez-soi, clos, enclos, exploitation, ferme, fief, héritage, patrimoine, propriété, terre. **III.** Attributions, compétence, matière, milieu, rayon, ressort, spécialité, sphère.

Domestique
Syn. **I.** Bonne, garçon, laquais, servante, serviteur, valet.
Ant. **I.** Chef, maître, patron.

Domicile
Syn. **I.** Appartement, chez-soi, demeure, foyer, habitation, home, intérieur, logement, logis, maison, nid, pénates, résidence, toit.

Dominant
Syn. **I.** Déterminant, essentiel, premier, prépondérant, principal. — Culminant, élevé, éminent, haut, supérieur.
Ant. **I.** Accessoire, anodin, dépendant, secondaire, subordonné. — Inférieur.

Domination
Syn. **I.** Autorité, empire, maîtrise, omnipotence, pouvoir, prépondérance, suprématie. — *(Péj.)* Férule, joug, oppression, tyrannie. **II.** Ascendant, emprise, influence, poids, pression, prestige, puissance.

Ant. **I.** Indépendance, liberté. **II.** Infériorité, obéissance, sujétion.

Dommage
Syn. **I.** Atteinte, avarie, dégâts, détérioration, détriment, endommagement, lésion, outrage, perte, préjudice, ravage, tort.
Ant. **I.** Avantage, bénéfice, bien, gain, intérêt, profit.

Dompter
Syn. **I.** Apprivoiser, assujettir, domestiquer, dresser. — Asservir, dominer, mater, réduire, soumettre, subjuguer, terrasser, vaincre. **III.** Briser, discipliner, juguler, surmonter.
Ant. **I.** Affranchir, émanciper, libérer. **III.** Exciter, rebeller, révolter, soulever.

Don
Syn. **I.** Aumône, cadeau, gratification, libéralité, oblation, obole, offrande, pourboire, présent, souvenir. — Avantage, bénédiction, bienfait, faveur, grâce. — Aptitude, bosse *(fam.)*, capacité, disposition, facilité, habileté, qualité, talent.
Ant. **I.** Réclamation, revendication. — Défaut, inaptitude, lacune, manque.

Donation
Syn. **I.** Aliénation, cession, disposition, don, libéralité, transmission.
Ant. **I.** Accaparement, reprise, vol.

Donner
Syn. **I.** Abandonner, accorder, administrer, allouer, apporter, attribuer, céder, conférer, décerner, dispenser, distribuer, fournir, impartir, livrer, octroyer, offrir, présenter, procurer, prodiguer, remettre. — Communiquer, dire, exposer, exprimer, indiquer, montrer, transmettre. — Assigner, imposer, prescrire.
Ant. **I.** Accaparer, accepter, accueillir, admettre, arracher, conserver, demander, déposséder, dépouiller, empocher, encaisser, enlever, extirper, frustrer, prendre, prêter, priver, ravir, recevoir, recueillir, retirer, soustraire, spolier, toucher, voler. — Garder, taire.

Dormir
Syn. **I.** (S') assoupir, (s') endormir, reposer, roupiller *(fam.)*, sommeiller, somnoler.
Ant. **I.** (S') éveiller, (se) réveiller, veiller.

Dose
Syn. **I.** Mesure, partie, portion, proportion, quantité, ration.

Double
Syn. **I.** Ampliation, contrepartie, copie, duplicata, expédition, fac-similé, répétition, réplique, reproduction.
Ant. **I.** Modèle, original.

Doubler
Syn. **I.** Accroître, agrandir, ajouter, augmenter, redoubler. — Accélérer, dépasser, franchir. — Remplacer, substituer.
Ant. **I.** Dédoubler, diminuer. — Retarder.

Doucement
Syn. **I.** Délicatement, faiblement, légèrement. — Graduellement, peu à peu. **III.** *(Fam.)* Médiocrement bien.
Ant. **I.** Brusquement, bruyamment, fort, rudement, violemment. — Rapidement, vite. **III.** Bien.

Doucereux
Syn. **III.** Affecté, apprêté, cauteleux, composé, douceâtre, fade, insinuant, maniéré, mielleux, mièvre, onctueux, papelard, patelin, paterne, sucré.
Ant. **III.** Agressif, aigre, cassant, coléreux, emporté, excité, indigné, provocant.

Douceur(s)
Syn. *(Ch.)* **I.** Moelleux, onctuosité, saveur, suavité. **II.** *(Pl.)* Agréments, gâteries, friandises, sucreries. — *(Climat)* Clémence, modération, tiédeur. **III.** Bienêtre, bonheur, joie, jouissance, satisfaction, tranquillité. — Finesse, grâce, légèreté, lenteur. *(Pers.)* **III.** Affabilité, aménité, bienveillance, bonté, délicatesse, gentillesse, humanité, mansuétude, onction, patience, pondération, sérénité.

Ant. *(Ch.)* **I.** Acidité, acreté, aigreur. **II.** Inclémence, rigueur. **III.** Amertume. *(Pers.)* **III.** Brusquerie, brutalité, cruauté, dureté, impétuosité, indifférence, méchanceté, rudesse, violence.

Douillet
Syn. **I.** *(Ch.)* Confortable, doux, mollet. — *(Pers.)* Chatouilleux, délicat, efféminé, sensible.
Ant. **I.** Dur, rude. — Brusque, endurci, insensible, stoïque.

Douleur
Syn. **I.** *(Physique)* Crise, élancement, mal, malaise, souffrance, torture. — *(Morale)* Affliction, chagrin, déchirement, désolation, détresse, épreuve, peine, tourment, tristesse.
Ant. **I.** Bien-être, euphorie. — Allégresse, béatitude, bonheur, joie, plaisir, soulagement.

Douloureux
Syn. **I.** Cuisant, lancinant. — Endolori, sensible. **III.** Affligeant, atroce, cruel, déchirant, désolant, navrant, pénible.
Ant. **I.** Agréable, indolore, insensible. **III.** Gai, heureux, joyeux.

Doute
Syn. **I.** Hésitation, incertitude, incrédulité, incroyance, indécision, indétermination, irrésolution, perplexité. — Appréhension, crainte, défiance, méfiance, scepticisme, soupçon, suspicion.
Ant. **I.** Certitude, clarté, conviction, croyance, décision, détermination, foi, persuasion, résolution. — Assurance, évidence, fermeté.

Douter (et Se)
Syn. **I.** *(V. intr.)* Contester, désespérer, (être) incrédule, objecter, ne pas savoir. — (Se) défier, (se) méfier. — *(V. pr.)* (S') attendre à, conjecturer, croire, deviner, flairer, imaginer, penser, pressentir, soupçonner, supposer.
Ant. **I.** Admettre, croire, espérer, savoir. — (Être) certain, ignorer.

Douteux

Syn. **I.** Aléatoire, hypothétique, improbable, incertain, problématique. — Ambigu, contestable, discutable, équivoque, obscur. **II.** Faible, indécis, louche, mauvais, sale, suspect.

Ant. **I.** Assuré, authentique, avéré, certain, clair, décisif, évident, incontestable, indubitable, manifeste, notoire, précis, prouvé, réel. **II.** Bon, franc, net, sûr.

Doux

Syn. (Ch.) **I.** Douceâtre, doucereux, fade. **II.** Agréable, clément, délicat, exquis, fin, léger, mélodieux, moelleux, soyeux, suave. — Facile. — Faible, modéré. — Anodin, bénin, inoffensif. *(Pers.)* **III.** Affable, aimable, amène, attirant, conciliant, coulant, débonnaire, gentil, humain, indulgent, obligeant, paisible, patient, souple, tolérant.

Ant. **I.** Acide, aigre, amer. **II.** Criard, cru, désagréable, dur, rêche, rude. — Rigoureux. — Abrupt, escarpé. — Dangereux. **III.** Acerbe, bourru, brusque, brutal, coléreux, cruel, emporté, indélicat, sévère, violent.

Doyen

Syn. **I.** Aîné, ancien, vétéran.

Ant. **I.** Commençant, dernier, nouveau.

Dragée

Syn. **I.** Amande, bonbon, douceur, friandise, gâterie, praline, sucrerie. **III.** Cendrée, plomb de chasse, projectile.

Draguer

Syn. **I.** Curer, déminer, nettoyer, pêcher, racler.

Dramatique

Syn. **I.** Théâtral. **II.** Émouvant, intéressant, passionnant, poignant. **III.** Angoissant, critique, dangereux, difficile, grave, sérieux, terrible, tragique.

Ant. **I.** Épique, lyrique. **II.** Badin, léger. **III.** Comique, idyllique.

Drapeau

Syn. **I.** Banderole, bannière, couleurs, enseigne, fanion, flamme, guidon, oriflamme, pavillon. **III.** Symbole.

Dresser

Syn. **I.** Arborer, édifier, élever, ériger, lever, monter, planter, redresser. **II.** Apprêter, disposer, installer, mettre, préparer. — Tendre (un piège). — Calculer, établir, étudier, exécuter. — Apprivoiser, domestiquer, dompter, mater. — Éduquer, façonner, former, instruire, styler. **III.** Exciter, mettre en opposition, monter.

Ant. **I.** Abaisser, abattre, baisser, coucher, courber, démolir, démonter, descendre, détruire, miner, plier. **II.** Effaroucher, effrayer, éloigner. — Déformer. **III.** Mettre d'accord.

Drogue

Syn. **I.** Médicament, potion, remède. — Barbiturique, narcotique, stupéfiant.

Droit

Syn. (Adj.) **I.** Debout, direct, dressé, raide, rectiligne, rigide, vertical. — Dextre. **III.** Équitable, franc, honnête, impartial, juste, loyal, probe, sincère. — Judicieux, raisonnable, sain, sensé, strict. *(N.)* **I.** Autorisation, faculté, habilité, liberté, permission, possibilité, pouvoir, prérogative, privilège, qualité, titre. — Concession, contribution, imposition, impôt, redevance, rétribution, salaire, taxe. — Jurisprudence, justice, légalité, législation, légitimité, loi, règles.

Ant. **I.** Arqué, brisé, cambré, courbe, fourchu, gauchi, incliné, oblique, penché, recourbé, tordu, voûté. **III.** Déloyal, dissimulé, faux, fourbe, hypocrite, partial, retors, trompeur. — Anormal, bizarre, déraisonnable, illogique, stupide. — *(N.)* **I.** Devoir, tort.

Droiture

Syn. **I.** Équité, franchise, honnêteté, honneur, impartialité, intégrité, loyauté, probité, rectitude, sincérité.

Ant. **I.** Déloyauté, improbité, iniquité, malhonnêteté, partialité.

Drôle

Syn. **I.** Amusant, cocasse, comique, désopilant, gai, hilarant, impayable, marrant, plaisant, ridicule, rigolo, risible, spirituel, tordant. **II.** Bizarre, curieux, étonnant, étrange, original, singulier, surprenant. *Ant.* **I.** Austère, ennuyeux, falot, grave, insipide, sérieux, sévère, solennel, triste. **II.** Normal, ordinaire, simple.

Dru

Syn. **I.** Abondant, compact, dense, épais, serré, touffu. *Ant.* **I.** Clairsemé, dispersé, rare.

Dune

Syn. **I.** Butte, colline, erg. monticule.

Dupe

Syn. **I.** Dindon, gogo, pigeon, poire, victime.

Duper

Syn. **I.** Abuser, attraper, berner, dindonner, embobiner, enjôler, entortiller, escroquer, flouer, jouer, mystifier, prendre, rouler, tromper. *Ant.* **I.** Désabuser, détromper.

Duperie

Syn. **I.** Abus (de confiance), escroquerie, leurre, supercherie, tromperie. *Ant.* Franchise, loyauté.

Dur

Syn. (Ch.) **I.** Consistant, coriace, empesé, ferme, résistant, rigide, solide. **II.** Âpre, ardu, difficile, pénible, rigoureux, rude. *(Pers.)* **III.** Impitoyable, inhumain, insensible, intransigeant, sévère, strict.

Ant. **I.** Doux, malléable, moelleux, mou, souple. **II.** Docile, facile. **III.** Bienveillant, bon, indulgent, sensible, tendre.

Durable

Syn. **I.** Constant, continu, éternel, ferme, immortel, immuable, impérissable, indestructible, permanent, persistant, solide, stable, tenace, viable, vivace. *Ant.* **I.** Bref, court, éphémère, fugitif, momentané, précaire, provisoire, temporaire.

Durcir

Syn. **I.** Concréter, congeler, endurcir, fortifier, raffermir, solidifier, tremper. *Ant.* **I.** Amollir, attendrir, mollir.

Durée

Syn. **I.** Âge, cours, espace, existence, instant, longueur, moment, pérennité, période, règne, temps. — Valeur *(mus.)*

Durer

Syn. **I.** (Se) conserver, continuer, demeurer, (s') éterniser, (se) maintenir, (se) perpétuer, persister, (se) prolonger, résister, rester, subsister, survivre, tenir, traîner, vivre (encore). *Ant.* **I.** (S') arrêter, cesser, disparaître, mourir, passer, (se) terminer.

Dureté

Syn. (Ch.) **I.** Consistance, résistance, rigidité, solidité. *(Pers.)* **III.** Brutalité, inclémence, insensibilité, méchanceté, rigueur, rudesse, sécheresse, sévérité. *Ant.* **I.** Flaccidité, mollesse. **III.** Aménité, bonté, gentillesse, indulgence, sensibilité, tendresse.

Dynastie

Syn. **I.** Descendance, famille, lignée, race.

E

Eau
Syn. **I.** Cours, mer, nappe (d'eau), onde, pluie. **II.** Salive, sueur.

Ébahi
Syn. **I.** Abasourdi, ahuri, ébaubi, éberlué, estomaqué, interdit, sidéré, stupéfait. *Ant.* **I.** Flegmatique, froid, impassible, indifférent, insensible, insouciant, neutre, philosophe.

Ébauche
Syn. **I.** Canevas, croquis, esquisse, essai, étude, jet (premier jet), plan, projet, schéma, silhouette. **III.** Commencement. *Ant.* **I.** Finissage, finition, révision.

Ébaucher
Syn. **I.** Dégrossir, épanneler, préparer. — Crayonner, croquer, dessiner, esquisser. **III.** Projeter. *Ant.* **I.** Achever, finir, terminer.

Éblouir
Syn. **I.** Aveugler. **III.** Émerveiller, épater, étonner, fasciner, impressionner, séduire, tromper. *Ant.* **I.** Dessiller, obscurcir. **III.** Décourager, déplaire, désenchanter, désillusionner.

Éblouissement
Syn. **I.** Aveuglement. **II.** Trouble. **III.** Admiration, émerveillement, étonnement, fascination, séduction, surprise. *Ant.* **I.** Clairvoyance, vision. **III.** Dédain, déplaisir, désenchantement.

Ébouler (S')
Syn. **I.** (S') affaisser, crouler, (s') écrouler, (s') effondrer. *Ant.* **I.** Fortifier, redresser.

Éboulis
Syn. **I.** Affaissement, chute, éboulement, écroulement, effondrement. *Ant.* **I.** Redressement.

Ébrancher
Syn. **I.** Couper, écimer, élaguer, émonder, étêter, tailler. *Ant.* **I.** Ajouter, enter, greffer, insérer.

Ébranlement
Syn. **I.** Choc, commotion, effondrement, mouvement, oscillation, secousse, vibration. **II.** Séisme, tremblement (de terre). **III.** Agitation, émoi, émotion, panique, traumatisme. *Ant.* **I.** Arrêt, immobilité, solidité, stabilité. **III.** Calme, équilibre, indifférence.

Ébranler
Syn. **I.** Agiter, faire vibrer, secouer. **III.** Affaiblir, compromettre, entamer, saper. — Atteindre, bouleverser, émouvoir, fléchir, toucher. *Ant.* **I.** Arrêter, maintenir, solidifier. **III.** Confirmer, consolider, raffermir.

Ébrécher
Syn. **I.** Détériorer, échancrer, endommager. **III.** *(Fam.)* — Amoindrir, diminuer, écorner, entamer. *Ant.* **I.** Aiguiser, polir. **III.** Augmenter, conserver, garantir, préserver, protéger.

Ébullition
Syn. **I.** Bouillonnement. **III.** Effervescence, excitation, fermentation, révolution. *Ant.* **I.** Réfrigération, refroidissement. **III.** Paix, quiétude, sérénité.

Écarter
Syn. **I.** Disjoindre, séparer. — Détourner, dévier. **III.** Chasser, éliminer, éloigner, évincer, repousser. *Ant.* **I.** Rapprocher, réunir. — Repérer. **III.** Choisir, garder.

Écervelé
Syn. **I.** Braque, étourdi, évaporé, fou, imprudent, irréfléchi, léger. — Hurluberlu, tête de linotte.

Ant. **I.** Équilibré, fin, intelligent, mesuré, pondéré, prudent, réfléchi, sage, sérieux.

Échafauder
Syn. **III.** Combiner, élaborer, préparer, projeter.
Ant. **III.** Démolir, renverser, saper, supprimer.

Échancrer
Syn. **I.** Ajourer, chantourner, décolleter, découper, évider, tailler.
Ant. **I.** Fermer, joindre, unir.

Échancrure
Syn. **I.** Coupure, décolleté, découpure, dentelure, entaille. — Brèche, trouée. — Baie, golfe.
Ant. **I.** Saillie. — Cap.

Échange
Syn. **I.** Change, commerce, troc. — Communication, envois, permutation, réciprocité. — *(Biol.)* Perméabilité.
Ant. **I.** Conservation, restriction.

Échanger
Syn. **I.** Changer, troquer. — Communiquer.
Ant. **I.** Conserver, garder.

Échantillon
Syn. **I.** Espèce, exemplaire, genre, modèle, type. **II.** Prototype, représentant, spécimen. **III.** Aperçu, avant-goût, exemple, idée, image.

Échappatoire
Syn. **I.** Dérobade, excuse, faux-fuyant, fuite, prétexte, reculade, sortie (porte de), subterfuge.

Échappée
Syn. **I.** Équipée, escapade, fugue, fuite, promenade, sortie. — Horizon, panorama, vue. — Dégagement. **III.** Instant, moment.

Échapper (et S')
Syn. (V. intr.) **I.** (Se) dérober à, fuir, (se) libérer, (se) préserver de, (se) soustraire à. — Glisser, tomber. — Eviter, (être) exempt de. *(V. tr.)* **I.** Lâcher, (laisser) tomber. *(V. pr.)* **I.** *(Être vivant)* (Se) dégager, (se) dérober, (s') éclipser, (s') enfuir, (s') esquiver, (s') évader, (se) sauver. **II.** *(Ch.)* Déborder, jaillir, (se) répandre, sortir, surgir. **III.** (Se) dissiper, (s') envoler, (s') évanouir, (se) volatiliser *(fam.).*
Ant. (V. intr.) **I.** Endurer, supporter. — (Se) soumettre, subir. *(V. tr.)* **I.** Garder, retenir. *(V. pr.)* **I.**, **II.** et **III.** Entrer, rester, tenir.

Écharper
Syn. **I.** Balafrer, blesser, déchiqueter, lyncher, massacrer, mutiler.

Échauder
Syn. **I.** Brûler, ébouillanter. **III.** Abuser, duper.
Ant. **I.** Geler, refroidir. **III.** Détromper.

Échauffourée
Syn. **I.** Accrochage, bagarre, bataille, engagement, escarmouche, rencontre, rixe.
Ant. **I.** Calme, paix, tranquillité.

Échéance
Syn. **I.** Date, expiration, terme.

Échec
Syn. **I.** Avortement *(fig.)*, déconfiture, défaite, faillite, fiasco, four, insuccès, ratage, revers.
Ant. **I.** Réussite, succès.

Échelle
Syn. **I.** Échalier, échelette, escabeau, marchepied. **II.** Gamme, graduation, mesure, rapport. **III.** Hiérarchie, série, succession, suite.

Échelon
Syn. **I.** Barreau, degré, marche. **III.** Grade, marchepied, niveau.

Échelonner
Syn. **I.** Distribuer, espacer, étager, étaler, graduer, jalonner, répartir, sérier.
Ant. **I.** Bloquer, concentrer, masser, réunir, unifier.

Échevelé

Syn. **I.** Ébouriffé, hérissé, hirsute. **III.** Désordonné, effréné.
Ant. **I.** Peigné. **III.** Sage.

Échine

Syn. **I.** Dos, colonne vertébrale, épine dorsale, rachis.

Échiner (S')

Syn. **I.** *(Fam.)* (Se) crever, (s') épuiser, (s') éreinter, (s') esquinter, (se) fatiguer.
Ant. **I.** (Se) délasser, (se) reposer.

Écho

Syn. **I.** Répétition. **III.** Bruit, information, nouvelle. — Imitation, reflet, reproduction. — Réponse, résonance.

Échoir

Syn. **I.** Advenir, (être) dévolu, revenir à. — Arriver à échéance.

Échouer

Syn. **I.** (S') engraver, (s') ensabler, (s') envaser, toucher le fond. — Avorter *(fig.)*, (se) briser, manquer, rater. — Aboutir, arriver, parvenir.
Ant. **I.** Déséchouer, renflouer. — Gagner, réussir.

Éclabousser

Syn. **I.** Arroser, asperger, maculer, salir, souiller, tacher. **III.** Compromettre. — Écraser, humilier.
Ant. **I.** Garer, préserver, protéger. **III.** Louanger.

Éclairage

Syn. **I.** Clarté, lumière. **III.** Angle, aspect, jour.
Ant. **I.** Obscurité.

Éclaircir

Syn. **I.** Éclairer, illuminer. — Allonger, désépaissir, diluer, étendre. — Nettoyer, polir. — Déblayer, dégager, élaguer, tailler. **III.** Clarifier, débrouiller, démêler, démontrer, développer, élucider, expliquer.

Ant. **I.** Assombrir, noircir, ternir. — Épaissir. — Encombrer. **III.** Embrouiller, emmêler, enchevêtrer, obscurcir, troubler.

Éclairé

Syn. **I.** Averti, cultivé, initié, instruit, lettré, savant. — Habile, judicieux, lucide, sage, sensé.
Ant. **I.** Béotien, ignorant, illettré, profane. — Aveugle, débridé, écervelé, effréné, outré.

Éclairer

Syn. (V. tr.) **I.** Allumer, illuminer. **III.** Clarifier, élucider, expliquer. — Informer, instruire, renseigner. — Éduquer, former. *(V. intr.)* **I.** Briller, étinceler, flamboyer, luire, reluire.
Ant. (V. tr.) **I.** Assombrir, enténébrer, éteindre, obscurcir. **III.** Compliquer, embrouiller, emmêler. — Égarer, leurrer, tromper.

Éclat

Syn. **I.** Brisure, copeau, débris, éclisse, écornure, esquille, fragment, morceau, recoupe. — Bruit, coup, fracas. — Brillant, clarté, feu, lustre, miroitement, scintillement, splendeur. **III.** Apparat, faste, luxe, magnificence, richesse. — Fraîcheur, perfection, vernis. — Exploit. — Scandale.
Ant. **I.** Matité, sobriété.

Éclatant

Syn. **I.** Brillant, éblouissant, étincelant, flamboyant, fulgurant, lumineux, radieux, rayonnant, resplendissant, rutilant, vif, voyant. — Bruyant, criard, perçant, retentissant, sonore, vibrant. **III.** Aveuglant, évident, manifeste. — Admirable, remarquable, triomphal.
Ant. **I.** Blafard, blême, décoloré, dépoli, déteint, fade, flétri, foncé, mat, obscur, pâle, sombre. — Assourdi, doux, sourd, voilé. **III.** Caché, douteux, équivoque. — Modeste, terne.

Éclater
Syn. **I.** (Se) briser, (se) casser, crever, détoner, exploser, (se) fendre, (s') ouvrir, péter, sauter. **II.** Crépiter, retentir, tonner. — Pouffer. **III.** *(Ch.)* Commencer, (se) déclarer. — Rayonner, sauter aux yeux. — *(Pers.)* (S') emporter, fulminer, (se) répandre en.
Ant. **I.** Comprimer, contenir, retenir. **III.** (Se) cacher, (se) dissimuler. — (Se) calmer, (se) dominer, (se) maîtriser, (se) taire.

Éclipse
Syn. **I.** Disparition, interposition, obscurcissement, occultation. **III.** Absence, défaillance, effacement, fléchissement.
Ant. **I.** Réapparition. **III.** Faveur, honneur, présence, succès.

Éclipser (et S')
Syn. *(V. tr.)* **II.** Cacher, dérober, effacer, intercepter, obscurcir, offusquer, voiler. **III.** Dépasser, surclasser, surpasser. *(V. pr.)* **I.** (S') échapper, (s') enfuir, (s') esquiver, (se) retirer. **III.** Disparaître, (s') évanouir.
Ant. **I.** Dévoiler, exhiber, montrer. — Affronter, demeurer.

Éclore
Syn. **I.** (S') ouvrir. **II.** (S') épanouir, fleurir. **III.** Apparaître, commencer, débuter, naître, paraître, surgir.
Ant. **II.** Dépérir, (se) faner, (se) fermer, (se) flétrir. **III.** Disparaître, mourir.

Éclosion
Syn. **I.** Sortie. — Épanouissement, floraison. **III.** Apparition, commencement, début, manifestation, naissance, production.
Ant. **I.** Dépérissement, flétrissement. **III.** Disparition, fin, mort.

Écluse
Syn. **I.** Bajoyer, barrage, digue, radier, vanne.

Écluser
Syn. **I.** Arrêter, barrer, clore, enclaver, fermer, murer, obstruer, retenir.
Ant. **I.** Circuler, faire écouler, ouvrir, passer.

Écœurer
Syn. **I.** Dégoûter, répugner, soulever le cœur. **III.** Abattre, décourager, démoraliser. — Révolter.
Ant. **I.** Allécher, attirer. **III.** Enthousiasmer. — Charmer.

École
Syn. **I.** Académie, conservatoire, cours, institution. **II.** Classe, cours, enseignement, exercice, leçon. **III.** Chapelle, doctrine, mouvement, parti, secte.

Écolier
Syn. **I.** Collégien, disciple, élève, étudiant, lycéen, potache. **III.** *(Fam.)* Apprenti, commençant, débutant, novice.
Ant. **I.** Instituteur, instructeur, maître, pédagogue, professeur. **III.** Expert.

Éconduire
Syn. **I.** Chasser, congédier, éloigner, expulser, refuser, renvoyer, repousser.
Ant. **I.** Accueillir, attirer, convier, inviter, prier.

Économie
Syn. **I.** Administration, autarcie, gestion. — Épargne, gain, parcimonie, pécule. **II.** Ordre, organisation, structure.
Ant. **I.** Dépense, gaspillage, perte, prodigalité. — Désordre.

Économiser
Syn. **I.** Amasser, conserver, épargner, garder, lésiner, ménager, réserver, thésauriser.
Ant. **I.** Consommer, dépenser, dilapider, gaspiller, prodiguer.

Écorcher
Syn. **I.** Dépouiller, dépiauter, ôter. **II.** Déchirer, égratigner, érafler, excorier, griffer, labourer. **III.** *(Fam.)* Estropier

(un nom). — Estamper, exploiter, rançonner, voler.
Ant. **I.** Épargner, protéger. **III.** Bien prononcer. — Restituer.

Écorner
Syn. **I.** Briser, casser, endommager un angle. **II.** Ébrécher. **III.** Amoindrir, diminuer, entamer, réduire.
Ant. **I.** et **III.** Additionner, ajouter, allonger, amplifier, annexer, compléter, majorer, surajouter.

Écornifleur
Syn. **I.** Écumeur, parasite, pique-assiette.

Écosser
Syn. **I.** Égrener, éplucher. **III.** *(Pop.)* Dépenser.

Écot
Syn. **I.** Cotisation, quote-part. — Souche, tronc.

Écoulement
Syn. **I.** Dégorgement, déversement, épanchement, évacuation. — Excrétion, flux, sécrétion. **II.** Circulation, mouvement, passage, sortie. — Débit, débouché, marché, vente.
Ant. **I.** Obstruction, stagnation. — Rétention. **II.** Stationnement. — Achat, conservation, stockage.

Écouler (et S')
Syn. *(V. tr.)* **I.** Débiter, placer, vendre. — Mettre en circulation. *(V. pr.)* **I.** Couler, (se) déverser, (s') échapper, (s') épancher, (s') évacuer, fluer, (se) répandre, (se) retirer, sortir. **III.** Disparaître, (s') enfuir, (s') évanouir, passer, (se) perdre.
Ant. **I.** Acheter, garder, retenir. — (S') arrêter, (se) conserver, immobiliser, stationner.

Écourter
Syn. **I.** Couper, diminuer, raccourcir, rapetisser, réduire, rogner. **III.** Abréger, tronquer.

Ant. **I.** et **III.** Accroître, ajouter, allonger, augmenter, développer, étendre, prolonger.

Écouter
Syn. **I.** Entendre, ouïr, prêter ou tendre l'oreille. **II.** Accueillir, obéir à, suivre. *Ant.* **I.** (S') écrier, parler. **II.** Désobéir, négliger.

Écran
Syn. **I.** Abri, paravent, rideau. **II.** Cinéma, télévision. .

Écraser
Syn. **I.** Aplatir, briser, broyer, comprimer, concasser, écrabouiller, fouler, moudre, piler, presser, pulvériser, triturer. — Meurtrir, renverser. **III.** Abattre, accabler, anéantir, détruire, ruiner, surcharger. — Défaire, surclasser, vaincre.
Ant. **I.** Décharger. **III.** Encourager, ranimer, relever, restaurer, rétablir.

Écrire
Syn. **I.** Calligraphier, copier, crayonner, dactylographier, dessiner, former, gribouiller, griffonner, orthographier, taper à la machine, tracer, transcrire. — Consigner, fixer, inscrire, marquer, noter. — Correspondre avec. — Bâcler, composer, écrivailler, exposer, exprimer, pondre, publier, rédiger.
Ant. **I.** Biffer, effacer, raturer, rayer.

Écrit
Syn. **I.** Acte, copie, original, titre. — Élucubration, livre, œuvre, ouvrage, production, publication, travail, volume. — Diatribe, factum, libelle, pamphlet.

Écriteau
Syn. **I.** Affiche, annonce, enseigne, inscription, pancarte, panneau-réclame, panonceau, placard.

Écrivain
Syn. **I.** Auteur, homme de lettres, littérateur. — *(Péj.)* Bas-bleu, écrivailleur, écrivassier, plumitif.

Écroulement

Syn. **I.** Affaissement, éboulement, effondrement. **III.** Anéantissement, chute, culbute, débâcle, dégringolade, désagrégation, renversement, ruine.
Ant. **I.** Construction, élévation, érection. **III.** Établissement, relèvement, renforcement.

Écrouler (S')

Syn. **I.** (S') abattre, (s') affaisser, (s') affaler, choir, crouler, culbuter, (s') ébouler, s'effondrer. **III.** (S') anéantir, déchoir, dégringoler, sombrer, tomber.
Ant. **I.** et **III.** (S') élever, (se) ranimer, (se) redresser, (se) relever, (se) remonter, (se) rétablir, (se) sauver.

Écueil

Syn. **I.** Brisant, chaussée, étoc, récif, roc, rocher. **III.** Achoppement, danger, difficulté, inconvénient, obstacle, péril, piège.

Écume

Syn. **I.** Mousse. **II.** Bave, salive. — Sueur. **III.** Lie, rebut.

Écumer

Syn. (V. intr.) **I.** Mousser, moutonner. **II.** Baver, suer. **III.** Rager. *(V. tr.)* **I.** Débarrasser, purifier. **III.** Piller, voler.

Écumeur.

Syn. **I.** Aventurier, boucanier, corsaire, flibustier, pillard, pirate. **II.** Exploiteur, plagiaire.

Écusson V. *Emblème*

Éden

Syn. **I.** Ciel, lieu de délices, paradis.
Ant. **I.** Enfer, géhenne.

Édifice

Syn. **I.** Bâtiment, bâtisse, construction, habitation, immeuble, maison, monument. **III.** Arrangement, assemblage, combinaison, ensemble, entreprise, œuvre, organisation.

Édifier

Syn. **I.** Bâtir, construire, élever. **III.** Arranger, combiner, constituer, créer, établir, fonder, organiser. — Composer, échafauder, élaborer. — Éclairer, instruire, renseigner. — Porter à la piété, à la vertu.
Ant. **I.** Abattre, démolir, raser, renverser, ruiner. **III.** Anéantir, défaire, détruire. — Choquer, corrompre, offenser, scandaliser.

Édit

Syn. **I.** Constitution, décret, loi, ordonnance, règlement.

Éditer

Syn. **I.** Imprimer, lancer, paraître, publier, reproduire, sortir.

Édition

Syn. **I.** Impression, publication, reproduction, tirage. — Librairie, livre.

Éducation

Syn. **I.** Apprentissage, école, enseignement, formation, imitation, institution, instruction, pédagogie. — Domestication, dressage, élevage, exercice. — Bienséance, distinction, politesse, savoir-vivre.
Ant. **I.** Déformation, ignorance. — Grossièreté, impolitesse, incivilité, rusticité.

Édulcorer

Syn. **I.** Adoucir, sucrer. **III.** Affadir, affaiblir, atténuer, envelopper, mitiger, tempérer.
Ant. **I.** Aciduler, épicer, pimenter, relever. **III.** Corser, renforcer.

Éduquer

Syn. **I.** Cultiver, développer, discipliner, dresser, élever, façonner, former, guider, instruire.
Ant. **I.** Abêtir, abrutir.

Effacer (et **S'**)

Syn. (V. tr.) **I.** Barrer, biffer, enlever, gommer, gratter, radier, raturer, rayer,

173

EFFORCER (S')

supprimer. **II.** Détruire, oblitérer. **III.** Abolir, absoudre, annuler, détrôner, éclipser, laver, obscurcir, (faire) oublier, surpasser. *(V. pr.)* **I.** (Se) dérober, (se) retirer. **III.** Cesser, disparaître, (s') estomper, (s') évanouir, partir.
Ant. (V. tr.) **I.** Ajouter, écrire, marquer. **II.** Remémorer. **III.** Accentuer, aviver, (faire) ressortir. *(V. pr.)* **I.** Demeurer, rester. **III.** (Se) montrer, paraître.

Effaré
Syn. **I.** Affolé, ahuri, effarouché, égaré, étonné, hagard, inquiet, interdit, stupéfait, troublé.
Ant. **I.** Audacieux, calme, confiant, rassuré, serein.

Effaroucher
Syn. **I.** Apeurer, effrayer, éloigner, faire fuir. **III.** Alarmer, blesser, choquer, épouvanter, intimider, offusquer, rebuter, troubler.
Ant. **I.** et **III.** Apprivoiser, calmer, enhardir, rasséréner, rassurer, tranquilliser.

Effectif *(adj.)*
Syn. **I.** Certain, concret, efficace, existant, positif, réel, tangible, véritable.
Ant. **I.** Abstrait, apparent, chimérique, fictif, illusoire, irréel, possible.

Effectuer
Syn. **I.** Accomplir, exécuter, faire, opérer, réaliser.
Ant. **I.** Échouer, manquer, rater.

Efféminé
Syn. **I.** Amolli, délicat, douillet, féminin, mou.
Ant. **I.** Énergique, mâle, viril.

Effervescence
Syn. **I.** Ébullition, fermentation. **III.** Agitation, ardeur, bouillonnement, embrasement, émoi, emportement, exaltation, fougue, incandescence, mouvement, tumulte.
Ant. **I.** Défervescence. **III.** Calme, sérénité, tiédeur, tranquillité.

Effet (s)
Syn. **I.** Conséquence, contrecoup, corollaire, dépendance, filiation, portée, rapport, réaction, rendement, résultat, retentissement, suite. — Impression, sensation. — Application, exécution, réalisation. — *(Pl.)* Linge, vêtements.
Ant. **I.** Base, cause, fondement, germe, motif, origine, principe, raison.

Effeuiller
Syn. **I.** Défeuiller, dépouiller, effaner. **III.** Anéantir, enlever, ôter.

Efficace
Syn. **I.** Actif, agissant, bon pour, certain, effectif, efficient, énergique, infaillible, puissant, souverain, sûr. **II.** *(Pers.)* Capable, compétent, réalisateur.
Ant. **I.** Anodin, impuissant, inefficace, inopérant, inutile, palliatif, stérile, vain. **II.** Incapable.

Effigie
Syn. **I.** Figure, forme, image, portrait, représentation. **III.** Empreinte, marque, reproduction, sceau.

Effilé
Syn. **I.** Effiloché, effrangé. — Aigu, allongé, délié, élancé, étroit, long, mince, pointu, svelte.
Ant. **I.** Élargi, épais, gros, large.

Efflanqué V. *Maigre*

Effondrer (et S')
Syn. **I.** *(V. tr.)* Labourer, remuer (la terre). — Briser, défoncer, détruire, rompre. — *(V. pr.)* (S') abattre, (s') abîmer, (s') affaisser, crouler, culbuter, (se) disloquer, (s') écrouler, tomber. — *(Pers.)* (S') abandonner, céder.
Ant. **I.** Reconstruire, relever. — (Se) dresser, (se) raidir, résister.

Efforcer (S')
Syn. **I.** (S') appliquer, (s') attacher, chercher à, (faire) effort, (s') escrimer, essayer, (s') évertuer, (se) forcer, (s') ingé-

nier à, lutter pour, tâcher, tenter, viser.
Ant. I. Abandonner, désespérer, (se) laisser aller, renoncer, (se) reposer.

Effrayant
Syn. I. Affreux, atroce, effroyable, épouvantable, horrible, laid, monstrueux, redoutable, sinistre, terrifiant, terrible. II. *(Fam.)* Effarant, extraordinaire, extrême, formidable, immense.
Ant. I. Attirant, rassurant, séduisant. II. Infime, ridicule.

Effrayer
Syn. I. Affoler, alarmer, apeurer, effarer, effaroucher, épouvanter, (faire) peur, terrifier.
Ant. I. Apaiser, enhardir, rassurer.

Effroi
Syn. I. Affolement, affres, alarme, angoisse, anxiété, appréhension, crainte, effarement, épouvante, frayeur, frisson, panique, peur, terreur, transe, trouble.
Ant. I. Assurance, calme, courage, garantie, sécurité, sérénité, sûreté, tranquillité.

Effronté
Syn. I. Audacieux, cynique, éhonté, (sans) gêne, grossier, hardi, impertinent, impudent, insolent, malappris, osé, outrecuidant.
Ant. I. Contenu, mesuré, modéré, modeste, poli, réservé, retenu, sage, tempéré.

Effronterie
Syn. I. Audace, cynisme, hardiesse, impolitesse, impudence, outrecuidance, sans-gêne.
Ant. I. Gêne, hésitation, modestie, politesse, réserve, timidité.

Effroyable
Syn. I. Catastrophique, effrayant, épouvantable, horrible, terrible. II. Excessif, incroyable, inimaginable.
Ant. I. Admirable, apaisant, attirant, rassurant, ravissant.

Effusion
Syn. III. Abandon, confiance, débordement, élan, épanchement, ferveur, transport.
Ant. III. Antipathie, désintéressement, dureté, éloignement, froideur, indifférence, retenue.

Égal
Syn. I. Lisse, plan, plat, uni. – Équivalent, identique, même, pareil, semblable. II. Constant, invariable, régulier, uniforme. – Indifférent. – Tranquille.
Ant. I. Inégal. – Autre, contraire, différent. II. Inconstant, irrégulier. – Important. – Capricieux.

Égaler
Syn. I. Atteindre, équivaloir, valoir.
Ant. I. Dépasser, surpasser.

Égaliser
Syn. I. Aplanir, niveler, unir. – Ajuster, balancer, contrebalancer, équilibrer.
Ant. I. Bosseler, creuser. – Déséquilibrer, différencier.

Égalité
Syn. I. Équilibre, équivalence, identité, parité, similitude. II. Régularité, uniformité. – Sérénité, tranquillité.
Ant. I. Déséquilibre, inégalité. II. Disparité, irrégularité, supériorité.

Égards
Syn. I. Attentions, considération, déférence, délicatesses, estime, gentillesse, ménagements, politesse, prévenances, respect, soins, vénération.
Ant. I. Dureté, grossièreté, impolitesse, indifférence.

Égarement
Syn. I. Perte. III. Aberration, affolement, aliénation, délire, démence, dérèglement, désordre, divagation, erreur, folie.
Ant. III. Clairvoyance, équilibre, finesse, jugement, logique, raison, sagesse.

Égarer
Syn. **I.** Dérouter, désorienter, dévoyer, fourvoyer, perdre. **III.** Abuser, aveugler, détourner, dévier, pervertir, tromper, troubler.
Ant. **I.** Retrouver. **III.** Diriger, guider.

Égayer
Syn. **I.** Amuser, délasser, dérider, distraire, divertir, récréer, réjouir.
Ant. **I.** Assombrir, attrister, chagriner, ennuyer, lasser, peiner.

Égide
Syn. **III.** Appui, auspices, bouclier, patronage, protection, sauvegarde, tutelle.

Église
Syn. **I.** Basilique, cathédrale, chapelle, oratoire, paroisse, sanctuaire, temple. — Communion, confession, croyance, culte, religion, secte.

Égoïsme
Syn. **I.** Amour-propre, égocentrisme, égotisme, individualisme, vanité.
Ant. **I.** Altruisme, désintéressement, dévouement, générosité.

Égoïste
Syn. **I.** Dur, égocentrique, égocentriste, indifférent, ingrat, insensible, sans-cœur.
Ant. **I.** Altruiste, désintéressé, dévoué, généreux, magnanime.

Égratigner
Syn. **I.** Déchirer, écorcher, érafler, griffer. **III.** Blesser, piquer.
Ant. **I.** Soigner. **III.** Féliciter.

Éhonté
Syn. **I.** Cynique, effronté, honteux, impudent, scandaleux.
Ant. **I.** Discret, poli, réservé.

Élaborer
Syn. **I.** Combiner, construire, faire, former, mûrir, préparer.
Ant. **I.** Aborder, effleurer, entamer.

Élaguer
Syn. **I.** Couper, diminuer, ébrancher, éclaircir, émonder, tailler, tronquer. **III.** Retrancher, supprimer.
Ant. **III.** Ajouter, amplifier, compléter, grossir, remettre.

Élan
Syn. **I.** Bond, envol, essor, mouvement, vitesse. **III.** Accès, ardeur, chaleur, emportement, enthousiasme, envolée, impulsion, poussée, transport, vivacité.
Ant. **I.** Arrêt, inertie, pause, repos. **III.** Accablement, apathie, détente, langueur, prostration.

Élancé
Syn. **I.** Délicat, effilé, efflanqué, fin, fluet, grêle, haut, mince, svelte.
Ant. **I.** Alourdi, court, épais, gras, gros, ramassé, trapu.

Élargir
Syn. **I.** Dilater, distendre, évaser. **II.** Agrandir, grossir. **III.** Accroître, amplifier, augmenter, développer, étendre, ouvrir. **I.** Libérer, relâcher, relaxer.
Ant. **I.** Amincir, contracter, resserrer, rétrécir. **II.** Diminuer. **III.** Borner, comprimer, circonscrire. **I.** Arrêter, écrouer, emprisonner, incarcérer.

Élection
Syn. **I.** Choix, désignation, nomination, vote.

Électriser
Syn. **III.** Enflammer, exalter, exciter, galvaniser, transporter, survolter.
Ant. **III.** Abattre, décourager, neutraliser.

Élégance
Syn. **I.** Agrément, aisance, beauté, chic, délicatesse, distinction, grâce, sveltesse.
Ant. **I.** Inélégance, vulgarité.

Élégant
Syn. **I.** *(Adj.)* Agréable, beau, chic, coquet, distingué, gracieux, joli, pimpant,

soigné. — *(N.)* Brummel, dandy, gandin, muguet, muscadin.
Ant. **I.** Commun, grossier, inélégant, lourd, vulgaire.

Élément (s)
Syn. **I.** Atome, composant, morceau, partie. — Condition, donnée. — Air, atmosphère, entourage, milieu, sphère. — *(Pers.)* Recrue, sujet. — *(Pl.)* Forces de la nature. — Généralités, notions, principes, rudiments.
Ant. **I.** Ensemble, réunion, synthèse, tout.

Élémentaire
Syn. **I.** Sommaire. — Essentiel, fondamental, primordial, vital. **II.** Aisé, facile, simple. **III.** Fruste, primaire, primitif, rudimentaire.
Ant. **I.** Complet, complexe, perfectionné, supérieur. — Accessoire, secondaire, subsidiaire. **II.** Compliqué, difficile, transcendant. **III.** Développé, formé, élevé, évolué.

Élévation
Syn. **I.** Altitude, éminence, hauteur. — Construction, érection. **III.** Accélération, accroissement, augmentation, hausse. — Accession, ascension, avènement. — Grandeur, noblesse, sublimité.
Ant. **I.** Abaissement, baisse. **III.** Chute, décadence, déclin. — Bassesse.

Élève V. *Écolier*

Élevé
Syn. **I.** Dressé, érigé, exhaussé, haut. **II.** Accru, augmenté. **III.** Éduqué, éminent, instruit, noble, sublime, transcendant. — Inaccessible.
Ant. **I.** Bas. **II.** Diminué. **III.** Grossier, ignorant, inférieur, médiocre, vulgaire. — Accessible.

Élever
Syn. **I.** Hisser, lever, soulever. — Hausser, surélever. **II.** Bâtir, construire, dresser, édifier, ériger. **III.** Augmenter, relever. — Entretenir, nourrir, soigner. — Cultiver,

éduquer, former, instruire. — Ennoblir, grandir.
Ant. **I.** Abaisser, baisser, descendre. **II.** Détruire. **III.** Diminuer, rabattre. — Délaisser. — Déformer. — Corrompre, pervertir.

Éliminer
Syn. **I.** Évacuer, excréter, expulser. — Chasser, écarter, évincer, exclure, refuser, rejeter.
Ant. **I.** Admettre, incorporer.

Élire
Syn. **I.** Adopter, choisir, désigner, nommer, opter, préférer.
Ant. **I.** Blackbouler, éliminer, rejeter.

Élite
Syn. **I.** Choix, crème, dessus du panier, fleur, nec plus ultra.

Élocution
Syn. **I.** Articulation, débit, diction, parole, prononciation.

Éloge
Syn. **I.** Apologie, compliment, dithyrambe, encens, félicitation, glorification, louange, panégyrique.
Ant. **I.** Blâme, critique, diatribe, reproche.

Éloignement
Syn. **I.** Lointain. — Absence, distance, intervalle, séparation. **III.** Oubli, négligence. — Antipathie, aversion.
Ant. **I.** Rappel. — Contact, présence, proximité, rapprochement, voisinage. **III.** Observance. — Attachement, sympathie.

Éloigner
Syn. **I.** *(Espace)* Écarter, reculer, repousser. — Chasser, bannir, éconduire, éliminer, évincer, rejeter, séparer. — Distancer, espacer. — *(Temps)* Ajourner, différer, renvoyer, reporter, retarder. **III.** Détacher, détourner.
Ant. **I.** Approcher, côtoyer, juxtaposer, réunir. — Rapprocher. — Avancer, brus-

quer, hâter, précipiter. **III.** Appeler, attirer, inviter.

Éloquence
Syn. **I.** Abondance, art d'émouvoir, de persuader, de réciter, débit, facilité, rhétorique, verve.

Éloquent
Syn. **I.** Disert. **II.** Émouvant, entraînant, pathétique, persuasif, puissant. — Expressif, parlant, probant, révélateur. *Ant.* **II.** Endormant, ennuyeux. — Inexpressif, morne.

Éluder
Syn. **I.** (Se) dérober, escamoter, esquiver, éviter, fuir, tourner. *Ant.* **I.** Affronter, assumer.

Émail
Syn. **I.** Émaillure, glaçure, nielle.

Émailler
Syn. **I.** Nieller. **III.** Diaprer, enrichir, orner, parer, parsemer, semer. *Ant.* **III.** Déparer, enlaidir.

Émanation
Syn. **I.** Bouffée, effluve, exhalaison, miasme, odeur, parfum, relent, vapeur. **III.** Expression, manifestation.

Émaner
Syn. **I.** (Se) dégager, (s') exhaler. **III.** Découler, dépendre, dériver, descendre de, procéder, provenir, résulter, venir de.

Emballer (et **S'**)
Syn. *(V. tr.)* **I.** Empaqueter, envelopper. **III.** *(Fam.)* Enchanter, enthousiasmer, plaire, ravir, transporter. *(V. pr.) (Fam.)* **III.** (**S'**) engouer, (s') enthousiasmer, (s') enticher. *Ant.* **I.** Déballer. **III.** Désenchanter. — *(V. pr.)* (Se) dégoûter.

Embargo
Syn. **I.** Arrêt, défense de sortir, interdiction, interdit, stoppage. **II.** Confiscation, saisie.

Ant. **I.** Autorisation, mainlevée, permis, permission.

Embarquer (et **S'**)
Syn. (V. tr.) **I.** Charger, emporter, mettre, monter. **III.** Engager, entraîner, pousser. *(V. pr.)* **I.** Monter, partir. **III.** (**S'**) aventurer, (s') engager, (se) lancer. *Ant. (V. tr.)* **I.** Débarquer, retirer. **III.** Retenir. *(V. pr.)* **I.** Descendre. **III.** (Se) désengager.

Embarras
Syn. **I.** Anicroche *(fam.)*, complication, confusion, difficulté, dilemme, embêtement *(fam.)*, ennui, gêne, incommodité, inconvénient, obstacle, perplexité, pétrin *(pop.)*, souci, tracas, trouble. *Ant.* **I.** Aisance, assurance, commodité, facilité.

Embarrassant
Syn. **I.** Encombrant, gênant, incommode. **III.** Déconcertant, déroutant, préoccupant, troublant. — Délicat, difficile, épineux. *Ant.* **I.** Dégagé. **III.** Encourageant, rassurant. — Agréable, facile.

Embarrasser
Syn. **I.** *(Ch.)* Arrêter, congestionner, embouteiller, encombrer, entraver, gêner, obstruer. — Boucher, engorger. **III.** *(Pers.)* Déranger, embêter *(fam.)*, importuner. — Déconcerter, désorienter, troubler. *Ant.* **I.** Débarrasser, décongestionner, dégager, désencombrer, libérer. **III.** Aider, apaiser, rassurer, tranquilliser.

Embaucher
Syn. **I.** Engager, enrôler, entraîner, racoler, recruter. *Ant.* **I.** Licencier, refuser, renvoyer.

Embaumer
Syn. **I.** Aromatiser, conserver, momifier. — Exhaler, fleurer, parfumer, sentir bon. *Ant.* **I.** Décomposer. — Empester, empuantir, puer.

Embellir
Syn. **I.** Agrémenter, décorer, enjoliver, orner, parer. **III.** Émailler, idéaliser, magnifier, poétiser.
Ant. **I.** Déparer, enlaidir, gâter.

Emblème
Syn. **I.** Armoiries, attribut, blason, cocarde, devise, drapeau, écu, écusson, étendard, insigne, signe, symbole.

Emboîter
Syn. **I.** Ajuster, assembler, encastrer, enchâsser, joindre, rapprocher, unir.
Ant. **I.** Déboîter, disjoindre, séparer.

Embourber (et **S'**)
Syn. *(V. tr.)* **I.** Enliser, envaser. *(V. pr.)* **III.** (S') embarrasser, (s') empêtrer, (s') enfoncer.
Ant. **I.** Débarrasser, débourber, désembourber, désenvaser.

Embraser
Syn. **I.** Allumer, enflammer, incendier. **II.** Brûler, chauffer. **III.** Exalter, exciter, transporter.
Ant. **I.** Éteindre. **III.** Amortir, apaiser, refroidir.

Embrassement
Syn. **I.** Accolade, baiser, embrassade, enlacement, étreinte.
Ant. **I.** Éloignement, rebuffade, répulsion, séparation.

Embrasser
Syn. **I.** Accoler, baiser, enlacer, étreindre, presser, serrer. **III.** Adopter, choisir, épouser, suivre. — Comprendre, concevoir, contenir, englober, saisir, voir.
Ant. **I.** Desserrer, éloigner. **III.** Détourner, rejeter, repousser, séparer.

Embrouillement
Syn. **I.** Complication, confusion, désordre, embrouillage, embrouillamini *(fam.)*, enchevêtrement, imbroglio.
Ant. **I.** Disposition, netteté, ordre, soin.

Embryon
Syn. **I.** Foetus. **III.** Commencement, début, germe.
Ant. **III.** Éclosion, épanouissement, fin, manifestation, production.

Embûches
Syn. **I.** Guet-apens, obstacles, panneau, piège, traquenard.

Émérite
Syn. **I.** Distingué, éminent, remarquable, supérieur.
Ant. **I.** Apprenti, inférieur, novice.

Émerveiller
Syn. **I.** Éblouir, enchanter, étonner, frapper, saisir.
Ant. **I.** Décevoir.

Émeute
Syn. **I.** Agitation, désordre, insurrection, manifestation, mutinerie, rébellion, révolte, sédition, soulèvement, trouble.
Ant. **I.** Apaisement, concorde, entente, pacification, paix.

Éminence
Syn. **I.** Butte, colline, élévation, hauteur, monticule, tertre. **III.** *(Vx)* Excellence, supériorité.
Ant. **I.** Bas-fond, cavité, creux, dépression. **III.** Infériorité.

Éminent
Syn. **III.** Distingué, élevé, excellent, haut, illustre, insigne, noble, sublime, supérieur.
Ant. **III.** Avili, inférieur, médiocre, nul.

Émissaire
Syn. **I.** Agent, ambassadeur, délégué, envoyé, mandataire, représentant.

Émission
Syn. **I.** Éjaculation. — Émanation. — *(Fin.)* Mise en circulation. **II.** Diffusion, production, publication, radiodiffusion, télévision, transmission.
Ant. **I.** Souscription. **II.** Réception.

Emmailloter
Syn. **I.** Entourer, envelopper, langer.
Ant. **I.** Démailloter, dérouler, développer.

Emmancher
Syn. **III.** *(Fam.)* Commencer, engager, entamer, entreprendre.
Ant. **III.** Achever, élucider, finir, régler.

Emmêler
Syn. **I.** Embrouiller, enchevêtrer, mêler.
Ant. **I.** Débrouiller, dégager, démêler.

Emménager
Syn. **I.** (S') établir, (s') installer, (se) loger, meubler, occuper.
Ant. **I.** Déménager.

Emmener
Syn. **I.** Conduire, emporter, entraîner, mener.
Ant. **I.** Chasser, congédier, laisser.

Émoi
Syn. **I.** Agitation, appréhension, effervescence, émotion, saisissement, trouble.
Ant. **I.** Calme, froideur, impassibilité, indifférence, sérénité.

Émoluments
Syn. **I.** Appointement, gain, honoraire, rémunération, rétribution, salaire, traitement.

Émonder V. *Élaguer*

Émotion
Syn. **I.** Affolement, agitation, attendrissement, bouleversement, choc, commotion, désarroi, ébranlement, effervescence, émoi, enthousiasme, frisson, impression, saisissement, sentiment, transe, trouble.
Ant. **I.** Apathie, calme, froideur, indifférence, insensibilité, paix, sang-froid, sérénité.

Émouvant
Syn. **I.** Attendrissant, bouleversant, dramatique, frappant, impressionnant, palpitant, passionnant, pathétique, poignant,

saisissant, touchant.
Ant. **I.** Banal, comique, froid, grotesque.

Émouvoir
Syn. **I.** Agiter, ébranler, mouvoir. **II.** Affecter, apitoyer, attendrir, bouleverser, émotionner, empoigner, exciter, frapper, impressionner, remuer, saisir, toucher.
Ant. **II.** Apaiser, calmer, laisser froid, rasséréner, rassurer.

Emparer (S')
Syn. **I.** Accaparer, capturer, conquérir, enlever, envahir, mettre la main sur, ôter, prendre, rafler, ravir, (se) saisir de, sauter sur, usurper, voler.
Ant. **I.** Abandonner, céder, laisser, libérer, livrer, perdre, remettre, rendre, restituer.

Empêchement
Syn. **I.** Accroc, achoppement, barrière, contrariété, contretemps, difficulté, embargo, embarras, entrave, muraille, obstacle, opposition.
Ant. **I.** Autorisation, concession, contentement, droit, liberté, licence, permission, tolérance.

Empêcher
Syn. **I.** Arrêter, entraver, paralyser. — Défendre, éviter, interdire, prévenir.
Ant. **I.** Autoriser, encourager, favoriser, laisser, permettre.

Empereur
Syn. **I.** César, kaiser, mikado, monarque, souverain, sultan, tsar.
Ant. **I.** Dépendant, subalterne, subordonné, sujet, valet.

Empester
Syn. **I.** Empuantir, puer. **III.** Corrompre, empoisonner, souiller.
Ant. **I.** Aromatiser, embaumer, parfumer.

Empêtrer (S')
Syn. **I.** et **III.** *(Fam.)* (S') embarrasser, (s') emberlificoter *(fam.)*, (s') embourber, (s') embrouiller, (s') enliser, patauger.

Ant. **I. et III.** (Se) débarrasser, (se) dégager, (se) dépêtrer, (se) libérer, (se) tirer.

Emphase
Syn. **I.** Affectation, amplification, boursouflure, déclamation, enflure, exagération, grandiloquence, hyperbole, solennité.
Ant. **I.** Discrétion, modération, naturel, simplicité.

Emphatique
Syn. **I.** Affecté, ampoulé, boursouflé, cérémonieux, déclamatoire, enflé, exagéré, grandiloquent, guindé, hyperbolique, pompeux, redondant, ronflant, solennel, sonore.
Ant. **I.** Modeste, naturel, simple, sobre.

Empiéter
Syn. **I.** Gagner, grignoter. **II.** Chevaucher, mordre. **III.** (S') arroger, outrepasser, prendre, usurper.
Ant. **I.** Abandonner, céder, concéder. **III.** Respecter.

Empiler
Syn. **I.** Accumuler, amasser, amonceler, économiser, (s') enrichir, gagner.
Ant. **I.** Dépenser, dilapider, prodiguer, répandre.

Empire
Syn. **I.** Commandement, domination. — État, pouvoir, puissance, règne, royaume, souveraineté. **III.** Ascendant, autorité, crédit, emprise, impulsion, influence, maîtrise, prestige.
Ant. **I. et III.** Assujettissement, contrainte, dépendance, esclavage, obéissance, servitude, soumission.

Empirer
Syn. **I.** *(V. tr.)* Augmenter. — *(V. intr.)* (S') aggraver, décliner, (se) détériorer, diminuer, (s') envenimer, péricliter, rétrograder.
Ant. **I.** Améliorer, amender. — (S') améliorer.

Emplacement
Syn. **I.** Endroit, lieu, place, position, site, situation, terrain.

Emplette
Syn. **I.** Achat, acquisition, course, marchandise, marché.
Ant. **I.** Débit, vente.

Emplir
Syn. **I.** Bourrer, combler, envahir, gaver, gorger, remplir, saturer.
Ant. **I.** Assécher, débarrasser, dégorger, épuiser, tarir, vider.

Emploi
Syn. **I.** Destination, usage, utilisation. — Charge, fonction, gagne-pain, métier, occupation, place, poste, profession, situation, travail.
Ant. **I.** Chômage, congé, renvoi, retraite, vacance.

Employé
Syn. **I.** Agent, bureaucrate, cheminot, commis, fonctionnaire, préposé, vendeur.
Ant. **I.** Employeur, maître, patron.

Employer V. *Engager, occuper, user*

Empoigner
Syn. **I.** Appréhender, arrêter, attraper, saisir, serrer. **III.** Émouvoir, intéresser.
Ant. **I.** Lâcher, relâcher. **III.** Ennuyer, laisser froid.

Emportement
Syn. **I.** Colère, déchaînement, fougue, frénésie, fureur, impétuosité, irritation, passion, rage, violence.
Ant. **I.** Calme, douceur, modération, sang-froid.

Emporter (et S')
Syn. *(V. tr.)* **I.** Emmener, porter, prendre, transporter. — Ravir, soustraire, voler. — Conquérir, (s') emparer, enlever. — Arracher, balayer, charrier, détruire, entraîner. **III.** Gagner, obtenir. — Exciter, pousser. *(V. pr.)* **I.** (Se) cabrer, (se) déchaîner, éclater, (se) fâcher.

Ant. **I.** *(V. tr.)* Abandonner, apporter, donner, laisser, rapporter. — *(V. pr.)* (Se) calmer.

Empreinte
Syn. **I.** Figure, frappe, impression, marque, piste, trace, vestige. **III.** Cachet, caractère, griffe, influence, sceau, signe, stigmate.

Empressement
Syn. **I.** Ardeur, célérité, complaisance, diligence, enthousiasme, hâte, soin, vivacité, zèle.
Ant. **I.** Apathie, flegme, froideur, indifférence, lenteur, nonchalance.

Emprisonner
Syn. **I.** Boucler *(fam.)*, coffrer, détenir, écrouer, emmurer, incarcérer, interner, séquestrer. **II.** Claustrer, enfermer, retenir. — Comprimer, resserrer, serrer.
Ant. **I.** Délivrer, élargir, émanciper, libérer, relâcher. **II.** Dégager.

Emprunté
Syn. **III.** Artificiel, étudié, factice, faux, trompeur. — Affecté, compassé, contraint, embarrassé, empêtré, forcé, gauche, gêné.
Ant. **III.** Aisé, dégourdi, facile, naturel.

Émulation
Syn. **I.** Ambition, compétition, concurrence, zèle.
Ant. **I.** Apathie, indifférence, laisser-aller.

Émule
Syn. **I.** Compétiteur, concurrent, rival.
Ant. **I.** Allié, partenaire.

Encadrer
Syn. **I.** Contenir, enchâsser, entourer, environner, flanquer. **II.** Insérer.
Ant. **I.** Désencadrer.

Encaisser
Syn. **I.** Emballer, enfermer. — Accepter, empocher, percevoir, recevoir, toucher (de l'argent). **III.** Attraper *(fam.)*, écoper *(fam.)*, essuyer, subir.

Ant. **I.** Déballer, décaisser. — Débourser. donner, payer, solder. **III.** Donner, rendre.

Encan
Syn. **I.** Adjudication, criée, enchère, licitation, vente publique.

Enceinte
Syn. **I.** Clos, enclos, salle. — Ceinture, circuit, contour, mur, muraille, périmètre, pourtour, tour.

Encenser
Syn. **III.** Aduler, flagorner, flatter, louanger, louer.
Ant. **III.** Avilir, déprécier, importuner, mépriser, persécuter, rudoyer.

Enchaîner
Syn. **I.** Attacher, immobiliser, lier, retenir, tenir. **III.** Asservir, baillonner, opprimer, soumettre, subjuguer. — Assembler, coordonner, marier, unir.
Ant. **I.** Délier, désenchaîner, détacher. **III.** Libérer, relâcher. — Désunir.

Enchantement
Syn. **I.** Charme, ensorcellement, incantation, sort, sortilège. **II.** Émerveillement, ivresse, merveille, ravissement.
Ant. **II.** Déception, désenchantement, désillusion.

Enchanter
Syn. **I.** Charmer, ensorceler. **II.** Attirer, captiver, conquérir, délecter, emballer *(fam.)*, émerveiller, enthousiasmer, fasciner, plaire, ravir, séduire.
Ant. **II.** Décevoir, désappointer, désenchanter, ennuyer, tourmenter.

Enchère V. *Encan*

Enchérir
Syn. **I.** Augmenter, élever, hausser, majorer, renchérir. **III.** Ajouter, aller plus loin, dépasser.
Ant. **I.** Baisser, diminuer, rabattre.

Enclin
Syn. **I.** Disposé, porté, prédisposé, sujet à.
Ant. **I.** Hostile, rebelle, réfractaire.

Enclore
Syn. **I.** Barricader, ceindre, clôturer, enclaver, enfermer, entourer, environner, palissader.
Ant. **I.** Déclore, dégager, ouvrir.

Enclos
Syn. **I.** Clos. **II.** Clôture, enceinte, haie, muraille, palissade.

Encoche
Syn. **I.** Coche, cran, entaille, rainure.

Encoignure
Syn. **I.** Angle, coin, coude, renfoncement. **II.** Écoinçon.

Encombrer
Syn. **I.** Embarrasser, embouteiller, gêner, obstruer. **II.** Saturer, surcharger.
Ant. **I.** Débarrasser, dégager, désencombrer.

Encontre (À l')
Syn. **I.** Contrairement à, contre, (à l') opposé de.
Ant. **I.** (En) accord avec, (en) conformité de, avec.

Encore
Syn. **I.** Aussi, bis, (et) cependant, derechef, (du) moins, (de) nouveau, (en) outre, (en) plus, (si) seulement.
Ant. **I.** Assez, déjà, trop.

Encourager
Syn. **I.** Animer, enhardir, exciter, exhorter, favoriser, inciter, parrainer, patronner, piquer, protéger, soutenir, stimuler.
Ant. **I.** Abandonner, abattre, accabler, contrarier, décourager, démoraliser, écraser, nuire.

Endémique
Syn. **I.** Épidémique, permanent. **III.** Courant, coutumier, habituel, ordinaire, usuel.

Ant. **I.** et **III.** Fortuit, extraordinaire, momentané, occasionnel, rare, sporadique.

Endiguer
Syn. **III.** Arrêter, contenir, empêcher, enrayer, réprimer, retenir.
Ant. **III.** Céder, lâcher, laisser, libérer.

Endoctriner
Syn. **I.** Catéchiser, circonvenir, embobiner, influencer, influer sur, peser sur.
Ant. **I.** Déconseiller, détourner.

Endormir
Syn. **I.** Anesthésier, éthériser, hypnotiser, insensibiliser. – Assoupir. **III.** Adoucir, atténuer, calmer, engourdir. – Assommer, ennuyer. – Enjôler, tromper.
Ant. **I.** Éveiller, réveiller. **III.** Exciter, intéresser, stimuler. – Détromper.

Endosser
Syn. **I.** Habiller, revêtir. **III.** Accepter, assumer, cautionner, (se) charger de, couvrir, garantir.
Ant. **I.** Dévêtir, ôter. **III.** Décliner, récuser, refuser, rejeter.

Endroit
Syn. **I.** Coin, emplacement, lieu, localité, quartier, pays, place, région, séjour. **III.** Point. – Moment, passage.

Endurci
Syn. **I.** Dur, endurant, insensible, résistant. – Cuirassé, impénitent, incorrigible, invétéré.
Ant. **I.** Attendri, corrigible, impressionnable, pénitent, sensible, tendre.

Endurer
Syn. **I.** Accepter, éprouver, pâtir, permettre, ressentir, souffrir, subir, supporter, tolérer.
Ant. **I.** Défendre, empêcher, jouir.

Énergie
Syn. **I.** Erg, puissance, travail. **II.** Action, efficacité, force, vertu, vigueur, vitalité. **III.** Ardeur, audace, bravoure, courage,

détermination, fermeté, hardiesse, résolution, ressort, vaillance, volonté.
Ant. **III.** Apathie, inaction, indolence, inertie, mollesse, paresse.

Énergique
Syn. **I.** Fort, violent. **II.** Actif, agissant, efficace, puissant, vif, vigoureux. **III.** Audacieux, courageux, décidé, ferme, hardi, mâle, résolu, trempé, vaillant.
Ant. **III.** Apathique, engourdi, faible, inactif, inconstant, indolent, mou, timide.

Énerver
Syn. **III.** Affaiblir, amollir. — Agacer, crisper, exciter, impatienter, tourmenter.
Ant. **III.** Amuser, apaiser, calmer, détendre, fortifier, plaire, reposer, tranquilliser.

Enfance
Syn. **I.** Bas âge, croissance. **III.** Commencement, début, origine.
Ant. **I.** Âge mûr, vieillesse. **III.** Déclin.

Enfant
Syn. **I.** Bambin, bébé, gosse, marmot, mioche, môme, petiot.
Ant. **I.** Adulte, vieillard.

Enfantin
Syn. **I.** Infantile, puéril. **II.** Élémentaire.
Ant. **I.** Adulte, sénile. **II.** Compliqué, difficile.

Enfants
Syn. **I.** Descendants, fils, petits, postérité, progéniture, rejetons.
Ant. **I.** Mères, parents, patriarches, pères.

Enfermer
Syn. **I.** Boucler, claustrer, cloîtrer, coffrer, emprisonner, incarcérer, interner, séquestrer. — Mettre sous clef, ranger, renfermer, serrer. — Ceindre, clore, environner. **III.** Contenir.
Ant. **I.** Délivrer, libérer, sortir. — Étaler, exhiber. — Dégager, ouvrir.

Enferrer (S')
Syn. **III.** (S') embarrasser, (s') embrouiller, (s') empêtrer, (s') enfoncer.
Ant. **III.** (S') aider, (se) débrouiller, (se) sortir, (se) tirer.

Enfiévrer
Syn. **III.** Agiter, enflammer, passionner, surexciter, troubler.
Ant. **III.** Apaiser, calmer, rasséréner, tranquilliser.

Enfiler
Syn. **I.** Engager, faire pénétrer, traverser. **II.** Embrocher. — Prendre. — *(Fam.)* Mettre, passer (un vêtement).
Ant. **I.** Désenfiler. **II.** Ôter.

Enfin
Syn. **I.** À la fin, finalement. — Bref, en un mot. — (Tout) compte fait, somme toute, (après) tout, toutefois.
Ant. **I.** Déjà.

Enflammer
Syn. **I.** Allumer, embraser. **III.** Animer, échauffer, électriser, enfiévrer, envenimer, exalter, exciter, incendier, irriter.
Ant. **I.** Éteindre, étouffer. **III.** Attiédir, calmer, ralentir, refroidir.

Enfler
Syn. **I.** Augmenter, ballonner, bouffir, boursoufler, croître, dilater, distendre, gonfler, grossir, (se) tuméfier. **III.** Agrandir, enorgueillir, exagérer, exalter, majorer, surfaire.
Ant. **I.** Aplatir, dégonfler, désenfler. **III.** Amoindrir, déprimer, diminuer, minimiser.

Enfoncer (et S')
Syn. *(V. tr.)* **I.** Engager, ficher, fourrer, introduire, mettre, planter, plonger, rentrer. — Défoncer, forcer, rompre. **III.** *(Fam.)* Battre, surpasser, vaincre. *(V. intr.)* **I.** Caler. *(V. pr.)* **I.** Couler, (s') enliser, sombrer. **II.** (S') avancer dans, disparaître, (s') enfouir, (s') engager dans, entrer, pénétrer dans. **III.** (S') absorber, (se) plonger.

Ant. **I.** Enlever, retirer, tirer. — Ramener, remonter. **II.** Apparaître, surgir, venir.

Enfouir
Syn. **I.** Cacher, ensevelir, enterrer. **II.** Enfoncer, plonger. **III.** Dissimuler.
Ant. **I.** et **III.** Découvrir, déterrer, montrer, sortir.

Enfreindre
Syn. **I.** Contrevenir, désobéir à, passer outre, transgresser, violer.
Ant. **I.** Accomplir, exécuter, obéir, observer, respecter.

Enfuir (S')
Syn. **I.** (S'en) aller, décamper, déguerpir, déloger, détaler, disparaître, (s') échapper, (s') éclipser, (s') envoler, (s') esquiver, (s') évader, fuir, partir, (se) sauver.
Ant. **I.** Apparaître, demeurer, (se) montrer, paraître, rester.

Engager
Syn. **I.** Embaucher, employer, enrôler, recruter. — Enfoncer, introduire, mettre. — Investir. **III.** Amorcer, commencer, entamer, entreprendre. — Conseiller, convier, exhorter, inciter, inviter, porter. — Impliquer, lier, obliger.
Ant. **I.** Désengager, renvoyer. — Retirer. **III.** Terminer. — Déconseiller, dissuader. — Dégager, dispenser, libérer.

Engin
Syn. **I.** Arme, appareil, instrument, machine, matériel, moyen, piège.

Engloutir (et S')
Syn. (V. tr.) **I.** Absorber, avaler, dévorer, engouffrer, ingurgiter. **III.** Consumer, dissiper, épuiser, gaspiller. *(V. pr.)* **I.** Disparaître.
Ant. **I.** Conserver, économiser, progresser. — Renflouer.

Engouement
Syn. **III.** Admiration, emballement, enthousiasme, entichement, exaltation, passion, toquade *(fam.)*, transport.
Ant. **III.** Désenchantement.

Engouffrer
Syn. **I.** Dépenser, dévorer, engloutir, perdre.
Ant. **I.** Économiser, préserver, remonter, sauver.

Engourdir
Syn. **I.** Ankyloser, insensibiliser, paralyser, transir. **II.** Appesantir, ralentir. **III.** Endormir, rouiller.
Ant. **I.** et **III.** Dégourdir, dérouiller, ranimer, raviver.

Engourdissement
Syn. **I.** Apathie, appesantissement, assoupissement, inaction, paralysie, sommeil, torpeur.
Ant. **I.** Action, allégement, dégourdissement, énergie, fermeté, vivacité.

Engraisser
Syn. **I.** *(V. tr.)* Appâter, empâter, gaver, gorger. — Améliorer, amender, enrichir, fertiliser. — *(V. intr.)* Épaissir, forcir, grossir.
Ant. **I.** Amaigrir, maigrir.

Énigmatique
Syn. **I.** Ambigu, caché, embarrassant, équivoque, impénétrable, indéchiffrable, insondable, mystérieux, obscur, occulte, secret, sibyllin.
Ant. **I.** Clair, évident, explicite, formel, net, positif.

Enivrer
Syn. **I.** Griser, soûler. **III.** Exalter, exciter, transporter, troubler.
Ant. **I.** Dégriser, désenivrer. **III.** Apaiser, attiédir, refroidir.

Enjoué
Syn. **I.** Aimable, animé, badin, gai, gaillard, jovial, joyeux, riant, rieur.
Ant. **I.** Chagrin, maussade, morne, morose, renfrogné, sévère, triste.

Enlever
Syn. **I.** Élever, lever, soulever. — Arracher, détacher, effacer, éliminer, extraire,

ôter, supprimer, retirer, retrancher. —
Emporter. — Conquérir, prendre. — Détourner, kidnapper, ravir, voler.
Ant. **I.** Poser. — Ajouter, laisser, remettre.
— Rendre.

Ennemi
Syn. **I.** Adversaire, antagoniste, opposant.
Ant. **I.** Adepte, allié, ami, associé, compagnon, partisan.

Ennoblir
Syn. **III.** Élever, grandir, idéaliser, magnifier, rehausser.
Ant. **III.** Avilir, déprécier, humilier, mortifier, rabaisser.

Ennui
Syn. **I.** Anicroche, complication, contrariété, déplaisir, désagrément, difficulté,
embarras, embêtement, pépin, préoccupation, souci, tracas. — Affliction, cafard,
dégoût (de la vie), inquiétude, langueur,
noir (idées), nostalgie, spleen, tristesse.
Ant. **I.** Agrément, amusement, distraction, plaisir. — Insouciance, joie, repos,
quiétude, satisfaction.

Ennuyeux
Syn. **I.** Assommant, contrariant, désagréable, embarrassant, embêtant, endormant, fâcheux, fade, fastidieux, fatigant,
gênant, importun, inopportun, inquiétant, insipide, insupportable, lassant, malencontreux, monotone, pénible, raseur,
soporifique.
Ant. **I.** Agréable, amusant, attirant, gai,
intéressant, opportun, plaisant.

Énoncer
Syn. **I.** Avancer, émettre, exposer, exprimer, formuler, mentionner, stipuler.
Ant. **I.** Cacher, dissimuler, négliger, taire.

Énorme
Syn. **I.** Colossal, considérable, démesuré,
excessif, extraordinaire, formidable, gigantesque, grand, gros, immense, monstrueux, monumental, volumineux.

Ant. **I.** Insignifiant, menu, minime, minuscule, ordinaire, petit.

Enquérir (S')
Syn. **I.** Demander, étudier, examiner,
(s') informer, interroger, rechercher, (se)
renseigner.
Ant. **I.** Délaisser, (se) désintéresser, ignorer, savoir, trouver.

Enquête
Syn. **I.** Étude, examen, information, investigation, instruction, recherche, sondage.

Enraciner (et S')
Syn. (V. tr.) **I.** Planter, transplanter. **III.**
Ancrer, fixer, implanter. *(V. pr.)* **I.** Prendre
racine. **III.** *(Pers.)* (S') établir, (s') incruster, (s') installer. — *(Ch. morales)* (S') ancrer, (se) consolider, (s') implanter.
Ant. **I.** Arracher, déplanter, déraciner,
enlever, extirper, extraire.

Enrager
Syn. **III.** Agacer, bisquer *(pop.)*, endêver
(fam. et *vx)*, irriter, rager.
Ant. **III.** Adoucir, apaiser, calmer.

Enrayer
Syn. **I.** Empêcher, entraver, freiner, immobiliser. **III.** Arrêter, briser, étouffer,
juguler, neutraliser, réprimer.
Ant. **I.** Débloquer, désenrayer. **III.** Aider,
diffuser, favoriser, permettre.

Enregistrer
Syn. **I.** Consigner, écrire, filmer, homologuer, inscrire, mentionner, noter, observer, recueillir, relever, répertorier, transcrire.
Ant. **I.** Effacer, négliger, oublier.

Enrôler
Syn. **I.** Embrigader, engager, enrégimenter, incorporer, lever, mobiliser, recruter.
Ant. **I.** Licencier.

Enseigne
Syn. **I.** Affiche, annonce, drapeau, écri-

teau, étendard, inscription, pancarte, panneau, panonceau, placard.

Enseigner
Syn. **I.** Apprendre, cultiver, dégrossir *(fam.),* démontrer, développer, éclairer, éduquer, élever, former, expliquer, inculquer, indiquer, initier, inspirer, instruire, montrer, prêcher, professer, propager, prouver, révéler. − Inciter, inviter, pousser.

Ensemble
Syn. **I.** *(N.)* Amas, assemblage, bloc, collection, groupe, harmonie, intégralité, masse, recueil, réunion, total, totalité, union, unité, universalité. − Chœur, orchestre. − *(Adv.)* Collectivement, (en) commun, (de) concert, conjointement, (de) conserve, simultanément. *Ant.* **I.** Détail, élément, fraction, partie. − Discordance. − Individuellement, isolément, séparément.

Ensevelir
Syn. **I.** Enterrer, inhumer. **III.** Cacher, enfouir. *Ant.* **I.** Déterrer, exhumer. **III.** Découvrir, montrer.

Ensoleiller
Syn. **I.** Éclairer. **III.** Illuminer. *Ant.* **I.** Ombrager. **III.** Attrister.

Ensuite
Syn. **I.** Après, postérieurement, puis, (en) second lieu, (par la) suite, (plus) tard, ultérieurement. *Ant.* **I.** (D') abord, avant, (en) premier lieu, premièrement, (en) tête.

Entacher
Syn. **III.** Compromettre, gâter, salir, souiller, ternir. *Ant.* **III.** Blanchir, défendre, laver (d'une calomnie), réhabiliter.

Entaille
Syn. **I.** Coupure, cran, encoche, fente, hachure, raie, rainure, rayure, sillon. **II.**

Balafre, blessure, estafilade, incision, taillade.

Entamer
Syn. **I.** Couper, ébrécher, effleurer, inciser. **II.** Corroder, manger, mordre, ronger. **III.** Aborder, amorcer, attaquer, commencer, engager, entreprendre, ouvrir. − Ébranler, porter atteinte. *Ant.* **III.** Achever, compléter.

Entasser
Syn. **I.** Accumuler, amasser, amonceler, collectionner, empiler, multiplier, serrer, tasser. − Économiser, épargner, thésauriser. **II.** Multiplier. *Ant.* **I.** Desserrer, disperser, éparpiller, répandre, semer. − Dépenser, prodiguer. **III.** Restreindre.

Entendement
Syn. **I.** Cerveau, compréhension, conception, esprit, intellection, intelligence, jugement, logique, raison.

Entendre (et **S'**)
Syn. (V. tr.) **I.** Auditionner, discerner, distinguer, écouter, ouïr, percevoir, prêter l'oreille. **II.** Comprendre, concevoir, saisir. *(V. pr.)* **III.** Convenir. − (S') accorder, (se) comprendre, fraterniser, sympathiser. *Ant.* **I.** (Être) sourd. **III.** (Se) détester, (se) disputer, (se) haïr.

Entendu
Syn. **II.** Convenu, décidé, réglé. **III.** Adroit, calé, capable, compétent, expert, ferré, fort, habile, industrieux, ingénieux, inventif, savant. *Ant.* **II.** Incompris, inouï. **III.** Apprenti, ignorant, inapte, incapable, incompétent, maladroit.

Entente
Syn. **I.** Accommodement, accord, alliance, association, coalition, convention, traité, union. − Amitié, concorde, harmonie. − *(Péj.)* Collusion, complicité, connivence, intelligence.

Ant. **I.** Conflit, désaccord, dispute, haine, mésentente.

Enterrement
Syn. **I.** Ensevelissement, inhumation. — Convoi funèbre, funérailles, obsèques, sépulture. **III.** Abandon, fin, mort, rejet. *Ant.* **I.** Déterrement, exhumation. — Résurrection. **III.** Renouveau.

Enterrer (et S')
Syn. *(V. tr.)* **I.** Ensevelir, inhumer. **II.** Cacher, enfouir, engloutir. **III.** Abandonner, classer, étouffer, oublier. *(V. pr.)* **III.** (Se) cacher, (s') enfermer, (s') isoler, (se) retirer.
Ant. **I.** Déterrer, exhumer. **II.** Découvrir, produire. *(V. pr.)* **III.** (Se) montrer.

Entêté
Syn. **I.** Buté, entier, insoumis, obstiné, opiniâtre, rétif, tenace, têtu, volontaire.
Ant. **I.** Changeant, docile, flexible, influençable, malléable, souple, traitable.

Enthousiasme
Syn. **I.** Délire, inspiration, transe. **II.** Ardeur, emballement, engouement, entrain, exaltation, feu, flamme, frénésie, passion, ravissement, transport, zèle. — Allégresse, joie.
Ant. **II.** Apathie, détachement, flegme, froideur, indifférence, insouciance.

Enticher (S')
Syn. **I.** (S') amouracher, (s') engouer, (s') éprendre, (se) passionner, (se) toquer *(fam.)*.
Ant. **I.** Dégoûter, détacher, détester, exécrer, haïr.

Entier
Syn. **I.** Complet, global, intégral, plein, tout. **III.** Absolu, intact, parfait, sans réserve, total. — Catégorique, entêté, intraitable, obstiné, rigoureux, têtu.
Ant. **I.** Divisé, fractionnaire, incomplet, partiel, tronqué. **III.** Compréhensif, conciliant, souple.

Entité
Syn. **I.** Caractère, essence, idée, nature. *Ant.* **I.** Chose, existence.

Entorse
Syn. **I.** Foulure, lumbago, luxation. **III.** Atteinte, entrave, infraction, manquement.
Ant. **III.** Respect.

Entortiller
Syn. **I.** Entourer, envelopper. **III.** Circonvenir, emberlificoter *(fam.)*, prendre, séduire. — Embarrasser, embrouiller.
Ant. **I.** Défaire, dégager, désentortiller. **III.** Simplifier. — Dépêtrer.

Entourer
Syn. **I.** Border, ceindre, clore, clôturer, encadrer, enceindre, encercler, enclore, enfermer, environner. — Assiéger, attaquer, cerner, encercler, envelopper. **III.** Accabler, aduler, combler.
Ant. **I.** Dégager. — Délivrer, lever le siège. **III.** Abandonner, éloigner, négliger.

Entracte
Syn. **I.** Arrêt, interlude, intermède, intervalle, pause, repos, suspension.

Entrain
Syn. **I.** Activité, allant, animation, ardeur, brio, cœur, élan, empressement, enthousiasme, feu, fougue, vie, vivacité, zèle.
Ant. **I.** Apathie, calme, dépression, inertie, froideur, nonchalance, tristesse.

Entraîner
Syn. **I.** Charrier, emporter, rouler, transporter. — *(Pers.)* Conduire, emmener, guider, mener, tirer, traîner. — *(Sports)* Aguerrir, dresser, endurcir, former, préparer. **III.** *(Pers.)* Attirer, charmer, convaincre, décider, déterminer, engager, emporter, persuader. — *(Ch.)* Amener, apporter, causer, comporter, déclencher, engendrer, impliquer, nécessiter, occasionner, produire, provoquer.

Ant. **I.** Arrêter, freiner, retenir. — Amollir, déformer. **III.** Déconseiller, distraire, éloigner, repousser.

Entraver
Syn. **III.** Arrêter, contrarier, embarrasser, empêcher, enrayer, freiner, gêner, obstruer.
Ant. **I.** Désentraver. **III.** Émanciper, faciliter, favoriser, seconder.

Entrebâiller
Syn. **I.** Entrouvrir. **II.** Écarter.
Ant. **I.** Barricader, boucher, clore, fermer, obstruer.

Entrechat
Syn. **I.** Danse. **II.** Bond, cabriole, gambade, saut.

Entrée
Syn. **I.** Abord, accès, hall, porte, seuil, vestibule. — Orifice, ouverture. — Apparition, arrivée, irruption. **III.** Adhésion, admission, affiliation. — Billet, carte, place — Commencement, début, exorde, introduction.
Ant. **I.** Issue, sortie. — Départ, disparition. **III.** Démission, opposition, refus. — Fin.

Entregent
Syn. **II.** Adresse, aisance, habileté, savoir-faire.
Ant. **II.** Gaucherie, maladresse.

Entrelacer
Syn. **I.** Entrecroiser, entremêler, lier, natter, nouer, tisser, tresser.
Ant. **I.** Défaire, délacer, délier, dénouer, desserrer.

Entremêler
Syn. **I.** Mélanger, mêler. **III.** Entrecouper, entrelarder, larder, parsemer.

Entremise
Syn. **I.** Arbitrage, canal, concours, intercession, intermédiaire, interposition, intervention, médiation, ministère, moyen,

(bons) offices, soins, truchement, voie.
Ant. **I.** Directement, sans intermédiaire.

Entreprenant
Syn. **I.** Actif, audacieux, hardi, osé, téméraire. — Galant.
Ant. **I.** Craintif, hésitant, inactif, paresseux, pusillanime, timide, timoré. — Mufle.

Entreprendre
Syn. **I.** (*V. tr.*) (*Ch.*) Commencer, (se) disposer à, engager, entamer, essayer, hasarder, tenter. — (*Pers. Fam.*) Harceler, poursuivre, taquiner, tourmenter. — (*V. intr.*) Attenter à, empiéter.
Ant. **I.** Accomplir, achever, terminer. — Abandonner, laisser. — Respecter.

Entreprise
Syn. **I.** Action, aventure, but, dessein, essai, exécution, œuvre, opération, ouvrage, plan, projet, travail. — Affaire, cartel, commerce, établissement, exploitation, firme, gagne-pain, industrie, maison, négoce, trust.

Entrer
Syn. **I.** Aller, apparaître, (s') engager, (s') introduire, pénétrer. — Enfoncer, envahir, insérer, mettre. **III.** (S') insinuer. — Adhérer, (s') allier, embrasser, (se) mêler, participer. — Comprendre, partager, saisir.
Ant. **I.** Partir, sortir. — Évacuer. **III.** Démissionner. — Ignorer, méconnaître.

Entretenir (et S')
Syn. (*V. tr.*) **III.** Alimenter, caresser, conserver, cultiver, maintenir, prolonger. — (se) charger, élever, nourrir. — (*V. pr.*) **V.** *Parler.*
Ant. **III.** Abandonner, délaisser, négliger, omettre, oublier.

Entretien
Syn. **I.** Conservation. — Dépenses nécessaires, réparations, soins. — Abouchement, aparté, audience, causerie, collo-

que, conversation, dialogue, échange de vues, entrevue, tête-à-tête.
Ant. **I.** Négligence. − Éloignement, mutisme, réticence, silence.

Entrevoir
Syn. **I.** Apercevoir. **III.** Deviner, flairer, présager, pressentir, prévoir, soupçonner. − Comprendre, découvrir.
Ant. **III.** Ignorer.

Entrevue
Syn. **I.** Entretien, interview, rencontre, rendez-vous, tête-à-tête, visite.

Énumérer
Syn. **I.** Analyser, citer, compter, débiter, dénombrer, détailler, inventorier.

Envahir
Syn. **I.** Conquérir, (s') emparer, entrer dans, occuper, pénétrer, prendre. **II.** Déborder sur, empiéter, (s') étendre dans, (se) répandre, usurper. − Couvrir, remplir. **III.** *(Ch. morales)* Gagner.
Ant. **I.** Abandonner, capituler, céder, fuir, libérer, partir, quitter, (se) retirer.

Envelopper
Syn. **I.** Couvrir, emballer, emmailloter, emmitoufler, empaqueter, enrober, entortiller, entourer, recouvrir, rouler dans. **II.** Cerner, encercler, investir. **III.** Cacher, camoufler, déguiser, dissimuler, farder, masquer, voiler.
Ant. **I.** Déballer, dépaqueter, déployer, dérouler, développer, étendre. **II.** Dégager. **III.** Dévoiler, étaler, manifester, montrer.

Envenimer
Syn. **I.** Empoisonner. **II.** Enflammer, infecter, irriter. **III.** Aggraver, attiser, aviver, empirer, exaspérer.
Ant. **II.** Désinfecter, soigner. **III.** Adoucir, apaiser, calmer.

Envergure
Syn. **III.** Ampleur, déploiement, étendue,

expansion, extension, grandeur, importance, ouverture.
Ant. **III.** Contraction, diminution, petitesse, rétrécissement.

Envers
Syn. **I.** Contraire, derrière, dos, inverse, pile, revers, verso.
Ant. **I.** Avers, devant, endroit, face, recto.

Envie
Syn. **I.** Jalousie. **II.** Appétence, besoin, convoitise, cupidité, désir, goût, inclination, lubie, souhait.
Ant. **I.** Amour, charité, désintéressement, détachement. **II.** Dégoût, inappétence, répulsion, satiété.

Envier
Syn. **I.** Haïr, jalouser. − Convoiter, désirer, souhaiter.
Ant. **I.** Aimer, vanter. − Mépriser, rejeter.

Envieux
Syn. **I.** Avide, cupide, jaloux.
Ant. **I.** Bienveillant, désintéressé, indifférent.

Environner V. *Entourer*

Envisager
Syn. **III.** Considérer, contempler, examiner, fixer, regarder, voir. − Penser, prévoir, projeter, songer à.

Envoi
Syn. **I.** Expédition. **II.** Colis, lettre, message, paquet.

Envolée
Syn. **I.** Décollage, départ. **III.** Élan, essor.
Ant. **I.** Atterrissage.

Envoler (S')
Syn. **I** Décoller, (s') élever, partir. **III.** (S'en) aller, disparaître, (s') échapper, (s') éclipser, (s') écouler, (s') effacer, (s') enfuir, (s') évanouir, (s') évaporer, passer, (se) sauver.

Ant. **I.** Atterrir, (se) poser. **III.** Aborder, approcher, arriver, demeurer, rester.

Envoyé

Syn. **I.** Agent, ambassadeur, attaché, chargé d'affaires, courrier, délégué, député, émissaire, estafette, exprès, mandataire, messager, missionnaire, parlementaire, représentant.
Ant. **I.** Commettant, mandant.

Envoyer

Syn. (Pers.) **I.** Déléguer, dépêcher, déplacer, détacher. — Élire, nommer. **III.** *(Fam.)* Rembarrer, renvoyer. *(Ch.)* **I.** Adresser, expédier, procurer, transmettre. — Jeter, lancer.
Ant. **I.** Accueillir, recevoir, (faire) venir. — Apporter, rapporter.

Épais

Syn. **I.** Abondant, fort, gras, grossier, solide. — Gros, massif, trapu. — Compact, consistant, dense, dur, fourni, opaque, serré, touffu. **III.** Lourd, obtus, pesant.
Ant. **I.** Mince, plat. — Délié, fluet, maigre. — Clair, clairsemé, fluide, léger, transparent. **III.** Délicat, fin, subtil, vif.

Épanchement

Syn. **I.** Déversement, écoulement. **III.** Abandon, aveu, confidence, effusion, expansion.
Ant. **III.** Réserve, silence.

Épandre

Syn. **I.** Disperser, éparpiller, étaler, étendre. **III.** Épancher, jeter, répandre, verser.
Ant. **I.** Conserver, garder, rassembler, retenir.

Épanouir

Syn. **II.** Déployer, développer, étaler, étendre, ouvrir. **III.** Dérider, détendre, dilater, égayer, réjouir.
Ant. **I.** Faner, fermer, flétrir, recroqueviller. **II.** Fermer, refermer. **III.** Assombrir, dépérir, (s') étioler, oppresser, rembrunir.

Épargne

Syn. **I.** Économie, frugalité, magot, modération, parcimonie, réserve.
Ant. **I.** Consommation, dépense, dilapidation, gaspillage, prodigalité.

Épargner

Syn. **I.** Accumuler, économiser, lésiner, ménager, thésauriser. — Respecter. — Éviter. — Gracier, sauver.
Ant. **I.** Consommer, dépenser, gaspiller. — Accabler, frapper, punir. — Désoler, éprouver. — Supprimer, tuer.

Éparpiller

Syn. **I.** Disperser, disséminer, étendre, parsemer, répandre, semer. — Séparer. **III.** Dissiper, émietter *(fig)*.
Ant. **I.** Grouper, rassembler, recueillir. — Réunir. **III.** Concentrer, condenser.

Épars

Syn. **I.** Dispersé, disséminé, divisé, éparpillé, flottant, séparé, sporadique.
Ant. **I.** Compact, massif. — Groupé, rassemblé, réuni.

Épater

Syn. **III.** *(Fam.)* Ébahir, étonner, renverser, stupéfier, surprendre.

Épauler

Syn. **III.** Aider, appuyer, assister, garantir, recommander, soutenir.
Ant. **III.** Gêner, incommoder, nuire.

Épée

Syn. **I.** Arme blanche, braquemart, briquet, cimeterre, coupe-choux *(fam.)*, espadon, estoc, estramaçon, flamberge, fleuret, glaive, rapière, yatagan.

Éperonner

Syn. **III.** Aiguillonner, animer, encourager, exciter, stimuler.
Ant. **III.** Adoucir, apaiser, calmer, tranquilliser.

Éphémère

Syn. **II.** Court, fragile fugace, momenta-

né, passager, périssable, précaire, provisoire, temporaire, transitoire.
Ant. **II.** Durable, éternel, immortel, impérissable, permanent, stable.

Épicurien
Syn. **II.** Bon vivant, jouisseur, sensuel, voluptueux.
Ant. **II.** Ascète, janséniste, puritain, stoïcien.

Épidémie
Syn. **I.** Fléau. **III.** Contagion, engouement, mode.

Épier
Syn. **I.** Cafarder, espionner, filer, guetter, moucharder, observer, pister, suivre, surveiller.
Ant. **I.** Fermer les yeux.

Épigraphe
Syn. **I.** Citation, écriteau, inscription, maxime, pensée.

Épilogue
Syn. **I.** Conclusion, dénouement, fin, morale, résumé, terme.

Épiloguer
Syn. *(V. tr.)* **II.** Blâmer, censurer, condamner, critiquer, désapprouver. *(V. intr.)* **I.** Chicaner, discourir, ergoter, trouver à redire.
Ant. **II.** Approuver, féliciter, proclamer, vanter.

Épine
Syn. **I.** Aiguillon, piquant. **III.** Contrariété, difficulté, ennui, inconvénient, peine, souci, tracas.
Ant. **III.** Adoucissement, assurance, joie, sécurité.

Épineux
Syn. **I.** Piquant, pointu. **III.** Compliqué, délicat, difficile, embarrassant, irritable, pénible.
Ant. **I.** Inerme. **III.** Abordable, aisé, facile, simple.

Épique
Syn. **I.** Dramatique, héroïque, noble. **III.** Extraordinaire, homérique, inimaginable, rare.
Ant. **I.** Banal, trivial. **III.** Prosaïque.

Épisode
Syn. **II.** Aventure, circonstance, incident, péripétie.

Épître
Syn. **I.** Dépêche, lettre, message, missive.

Éploré
Syn. **I.** Désolé, inconsolable, larmoyant, triste.
Ant. **I.** Consolable, joyeux, réjoui, riant.

Éplucher
Syn. **I.** Décortiquer, nettoyer, peler. **III.** Critiquer, dépecer, disséquer, examiner, passer au crible.

Éponger
Syn. **I.** Assécher, essuyer, étancher, nettoyer. — Absorber, résorber.
Ant. **I.** Arroser, baigner, humecter, mouiller, tremper.

Épouser
Syn. **I.** (S') allier, convoler, (se) marier avec, (s') unir. **III.** (S') attacher à. — Embrasser, partager, prendre parti, soutenir. — Mouler, suivre.
Ant. **I.** Divorcer. **III.** Combattre, répudier.

Épouvantable
Syn. **I.** Affreux, atroce, désastreux, effrayant, effroyable, horrible, monstrueux, redoutable, terrible, terrifiant, violent. — Détestable, inquiétant, mauvais.
Ant. **I.** Agréable, attirant, attrayant, calmant, rassurant. — Beau, splendide.

Épouvante
Syn. **I.** Affolement, appréhension, crainte, effroi, frayeur, horreur, panique, terreur.
Ant. **I.** Audace, assurance, bravoure, courage, cran, hardiesse, vaillance.

Épouvanter
Syn. **I.** Affoler, ahurir, angoisser, effarer, effrayer, horrifier, inquiéter, stupéfier, terrifier, terroriser.
Ant. **I.** Enhardir, rassurer.

Époux (ouse)
Syn. **I.** Compagne, compagnon, conjoint, couple, femme, mari, ménage.
Ant. **I.** Célibataire, fiancé(e), veuf, veuve.

Épreuve
Syn. **I.** Adversité, affliction, aventure, chagrin, danger, douleur, malheur, peine, souffrance, tribulation. — Critère, pierre de touche, test. — Essai, expérience, expérimentation, vérification. — Composition, interrogation. — *(Sports)* Challenge, compétition, course, critérium, finale, match, rencontre, sélection. — *(Typogr.)* Correction, morasse, placard. — *(Phot.)* Cliché, négatif.
Ant. **I.** Béatitude, bonheur, contentement, joie, jouissance, plaisir, satisfaction.

Éprouver
Syn. **I.** Essayer, expérimenter, hasarder, risquer, tâter de, tenter, vérifier, voir. — Connaître, constater, (se) heurter à, rencontrer, souffrir, subir. — Percevoir, ressentir, sentir.

Épuisement
Syn. **I.** Assèchement, tarissement. **III.** Appauvrissement, pénurie, raréfaction. — Abattement, accablement, affaiblissement, anéantissement, faiblesse, fatigue, inanition, prostration.
Ant. **I.** Remplissage. **III.** Abondance, enrichissement, richesse. — Énergie, épanouissement, force, vigueur.

Épuiser (et S')
Syn. *(V. tr.)* **I.** Assécher, dessécher, sécher, tarir, vider. **II.** Amaigrir, appauvrir, ruiner. — Absorber, consommer, dépenser, écouler, engloutir, liquider, user,

vendre. **III.** Abattre, accabler, affaiblir, anéantir, anémier, consumer, éreinter, excéder, exténuer, fatiguer, harasser, lasser, tuer *(fam.)*. *(V. pr.)* **I.** (S') assécher, (se) tarir, (se) vider. **II.** Diminuer, (s') écouler. — Disparaître. — *(Pers.)* (S') échiner, *(fam.)*, (s') éreinter, (s') esquinter, (s') exterminer, (s') évertuer, peiner, (se) tuer.
Ant. **I.** Emplir, remplir. **II.** Approvisionner. **III.** Fortifier, revigorer. — (Se) reposer.

Épuration
Syn. **I.** Assainissement, clarification, filtration, nettoyage, purification, raffinage. **III.** Élimination, exclusion, expulsion, purge, suppression, tri, triage.
Ant. **I.** Contamination, corruption, pollution. **III.** Augmentation, recrutement.

Épurer
Syn. **I.** Assainir, clarifier, décanter, distiller, filtrer, laver, nettoyer, purger, purifier, raffiner. **III.** Affiner, améliorer, châtier, perfectionner, polir, rectifier. — Éliminer, exclure, expulser, supprimer.
Ant. **I.** Avarier, contaminer, infecter, mélanger, polluer, salir, souiller, vicier. **III.** Corrompre, pervertir. — Augmenter, recruter.

Équilibre
Syn. **I.** Aplomb, attitude. **III.** Accord, assiette, balance, égalité, harmonie, pondération, solidité, stabilité. — Eurythmie, proportion, symétrie.
Ant. **I.** Déséquilibre, inégalité, instabilité, renversement. **III.** Disproportion.

Équilibré
Syn. **I.** Stable. **III.** Harmonisé, mesuré, pondéré, posé, proportionné, sage, sain, sensé, solide.
Ant. **I.** Boiteux, instable. **III.** Déséquilibré, désordonné, disproportionné, inégal, insensé.

Équilibrer
Syn. **I.** Compenser, contrebalancer. **III.**

Balancer, corriger, égaliser, neutraliser. — Harmoniser, stabiliser.
Ant. **I.** Déséquilibrer.

Équiper
Syn. **I.** Armer, fréter, gréer. — Aménager, approvisionner, développer, industrialiser, installer, munir, nantir, outiller, pourvoir.
Ant. **I.** Désarmer. — Démunir, déséquiper, désorganiser, vider.

Équitable
Syn. **I.** Consciencieux, droit, honnête, impartial, intègre, judicieux, juste, loyal, sincère.
Ant. **I.** Arbitraire, déloyal, inique, injuste, malhonnête, partial.

Équité
Syn. **I.** Droiture, impartialité, intégrité, justice, loyauté, sincérité.
Ant. **I.** Déloyauté, iniquité, injustice, malhonnêteté, partialité.

Équivalent
Syn. **I.** Égal. — Adéquat, analogue, comparable, identique, pareil, ressemblant, semblable, synonyme.
Ant. **I.** Inégal. — Antonyme, contraire, différent, disparate.

Équivoque
Syn. **I.** Ambigu, amphibologique, double (sens), incertain, obscur. — *(Péj.)* Inquiétant, louche, suspect.
Ant. **I.** Catégorique, clair, évident, net, précis. — Positif. — Sincère.

Érablière *(can.)*
Syn. **I.** Plantation d'érables.

Érailler
Syn. **I.** Effiler. **II.** Écorcher, érafler, rayer.

Érection
Syn. **I.** Construction, élévation, établissement, fondation, institution. — *(Physiol.)* Dilatation, tumescence, turgescence.

Ant. **I.** Démolition, suppression. — Dégonflement, détumescence.

Éreintant
Syn. **I.** Crevant, épuisant, exténuant, fatigant, harassant, pénible, tuant.
Ant. **I.** Reposant.

Éreinté
Syn. **II.** Brisé, cassé, claqué *(fam.)*, crevé *(fam.)*, échiné, exténué, fatigué, flapi *(fam.)*, fourbu, las, moulu, rendu, rompu, surmené. **III.** *(Fam.)* Critiqué, démoli, maltraité.
Ant. **I.** Délassé, dispos, fort, frais, reposé, vigoureux. **III.** Loué, vanté.

Ergoter
Syn. **I.** Chicaner, contester, controverser, discutailler, discuter, disputer, épiloguer, ratiociner, tergiverser.
Ant. **I.** Admettre, consentir.

Ériger
Syn. **I.** Bâtir, construire, dresser, élever. **II.** Créer, établir, fonder, instituer. **III.** Changer, transformer.
Ant. **I., II.** et **III.** Abattre, abolir, anéantir, coucher, démolir, détruire.

Ermite
Syn. **I.** Anachorète, ascète, solitaire. **III.** *(Fam.)* Isolé, retiré, sauvage, seul.
Ant. **I.** Libertin, mondain. **III.** Sociable.

Érosion
Syn. **I.** Affouillement, corrosion, dégradation, délabrement, désagrégation, détérioration, effritement, usure, vétusté.
Ant. **I.** Polissage, réparation, restauration.

Érotique
Syn. **I.** Aphrodisiaque, libre, licencieux, sensuel, sexuel, voluptueux.
Ant. **I.** Chaste.

Errements
Syn. **I.** Abus, bévue, égarement, erreur, faute. — Ornière, routine.

Errer

Syn. **I.** Aller à l'aventure, (se) balader, déambuler, dévier, flâner, (s') égarer, marcher, (se) promener, rôder, traînasser, traîner, vagabonder, vaguer. **III.** Se tromper. — Flotter.
Ant. **I.** (S') arrêter, (se) diriger. **III.** Avoir raison. — (S') appesantir, (se) poser, (se) reposer.

Erreur

Syn. **I.** Aberration, absurdité, ânerie, aveuglement, bêtise, bévue, confusion, étourderie, gaffe, impair, inadvertance, inattention, lapsus, maladresse, malentendu, manquement, mégarde, méprise, quiproquo. — Dérèglement, écart, égarement, errement, extravagance. — Fausseté, hérésie, illusion, impénitence, mensonge, préjugé, sophisme. — Contresens, coquille, errata, faute, inexactitude, mécompte.
Ant. **I.** Justesse, lucidité, perspicacité. — Certitude, exactitude, réalité, vérité. — Correction, rectification.

Erroné

Syn. **I.** Controuvé, fautif, faux, (mal) fondé, inexact.
Ant. **I.** Exact, incontestable, indubitable, juste, réel, vrai.

Érudit

Syn. **I.** Calé, cultivé, docte, ferré, instruit, lettré, savant, versé.
Ant. **I.** Ignare, ignorant, illettré.

Érudition

Syn. **I.** Culture, instruction, savoir, science.
Ant. **I.** Ignorance.

Éruption

Syn. **I.** *(Méd.)* Confluence, efflorescence, poussée, rash. — Ébullition. **III.** Débordement, explosion, jaillissement.

Escalader

Syn. **II.** Enjamber, franchir, gravir, grimper sur, monter, passer, sauter.
Ant. **II.** Descendre, dévaler, tomber.

Escalier

Syn. **I.** Degré, descente, escalator, montée.

Escamoter

Syn. **II.** Attraper, chiper, dérober, subtiliser. — Cacher, effacer. **III.** Éluder, esquiver, éviter, tourner. — Sauter.
Ant. **II.** Mettre en évidence, montrer.

Escapade

Syn. **I.** Fugue. — Bordée, échappée, équipée, frasque, fredaine.

Escarpé

Syn. **I.** Abrupt, accore, ardu, difficile, malaisé, montant, (à) pic, raide.
Ant. **I.** Accessible, aplani, doux, facile.

Esclavage

Syn. **II.** Asservissement, assujettissement, chaînes, contrainte, dépendance, fers, gêne, joug, oppression, servitude, subordination, sujétion.
Ant. **II.** Affranchissement, autonomie, domination, émancipation, indépendance, libération, liberté, tyrannie.

Esclave

Syn. **II.** Asservi, assujetti, captif, dépendant, ilote, prisonnier, serf.
Ant. **II.** Affranchi, autonome, délivré, émancipé, indépendant, libre. — Despote, maître, tyran.

Escompter

Syn. **I.** Avancer, payer d'avance. **III.** *(Vx)* Anticiper, compromettre, dépenser d'avance, hypothéquer. — *(Mod.)* Attendre, compter sur, espérer, prévoir.
Ant. **I.** Échoir. **III.** Conserver, épargner, garder. — Craindre, refuser.

Escorter

Syn. **I.** Accompagner, conduire, convoyer, mener, suivre.

Escrimer (S')
Syn. III. (S') appliquer, (s') efforcer, (s') évertuer.

Escroc
Syn. I. Aigrefin, chevalier d'industrie, coquin, filou, fripon, larron, tripoteur, voleur. *Ant.* I. Homme droit, franc, honnête, loyal, probe, sincère.

Escroquer
Syn. I. (S') approprier, attraper, déposséder, dépouiller, dérober, (s') emparer, enlever, extorquer, filouter, frustrer, prendre, soustraire, soutirer, voler.

Espace
Syn. I. Air, atmosphère, azur, ciel, éther, immensité, infini, univers. — Champ, étendue, lieu, place, région, sphère, superficie, zone. — Chemin, distance, écart, écartement, échappée, intervalle, route, trajectoire, trajet. II. Laps. — Blanc, interligne. — Interstice, lacune, vide.

Espacer
Syn. I. Distancer, échelonner, éloigner, séparer. *Ant.* I. Juxtaposer, rapprocher, serrer, unir.

Espèce
Syn. I. Acabit, classe, famille, genre, groupe, ordre, race, sorte, variété.

Espérance
Syn. I. Assurance, certitude, confiance, conviction, croyance, espoir. — Aspiration, attente, désir, illusion, leurre, perspective, prévision, promesse. *Ant.* I. Découragement, désespérance, désespoir. — Crainte, peur.

Espérer
Syn. I. Attendre, compter sur, désirer, escompter, entrevoir, (se) flatter, (se) promettre, souhaiter, tabler sur. — Croire. *Ant.* I. Appréhender, craindre, désespérer. — Douter.

Espiègle
Syn. I. Coquin, diablotin, éveillé, folâtre, lutin, malicieux, malin, turbulent, vif. *Ant.* I. Indolent, niais, posé, rassis, tranquille.

Espion
Syn. I. Délateur, dénonciateur, indicateur, mouchard, rapporteur, traître. — Agent secret, limier.

Espionner
Syn. I. Épier, guetter, moucharder, observer, suivre, surveiller.

Esprit
Syn. I. Âme, souffle, soupir, vie. — Ange, démon, Dieu, fantôme, revenant. — Caractère, entendement, génie, intelligence, jugement, pensée, raison. — Causticité, finesse, humour, ingéniosité, ironie, malice, sel. — Aspect, but, dessein, idée, intention, sens, signification, volonté, vue (point de). *Ant.* I. Chair, corps, matière. — Bêtise, inintelligence. — Lourdeur, pesanteur, platitude. — Forme, lettre.

Esquisse
Syn. I. Crayon, croquis, ébauche, essai, étude, (premier) jet, maquette, modèle, pochade, schéma, silhouette. II. Aperçu, canevas, idée, linéaments, plan, projet. *Ant.* I. et II. Accomplissement, achèvement, couronnement.

Esquisser
Syn. I. Crayonner, croquer, dessiner, ébaucher, indiquer, pocher, tracer. III. Amorcer, commencer, indiquer. *Ant.* I. et III. Accomplir, achever.

Esquiver (et S')
Syn. I. (*V. tr.*) Couper à, (se) dérober, échapper, éluder, escamoter, éviter, parer, (se) soustraire. — (*V. pr.*) Disparaître, (s') éclipser, (s') enfuir, (s') évader, (se) retirer, sortir.

Ant. **I.** Accepter, affronter, approcher, recevoir. — Apparaître, (s') approcher, rester, surgir.

Essai
Syn. **I.** Analyse, épreuve, examen, expérience, expérimentation, test, vérification. — Ébauche, esquisse. — Effort, tentative. — Traité.
Ant. **I.** Chef-d'œuvre, réalisation, résultat, réussite.

Essaim
Syn. **I.** Groupe (d'abeilles). **II.** Bande, colonie, ensemble. **III.** Foule, multitude, quantité, troupe, troupeau.

Essaimer
Syn. **III.** (S'en) aller, (se) disperser, émigrer, fonder, quitter, (se) répandre.
Ant. **III.** Demeurer, habiter, résider, rester, séjourner.

Essayer
Syn. **I.** *(V. tr.)* Contrôler, éprouver, examiner, expérimenter, goûter, passer, tester, vérifier. *(V. intr.)* Chercher à, (s') efforcer, hasarder, oser, risquer, tâcher, tenter.
Ant. **I.** *(V. intr.)* Renoncer à, réussir à.

Essence
Syn. **I.** Extrait, parfum, pétrole. — Espèce. — *(Phil.)* Caractère, entité, être, nature, qualité, quiddité, substance.
Ant. **I.** Accident, apparence, existence.

Essentiel
Syn. **I.** *(Phil.)* Absolu, caractéristique, constitutif, intrinsèque. **II.** Indispensable, obligatoire, vital. — Capital, fondamental, important, primordial, principal.
Ant. **I.** Accidentel, adventice, contingent, éventuel, extrinsèque, occasionnel. **II.** Inutile, superflu. — Accessoire, négligeable, secondaire.

Essor
Syn. **I.** Envol, envolée, vol, volée. **III.** Activité, avancement, croissance, départ, développement, élan, impulsion, progrès.
Ant. **I.** Atterrissement, chute, repos. **III.** Baisse, déclin, ruine, stagnation.

Essouffler (S')
Syn. **I.** (S') époumonner, haleter, souffler, suffoquer.

Essuyer
Syn. **I.** Débarbouiller, éponger, épousseter, frotter, nettoyer, polir, sécher. **III.** Affronter, endurer, éprouver, recevoir, souffrir, subir, supporter.
Ant. **I.** Humecter, mouiller, salir, souiller, tremper. **III.** Causer, infliger, provoquer.

Est
Syn. **I.** Levant, orient, orientation.
Ant. **I.** Couchant, occident, ouest.

Estampe
Syn. **I.** Figure, gravure, image, vignette.

Estamper
Syn. **I.** Emboutir, étamper, graver, matricer. **III.** *(Fam.)* Écorcher, escroquer, tromper, voler.

Estampille
Syn. **I.** Cachet, empreinte, étiquette, marque, oblitération, poinçon, sceau, signe, timbre.

Estampiller
Syn. **I.** Étamper, poinçonner, timbrer.

Esthétique
Syn. **I.** *(N.)* Art, beau, beauté, goût. — *(Adj.)* Artistique, beau, décoratif, harmonieux, joli.
Ant. **I.** Laideur. — Inesthétique, laid.

Estimable
Syn. **I.** *(Vx)* Appréciable. — Aimable, beau, bon, honorable, louable, précieux, recommandable, respectable.
Ant. **I.** Indigne, méprisable, vil.

Estimation
Syn. **I.** Appréciation, devis, évaluation, expertise, prisée. **II.** Aperçu, approximation, calcul, détermination, prévision.

Estime
Syn. **I.** Amitié, considération, déférence, égard, respect. — Approbation, fierté. — Faveur, honneur, popularité, vogue. *Ant.* **I.** Déconsidération, dédain, inimitié, mépris, mésestime.

Estimer
Syn. **I.** Apprécier, calculer, coter, évaluer, expertiser, jauger, mesurer, priser. **III.** Aimer, considérer, goûter, honorer, préférer, vénérer. — Croire, juger, penser, présumer, tenir, trouver. *Ant.* **III.** Déconsidérer, dédaigner, déprécier, mépriser, mésestimer.

Estomper
Syn. **III.** Adoucir, atténuer, cacher, gazer, tempérer, voiler. *Ant.* **III.** Accuser, dessiner, détacher, préciser.

Estropier
Syn. **I.** Blesser, mutiler. **III.** Altérer, défigurer, déformer, dénaturer, écorcher, tronquer. *Ant.* **I.** Guérir, panser, réparer, soigner. **III.** Conserver, préserver, respecter.

Établir
Syn. **I.** Asseoir, bâtir, construire, édifier, élever, fixer, ériger, installer, placer, poser. **III.** Créer, fonder, implanter, instaurer, instituer, introduire, monter, organiser. — Caser, constituer, doter, marier, nommer. — Appuyer, baser, démontrer, montrer, préciser, prouver. — Arrêter, calculer, dresser. *Ant.* **I.** Abattre, anéantir, démolir, déplacer, détruire, renverser. **III.** Abolir, défaire, supprimer.

Établissement
Syn. **I.** Création, constitution, érection, fondation, instauration, institution. — Entreprise, exploitation, firme, maison, société, usine. **III.** Démonstration, exposé, preuve. *Ant.* **I.** Démolition, destruction, renversement. **III.** Abolition.

Étai
Syn. **I.** Appui, arc-boutant, béquille, cale, chevalement, contrefort, contre-fiche, épaulement, étançon, renfort, soutènement. **III.** Aide, protection, soutien.

Étalage
Syn. **I.** Devanture, éventaire, montre, vitrine. **III.** Affectation, dépense, déploiement, esbroufe, exhibition, faste, ostentation, parade, profusion. *Ant.* **III.** Discrétion, modestie, simplicité.

Étaler
Syn. **I.** Déballer, déplier, déployer, dérouler, développer, disposer, étendre, exhiber, exposer. **III.** Afficher, arborer, dévoiler, montrer, (faire) parade. — Échelonner. *Ant.* **I.** Empiler, entasser, plier, ranger, remballer, rouler **III.** Cacher, dissimuler, voiler.

Étanche
Syn. **I.** Calfaté, hermétique, imperméable. *Ant.* **I.** Pénétrable, perméable.

Étancher
Syn. **I.** Assécher, aveugler, boucher, éponger, sécher. **II.** Apaiser, assouvir (la soif), boire, (se) désaltérer. *Ant.* **I.** Arroser, déverser, épandre, humecter, imbiber, mouiller, tremper. **II.** Exciter.

Étape
Syn. **I.** Arrêt, escale, halte, relâche. **II.** Route. **III.** Degré, époque, palier, pas, période, phase, temps.

État
Syn. **I.** Caractère, disposition, humeur, manière.d'être, mentalité, qualité. — Circonstance, conjoncture. — Contrôle, inventaire, liste, mémoire, tableau. — Condition, destin, position, situation, sort. — Carrière, emploi, gagne-pain, métier, profession. — Administration, gouverne-

ment, pouvoir (central), régime. —
Empire, nation, pays, province,
puissance, royaume.

Étayer
Syn. **I.** Appuyer, arc-bouter, consolider,
étançonner, renforcer. **III.** Affermir, soutenir.
Ant. **I.** et **III.** Affaiblir, ébranler, miner,
nuire, ruiner.

Éteindre
Syn. **I.** Étouffer. **III.** Abolir, affaiblir,
anéantir, annihiler, annuler, arrêter, calmer, détruire, effacer.
Ant. **I.** Allumer, attiser, aviver, brûler. —
Briller, éclairer. **III.** Aiguillonner, animer, entretenir, exciter, insuffler, provoquer, ranimer.

Étendard
Syn. **I.** Bannière, drapeau, enseigne, oriflamme, pavillon.

Étendre
Syn. **I.** Allonger, appliquer, déplier, déployer, dérouler, détendre, développer,
éparpiller, éployer, étaler, étirer, mettre.
— Abattre, coucher, renverser. **III.** Accroître, agrandir, amplifier, augmenter,
élargir, progresser.
Ant. **I.** et **III.** Abréger, borner, diminuer,
écourter, limiter, modérer, raccourcir,
restreindre.

Etendu
Syn. **I.** Ample, déployé, extensif, grand,
gros, immense, large, long, spacieux,
vaste.
Ant. **I.** Borné, bref, court, petit, réduit,
restreint.

Étendue
Syn. **I.** Dimension, espace, extension,
grandeur, largeur, longueur, superficie,
surface, volume. **III.** Ampleur, développement, durée, immensité, importance,
portée, proportion.

Éternel (et L')
Syn. **I.** (*N.*) (Le) Créateur, Dieu, (le)
Tout-Puissant. — (*Adj.*) Continuel,
durable, immortel, immuable, . impérissable, inaltérable, incessant, indestructible, infini, interminable, permanent, perpétuel, sempiternel.
Ant. **I.** Altérable, bref, court, destructible, éphémère, fragile, fugitif, momentané, mortel, passager, périssable, précaire,
provisoire, temporaire, temporel.

Éterniser
Syn. **I.** Immortaliser, perpétuer. — Allonger, continuer, (faire) durer, prolonger
indéfiniment.
Ant. **I.** Abréger, couper court. — Bâcler,
clore, écourter, restreindre.

Étêter
Syn. **I.** Décapiter, écimer, tailler.

Éther
Syn. **I.** Air, atmosphère, azur, ciel,
espace, firmament, infini.

Éthéré
Syn. **III.** Aérien, délicat, irréel, léger, surnaturel, vaporeux. — Céleste, élevé, haut,
noble, pur, serein, sublime.
Ant. **III.** Bas, grossier, matériel, mesquin,
réaliste, terre-à-terre, terrestre.

Étincelant
Syn. **I.** Brillant, chatoyant, éblouissant,
éclatant, flamboyant, fulgurant, incandescent, luisant, lumineux, radieux,
rayonnant, reluisant, resplendissant, rutilant, scintillant, vif.
Ant. **I.** Blafard, éteint, livide, mat, obscur, pâle, sombre, terne, vitreux.

Étinceler
Syn. **I.** Brasiller, briller, chatoyer,
éblouir, luire, miroiter, reluire, resplendir, scintiller.
Ant. **I.** (S') éteindre, (s') obscurcir, (se)
ternir.

Étincelle
Syn. **I.** Éclat, feu, flammèche. **III.** Éclair, lueur.

Étiolement
Syn. **I.** Dépérissement. **II.** Affaiblissement, anémie, appauvrissement, débilité, délabrement.
Ant. **I.** et **II.** Force, robustesse, santé, vigueur.

Étioler (S') V. *Dépérir*

Étique
Syn. **I.** Anémié, atrophié, décharné, desséché, émacié, maigre, sec, squelettique.
Ant. **I.** Corpulent, gras, obèse, trapu, ventru.

Étiqueter
Syn. **I.** Cataloguer, classer, marquer, ranger. **III.** Dénommer, indiquer, noter.

Étiquette
Syn. **I.** Désignation, écriteau, indication, inscription, label, marque. — Bienséance, cérémonial, décorum, protocole, règle.

Étirer
Syn. **I.** Allonger, distendre, élonger, étendre, tirer.
Ant. **I.** Comprimer, contracter, resserrer, rétrécir.

Étoffé
Syn. **III.** Abondant, ample, consistant, ferme, riche, substantiel.
Ant. **III.** Chétif, fluet, frêle, maigre, pauvre.

Étoile
Syn. **I.** Astre, planète. **III.** Ascendant, chance, destin, fortune, sort. — As, star, vedette. — Carrefour, rond-point. — Astérisque.

Étonnant
Syn. **I.** Ahurissant, bizarre, curieux, épatant, étrange, extraordinaire, fantastique, formidable, inattendu, incroyable, inouï, insolite, merveilleux, phénoménal, presti-

gieux, renversant, stupéfiant, surprenant.
Ant. **I.** Banal, commun, courant, habituel, insignifiant, journalier, normal, ordinaire, simple, usuel.

Étonnement
Syn. **I.** Ahurissement, ébahissement, éblouissement, émerveillement, saisissement, stupéfaction, stupeur, surprise.
Ant. **I.** Calme, ennui, indifférence, sang-froid.

Étonner
Syn. **I.** Abasourdir, ahurir, bouleverser, confondre, ébahir, éblouir, émerveiller, épater *(fam.)*, estomaquer *(fam.)*, fasciner, frapper, impressionner, interloquer, renverser, saisir, stupéfier, surprendre.
Ant. **I.** Apaiser, calmer, modérer, pacifier, rasséréner, rassurer, tranquilliser.

Étouffer
Syn. **I.** Asphyxier, bâillonner, égorger, éteindre, étrangler, noyer, oppresser, perdre, suffoquer, tuer. **II.** Amortir, assourdir, couvrir, feutrer. — Contenir, réprimer, retenir. **III.** Arrêter, briser, détruire, empêcher, endiguer, enrayer, juguler, mater, refouler, supprimer.
Ant. **I.** Alimenter, allumer, attiser. — Aspirer, ranimer, respirer, sauver. **II.** Accentuer, amplifier, grossir, intensifier. **III.** Déchaîner, encourager, exciter, fomenter.

Étourderie
Syn. **I.** *(Fam.)* Bévue, distraction, enfantillage, faute, imprévoyance, imprudence, inadvertance, inapplication, inattention, inconséquence, irréflexion, légèreté.
Ant. **I.** Application, attention, circonspection, gravité, pondération, prévoyance, prudence, réflexion, sagesse.

Étourdi
Syn. **I.** Distrait, écervelé, étourneau, évaporé, hurluberlu, imprudent, inappliqué, inattentif, inconséquent, inconsidéré, irréfléchi, léger, malavisé.

Ant. **I.** Appliqué, attentif, circonspect, intelligent, pondéré, posé, prévoyant, prudent, réfléchi, sage.

Étourdir (et S')
Syn. *(V. tr.)* **I.** Abasourdir, abrutir, assommer, chavirer, enivrer, griser, tourner (la tête). **II.** Casser (les oreilles, la tête), fatiguer, incommoder. **III.** Ébranler, étonner, hébéter. *(V. pr.)* **I.** (Se) distraire, (s') enivrer, (se) griser. *Ant.* **I.** Exciter, réveiller, stimuler.

Étourdissement
Syn. **I.** Défaillance, éblouissement, évanouissement, faiblesse, trouble, vertige. **III.** Griserie, ivresse. *Ant.* **I.** et **III.** Lucidité, réveil.

Étrange
Syn. **I.** Anormal, bizarre, curieux, drôle, ébouriffant, étonnant, exceptionnel, extraordinaire, inaccoutumé, incompréhensible, inexplicable, inquiétant, insolite, louche, singulier, surprenant. *Ant.* **I.** Banal, commun, courant, fréquent, habituel, normal, ordinaire, quelconque, simple, usuel.

Étranger
Syn. **I.** Allogène, exotique, extérieur, immigrant, métèque, réfugié. **II.** Différent, distinct, inconnu. *Ant.* **I.** Autochtone, indigène, national. **II.** Connu, familier, naturel.

Étranglement
Syn. **I.** Constriction, égorgement, étouffement, resserrement, rétrécissement, strangulation, suffocation. *Ant.* **I.** Dilatation, distension, élargissement, évasement, libération.

Étrangler
Syn. **I.** Asphyxier, égorger, étouffer, resserrer, serrer, suffoquer. **III.** Assassiner, museler, ruiner, tuer.

Être
Syn. **I.** *(N.)* Existence, jour, naissance, nature, vie. — Créature, homme, individu, type. — Âme, conscience, personne. — *(V.)* Exister, subsister, vivre. — Consister en, constituer. — Aller, (se) porter. — Demeurer, loger, (se) trouver. — Appartenir. *Ant.* **I.** Néant, non-être. — (S') anéantir, disparaître, mourir, ne pas être.

Étreindre
Syn. **I.** Embrasser, empoigner, enlacer, prendre, presser, retenir, saisir, serrer, tenir. — Oppresser, tenailler. *Ant.* **I.** Desserrer, écarter, éloigner, éviter, lâcher, relâcher, relaxer.

Étreinte
Syn. **I.** Accolade, embrassement, enlacement, serrement. *Ant.* **I.** Libération, relaxation.

Étriqué V. *Étroit*

Étroit
Syn. *(Ch.)* **I.** Collant, court, étranglé, étriqué, exigu, juste, mince, petit, resserré, rétréci, serré. **II.** Restreint. **III.** Exact, rigoureux, strict. *(Pers.)* **III.** *(Caractère)* Borné, incompréhensif, intolérant, limité, mesquin. — *(Relations)* Assidu, familier, intime, total. *Ant.* *(Ch.)* **I.** Ample, déployé, étalé, flottant, grand, spacieux, vaste. **II.** Étendu. **III.** Imprécis, inexact, large. *(Pers.)* **III.** Compréhensif, éclairé, généreux, humain, ouvert, prodigue. — Lâche, relâché.

Étude
Syn. **I.** Analyse, application, essai, examen, fouille, prospection, recherche, soin, travail. — Croquis, esquisse, plan.

Étudié
Syn. **I.** Appliqué, approfondi, calculé, fini, médité, mûri, préparé, scruté, travaillé. — *(Péj.)* Affecté, apprêté, contraint, feint, recherché. *Ant.* **I.** Effleuré, ignoré, improvisé, irré-

fléchi, négligé. — Étourdi, naturel, simple, sincère, spontané.

Étudier (et S')
Syn. **I.** *(V. intr.)* Apprendre, bûcher, (s') exercer, (s') instruire, piocher, travailler. — *(V. tr.)* Analyser, approfondir, chercher, considérer, examiner, fouiller, méditer, observer, rechercher, traiter. — *(V. pr.)* (S') écouter, (s') observer, (se) surveiller. — (S') appliquer.
Ant. **I.** *(V. intr.)* Paresser. *(V. tr.)* Ignorer, négliger.

Étymologie
Syn. **I.** Dérivation, évolution, filiation, origine, racine, source.

Euphorie
Syn. **I.** *(Méd.)* Détente, soulagement. **II.** Aise, béatitude, bien-être, bonheur, contentement, optimisme, satisfaction.
Ant. **II.** Angoisse, asthénie, chagrin, dépression, douleur, tristesse.

Eurythmie
Syn. **I.** Accord, équilibre, harmonie.

Évacuation
Syn. **I.** Débordement, défécation, dégorgement, écoulement, élimination, excrétion, expulsion. **II.** *(Milit.)* Abandon, départ, libération, retrait, retraite.
Ant. **I.** Entrée, infiltration, intrusion, invasion, **II.** Installation, ravitaillement.

Évacuer
Syn. **I.** Déféquer, éliminer, uriner, vomir. **II.** Dégorger, déverser, écouler, vider. — *(Milit.)* Abandonner, quitter, (se) retirer.
Ant. **I.** Accumuler, garder, remplir. **II.** Demeurer, envahir, occuper.

Évader (S')
Syn. **I.** (S') échapper, (s') enfuir, fuir, (se) sauver. **II.** (S') éclipser, (s') esquiver. **III.** (Se) libérer, (se) soustraire.
Ant. **I.** Demeurer, rester. **III.** Croupir, (s') ensevelir.

Évaluer
Syn. **I.** Apprécier, calculer, coter, déter-

miner, estimer, expertiser, jauger, juger, mesurer, peser, priser, supputer.

Évanouir (S')
Syn. **I.** Défaillir, (se) pâmer, (se) trouver mal. **III.** Disparaître, (se) dissiper, (s') effacer, (s') enfuir, (s') envoler, (s') évaporer, finir, passer, (se) terminer.
Ant. **I.** Revenir à soi. **III.** Apparaître, arriver, durer, (se) montrer.

Évanouissement
Syn. **I.** Défaillance, faiblesse, pâmoison, syncope. **III.** Anéantissement, disparition, effacement, fin.
Ant. **I.** Réveil. **III.** Apparition, commencement, durée.

Évaporé
Syn. **I.** Dissipé, écervelé, étourdi, folâtre, frivole, léger, tête-en-l'air.
Ant. **I.** Équilibré, grave, posé, sérieux.

Évaser
Syn. **I.** Agrandir, amplifier, dilater, élargir.
Ant. **I.** Étrangler, rétrécir.

Évasif
Syn. **I.** Ambigu, équivoque, fuyant, vague.
Ant. **I.** Absolu, catégorique, clair, net, positif, précis.

Évasion
Syn. **I.** Fuite. **III.** Changement, distraction, divertissement.
Ant. **I.** Détention, emprisonnement. **III.** Fixité, stabilité.

Éveillé
Syn. **I.** Actif, alerte, animé, dégourdi, déluré, dispos, espiègle, frétillant, futé, gai, malicieux, ouvert, vif.
Ant. **I.** Abruti, amorti, apathique, endormi, engourdi, indolent, lent, lourd, lourdaud, somnolent.

Éveiller
Syn. **I.** Réveiller. **III.** Développer, révé-

ler, stimuler, vivifier. — Animer, évoquer, exciter, provoquer, susciter.
Ant. **I.** Endormir, engourdir. **III.** Apaiser, paralyser, ralentir.

Événement
Syn. **I.** Accident, affaire, aventure, cas, circonstance, conjoncture, épisode, époque, ère, éventualité, fait, incident, péripétie, situation.

Éventé
Syn. **I.** Aéré, altéré, corrompu, exposé au vent. **III.** Connu, découvert, divulgué.
Ant. **I.** Abrité. **III.** Caché, dissimulé.

Éventualité
Syn. **I.** Cas, contingence, événement, hasard, hypothèse, incertitude, possibilité.
Ant. **I.** Certitude, évidence, nécessité, réalité.

Évêque
Syn. **I.** Dignitaire, pontife, prélat.

Évertuer (S')
Syn. **I.** (S') appliquer à, chercher à, (s') efforcer à, (s') escrimer à, essayer de, peiner pour, tâcher de, tenter de, (se) tuer à.

Évidence
Syn. **I.** Certitude, clarté, réalité, vérité. **II.** Lapalissade, truisme.
Ant. **I.** Ambiguïté, doute, improbabilité, incertitude, obscurité, vague.

Évident
Syn. **I.** Assuré, authentique, certain, clair, criant, éclatant, flagrant, formel, incontestable, indéniable, indubitable, manifeste, notoire, palpable, patent, positif, sûr, visible.
Ant. **I.** Ambigu, contestable, discutable, douteux, erroné, hypothétique, improbable, incertain, obscur, problématique, vague.

Évincer
Syn. **I.** Blackbouler, chasser, congédier,

déposséder, dépouiller, écarter, éconduire, éliminer, éloigner, exclure.
Ant. **I.** Admettre, appeler, conserver, convoquer, favoriser, inviter.

Éviter
Syn. **I.** Détourner, écarter, échapper à, esquiver, fuir, parer. **III.** Conjurer, éluder, empêcher, prévenir, (se) soustraire, supprimer. — (S') abstenir, (se) dispenser, (se) garder, résister. — Décharger, délivrer, épargner.
Ant. **I.** Affronter, approcher, braver, chercher, courir après, rechercher, poursuivre. **III.** Heurter, rencontrer.

Évoluer
Syn. **I.** (Se) dérouler, manœuvrer, marcher, (se) mouvoir. **III.** Changer, devenir, (se) modifier, progresser, (se) transformer.
Ant. **I.** et **III.** (S') arrêter, piétiner, régresser.

Évolution
Syn. **I.** *(Milit.)* Exercice, manœuvre. **II.** Arabesque, mouvement. **III.** Changement, cours, développement, devenir, histoire, marche, processus, progression, tournure, transformation.
Ant. **I.** Immobilité. **III.** Fixité, permanence, stabilité.

Évoquer
Syn. **I.** Invoquer. **III.** Appeler, éveiller, rappeler, remémorer, repasser, réveiller, susciter. — Associer, citer, décrire, effleurer, esquisser, imaginer, mentionner, montrer, représenter, suggérer.
Ant. **I.** et **III.** Chasser, conjurer, écarter, effacer, éloigner, oublier, repousser.

Exact
Syn. **I.** *(Pers.)* Absolu, assidu, consciencieux, minutieux, ponctuel, régulier, rigoureux, scrupuleux, soigneux, strict. — *(Ch.)* Authentique, certain, complet, conforme, correct, fidèle, juste, littéral, ma-

thématique, net, précis, solide, textuel, véridique, vrai.
Ant. **I.** Inexact, irrégulier, négligent. — Altéré, apocryphe, approchant, approximatif, contrefait, défectueux, équivoque, erroné, fautif, faux, imaginaire, imprécis, incorrect, infidèle, mensonger, vague.

Exactitude
Syn. **I.** *(Pers.)* Application, assiduité, attention, conscience, minutie, ponctualité, régularité, soins, véridicité, vigilance. — *(Ch.)* Conformité, correction, fidélité, justesse, précision, rectitude, rigueur, véracité, vérité.
Ant. **I.** Inadvertance, inexactitude, irrégularité, manquement, négligence. — Approximation, contresens, défectuosité, erreur, faute, imprécision, infidélité, méprise.

Exagération
Syn. **I.** Abus, démesure, disproportion, excès, outrance, pléthore, prodigalité, superfluité. — Amplification, broderie, déformation, emphase, fanfaronnade, galéjade, grossissement, hyperbole.
Ant. **I.** Adoucissement, atténuation, convenance, diminution, insuffisance. — Équilibre, harmonie, mesure, modération, proportion.

Exagérer
Syn. **I.** Agrandir, ajouter, amplifier, bluffer, broder, charger, développer, dramatiser, enfler, forcer, grossir, outrer, surestimer, surfaire.
Ant. **I.** Affaiblir, amoindrir, atténuer, équilibrer, mesurer, minimiser, mitiger, modérer, proportionner.

Exaltation
Syn. **III.** Glorification, louange. — Agitation, animation, ardeur, déchaînement, délire, effervescence, emballement, enthousiasme, exultation, fièvre, ravissement, surexcitation, transport, véhémence.

Ant. **III.** Abaissement, avilissement, blâme, désapprobation, désaveu. — Abattement, apathie, calme, dépression, flegme, impassibilité, indifférence, sang-froid, sérénité.

Exalté
Syn. **I.** Ardent, délirant, enthousiaste, fanatique, passionné, surexcité.
Ant. **I.** Calme, flegmatique, froid, impassible, modéré, paisible.

Exalter
Syn. **I.** Admirer, bénir, célébrer, chanter, glorifier, louer, magnifier, porter aux nues, vanter. **II.** Animer, échauffer, électriser, enflammer, enfler, enthousiasmer, exciter, fanatiser, galvaniser, passionner, soulever, transporter.
Ant. **I.** Abaisser, avilir, blâmer, censurer, diffamer, mépriser. **II.** Adoucir, attiédir, calmer, éteindre, modérer, pacifier, refroidir.

Examen
Syn. **I.** Appréciation, considération, constatation, débat, délibération, discussion, enquête, estimation, étude, évaluation, expertise, exploration, information, inspection, investigation, observation, recherche, reconnaissance, revue, vérification. — Analyse, auscultation, essai, expérience, visite. — Audition, composition, concours, épreuve, interrogation, test.

Examiner
Syn. **I.** Analyser, apprécier, approfondir, compulser, considérer, contrôler, débattre, délibérer, dépouiller, discuter, disséquer, éplucher, éprouver, étudier, évaluer, expérimenter, inspecter, observer, peser, prospecter, rechercher, vérifier. — Ausculter, explorer, scruter, sonder, visiter. — Contempler, dévisager, regarder, toiser. — Interroger.
Ant. **I.** Éviter, ignorer, négliger.

Exaspérer
Syn. **I.** *(Ch.)* Affoler, aggraver, exciter,

intensifier. — *(Pers.)* Aigrir, excéder, impatienter, irriter.
Ant. I. Adoucir, apaiser, atténuer, calmer, diminuer, rasséréner.

Exaucer
Syn. I. Accomplir, accorder, accueillir, combler, contenter, écouter, entendre, satisfaire.
Ant. I. Dédaigner, ignorer, mépriser, refuser, rejeter, repousser.

Excédent
Syn. I. Différence, excès, résidu, reste, solde, supplément, surcharge, surcroît, surnombre, surplus.
Ant. I. Déficit, insuffisance, manque, passif, perte.

Excéder
Syn. I. *(Ch.)* Dépasser, (l') emporter sur, outrepasser, passer. — *(Pers.)* Accabler, agacer, épuiser, exaspérer, exténuer, fatiguer, harasser, importuner, irriter, lasser.
Ant. I. Circonscrire, tempérer. — Ragaillardir, réconforter, reposer.

Excellent
Syn. I. Admirable, bon, délicieux, éminent, exquis, merveilleux, parfait, savoureux, succulent, supérieur.
Ant. I. Détestable, exécrable, inférieur, mauvais, médiocre, pitoyable.

Exceller
Syn. I. Briller, (se) distinguer, (se) surpasser, triompher.

Excentrique
Syn. I. Périphérique. III. Anormal, baroque, bizarre, étrange, extravagant, fantasque, insolite, original, singulier.
Ant. I. Central, concentrique. III. Banal, commun, mesuré, naturel, normal, ordinaire.

Excepté
Syn. I. À l'exception de, à l'exclusion de, en dehors de, hormis, hors, (à) part, sauf, sinon.
Ant. I. Compris, inclus.

Excepter
Syn. I. Enlever, exclure, négliger, ôter, retirer, retrancher.
Ant. I. Comprendre, englober, inclure.

Exception
Syn. I. Dérogation, restriction. — Anomalie, particularité, singularité.
Ant. I. Généralité, principe, règle.

Exceptionnel
Syn. I. Occasionnel, rare. — Capital, éminent, étonnant, extraordinaire, inattendu, remarquable, supérieur.
Ant. I. Régulier. — Banal, commun, courant, habituel, normal, ordinaire.

Excès
Syn. I. Excédent, reste, surplus. — Dépassement, disproportion, exagération, luxe, outrance, pléthore, profusion, surabondance. — Abus, débauche, débordement, dérèglement, écart, folie, intempérance, licence.
Ant. I. Carence, défaut, déficit, insuffisance, manque. — Abstinence, mesure, modération, tempérance.

Excessif
Syn. I. Abusif, démesuré, déréglé, effréné, énorme, exagéré, exorbitant, extrême, immodéré, outrancier, outré, surabondant.
Ant. I. Insuffisant, modéré, moyen, normal.

Excitant
Syn. I. *(Adj.)* Affolant, aguichant, émoustillant, émouvant, enivrant, piquant, provocant, troublant. — *(N.)* Aiguillon, réconfortant, remontant, tonique.
Ant. I. Adoucissant, apaisant, fade, rassurant, stimulant. — Anesthésique, calmant, sédatif.

Excitation
Syn. I. Appel, encouragement, exhortation, incitation, provocation, stimulation.

— Agitation, animation, ardeur, désir, émoi, énervement, enthousiasme, exaltation, surexcitation, trouble.
Ant. **I.** Adoucissement, apaisement. — Calme, dépression, flegme, inhibition, sérénité, tranquillité.

Exciter
Syn. **I.** Aiguillonner, allumer, animer, appeler, causer, déchaîner, déclencher, encourager, éveiller, fomenter, insuffler, (faire) naître, piquer, provoquer, susciter, stimuler. — Agacer, ameuter, échauffer, émouvoir, entraîner, exalter, inciter, inviter, irriter, pousser, soulever, taquiner.
Ant. **I.** Adoucir, arrêter, empêcher, endormir, étouffer, modérer, retenir. — Apaiser, calmer, inhiber, pacifier.

Exclamer (S')
Syn. **I.** (S') écrier, (se) récrier.

Exclure
Syn. **I.** Bannir, chasser, éliminer, éloigner, évincer, expulser, ôter, rejeter, renvoyer, retrancher. — Écarter, empêcher, interdire, négliger, (s') opposer à, refuser, repousser.
Ant. **I.** Accueillir, admettre, agréer, inviter, recevoir, réintégrer. — Impliquer, inclure, insérer, permettre.

Excommunier
Syn. **I.** Anathématiser. **II.** Chasser, exclure, interdire, rejeter, repousser, retrancher.

Excursion
Syn. **I.** Balade, course, expédition, promenade, randonnée, tour, tournée, voyage. **III.** Digression.

Excuse
Syn. **I.** Défense, explication, justification, motif, raison. — Pardon, regret. **II.** Défaite, dérobade, échappatoire, fauxfuyant, moyen, prétexte.
Ant. **I.** Accusation, blâme, imputation. **II.** Condamnation, inculpation, reproche.

Excuser (et S')
Syn. **I.** *(V. tr.)* Blanchir, défendre, disculper, justifier. — Absoudre, décharger, pardonner. — *(Ch.)* Admettre, tolérer. — *(V. pr.)* (Se) défendre. — (Se) défiler, (se) récuser, refuser.
Ant. **I.** Accuser, blâmer, condamner, imputer, inculper. — (S') incriminer. — Accepter, (se) vanter.

Exécrable
Syn. **I.** Abominable, affreux, dégoûtant, déplorable, détestable, épouvantable, horrible, infect, mauvais, méprisable, odieux, repoussant, répugnant.
Ant. **I.** Aimable, attirant, bon, charmant, délicat, excellent, exquis, parfait.

Exécration
Syn. **I.** Abomination, aversion, dégoût, détestation, haine, horreur, répulsion.
Ant. **I.** Admiration, adoration, affection, amour, bénédiction.

Exécrer
Syn. **I.** Abhorrer, abominer, détester, haïr, (avoir en) horreur, maudire, rejeter, repousser.
Ant. **I.** Adorer, aimer, apprécier, bénir, chérir.

Exécuter
Syn. **I.** *(Ch.)* Accomplir, confectionner, effectuer, expédier, faire, observer, opérer, réaliser, remplir. — Interpréter, jouer. — *(Pers.)* Abattre, assassiner, décapiter, supprimer, tuer. — Condamner, éreinter.
Ant. **I.** (S') abstenir, manquer, négliger, omettre. — Épargner, gracier.

Exécution
Syn. **I.** *(Ch.)* Accomplissement, application, observation, opération, (en) pratique, réalisation. — Audition, interprétation. — *(Pers.)* Asphyxie, décapitation, électrocution, fusillade, mise à mort, pendaison.

Ant. **I.** Conception, dessein, inobservation, projet. — Inexécution.

Exemplaire
Syn. (Adj.) **I.** Bon, édifiant, irréprochable, modèle, parfait. *(N.)* **I.** Copie, édition, épreuve. **II.** Échantillon, spécimen. *Ant.* **I.** Imparfait, léger, mauvais, scandaleux.

Exemple
Syn. **I.** Image, leçon, modèle, parangon, règle, type. **II.** Aperçu, citation, échantillon, paradigme, spécimen. — Cas, précédent.

Exempt
Syn. **I.** Affranchi, déchargé, dégagé, dépourvu, dispensé, exonéré, immunisé, indemne, libéré, quitte, préservé. *Ant.* **I.** Assujetti, astreint, chargé, contraint, forcé, obligé, tenu.

Exempter
Syn. **I.** Affranchir, décharger, dégrever, dispenser, excuser, exonérer. **II.** Garantir, préserver. *Ant.* **I.** Assujettir, astreindre, contraindre, obliger.

Exemption
Syn. **I.** Décharge, dégrèvement, dispense, exonération, franchise, grâce, immunité, liberté, privilège. *Ant.* **I.** Assujettissement, charge, contrainte, engagement, nécessité, obligation.

Exercer (et S')
Syn. **I.** *(V. tr.)* Cultiver, développer, dresser, entraîner, façonner, former, habituer, plier. — Déployer, employer, éprouver, exécuter. — (S') acquitter, faire, pratiquer, professer, remplir, travailler. — *(V. pr.)* (S') appliquer, apprendre, (s') entraîner, (s') essayer, (se) livrer à.

Exercice
Syn. **I.** Application, apprentissage, devoir, entraînement, étude, évolution, gymnastique, instruction, manœuvre,

mouvement. — Activité, pratique. *Ant.* **I.** Calme, immobilité, inaction, pause, repos. — Congé, désœuvrement, disponibilité, loisir, retraite.

Exhalaison
Syn. **I.** Arôme, effluve, émanation, fumée, fumet, gaz, odeur, parfum, relent, senteur, vapeur.

Exhaler
Syn. **I.** Dégager, embaumer, émettre, produire, répandre. — Suer, transpirer. **II.** Pousser, rendre. **III.** Exprimer, manifester, proférer. *Ant.* **I.** Absorber, aspirer, inhaler. **III.** Comprimer, garder, réprimer, taire.

Exhausser
Syn. **I.** Augmenter, élever, hausser, lever, monter, rehausser, relever, remonter, surélever, surhausser. *Ant.* **I.** Abaisser, baisser, diminuer, rabaisser.

Exhaustif
Syn. **I.** Complet. *Ant.* **I.** Incomplet, rudimentaire, superficiel.

Exhiber
Syn. **I.** Montrer, présenter, produire. *(Péj.)* Afficher, arborer, déployer, étaler, exposer. *Ant.* **I.** Cacher, couvrir, dissimuler, voiler.

Exhortation
Syn. **I.** Admonestation, appel, conseil, encouragement, incitation, invitation, invite, recommandation. *Ant.* **I.** Dissuasion, menace, reproche.

Exhorter V. *Encourager*

Exhumer
Syn. **I.** Déterrer. **III.** Produire, rappeler, ressusciter. *Ant.* **I.** Enfouir, ensevelir, enterrer, inhumer. **III.** Oublier.

Exigeant
Syn. **I.** Absorbant, délicat, difficile, dur, insatiable, intraitable, pointilleux, sévère, strict.
Ant. **I.** Accommodant, arrangeant, coulant, facile, traitable.

Exiger
Syn. **I.** Demander, imposer, nécessiter, prétendre à, réclamer, requérir, revendiquer.
Ant. **I.** Dispenser, exempter, exonérer, tolérer.

Exigu
Syn. **I.** Étroit, minuscule, petit, restreint. — Insuffisant, modique.
Ant. **I.** Démesuré, énorme, grand, vaste. — Suffisant.

Exil
Syn. **I.** Bannissement, déportation, expatriation, expulsion, proscription.
Ant. **I.** Amnistie, grâce, rapatriement, rappel, retour.

Exiler
Syn. **I.** Bannir, chasser, déporter, éloigner, expatrier, expulser, proscrire, reléguer.
Ant. **I.** Amnistier, gracier, rapatrier, rappeler.

Existence
Syn. **I.** Être, présence. **II.** Destin, durée, jour, vie.
Ant. **I.** Inexistence, néant, non-être. — Absence. **II.** Mort.

Exister
Syn. **I.** Continuer, demeurer, durer, être, naître, persister, subsister, vivre. **II.** (Se) rencontrer, (se) trouver.
Ant. **I.** (S') anéantir, disparaître, (s') éteindre, finir, manquer, mourir.

Exode
Syn. **I.** Émigration. **II.** Abandon, départ, dépeuplement, désertion, fuite, migration.
Ant. **I.** Entrée, immigration, venue.

Exonération V. *Immunité*

Exonérer
Syn. **I.** Affranchir, décharger, dégager, dégrever, délier, dispenser, exempter, libérer.
Ant. **I.** Aggraver, alourdir, assujettir, majorer, surcharger, surtaxer.

Exorbitant
Syn. **I.** Abusif, cher, démesuré, exagéré, excessif, extraordinaire, inabordable, incroyable, irraisonnable, monstrueux, prohibitif.
Ant. **I.** Banal, équitable, juste, minime, modéré, modique, raisonnable.

Exorciser
Syn. **I.** Adjurer, chasser, conjurer, prier, suppléer.
Ant. **I.** Ensorceler.

Exorcisme
Syn. **I.** Adjuration, conjuration, déprécation, obsécration, prière, supplication.

Expansif
Syn. **III.** Communicatif, confiant, débordant, démonstratif, exubérant, franc, ouvert.
Ant. **III.** Cachottier, concentré, défiant, discret, froid, renfermé, réservé, sournois, timide.

Expansion
Syn. **I.** Développement, dilatation, épanouissement. **III.** Diffusion, essor, extension, propagation. — Débordement, effusion, épanchement.
Ant. **I.** Compression, contraction, tension. **III.** Diminution, recul, stagnation. — Défiance, froideur, réserve.

Expédient
Syn. **I.** *(N.)* Accommodement, échappatoire, moyen, ressource, ruse, stratagème, truc. — *(Adj.)* Commode, convenable, opportun, utile.
Ant. **I.** Incommode, inopportun, inutile.

Expédier

Syn. **I.** Adresser, dépêcher, diriger, envoyer. **II.** *(Ch.)* Accomplir rapidement, bâcler, torchonner, trousser. — *(Pers.)* Congédier, (se) débarrasser de. — Tuer. *Ant.* **I.** Arrêter, omettre. **II.** Fignoler. — Épargner, recevoir.

Expéditeur

Syn. **I.** Envoyeur. *Ant.* **I.** Destinataire.

Expéditif

Syn. **I.** Actif, diligent, prompt, rapide, vif. **II.** Court, sommaire. *Ant.* **I.** Indécis, lent, long, traînard.

Expédition

Syn. **I.** Accomplissement, achèvement, exécution. — Envoi, transport. **II.** *(Milit.)* Campagne, croisade, raid. — Entreprise, exploration, randonnée, tournée, voyage. *Ant.* **I.** Négligence, omission. **I.** et **II.** Arrivage, arrivée, réception.

Expérience

Syn. **I.** Habitude, pratique, routine, usage. — Connaissance, savoir, science. **II.** Constatation, épreuve, essai, étude, expérimentation, observation, recherche, tentative, test, vérification. *Ant.* **I.** Raison, théorie. — Ignorance, inexpérience.

Expérimenté

Syn. **I.** Adroit, chevronné, émérite, éprouvé, exercé, expert, habile, rompu, versé. *Ant.* **I.** Apprenti, commençant, débutant, ignorant, inexpérimenté, novice.

Expérimenter

Syn. **I.** Constater, éprouver, essayer, vérifier.

Expert

Syn. **I.** Averti, bon, capable, compétent, connaisseur, expérimenté, habile, instruit, renseigné, savant. *Ant.* **I.** Amateur, incapable, inhabile, maladroit.

Expiation

Syn. **I.** Châtiment, compensation, punition, rachat, réparation, repentir, sacrifice. *Ant.* **I.** Récompense.

Expier

Syn. **I.** Compenser, laver, payer, réparer. *Ant.* **I.** Jouir, profiter.

Expirer

Syn. **I.** *(V. tr.)* Souffler. — *(V. intr.)* Cesser, disparaître, (se) dissiper, (s') éteindre, (s') évanouir, exhaler, finir, mourir. *Ant.* **I.** Aspirer, inspirer. — Commencer, naître, ressusciter, revivre.

Explication

Syn. **I.** Annotation, commentaire, éclaircissement, exégèse, interprétation, renseignement. **II.** Cause, motif, raison. — Débat, discussion, justification. *Ant.* **II.** Confusion, embrouillement, malentendu, mystère.

Explicite

Syn. **I.** *(Dr.)* Exprès, formel, formulé. — Clair, net, positif, précis. *Ant.* **I.** Implicite. — Allusif, confus, énigmatique, équivoque, évasif, sous-entendu.

Expliquer (et S')

Syn. (V. tr.) **I.** Apprendre, développer, enseigner, exposer, exprimer, manifester, montrer, prouver. **II.** Commenter, éclaircir, éclairer, élucider, interpréter. — Justifier, motiver. *(V. pr.)* **I.** (Se) déclarer, (se) prononcer. — (Se) défendre, (se) justifier. *Ant.* **I.** Compliquer, embrouiller, obscurcir.

Exploit

Syn. **I.** Action d'éclat, (haut) fait, geste, performance, prouesse, record.

Exploiter

Syn. **I.** Faire valoir, tirer profit de. **II.** *(Péj.)* Abuser, étriller, pressurer, profiter de, rouler, voler.

Ant. I. Laisser en friche. II. Aider, appuyer, coopérer, seconder.

Exploiteur
Syn. I. Affameur, profiteur, sangsue, vampire.
Ant. I. Exploité.

Explorateur
Syn. I. Chercheur, découvreur, pionnier, prospecteur, voyageur.

Exploration
Syn. I. Découverte, expédition, reconnaissance, visite, voyage. III. Approfondissement, examen, inspection.

Explorer
Syn. I. Chercher, découvrir, fouiller, parcourir, prospecter, visiter. III. Approfondir, étudier, scruter. — (Méd.) Ausculter, examiner, sonder, tâter.

Exploser
Syn. I. Détoner, éclater, péter, sauter. III. Déborder (fig.).

Explosion
Syn. I. Commotion, détonation, éclatement. III. Bouffée, débordement, déchaînement. — Apparition.

Exportation
Syn. I. Commerce, dumping, échange, expédition, transport, vente à l'étranger.
Ant. I. Arrivage, entrée, importation.

Exposé
Syn. I. Analyse, compte rendu, description, développement, énoncé, rapport, récit.

Exposer (et S')
Syn. (V. tr.) I. Étaler, exhiber, montrer, présenter. — Décrire, énoncer, expliquer, raconter, relater, retracer. II. Hasarder, jouer, mettre en péril. (V. pr.) I. Affronter, encourir, risquer de.
Ant. I. Abriter, cacher, dissimuler. — Taire. — (Se) dérober, fuir.

Exposition
Syn. I. Étalage, exhibition, manifestation, montre, présentation. — Foire, galerie (d'art), salon, vernissage. — Orientation, situation. III. Explication, exposé, narration, récit.

Exprès
Syn. I. (Adj.) Absolu, explicite, formel, net, précis. — (Adv.) (À) dessein, intentionnellement, volontairement.
Ant. I. Confus, équivoque, imprécis, vague. — Involontairement, malgré soi.

Expressif
Syn. I. Démonstratif, éloquent, manifeste, parlant, significatif. — Animé, mobile, vivant.
Ant. I. Inexpressif, insignifiant. — Figé, morne.

Expression
Syn. I. Locution, mot, terme, tour, tournure, vocable. — Air, caractère, manière, manifestation, personnification, physionomie, style, vie.
Ant. I. Mutisme, silence. — Froideur, impassibilité.

Exprimer (et S')
Syn. (V. tr.) I. Extraire, presser. II. Dire, émettre, énoncer, exposer, extérioriser, formuler, manifester, montrer, signifier, traduire. — Peindre, représenter. — (V. pr.) I. (S') énoncer, parler.
Ant. II. Cacher, celer, dissimuler, taire.

Expulser
Syn. I. Bannir, classer, déloger, exclure, renvoyer. — (Méd.) Éliminer, évacuer.
Ant. I. Accueillir, admettre, recevoir.

Exquis
Syn. (Ch.) I. Délectable, délicieux, excellent, fin, savoureux, suave, succulent. II. Adorable (fam.), charmant, doux, enchanteur, merveilleux. III. Délicat, parfait, raffiné, subtil. (Pers.) III. Affable, aimable, amène, avenant, cordial, gentil, sympathique.

Ant. (Ch.) **I.** Amer, dégoûtant, détestable, fade, insipide, mauvais. **II.** Abominable, affreux, horrible, odieux. **III.** Commun, fruste, grossier, vulgaire. — *(Pers.)* Acariâtre, désagréable, insupportable, revêche.

Exsangue
Syn. **II.** Anémique, blême, cadavérique, livide, pâle, terreux. **III.** Faible. *Ant.* **I.** Pléthorique, sanguin. **II.** Coloré, enluminé, rubicond. **III.** Vigoureux.

Extase
Syn. **I.** Contemplation, mysticisme, ravissement, transport, vision. **II.** Émerveillement, exaltation, félicité. *Ant.* **II.** Abattement, dégoût, froideur, tristesse.

Extension
Syn. **I.** Accroissement, allongement, augmentation, déploiement, dilatation, élargissement. **III.** Développement, essor, expansion, prolongement, propagation. *Ant.* **I.** Contraction, diminution, rétrécissement.

Exténuer
Syn. **I.** Abattre, affaiblir, anéantir, briser, épuiser, éreinter, fatiguer.

Extérieur
Syn. **I.** *(Adj.)* Étranger, externe, extrinsèque, manifeste, visible. — *(N.)* Dehors. — Air, allure, apparence, aspect, attitude, façade, figure, maintien, mine, physionomie. *Ant.* **I.** Intérieur, interne. — Dedans.

Exterminer
Syn. **I.** Abolir, anéantir, détruire, éteindre, massacrer, supprimer, tuer. *Ant.* **I.** Conserver, cultiver, multiplier, préserver, restaurer, sauver.

Extinction
Syn. **III.** Abolition, anéantissement, arrêt, cessation, destruction, disparition, épuisement, fin, suppression.

Ant. **I.** Allumage, attisement, embrasement, feu, incendie. **III.** Accroissement, développement, propagation.

Extirper
Syn. **I.** Arracher, déraciner, enlever, extraire, ôter, sarcler. **III.** Détruire. *Ant.* **I.** Enfoncer, enraciner, fixer, planter. **III.** Conserver, laisser.

Extorquer
Syn. **I.** Arracher, carotter *(fam.)*, escroquer, soutirer, tirer, voler.

Extraction
Syn. **I.** Ablation, arrachement, énucléation, exérèse, extirpation. **III.** Descendance, lignage, naissance, origine, race, souche.

Extrait
Syn. **I.** Essence, parfum. **II.** Copie (conforme). — Bribe, citation, fragment, passage. — Abrégé, analyse, précis, résumé, sommaire. *Ant.* **II.** Oeuvre, ouvrage, tout.

Extraordinaire
Syn. **I.** Anormal, exceptionnel, imprévu, inhabituel, inusité, original, rare, singulier, unique. — Admirable, épatant, étonnant, exorbitant, fantastique, faramineux, formidable, gigantesque, incroyable, merveilleux, miraculeux, phénoménal, prodigieux, remarquable, sensationnel, sublime. *Ant.* **I.** Banal, commun, fréquent, habituel, insignifiant, normal, ordinaire, quelconque, usé.

Extravagant
Syn. **I.** Absurde, biscornu, bizarre, capricieux, déraisonnable, étrange, exagéré, excentrique, excessif. *Ant.* **I.** Équilibré, juste, logique, modéré, raisonnable, sage, sensé.

Extrême
Syn. **I.** Dernier, final, terminal, ultime. **III.** Affreux, avancé, exceptionnel, extra-

ordinaire, grand, inouï, intense, profond, suprême. — Excessif, immodéré, outré, radical, violent.
Ant. **I.** Central, moyen. **III.** Faible, ordinaire, petit.

Extrémité
Syn. **I.** Bord, bout, fin, limite, lisière. **III.** (Aux) abois. — Excès, nécessité. — Agonie.
Ant. **I.** Centre, milieu, moyen. **III.** Mesure.

Extrinsèque
Syn. **I.** Étranger, extérieur. **II.** Conventionnel, fictif, nominal.
Ant. **I.** Intrinsèque. **II.** Motivé, naturel.

Exubérance
Syn. **I.** Abondance, débordement, profu-sion. **II.** Faconde, volubilité. — Exagération.
Ant. **I.** Indigence, pauvreté, pénurie. **II.** Concision, laconisme. — Retenue.

Exubérant
Syn. **I.** Abondant, débordant, luxuriant, surabondant. **II.** Communicatif, démonstratif, expansif.
Ant. **I.** Maigre, pauvre. **II.** Calme, discret, réservé, taciturne.

Exultation
Syn. **I.** Allégresse, bonheur, délire, exaltation, gaieté, joie, jubilation, liesse.
Ant. **I.** Calme, flegme, froideur, mesure, modération, retenue.

F

Fable
Syn. **I.** Affabulation, allégorie, apologue, conte, fiction, leçon, moralité, mythe, parabole. **II.** Boniments, fantaisie, histoire, imagination, invention, mensonge.
Ant. **I.** Vérité.

Fabricant
Syn. **I.** Artisan, industriel, manufacturier, producteur, usinier.

Fabricateur
Syn. **I.** Falsificateur, forgeur. **III.** Inventeur.

Fabrication
Syn. **I.** Confection, création, façon, invention, production, qualité.
Ant. **I.** Anéantissement, démolition, destruction.

Fabrique
Syn. **I.** Manufacture, usine. **II.** Conseil paroissial.

Fabriquer
Syn. **I.** Confectionner, créer, faire, manu-facturer, produire, usiner. **III.** Forger, imaginer, inventer.
Ant. **I.** Abolir, anéantir, défaire, détruire.

Fabuleux
Syn. **I.** Légendaire, mythique, mythologique. **II.** Chimérique, fictif, imaginaire, irréel. **III.** Étonnant, extraordinaire, fantastique, formidable, incroyable, inouï, prodigieux.
Ant. **I.** et **II.** Certain, exact, fondé, historique, réel, vrai. **III.** Croyable, naturel, raisonnable.

Façade
Syn. **I.** Devant, devanture, front, frontispice, fronton. **III.** Apparence, extérieur, trompe-l'œil.
Ant. **I.** Arrière-corps, derrière, dos. **III.** Intérieur, fond, réalité.

Face
Syn. **I.** Figure, visage. **II.** Avers. **III.** Apparence, aspect, façade, physionomie, tournure.
Ant. **I.** Derrière, dos. **II.** Pile. **III.** Envers, opposé, rebours.

Facétie

Syn. **I.** Attrape, blague, bouffonnerie, drôlerie, farce, mystification, niche, plaisanterie, tour.

Facétieux

Syn. **I.** Cocasse, comique, drôle, plaisant, réjouissant, rigolo, spirituel. — Farceur, gouailleur, moqueur.
Ant. **I.** Austère, digne, grave, sérieux, sévère.

Fâcher (et Se)

Syn. **I.** *(V. tr.)* Agacer, contrarier, déplaire, indisposer, irriter, mécontenter. — *(V. pr.)* (S') emporter, (se) formaliser, (se) froisser, (s') irriter, (se) monter, (se) vexer. — (Se) brouiller avec, rompre.
Ant. **I.** Adoucir, apaiser, calmer, contenter, égayer, pacifier, plaire, rasséréner, réjouir. — (Se) calmer. (Se) lier, (se) réconcilier.

Fâcherie

Syn. **I.** Bouderie, brouille, désaccord.
Ant. **I.** Accord, entente, réconciliation.

Fâcheux

Syn. **I.** Contrariant, cruel, défavorable, déplacé, déplaisant, déplorable, embarrassant, embêtant, ennuyeux, inopportun, intempestif, malencontreux, malheureux, mauvais, regrettable, vexatoire. — *(Pers.)* Gêneur, importun, indiscret, raseur.
Ant. **I.** Agréable, favorable, heureux, opportun, propice. — Bienvenu, discret.

Faciès

Syn. **I.** Visage. **II.** Air, apparence, aspect, mine, physionomie.

Facile

Syn. **I.** Abordable, accessible, aisé, commode, élémentaire, exécutable, faisable, possible, réalisable. — Coulant, courant, naturel, simple. — *(Pers.)* Accommodant, arrangeant, conciliant, traitable.
Ant. **I.** Âpre, ardu, compliqué, délicat, difficile, dur, épineux, inaccessible, in-commode, inexécutable, malaisé, pénible, rude, emprunté, recherché. — *(Pers.)* Acariâtre, inabordable, malcommode.

Facilité(s)

Syn. **I.** Adresse, aisance, aptitude, disposition, don, faconde, habileté. — *(Pl.)* Avantages, commodités, liberté, moyens, occasions, possibilités, secours. **II.** Inclination, penchant, propension, tendance. — Affabilité, bonté, douceur, égalité, simplicité.
Ant. **I.** Inaptitude, maladresse. — Complications, difficultés, embarras, gêne, impossibilité, incommodité, obstacles. **II.** Effort, étude. — Âpreté, dureté, rudesse.

Faciliter

Syn. **I.** Aider, aplanir, arranger, ménager, préparer, simplifier.
Ant. **I.** Compliquer, embarrasser, empêcher, entraver, nuire.

Façon(s)

Syn. **I.** Création, fabrication, invention. — Confection, coupe, exécution, forme, travail. — Manière, mode, sorte. **II.** *(Pl.)* Affectations, agissements, cérémonies, chichis *(fam.)*, comportements, courbettes, fla-flas *(fam.)*, manières, minauderies, mines, politesses, révérences, salamalecs.
Ant. **II.** Naturel, simplicité.

Faconde

Syn. **I.** Bagou, facilité, loquacité, verve, volubilité.
Ant. **I.** Concision, mutisme, silence.

Façonner

Syn. **I.** Confectionner, élaborer, exécuter, fabriquer, faire, former, modeler, préparer, travailler, usiner. **III.** Dresser, éduquer, modifier, transformer. — Accoutumer, habituer, plier.
Ant. **I.** Démolir, détruire. **II.** Déformer. — Déshabituer.

Fac-similé
Syn. **I.** Copie, double, duplicata, imitation, reproduction, transcription.
Ant. **I.** Original.

Factice
Syn. **I.** Faux, imité, postiche. **III.** Affecté, apprêté, artificiel, contraint, conventionnel, (d') emprunt, fabriqué, feint, forcé, insincère.
Ant. **I.** Authentique. **III.** Naturel, réel, sincère, vrai.

Faction
Syn. **I.** Brigue, clan, ligue, parti. — Complot, conspiration. **II.** Garde, guet, sentinelle, surveillance.

Facture
Syn. **I.** Exécution, façon, manière, style, technique, travail. — Addition, bordereau, compte, état, mémoire, note, relevé.

Facultatif
Syn. **I.** Ad libitum, au choix, libre, volontaire.
Ant. **I.** Forcé, obligatoire.

Faculté
Syn. **I.** Autorisation, droit, liberté, moyen, possibilité, pouvoir, puissance, privilège. — Aptitude, capacité, disposition, don, fonction, force, propriété, ressource, talent, vertu. — Enseignement (supérieur), université.
Ant. **I.** Impossibilité, impuissance, inaptitude, incapacité.

Fadaise
Syn. **I.** Bagatelle, baliverne, billevesée, calembredaine, fadeur, frivolité, futilité, ineptie, niaiserie, platitude, sornette.
Ant. **I.** Délicatesse, finesse, sagacité, subtilité.

Fade
Syn. **I.** Désagréable, douceâtre, insipide, plat. **II.** Délavé, pâle, terne. **III.** Banal, ennuyeux, faible, fastidieux, inintéressant, insignifiant, monotone, morne.

Ant. **I.** Assaisonné, délectable, épicé, fort, piquant, relevé. **II.** Violent. **III.** Captivant, excitant, intéressant, prenant, vivant.

Faible
Syn. **I.** *(Pers.)* Affaibli, anémique, chétif, débile, défaillant, délicat, fluet, fragile, frêle, impotent, infirme, malingre. — Chancelant, déficient, impuissant, incertain, mauvais, médiocre. — Apathique, indécis, léger, mou, veule. — *(Ch.)* Blême, grêle, pâle.
Ant. **I.** Fort, puissant, résistant, robuste, solide, vigoureux. — Intelligent, talentueux. — Courageux, dur, énergique, ferme. — Considérable, énorme, grand, intense.

Faiblesse
Syn. **I.** Anémie, débilité, déficience, délicatesse, épuisement, fragilité, impuissance, infirmité. — Défaillance, évanouissement, pâmoison, syncope. — Défaut, infériorité, insuffisance, lacune, médiocrité. — Apathie, indécision, irrésolution, lâcheté, mollesse, veulerie. — Chute, égarement, entraînement, erreur, faute, imperfection.
Ant. **I.** Force, résistance, vigueur, efficacité, habileté, intensité, puissance, supériorité, talent, valeur. — Caractère, énergie, fermeté, volonté. — Contrainte, qualité, vertu.

Faiblir
Syn. **I.** (S') affaiblir, baisser, céder, chanceler, décliner, diminuer, (s') épuiser, plier, ployer, vaciller. — Défaillir. **III.** (S') amollir, fléchir, mollir, (se) relâcher.
Ant. **I.** Accroître, activer, (se) fortifier, (se) réconforter, (se) relever, (se) remonter. **III.** (S') affermir, (se) durcir, ragaillardir, résister.

Faillir
Syn. **I.** (Se) dérober, (s') esquiver, manquer à, négliger. — Fauter, pécher, succomber, tomber. — Être sur le point,

presque. — Faire faillite.
Ant. **I.** Accomplir, faire. — Persévérer,
(se) relever, (se) reprendre. — Avoir raison, réussir, triompher.

Faillite
Syn. **I.** Banqueroute, débâcle, déconfiture, échec, fiasco, insuccès, krach,
liquidation, revers, ruine.

Faim
Syn. **I.** Appétit, boulimie, fringale. **III.**
Besoin, désir, envie, soif.
Ant. **I.** Anorexie, satiété.

Fainéant
Syn. **I.** Apathique, désœuvré, flâneur,
inactif, indolent, insouciant, musard,
nonchalant, paresseux, propice à rien.
Ant. **I.** Actif, affairé, diligent, empressé,
entreprenant, laborieux, occupé, travailleur, vif, zélé.

Fainéantise
Syn. **I.** Apathie, désœuvrement, inaction,
indolence, inertie, nonchalance, paresse,
oisiveté.
Ant. **I.** Action, activité, ardeur, diligence,
empressement, énergie, enthousiasme,
mouvement, zèle.

Faire (et Se)
Syn. **I.** *(V. tr.)* Bâtir, composer, confectionner, construire, créer, élever, engendrer, ériger, fabriquer, façonner. — Accomplir, (s') acquitter de, agir, constituer,
effectuer, établir, exécuter, exercer, former, instaurer, instituer, opérer, pratiquer, produire, réaliser. — Commettre,
décider, entreprendre, perpétrer. — Acquérir, amasser, gagner, obtenir, procurer. — Causer, déterminer, occasionner,
provoquer. — Dire, répondre. — Contrefaire, devenir, être, feindre, imiter, jouer,
paraître, représenter, simuler. — Convenir. — Arranger, combiner, disposer, nettoyer, ranger. — *(V. pr.)* (S') accommoder à, (s') accoutumer à, (s') améliorer,
(s') attirer, (se) conformer à, (s') habituer

à, (se) plier à, (se) résigner à.
Ant. **I.** Abattre, abolir, anéantir, annuler,
débarrasser, défaire, dégager, démolir,
déranger, détruire, supprimer.

Fait
Syn. **I.** Acte, action, exploit, prouesse,
trait. — Affaire, aventure, cas, épisode,
événement, incident. — Phénomène, réalité, réel, vérité.
Ant. **I.** Abstraction, idée, théorie. — Fantaisie, fiction, hypothèse, illusion, rêve,
vision.

Faîte
Syn. **I.** Cime, crête, haut, pointe, sommet. **III.** Apogée, comble, pinacle, summum.
Ant. **I.** Base, fond, fondation, fondement,
pied, piédestal, socle, support. **III.** Bas-
fond, minimum.

Faix
Syn. **I.** Charge, chargement, fardeau,
joug, poids.

Fallacieux
Syn. **I.** Captieux, faux, fourbe, hypocrite,
mensonger, perfide, spécieux, trompeur.
Ant. **I.** Droit, franc, honnête, loyal,
sincère.

Falsifier
Syn. **I.** Altérer, contrefaire, frelater, maquiller, truquer. **III.** Défigurer, dénaturer,
farder, fausser, imiter, travestir, tronquer.
Ant. **I.** et **III.** Améliorer, épurer, perfectionner, purifier, raffiner.

Famélique
Syn. **I.** Affamé, besogneux, crève-la-
faim, étique, indigent, maigre, meurt-de-
faim, miséreux.
Ant. **I.** Comblé, gavé, rassasié, repu, riche.

Fameux
Syn. **I.** Admirable, beau, brillant, célèbre, connu, éminent, excellent, extraordinaire, fier, glorieux, grand, illustre, insi-

gne, mémorable, remarquable, renommé, réputé.
Ant. I. Banal, commun, ignoré, imparfait, inconnu, insignifiant, mauvais, médiocre, nul, obscur, ordinaire, oublié, petit, quelconque, raté.

Familiariser (et Se)
Syn. I. *(V. tr.)* Accoutumer, apprivoiser, dresser, entraîner, former, habituer. — *(V. pr.)* (S') accoutumer, (s') apprivoiser.
Ant. I. Déformer, désaccoutumer, déshabituer, éloigner, éviter, rebuter.

Familiarité(s)
Syn. I. Commerce, fréquentation, intimité. — Abandon, bonhomie, liberté. — Naturel, simplicité. — Désinvolture, effronterie, sans-façon, sans-gêne. — *(Pl.)* Grossièretés, privautés.
Ant. I. Dignité, froideur, gêne, indifférence, raideur. — Recherche. — Discrétion, réserve, retenue.

Familier
Syn. I. Ami, habitué, intime. — Connu, favori, habituel, ordinaire. — Aisé, coutumier, facile, usuel. II. Accessible, liant, simple. — Cavalier, entreprenant, grossier, libre.
Ant. I. Étranger. — Exceptionnel, insolite, rare. II. Arrogant, distant, farouche, hautain, sauvage. — Grave, réservé.

Famille
Syn. I. Bercail, maison, maisonnée, ménage, parenté. — Couvée, nichée, smala, tribu. — Descendance, dynastie, extraction, génération, lignée, origine, postérité, race, sang, souche. III. Chapelle, clan, école. — Classe, espèce, genre, groupe, ordre.

Famine
Syn. I. Besoin, dénuement, détresse, disette, faim, misère, nécessité, pénurie.
Ant. I. Abondance, aisance, fortune, opulence, profusion, richesse.

Fanatique
Syn. I. Chauvin, exalté, intolérant, partisan, sectaire. — Amoureux, ardent, aveugle, bouillant, chaleureux, enragé, enthousiaste, exclusif, fervent, fou, fougueux, passionné, zélé.
Ant. I. Calme, froid, impartial, indifférent, mûri, pondéré, posé, sceptique, tolérant.

Faner (et Se)
Syn. *(V. tr.)* I. Flétrir, sécher. II. Décolorer, défraîchir, ternir. *(V. pr.)* I. Dépérir, s'effeuiller, (s') étioler, (se) flétrir.
Ant. I. *(V. tr.)* Rafraîchir, ranimer. — *(V. pr.)* Éclore, (s') épanouir, (s') ouvrir, verdir, verdoyer.

Fanfaron
Syn. I. Bravache, crâneur, faraud, fendant, fier-à-bras, gascon, hâbleur, matamore, rodomont, tranche-montagne, vantard.
Ant. I. Gêné, humble, modeste, réservé, simple, timide.

Fanfaronnade
Syn. I. Bravade, crânerie, exagération, forfanterie, gasconnade, hâblerie, jactance, rodomontade, vantardise.
Ant. I. Gêne, humilité, modestie, réserve, retenue, timidité.

Fantaisie
Syn. I. Caprice, désir, envie, extravagance, folie, lubie, prédilection, toquade. — Chimère, illusion. II. Goût, gré, humeur, volonté. — Imprévu, originalité.
Ant. I. Raison, réalité, sagesse, vérité. II. Banalité, régularité.

Fantaisiste
Syn. I. *(N.)* Amateur, artiste, charlatan, dilettante, fumiste. — *(Adj.)* Faux, inventé.
Ant. *(Adj.)* Exact, réel, sérieux, vrai.

Fantasque
Syn. I. Bizarre, capricieux, changeant,

extravagant, extraordinaire, fantaisiste, lunatique, mobile, original, variable.
Ant. **I. Banal, commun, égal, équilibré, pondéré, posé, raisonnable.**

Fantastique
Syn. **I.** Fabuleux, imaginaire, irréel, surnaturel. **II.** Abracadabrant, bizarre, énorme, étonnant, exagéré, extraordinaire, extravagant, fabuleux, féerique, formidable, incroyable, invraisemblable, sensationnel.
Ant. **I.** Réel, vrai. **II.** Banal, croyable, normal, ordinaire, vraisemblable.

Fantoche
Syn. **I.** Guignol, marionnette, pantin, polichinelle.

Fantôme
Syn. **I.** Apparition, épouvantail, esprit, ombre, revenant, spectre, vision. **II.** Apparence, chimère, illusion, simulacre.

Faraud
Syn. **I.** Fanfaron, fat, fier, prétentieux, vantard.
Ant. **I.** Effacé, humble, modeste, simple.

Farce
Syn. **I.** Hachis. — Comédie. **II.** Attrape, blague, bouffonnerie, canular, drôlerie, facétie, malice, mystification, niche, plaisanterie, tour, tromperie.
Ant. **I.** Drame, tragédie.

Farceur
Syn. **I.** Blagueur, facétieux, fumiste, loustic, mystificateur, (mauvais) plaisant, plaisantin.
Ant. **I.** Démystificateur, (homme) sérieux.

Farcir
Syn. **I.** Bourrer, garnir, remplir. **III.** Entrelarder, truffer.

Fard
Syn. **I.** Cosmétique, maquillage, ornement. **III.** Artifice, déguisement, dissimulation, feinte, trompe-l'œil.

Ant. **III.** Droiture, franchise, naturel, simplicité, sincérité.

Fardeau
Syn. **I.** Charge, faix, joug, poids, surcharge.
Ant. **I.** Allégement, débarras, délivrance, diminution, libération, soulagement.

Farder (et Se)
Syn. (V. tr.) **I.** Grimer, maquiller. **III.** Déguiser, dissimuler, embellir, envelopper, masquer, travestir, voiler *(V. pr.)* **I.** Se maquiller.
Ant. **I.** Démaquiller. **III.** (Être) franc, naturel, simple.

Farfouiller
Syn. **I.** Chercher, fouiller, fourgonner, fureter, trifouiller.
Ant. **I.** Arranger, classer, disposer, ranger.

Farouche
Syn. **I.** Indompté, sauvage. **II.** Insociable, méfiant, misanthrope, ombrageux. — Acharné, barbare, cruel, dur, fier, intraitable, rébarbatif, tenace, violent.
Ant. **I.** Apprivoisé, dompté. **II.** Accueillant, affable, bon, doux, humain, obligeant, soumis, traitable.

Fascination
Syn. **I.** Hypnotisme. **III.** Ascendant, attrait, charme, enchantement, ensorcellement, envoûtement, séduction.
Ant. **III.** Aversion, dégoût, éloignement, ennui, fuite, rejet, répugnance.

Fasciner
Syn. **I.** Hypnotiser, magnétiser. **III.** Attirer, captiver, charmer, éblouir, égarer, émerveiller, (s') emparer, enivrer, ensorceler, enticher, séduire, troubler.
Ant. **III.** Calmer, chasser, dégoûter, déplaire, éloigner, ennuyer, repousser.

Faste(s)
Syn. **I.** Apparat, appareil, éclat, étalage, grandeur, luxe, magnificence, opulence,

ostentation, pompe, somptuosité, splendeur. — *(Pl.)* Annales, calendrier, chronique, histoire.
Ant. **I.** Humilité, indigence, naturel, pauvreté, simplicité.

Fastidieux
Syn. **I.** Agaçant, assommant, barbant, déplaisant, désagréable, énervant, ennuyeux, fatigant, importun, insipide, insupportable, monotone, rasoir.
Ant. **I.** Agréable, amusant, charmant, divertissant, gai, intéressant, plaisant, récréatif, reposant.

Fastueux
Syn. **I.** Beau, éclatant, large, riche, somptueux.
Ant. **I.** Humble, mesquin, pauvre, réservé, simple.

Fat
Syn. **I.** Arrogant, avantageux, fanfaron, impertinent, infatué, orgueilleux, plein (de soi-même), poseur, prétentieux, rodomont, suffisant, vaniteux.
Ant. **I.** Humble, modeste, réservé, retenu, simple.

Fatal
Syn. **I.** Funeste, malheureux, mortel, néfaste, nuisible. **II.** Immanquable, inéluctable, inévitable, inexorable, irrémédiable, nécessaire, obligatoire.
Ant. **I.** Évitable, favorable, heureux, propice, salutaire, utile. **II.** Aléatoire.

Fatalité
Syn. **I.** Destin, destinée, fatum, lot, sort. **II.** Malédiction, malheur.
Ant. **I.** Libre arbitre, volonté. **II.** Chance, prospérité, réussite, veine.

Fatigant
Syn. **I.** Accablant, assommant, ennuyeux, épuisant, éreintant, exténuant, fastidieux, harassant, lassant, pénible, rude.
Ant. **I.** Agréable, aisé, amusant, délassant, distrayant, reposant.

Fatigue
Syn. **I.** Abattement, accablement, dépression, épuisement, éreintement, exténuation, harassement, labeur, lassitude, peine, surmenage.
Ant. **I.** Calme, délassement, détente, force, immobilité, pause, repos.

Fatigué
Syn. **I.** V. *Fatiguer.* **III.** Abîmé, déformé, défraîchi, fané, usagé, usé, vieux.
Ant. **III.** Neuf.

Fatiguer
Syn. **I.** Abattre, accabler, épuiser, éreinter, exténuer, harasser, surmener. **III.** Assommer, briser, dégoûter, démoraliser, ennuyer, excéder, importuner, lasser, rompre.
Ant. **I.** et **III.** Amuser, calmer, délasser, détendre, distraire, intéresser, ménager, réconforter, refaire, reposer.

Fatras
Syn. **I.** Amas, confusion, désordre, entassement, méli-mélo, monceau, pêle-mêle. **III.** Galimatias.
Ant. **I.** Arrangement, harmonie, ordre.

Fatuité
Syn. **I.** Contentement de soi, infatuation, orgueil, prétention, suffisance, vanité.
Ant. **I.** Humilité, modestie, réserve, simplicité.

Faucher
Syn. **I.** Abattre, couper, moissonner, raser, renverser, tondre. **III.** Anéantir, détruire, tuer.
Ant. **I.** Cultiver, ensemencer, planter, semer. **III.** Entretenir, laisser, préserver, redresser, rehausser, relever.

Faufiler (et Se)
Syn. **I.** *(V. tr.)* Bâtir, coudre. *(V. pr.)* (Se) couler, (se) glisser, (s') immiscer, (s') insinuer, (s') introduire.

Fausser
Syn. **I.** Courber, déformer, plier, tordre.

III. Altérer, contrefaire, dénaturer, détraquer, fabriquer, falsifier, farder, frelater, maquiller, pervertir. — *Ant.* **I.** Corriger, redresser. **III.** Améliorer, démasquer, épurer, rétablir.

Fausseté
Syn. **I.** Erreur, inexactitude, sophisme. — Déloyauté, dissimulation, duplicité, fourberie, hypocrisie. — *Ant.* **I.** Authenticité, exactitude, justesse, réalité, vérité. — Franchise, loyauté, sincérité.

Faute
Syn. **I.** Crime, délit, écart, égarement, inconduite, infraction, méfait. — Coulpe, peccadille, péché. — Défaut, défectuosité, erreur, imperfection, incorrection, inexactitude, irrégularité, négligence, omission. — Bévue, gaffe, maladresse, méprise. — *Ant.* **I.** Bienfait, mérite, perfection, vertu. — Correction, exactitude. — Adresse, exploit, prouesse.

Fauve
Syn. **I.** Roussâtre. — Féroce, sauvage. *Ant.* **I.** Apprivoisé, domestique.

Faux
Syn. **I.** Apocryphe, artificiel, chimérique, contrefait, controuvé, erroné, fallacieux, falsifié, fardé, feint, (mal) fondé, illusoire, inexact, injustifié, inventé, mensonger, prétendu, simulé, supposé, travesti, trompeur, truqué. — Discordant, dissonant. — Emprunté, postiche. **II.** *(Pers.)* Déloyal, fourbe, hypocrite, pharisien, sournois. — *Ant.* **I.** Authentique, avéré, certain, correct, exact, historique, juste, véridique, vrai. — Réel, véritable. — Concordant, harmonieux. **II.** Droit, franc, honnête, loyal, sincère.

Faveur
Syn. **I.** Aide, avantage, bénéfice, bienfait, bienveillance, cadeau, complaisance, distinction, don, grâce, privilège. — Considération, crédit, réputation, vogue. *Ant.* **I.** Défaveur, désavantage, discrédit, disgrâce, inconvénient, malheur, punition, préjudice, tort. —Malveillance, rigueur.

Favorable
Syn. **I.** *(Pers.)* Accommodant, bienveillant, dément, complaisant, encourageant, indulgent, obligeant, sympathique. — *(Ch.)* Avantageux, beau, bon, convenable, heureux, opportun, propice. *Ant.* **I.** Déplaisant, désobligeant, malveillant. — Contraire, défavorable, désavantageux, dommageable, fatal, hostile, mauvais, néfaste, nuisible.

Favori
Syn. **I.** Choisi, élu, préféré, privilégié, protégé. — Chouchou. *Ant.* **I.** Délaissé, détesté, haï, maudit, rejeté.

Favoriser
Syn. **I.** Aider, avantager, encourager, faciliter, pousser, privilégier, protéger, servir, seconder, soutenir. *Ant.* **I.** Contrarier, défavoriser, empêcher, entraver.

Fécond
Syn. **I.** Fertile, généreux, plantureux, productif, prolifique. **II.** Abondant, fructueux, inépuisable, riche. *Ant.* **I.** Improductif, inculte, infécond, infertile, ingrat, pauvre, sec. **II.** Avare.

Fédération
Syn. **I.** Association, ligue, syndicat, union.

Feindre
Syn. **I.** Affecter, cacher, contrefaire, déguiser, dissimuler, imiter, jouer, mentir, (faire) semblant, simuler, tromper. *Ant.* **I.** Accomplir, agir, exécuter, opérer, produire, réaliser.

Feinte

Syn. **I.** Artifice, comédie, déguisement, dissimulation, hypocrisie, mensonge, ruse, tromperie. **III.** Attrape, piège.
Ant. **I.** Droiture, franchise, loyauté, sincérité, véracité.

Félicitations

Syn. **I.** Applaudissements, compliments, congratulations, éloges, louanges.
Ant. **I.** Admonestations, blâmes, critiques, reproches.

Félicité(s)

Syn. **I.** Béatitude, bonheur, ciel, délices, éden, enchantement, extase, paradis, ravissement. **II.** Contentement, joie, plaisir.
Ant. **I.** Enfer, infélicité, infortune, malheur. — Affliction, amertume, calamité, chagrin, douleur, peine, tourment, tristesse.

Féliciter

Syn. **I.** Applaudir, approuver, complimenter, congratuler, louanger, louer.
Ant. **I.** Blâmer, censurer, compatir, corriger, critiquer, déplorer.

Fendant

Syn. **I.** Bravache, fanfaron, fier-à-bras, malin, matamore, vantard.
Ant. **I.** Craintif, gêné, humble, modeste, réservé.

Fendre (et Se)

Syn. (V. tr.) **I.** Cliver, couper, diviser, gercer, séparer, tailler. **II.** Déchirer, écarter, pénétrer (à travers), sillonner, traverser. *(V. pr.)* **I.** (Se) craqueler, (se) crevasser, (se) disjoindre, éclater, (s') entrouvrir, (se) fêler, (se) fendiller, (se) lézarder.
Ant. **I.** Assembler, joindre, lier, réunir, souder.

Fenêtre

Syn. **I.** Baie, bow-window, croisée, jour, lucarne, lunette, œil-de-bœuf, ouverture, tabatière, vasistas.

Fente

Syn. **I.** Brisure, cassure, cavité, coupure, craquelure, creux, crevasse, déchirure, échancrure, espace, excavation, faille, fêlure, fissure, gélivure, gerce, gerçure, intervalle, jour, lézarde, rainure, striure, trou, vide.

Ferme

Syn. (Adj.) **I.** Compact, consistant, coriace, dur, fort, solide, robuste, vigoureux. **III.** Assuré, autoritaire, constant, courageux, décidé, déterminé, énergique, inébranlable, inflexible, intrépide, résolu, tenace. — Fixe, stable.
Ant. **I.** Élastique, faible, flasque, fragile, frêle, mou. **III.** Chancelant, défaillant, faible, flexible, hésitant, inconstant, lâche, pusillanime, tremblant, vacillant. — Conditionnel, instable, variable.

Fermentation

Syn. **I.** Ébullition, échauffement, effervescence, transformation. **III.** Agitation, bouillonnement, effervescence, fièvre.
Ant. **I.** Conservation. **III.** Apaisement, calme, léthargie, neutralisation.

Fermer

Syn. **I.** Barricader, cadenasser, verrouiller. — Barrer, boucher, murer, obstruer. — Clore, condamner, interdire. — Enclore, enfermer. — Couper, éteindre. — Arrêter, borner, fixer, terminer.
Ant. **I.** Débarrer, déboucher, déclore, déverrouiller, ouvrir. — Autoriser, rouvrir. — Dégager, libérer. — Commencer, inaugurer.

Fermeté

Syn. **I.** Consistance, dureté, solidité. — Sûreté, vigueur. **III.** Assurance, constance, courage, décision, détermination, endurance, énergie, force, hardiesse, opiniâtreté, résistance, résolution, sangfroid, stabilité, ténacité, volonté. — Autorité, inflexibilité, poigne.
Ant. **I.** Flaccidité, inconsistance,

mollesse. — Défaillance, faiblesse. **III.** Avachissement, hésitation, inconstance, indécision, instabilité, timidité. — Abdication, flexibilité, souplesse.

Fermeture
Syn. **I.** Barre, cadenas, clef, loquet, serrure, verrou. — Barrage, barricade, barrière, clôture, grille. — Obturation, occlusion. — Arrêt, cessation, interdiction, suspension.
Ant. **I.** Brèche, fente, ouverture. — Autorisation, commencement, début, inauguration.

Fermier
Syn. **I.** Agriculteur, cultivateur, paysan.

Féroce
Syn. **I.** Sanguinaire, sauvage. **II.** Barbare, brutal, cruel, dur, farouche, furieux, impitoyable, inhumain, méchant. — Terrible.
Ant. **I.** Apprivoisé, dompté. **II.** Bon, doux, humain, inoffensif, tendre. — Normal, ordinaire.

Férocité
Syn. **I.** Cruauté. **II.** Barbarie, brutalité, dureté, inhumanité, sauvagerie.
Ant. **II.** Bonté, civilisation, douceur, humanité.

Ferré
Syn. **I.** Calé, fort, instruit.
Ant. **I.** Ignorant.

Fers
Syn. **I.** Chaînes, menottes. **III.** Captivité, esclavage.
Ant. **III.** Affranchissement, autonomie, élargissement, indépendance, liberté.

Fertile
Syn. **I.** Abondant, fécond, fructueux, généreux, plantureux, prodigue, productif, riche.
Ant. **I.** Aride, improductif, inculte, infécond, infertile, infructueux, ingrat, pauvre, stérile.

Fervent
Syn. **I.** Dévot. — Ardent, brûlant, chaud, enthousiaste, passionné, zélé. **II.** Admirateur, amateur, fanatique, partisan.
Ant. **I.** Impie. — Antipathique, froid, indifférent, tiède.

Ferveur
Syn. **I.** Amour, ardeur, culte, dévotion, piété. **II.** Ardeur, chaleur, effusion, enthousiasme, exaltation, feu, flamme, zèle.
Ant. **I.** Impiété, infidélité. **II.** Antipathie, froideur, indifférence, insensibilité, tiédeur.

Fesser
Syn. **I.** Battre, châtier, corriger, frapper, taper.

Festin
Syn. **I.** Agapes, banquet, bombance, fête, gueuleton, régal, repas, ripaille.

Fête
Syn. **I.** Anniversaire, célébration, cérémonie, commémoration, congé, événement, festivités, jubilé, manifestation, solennité. — Amusement, assemblée, divertissement, festival, foire, gala, inauguration, jeu, kermesse, réception, réjouissance, réunion, soirée. — Bombance, bombe, plaisir, vie.
Ant. **I.** Abattement, douleur, peine, tristesse.

Fêter
Syn. **I.** Accueillir, célébrer, commémorer, (faire) fête à, glorifier, honorer, manifester, solenniser. — Chômer, festoyer, nocer, régaler, (se) réjouir.
Ant. **I.** Déprécier, déshonorer. — Travailler.

Fétichisme
Syn. **I.** Culte, idolâtrie, vénération.
Ant. **I.** Indifférence, mépris.

Fétide
Syn. **I.** Écœurant, empesté, infect, malodorant, nauséabond, pourri, puant, re-

poussant, répugnant. III. Dégoûtant, immonde.
Ant. I. Aromatique, embaumé, odoriférant, parfumé, suave.

Feu
Syn. I. Brasier, combustion, embrasement, flambée, flamme, incendie, sinistre. II. Fanal, flambeau, lueur, lumière, lampe, phare. — Signal, signalisation. — Décharge, détonation. III. Amour, animation, ardeur, chaleur, entrain, entraînement, exaltation, fougue, véhémence, vivacité.
Ant. III. Apathie, calme, flegme, froideur, impassibilité, indifférence, insensibilité, insouciance, modération, placidité, tiédeur.

Feuille
Syn. I. Fane, feuillage, pétale, végétation, verdure. — Carton, copie, encart, feuillet, folio, placard. — Formulaire. — Imprimé, journal, périodique.

Feuilleter
Syn. I. Compulser, parcourir, survoler.

Feuillu
Syn. I. Abondant, épais, fourni, garni, touffu.
Ant. I. Dégarni, dénudé, dépouillé, effeuillé.

Fiable *(can.)*
Syn. I. Digne de confiance, de foi.

Fiancé
Syn. I. Futur, promis.

Fiasco
Syn. I. Échec, faillite, four, insuccès, revers.
Ant. I. Réussite, succès, triomphe.

Ficeler
Syn. I. Attacher, corder, lier, serrer. Brider. III. Arranger, fagoter, habiller.
Ant. I. Défaire, déficeler, délier, desserrer.

Ficher (et Se)
Syn. (V. tr.) I. *(Vx)* Clouer, enfoncer, planter. II. Intercaler, introduire, mêler, mettre. — Chasser, congédier, expulser, flanquer, renverser. *(V. pr.)* I. (S'en) balancer, (se) désintéresser, (se) foutre, (se) moquer de, négliger, railler.
Ant. I. Arracher, déclouer, déplanter. II. Extraire, ôter, retirer. — Accueillir, recevoir, réintégrer. *(V. pr.)* I. Accomplir, exécuter, (s') intéresser. — Admirer, considérer, estimer.

Fictif
Syn. I. Imaginaire, inventé. II. Déguisé, faux, feint. — Conventionnel, extrinsèque, supposé.
Ant. I. Authentique, effectif, exact, intrinsèque, réel, vrai.

Fiction
Syn. I. Allégorie, apologue, conte, fable, invention, parabole, roman, science-fiction. II. Imagination. — Convention.
Ant. I. Réalité, vérité.

Fidèle
Syn. I. *(Adj.)* Dévoué, honnête, loyal, probe, sûr. — Attaché, attentif, bon, constant, persévérant, sincère, solide, vrai. — Conforme, correct, exact, vrai. *(N.)* Adepte, croyant, ouailles, paroissien, partisan.
Ant. I. Déloyal, fugace, infidèle, malhonnête, perfide, traître, trompeur. — Inconstant. — Erroné, faux, incorrect, inexact. — Incroyant, mécréant.

Fidélité
Syn. I. Attachement, constance, dévouement, loyauté, persévérance. — Correction, exactitude, véracité, véridicité, vérité.
Ant. I. Déloyauté, inconstance, infidélité, trahison. — Erreur, inexactitude, mensonge.

Fiel
Syn. I. Bile. III. Acrimonie, aigreur,

amertume, animosité, antipathie, haine, méchanceté, rancœur.
Ant. **III.** Amabilité, bienveillance, bonté, douceur, miel.

Fier
Syn. **I.** Altier, arrogant, dédaigneux, distant, hautain, insolent, méprisant, orgueilleux, prétentieux, rogue, satisfait, suffisant. — Audacieux, courageux, digne, noble. — Grand, fameux, superbe.
Ant. **I.** Abordable, affable, doux, familier, humble, modeste, retenu, simple, sociable. — Indigne, timide, veule. — Insignifiant.

Fier (Se)
Syn. **I.** (S') abandonner, (s') appuyer sur, (avoir) confiance, (s'en) rapporter à, (s'en) remettre à, (se) reposer sur, tabler sur.
Ant. **I.** (Se) défier, douter de, (se) méfier, suspecter.

Fier-à-bras V. *Fanfaron*

Fierté
Syn. **I.** Arrogance, condescendance, hauteur, morgue, orgueil, présomption, vanité. **II.** Amour-propre, cœur, dignité, estime (de soi), noblesse. — Contentement, gloire, gloriole, satisfaction.
Ant. **I.** Affabilité, familiarité, humilité. **II.** Modestie, simplicité. — Dépit, honte.

Fièvre
Syn. **I.** Fébrilité, température. **III.** Agitation, animation, chaleur, émotion, excitation, feu, folie, fougue, passion, rage.
Ant. **I.** Santé. **III.** Calme, froideur, impassibilité, indifférence.

Fiévreux
Syn. **I.** Brûlant, chaud, fébrile. **III.** Agité, ardent, désordonné, fébrile, halluciné, inquiet, passionné, tourmenté.
Ant. **I.** Sain. **III.** Calme, impassible, rassis, reposé.

Figer
Syn. **I.** Cailler, coaguler, condenser, congeler, épaissir, glacer, solidifier. **II.** Immobiliser, paralyser, pétrifier.
Ant. **I.** Amollir, clarifier, dégeler, fondre, liquéfier. **II.** (S') animer.

Figure
Syn. **I.** Face, faciès, frimousse, tête, visage. **II.** Air, apparence, attitude, contenance, expression, maintien, manière, mine, physionomie, traits. — Aspect, configuration, forme. — Dessin, effigie, esquisse, image, planche, portrait, représentation, schéma, silhouette. — Caractère, personnage, personnalité, type. — Allégorie, symbole. — Trope.

Figurer (et Se)
Syn. **I.** *(V. tr.)* Dessiner, incarner, peindre, représenter, sculpter, symboliser. — *(V. intr.)* (Être) mentionné, paraître, participer à, (se) trouver. — (Être) un figurant. — *(V. pr.)* Croire, (s') imaginer, penser, (se) représenter, supposer, (se) voir.

Filandreux
Syn. **I.** Coriace, fibreux. **III.** Confus, délayé, embarrassé, empâté, enchevêtré, fumeux, indigeste, interminable.
Ant. **I.** Tendre. **III.** Bref, clair, concis, explicite, précis.

File
Syn. **I.** Colonne, cortège, défilé, enfilade, procession, queue, rang, rangée, suite.

Filer
Syn. *(V. tr.)* **I.** Tisser, tordre. **II.** Dérouler, dévider, lâcher, larguer. — Épier, pister, suivre, surveiller. *(V. intr.)* **I.** Couler, (se) dérouler, glisser. **II.** Aller très vite, courir, foncer, passer, traverser. — *(Fam.)* (S'en) aller, décamper, déguerpir, (s') échapper, (s') esquiver, fuir, partir, (se) retirer, sortir. **III.** *(Ch.)* Disparaître, glisser, passer vite.

Ant. (V. intr.) **II.** Arrêter, assister, demeurer, rester.

Filet
Syn. **I.** Réseau, résille, réticule. — Épervier, nasse, verveux. **III.** Embûche, lacs, piège, rêts.

Filiation
Syn. **I.** Consanguinité, descendance, famille, génération, lignée, parenté. **III.** Enchaînement, liaison, lien, succession, suite.

Filière
Syn. **I.** Étireuse. **III.** Échelle, hiérarchie, succession, suite. — Ordre de livraison.

Film
Syn. **I.** Pellicule. **II.** Cinéma, documentaire, navet. **III.** Déroulement (d'événements).

Filmer
Syn. **I.** Enregistrer, photographier, tourner.

Filou
Syn. **I.** Escroc, fripon, pickpocket, tricheur, voleur.

Filtrer
Syn. **I.** Clarifier, épurer, purifier. **II.** Couler, passer, pénétrer, sourdre, transsuder. **III.** Tamiser, traverser.
Ant. **I.** Corrompre, épaissir, gâter, troubler, vicier.

Fin
Syn. (Adj.) **I.** Délicat, délié, impalpable, léger, menu, microscopique, mince, svelte, ténu. Affiné, excellent, pur, raffiné, supérieur. **III.** Pénétrant, perspicace, piquant, sagace, spirituel, subtil. — Adroit, habile, rusé. — *(N.)* **I.** Bout, clôture, extrémité, limite, terme, terminaison. **II.** Anéantissement, cessation, chute, consommation, déclin, destruction, disparition, expiration, extinction. — Décès, mort, trépas. — Aboutissement, issue, ré-

sultat, solution. — Conclusion, dénouement, péroraison. — But, intention, motif, objectif, objet, raison, visée. — Destination, finalité, tendance.
Ant. (Adj.) **I.** Épais, gras, gros, obèse. — Grossier, inférieur. **III.** Balourd, bête, fou, imbécile, lourd, niais, simple, sot, stupide. *(N.)* **I.** Avènement, commencement, début, entrée. **II.** Aurore, départ, ébauche, essai, naissance, origine, source. — Préambule, préface, préliminaire, prélude. — Condition, principe.

Finance(s)
Syn. **I.** Affaires, argent, banque, bourse, capital, capitalisme, commerce, ressources. — Biens, budget, deniers, fonds, trésorerie.

Financer
Syn. **I.** Avancer (de l'argent), commanditer, entretenir, fournir, payer, soutenir, subventionner.
Ant. **I.** Garder, refuser, retirer son aval, (se) récuser.

Financier
Syn. **I.** Agent de change, banquier, boursier, capitaliste, coulissier, manieur d'argent, régisseur, spéculateur.

Finasser
Syn. **I.** Éluder, éviter, manœuvrer, ruser.
Ant. **I.** Affronter.

Finaud
Syn. **I.** Fin, futé, habile, madré, malin, matois, retors, roué, rusé.
Ant. **I.** Dupe, maladroit, malhabile.

Finesse
Syn. **I.** Délicatesse, élégance, légèreté, ténuité. **III.** Acuité, clairvoyance, justesse, pénétration, perspicacité, précision, sagacité, souplesse (d'esprit), subtilité, tact.
Ant. **I.** Épaisseur. **III.** Balourdise, grossièreté, ineptie, maladresse, sottise, stupidité.

Fini
Syn. **I.** Accompli, achevé, classé, consommé, terminé. — Livré, parfait, poli, soigné. — Disparu, évanoui, perdu, révolu. — Borné, limité.
Ant. **I.** Ébauché, esquissé. — Grossier, imparfait, négligé. — Commençant. — Infini.

Finir
Syn. **I.** Achever, accomplir, conclure, consommer, couronner, terminer. — Bâcler, expédier. — Fignoler, parachever, parfaire, polir. — Vider. — Arrêter, cesser, clore, couper, discontinuer, interrompre, mettre fin. — Conclure, régler, résoudre. — Expirer, mourir, périr. — (S') arrêter, (se) terminer.
Ant. **I.** Commencer, ébaucher, entamer, esquisser. — Continuer. — Débuter. — Naître.

Fiole
Syn. **I.** Ampoule, bouteille, flacon, gourde.

Fissure
Syn. **I.** Crevasse, fêlure, fente, fuite, lézarde, rayure, sillon. **III.** Brèche, coupure.

Fixe
Syn. **I.** Immobile, permanent, sédentaire, solide, stable. — Constant, continu, immuable, invariable, persistant, stationnaire. — Certain, défini, définitif, déterminé, réglé, sûr. — Assuré, régulier.
Ant. **I.** Changeant, instable, nomade, temporaire. — Mouvant, variable. — Incertain, indéterminé. — Éventuel.

Fixer
Syn. **I.** Accrocher, affermir, amarrer, arrêter, assujettir, assurer, attacher, caler, clouer, consolider, établir, ficher, immobiliser, maintenir, planter, retenir, river, visser. **II.** Captiver, dévisager, regarder, toiser. — Ancrer, enraciner, implanter. — Stabiliser. — Définir, déterminer, formuler, préciser, régler.
Ant. **I.** Arracher, bouleverser, déplacer, détacher, dévisser, ébranler. **II.** Détourner, distraire. — Changer, dérégler.

Fla-fla
Syn. (Fam.) **I.** Bluff, chichi, chiqué, épate, esbroufe, étalage, façon, ostentation.
Ant. **I.** Modestie, simplicité.

Flageller
Syn. **I.** Cingler, fouetter, fustiger. **III.** Attaquer, blâmer, malmener, vilipender.
Ant. **I.** Caresser. **III.** Féliciter, flatter, louanger, sympathiser.

Flagorner
Syn. **I.** Aduler, amadouer, courtiser, encenser, flatter, lécher.
Ant. **I.** Dédaigner, éviter, ignorer, mépriser, repousser, trahir.

Flagorneur
Syn. **I.** Adulateur, cajoleur, complimenteur, courtisan, encenseur, flatteur, lécheur, lèche-bottes, louangeur.
Ant. **I.** Caustique, dédaigneur, dénigreur, médisant, méprisant, satirique.

Flagrant
Syn. **I.** Certain, éclatant, évident, incontestable, indéniable, patent, visible.
Ant. **I.** Douteux, incertain.

Flair
Syn. **I.** Odorat. **III.** Clairvoyance, instinct, intuition, nez, perspicacité.
Ant. **III.** Aveuglement.

Flairer
Syn. **I.** Éventer, halener, humer, renifler, sentir, subodorer. **III.** Examiner, observer, sonder, tâter. — Deviner, entrevoir, pressentir, prévoir, soupçonner.

Flamber
Syn. **I.** Briller, brûler, étinceler, flamboyer, scintiller. — Gazer. **III.** Ruiner.
Ant. **I.** (S') éteindre.

Flamboyant
Syn. **I.** Ardent, brillant, brûlant, éclatant, étincelant, lumineux, phosphorescent, rutilant, vif.
Ant. **I.** Blafard, blême, décoloré, éteint, obscur, pâle, sombre, terne.

Flamme
Syn. **I.** Feu, flammèche. **II.** Clarté, éclat, lueur, lumière. **III.** Amour, animation, ardeur, désir, éloquence, enthousiasme, fièvre, passion, zèle. **I.** Banderole, drapeau. *Ant.* **II.** Assombrissement, cendre, nuit, obscurité, ténèbre. **III.** Calme, froideur, indifférence, neutralité.

Flâner
Syn. **I.** Baguenauder, (se) balader, errer, lanterner, musarder, muser, traîner.
Ant. **I.** Courir, (se) hâter, travailler.

Flâneur
Syn. **I.** Badaud, musard, oisif, promeneur.
Ant. **I.** Actif, travailleur.

Flanquer
Syn. **I.** Appuyer, défendre, entourer, garnir, installer, protéger. — Accompagner. — Administrer, appliquer, donner, envoyer, ficher, jeter, lancer. **III.** Congédier, renvoyer.
Ant. **I.** Dégarnir, éloigner, enlever, ôter, retirer. **III.** Accueillir, admettre, agréer, recevoir.

Flasque
Syn. **I.** Avachi, mollasse, mou. **II.** Amorphe, anémique, atone, faible, inerte, lâche.
Ant. **I.** Coriace, dur, raide, rigide, tendu. **II.** Consistant, ferme, solide, tenace.

Flatter (et Se)
Syn. **I.** *(V. tr.)* Cajoler, câliner, caresser. — Charmer, chatouiller, délecter, exciter, plaire à, (faire) plaisir, toucher. — Avantager, embellir, enjoliver, idéaliser. — Encourager, favoriser. — Aduler, complimenter, flagorner, louer, vanter. —

(V. pr.) Compter, (s') enorgueillir, espérer, (se) féliciter, (se) glorifier, (se) louer, penser, prétendre, (se) prévaloir, (se) targuer, (se) vanter.
Ant. **I.** Battre, malmener. — Blesser, brusquer. — Enlaidir. — Défavoriser, empêcher. — Blâmer, critiquer. — Se reprocher.

Flatterie
Syn. **I.** Adulation, compliment, courbette, (coups d') encensoir, flagornerie, louange.
Ant. **I.** Blâme, critique.

Flatteur
Syn. **I.** *(N.)* Adulateur, bénisseur, cajoleur, caudataire, complimenteur, courtisan, flagorneur, louangeur, thuriféraire. — *(Adj.)* Agréable, avantageux, doux, élogieux, obligeant, optimiste, suave.
Ant. **I.** Censeur, critiqueur. — Choquant, déplaisant, désagréable, fâcheux, insupportable.

Fléau
Syn. **I.** Calamité, cataclysme, catastrophe, désastre, épidémie, malédiction, malheur, plaie, punition, ruine. — Joug, traversin.
Ant. **I.** Bénédiction, bienfait, chance, faveur, grâce.

Fléchir
Syn. *(V. intr.)* **I.** Courber, (s') infléchir, plier, ployer. **III.** Céder, faiblir, flancher, mollir. — Baisser, diminuer. *(V. tr.)* **III.** Adoucir, attendrir, calmer, désarmer, ébranler, émouvoir, gagner, toucher.
Ant. *(V. intr.)* **I.** Dresser, redresser. **III.** Dominer, maintenir, résister, tenir. *(V. tr.)* **III.** Durcir, endurcir. — Augmenter, monter.

Flegmatique
Syn. **I.** Calme, froid, impassible, imperturbable, placide, posé, tranquille.
Ant. **I.** Ardent, chaud, émotif, emporté, enthousiaste, excité, fougueux, impétueux, passionné, violent.

Flegme
Syn. **I.** Calme, froideur, impassibilité, indifférence, placidité.
Ant. **I.** Agitation, emportement, exaltation, excitation.

Flétrir (et Se)
Syn. (V. tr.) **I.** Décolorer, défraîchir, faner, rider, sécher, ternir. **III.** Blâmer, condamner, déshonorer, diffamer, stigmatiser. *(V. pr.)* **I.** (Se) faner, passer, (se) ternir. **III.** (Se) déshonorer.
Ant. **I.** Éclore, (s') épanouir, fleurir. **III.** Exalter, glorifier, honorer, réhabiliter, vénérer.

Flétrissure
Syn. **I.** Défloraison, desséchement. **III.** Avilissement, déshonneur, infamie, opprobre, souillure, tache, tare.
Ant. **I.** Éclosion, épanouissement, floraison, fraîcheur. **III.** Considération, gloire, honneur, réhabilitation.

Fleur
Syn. **III.** Beauté, charme, éclat, embellissement, enjolivement, fraîcheur, lustre, ornement, parure. — Commencement, début. — Choix, crème, élite.
Ant. **III.** Laideur, lie, médiocrité.

Fleurer
Syn. **I.** Embaumer, exhaler, parfumer, sentir.
Ant. **I.** Empester, infecter, puer.

Fleurir
Syn. **I.** Éclore, (s') épanouir, (s') ouvrir. **III.** Croître, (se) développer. — Briller, prospérer, réussir. — Embellir, enjoliver, orner, parer.
Ant. **I.** Défleurir, (se) défraîchir, (se) faner, (se) flétrir. **III.** Dépérir, régresser. — Décliner. — Enlaidir.

Flexible
Syn. **I.** Élastique, plastique, pliant, souple. **III.** Docile, malléable, maniable, obéissant, soumis, traitable.

Ant. **I.** Inflexible. **III.** Cassant, dur, intraitable, opiniâtre, raide, rigide, têtu.

Flexion
Syn. **I.** Courbure, fléchissement, inclination, inflexion. **III.** Changement, modification, variation. — Courbette.
Ant. **I.** Extension, redressement.

Flirt
Syn. **I.** Amourette, béguin *(fam.)*, caprice, idylle, passade, toquade *(fam.)*.

Florès (faire)
Syn. **I.** Briller, exceller, (faire) fureur, (être à la) mode, réussir, triompher, (être en) vogue.
Ant. **I.** Échouer, (faire), fiasco, manquer, rater.

Flot(s)
Syn. **I.** Courant, flux, houle, lame, marée, mer, onde, vague. **III.** Abondance, affluence, afflux, débordement, déluge, fleuve, foule, masse, multitude, torrent.

Flotter
Syn. **I.** Nager, surnager. **II.** Errer, ondoyer, onduler, vaguer, voguer, voler, voltiger. **III.** Hésiter.
Ant. **I.** Caler, couler, disparaître, (s') enfoncer, (s') engloutir, immerger, sombrer, submerger. **II.** (Se) fixer. **III.** (Se) décider.

Flou
Syn. **I.** Brumeux, effacé, fondu, indistinct, léger, vaporeux. **III.** Incertain, indécis, nébuleux, vague.
Ant. **I.** Lourd, massif, pesant. **III.** Distinct, net, précis.

Fluctuation
Syn. **I.** Balancement, instabilité, oscillation, va-et-vient. **III.** Changement, flottement, hésitation, incertitude, indécision, irrésolution, variation.
Ant. **I.** et **III.** Immobilité, régularité, stabilité, sûreté.

Fluet
Syn. **I.** Délicat, élancé, faible, frêle, gracile, grêle, léger, maigre, **menu**, mince, ténu.
Ant. **I.** Corpulent, dodu, épais, gras, gros, replet.

Fluide
Syn. (Adj.) **I.** Clair, coulant, inconsistant, insinuant, limpide, mobile, pénétrant. **III.** Fluctuant, indécis, insaisissable. *(N.)* **I.** Courant, émanation, flux, influence, influx, onde, radiation.
Ant. **I.** Compact, consistant, épais, ferme, résistant, solide.

Flux
Syn. **I.** Écoulement, émission, évacuation, flot, marée montante. **II.** Abondance, afflux, débordement, profusion. **III.** Changement, fluctuation.
Ant. **I.** Reflux.

Foetus
Syn. **I.** Embryon, germe, œuf.

Foi
Syn. **I.** Confiance, conviction, croyance. — Communion, **confession,** credo, dogme, évangile, religion. **II. Assurance,** fidélité, franchise, véracité.
Ant. **I.** Athéisme, incrédulité, incroyance. **II.** Doute, infidélité, **méfiance,** scepticisme.

Foire
Syn. **I.** Exposition, **marché, salon.** — Fête, kermesse.

Foison (À)
Syn. **I.** Abondamment, **amplement,** beaucoup, copieusement, (en) masse, (à) profusion.
Ant. **I.** En petite quantité, **peu.**

Foisonner
Syn. **I.** Abonder, fourmiller, **pulluler,** regorger de.
Ant. **I.** Manquer.

Folâtre
Syn. **I.** Amusant, badin, bouffon, enjoué, espiègle, gai, guilleret, léger, plaisant.
Ant. **I.** Austère, grave, posé, sérieux, solennel, triste.

Folâtrer
Syn. **I.** Badiner, batifoler, danser, (s') ébattre, jouer, plaisanter, sauter.

Folie
Syn. **I.** Aliénation mentale, délire, déséquilibre (mental), idiotie, imbécillité, incohérence, névrose, psychose. **II.** Aberration, absurdité, aveuglement, bêtise, bizarrerie, déraison, divagation, égarement, extravagance, insanité, lubie, manie, mégalomanie, sottise.
Ant. **I.** Équilibre, santé. **II.** Bon sens, clairvoyance, finesse, intelligence, jugement, modération, prudence, sagesse.

Fomenter
Syn. **III.** Allumer, entretenir, envenimer, exciter, soulever, susciter.
Ant. **III.** Apaiser, calmer, éteindre, pacifier.

Foncer
Syn. **I.** Assaillir, attaquer, charger, fondre sur, (se) jeter sur, marcher sur. **II.** Filer.
Ant. **I.** Éclaircir. — Contourner, (se) détourner, (s') éloigner, éviter, fuir. **II.** Flâner, lambiner.

Fonction
Syn. (Pers.) **I.** Activité, besogne, carrière, charge, devoir, dignité, emploi, métier, ministère, mission, obligation, occupation, office, place, poste, profession, service, situation, tâche, travail. *(Ch.)* **I.** Action, rôle, utilité. **II.** Conséquence, effet, rapport.

Fonctionnaire
Syn. **I.** Administrateur, agent, employé. — Budgétivore, bureaucrate, rond-de-cuir.

Fonctionnement
Syn. **I.** Action, activité, jeu, manœuvre, marche, mouvement, travail.

Fonctionner
Syn. **I.** Actionner, agir, aller, avancer, évoluer, jouer, manœuvrer, marcher, mouvoir, travailler. *Ant.* **I.** (S') arrêter, cesser, immobiliser, (être en) panne.

Fond
Syn. **I.** Bas, base, creux, fondement, profondeur. **II.** Tissure, toile. — Arrière-fond, essence, nœud, réalité profonde, secret. **III.** Contenu, idée, matière, source. substance, sujet, thème. *Ant.* **I.** Dessus, proéminence, sommet, surface. **II.** Apparence, dehors, extérieur. **III.** Forme.

Fondamental
Syn. **I.** Capital, constitutif, élémentaire, essentiel, foncier, principal, radical, vital. *Ant.* **I.** Accessoire, complémentaire, secondaire.

Fondateur
Syn. **I.** Auteur, bâtisseur, créateur, initiateur, père, promoteur.

Fondation(s)
Syn. **I.** Assise, base. **II.** Création, établissement, formation, instauration, institution. — Donation, legs. **III.** Fondement, armature. *Ant.* **I.** Comble, faîte. **II.** Abolition, destruction, dissolution.

Fondement(s)
Syn. **I.** Appui, assise, base, soutien. **III.** Cause, motif, raison, source, sujet. — Origine, principe.

Fonder
Syn. **I.** Appuyer, asseoir, baser, bâtir, constituer, créer, ériger, établir, former, instituer, organiser, ouvrir. **II.** Justifier, motiver. *Ant.* **I.** Abolir, anéantir, défaire, détruire, renverser, ruiner, supprimer.

Fondre
Syn. *(V. tr.)* **I.** Délayer, (se) désagréger, diluer, dissoudre, liquéfier, solubiliser. **III.** Amalgamer, combiner, confondre, fusionner, harmoniser, incorporer, mêler, réunir, unir. *(V. intr.)* **I.** Dégeler, (se) dissoudre, (se) liquéfier. **III.** Diminuer, disparaître, (se) dissiper. — *(Fam.)* Maigrir. — *(Fondre sur)* S'abattre, assaillir, (s') élancer sur, foncer sur, (se) lancer, (se) précipiter, (se) ruer, tomber. *Ant.* *(V. tr.)* **I.** Cailler, coaguler, condenser, congeler, figer, solidifier. **III.** Désunir, détacher, disjoindre, diviser, séparer. *(V. intr.)* **I.** Durcir, geler. **III.** Apparaître, reparaître. — Engraisser. — Fuir.

Fonds
Syn. **I.** Bien-fonds, boutique, champ, commerce, établissement, exploitation, magasin, maison, propriété, sol, terrain. **II.** Argent, avances, caisse, capitaux, espèces, pécule, somme. **III.** Filon, mine. — Legs.

Fontaine
Syn. **I.** Eau vive. **II.** Principe, source. — Récipient, réservoir, vaisseau.

Forçat
Syn. **I.** Bagnard, galérien, prisonnier.

Force
Syn. **I.** Puissance, résistance, robustesse, solidité, vigueur. **II.** Caractère, courage, énergie, fermeté, volonté. — Action, activité, efficacité, influence, intensité. — Chaleur, éloquence, véhémence. — Autorité, nécessité, obligation. *Ant.* **I.** Anémie, débilité, défaillance, faiblesse, fragilité. **II.** Irrésolution, mollesse, négligence. —Impuissance, inefficacité. — Froideur, indifférence. — Dispense, liberté.

Forcé
Syn. **I.** Inéluctable, inévitable, involontaire, nécessaire, obligatoire. **II.** Affecté, artificiel, contraint, embarrassé, outré.

Ant. **I.** Facultatif, libre. **II.** Naturel, ouvert, vrai.

Forcené
Syn. **I.** Emporté, furieux, furibond, passionné. — Désespéré. — Énergumène.
Ant. **I.** Calme, modéré, posé, prudent, rassis.

Forcer
Syn. **I.** Briser, crocheter, enfoncer, fracturer, ouvrir, prendre, rompre. **II.** Arracher, emporter, gagner. — Astreindre, entraîner, obliger, réduire. — Accélérer, accentuer, hâter, précipiter. — Augmenter, exagérer, outrer.
Ant. **I.** Fermer, réparer. **II.** Déplaire. — Faciliter, permettre, tolérer. — Ralentir. — Amoindrir, diminuer, modérer.

Forêt
Syn. **I.** Bois, brousse, futaie, jungle. **II.** Multitude, quantité. **III.** Labyrinthe.

Forfait
Syn. **I.** Crime, faute. — Délit. — Convention, marché.

Forfaiture
Syn. **I.** Déloyauté, prévarication.
Ant. **I.** Loyauté, probité.

Forfanterie
Syn. **I.** Charlatanisme, fanfaronnade, hâblerie, vantardise.
Ant. **I.** Modestie, naturel, retenue.

Forger
Syn. **I.** Battre, corroyer, écrouir, laminer. **III.** Fabriquer, façonner, imaginer, inventer, trouver.

Formaliser (Se)
Syn. **I.** (Se) choquer, (se) fâcher, (s') offenser, (s') offusquer, prendre la mouche, (se) piquer, (se) révolter, (se) scandaliser, (se) vexer.
Ant. **I.** Accepter, acquiescer, admettre, agréer, (s') amuser, (se) réjouir.

Formaliste
Syn. **I.** Cérémonieux, façonnier, protocolaire. **II.** Étroit, méticuleux, minutieux, pointilleux, vétilleux. — Rigoriste, ritualiste.
Ant. **I.** Naturel, simple. **II.** Éclairé, large d'esprit. — Laxiste.

Formalité
Syn. **I.** Cérémonial, cérémonie, étiquette, protocole. — Condition, forme, formule, loi, manière, mode, procédure. **III.** Chinoiserie, tracasserie.
Ant. **I.** Insouciance, laisser-aller. **III.** Liberté, licence.

Format
Syn. **I.** Dimension, grandeur, mesure, taille.

Formation
Syn. **I.** Composition, constitution, création, élaboration, fondation, organisation, production. — Genèse, origine. — Équipe, groupe, parti, unité. — Apprentissage, développement, dressage, éducation, évolution, préparation, stage.
Ant. **I.** Anéantissement, déformation, démolition, désagrégation, destruction, dissolution, effondrement, ruine.

Forme(s)
Syn. **I.** Apparence, aspect, configuration, conformation, contour, dehors, figure. — Arrangement, composition, constitution, coupe, disposition, façon, gabarit, modèle, moule, patron, structure. — Dessin, galbe, ligne. **III.** État, manière, sorte, modalité, type, variété. — Organisation, régime, statut. — Expression, facture, style. — Formalité, formule, libellé, règle. — (Pl.) Bienséances, protocole, savoir-vivre, usages.
Ant. **I.** Essence, matière, réalité. **III.** Contenu, fond, substance, sujet. — Inconvenance, sans-gêne.

Formel
Syn. **I.** Absolu, authentique, catégorique,

certain, clair, explicite, incontestable, indubitable, péremptoire, positif, précis, rigoureux. **II.** Formaliste, platonique. *Ant.* **I.** Ambigu, conditionnel, douteux, erroné, faux, imaginaire, implicite, incertain, inventé, obscur, tacite.

Former
Syn. **I.** Créer, fabriquer, façonner, faire, produire. — Établir, fonder, instituer, organiser. — Causer. — Émettre, exprimer, formuler. — Concevoir, élaborer, projeter. **II.** Accoutumer, cultiver, développer, discipliner, dresser, éduquer, élever, enseigner, entraîner, habituer, instruire. — Composer, constituer. — Dessiner, présenter. *Ant.* **I.** Déformer, dénaturer, détruire, perdre, pervertir.

Formidable
Syn. **I.** Énorme, extraordinaire, gigantesque, imposant. **II.** Bizarre, considérable, épatant, étonnant, renversant, sensationnel, terrible. *Ant.* **I.** Faible, infime, minuscule, petit. **II.** Mauvais, négligeable, ordinaire.

Formulaire
Syn. **I.** Codex, modèle, recueil. **II.** Formule, questionnaire.

Formule
Syn. **I.** Énoncé, forme, libellé, rédaction, texte. — Cérémonial, étiquette. **II.** Méthode, mode, procédé, solution. — Aphorisme, cliché, expression, locution, phrase, précepte, proverbe, sentence, slogan, tournure.

Fort
Syn. (Adj.) (Pers.) **I.** Athlétique, corpulent, costaud, gros, herculéen, puissant, résistant, robuste, solide, vigoureux. **II.** Bon, calé, capable, doué, habile. — Courageux, énergique, ferme. — Influent, puissant. — *(Ch.)* **I.** Dur, inusable. **II.** Abondant, serré, touffu. — Grand, grave, intense, lourd, vif, violent. — Âcre, péné-

trant,. piquant. — Agissant, efficace, invincible, irrésistible. — Élevé, grand, important. — Exagéré, extraordinaire, formidable, incroyable, inouï, invraisemblable, outré, poussé. — *(Adv.)* **I.** Beaucoup, bien, excessivement, extrêmement, souverainement, très. — Fortement, vigoureusement, violemment. — *(N.)* **I.** Bastion, blockhaus, citadelle, défense, forteresse, fortification, fortin, tour. *Ant. (Adj.)* **I.** Débile, faible, frêle, malingre, mince. **II.** Ignorant, nul, piètre. — Mou, peureux, timide. — Impuissant. — Souple, tendre. — Clairsemé, maigre. — Faible, léger. — Anodin, inefficace. — Modéré, ordinaire. *(Adv.)* **I.** Peu. — Doucement, faiblement, légèrement.

Fortifiant
Syn. **I.** Analeptique, cordial, excitant, réconfortant, reconstituant, stimulant, tonique. *Ant.* **I.** Affaiblissant, amollissant, anémiant, débilitant.

Fortifier
Syn. **I.** Affermir, consolider, développer, étayer, renforcer, rétablir, soutenir. **III.** Appuyer, confirmer, corroborer, durcir, encourager, tremper. — Armer, défendre, protéger. *Ant.* **I.** Affaiblir, consumer, réduire, ruiner. **III.** Anémier, débiliter, décourager, mollir, plier, ployer.

Fortuit
Syn. **I.** Accidentel, brusque, contingent, imprévu, inattendu, incertain, inespéré, inopiné, occasionnel. *Ant.* **I.** Attendu, certain, espéré, nécessaire, obligatoire, prévisible.

Fortune
Syn. **I.** Aisance, argent, avoir, biens, capital, domaine, patrimoine, ressources, richesse, trésor. — Avenir, aventure, chance, destin, destinée, hasard, prospérité, sort, succès, vie.

Ant. I. Adversité, gêne, indigence, infortune, insuccès, malchance, mendicité, misère, pauvreté.

Fortuné
Syn. **I.** Aisé, florissant, prospère, riche. — Chanceux, heureux, prédestiné.
Ant. **I.** Infortuné, malheureux, misérable, pauvre.

Fossé
Syn. **I.** Canal, cavité, douve, excavation, saut-de-loup, rigole, ruisseau, sillon, tranchée, trou. **III.** Abîme, cassure, coupure, séparation.

Fou
Syn. (N.) **I.** Aliéné, dément, déséquilibré, détraqué, idiot, imbécile, malade mental, névrosé. *(Adj.)* **II.** Bête, braque *(fam.),* cinglé *(pop.),* écervelé, étourdi, fêlé, insensé, loufoque *(pop.),* maboul *(pop.),* sot, timbré *(fam.),* toqué *(fam.).* **III.** Absurde, anormal, bizarre, débridé, démesuré, déraisonnable, désordonné, désaxé, éperdu, excessif, extravagant, immodéré, irrationnel. — Enjoué, folâtre, gai, pétulant, vif. — *(Fou de)* Amoureux, engoué, enragé, épris, fanatique, mordu. — Énorme, extraordinaire, immense, prodigieux.
Ant. **I.** Équilibré, normal, sain (d'esprit), sensé. **II.** Fin, intelligent, perspicace, sagace. **III.** Judicieux, modéré, raisonnable, rationnel. — Calme, froid, sage. — Réglé, régulier.

Foudre(s)
Syn. **I.** Éclair, tonnerre. **III.** Colère, condamnation, excommunication, reproche.

Foudroyant
Syn. **I.** Fulgurant. **II.** Immédiat, instantané, soudain. — Brusque, brutal, écrasant, épouvantable, mortel, terrifiant, véhément. **III.** Menaçant.
Ant. **I.** Sombre. **II.** Attendu, prévu. — Calme, doux, paisible, posé, tranquille. **III.** Rassurant.

Foudroyer
Syn. **I.** Abattre, anéantir, écraser, frapper, renverser, tuer. **III.** Accabler, atterrer, confondre, consterner, navrer, stupéfier, terrasser.
Ant. **I.** Ranimer, raviver, revigorer. **III.** Consoler, rassurer, réconforter, relever.

Fouet
Syn. **I.** Chambrière, cravache, discipline, knout, martinet.

Fouetter
Syn. **I.** Battre, cingler, cravacher, flageller, fouailler, frapper. **II.** Fustiger. **III.** Allumer, animer, exciter, stimuler.
Ant. **I.** Cajoler, câliner, caresser, choyer, dorloter. **III.** Arrêter, empêcher, refréner, réprimer.

Fougue
Syn. **I.** Ardeur, chaleur, élan, emballement, emportement, enthousiasme, entrain, exubérance, feu, impétuosité, passion, pétulance, véhémence, verve, violence, virulence.
Ant. **I.** Calme, douceur, flegme, froideur, mesure, modération, placidité, réserve, retenue, sérénité, tranquillité.

Fougueux
Syn. **I.** Ardent, bouillant, chaleureux, chaud, emporté, enflammé, enthousiaste, impétueux, indompté, pétulant, véhément, vif, violent.
Ant. **I.** Calme, doux, froid, mesuré, modéré, placide, pondéré, posé, réservé, retenu, serein, tranquille.

Fouille(s)
Syn. **I.** Creusage, excavation, recherche. **II.** Examen, exploration, visite.

Fouiller
Syn. **I.** Creuser, fouir, retourner. **II.** Chercher, farfouiller *(fam.),* fouiner *(fam.),* fourgonner, fourrager, fureter. — Battre, examiner, explorer, inspecter, perquisitionner, scruter, visiter. **III.** Approfondir.

Fouineur
Syn. I. Curieux, fureteur, indiscret.
Ant. I. Discret, indifférent.

Foule
Syn. I. Affluence, assistance, cohue, concours, multitude, presse, rassemblement. II. Masse, peuple, populo *(fam.)*.

Fouler
Syn. I. Damer, comprimer, écraser, piler, presser, serrer, tasser. — Démettre, disloquer. (se) donner une entorse, luxer. III. Accabler, bafouer, braver, mépriser, piétiner.
Ant. I. Effleurer. — Remettre, replacer. III. Exalter, louer, protéger.

Four
Syn. I. Chaufour, fournaise, fourneau, fournil. — Pâtisserie. III. Désastre, échec, fiasco, insuccès, revers.
Ant. III. Réussite, succès, triomphe.

Fourbe
Syn. I. Déloyal, fallacieux, faux, hypocrite, malhonnête, méchant, menteur, perfide, sournois, traître, trompeur.
Ant. I. Droit, franc, honnête, intègre, juste, loyal, probe, sincère.

Fourbu
Syn. I. Brisé, claqué *(fam.)*, échiné, épuisé, éreinté, esquinté, exténué, fatigué, harassé, moulu, rendu, rompu.
Ant. I. Calmé, délassé, dispos, frais, ragaillardi, reposé.

Fourcher
Syn. I. Bifurquer, diverger, (se) diviser, (se) séparer. III. Faire un lapsus.
Ant. I. Converger, rallier, rassembler, (s') unir.

Fourmiller
Syn. I. Grouiller, pulluler, remuer. II. Abonder, déborder, foisonner, regorger. — Démanger.
Ant. I. Fixer, immobiliser. II. Diminuer, manquer, (se) réduire.

Fournir
Syn. I. Alimenter, approvisionner, armer, donner, équiper, garnir, livrer, meubler, munir, nantir, outiller, pourvoir, procurer, ravitailler, servir. — Produire. II. Accomplir, faire. — Alléguer, apporter, exposer, offrir, présenter. — Contribuer, participer, satisfaire, souscrire, subvenir.
Ant. I. et II. Dégarnir, démunir, dénuder, dépouiller, enlever, frustrer, ôter, priver, refuser, retirer, supprimer.

Fournisseur
Syn. I. Approvisionneur, commerçant, détaillant, marchand, pourvoyeur, ravitailleur.

Fourniture
Syn. I. Approvisionnement, effets, équipement, livraison, marchandise, provision, stock.

Fourrager
Syn. III. Fouiller, fourgonner, fureter.

Fourreau
Syn. I. Enveloppe, étui, gaine.

Fourrer
Syn. I. Enfoncer, enfourner, insérer, introduire, mettre. — Enrober, envelopper, garnir.
Ant. I. Enlever, extraire, retirer, sortir. — Dégarnir.

Fourrure
Syn. I. Peau, pelage, pelleterie, poil, toison.

Fourvoyer (et Se)
Syn. *(V. tr.)* I. Égarer. III. Détourner, tromper. *(V. pr.)* I. (Se) commettre, errer, (se) perdre.
Ant. I. Guider, mettre dans la voie. — *(V. pr.)* Éclairer, redresser une erreur, (se) retrouver.

Foyer
Syn. I. Âtre, cheminée, feu. II. Brasier. — Focal, rayon, source. — Bercail, chez-soi,

demeure, domicile, famille, home, maison, ménage, nid, pénates, résidence. **III.** Centre.

Fracas
Syn. **I.** Bruit, choc. **II.** Tapage, tintamarre, tumulte, vacarme.

Fracasser
Syn. **I.** Briser, casser, rompre.

Fraction
Syn. **I.** Dénominateur, numérateur. — Fragment, morceau, parcelle, part, partie, portion, section, segment. *Ant.* **I.** Complet, ensemble, entier, intégralité, totalité, tout, unité.

Fracture
Syn. **I.** Bris, rupture. — Blessure, cassure, fêlure. — Coupure, faille.

Fragile
Syn. *(Ch.)* **I.** Cassable, cassant, faible, frêle, mince. *(Pers.)* **II.** Chétif, débile, délicat, malingre. **III.** Chancelant, changeant, éphémère, incertain, inconsistant, inconstant, instable, mobile, passager, périssable, précaire. *Ant.* **I.** Dur, épais, ferme, fort, incassable, indestructible, résistant. — Robuste, vigoureux, solide. **III.** Assuré, constant, durable, éternel, immuable, impérissable, stable.

Fragment
Syn. **I.** Bout, débris, éclat, fraction, lambeau, miette, morceau, parcelle, tronçon. **II.** Part, partie. **III.** Citation, extrait, passage. *Ant.* **I.** et **II.** Bloc, complet, ensemble, tout, unité.

Frai
Syn. **I.** Génération, ponte, reproduction. **II.** Alevin, fretin.

Fraîchement
Syn. **I.** Dernièrement, frais, nouvellement, récemment. **III.** Cavalièrement, froidement.

Ant. **I.** Anciennement, jadis. **III.** Aimablement, chaleureusement, chaudement.

Fraîcheur
Syn. **I.** Fraîche, frais, froid, froideur. — Nouveauté. **III.** Actualité, candeur, éclat, innocence, jeunesse, lustre, naïveté, naturel, pureté, spontanéité, vivacité. *Ant.* **I.** Chaleur, sécheresse, tiédeur. **III.** Ancienneté, antiquité, caducité, décrépitude, fatigue, grisaille, platitude.

Frais
Syn. *(Adj.)* **I.** Frisquet, froid. **II.** Neuf, nouveau, récent. **III.** Détendu, dispos, (en) forme, jeune, reposé, sain, vert, vif, vigoureux. — Brillant, éclatant, vigoureux. — Candide, pur. — Présent, vivant. *(N.)* **I.** Fraîche, fraîcheur. — Charges, coût, débours, déboursés, dépense. *Ant.* *(Adj.)* **I.** Ardent, antique, lointain, vieux. **III.** Avarié, en conserve, sec. — Blême, épuisé, fatigué. — Fané, flétri, terne. — Corrompu, impur. — Absent, figé, mort. *(N.)* **I.** Chaleur. — Économie, épargne.

Franc
Syn. **I.** Exempt, exonéré. **II.** Cordial, direct, droit, honnête, loyal, ouvert, rond, sincère, spontané, vrai. — Carré, catégorique, net, précis. — Limpide, pur, simple. *Ant.* **I.** Assujetti, taxé. **II.** Déloyal, dissimulé, faux, fourbe, hypocrite, menteur, simulateur, sournois. — Équivoque, louche. — Confus, opaque, trouble.

Franchir
Syn. **I.** Enjamber, escalader, sauter pardessus. — Dépasser, passer. **III.** Parcourir, traverser. — Surmonter, vaincre (une difficulté). *Ant.* **I.** Achopper, buter, heurter. — Respecter (les limites). **III.** Échouer, manquer, rater.

Franchise
Syn. **I.** Dispense, exemption, exonération, immunité, liberté, privilège. **II.**

Droiture, franc-parler, loyauté, simplicité, sincérité, spontanéité, vérité.
Ant. **I.** Asservissement, servitude. **II.** Dissimulation, fausseté, fourberie, hypocrisie, malhonnêteté, mensonge.

Frappant
Syn. **II.** Attachant, captivant, convaincant, éclatant, émouvant, étonnant, évident, impressionnant, saisissant, surprenant.
Ant. **II.** Commun, courant, coutumier, faible, insignifiant, médiocre, ordinaire.

Frapper
Syn. **I.** Battre, brutaliser, cogner, fouetter, heurter, maltraiter, marteler, rudoyer, talocher, taper, toucher. − (S') abattre sur, affecter, affliger, atteindre, éprouver. − Châtier, punir. **II.** Émouvoir, étonner, impressionner, saisir, surprendre.
Ant. **I.** Caresser, défendre, préserver, protéger. − Épargner, ménager. − Pardonner, récompenser. − (Laisser) indifférent, rassurer.

Frasil *(can.* ; prononcer : frasi)
Déf. Fragments de glace flottant à la surface de l'eau, petite glace fine qui commence à prendre.

Frasque
Syn. **I.** Écart, équipée, escapade, extravagance, folie, fredaine, incartade, inconduite, libertinage.
Ant. **I.** Raison, sagesse.

Fraterniser
Syn. **I.** (S') accorder, (s') entendre, (se) solidariser, sympathiser, (s') unir.
Ant. **I.** (Se) battre, (se) brouiller, (se) détester, (se) disputer, (se) haïr.

Fraternité
Syn. **I.** Accord, altruisme, amitié, amour, camaraderie, charité, communion, concorde, confraternité, entente, harmonie, solidarité, sympathie, union.
Ant. **I.** Conflit, désunion, guerre, haine, hostilité, inimitié.

Fraude
Syn. **I.** Contrebande, dol, duperie, escroquerie, falsification, fourberie, manœuvre, ruse, supercherie, tricherie, tromperie.
Ant. **I.** Droiture, franchise, honnêteté, intégrité, loyauté, probité, scrupule, vérité.

Frauder
Syn. **I.** Escamoter, filouter, frustrer, tricher, tromper, voler.
Ant. **I.** (Être) honnête, rendre, restituer.

Frayer
Syn. *(V. tr.)* **I.** Faciliter, pratiquer, préparer, tracer. *(V. int.)* **I.** Aleviner, (se) reproduire. **III.** Côtoyer, coudoyer, fréquenter.
Ant. **I.** Bloquer, compliquer, entraver, nuire, obstruer. **III.** Abandonner, éviter, fuir.

Frayeur
Syn. **I.** Affolement, angoisse, anxiété, appréhension, crainte, effroi, épouvante, peur, saisissement, terreur, transe.
Ant. **I.** Aplomb, assurance, calme, courage, intrépidité, sang-froid, sérénité.

Fredaine V. *Frasque*

Freiner
Syn. **I.** Arrêter, bloquer, immobiliser, ralentir, retenir, serrer, stopper. **III.** Contrarier, diminuer, enrayer, gêner, modérer, refréner.
Ant. **I.** Accélérer, débloquer, presser. **III.** Aiguillonner, encourager, entraîner.

Frêle
Syn. **I.** Chétif, débile, délicat, faible, fin, fluet, malingre, ténu. **III.** Fugitif, passager.
Ant. **I.** Ferme, fort, gros, puissant, résistant, robuste, vigoureux. **III.** Durable, permanent.

Frémir
Syn. **I.** Bruire, craindre, frissonner, grelotter, palpiter, trembler, vibrer.

Ant. **I.** Affermir, assurer, (s') enhardir, (être) impassible, résister, solidifier.

Frémissement

Syn. **I.** Battement, bruissement, murmure, vibration. **II.** Émotion, frisson, frissonnement, sensibilité, tremblement.
Ant. **I.** Calme, silence. **II.** Flegme, impassibilité, indifférence, insensibilité, placidité, sérénité.

Frénésie

Syn. **I.** Agitation, aliénation, délire, égarement, emportement, fièvre, folie, surexcitation, transes. **II.** Ardeur, aveuglement, débordement, déchaînement, enthousiasme, fureur, furie, passion, violence.
Ant. **I.** et **II.** Calme, douceur, flegme, lenteur, mesure, modération, pondération, raison, réserve, retenue, sagesse, tranquillité.

Fréquent

Syn. **I.** Commun, continuel, courant, coutumier, habituel, nombreux, ordinaire, réitéré, répandu, répété, usuel.
Ant. **I.** Accidentel, anormal, clairsemé, espacé, exceptionnel, extraordinaire, inaccoutumé, inédit, inusité, rare, singulier, sporadique, unique.

Fréquentation

Syn. **I.** Accointance, amitié, commerce, connaissance, intimité, liaison, liens, rapports, relations, société. **II.** Amour, amourette. — Assiduité, régularité. — Pratique, usage.
Ant. **I.** Abandon, absence, délaissement, désunion, discorde, dissension, division, éloignement, restriction, rupture, séparation. **II.** Désuétude, non-usage.

Fréquenter

Syn. **I.** Aller, côtoyer, courir, cultiver, frayer avec, hanter, pratiquer, visiter, voir, voisiner.
Ant. **I.** Abandonner, délaisser, éviter, fuir, ignorer, quitter, rejeter.

Frère

Syn. **II.** Prochain, semblable. — Ami, camarade, compagnon, confrère, copain.

Fret

Syn. **I.** Affrètement, louage, nolis. — Cargaison, charge, chargement, marchandise.

Fréter

Syn. **I.** Affréter, louer, noliser. — Charger, équiper.

Frétillant

Syn. **I.** Alerte, guilleret, mobile, nerveux, remuant, sémillant, vif.
Ant. **I.** Calme, immobile, inébranlable, inflexible, paisible, posé, serein, tranquille.

Frétiller

Syn. **I.** (S') agiter, bouger, gigoter, remuer, (se) trémousser.
Ant. **I.** Apaiser, arrêter, calmer, immobiliser, tranquilliser.

Fretin

Syn. **I.** Alevin, frai, menuaille, nourrain, poissonnaille. **III.** Déchet, quantité négligeable, rebut, rien.
Ant. **III.** Fortune, richesse, trésor, valeur.

Friand

Syn. **I.** Gourmand, gourmet. **II.** *(Ch.)* Appétissant, délectable, délicat, délicieux, exquis. **III.** *(Pers.)* Amateur, amoureux, avide.
Ant. **II.** Dégoûtant, déplaisant, rebutant, repoussant.

Friandise

Syn. **I.** Bonbon, chatterie, confiserie, douceur, gâterie, nanan, sucrerie.

Fricassée

Syn. **I.** Blanquette, fricot, gibelotte, ragoût, salmis. **III.** Amalgame, mélange, méli-mélo, salmigondis.

Fricasser

Syn. **I.** Cuire, cuisiner, fricoter. **III.** Con-

sumer, dépenser, dissiper.
Ant. III. Conserver, entretenir, épargner.

Frictionner
Syn. I. Frotter, masser, oindre.

Frimas
Syn. I. Brouillard, brume, froid, froidure, givre, grésil, verglas.

Frime
Syn. (*Fam.*) I. Blague, comédie, mensonge, simulacre, trompe-l'œil.
Ant. I. Sérieux, vérité.

Fringale
Syn. I. Appétit, boulimie, faim-valle, voracité. III. Désir, envie, soif.
Ant. I. Anorexie. III. Dédain, indifférence, mépris.

Fringant
Syn. I. Fougueux, vif, vigoureux. II. Alerte, coquet, élégant, éveillé, guilleret, pétulant, grimpant, sémillant.
Ant. I. et II. Engourdi, grossier, inactif, inélégant, lent, lourd, lourdaud, malpropre, vulgaire.

Friper
Syn. I. Chiffonner, froisser, gâter. II. Flétrir, rider.
Ant. I. Défriper, défroisser, presser, repasser. II. Embellir, rajeunir.

Fripon
Syn. I. (*N.*) Brigand, coquin, vaurien. — (*Adj.*) Déluré, égrillard, espiègle, éveillé, malicieux, polisson, volage.
Ant. I. Gentleman, honnête, monsieur. — Endormi, modeste, probe, pudique, réservé.

Fripouille
Syn. I. Canaille, crapule, escroc, voyou.
Ant. I. Aristocrate, délicat, distingué, gentleman, honnête.

Frire
Syn. I. Cuire, fricasser, rôtir, (faire) sauter.

Friser
Syn. I. Bichonner, boucler, calamistrer, crêper, frisotter, onduler. II. Approcher de, confiner à, effleurer, frôler, raser, risquer.
Ant. I. Déboucler, défriser, lisser. II. (S') éloigner, fuir, pénétrer.

Frisson
Syn. I. Crispation, frémissement, frissonnement, grelottement, haut-le-corps, saisissement, spasme, sursaut, tremblement, tressaillement. II. Bruissement, friselis, froissement, frou-frou.
Ant. I. Abattement, chaleur, impassibilité, passivité, tranquillité. II. Silence.

Frissonner
Syn. I. Frémir, grelotter, trembler, tressaillir. II. Trembloter, vaciller, vibrer.
Ant. I. Demeurer calme, serein, tranquille ; garder son sang-froid.

Frivole
Syn. I. (*Ch.*) Futile, inconsistant, insignifiant, puéril, superficiel, vain, vide. — (*Pers.*) Étourdi, inconséquent, inconstant, insouciant, léger, volage.
Ant. I. Austère, digne, grave, important, profond, sérieux, solide. — Méditatif, penseur, pondéré, réfléchi, sage, sévère.

Froid
Syn. (*Adj.*) I. Frais, frisquet, gelé, glacé, glacial, hivernal, rigoureux, rude, sibérien. III. Calme, flegmatique, frigide, impassible, imperturbable, marmoréen. — Distant, grave, indifférent, réfrigérant, sérieux, sévère. — Dur, insensible, sec. (*N.*) I. Aquilon, brise, fraîcheur, frimas, froidure, glace, hiver. III. Antipathie, bouderie, fâcherie, froideur, mécontentement, mésintelligence.
Ant. (*Adj.*) I. Brûlant, chaud, torride. III. Ardent, émotif, impressionnable, vif. — Affectueux, aimable, chaleureux, cordial, expansif. — Charitable, sensible. (*N.*) I. Chaleur, chaud, été. III. Ardeur, conten-

tement, cordialité, empressement, enchantement, enthousiasme, sympathie.

Froisser
Syn. **I.** Bouchonner, chiffonner, friper. — Comprimer, contusionner, meurtrir. — Aplatir, écraser, fouler, frotter, piétiner. **III.** Blesser, choquer, déplaire à, désobliger, fâcher, heurter, indisposer, offenser, offusquer, piquer, vexer.
Ant. **I.** Défriper, défroisser, repasser. **III.** Contenter, flatter, ménager, obliger, plaire à, réjouir, satisfaire.

Frôler
Syn. **I.** Caresser, côtoyer, coudoyer, effleurer. **II.** Raser, serrer. **III.** Friser, risquer.
Ant. **I.** Éviter, fuir. **II.** Écarter, espacer. **III.** (S') éloigner.

Front (et De)
Syn. (N.) **I.** Face, figure, tête, visage. **II.** Façade, fronton, haut, sommet. — Aplomb, audace, effronterie, hardiesse, impudence. — Champ (d'honneur), guerre, ligne. — Bloc, cartel, coalition, groupement, ligue. — (Loc. adv.) **I.** (Du) côté de la face, par-devant, carrément, ouvertement, résolument, ensemble, (à la) fois.
Ant. (N.) **I.** Bas. **II.** Arrière, derrière, dos, flanc. — Lâcheté, peur, réserve, timidité. — Dispersion, division. — (Loc.) **I.** De biais, (par) derrière, (à la) file, isolément, secrètement, séparément.

Frontière
Syn. **I.** Borne, confins, démarcation, extrémité, ligne, limite, lisière. **III.** Délimitation, séparation.
Ant. **I.** Centre, intérieur, milieu.

Frotter
Syn. **I.** Appuyer, effleurer, frôler. — Astiquer, briquer, cirer, essuyer, fourbir, lisser, lustrer, nettoyer, polir. — Frictionner, masser.

Ant. **I.** (S') éloigner. — Délustrer, salir, ternir.

Frou-frou
Syn. **I.** Bruissement, frémissement, friselis, froissement, frôlement.

Fructifier
Syn. **I.** Donner, porter, produire, rapporter, rendre. **III.** (Se) développer.
Ant. **I.** Dégénérer, détruire. **III.** Dépérir, péricliter.

Fructueux
Syn. **I.** Avantageux, fécond, lucratif, productif, profitable, rémunérateur, rentable, salutaire, utile.
Ant. **I.** Futile, improductif, inefficace, infécond, infertile, infructueux, stérile, vain.

Frugalité
Syn. **I.** Abstinence, économie, modération, pauvreté, pondération, retenue, simplicité, sobriété, tempérance.
Ant. **I.** Abus, dépense, gaspillage, intempérance, prodigalité, surabondance, voracité.

Fruit
Syn. **I.** Agrume, akène, baie, grain. **II.** Enfant. — Rapport, revenu, usufruit. **III.** Avantage, bénéfice, profit, récompense. — Conséquence, effet, produit, résultat.

Fugitif
Syn. **I.** (N.) Déserteur, échappé, évadé, fuyard. **II.** (Adj.) Evanescent, fugace, inconstant, instable, mobile, mouvant, variable. **III.** Bref, court, éphémère, momentané, passager, périssable.
Ant. **II.** (Adj.) Constant, continu, durable, fixe, permanent, solide, stable, tenace.

Fuir
Syn. **I.** (V. intr.) (S'en) aller, décamper, déguerpir, déloger, (s') éloigner, (s') enfuir, (s') esquiver, filer, partir. **III.** Couler, (s') écouler, (s') évanouir, passer. —

(S') échapper, perdre. *(V. tr.)* **I.** Abandonner, (se) cacher, esquiver, éviter, (se) garder de, quitter, (se) soustraire à. *Ant.* **I.** *(V. intr.)* Approcher, demeurer, rester, séjourner. **III.** Durer, persister, (se) prolonger. — Garder. *(V. tr.)* **I.** Affronter, braver, défier, provoquer.

Fuite
Syn. *(Êtres vivants)* **I.** Échappée, évasion, exode. — Abandon, débâcle, débandade, déroute, dispersion, escapade, fugue, panique, sauve-qui-peut. **III.** Dérobade, échappatoire, excuse, faux-fuyant, subterfuge, volte-face. *(Ch.)* **I.** Déperdition, écoulement, perte. **III.** Indiscrétion. *Ant.* *(Êtres vivants)* **I.** Approche. — Résistance. **III.** Affrontement, droiture. *(Ch.)* **I.** Conservation. **III.** Discrétion.

Fulminer
Syn. *(V. intr.)* **I.** Détoner, exploser. **III.** (Se) déchaîner, éclater, (s') emporter, hurler, invectiver, pester, tempêter, tonner. *(V. tr.)* **I.** Lancer, prononcer. *Ant.* **III.** (Se) calmer, endurer, (se) maîtriser, patienter, souffrir, subir, supporter, tolérer.

Fumée
Syn. **II.** Exhalaison, gaz, nuage, vapeur. **III.** Chimère, frivolité, futilité, illusion, vanité.

Fumer
Syn. **I.** Boucaner, saurer. — Brûler (du tabac), griller.

Fumisterie
Syn. **III.** Attrape, farce, mystification, plaisanterie, tour. *Ant.* **III.** Gravité, sérieux.

Funèbre
Syn. **I.** Funéraire, mortuaire. **II.** Lugubre, macabre, noir, sépulcral, sinistre, sombre, triste. *Ant.* **II.** Gai, jovial, joyeux, plaisant, radieux, riant.

Funérailles
Syn. **I.** Ensevelissement, enterrement, inhumation, obsèques, sépulture, service (funèbre).

Funeste
Syn. **I.** Fatal, mortel. **II.** Déplorable, désastreux, douloureux, funèbre, lamentable, malheureux, néfaste, nuisible, pénible, sombre, triste. *Ant.* **II.** Avantageux, bon, favorable, heureux, profitable, propice, salutaire, utile.

Fureter
Syn. **I.** Chercher, explorer, farfouiller, fouiller, perquisitionner, rechercher, scruter.

Fureur
Syn. **I.** Agitation, aliénation, colère, emportement, folie, frénésie, furie, violence. **II.** Acharnement, ardeur, exaltation, passion, surexcitation, transport. — Manie, rage. *Ant.* **I.** Raison, (bon) sens. **II.** Calme, douceur, mesure, modération, onction, retenue, sang-froid, suavité.

Furibond V. *Furieux*

Furie
Syn. **I.** Agitation, colère, déchaînement, emportement, folie, impétuosité, rage, violence. — Acharnement, ardeur, courage. *Ant.* **I.** Calme, douceur, flegme, langueur, modération, nonchalance, sérénité, tranquillité.

Furieux
Syn. **I.** Agité, énergumène, enragé, fanatique, forcené, furibond, maniaque, possédé, violent. — Acharné, déchaîné, impétueux. *Ant.* **I.** Calme, doux, modéré, paisible, pondéré, raisonné, sensé, serein, tranquille.

Furtif
Syn. **I.** Discret, dissimulé, errant, fugace,

fugitif, rapide.
Ant. **I.** Franc, ostensible.

Fuser
Syn. **I.** Couler, fondre,. liquéfier. **III.**
Glisser, (se) répandre. — Jaillir.
Ant. **I.** Durcir, figer, solidifier.

Fusion
Syn. **I.** Coulée, fonte, liquéfaction. **III.**
Absorption, assemblage, assimilation,
combinaison, concentration, entente, in-
tégration, mélange, unification, union.
Ant. **I.** Coagulation, concrétion, congélation, solidification. **III.** Désunion, séparation.

Fusionner
Syn. **I.** Assembler, confondre, fondre,
grouper, joindre, mélanger, mêler, réunir, unifier, unir.
Ant. **I.** Désunir, disjoindre, diviser, séparer.

Fustiger
Syn. **I.** Battre. **II.** Cingler. **III.** Blâmer,
châtier, stigmatiser.
Ant. **I.** Choyer. **III.** Défendre, louer, récompenser.

Futaille
Syn. **I.** Baril, barrique, boucaut, foudre,
fût, pièce, tonneau.

Futé
Syn. **I.** Adroit, astucieux, débrouillard,
dégourdi, finaud, habile, madré, malicieux, malin, matois, roué, rusé.
Ant. **I.** Benêt, bête, dadais, godiche, maladroit, nigaud.

Futile
Syn. **I.** *(Ch.)* Banal, creux, frivole, insi-
gnifiant, inutile, puéril, vain, vide. **II.**
(Pers.) Léger, superficiel.
Ant. **I.** Grave, important, sérieux. **II.** Pro-
fond, sage.

Futilité
Syn. **I.** Enfantillage, frivolité, inanité, insignifiance, inutilité, légèreté, nullité,
puérilité, vanité, vide. **II.** Baliverne. —
Babiole, bagatelle, colifichet, fadaise,
niaiserie, rien, vétille.
Ant. **I.** Gravité, importance, intérêt,
poids, sagesse, sérieux, utilité. **II.** Apophtegme. — Avantage, bien, bijou, faveur,
gain, prix, profit, trésor, valeur.

Futur
Syn. **I.** *(Adj.)* Postérieur, prochain,
ultérieur. — *(N.)* Avenir, devenir,
lendemain. — Au-delà, éternité. —
Fiancé.
Ant. **I.** *(Adj.)* Antécédent, antérieur,
actuel, révolu. — *(N.)* Antiquité, passé,
présent, veille.

Fuyard
Syn. **I.** Déserteur, fugitif, lâcheur, vaincu.
Ant. **I.** Brave, courageux, héros, preux,
résistant, tenace.

G

Gabarit
Syn. **I.** Dimension, forme. **II.** Modèle,
patron, type. **III.** Acabit, genre.

Gâcher
Syn. **I.** Délayer. **III.** Abîmer, bâcler, dissiper, gaspiller, gâter, manquer, perdre,
miner, saboter.
Ant. **III.** (Bien) employer, exploiter,
profiter, tirer parti.

Gachis
Syn. **II.** Boue, fange, ordure, saleté. **III.**
Anarchie, chaos, confusion, désordre,
embrouillamini, gâchage, gaspillage,
méli-mélo, pagaille.

Ant. **III.** Agencement, arrangement, disposition, harmonie, ordre, organisation, symétrie.

Gadoue
Syn. **I.** Boue, détritus, engrais, fange, fumier, immondices, ordures, vidange.

Gaffe
Syn. **I.** Balourdise, bêtise, bévue, gaucherie, impair, maladresse.
Ant. **I.** Délicatesse, finesse, subtilité.

Gage(s)
Syn. **I.** Arrhes, aval, caution, couverture, dépôt, garantie, nantissement. **II.** Hypothèque, privilège, sûreté. **III.** Assurance, preuve, promesse, témoignage. **I.** *(Pl.)* Appointements, émoluments, paye, rétribution, salaire, traitement.

Gager
Syn. **I.** Affirmer, convenir, (s') engager à, miser, parier, promettre. — Garantir. — *(Vx)* Payer, salarier.

Gagne-pain
Syn. **I.** Emploi, état, métier, occupation, outil, place, profession, situation, travail. **III.** *(Pers.)* Pourvoyeur, soutien.

Gagner
Syn. **I.** Acquérir, empocher, encaisser, obtenir, ramasser, rapporter, toucher. — Bénéficier, conquérir, enlever, mériter, moissonner, prendre, récolter, recueillir, remporter, retirer, tirer profit. — (S') améliorer, augmenter, croître. — (S') attacher, (s') attirer, capter, captiver, (se) concilier, convaincre, persuader, séduire, subjuguer. — Aborder, atteindre, (se) diriger vers, rejoindre. — (Se) communiquer, (s') étendre, (se) propager, (se) répandre. — (S') emparer de, envahir.
Ant. **I.** Perdre, (être) privé de. — Echouer, reculer, (être) vaincu. — Choquer, déplaire. — Abandonner, (s') éloigner, partir. — Limiter, restreindre. — Quitter, (se) retirer.

Gai
Syn. **I.** Allègre, animé, content, enjoué, guilleret, heureux, hilare, jovial, joyeux, réjoui, riant, rieur, souriant. **II.** Amusant, comique, divertissant, drôle. — Encourageant, réjouissant.
Ant. **I.** Abattu, affligé, désolé, mélancolique, morose, navré, peiné, triste. **II.** Ennuyeux, noir, sérieux, sombre. — Attristant, décourageant.

Gaieté
Syn. **I.** Allégresse, animation, enjouement, entrain, exultation, hilarité, (belle, bonne) humeur, joie, jovialité, jubilation, liesse, satisfaction, vivacité.
Ant. **I.** Abattement, accablement, affliction, amertume, chagrin, douleur, ennui, hypocondrie, mélancolie, peine, tristesse.

Gaillard
Syn. *(Adj.)* **I.** Alerte, allègre, décidé, frais et dispos, fringant, vaillant, valide, vert, vif, vigoureux. — Enjoué, gai, jovial, joyeux. **II.** Cru, égrillard, folichon, graveleux, grivois, léger, leste, libre, licencieux. *(N.)* **I.** Costaud, drôle, gars, lascar, luron.
Ant. **I.** Chétif, débile, épuisé, faible, fatigué, malingre, timide. — Chagrin, triste. **II.** Décent, grave, pudique, respectueux, sérieux.

Gain
Syn. **I.** Réussite, succès, victoire. **II.** Acquêt, acquisition, avantage, bénéfice, boni, dividende, lucre, profit, rétribution, revenu.
Ant. **I.** Échec, insuccès, revers. **II.** Dépense, déperdition, désavantage, dommage, perte, ruine.

Gala
Syn. **I.** Cérémonie, réception. **II.** Banquet, festin, fête, réjouissance.

Galant
Syn. *(Adj.)* **I.** Attentionné, courtois, délicat, empressé, entreprenant, obligeant, poli, prévenant. — Distingué, élégant,

fin, généreux, gracieux. **II.** Aguichant, libertin, troublant. — *(N.)* **I.** Amant, amoureux, play-boy, soupirant.
Ant. **I.** Déplaisant, désagréable, froid, gauche, grossier, impoli, incivil, incorrect, indélicat. — Commun, épais, lourdaud, rustaud, rustre. **II.** Pudique, réservé.

Galanterie
Syn. **I.** Amabilité, civilité, courtoisie, déférence, délicatesse, empressement, gentillesse, politesse, prévenance, respect. **II.** Coquetterie, cour, flirt, marivaudage.
Ant. **I.** Brutalité, dureté, grossièreté, impolitesse, incivilité, insolence, muflerie, rudesse, rusticité. **II.** Froideur.

Galbe
Syn. **I.** Contour, courbe, courbure, forme, ligne, profil, silhouette, sinuosité.

Galerie
Syn. **I.** Balcon, péristyle, portique, véranda. — Corridor, couloir, vestibule. **II.** Collection, musée. — Assistance, auditoire, frime *(fam.),* monde, public, opinion des hommes, spectateurs. **I.** Porte-bagage *(auto).* — Abri, boyau, catacombes, tunnel.

Galimatias
Syn. **I.** Amphigouri, baragouin, charabia, embrouillamini, entortillage, logogriphe, pathos, phébus. **II.** Désordre, fatras, fouillis, imbroglio, méli-mélo.
Ant. **I.** Clarté, cohérence, précision, purisme. **II.** Ordre, organisation.

Galvaniser
Syn. **I.** Électriser. — Argenter, chromer, dorer, métalliser, nickeler, zinguer. **III.** Animer, enflammer, entraîner, exalter, exciter.
Ant. **III.** Abattre, affaiblir, aveulir, décourager, déprimer.

Galvauder
Syn. **I.** Avilir, déshonorer, gaspiller, perdre.

Ant. **I.** Élever, exalter, honorer, respecter, revaloriser.

Gambade
Syn. **I.** Bond, cabriole, culbute, entrechat, galipette, saut.

Gambader
Syn. **I.** Bondir, cabrioler, danser, (s') ébattre, sauter, sautiller.

Gangrener
Syn. **I.** Infecter, pourrir, putréfier. **III.** Corrompre, empoisonner, ronger, vicier.
Ant. **I.** Guérir. **III.** Assainir, enrayer, purifier.

Garage
Syn. **I.** Abri, dépôt, remise. — Poste d'essence, station-service.

Garant
Syn. **I.** *(Pers.)* Caution, endosseur, otage, répondant, responsable. — *(Ch.)* Assurance, gage, garantie, sûreté.

Garantie
Syn. **I.** Arrhes, assurance, aval, caution, couverture, dépôt, engagement, gage, hypothèque, nantissement, obligation, précaution, responsabilité, signature.
Ant. **I.** Aléa, hasard, risque.

Garantir
Syn. **I.** Avaliser, cautionner, couvrir, endosser, répondre. **II.** Affirmer, assurer, attester, certifier, confirmer, promettre. **I.** Abriter, défendre, prémunir, préserver, protéger.
Ant. **I.** Compromettre, exposer. **II.** Nier.

Garde
Syn. **I.** Gardien. — Garde-malade, infirmière, nurse.

Garder
Syn. **I.** Amasser, conserver, destiner, économiser, épargner, receler, réserver, retenir, tenir. **II.** Chaperonner, prendre soin, surveiller, veiller sur. — Détenir, enfermer, séquestrer. — Garantir, préserver,

protéger, sauvegarder. — Accomplir, maintenir, observer, pratiquer, respecter. *Ant.* **I.** Céder, détruire, dissiper, divulguer, donner, évacuer, perdre, rendre, renoncer à. **II.** Abandonner, délaisser, laisser, négliger. — Congédier, délivrer. — Détériorer, gâter. — Enfreindre, oublier.

Gardien
Syn. **I.** Concierge, conservateur, consignataire, dépositaire, garde, geôlier, sentinelle, surveillant. **II.** Garant, policier, protecteur, tuteur. **III.** Cerbère, dragon.

Gare
Syn. **I.** Arrêt, dépôt, embarcadère, halte, station. **II.** Station de métro. — Gare routière. — Aérogare, aéroport.

Garer (et Se)
Syn. **I.** *(V. tr.)* Abriter, ranger. *(V. pr.)* (Se) défendre, éviter, (se) préserver, (se) protéger.
Ant. **I.** Déranger, exposer. — Heurter, rencontrer.

Garnir
Syn. **I.** Approvisionner, armer, équiper, fortifier, fournir, meubler, munir, outiller, pourvoir, remplir, renforcer. **II.** Occuper. — Agrémenter, capitonner, décorer, doubler, encadrer, enrichir, entourer, fourrer, orner, ouater, ouatiner, tapisser.
Ant. **I.** Affaiblir, amoindrir, dégarnir, démunir, dénuder, dépouiller, enlever, priver. **II.** Dépeupler, vider. — Déparer, enlaidir.

Garniture
Syn. **I.** Armement, assortiment, ensemble, fourniture, gréement. **II.** Accessoire, agréments, bordure, doublure, embellissement, fanfreluche, ornement, parure.

Gars
Syn. **I.** Garçon, jeune homme, mâle. — Gaillard, type.

Gascon
Syn. **I.** Bluffeur, craqueur, fanfaron, hableur, menteur, vantard.
Ant. **I.** Franc, modeste, sincère, vrai.

Gaspillage
Syn. **I.** Coulage, dilapidation, dissipation, prodigalité.
Ant. **I.** Accumulation, avarice, conservation, économie, épargne.

Gaspiller
Syn. **I.** Dépenser, dilapider, dissiper, engloutir, prodiguer. **II.** Gâcher, perdre.
Ant. **I.** Accumuler, conserver, économiser, entasser, épargner, ménager, réserver.

Gastronome
Syn. **I.** Bec fin, gourmet, gueule fine, Lucullus.
Ant. **I.** Abstinent, ascète, frugal, sobre, tempérant.

Gâter
Syn. **I.** Altérer, avarier, corrompre, détériorer, pourrir, putréfier. **II.** Compromettre, défigurer, enlaidir, gâcher. **III.** Choyer, combler, soigner.
Ant. **I.** Améliorer, amender, bonifier, conserver, entretenir, purifier, préserver. **II.** Décorer, embellir, enjoliver. **III.** Maltraiter.

Gauche
Syn. **I.** Senestre. — *(Ch.)* Dévié, oblique, tordu. **II.** *(Pers.)* Balourd, contraint, disgracieux, embarrassé, empêtré, empoté, emprunté, gêné, inhabile, lourdaud, maladroit, malhabile, manchot, pataud.
Ant. **I.** Dextre, droit. — *(Ch.)* Droit, plan. **II.** *(Pers.)* Adroit, agile, habile, souple, vif.

Gaucherie
Syn. **I.** Balourdise, bévue, bourde, embarras, inhabileté, lourdeur, maladresse.
Ant. **I.** Adresse, agilité, aisance, dextérité, diplomatie, finesse, grâce, habileté, ingéniosité, savoir-vivre, souplesse.

Gaulois
Syn. **III.** Égrillard, épicé, franc, gaillard, gras, grivois, leste, licencieux.

Gaver (et Se)
Syn. *(V. tr.)* **I.** Engraisser. **II.** Bourrer *(fam.)*, emplir, gorger, rassasier. *(V. pr.)* **I.** Dévorer, (s') empiffrer, engloutir. **III.** (S') abreuver, (se) repaître. *Ant.* **I.** Priver, sous-alimenter. **I.** (S') abstenir, jeûner. **III.** (Se) priver.

Gaze
Syn. **I.** Mousseline. **II.** Pansement, taffetas, tampon.

Gazouillement
Syn. **I.** Babil, bruissement, chant, chuchotement, gazouillis, murmure, ramage.

Géant
Syn. (N.) **I.** Colosse, cyclope, mastodonte, ogre, titan. **III.** Génie, héros, surhomme. *(Adj.)* **I.** Colossal, cyclopéen, démesuré, énorme, gigantesque, grand, immense, monumental. *Ant. (N.)* **I.** Avorton, gnome, nain, nabot, pygmée, riquiqui. — *(Adj.)* Petit.

Gelée
Syn. **I.** Frimas, froid, gel, givre, glace, verglas. **II.** Confiture.

Geler
Syn. (V. tr.) **I.** Congeler, glacer. **II.** (Se) coaguler, figer. **III.** Gêner, intimider, pétrifier, réfrigérer, refroidir. *(V. intr.)* **I.** (Se) congeler, (se) figer, (se) prendre. **II.** Grelotter, (être) transi. *Ant.* **I.** Bouillir, dégeler, fondre, liquéfier, réchauffer. **III.** Encourager, enhardir, rassurer.

Gémir
Syn. **I.** Crier, geindre, (se) lamenter, murmurer, (se) plaindre. **II.** Pleurer. **III.** Peiner, souffrir.

Gêne
Syn. **I.** Chaîne, charge, contrainte, difficulté, embarras, ennui, entrave, incom-

modité, inconvénient, malaise, obstacle, sujétion. **II.** Besoin, dénuement, indigence, misère, pauvreté, pénurie, privation. — Confusion, froid, timidité, trouble. *Ant.* **I.** Aise, commodité, facilité, liberté. **II.** Abondance, aisance, bien-être, fortune, opulence, richesse. — Aplomb, assurance, confiance, effronterie, familiarité.

Généalogie
Syn. **I.** Ascendance, descendance, extraction, famille, filiation, lignée, origine, race, souche. **II.** Classification, dérivation, suite.

Gêner
Syn. **I.** Angoisser, brider, contraindre, contrarier, déplaire, déranger, embarrasser, empêcher, encombrer, engoncer, entraver, importuner, incommoder, indisposer, nuire, obstruer, oppresser, paralyser, priver, restreindre, serrer, tourmenter. **II.** Affecter, intimider, troubler. *Ant.* **I.** Accommoder, aider, assister, débarrasser, dégager, faciliter, libérer, servir, soulager. **II.** Mettre à l'aise.

Général
Syn. (N.) **I.** Capitaine, chef, officier. **II.** Supérieur majeur. *(Adj.)* **I.** Commun, constant, courant, dominant, habituel, ordinaire, répandu. — Collectif, global, total, unanime, universel. **II.** Abstrait, indécis, large, sommaire, superficiel, vague. *Ant. (Adj.)* **I.** Exceptionnel, inhabituel, local, partiel, rare. — Individuel, particulier, singulier, spécial. **II.** Distinct, précis, restreint.

Généralité(s)
Syn. **I.** Commun, majorité, multitude, (la) plupart. — *(Pl.)* Banalités, lieux communs, idées générales, notions vagues. *Ant.* **I.** Exception, minorité. — Détails, précisions.

Génération

Syn. **I.** Multiplication, procréation, propagation, reproduction. **II.** Descendance, enfant, filiation, lignée, postérité, progéniture, rejeton, souche. **III.** Genèse, production.

Généreux

Syn. **I.** Bienveillant, bon, charitable, fraternel, humain, large, libéral, magnanime, obligeant, prodigue. **II.** Élevé, grand, noble. **III.** Copieux, fécond, fertile, plantureux, productif, réconfortant, riche.
Ant. **I.** Avare, avaricieux, cruel, cupide, égoïste, intéressé, ladre, regardant. **II.** Bas, mesquin, petit, vil. **III.** Aride, médiocre, pauvre, sec, stérile.

Générosité(s)

Syn. **I.** Bienfaisance, bonté, charité, clémence, dévouement, grandeur d'âme, libéralité, magnanimité, noblesse, prodigalité. — *(Pl.)* Bienfaits, cadeaux, dons, largesses.
Ant. **I.** Avarice, bassesse, cupidité, égoïsme, lâcheté, mesquinerie, petitesse.

Génial

Syn. **II.** Bon, fécond, fort, formidable, ingénieux, inspiré, lumineux.
Ant. **II.** Commun, faible, médiocre, moyen, ordinaire.

Génie

Syn. **I.** Esprit, gnome, lutin, sylphe. — Esprit. — Bosse *(fig.* et *fam.),* disposition, don, goût, penchant, talent. **III.** Aigle, phénix.
Ant. **I.** Ignorance, inaptitude, incapacité. **III.** Médiocrité, nullité, zéro.

Genre

Syn. **I.** Catégorie, classe, classification, embranchement, espèce, famille, ordre, race, sorte, type, variété. **II.** Allure, attitude, façon, goût, manière, mode, tenue. — Caractère, composition, forme, style.

Gens

Syn. **I.** Êtres, habitants, hommes, individus, monde, personnes, public.

Gentil(s)

Syn. **I.** *(N.)* Idolâtres, infidèles, mécréants, païens. — *(Adj.)* Agréable, aimable, amène, beau, charmant, chic, courtois, déférent, délicat, généreux, gracieux, joli, mignon, obligeant, plaisant.
Ant. **I.** *(N.)* Chrétiens, croyants, fidèles, juifs. — *(Adj.)* Déplaisant, désagréable, disgracieux, dur, égoïste, ennuyeux, insupportable, laid, méchant, odieux.

Gentillesse

Syn. **I.** Amabilité, aménité, bienveillance, bonté, charme, complaisance, courtoisie, déférence, délicatesse, douceur, générosité, (bonne) grâce, indulgence, obligeance. **II.** Attention, prévenance.
Ant. **I.** Balourdise, discourtoisie, grossièreté, impolitesse, insolence, rudesse. **II.** Dureté, méchanceté.

Génuflexion

Syn. **I.** Agenouillement, fléchissement, prostration, prosternement. **III.** Adulation, flatterie, obséquiosité, servilité.
Ant. **III.** Arrogance, dédain, hauteur, mépris.

Geôle

Syn. **I.** Cachot, cellule, prison, violon.

Geôlier

Syn. **I.** Garde, garde-chiourme, gardien, guichetier, porte-clefs, surveillant.
Ant. **I.** Captif, détenu, prisonnier.

Géométrique

Syn. **II.** Exact, mathématique, méthodique, précis, régulier, rigoureux.
Ant. **II.** Approximatif, confus, erroné, imprécis, inexact, vague.

Gérant

Syn. **I.** Administrateur, agent, directeur, dirigeant, fondé de pouvoir, gestionnaire, mandataire, patron, régisseur, tenancier.

Gercé
Syn. **I.** Craquelé, crevassé, fendillé, fendu, lézardé.
Ant. **I.** Doux, lisse, poli, uni.

Gérer
Syn. **II.** Administrer, conduire, diriger, gouverner, mener, régir.

Germe
Syn. **I.** Embryon, foetus, grain, graine, kyste, oeuf, semence, sperme, spore. — Bactérie, microbe. **II.** Cause, commencement, départ, fondement, origine, principe, racine, rudiment, semence, source. **III.** Brandon, élément, ferment, levain.
Ant. **II.** Conclusion, conséquence, fin, résultat, suite, terme.

Germer
Syn. **III.** (Se) développer, (se) former, (s') implanter, naître.
Ant. **III.** Conclure, éclore, étouffer, faner, mourir, mûrir.

Geste (s)
Syn. *(N.m.)* **I.** Allure, attitude, contenance, contorsion, démonstration, manière, mouvement, posture, signe, tenue. **III.** Acte, action, œuvre. *(N.f.)* **I.** Conduite, exploits. **II.** Épopée.
Ant. *(N.m.)* **I.** Immobilité, inaction, inertie, stagnation.

Gestion
Syn. **I.** Administration, conduite, direction, économat, gérance, intendance, maniement, organisation, régie.
Ant. **I.** Soumission, subordination.

Gibecière
Syn. **I.** Besace, carnassière, carnier, musette, sac.

Gibet
Syn. **I.** Croix, échafaud, potence. **II.** Corde.

Gicler
Syn. **I.** Éclabousser. **II.** Jaillir, rejaillir, (se) répandre.

Gifler
Syn. **I.** Battre, claquer, souffleter. **II.** Cingler, fouetter. **III.** Humilier.
Ant. **I.** Caresser, ménager. **III.** Exalter.

Gigantesque
Syn. **I.** *Colossal,* cyclopéen, démesuré, éléphantesque, géant, monstrueux, monumental, titanesque. **III.** Considérable, *énorme,* étonnant, excessif, fantastique, formidable, incommensurable, prodigieux.
Ant. **I.** Exigu, minime, minuscule, mesuré, moyen, petit, ténu. **II.** Banal, commun, délicat, enfantin, insignifiant, médiocre, ordinaire, subtil.

Gîte
Syn. **I.** Abri, demeure, habitation, logement, logis, maison. — *(Gibier)* Antre, bauge, caverne, forme, liteau, nid, repaire, retraite, tanière, terrier.

Glace(s)
Syn. **I.** Banquise, froid, gel, gelée, givre, glacier, glaçon, iceberg, verglas. **II.** Miroir, psyché, trumeau, vitre. — Crème glacée, rafraîchissement, sorbet.

Glacer
Syn. **I.** Congeler, geler, solidifier. **II.** Frapper, refroidir, transir. — Enrober. — Cirer, lustrer, vernir. **III.** Engourdir. — Figer, intimider, paralyser, pétrifier.
Ant. **I.** Chauffer, dégeler, fondre, réchauffer. **III.** Aiguillonner, animer, éveiller, exciter, rassurer, réconforter, stimuler.

Glacial
Syn. **I.** Froid. **III.** Antipathique, distant, dur, hautain, imperturbable, insensible, sec.
Ant. **I.** Ardent, brûlant, chaud, torride, tropical. **III.** Accueillant, chaleureux, enthousiaste, sympathique, sensible.

Glaive
Syn. **I.** Dard, épée, lance, poignard.

Glaner
Syn. **I.** Cueillir, ramasser, récolter, recueillir. **III.** Butiner, grappiller, puiser.
Ant. **I.** Abandonner, délaisser, disperser, jeter, rejeter, repousser, semer.

Glapir
Syn. **I.** Aboyer, clabauder, japper. **II.** Crier.

Glèbe
Syn. **I.** Champ, sol, terre, terroir.

Glissade
Syn. **I.** Chute, dégringolade. **II.** Glissoire. **III.** Faiblesse, faute, faux pas.

Glisser (et Se)
Syn. *(V. intr.)* **I.** (S') affaler, couler, coulisser, déraper, échapper, filer, patiner, rouler, skier, tomber. **II.** Courir, effleurer, errer, filtrer, (s') infiltrer, pénétrer. **III.** (S') abandonner, déchoir, (se) laisser aller, sombrer. *(V. tr.)* **I.** Engager, insinuer, introduire, passer. *(V. pr.)* **I.** (Se) couler, entrer, (se) faufiler, (s') insinuer, (s') introduire, (se) mettre.
Ant. *(V. intr.)* **I.** Arrêter, freiner, immobiliser, stopper. **II.** Approfondir, appuyer, insister. **III.** Cesser, (s') élever, monter. *(V. tr.)* **I.** Enlever, retirer. *(V. pr.)* **I.** Retenir, sortir.

Globe
Syn. **I.** Boule, orbe, rond, sphère. — Mappemonde, planisphère, terre.

Gloire
Syn. **I.** Beauté, célébrité, éclat, éloge, grandeur, hommage, honneur, illustration, immortalité, louange, lustre, notoriété, popularité, prestige, rayonnement, renom, renommée, réputation, splendeur, témoignage. **III.** Auréole, lauriers, nimbe.
Ant. **I.** Abjection, avilissement, déchéance, dégradation, déshonneur, flétrissure, honte, humiliation, ignominie, infamie, obscurité, opprobre, turpitude.

Glorieux
Syn. **I.** Beau, célèbre, éclatant, éminent, fameux, grand, honorable, illustre, immortel, insigne, mémorable, populaire, réputé. **II.** Magnifique, splendide.
Ant. **I.** Avilissant, déshonorant, flétrissant, honteux, humiliant, ignoble, ignominieux, ignoré, infamant, infâme, méprisé, obscur.

Glorifier (et Se)
Syn. **I.** *(V. tr.)* Bénir, célébrer, chanter, exalter, fêter, honorer, louanger, louer, magnifier, prôner, vanter. — *(V. pr.)* (S') enorgueillir, (se) flatter, (se) louer, (se) piquer, (se) prévaloir, (se) targuer, (se) vanter.
Ant. **I.** *(V. tr.)* Abaisser, avilir, déshonorer, diffamer, discréditer, flétrir, honnir, humilier, rabaisser, salir. — *(V. pr.)* (S') abaisser, etc.

Glose
Syn. **I.** Commentaire, critique, explication, interprétation, observation, note, réflexion, remarque.

Gloser
Syn. **I.** Annoter, commenter, expliquer, interpréter, traduire. **II.** Critiquer, épiloguer.
Ant. **II.** Approuver, défendre.

Glossaire
Syn. **I.** Dictionnaire, lexique, recueil.

Glouton
Syn. **I.** Avide, bâfreur, goinfre, goulu, gourmand, insatiable, vorace.
Ant. **I.** Frugal, pondéré, réglé, sobre, tempérant.

Gluant
Syn. **I.** Collant, poisseux, sirupeux, visqueux. **III.** Encombrant, importun, tenace.
Ant. **I.** Desséché, lisse, rude, verni. **III.** Charmant, opportun.

Gnome
Syn. **I.** Esprit, génie. **II.** Nabot, nain.
Ant. **II.** Colosse, géant.

Gobelet
Syn. **I.** Chope, godet, quart, tasse, timbale, vase.

Gober
Syn. **I.** Absorber, avaler, engloutir, engouffrer, ingurgiter, manger. **III.** Appréciei, estimer.

Gogo (*n. et adj.*)
Syn. **I.** Bon, crédule, gobe-mouche, gobeur, naïf, simple.
Ant. **I.** Avisé, défiant, incrédule, sceptique, soupçonneux.

Gogo (À)
Syn. **I.** Abondamment, (à) discrétion, (à) profusion, (à) souhait.
Ant. **I.** (Un) brin, (une) goutte, (une) miette, (un) tantinet.

Goguenard
Syn. **I.** Chineur, gouailleur, moqueur, narquois, railleur.
Ant. **I.** Grave, sérieux, sévère.

Goinfre V. *Glouton*

Golfe
Syn. **I.** Baie, crique, échancrure, estuaire.
Ant. **I.** Cap, péninsule, pointe, presqu'île.

Gondoler (ou **Se gondoler**)
Syn. **I.** (Se) bomber, (se) courber, (se) déjeter, (se) gonfler, travailler. **III.** Rire à se tordre.
Ant. **I.** Aplanir, (s') aplanir, (s') aplatir, égaliser, (se) redresser.

Gonfler
Syn. (*V. intr.*) **I.** (S') arrondir, bouffer, cloquer, (s') élargir, gondoler, travailler.

Gorge
Syn. **I.** Gosier. **II.** Buste, poitrine, sein. — Canon, col, couloir, défilé, passage. — Cannelure, rainure.

(*V. tr.*) **I.** Augmenter, ballonner, bomber, bouffir, boursoufler, dilater, distendre, enfler, remplir, souffler. **III.** Exagérer, grossir, surestimer.
Ant. **I.** Aplatir, comprimer, contracter, dégonfler, déprimer, désenfler, diminuer, rétrécir, vider. **III.** Amoindrir, atténuer, minimiser.

Gorger
Syn. **I.** Bourrer, gaver, rassasier, saturer, soûler. **III.** Combler, gâter, remplir.
Ant. **I.** Dégorger, désemplir, rejeter, vider, vomir. **III.** Priver.

Gosier
Syn. **II.** Gorge, larynx, pharynx.

Gouailleur
Syn. **I.** Facétieux, ironique, moqueur, railleur.
Ant. **I.** Louangeur, sérieux.

Gouffre
Syn. **I.** Abîme, cavité, fosse, précipice, profondeur, trou, vide.

Goulu V. *Glouton*

Gourd
Syn. **I.** Engourdi, gonflé, perclus. **III.** Lourdaud, mastoc, niais.
Ant. **I.** et **III.** Agile, dégourdi.

Gourde
Syn. **II.** Bidon, bouteille, calebasse, flacon. **III.** Bête, godiche, stupide.
Ant. **III.** Adroit, fin, intelligent.

Gourdin
Syn. **I.** Bâton, massue, matraque, rondin, trique.

Gourmand V. *Glouton*

Gourmander
Syn. **I.** Admonester, blâmer, gronder, morigéner, réprimander, semoncer, sermonner, tancer.
Ant. **I.** Approuver, complimenter, féliciter, flatter, glorifier, honorer, louanger.

Gourmé
Syn. **II.** Affecté, cérémonieux, compassé, empesé, grave, guindé, important, prétentieux, raide.
Ant. **II.** Humble, modeste, naturel, réservé, simple, timide.

Gourmet
Syn. **I.** Amateur, (fin) connaisseur, dégustateur, gastronome.

Goût
Syn. **I.** Saveur. — **Appétit,** désir, envie. **II.** Amour, aptitude, attachement, attirance, attrait, disposition, inclination, intérêt, penchant, prédilection, préférence, talent. — Bouquet, délicatesse, discernement, élégance, finesse, grâce, (bon) ton. — Opinion. — Genre, manière, mode, style. *Ant.* **I.** Dégoût. **II.** Antipathie, aversion, dédain, inaptitude, incapacité, incompétence, indisposition, horreur, répugnance, répulsion. — Grossièreté, vulgarité.

Goûter
Syn. **I.** Déguster, savourer. **II.** Essayer, expérimenter. — Éprouver, ressentir, sentir. — Aimer, approuver, (se) délecter de, jouir de, raffoler de.
Ant. **II.** Désapprouver, détester, haïr.

Gouvernail
Syn. **I.** Barre, roue, timon. — Empennage, gouverne. **III.** Conduite, direction, tête.

Gouvernement
Syn. **I.** Administration, autorité, cabinet, conduite, direction, État, force (publique), pouvoir, puissance, régime, règne. — *(Vx)* Maîtrise (de soi-même).
Ant. **I.** Anarchie, désordre, opposition, sujet.

Gouverner
Syn. **I.** Manoeuvrer, piloter. — Administrer, commander, conduire, diriger, gérer, mener, prévoir, régenter, régir, régner.

III. Dominer, freiner, maîtriser, refréner, régler.
Ant. **I.** Obéir, (se) soumettre. **III.** (S') abandonner, subir.

Grabuge
Syn. **I.** Bruit, désordre, dispute, gâchis, querelle, vilain *(n.).* **II.** Bagarre, bataille.
Ant. **I.** et **II.** Calme, entente, harmonie, silence, tranquillité.

Grâce
Syn. **I.** Agrément, aisance, attrait, beauté, charme, élégance, facilité, finesse, goût, ornement. **II.** Affabilité, amabilité, aménité, bienveillance, douceur, gentillesse. — Aide, avantage, bénédiction, bienfait, don, faveur, secours, service. — Amnistie, miséricorde, pardon, remise, rémission, sursis. — Reconnaissance, remerciement.
Ant. **I.** Déformation, difformité, inélégance, informité, laideur. — Défaveur, haine, malveillance. — Dette, obligation. — Condamnation, disgrâce, exécution. — Ingratitude.

Gracieux
Syn. **I.** Attrayant, beau, charmant, délicat, élégant, gentil, gracile, joli, mignon, plaisant. **II.** Accort, affable, agréable, aimable, avenant, courtois, distingué, raffiné. — Bénévole, gratuit.
Ant. **I.** Déplaisant, disgracieux, inélégant, informe, laid. — Désagréable, discourtois, grossier, impoli, trivial. — Onéreux.

Gracile
Syn. **I.** Délicat, élancé, fluet, frêle, grêle, menu, mince.
Ant. **I.** Ample, costaud, géant, gros, jouflu, trapu, volumineux.

Gradation
Syn. **I.** Accroissement, augmentation, progression, succession. **II.** Degré, grade, palier.
Ant. **I.** Saut, saute.

Grade
Syn. **I.** Avancement, degré, échelon, promotion, rang, titre.

Grain
Syn. **I.** Germe, semence. **II.** Corpuscule, fragment, morceau, parcelle. — Aspérité, inégalité. — Averse, ondée, pluie. **III.** Atome, brin, once, pointe.

Graisser
Syn. **I.** Huiler, lubrifier, oindre. **II.** Encrasser, salir, souiller. **III.** Payer, soudoyer.
Ant. **I.** Dégraisser. **II.** Essuyer, nettoyer, purifier. **III.** Respecter.

Grand
Syn. **I.** Colossal, élancé, élevé, géant, gigantesque, haut. — Long. — Ample, étendu, immense, large, spacieux, vaste. — Intense, vif, violent. — Considérable, essentiel, important, principal. **II.** Auguste, beau, courageux, excellent, fameux, généreux, glorieux, grandiose, illustre, magnanime, magnifique, noble, somptueux, supérieur. — Emphatique, exagéré, grandiloquent, pompeux, solennel.
Ant. **I.** Minime, petit. — Bref, court. — Exigu. — Faible, médiocre, moyen. — Bas, mesquin, modeste. — Simple, sobre.

Grandement
Syn. **I.** Abondamment, amplement, beaucoup, considérablement, énormément, fortement. — Généreusement, largement. — Noblement.
Ant. **I.** (À) peine, peu. — Mesquinement, parcimonieusement, petitement. — Bassement.

Grandeur
Syn. **I.** Amplitude, dimension, format, stature, taille. — Longueur. — Ampleur, étendue, immensité. — Énormité, gravité, importance, intensité. **II.** Élévation, force, gloire, majesté, pouvoir, puissance. — Beauté, dignité, générosité, magnanimité, mérite, noblesse, sublimité, valeur.

Ant. **I.** Exiguïté, petitesse. — Faiblesse, médiocrité. — Décadence, déchéance, déclin, dégradation, impuissance, ruine. — Bassesse, mesquinerie.

Grandiloquence
Syn. **I.** Emphase.
Ant. **I.** Naturel, simplicité.

Grandiose
Syn. **I.** Auguste, beau, digne, élevé, grand, imposant, impressionnant, magnifique, majestueux, monumental, noble, olympien, solennel.
Ant. **I.** Banal, commun, insignifiant, médiocre, mesquin, ordinaire, petit.

Grandir
Syn. *(V. intr.)* **I.** (S') allonger, croître, (se) développer, (s') élever, monter, pousser, profiter. **III.** (S') accroître, (s') aggraver, augmenter, (s') étendre. *(V. tr.)* **I.** Agrandir, grossir, hausser. **III.** Amplifier, développer, élever, ennoblir, exagérer, exalter, fortifier.
Ant. **I.** Décroître, diminuer, rapetisser. **III.** Abaisser, abréger, amoindrir, atténuer, déprécier, rabaisser, réduire, restreindre, simplifier.

Graphique *(n.)*
Syn. **I.** Courbe, dessin, diagramme, tableau, tracé.

Grappiller
Syn. **I.** Cueillir, glaner, prendre, ramasser, récolter, recueillir.
Ant. **I.** Abandonner, disperser, emblaver, ensemencer, jeter, propager, répandre, semer.

Gras
Syn. **I.** Adipeux, bouffi, charnu, corpulent, dodu, grassouillet, gros, obèse, pansu, potelé, rebondi, replet, rond, rondelet, ventru. **II.** Épais, gluant, onctueux, pâteux. **III.** Abondant, fertile, plantureux. — Graveleux, licencieux, obscène.
Ant. **I.** Chétif, décharné, efflanqué, éma-

cié, étique, fluet, gracile, grêle, maigre, menu, mince. **II.** Desséché, rude. **III.** Pauvre, sec. — Honnête, pudique.

Gratification
Syn. **I.** Avantage, boni, cadeau, commission, dessous de table, don, étrennes, faveur, générosité, guelte, largesse, libéralité, pot-de-vin, pourboire, présent, prime, récompense, ristourne.
Ant. **I.** Amende, pénalisation, retenue.

Gratifier
Syn. **I.** Accorder, allouer, attribuer, avantager, distribuer, donner, doter, douer, favoriser, honorer, imputer, nantir, octroyer, récompenser.
Ant. **I.** Énlever, imposer, ôter, pénaliser, priver, refuser, retrancher, soustraire, supprimer.

Gratis
Syn. **I.** Bénévolement, gracieusement, gratuitement, (à) titre gracieux.
Ant. **I.** Coûteusement, (à) titre onéreux.

Gratitude
Syn. **I.** Reconnaissance.
Ant. **I.** Ingratitude.

Gratter
Syn. **I.** Frotter, racler. — Fouiller, remuer. — Effacer, enlever, entamer.

Gratuit
Syn. **I.** Bénévole, désintéressé, gracieux. **II.** Libre. — Absurde, arbitraire, fantaisiste, hasardeux, hypothétique, injustifié, irrationnel.
Ant. **I.** Intéressé. **II.** Payant. — Fondé, motivé.

Gravats *ou* **gravois**
Syn. **I.** Débris, décombres, plâtras.

Grave
Syn. **I.** Bas, caverneux, profond. **III.** Austère, circonspect, digne, imposant, majestueux, posé, raide, réservé, rigide, sérieux, solennel. — Important, sérieux.

— Alarmant, critique, cruel, dangereux, dramatique, inquiétant, pénible, redoutable, tragique.
Ant. **I.** Aigu, clair. **III.** Badin, bouffon, comique, enfantin, familier, frivole, léger. — Anodin, bénin, futile.

Graveleux
Syn. **I.** Caillouteux, pierreux, rocailleux. **III.** Cru, grivois, libre, licencieux.
Ant. **III.** Austère, décent, digne, pudique.

Gravement
Syn. **I.** Dignement, posément, sérieusement. Dangereusement, grièvement.
Ant. **I.** Drôlement, étourdiment. Légèrement.

Graver
Syn. **I.** Buriner, guillocher. **II.** Enregistrer, estamper, lithographier. **III.** Empreindre, fixer, imprimer, incruster, marquer, sculpter, tracer.
Ant. **I.** et **III.** Effacer.

Gravir
Syn. **I.** Escalader, grimper, monter. **III.** Franchir.
Ant. **I.** Descendre.

Gravité
Syn. **I.** Attraction, gravitation, pesanteur. **II.** Danger, importance. — Austérité, componction, décence, dignité, majesté, raideur, réserve, sérieux, solennité.
Ant. **I.** Légèreté. **II.** Bénignité, futilité. — Badinage, étourderie, frivolité, irréflexion, plaisanterie.

Gré (de bon)
Syn. **I.** Bénévolement, de bon cœur, de bonne grâce, librement, avec plaisir, volontairement, volontiers.
Ant. **I.** De force, de mauvaise grâce, forcément, involontairement.

Greffer
Syn. **I.** Enter. **II.** Transplanter *(biol.)*. **III.** Ajouter, insérer, introduire.
Ant. **III.** Retrancher.

Grêle
Syn. (*N.*) **I.** Grêlon, grésil. (*Adj.*) **I.** Délié, élancé, filiforme, fin, fluet, gracile,
long, maigre, menu, mince. **II.** Aigu, faible.
Ant. (*Adj.*) **I.** Ample, épais, gras, gros,
volumineux. **II.** Fort, grave.

Grelotter
Syn. **I.** Claquer des dents, frissonner,
trembler, trembloter.
Ant. **I.** Avoir chaud, étouffer, suer,
transpirer.

Grésiller
Syn. (*V. intr.*) **I.** Grêler. **II.** Crépiter.
(*V. tr.*) **I.** Brûler, contracter, dessécher,
plisser, racornir, rapetisser, rétrécir.
Ant. : **I.** (*V. tr.*) Attendrir, dilater, élargir,
étirer, lisser, polir, ramollir, unir.

Grève
Syn. **I.** Bord, côte, plage, rivage. **II.** Arrêt de travail, cessation du travail, débrayage, interruption, lock-out.

Grever
Syn. **I.** Accabler, alourdir, charger, écraser, frapper, imposer, obérer, surcharger.
Ant. **I.** Affranchir, aider, alléger, assister,
décharger, dégrever, enlever, ôter, seconder, soutenir.

Grief
Syn. **I.** Blâme, doléance, plainte, reproche, réquisitoire.
Ant. **I.** Approbation, contentement, entente, harmonie, satisfaction.

Griffe
Syn. **I.** Éperon, ergot, ongle, serre. **III.**
Empreinte, main, marque, patte, signa-
ture, touche. — Domination.

Griffer
Syn. **I.** Saisir avec la griffe, déchirer,
écorcher, égratigner, érafler, excorier.

Grignoter
Syn. **I.** Chipoter, manger, ronger. **III.**

Dévorer, racler.
Ant. **III.** Échouer, épargner.

Grillage
Syn. **I.** Barreaux, barres, barrière, claie,
claire-voie, clôture, moucharabieh,
treillage, treillis.

Griller
Syn. **I.** Brasiller, brûler, chauffer, dessécher, racornir, torréfier. — Fumer (une
cigarette) **II.** (Se) calciner. — Fermer,
grillager. **III.** Désirer, être impatient de.
Ant. **I.** Congeler, glacer, refroidir. **III.**
Être calme, flegmatique, patient.

Grimace(s)
Syn. **I.** Contorsion, cul-de-poule, lippe,
moue, rictus, singerie, tic. **III.** Affectation, comédie, dissimulation, feinte,
frime, hypocrisie. — (*Pl.*) Façon, minauderie, mine, simagrée.
Ant. **III.** Franchise, loyauté, sérieux.

Grimper
Syn. **I.** (S') élever, escalader, gravir,
monter. **III.** (Se) hisser, parvenir.
Ant. **I.** Culbuter, débouler, dégringoler,
descendre, dévaler. **III.** Déchoir, tomber.

Grincer
Syn. **I.** Crisser. **II.** Crier.

Gripper
Syn. **I.** (*V. intr.* et *pr.*) Adhérer, (s') accrocher, (s') arrêter, (se) bloquer, (se)
coincer, (se) coller. — (Se) froncer, goder.
Ant. **I.** Tourner rond. — (Se) défroncer.

Griser
Syn. **I.** Enivrer. **III.** Enthousiasmer,
étourdir, exalter, exciter, monter à la tête,
soûler.
Ant. **I.** Dégriser, désenivrer, dessoûler.
III. Désillusionner, refroidir.

Grivois V. *Graveleux*

Grognement
Syn. **I.** Grommellement, grondement. **II.**
Bougonnement, mécontentement.

Grogner

Syn. **I.** Grommeler, gronder. **II.** Bougonner, marmonner, maronner, maugréer, murmurer, pester, protester, râler, rognonner, ronchonner, rouspéter.
Ant. **II.** Complimenter, louanger, (se) taire.

Grogneur, grognon

Syn. *(N.* et *adj.)* **I.** Acariâtre, bougon, grincheux, grondeur, hargneux, maussade, mécontent, pleurnicheur, ronchon, ronchonneur, rouspéteur. *Ant.* **I.** Affable, aimable, charmant, content, gai, satisfait.

Gronder

Syn. *(V. intr.)* **I.** Grogner. **II.** *(Ch.)* Frémir, menacer, tonner. *(Pers.)* Bougonner, grommeler, murmurer, ronchonner. *(V. tr.)* **I.** Admonester, gourmander, morigéner, quereller, rabrouer, remontrer, réprimander, tancer.
Ant. *(V. intr.)* **I.** Se taire. **II.** *(Ch.)* Murmurer. *(V. tr.)* **I.** Encourager, féliciter, honorer, louer, récompenser, remercier.

Gros

Syn. *(Ch.)* **I.** Ample, épais, large, spacieux, volumineux. **II.** Abondant, bon, considérable, essentiel, excessif, grand, immense, important, principal. — Fort, grave, intense, profond, violent. *(Pers.)* **I.** Adipeux, corpulent, gras, massif, obèse, ventru. — Ballonné, enflé, gonflé, grossi. **III.** Important, imposant, influent, opulent, riche. — Commun, grossier, ordinaire.
Ant. *(Ch.)* **I.** Minuscule, petit. **II.** Bénin, faible, modique. — Aigu, léger. *(Pers.)* **I.** Chétif, émacié, fin, fluet, maigre, menu, mince, svelte. — Désenflé, dégonflé. **III.** Effacé, insignifiant, pauvre. — Délicat, distingué, raffiné.

Grosseur

Syn. **I.** Corpulence, embonpoint, obésité, rotondité. — Calibre, circonférence, diamètre, dimension, épaisseur, largeur,

taille, volume. **II.** Abcès, ballonnement, bosse, boule, enflure, excroissance, gonflement, tumeur.
Ant. **I.** Étroitesse, finesse, maigreur, minceur, petitesse.

Grossier

Syn. **I.** Brut, commun, élémentaire, gros, imparfait, informe, ordinaire, rudimentaire, sommaire. — Épais, lourd. **II.** Balourd, barbare, fruste, inculte, indélicat, lourdaud, maladroit, rude, rustre. **II.** Bas, bestial, sensuel. — Choquant, cru, effronté, impertinent, impoli, inconvenant, incorrect, insolent, insultant, malhonnête, malséant, obscène, ordurier, trivial, vulgaire.
Ant. **I.** Achevé, fignolé, fini, parfait, précis, raffiné. — Délié, fin. **II.** Aristocratique, civilisé, cultivé, délicat, distingué, éduqué, élégant. — Élevé, raffiné, spirituel. — Convenable, correct, décent. — Affable, aimable, avenant, civil, courtois, poli.

Grossièreté

Syn. **I.** Rudesse, rusticité. **II.** Impolitesse, insolence, muflerie. — Bassesse, inconvenance, obscénité, saleté, trivialité, vulgarité.
Ant. **I.** Délicatesse, finesse. **II.** Amabilité, civilité, politesse. — Bienséance, convenance, correction, distinction.

Grossir

Syn. *(V. intr.)* **I.** Agrandir, augmenter, croître, (se) développer, (se) dilater, (s') empâter, enfler, engraisser, épaissir, gonfler, (se) tuméfier. **III.** (S') amplifier. *(V. tr.)* **I.** Accroître, arrondir, étendre, renforcer. — Amplifier, exagérer.
Ant. *(V. intr.)* **I.** Amincir, décroître, dégonfler, désenfler, diminuer, faiblir, maigrir, rapetisser. *(V. tr.)* **I.** Amoindrir, minimiser.

Grotesque

Syn. **I.** Bizarre, bouffon, burlesque, cari-

catural, comique, extravagant, outré, ridicule, risible.
Ant. **I.** Commun, convenable, digne, distingué, émouvant, normal, ordinaire.

Grotte
Syn. **I.** Antre, caverne, cavité, excavation, rocaille. **II.** Crypte, refuge, repaire, retraite, tanière, terrier.

Grouiller
Syn. **I.** Bouger. — Fourmiller, pulluler, remuer.
Ant. **I.** Diminuer, manquer.

Groupe
Syn. **I.** Assemblage, association, assortiment, attroupement, cercle, collection, collectivité, cellule, communauté, confrérie, ensemble, équipe, essaim, noyau, réunion, section. — Catégorie, classe, espèce, famille, ordre.

Grouper
Syn. **I.** Amasser, arranger, assembler, assortir, attrouper, classer, coaliser, collectionner, concentrer, condenser, disposer, ranger, rapprocher, réunir.
Ant. **I.** Disjoindre, disperser, disséminer, diviser, échelonner, éparpiller, étendre, fractionner, séparer.

Gruger
Syn. **I.** Croquer. **II.** Manger. **III.** Dépouiller, dévorer, duper, ruiner, spolier, voler.
Ant. **III.** Préserver, protéger, restituer.

Guenille
Syn. **I.** Chiffon, défroque, haillons, hardes, lambeaux, loques, oripeaux.

Guêpier
Syn. **III.** Danger, piège.

Guère
Syn. **I.** Médiocrement, pas beaucoup, (à) peine, peu, très peu. — Longtemps. — Pas souvent, presque jamais, rarement.
Ant. **I.** Beaucoup, très. Fréquemment, souvent.

Guérir
Syn. *(V. tr.)* **I.** Délivrer, rétablir, sauver. **III.** Apaiser, calmer, corriger, débarrasser, ôter, pallier, remédier. *(V. intr.)* **I.** Échapper, réchapper, (se) remettre, renaître, ressusciter, (se) rétablir. **II.** (Se) cicatriser, (se) fermer.
Ant. **I.** Aggraver, attraper une maladie, tomber malade, mourir.

Guérison
Syn. **I.** Rétablissement. **II.** Cessation, cicatrisation. **III.** Résurrection. — Apaisement, salut, soulagement.
Ant. **I.** Aggravation, blessure, contagion.

Guerre
Syn. **I.** Attaque, bataille, belligérance, campagne, combat, conflagration, conflit, démêlé, émeute, escarmouche, expédition, guérilla, hostilité, insurrection, lutte, révolution, troubles.
Ant. **I.** Armistice, calme, concorde, démobilisation, désarmement, entente, harmonie, paix, tranquillité, trêve.

Guerrier
Syn. **I.** *(N.)* Combattant, militaire, soldat. — *(Adj.)* Militaire. — Belliqueux, martial.
Ant. **I.** Civil, pacifiste. — Pacifique.

Guet-apens
Syn. **I.** Attaque, attentat, embûche, embuscade, piège, surprise, traquenard.

Guetter
Syn. **I.** (Être à l') affût, attendre, épier, observer, surveiller.
Ant. **I.** Abandonner, déserter, (se) désintéresser, laisser, négliger.

Gueux
Syn. **I.** Clochard, défavorisé, miséreux, nécessiteux, pauvre.
Ant. **I.** Cossu, fortuné, richard, riche.

Guide
Syn. **I.** Cicerone, conducteur, cornac, pilote. **II.** Aide-mémoire, catalogue, dépliant, guide-âne, memento, pense-bête,

plan, vade-mecum. **III.** Chef, conseiller, directeur, mentor.

Guider
Syn. **I.** Conduire, piloter. **II.** Diriger, mener, radioguider, téléguider. **III.** Conseiller, déterminer, éclairer, éduquer, orienter.
Ant. **I.** et **II.** Abandonner, dépayser, écarter, égarer, fourvoyer. **III.** Abuser, aveugler, berner, tromper.

Guilleret
Syn. **I.** Éveillé, folâtre, frétillant, fringant, gai, réjoui, vif. **II.** Léger, leste, libre.
Ant. **I.** Abattu, accablé, attristé, éploré,

mélancolique, morne, navré, taciturne, triste. **II.** Grave, sérieux.

Guindé
Syn. **I.** Affecté, ampoulé, apprêté, boursouflé, contraint, emphatique, engoncé, étudié, maniéré, mignard, pompeux, solennel.
Ant. **I.** Aisé, naturel, simple, spontané.

Gymnase
Syn. **I.** Centre sportif, palestre, stade. **II.** École, lycée.

Gymnastique
Syn. **I.** Acrobatie, athlétisme, culture physique, éducation, entraînement, mouvement, sport. **III.** Exercice, travail.

H

Habile
Syn. **I.** Adroit, bon, capable, compétent, émérite, érudit, exercé, expérimenté, expert, industrieux, ingénieux, intelligent, inventif. **II.** Astucieux, avisé, fin, finaud, futé, madré, malin, roublard, roué, rusé.
Ant. **I.** Apprenti, gauche, incapable, incompétent, inexpérimenté, inhabile, maladroit, malhabile, mauvais, novice. **II.** Balourd, empêtré, malavisé, naïf, sot.

Habilement
Syn. **I.** Adroitement, bien, expertement.
Ant. **I.** Gauchement, maladroitement.

Habileté
Syn. **I.** Adresse, aptitude, art, autorité, bonheur, brio, capacité, compétence, dextérité, expérience, facilité, industrie, ingéniosité, maestria, maîtrise, souplesse, talent, virtuosité. — Diplomatie, doigté, entregent, perspicacité, savoir-faire, tact. — Artifice, ficelle, finesse, roublardise, ruse, truc.
Ant. **I.** Apprentissage, gaucherie, ignorance, impéritie, inaptitude, incapacité,

inexpérience, inhabileté, maladresse. — Balourdise, naïveté, simplicité, sincérité.

Habillement
Syn. **I.** Accoutrement, affublement, ajustement, déguisement, mise, tenue. — Complet, costume, effets, habit, vêtement.

Habiller (et S')
Syn. (*V. tr.*) **I.** Ajuster, revêtir, vêtir. — Équiper. — Accoutrer, affubler, costumer, déguiser, draper, endimancher, fagoter, ficeler, travestir. **II.** Aller, convenir, seoir. — Entourer, envelopper, recouvrir. **III.** Orner, parer. — Calomnier, médire. (*V. pr.*) **I.** (S') ajuster, (s') arranger, endosser, (se) nipper, (se) vêtir.
Ant. (*V. tr.*) **I.** Déshabiller, dévêtir. **II.** Disconvenir. — Découvrir. **III.** Déprécier. — Louanger, vanter. (*V. pr.*) **I.** (Se) déshabiller, (se) mettre à l'aise, (se) dévêtir.

Habitant
Syn. **I.** Aborigène, autochtone, citadin, citoyen, hôte, indigène, natif, résidant, sujet. **II.** Âme, gens, homme, humain, individu, personne. — Occupant.

Habitation

Syn. **I.** Habitat. — Appartement, chez-soi, demeure, domicile, établissement, gîte, home, immeuble, logement, logis, maison, propriété, résidence, toit.

Habiter

Syn. **I.** Demeurer, (être) domicilié, (s') établir, loger, nicher *(fam.)*, occuper, résider, rester, séjourner, vivre. **III.** Animer, hanter, posséder, résider dans. *Ant.* **I.** (S'en) aller, déguerpir, déloger, déménager.

Habitude

Syn. **I.** Accoutumance, attitude, coutume, disposition, façon, manie, manière, marotte, penchant, pli, routine, tic. — Mode, mœurs, règle, rite, tradition, usage. **II.** Expérience, pratique. *Ant.* **I.** Accident, anomalie, désuétude, exception, inhabitude, occasion, rareté. — Nouveauté. **II.** Inexpérience.

Habituel

Syn. **I.** Chronique, classique, commun, consacré, courant, coutumier, familier, fréquent, machinal, normal, ordinaire, quotidien, rituel, traditionnel, usité, usuel. *Ant.* **I.** Accidentel, anormal, désuet, étonnant, étrange, exceptionnel, extraordinaire, inaccoutumé, inhabituel, inouï, insolite, inusité, occasionnel, rare, unique.

Habituer (et S')

Syn. **I.** *(V. tr.)* Accoutumer, apprendre à, dresser, éduquer, endurcir, entraîner, former, initier, styler. — *(V. pr.)* (S') acclimater, (s') accommoder, (s') accoutumer, (s') adapter, (se) faire, (se) familiariser, (se) plier. *Ant.* **I.** Désaccoutumer, dépayser, déshabituer, rouiller.

Hâbleur

Syn. **I.** Blagueur, bluffeur, fanfaron, gascon, menteur, vantard.

Ant. **I.** Humble, modeste, pondéré, timide.

Hache

Syn. **I.** Cognée. **II.** Doleau, doloire, hachette, herminette, merlin.

Hacher

Syn. **I.** Couper, découper, diviser, fendre, trancher. **II.** Déchiqueter, détruire, ravager. **III.** Entrecouper, interrompre.

Hagard

Syn. **I.** Effaré, farouche, sauvage, trou-blé. *Ant.* **I.** Calme, serein.

Haie

Syn. **I.** Bordure, brise-vent, charmille, clôture. **II.** Obstacle. **III.** Cordon, file, rang.

Haillons

Syn. **I.** Défroque, frusques, guenilles, hardes, loques, nippes, vêtements. *Ant.* **I.** Atours, falbalas, fanfreluches, parure, toilette.

Haine

Syn. **I.** Animosité, antipathie, aversion, détestation, exécration, fanatisme, fiel, horreur, hostilité, inimitié, intolérance, malignité, rancœur, rancune, répulsion, ressentiment. *Ant.* **I.** Affection, amitié, amour, attachement, attrait, bienveillance, charité, concorde, cordialité, entente, fraternité, harmonie, indulgence, passion, sympathie, tendresse.

Haineux

Syn. **I.** Fielleux, malveillant, venimeux, vindicatif. *Ant.* **I.** Affectueux, bienveillant, tendre.

Haïr

Syn. **I.** Abhorrer, abominer, détester, exécrer, fuir, maudire, ne pouvoir sentir quelqu'un, prendre en grippe, (en) vouloir.

Ant. **I.** Adorer, aduler, affectionner, aimer, bénir, chérir, (s') entendre, raffoler de, sympathiser.

Haïssable
Syn. **I.** Abominable, antipathique, détestable, exécrable, insociable, insupportable, maudit, méprisable, odieux.
Ant. **I.** Adorable, affable, aimable, attirant, sociable, sympathique.

Hâlé
Syn. **I.** Basané, bis, bistré, bronzé, bruni, cuivré, doré, tanné.
Ant. **I.** Blanc, pâle.

Haleine
Syn. **I.** Respiration, souffle. **II.** Bouffée, effluve, émanation.

Haletant
Syn. **I.** Essoufflé, pantelant, poussif, suffoqué. **III.** Ardent, avide, impatient.
Ant. **I.** Alerte, dispos, frais. **III.** Désintéressé, indifférent, patient.

Haleter
Syn. **I.** (S') essouffler, (être à bout de) souffle, souffler.

Hall
Syn. **I.** Antichambre, entrée, salle, vestibule.

Hallucination
Syn. **I.** Aliénation, cauchemar, chimère, délire, folie, illusion, phantasme, rêve, vision, voix. **II.** Berlue, éblouissement.
Ant. **I.** Bon sens, logique, raisonnement, réalité, vérité.

Halte
Syn. **I.** Arrêt, repos. **II.** Escale, étape, relais, station. **III.** Interruption, pause, répit.
Ant. **I.** Circulation, manœuvre, marche, mouvement. **II.** Continuation, reprise.

Handicaper
Syn. **III.** Défavoriser, désavantager.
Ant. **III.** Avantager, douer, favoriser.

Hangar
Syn. **I.** Abri, appentis, bâtiment, dépendance, lock, entrepôt, grange, remise, resserre.

Hanter
Syn. **I.** Fréquenter. **III.** Habiter, obséder, peupler, poursuivre, tourmenter.
Ant. **I.** (S') éloigner, fuir.

Hantise
Syn. **I.** Idée fixe, manie, obsession, peur, vision.

Happer
Syn. **I.** Agripper, attraper, (s') emparer, empoigner, gripper, prendre, saisir.
Ant. **I.** Abandonner, jeter, lâcher, laisser.

Harangue
Syn. **I.** Allocution, discours. **III.** Remontrance, réprimande, semonce.
Ant. **III.** Compliment.

Harassé
Syn. **I.** Abattu, brisé, échiné, épuisé, éreinté, excédé, exténué, las, moulu, recru, rendu.
Ant. **I.** Alerte, dispos, fort, frais, gaillard, reposé, vif, vigoureux.

Harceler
Syn. **I.** Agacer, aiguillonner, assaillir, attaquer, exciter, fatiguer, importuner, inquiéter, poursuivre, presser, provoquer, talonner, taquiner, tirailler, tourmenter.
Ant. **I.** Aider, apaiser, calmer, laisser, protéger, rassurer, secourir, soulager.

Hardes V. *Haillons*

Hardi
Syn. **I.** Audacieux, aventureux, brave, courageux, déterminé, énergique, entreprenant, intrépide, résolu, risque-tout. — Assuré, décidé. — Nouveau, original. — Effronté, impudent, insolent, leste, osé, risqué, téméraire.
Ant. **I.** Craintif, embarrassé, froussard, inquiet, irrésolu, lâche, modeste, peu-

reux, pusillanime, réservé, timide. — Banal, plat, terne. — Chaste, honnête, pudique.

Hardiesse
Syn. **I.** Assurance, audace, bravoure, cœur, courage, détermination, énergie, fermeté, intrépidité, vaillance. — Innovation, liberté, nouveauté, originalité, vigueur. — Aplomb, culot, effronterie, impudence, inconvenance, indécence, licence, témérité, toupet.
Ant. **I.** Crainte, doute, embarras, hésitation, incertitude, indécision, inquiétude, lâcheté, peur, pusillanimité, timidité. — Banalité, platitude. — Décence, modestie, réserve, respect.

Hardiment
Syn. **I.** Bravement, carrément, courageusement. — Effrontément, impudemment.
Ant. **I.** Craintivement, timidement. — Modestement.

Hargneux
Syn. **I.** Acariâtre, bourru, colérique, contrariant, désagréable, grincheux, grognon, insociable, méchant, mécontent, morose, querelleur, rageur, revêche, ronchonneur.
Ant. **I.** Aimable, conciliant, content, courtois, doux, gai, obligeant, pacifique, paisible, satisfait, sociable, souriant.

Harmonie
Syn. **I.** Accompagnement, accord, arrangement, cadence, combinaison, consonance, euphonie, mélodie, modulation, mouvement, musique, nombre, rythme, sonorité. — Chœur, concert, fanfare, orchestre, orphéon, philharmonie. **III.** Beauté, élégance, ensemble, équilibre, eurythmie, proportion, régularité, symétrie. — Communauté, communion, concordance, conformité, homogénéité, ordre, organisation, rapport, ressemblance, unisson, unité. — Amitié, concorde, entente, paix, sympathie, union.

Ant. **I.** Brouhaha, cacophonie, charivari. **III.** Chaos, désaccord, désordre, discordance, division, inharmonie, laideur. — Antagonisme, incompatibilité, opposition. — Antipathie, discorde, dissension, dissentiment, mésentente, mésintelligence.

Harmonieux
Syn. **I.** Cadencé, mélodieux, musical, nombreux, rythmé. **III.** Agréable, beau, cohérent, doux, équilibré, esthétique, harmonique, juste, organisé, proportionné, suave.
Ant. **I.** Criard, discordant, dissonant, dur, inharmonieux. **III.** Désagréable, désorganisé, disparate, disproportionné, incohérent, laid.

Harmoniser (et S')
Syn. *(V. tr.)* **I.** Arranger, orchestrer. **III.** Accorder, adapter, allier, approprier, assortir, concilier, coordonner, équilibrer, organiser, unifier. *(V. pr.)* **III.** (S') accorder, aller ensemble, concorder, consoner, correspondre.
Ant. **I.** Détonner, dissoner. **III.** Désaccorder.

Harpon
Syn. **I.** Crampon, croc, crochet, dard, digon, foène, grappin.

Harponner
Syn. **I.** Accrocher, cramponner, darder, percer, prendre, saisir. **III.** Arrêter.

Hasard
Syn. **I.** Destin, fatalité, probabilité, sort. — Accident, aléa, aubaine, cas fortuit, chance, circonstance, coïncidence, conjoncture, coup de dés, imprévu, occurrence, rencontre. **II.** Danger, péril, risque.
Ant. **I.** Déterminisme, finalité.

Hasardé
Syn. **I.** Aléatoire, audacieux, dangereux, fou, hardi, hasardeux, imprudent, incertain, risqué, téméraire.
Ant. **I.** Pensé, prudent, réfléchi, sûr.

Hasarder (et Se)

Syn. **I.** *(V. tr.)* Aventurer, commettre, compromettre, exposer, jouer, risquer. — Avancer, émettre, essayer, expérimenter, tenter. — *(V. pr.)* (S') aventurer, (se) risquer.

Ant. **I.** *(V. tr.)* Assurer, envisager, éviter, prévoir, réfléchir. — *(V. pr.)*(S') abstenir, (se) garder de, (se) retenir.

Hasardeux

Syn. **I.** Aléatoire, aventuré, dangereux, fou, gratuit, périlleux, risqué.

Ant. **I.** Averti, circonspect, mesuré, prévoyant, prudent, réfléchi, sage, sûr.

Hâte

Syn. **I.** Activité, agitation, empressement, impatience, précipitation, promptitude, vitesse.

Ant. **I.** Atermoiement, calme, lenteur.

Hâter (et Se)

Syn. **I.** *(V. tr.)* Avancer, accélérer, activer, avancer, brusquer, forcer, précipiter, presser. — *(V. pr.)* Courir, (se) dépêcher, (s') empresser, faire diligence, (se) précipiter, (se) presser.

Ant. **I.** *(V. tr.)* Ajourner, atermoyer, attendre, différer, ralentir, remettre, retarder, surseoir, tarder, tâtonner, temporiser, tergiverser, traîner. *(V. pr.)* (S') arrêter, (s') attarder.

Hâtif

Syn. **I.** Avancé, précoce, prématuré, pressé, rapide. — Bâclé, précipité.

Ant. **I.** Arriéré, lent, ralenti, retardataire, retardé, tardif.

Hausse

Syn. **I.** Accroissement, augmentation, élévation, majoration, montée, progression, relèvement, renchérissement, valorisation.

Ant. **I.** Baisse, décroissement, dépréciation, dépression, effondrement.

Hausser

Syn. **I.** Dresser, hisser, lever, monter,

porter haut, redresser, remonter. — Exhausser, surélever. — Enfler (la voix). — Accroître, augmenter, élever, majorer, relever, renchérir, revaloriser, valoriser. **III.** Élever, exalter.

Ant. **I.** Abaisser, abattre, baisser, descendre, pencher, renverser. — (Se) déprécier, dévaloriser, diminuer. **III.** Avilir.

Haut

Syn. *(N.)* **I.** Altitude, cime, comble, élévation, faîte, hauteur, sommet. *(Adj.)* **I.** Dressé, élancé, élevé, grand, levé. — Culminant, dominant, supérieur. — Aigu, éclatant, fort, intense, sonore, retentissant, vif. — Éminent, important, puissant, suprême. — Cher, coûteux. — Exagéré, excessif, extrême. **III.** Beau, digne, édifiant, héroïque, noble, remarquable, sublime.

Ant. *(N.)* **I.** Abîme, bas, base, fond. *(Adj.)* **I.** Baissé, petit. — Inférieur. — Faible. — Humble, modeste, secondaire, subalterne. — Modique. — Modéré. **III.** Abject, ignoble, mesquin, trivial, vil.

Hautain

Syn. **I.** Altier, arrogant, condescendant, dédaigneux, fier, glacial, impérieux, méprisant, orgueilleux, prétentieux.

Ant. **I.** Affable, chaleureux, humble, modeste, obséquieux, simple, sociable.

Hautement

Syn. **I.** Franchement, nettement, ouvertement. — Fortement, puissamment, supérieurement.

Ant. **I.** Timidement. — Médiocrement, peu.

Hauteur

Syn. **I.** Altitude, dimension, haut, niveau, stature, taille. **II.** Colline, élévation, éminence, mont, monticule. **III.** Ampleur, grandeur, noblesse, sublimité, supériorité. — Arrogance, condescendance, dédain, fierté, mépris, morgue, orgueil.

Ant. **I.** Bas, petitesse. **II.** Abîme, bas-fond, enfoncement. III. Bassesse, étroitesse, infériorité, médiocrité, vilenie. — Affabilité, bonhomie, modestie, simplicité.

Hâve
Syn. I. Amaigri, blafard, blême, creux, décharné, émacié, livide, maigre, pâle. *Ant.* I. Coloré, frais, grassouillet, replet, rondelet, rougeaud, rubicond.

Havre
Syn. I. Bassin, port, rade. III. Abri, refuge.

Héberger
Syn. I. Abriter, accueillir, caser, loger, recevoir. *Ant.* I. Chasser, congédier, déloger, expulser, renvoyer.

Hébété
Syn. I. Abasourdi, abêti, abruti, ahuri, effondré, sidéré, stupéfié, stupide, troublé. *Ant.* I. Dégourdi, éveillé, ragaillardi, ravivé, stimulé.

Hécatombe
Syn. I. Immolation, sacrifice. II. Boucherie, carnage, extermination, massacre, tuerie.

Héler
Syn. I. Appeler, interpeller.

Hémorragie
Syn. I. Écoulement, épanchement, saignement. III. Fuite, perte.

Herbe
Syn. I. Gazon, herbage, pelouse, verdure.

Hercule
Syn. I. Colosse, fort, lutteur, puissant, robuste. *Ant.* I. Avorton, chétif, débile, faible.

Hérédité
Syn. I. Atavisme, parenté, ressemblance, transmission. II. Héritage.

Hérétique
Syn. I. Apostat, hérésiarque, hétérodoxe, relaps, renégat. — Impie, incroyant, infidèle. II. Dissident, révolté. *Ant.* I. Orthodoxe. — Chrétien, croyant, fervent, fidèle. II. Conformiste.

Hérissé
Syn. I. Dressé, ébouriffé, échevelé, hirsute, raide, rebroussé, relevé. II. Chargé, couvert, épineux, hispide, plein, rempli. III. Hargneux, rude. *Ant.* I. Arrondi, frisé, lisse, mou, plat. II. Dépourvu, exempt. III. Aimable, amène, doux, facile, maniable.

Hérisser (et Se)
Syn. : *(V. tr.)* I. Dresser, horripiler, rebrousser, relever. II. Armer, entourer, garnir, munir, remplir. III. Embarrasser, surcharger, truffer. *(V. pr.)* I. (Se) dresser. III. (Se) fâcher, (s') irriter, (se) raidir. *Ant.* *(V. tr.)* I. Aplatir, friser, lisser. II. Dégarnir, démunir. III. Débarrasser, dégager. *(V. pr.)* III. (S') apaiser, (se) calmer.

Héritage
Syn. I. Bien, hoirie, legs, patrimoine, succession. III. Hérédité.

Hériter
Syn. I. Acquérir, échoir, recevoir, recueillir. *Ant.* I. Déshériter, léguer, transmettre.

Héritier
Syn. I. Acquéreur, ayant cause, bénéficiaire, légataire, successeur. III. Continuateur, disciple. *Ant.* I. Auteur, testateur. III. Devancier, maître.

Hermétique
Syn. I. Étanche. II. Clos, fermé. III. Ésotérique, impénétrable, obscur, secret. *Ant.* I. et II. Béant, ouvert. III. Clair, compréhensible, évident.

HÉROÏQUE

Héroïque
Syn. **I.** Épique, homérique. **II.** Brave, courageux, élevé, fort, impavide, intrépide, noble, stoïque, valeureux. Énergique.
Ant. **II.** Lâche.

Héroïsme
Syn. **I.** Bravoure, courage, dévouement, sacrifice. **II.** Grandeur, noblesse.
Ant. **I.** Lâcheté. **II.** Bassesse, mesquinerie.

Héros
Syn. **I.** Demi-dieu. **II.** Brave, géant, grand (homme), surhomme. — As, champion. — Personnage principal.
Ant. **II.** Bravache, lâche. — Nullité, zéro.

Hésitant
Syn. **I.** *(Pers.)* Chancelant, désorienté, incertain, indécis, irrésolu, perplexe, réticent. — *(Ch.)* Douteux, flottant, fluctuant, suspendu.
Ant. **I.** *(Pers.)* Assuré, certain, décidé, ferme, résolu. — *(Ch.)* Sûr.

Hésitation
Syn. **I.** Arrêt, atermoiement, doute, embarras, flottement, incertitude, indécision, indétermination, irrésolution, perplexité, résistance, réticence, scrupule, tâtonnement, tergiversation, vacillation.
Ant. **I.** Aplomb, assurance, audace, décision, détermination, fermeté, résolution, volonté.

Hésiter
Syn. **I.** Atermoyer, attendre, balancer, barguigner, délibérer, flotter, marchander, osciller, reculer, (se) tâter, tâtonner, tergiverser, tortiller. **II.** Broncher, chanceler, chipoter, vaciller. — Ânonner, balbutier, bégayer, chercher ses mots.
Ant. **I.** Agir, choisir, (se) décider, opter, (se) prononcer. **II.** (S') affermir, (se) dresser. — Articuler.

Hétéroclite
Syn. **I.** Composite, différent, disparate, dissemblable, divers, étranger, irrégulier, hétérogène. **II.** Bigarré, mélangé, varié. **III.** Anormal, bizarre, étrange, singulier.
Ant. **I.** Analogue, identique, homogène, régulier, semblable, similaire. **II.** Uni, uniforme. **III.** Normal, ordinaire, simple.

Hétérodoxe
Syn. **I.** Hérétique. **II.** Dissident, indépendant, non conformiste, opposé.
Ant. : **I.** Orthodoxe. **II.** Conformiste.

Hétérogène V. *Hétéroclite*

Heure
Syn. **II.** Époque, instant, moment, occasion, temps. — Distance.

Heureusement
Syn. **I.** Avantageusement, bien, favorablement. — Grâce à Dieu, au ciel, par bonheur.
Ant. **I.** Malheureusement. — Malencontreusement.

Heureux
Syn. **I.** *(Pers.)* Bienheureux, chanceux, charmé, comblé, content, enchanté, euphorique, favorisé, florissant, fortuné, gai, joyeux, radieux, ravi, satisfait, triomphant, veinard. — *(Ch.)* Avantageux, beau, bon, favorable, opportun, propice, prospère. — *(Esthétique)* Approprié, brillant, harmonieux, juste, original, réussi, (bien) trouvé.
Ant. **I.** *(Pers.)* Accablé, attristé, déçu, éprouvé, fâché, infortuné, malchanceux, mécontent, misérable, triste. — *(Ch.)* Affligeant, amer, déplorable, désastreux, désolant, douloureux, fâcheux, fatal, funeste, importun, inopportun, malencontreux, pénible. — *(Esthétique)* Banal, médiocre, raté, terne.

Heurt
Syn. **I.** Accrochage, cahot, carambolage, choc, collision, coup, impact, percussion, saccade, secousse, soubresaut, tamponnement, télescopage. **III.** Antagonisme, conflit, friction, froissement, opposition.

— Contraste *(esth.)*
Ant. **III.** Conciliation, égard, ménagement, prévenance. — Harmonie.

Heurter (et **Se**)
Syn. *(V. tr.)* **I.** Accrocher, caramboler, cogner, emboutir, percuter, tamponner, télescoper. **III.** Affronter, attaquer, atteindre, bouleverser, bousculer, combattre. — Blesser, choquer, contrarier, déplaire, froisser, mécontenter, offenser, offusquer, scandaliser, vexer. *(V. intr.)* **I.** Achopper, buter, donner contre, frapper, taper. *(V. pr.)* **I.** (Se) briser, (se) cogner, (s') entrechoquer. **III.** (S') accrocher, (s') affronter, (se) contrarier.
Ant. *(V. tr.)* **I.** Éviter. **III.** Défendre, préserver, protéger. — Charmer, consoler, contenter, ménager, plaire. *(V. intr.)* **I.** Franchir, surmonter. *(V. pr.)* **III.** (S') entendre, (se) rapprocher, (se) réconcilier.

Hic
Syn. **I.** Difficulté principale, nœud, obstacle majeur, pierre d'achoppement, point crucial.

Hideux
Syn. **I.** Affreux, atroce, difforme, horrible, laid, monstrueux, repoussant. **III.** Ignoble, répugnant, vilain.
Ant. **I.** Attirant, beau, enchanteur, imposant, ravissant, superbe. **III.** Digne, élevé, noble.

Hiérarchie
Syn. **I.** Échelle, filière. **II.** Autorité, degré, fonction, grade, ordre, rang, subordination. **III.** Classement, classification.
Ant. **II.** Anarchie, désordre. **III.** Égalité.

Hiéroglyphe
Syn. **III.** Grimoire.

Hilare
Syn. **I.** Gai, réjoui.
Ant. **I.** Maussade, renfrogné.

Hippodrome
Syn. **I.** Champ de course. **II.** Arène, cirque, stade.

Hisser (et **Se**)
Syn. *(V. tr.)* **I.** Arborer, élever, hausser. *(V. pr.)* **I.** Grimper, monter. **III.** (S') élever, (se) hausser.
Ant. *(V. tr.)* **I.** Abaisser, abattre. *(V. pr.)* **I.** Descendre. **III.** Précipiter, renverser.

Histoire
Syn. **I.** Annales, archives, autobiographie, biographie, chroniques, chronologie, commentaires, fastes, hagiographie, mémoires, récit, relation, souvenirs, vie. — Analyse, description, étude, histoire de la maladie. **II.** Anecdote, conte, épisode. — Affaire, aventure, événement, question. **III.** Baliverne, blague. — Complication, difficulté, embarras, ennui, incident.
Ant. **I.** Fable, mensonge, mythe.

Historien
Syn. **I.** Annaliste, biographe, chroniqueur, chronologiste, hagiographe, historiographe, logographe, mémorialiste.

Historique
Syn. **I.** *(Adj.)* Authentique, certain, réel, véritable, vrai. — Célèbre, connu, mémorable, remarquable. — *(N.)* Exposé, narration, récit.
Ant. **I.** *(Adj.)* Fabuleux, faux, imaginaire, légendaire, mythique. — Anodin, insignifiant.

Hocher
Syn. **I.** Bouger, branler, mouvoir, remuer, secouer.

Hochet
Syn. **I.** Jouet. **III.** Babiole, bagatelle, consolation, futilité, illusion.
Ant. **I.** Bijou, trésor. **III.** Nécessité, sérieux, utilité, vérité.

Holocauste
Syn. **I.** Sacrifice. **II.** Immolation. — Hostie, victime.

Homérique
Syn. **II.** Épique, héroïque. **III.** Bruyant, inextinguible.

Homicide
Syn. **I.** Assassinat, crime, meurtre. — Assassin, criminel, meurtrier, tueur.

Hommage(s)
Syn. **I.** Culte, don, honneur, offrande, respect, soumission, tribut, vénération. **II.** Dédicace, expression, témoignage. — *(Pl.)* Civilités, compliments, déférence, devoirs, égards, félicitations, politesses, respects, salutations.
Ant. **I.** Affront, critique, dédain, grossièreté, insulte, raillerie, reproche.

Homme
Syn. **I.** Créature, être humain, individu, mortel, personne, quidam, type *(fam.)*. — Garçon, mâle, masculin. — Ouvrier, soldat.
Ant. **I.** Femme.

Homogène
Syn. **I.** Analogue, identique, même, pareil, semblable, similaire. **III.** Cohérent, régulier, uni, uniforme.
Ant. **I.** Composite, différent, disparate, dissemblable, divers, hétérogène. **III.** Bigarré, varié.

Homologation
Syn. **I.** Acceptation, approbation, entérinement, ratification, validation.
Ant. **I.** Annulation, désapprobation, invalidation, rétractation.

Homologue
Syn. **I.** Analogue, comparable, concordant, conforme, correspondant, équivalent, identique, pareil, semblable, similaire.
Ant. **I.** Différent, dissemblable, distinct.

Homologuer
Syn. **I.** Approuver, autoriser, confirmer, enregistrer, entériner, ratifier, sanctionner, valider.
Ant. **I.** Abroger, annuler, condamner, désapprouver, invalider, révoquer.

Honnête
Syn. **I.** *(Pers.)* Brave, digne, droit, fidèle, franc, inattaquable, incorruptible, intègre, irréprochable, juste, loyal, probe, scrupuleux, vertueux. *(Ch.)* **I.** Avouable, beau, bienséant, bon, consciencieux, correct, décent, louable, moral. **II.** Acceptable, convenable, honorable, moyen, passable, satisfaisant, suffisant.
Ant. *(Pers.)* **I.** Crapule, déloyal, machiavélique, malhonnête. *(Ch.)* **I.** Déshonnête, immoral, inconvenant, incorrect, indécent, malséant, mauvais, obscène. **II.** Extraordinaire, supérieur.

Honnêteté
Syn. **I.** Conscience, délicatesse, dignité, droiture, fidélité, franchise, incorruptibilité, intégrité, justice, loyauté, moralité, probité, scrupule, vertu. **II.** Décence, modestie, morale, pudeur.
Ant. **I.** Déloyauté, immoralité, improbité, malhonnêteté. **II.** Dépravation, immodestie, impudicité, indécence.

Honneur(s)
Syn. **I.** Considération, dignité, éloge, estime, fierté, gloire, mérite, réputation, respect. — Culte, louange, vénération. — Prérogative, privilège. **II.** Honnêteté, pudeur. — *(Pl.)* Dignités, distinctions, fonctions, grandeurs, titres. — Apothéose, égards, hommage, ovation, triomphe.
Ant. **I.** Déshonneur, discrédit, flétrissure, honte, ignominie, infamie, opprobre. — Impudeur, infidélité. — Humiliation, vexation.

Honnir
Syn. **I.** Avilir, blâmer, conspuer, flétrir, mépriser, vilipender, vomir.
Ant. **I.** Acclamer, approuver, encenser, glorifier, honorer, louer, vénérer.

Honorable
Syn. *(Pers.)* **I.** Digne, estimable, probe, respectable, vénérable. *(Ch.)* **I.** Beau, bon. **II.** Acceptable, convenable, honnête, moyen, suffisant.

Ant. (Pers.) **I.** Déshonoré. *(Ch.)* **I.** Avilissant, déshonorant, honteux, infamant. **II.** Inacceptable, insuffisant.

Honoraires
Syn. **I.** Appointements, émoluments, rémunération, rétribution, traitement, vacations.

Honorer
Syn. **I.** Adorer, célébrer, déifier, encenser, exalter, glorifier, gratifier, magnifier, saluer. **II.** Estimer, respecter, révérer, vénérer. *Ant.* **I.** et **II.** Abaisser, avilir, blasphémer, calomnier, déshonorer, diffamer, flétrir, mépriser, offenser, outrager, rabaisser, vilipender.

Honte
Syn. **I.** Abjection, confusion, dégradation, déshonneur, flétrissure, humiliation, ignominie, indignité, infamie, opprobre, turpitude. **II.** Regret, remords, repentir. — Crainte, échec, embarras, gêne, insuccès, pudeur, réserve, retenue, scrupule, timidité, vergogne. *Ant.* **I.** Estime, fierté, gloire, honneur. **II.** Désir. — Audace, effronterie, impudeur, succès.

Honteux
Syn. **I.** *(Ch.)* Abject, avilissant, bas, dégoûtant, dégradant, déshonorant, ignoble, ignominieux, immoral, inavouable, infamant, infame, méprisable, scandaleux, vil. **II.** *(Pers.)* Confus, consterné, craintif, déconfit, embarrassé, gêné, penaud, réservé, timide. *Ant.* **I.** Avouable, bon, digne, fameux, fier, glorieux, honorable, insigne, louable, magnanime, méritant, respectable. **II.** Audacieux, courageux, effronté, éhonté, impertinent.

Hôpital
Syn. **I.** Clinique, dispensaire, hôtel-Dieu, infirmerie, maison de santé, maternité, préventorium, (hôpital) psychiatrique, sanatorium.

Horizon
Syn. **I.** Distance, étendue, loin, lointain, paysage, vue. **III.** Avenir, champ (d'action), perspective.

Horloge
Syn. **I.** Cadran, cartel, chronomètre, coucou, pendule, régulateur, réveille-matin. **III.** Machine, mécanisme.

Hormis
Syn. **I.** Excepté, hors, (à) part, sauf. *Ant.* **I.** (Y) compris.

Horoscope
Syn. **I.** Astrologie. **III.** Magie, prédiction.

Horreur (s)
Syn. **I.** Effroi, épouvante, peur, répulsion, saisissement. **II.** Abomination, aversion, dégoût, détestation, exécration, haine, répugnance. — Abjection, cruauté, infamie, laideur, noirceur. — *(Pl.)* Affres, atrocités, monstruosités. — Calomnies, vilenies. — Grossièretés, obscénités. *Ant.* **I.** Admiration, amour. **II.** Attrait beauté, charme, enchantement, fascination. — *(Pl.)* Compliments, louanges. — Convenances, distinction.

Horrible
Syn. **I.** Abominable, affreux, atroce, détestable, effrayant, effroyable, épouvantable, exécrable, hideux, infâme, laid, mauvais, monstrueux, répugnant, révoltant. **II.** Excessif, extraordinaire, extrême, indescriptible, intolérable, terrible. *Ant.* **I.** Agréable, beau, charmant, doux, joli, merveilleux, noble. **II.** Modéré, moyen, normal, ordinaire, tolérable.

Horripiler
Syn. **I.** Agacer, énerver, exaspérer, excéder, exciter, impatienter, importuner, irriter, mettre hors de soi. *Ant.* **I.** Adoucir, apaiser, calmer, pacifier, rasséréner, tranquilliser.

Hospitalier
Syn. **I.** Accueillant, charitable. *Ant.* **I.** Hostile, inhospitalier.

Hospitalité
Syn. I. Abri, asile, logement, protection, refuge. II. Accueil, réception.
Ant. II. Expulsion, renvoi.

Hostile
Syn. I. Adverse, antagonique, antagoniste, contraire, défavorable, ennemi, opposé. II. Froid, glacé, inamical, malveillant.
Ant. I. Allié, ami, favorable. II. Affectueux, amical, bienveillant, chaleureux, cordial.

Hostilité(s)
Syn. I. *(Pl.)* Conflit, guerre, lutte armée, opérations militaires. II. Antipathie, désaccord, haine, inimitié, malveillance, opposition, ressentiment.
Ant. I. Armistice, trêve. II. Amitié, appui, bienveillance, cordialité, entente, fraternité, sympathie.

Hôte
Syn. I. Amphitryon, maître de maison. — Commensal, convive, invité. II. Habitant, locataire, occupant, pensionnaire, visiteur.

Hôtel
Syn. I. Auberge, hôtellerie, palace, pension. — Château, immeuble, palais. — Mairie.

Houle
Syn. I. Flot, onde, ressac, roulis, tangage, vague. II. Ondulation. III. Agitation.
Ant. I. Calme, tranquillité.

Houleux
Syn. I. Agité. III. Mouvementé, orageux, troublé, tumultueux.
Ant. III. Calme, paisible, serein, tranquille.

Hourra
Syn. I. Acclamation, bravo, vivat.
Ant. I. Haro, huée, quolibets.

Houspiller
Syn. I. Gronder, réprimander.
Ant. I. Féliciter, louer.

Housse
Syn. I. Enveloppe, étui, gaine.

Huée
Syn. III. Bruit, chahut, charivari, cri, sifflet, tollé.
Ant. III. Acclamation, applaudissement, bravo, hourra, ovation, vivat.

Huer
Syn. *(V. tr.)* III. Bafouer, berner, chahuter, conspuer, désapprouver, siffler. *(V. intr.)* I. Hôler.
Ant. : *(V. tr.)* III. Acclamer, applaudir, approuver, encourager, ovationner, saluer.

Huiler
Syn. I. Frotter, graisser, lubrifier, oindre. — Assaisonner. III. Adoucir, arrondir les angles, atténuer.
Ant. I. Assécher, dégraisser. III. Aggraver.

Humain
Syn. *(N.)* I. *(V. Homme)* *(Adj.)* II. Bienfaisant, bienveillant, bon, charitable, clément, compatissant, compréhensif, doux, généreux, humanitaire, philanthrope, pitoyable, secourable, sensible.
Ant. I. Céleste, divin. II. Barbare, brutal, cruel, dur, impitoyable, inhumain, insensible, insociable, méchant, misanthrope, ours, rude, violent.

Humaniser
Syn. II. Adoucir, apprivoiser, civiliser.
Ant. I. Diviniser. II. Abrutir.

Humanité
Syn. I. Civilisation, hommes, (genre) humain. II. Bienfaisance, bienveillance, bonté, charité, clémence, compassion, douceur, générosité, indulgence, philanthropie, pitié, sensibilité, solidarité.
Ant. I. Divinité. II. Barbarie, bestialité,

brutalité, cruauté, dureté, inhumanité, misanthropie, rudesse, tyrannie, violence.

Humble
Syn. (Pers.) **I.** Effacé, modéré, modeste, simple. **II.** Obscur, pauvre, petit, soumis. *(Ch.)* **I.** Embarrassé, timide. **II.** Médiocre, modeste, obscur, pauvre, simple. *Ant. (Pers.)* **I.** et **II.** Altier, arrogant, dédaigneux, dominateur, fier, hautain, orgueilleux, pédant, vaniteux. *(Ch.)* **I.** et **II.** Assuré, célèbre, fameux, grand, riche, splendide.

Humecter
Syn. **I.** Arroser, baigner, humidifier, imbiber, imprégner, mouiller, tremper. *Ant.* **I.** Assécher, éponger, essorer, essuyer, sécher, tarir.

Humer
Syn. **I.** Absorber, aspirer, avaler, boire, flairer, inhaler, respirer, sentir. *Ant.* **I.** Dégager, exhaler, expectorer, rejeter, répandre, sécréter.

Humeur
Syn. **I.** Attitude, caractère, naturel, tempérament. **II.** Caprice, fantaisie, impulsion. — Disposition, état (d'esprit, d'âme).

Humide
Syn. **I.** Détrempé, embrumé, embué, humecté, moite, mouillé, trempé. *Ant.* **I.** Aride, asséché, sec.

Humiliation
Syn. **I.** Abaissement, avilissement, confusion, dégradation, diminution, honte, mortification. **II.** Affront, avanie, blessure, camouflet, gifle, opprobre, outrage, vexation. *Ant.* **I.** Exaltation, flatterie, gloire, glorification. **II.** Compliment, félicitation, louange.

Humilier (et S')
Syn. **I.** *(V. tr.)* Abaisser, accabler, avilir, confondre, dégrader, écraser, mater, mortifier, offenser, rabaisser, ravaler,

vexer. — *(V. pr.)* (S') abaisser, courber le front, fléchir, plier, ployer le genou, (se) prosterner, ramper. *Ant.* **I.** *(V. tr.)* Élever, enorgueillir, exalter, féliciter, glorifier, louer, relever. — *(V. pr.)* (Se) glorifier, (se) prévaloir, (se) relever.

Humilité
Syn. **I.** Componction, modestie. **II.** Soumission, timidité. — Bassesse, obscurité, obséquiosité, servilité. *Ant.* **I.** Amour-propre, arrogance, hauteur, orgueil, vanité.

Humoriste
Syn. **I.** Amuseur, caricaturiste, comique, fantaisiste, farceur, moqueur, pince-sans-rire, railleur, rieur.

Humour
Syn. **I.** Esprit, fantaisie, gaieté, ironie, plaisanterie, raillerie, sarcasme, satire, sel, verve. *Ant.* **I.** Banalité, embêtement, ennui, platitude, sérieux.

Hurluberlu
Syn. **I.** Écervelé, étourdi, farfelu. *Ant.* **I.** Posé, sage, sérieux.

Hutte
Syn. **I.** Cabane, cahute, case, igloo ou iglou.

Hygiène
Syn. **I.** Assainissement, désinfection, diététique, prophylaxie, propreté, régime, salubrité, santé, soin.

Hymne
Syn. **I.** *(N.m.)* Chant, choral, poème. *(N.f.)* Cantique, psaume.

Hyperbole
Syn. **I.** Emphase, exagération, outrance. *Ant.* **I.** Litote, mesure.

Hypocrisie
Syn. **I.** Affectation, déloyauté, dissimulation, duplicité, fausseté, fourberie, perfi-

die. — Bigoterie, pharisaïsme, tartuferie ou tartufferie. **II.** Comédie, mensonge, pantalonnade, simagrée, tromperie.
Ant. **I.** Droiture, franchise, loyauté, sincérité, véracité. **II.** Vérité.

Hypocrite
Syn. **I.** *(N.)* Comédien, dissimulateur, fourbe, imposteur. — Bigot, cafard, cagot, pharisien, tartufe ou tartuffe. — *(Adj.)* — *(Pers.)* Artificieux, cauteleux, déloyal, dissimulé, double, menteur, papelard,. sournois. — *(Ch.)* Affecté, fallacieux, faux, mielleux, patelin.
Ant. **I.** Cordial, franc, loyal, ouvert, sincère, vrai.

Hypothèque
Syn. **I.** Gage, garantie, privilège.

Hypothéqué
Syn. **I.** Garanti, grevé. **III.** Engagé, lié. — *(Fam.)* Dans l'embarras, mal en point.
Ant. **I.** Dégrevé, quitte. **III.** Dégagé, libéré. — À l'aise.

Hypothèse
Syn. **I.** Conjecture, éventualité, possibilité, présomption, probabilité, supposition, système.
Ant. **I.** Certitude, évidence, preuve, réalité.

Hypothétique
Syn. **I.** Conditionnel, conjectural, douteux, éventuel, imaginé, incertain, possible, présumé, problématique, supposé.
Ant. **I.** Certain, effectif, évident, formel, indubitable, manifeste, positif, sûr.

I

Ici
Syn. **I.** À cet endroit, dans ce lieu, en ce temps même.
Ant. **I.** Ailleurs, là.

Idéal
Syn. *(Adj.)* **I.** Imaginaire, théorique. **II.** Absolu, accompli, merveilleux, parfait, pur, rêvé, souverain, sublime, suprême. *(N.)* **I.** Modèle, parangon, rêve, utopie.
Ant. *(Adj.)* **I.** Matériel, réel. **II.** Imparfait, inférieur, médiocre, ordinaire, prosaïque, relatif. — *(N.)* Positif *(n.)*, prosaïsme, réalité, terre-à-terre.

Idée
Syn. **I.** Aperçu, archétype, concept, conception, connaissance, échantillon, emblème, exemple, image, opinion, pensée, perspective, réflexion, représentation, symbole, vue. — Dessein, donnée, ébauche, esquisse, plan, projet, sujet, thème. — Esprit, tête. — Apparence, chimère, fantaisie, fantôme, invention, rêve, rêverie, vision.

Identifier
Syn. **I.** Assimiler, confondre. — Déterminer, reconnaître.
Ant. **I.** Différencier, discerner, distinguer.

Identique
Syn. **I.** Analogue, commun, conforme, égal, équivalent, homogène, même, pareil, ressemblant, semblable, similaire.
Ant. **I.** Autre, contraire, différent, dissemblable, distinct, divers, hétérogène, opposé.

Identité
Syn. **I.** Accord, coïncidence, communauté, ressemblance, similitude. — Consubstantialité, unité. **II.** État civil, permanence.
Ant. **I.** Différence, dissemblance, opposition. **II.** Altérité.

Idiome
Syn. **I.** Langue. **II.** Dialecte, langage, parler, patois.

Idiot
Syn. *(N.)* **I.** Aliéné, dégénéré. — Crétin,

imbécile. — Arriéré, innocent, simple.
(Adj.) **I.** Bête, fou, sot, stupide. **II.** Inepte.
Ant. **I.** Équilibré, fin, intelligent, lucide,
sensé, spirituel.

Idolâtre
Syn. **I.** *(N.)* Fétichiste, gentil, iconolâtre,
infidèle. — *(Adj.)* Fou.
Ant. **I.** Chrétien, fidèle. — Modéré.

Idolâtrie
Syn. **I.** Animisme, fétichisme, iconolâtrie,
paganisme, totémisme. **III.** Adoration,
culte, passion.
Ant. **I.** Christianisme, mysticisme. **III.**
Haine, mépris.

Idole
Syn. **I.** Déité, dieu, fétiche, image, statue.

Idylle
Syn. **I.** Églogue, pastorale. **III.** Amourette, flirt.

Ignoble
Syn. **I.** Abject, bas, dégoûtant, déshonorant, grossier, indigne, infâme, lâche,
odieux, ordurier, vil. **II.** Effrayant, hideux, immonde, infect, laid, répugnant.
Ant. **I.** Distingué, éminent, grand, noble,
poli, relevé, remarquable, supérieur. **II.**
Attirant, beau, propre, pur.

Ignominie
Syn. **I.** Abjection, bassesse, dégradation,
déshonneur, flétrissure, honte, infamie,
turpitude. **II.** Affront, injure, insulte, opprobre, outrage.
Ant. **I.** Considération, dignité, distinction,
gloire, grandeur, honneur, noblesse, respect. **II.** Louange.

Ignominieux
Syn. **I.** Abject, avilissant, bas, flétrissant,
honteux, ignoble, indigne, infamant, infâme, méprisable, odieux, vil.
Ant. **I.** Digne, distingué, élevé, estimable,
glorieux, honorable, méritant, noble, respectable.

Ignorance
Syn. **I.** Analphabétisme, ânerie, barbarie,
ilotisme, méconnaissance. **II.** Impéritie,
impuissance, incapacité, incompétence,
inexpérience, insuffisance, naïveté, nullité.
Ant. **I.** Connaissance, culture, érudition,
instruction, savoir, science. **II.** Capacité,
compétence, expérience, puissance.

Ignorant
Syn. **I.** Aliboron, âne, barbare, ignare,
illettré, inculte. **II.** Incapable, incompétent, inexpérimenté, ingénu, inhabile, novice.
Ant. **I.** Averti, connaisseur, cultivé, docte,
éclairé, érudit, ferré, fort, instruit, lettré,
renseigné, savant, versé. **II.** Capable,
compétent, expérimenté, habile.

Illégitime
Syn. **I.** Adultérin, naturel. — Coupable,
illicite. — Illégal, irrégulier. **II.** Déraisonnable, inadmissible, injuste, injustifiable,
insoutenable, irrécevable.
Ant. **I.** Légitime, légitimé, reconnu. —
Permis. — Légal, régulier. **II.** Admissible,
défendable, fondé, juste.

Illettré V. *Ignorant*

Illicite
Syn. **I.** Coupable, défendu, illégal, illégi-
time, interdit, prohibé.
Ant. **I.** Licite, permis.

Illimité
Syn. **I.** Démesuré, effréné, grand, immense, incalculable, incommensurable,
indéfini, indéterminé, infini.
Ant. **I.** Borné, déterminé, fini, limité, mesuré.

Illisible
Syn. **I.** Incompréhensible, indéchiffrable,
inintelligible. **III.** Insupportable.
Ant. **I.** Compréhensible, déchiffrable,
distinct, lisible. **III.** Agréable, intéressant.

Illogique

Syn. **I.** Aberrant, absurde, alogique, déraisonnable, extravagant, faux, incohérent, inconséquent, insensé, irrationnel, stupide.
Ant. **I.** Cohérent, conséquent, judicieux, juste, logique, raisonnable, réfléchi, sensé, sérieux, vrai.

Illumination

Syn. **I.** Éclairage, éclat, lumière, rayonnement. **III.** Découverte, idée, inspiration, trait de génie, vision.

Illuminé

Syn. **I.** Éclairé, embrasé. **III.** Inspiré, mystique, visionnaire.
Ant. **I.** Sombre. **III.** Aveuglé.

Illuminer

Syn. **I.** Éclairer. **II.** Allumer, briller, embraser, enflammer, ensoleiller, rayonner, resplendir. **III.** Embellir.
Ant. **I.** Obscurcir. **II.** Assombrir, embrouiller, estomper, ombrager, ternir, voiler. **III.** Enlaidir.

Illusion

Syn. **I.** Aberration, erreur, hallucination, trompe-l'œil. **II.** Château en Espagne, chimère, fantasmagorie, fantôme, fiction, idée, imagination, leurre, mirage, rêve, rêverie, songe, utopie, vision.
Ant. **I.** Certitude, existence, fait, objectivité, réalité, réel, vérité. **II.** Clairvoyance, déception, désillusion, lucidité, réalisme.

Illusionner (et S')

Syn. **I.** *(V. tr.)* Éblouir, épater. — *(V. pr.)* (S') abuser, (se) bercer, (se) leurrer, (se) tromper.
Ant. **I.** Décevoir, désabuser, désillusionner.

Illustration

Syn. **I.** Dessin, enluminure, figure, gravure, image, photographie, reproduction. **II.** Commentaire, éclaircissement, explication. **III.** Célébrité, gloire, sommité.

Ant. **II.** Obscurcissement. **III.** Inconnu, nullité.

Illustre

Syn. **I.** *(Pers.)* Célèbre, fameux, glorieux, grand, insigne, renommé, réputé. — *(Ch.)* Brillant, éclatant, noble.
Ant. **I.** Bas, caché, humble, ignoré, inférieur, méconnu, obscur, vil.

Illustrer (et S')

Syn. (V. tr.) **I.** Faire honneur à, rehausser. **II.** Enrichir, orner. — Éclaircir, éclairer, expliquer, montrer. *(V. pr.)* **I.** (Se) distinguer, (se) signaler.
Ant. (V. tr.) **I.** Déshonorer, ternir. **II.** Appauvrir. — Embrouiller. *(V. pr.)* **I.** Rester ignoré, inconnu.

Image

Syn. **I.** Caricature, croquis, dessin, effigie, estampe, figuration, figure, gravure, héliogravure, icône, illustration, peinture, photo, planche, portrait, représentation, reproduction, vignette. **II.** Cinéma, télévision. — Description, tableau. **III.** Apparence, aspect, manifestation, visage. — Imitation, modèle, reflet, réplique, ressemblance. — Emblème, expression, incarnation, symbole. — Cliché, comparaison, métaphore. — Idée, perception. — Souvenir. — Illusion, spectre, vision.

Imaginaire

Syn. **I.** Chimérique, controuvé, fabuleux, fantaisiste, faux, feint, fictif, illusoire, inexistant, inventé, irréel, légendaire, mythique, rêvé, romanesque, utopique, visionnaire.
Ant. **I.** Authentique, avéré, certain, effectif, exact, existant, fondé, formel, historique, indubitable, manifeste, notoire, palpable, réel, véritable, vrai.

Imagination

Syn. **I.** Esprit, évasion, fantaisie, idée, pensée, rêverie. **II.** Intelligence. — Affabulation, création, fiction, improvisation, inspiration. — Chimère, fable, illusion,

mensonge, rêve, songe.
Ant. **I.** Raison. **II.** Évidence, exactitude, existence, présence, réalité, véracité, vérité.

Imaginer (et S')
Syn. **I.** *(V. tr.)* Admettre, chercher, comprendre, concevoir, conjecturer, deviner, envisager, évoquer, juger, penser, rêver, savoir, songer, supposer, voir. — Combiner, construire, créer, fabriquer, forger, former, inventer, trouver. — *(V. pr.)* (S') attendre à, croire, (se) figurer, (se) représenter, (se) voir.

Imbécile
Syn. **I.** Arriéré, débile, dégénéré, faible d'esprit. **II.** Abruti, âne, bête, bouché, crétin, idiot, niais, sot, stupide.
Ant. **I.** Équilibré, fort, intelligent. **II.** Fin, lucide, pénétrant, perspicace, sagace, sensé, spirituel.

Imbécillité
Syn. **I.** Crétinisme, débilité, faiblesse (d'esprit), folie, idiotie, inintelligence. — Abrutissement, gâtisme, ramollissement. **II.** Ânerie, bêtise, niaiserie, sottise, stupidité.
Ant. **I.** Intelligence, raison. — Esprit, finesse, subtilité.

Imbiber
Syn. **I.** Détremper, humecter, imprégner, mouiller, pénétrer, tremper.
Ant. **I.** Assécher, dessécher, essuyer, sécher.

Imbroglio
Syn. **I.** Chaos, complication, confusion, désordre, embrouillement, enchevêtrement, labyrinthe, mélange. — Intrigue (emmêlée).
Ant. **I.** Arrangement, clarté, disposition, harmonie, netteté, ordre, soin, symétrie.

Imitation
Syn. **I.** Caricature, charge, copiage, mimétisme, mimique, parodie, servilité, sin-

gerie. **II.** Calque, copie, contrefaçon, démarquage, emprunt, faux, pastiche, plagiat, répétition, reproduction, ressemblance, simili, toc.
Ant. **I.** Création, originalité. **II.** Authenticité, modèle, original.

Imiter
Syn. **I.** Caricaturer, charger, copier, mimer, parodier, répéter, reproduire, simuler, singer. **II.** Adapter, adopter, ressembler à, suivre. — Calquer, démarquer, emprunter, (s') inspirer, pasticher, piller, plagier.
Ant. **I.** Créer, découvrir, innover, inventer.

Immanquable
Syn. **I.** Certain, fatal, inéluctable, inévitable, infaillible, nécessaire, obligatoire, sûr.
Ant. **I.** Aléatoire, contestable, évitable, fortuit, imprévu, incertain, indécis, vague.

Immatériel
Syn. **I.** Incorporel, pur, spirituel. **II.** Aérien, ailé, léger.
Ant. **I.** Charnel, consistant, corporel, matériel. **II.** Lourd, pesant.

Immatriculation
Syn. **I.** Enregistrement, identification, inscription, insertion, numéro matricule.

Immatriculer
Syn. **I.** Enregistrer, identifier, inscrire, insérer, marquer, numéroter.

Immédiat
Syn. **I.** Direct. **II.** Imminent, instantané, présent, prochain, prompt, subit.
Ant. **I.** Indirect, médiat. **II.** Distant, éloigné.

Immédiatement
Syn. **I.** Directement. **II.** Aussitôt, instantanément, sans délai, sur-le-champ, sur l'heure, tout de suite.
Ant. **I.** Indirectement, médiatement. **II.** Tardivement.

Immense

Syn. **I.** Ample, considérable, étendu, grand, incommensurable, indéfini, infini, spacieux, vaste. **II.** Colossal, démesuré, énorme, géant, gigantesque, gros, profond.
Ant. **I.** et **II.** Borné, exigu, fini, infime, limité, menu, microscopique, minime, minuscule, petit, restreint, ténu.

Immensité

Syn. **I.** Amplitude, étendue. **II.** Abîme, espace, infini. **III.** Infinité, multitude, quantité.
Ant. **I.** Exiguïté, petitessse.

Immeuble

Syn. **I.** Bâtiment, bien, bien-fonds, building, construction, édifice, gratte-ciel, habitation, hôtel, maison de rapport, palais, propriété.
Ant. **I.** Meuble.

Imminent

Syn. **I.** Comminatoire, critique, immédiat, instant, menaçant, prochain, proche, urgent.
Ant. **I.** Disparu, éloigné, lointain, reculé.

Immiscer (S')

Syn. **I.** (S') entremettre, (se) fourrer, (s') ingérer, intervenir, (s') interposer, (se) mêler, participer.
Ant. **I.** (S') abstenir de, (se) dérober, (s') éclipser, (s') effacer.

Immobile

Syn. **I.** Calme, fixe, inerte, stable, stationnaire. **II.** Cloué, figé, paralysé, pétrifié, rivé. *(Ch.)* **I.** Dormant, stagnant, arrêté, stoppé. **III.** Ferme, inébranlable, invariable.
Ant. **I.** Instable, mobile. **II.** Actif, ambulant, ébranlé, remuant. **I.** Flottant, mouvant. **III.** Changeant, variable.

Immobiliser

Syn. **I.** Affermir, arrêter, assujettir, assurer, attacher, bloquer, caler, clouer, coincer, fixer, planter, retenir, river, solidifier, stopper, visser. **II.** Geler, paralyser. **III.** Cristalliser, figer, freiner, scléroser.
Ant. **I.** Actionner, agiter, arracher, débloquer, déclouer, déplanter, détacher, dévisser, ébranler, enlever, libérer, mobiliser. **II.** Animer, pousser. **III.** Mouvoir, remuer.

Immobilité

Syn. **I.** Ankylose, calme, fixité, impassibilité, inactivité, inertie, paralysie, repos, stagnation. **III.** Immuabilité, invariabilité, stabilité.
Ant. **I.** Action, agitation, ébranlement, fluctuation, mobilité, mouvement. **III.** Changement, évolution, progrès, variabilité.

Immodéré

Syn. **I.** Abusif, démesuré, déréglé, effréné, excessif, intempérant, outré.
Ant. **I.** Mesuré, modéré, pondéré, raisonné, sage, tempéré.

Immodeste

Syn. **I.** Déplacé, grivois, impudique, inconvenant, indécent.
Ant. **I.** Bienséant, décent, modeste, pudique, réservé.

Immolation

Syn. **I.** Hécatombe, holocauste, hostie, offrande, renoncement, sacrifice. **II.** Massacre, mise à mort.
Ant. **I.** Conservation, préservation. **II.** Grâce, miséricorde.

Immoler

Syn. **I.** Détruire, égorger, sacrifier. **II.** Exterminer, massacrer, mettre à mort, tuer. **III.** Offrir, renoncer à.
Ant. **I.** Conserver, préserver, sauvegarder. **II.** Épargner, gracier. **III.** Garder.

Immonde

Syn. **I.** Abject, bas, dégoûtant, ignoble, infâme, obscène, sale.
Ant. **I.** Attrayant, distingué, édifiant, noble, propre, pur.

Immondices
Syn. **I.** Balayures, boue, excréments, fange, fumier, gadoue, ordures.

Immoral
Syn. **I.** Corrompu, cynique, débauché, dépravé, déréglé, graveleux, grivois, honteux, impur, indécent, licencieux, malhonnête, malpropre, malsain, obscène, ordurier, pornographique, vicieux. *Ant.* **I.** Bienséant, décent, honnête, moral, pur, réservé, vertueux.

Immortalité
Syn. **I.** Survie, survivance (de l'âme), vie future. **II.** Continuité, éternité, pérennité, perpétuité, postérité. *Ant.* **I.** Mortalité.

Immortel
Syn. **I.** Éternel, futur. **II.** Célèbre, durable, glorieux, impérissable, perpétuel. *Ant.* **I.** Mortel, périssable. **II.** Éphémère, ignoré, passager, provisoire, temporaire, temporel.

Immuable
Syn. **I.** Constant, durable, fixe, inaltérable, invariable. **III.** Figé, stéréotypé. *Ant.* **I.** Altérable, changeant, divers, mouvant, variable. **III.** Animé, vivant.

Immuniser
Syn. **I.** Mithridatiser, vacciner. **III.** Garantir, protéger. *Ant.* **I.** Contaminer. **III.** Exposer.

Immunité
Syn. **I.** Décharge, dégrèvement, dispense, exemption, exonération, franchise, inviolabilité, liberté, prérogative, privilège. — Accoutumance, immunisation, mithridatisme. **II.** Abri, préservation, protection. *Ant.* **I.** Assujettissement, charge, contrainte, dépendance, obligation. — Allergie, anaphylaxie. **II.** Intolérance.

Impact
Syn. **I.** But, choc, collision, coup, heurt. **III.** Bruit, conséquence, retentissement.

Impalpable
Syn. **I.** Immatériel, insaisissable. **II.** Délié, fin, microscopique, minuscule, ténu. *Ant.* **I.** Palpable, saisissable, tangible.

Imparfait
Syn. **I.** Défectueux, déficient, ébauché, grossier, imprécis, inachevé, incomplet, inégal, insuffisant, manqué, mauvais, médiocre, négligé, raté, rudimentaire. *Ant.* **I.** Accompli, achevé, complet, excellent, fini, formé, idéal, parfait, précis.

Impartial
Syn. **I.** Désintéressé, droit, égal, équitable, honnête, impassible, intègre, juste, loyal, neutre, objectif. *Ant.* **I.** Abusif, chauvin, déloyal, inique, injuste, intéressé, malhonnête, partial, partisan, prévenu, subjectif.

Impassible
Syn. **I.** Apathique, calme, dur, ferme, fermé, flegmatique, froid, impavide, impénétrable, imperturbable, indifférent, inébranlable, insensible, philosophe, stoïque. *Ant.* **I.** Agité, changeant, chatouilleux, émotif, emporté, ému, excité, fougueux, impatient, impressionnable, irritable, sensible, sentimental, susceptible.

Impatience
Syn. **I.** Agacement, dépit, énervement, exaspération, irritation, précipitation. **II.** Agitation, avidité, désir, empressement, fièvre, hâte, inquiétude, tourment. *Ant.* **I.** et **II.** Calme, courage, endurance, impassibilité, indulgence, patience, persévérance, résignation, sang-froid, tolérance.

Impatienter (et S')
Syn. **I.** *(V. tr.)* Agacer, énerver, exaspérer, fatiguer, harceler, importuner, irriter, lasser. — *(V. pr.)* (S') aigrir, (s') emporter, (s') énerver, (se) fâcher, (se) formaliser, (s') indigner, (s') irriter. *Ant.* **I.** *(V. tr.)* Désarmer, endurer,

excuser, patienter, persévérer, supporter, tolérer. — *(V. pr.)* (S') adoucir, (se) calmer, (s') encourager, (se) résigner.

Impénétrable
Syn. **I.** Dense, imperméable, inaccessible. **III.** Abstrus, caché, énigmatique, fermé, hermétique, incompréhensible, inexplicable, insondable, mystérieux, obscur, profond, secret, sibyllin, ténébreux, voilé. *Ant.* **I.** Accessible, clairsemé, perméable. **III.** Clair, compréhensible, déchiffrable, explicable, explicite, ouvert, pénétrable, précis.

Impénitent
Syn. **I.** Endurci, incorrigible, invétéré. **II.** Impie. *Ant.* **I.** Contrit, pénitent, repenti. **II.** Pieux.

Impératif
Syn. **I.** Absolu, autoritaire, bref, cassant, catégorique, péremptoire, tranchant. **II.** Impérieux, pressant. *Ant.* **I.** Bonasse, docile, faible, hésitant, humble, indécis, modeste, relatif, soumis, timide. **II.** Inutile, superflu.

Imperceptible
Syn. **I.** Inaudible, insaisissable, invisible. **II.** Atomique, faible, infime, léger, microscopique, minime, minuscule, petit. **III.** Insensible. *Ant.* **I.** Apercevable, audible, manifeste, perceptible, saisissable, visible. **II.** Considérable, important. **III.** Sensible.

Imperfection
Syn. **I.** Défaut, défectuosité, faiblesse, faute, infirmité, lacune, malfaçon, médiocrité, péché mignon, travers. *Ant.* **I.** Achèvement, excellence, intégralité, perfection, qualité, vertu.

Impérieux
Syn. (Pers.) **I.** Absolu, altier, autoritaire, dédaigneux, dictatorial, dominateur, fier, formel, hautain, orgueilleux, tyrannique.

II. Cassant, impératif, magistral, tranchant. *(Ch.)* **I.** Irrésistible, obligatoire, pressant, sérieux, urgent. *Ant. (Pers.)* **I.** et **II.** Hésitant, humble, modeste, obéissant, soumis, tempéré, timide. *(Ch.)* **I.** Facultatif, libre, variable.

Impéritie
Syn. **I.** Gaucherie, ignorance, inaptitude, incapacité, incompétence, inhabileté, insuffisance, maladresse. *Ant.* **I.** Adresse, aptitude, capacité, compétence, connaissance, dextérité, expérience, habileté, savoir, science.

Impertinent
Syn. **I.** Audacieux, déplacé, désinvolte, fat, effronté, grossier, impoli, impudent, inconvenant, incorrect, insolent, irrespectueux, irrévérencieux, mauvais plaisant, sot. **II.** Blessant. *Ant.* **I.** Bienséant, civil, complaisant, convenable, correct, courtois, déférent, obséquieux, poli, respectueux. **II.** Aimable.

Imperturbable V. *Impassible*

Impétueux
Syn. **I.** *(Ch.)* Déchaîné, endiablé, fort, furieux, prompt, torrentueux, vertigineux. — *(Pers.)* Ardent, bouillant, effréné, emporté, explosif, fougueux, inflammable, pétulant, véhément, vif, violent, volcanique. *Ant.* **I.** Calme, engourdi, flegmatique, impassible, indifférent, indolent, irrésolu, lent, mou, nonchalant, ralenti, retardataire, tardif.

Impie
Syn. (Adj.) **I.** Blasphématoire, impénitent, irréligieux. *(N.)* **I.** Athée, blasphémateur, incrédule, infidèle, mécréant, païen, profanateur, sacrilège. **II.** Hérétique. *Ant. (Adj.)* **I.** Pieux, religieux, respectueux. *(Pers.)* **I.** Croyant, dévot, fidèle. **II.** Orthodoxe.

Impitoyable
Syn. **I.** Cruel, dur, endurci, féroce, implacable, inexorable, inflexible, inhumain. **II.** Accablant, insensible, intraitable, sévère.
Ant. **I.** Bon, charitable, clément, doux, émotif, humain, miséricordieux, souple, tendre. **II.** Bienveillant, compréhensif, indulgent, sensible.

Implacable
Syn. **I.** Acharné, barbare, cruel, dur, impitoyable, inapaisable, inexorable, inflexible. **II.** Insensible, rigoureux, sévère, terrible. — *(Ch.)* Fatal, inéluctable, infaillible, irrésistible.
Ant. **I.** Accommodant, aimable, clément, complaisant, conciliant, débonnaire, doux, sociable, traitable. **II.** Indulgent, sensible. — Évitable, favorable, propice.

Implanter (et S')
Syn. (V. tr.) **I.** Fixer, insérer. **III.** Ancrer, enraciner, inculquer, installer, introduire. — *(V. pr.)* **I.** (S') enraciner, (s') établir, prendre.
Ant. **I.** et **III.** Arracher, déraciner, détruire, effacer, renverser, ruiner.

Impliquer
Syn. **I.** Compromettre, engager, englober, envelopper, mêler. — Comporter, contenir, entraîner, inclure, nécessiter, renfermer, signifier, supposer, vouloir dire.
Ant. **I.** Dégager, excepter, exclure, libérer.

Implorer
Syn. **I.** Adjurer, conjurer, invoquer, prier, supplier. — Réclamer, solliciter.
Ant. **I.** Dédaigner, mépriser, refuser, renvoyer, repousser.

Impoli
Syn. **I.** *(N.)* Goujat, malappris, malotru, mufle, rustaud. — *(Adj.)* Discourtois, (mal) élevé, grossier, incivil, inconvenant, incorrect, insolent, irrespectueux, irrévérencieux.

Ant. **I.** Affable, aimable, cérémonieux, civil, correct, courtois, déférent, distingué, (bien) élevé, galant, obséquieux, poli, respectueux, révérencieux.

Importance
Syn. **I.** Conséquence, étendue, grandeur, gravité, intérêt, poids, portée, prix, valeur. **II.** Autorité, considération, crédit, influence, prestige. — *(Péj.)* Arrogance, fatuité, présomption, prétention, suffisance, vanité.
Ant. **I.** Banalité, futilité, insignifiance, médiocrité. **II.** Discrédit, nullité, petitesse. — Humilité, modestie.

Important
Syn. (Ch.) **I.** Appréciable, capital, considérable, crucial, décisif, dominant, élevé, essentiel, fameux, fondamental, grave, gros, inappréciable, incalculable, indispensable, inestimable, insigne, intéressant, majeur, marquant, mémorable, nécessaire, notable, primordial, principal, remarquable, sérieux, signalé, substantiel, utile, valable. **II.** Pressant, pressé, urgent. *(Pers.)* **I.** Autorisé, considérable, grand, haut, influent, puissant. **II.** *(Péj.)* Arrogant, avantageux, fat, infatué, orgueilleux, prétentieux, suffisant, vain.
Ant. (Ch.) **I.** Accessoire, anodin, banal, contestable, dérisoire, frivole, futile, insignifiant, inutile, léger, médiocre, négligeable, ordinaire, secondaire, vain. **II.** Dilatoire, remis, retardé. *(Pers.)* **I.** Faible, petit, nul. **II.** Humble, modeste.

Importun
Syn. (N.) **I.** Casse-pieds *(fam.)*, fâcheux, gêneur, indiscret, intrus, raseur *(fam.)*, rasoir *(fam.)*. *(Adj.)* **I.** Déplaisant, embarrassant, énervant, ennuyeux, excédant, fatigant, insupportable, tannant *(fam.)*. **II.** *(Ch.)* Agaçant, désagréable, gênant, inopportun, intempestif, intolérable.
Ant. **I.** Discret, intéressant, reposant. **II.** Agréable, convenable, opportun, utile.

Importuner
Syn. **I.** Agacer, assommer, contrarier, déranger, empoisonner *(fam.)*, ennuyer, excéder, fatiguer, gêner, harceler, impatienter, obséder, tanner *(fam.)*, tracasser. **II.** *(Ch.)* Déplaire, incommoder, indisposer, peser.
Ant. **I.** Accommoder, aider, amuser, charmer, distraire, divertir, égayer, récréer, réjouir. **II.** Laisser en repos, plaire.

Imposant
Syn. **I.** *(Pers.)* Auguste, digne, grand, grave, gros, magistral, majestueux, noble, respectable, solennel. — *(Ch.)* Considérable, élevé, énorme, formidable, grandiose, impressionnant, monumental, pompeux, solennel, superbe.
Ant. **I.** *(Pers.)* Comique, insignifiant, nul, ridicule. — *(Ch.)* Laid, méprisable, négligeable, ordinaire, trivial, usuel, vulgaire.

Imposer
Syn. *(V. tr.)* **I.** Charger, frapper, grever, taxer. **II.** Astreindre, commander, contraindre, dicter, donner, enjoindre, exiger, établir, faire, fixer, forcer, incomber, infliger, obliger, prescrire. — Faire accepter, admettre, impatroniser. — Mettre, poser sur. — Inspirer, provoquer le respect. — *(V. intr.)* Impressionner, subjuguer.
Ant. *(V. tr.)* **I.** et **II.** Abolir, affranchir, dégrever, dispenser, épargner, libérer, permettre, supprimer. — *(V. intr.)* Laisser froid.

Impossibilité
Syn. **I.** Impuissance, incapacité. **II.** Chimère, empêchement, rêve, utopie.
Ant. **I.** Facilité, possibilité, pouvoir, puissance. **II.** Réalité, réussite.

Impossible
Syn. **I.** *(Ch.)* Absurde, chimérique, impraticable, inabordable, inaccessible, inapplicable, inexécutable, infaisable, insoluble, invraisemblable, irréalisable,

utopique. — *(Pers.)* Difficile, insociable, insupportable.
Ant. **I.** *(Ch.)* Abordable, accessible, aisé, appréciable, exécutable, facile, faisable, possible, praticable, réalisable. — *(Pers.)* Acceptable, sociable, supportable, tolérable.

Imposteur
Syn. **I.** Charlatan, menteur, trompeur. **II.** Hypocrite, tartufe ou tartuffe. — Usurpateur.
Ant. **I.** Honnête, probe, vrai. **II.** Droit, franc, loyal, sincère.

Imposture
Syn. **I.** Fausseté, mensonge, mystification, tromperie. **II.** Hypocrisie. **III.** Illusion.
Ant. **I.** Honnêteté, probité, vérité. **II.** Droiture, franchise, loyauté. **III.** Réalité.

Impôt
Syn. **I.** Charge, contribution, dîme, droit, fisc, imposition, redevance, taxe, tribut.

Impotent
Syn. **I.** Estropié, infirme, invalide, perclus, paralysé.
Ant. **I.** Alerte, fort, gaillard, ingambe, robuste, vigoureux.

Impraticable
Syn. **I.** Difficile, impossible, inapplicable, irréalisable, malaisé.
Ant. **I.** Aisé, applicable, facile, possible, réalisable.

Imprécation
Syn. **I.** Anathème, malédiction. — Blasphème, juron.
Ant. **I.** Bénédiction.

Imprégner (et S')
Syn. *(V. tr.)* **I.** Humecter, imbiber, tremper. **II.** Baigner. **III.** Animer, envahir, (être) imbu, imprimer, inculquer, marquer, pénétrer, remplir. *(V. pr.)* **I.** Absorber, boire, prendre l'eau. **III.** Acquérir, apprendre, assimiler.

Ant. (V. tr.) **I.** Assécher, tarir. **II.** Flotter, surnager. **III.** Effleurer, frôler. *(V. pr.)* **I.** Rejeter. **III.** Désapprendre, ignorer.

Impression
Syn. **I.** Composition, gravure, reproduction, tirage. **III.** Action, effet, émoi, émotion, empreinte, influence, marque, pensée, perception, saisissement, sensation, sentiment. *Ant.* **III.** Flegme, froideur, impassibilité, indifférence, sang-froid, stoïcisme.

Impressionnable
Syn. **I.** Sensible. **III.** Délicat, douillet, émotif, sensible, sensitif. *Ant.* **III.** Calme, dur, flegmatique, glacial, impassible, indifférent, insensible.

Impressionnant
Syn. **I.** Bouleversant, brillant, convaincant, effrayant, éloquent, émouvant, étonnant, frappant, grandiose, imposant, palpitant, saisissant, spectaculaire. *Ant.* **I.** Faible, froid, insignifiant.

Impressionner
Syn. **I.** Affecter, bouleverser, ébranler, émouvoir, étonner, frapper, imposer à, influencer, intimider, saisir, toucher, troubler. *Ant.* **I.** Calmer, laisser froid.

Imprévu
Syn. **I.** Accidentel, brusque, déconcertant, extraordinaire, fortuit, impromptu, inattendu, inespéré, inopiné, spécial, soudain, subit. *Ant.* **I.** Attendu, conjecturé, désiré, deviné, espéré, intentionnel, ordinaire, prémédité, présagé, pressenti, prévu, prophétisé.

Imprimer
Syn. **I.** Appliquer, apposer, estamper, estampiller. — Composer, éditer, publier, reproduire, tirer. **III.** Communiquer, donner, empreindre, fixer, graver, imprégner, inculquer, inspirer, insuffler, marquer, transmettre.

Ant. **III.** Biffer, éclipser, effacer, supprimer.

Impropre
Syn. **I.** Inadéquat, incorrect, inexact, vicieux. **II.** Inapte, incapable. *Ant.* **I.** Adéquat, correct, exact, précis. **II.** Apte, capable, convenable, propre à.

Improviste (À l')
Syn. **I.** (À) brûle-pourpoint, brusquement, (de) but en blanc, (tout à) coup, (au) dépourvu, inopinément, soudainement, subitement. *Ant.* **I.** Attendu, graduellement, peu à peu, prémédité, (de) propos délibéré.

Imprudence
Syn. **I.** Bévue, étourderie, hardiesse, imprévoyance, irréflexion, légèreté, maladresse, négligence, témérité. *Ant.* **I.** Attention, circonspection, précaution, prévoyance, prudence, réserve, sagesse, sérieux.

Imprudent
Syn. **I.** *(Pers.)* Audacieux, aventureux, casse-cou *(fam.)*, confiant, écervelé, étourdi, imprévoyant, irréfléchi, léger, malavisé, présomptueux, risque-tout *(fam.)*, téméraire. — *(Ch.)* Dangereux, hasardeux, indiscret, maladroit, osé, périlleux, risqué. *Ant.* **I.** *(Pers.)* Attentif, averti, avisé, circonspect, défiant, prévoyant, prudent, réfléchi, réservé, sage, sérieux. — *(Ch.)* Bon, discret, inoffensif, sûr, timoré.

Impudence
Syn. **I.** Aplomb, audace, culot, cynisme, effronterie, front, grossièreté, hardiesse, impudeur, insolence. *Ant.* **I.** Amabilité, discrétion, modestie, pudeur, réserve, retenue, urbanité.

Impudent
Syn. **I.** Cynique, effronté, éhonté, grossier, hardi, impertinent, insolent, outrecuidant. — *(Ch.)* Inconvenant, indécent, licencieux.

Ant. **I.** Délicat, discret, honteux, humble, modeste, réservé, retenu, scrupuleux, timide. — *(Ch.)* Chaste, décent, honnête.

Impuissance
Syn. **I.** Affaissement, ankylose, engourdissement, faiblesse, impossibilité, incapacité, incompétence, insuffisance, invalidité, paralysie, torpeur. — Frigidité, infécondité, stérilité. *Ant.* **I.** Aptitude, capacité, compétence, domination, efficacité, force, influence, maîtrise, possibilité, pouvoir, puissance. — Fécondité.

Impuissant
Syn. **I.** Aboulique, ankylosé, engourdi, faible, impotent, inapte, incapable, invalide, paralysé. — Eunuque, infécond, stérile. **II.** Débile, inefficace, inopérant. *Ant.* **I.** Apte, capable, fort, puissant, valide, volontaire. — Fécond. **II.** Efficace, opérant.

Impulsion
Syn. **I.** Impression, poussée. **III.** Animation, appel, direction, élan, entraînement, essor, excitation, force, influence, instinct, mobile, mouvement, penchant, tendance. *Ant.* **I.** Obstacle, ralentissement. **III.** Arrêt, aversion, barrière, faiblesse, frein, inhibition, léthargie, nonchalance, répugnance, répulsion.

Impur
Syn. **I.** Boueux, bourbeux, corrompu, mélangé, trouble. **II.** Empesté, immonde, infect, malpropre, malsain, sale, souillé. — Contrefait, falsifié, imité. **III.** Bas, charnel, déshonnête, immoral, impudique, indécent, indigne, infâme, lascif, obscène, sensuel, vicieux. *Ant.* **I.** Clair, pur. **II.** Propre, purifié, sain, salutaire. — Conservé, respecté. **III.** Chaste, continent, décent, digne, honnête, moral, pudique, vertueux.

Impureté
Syn. **I.** Corruption, immondice, pollution, saleté, scorie, souillure. **III.** Impudicité, lasciveté, lubricité, luxure, obscénité, sensualité. *Ant.* **I.** Assainissement, hygiène, propreté, salubrité. **III.** Chasteté, continence, pudicité, pureté.

Imputable
Syn. **I.** Attribuable, dû. — Compensé, déduit, prélevé.

Imputation
Syn. **I.** Accusation, allégation, blâme, calomnie, chantage, diffamation, incrimination, inculpation, reproche. — Affectation, application, attribution. *Ant.* **I.** Défense, disculpation, excuse, justification.

Imputer
Syn. **I.** Accuser, attribuer, blâmer, charger de, incriminer, inculper. — Affecter, appliquer, porter. *Ant.* **I.** Blanchir, disculper, excuser, innocenter, justifier.

Inabordable
Syn. **I.** Inaccessible. **II.** Cher, coûteux, élevé, exorbitant. *Ant.* **I.** Accessible. **II.** Abordable, raisonnable.

Inaccessible
Syn. **I.** Impénétrable, inabordable. **III.** Insensible à, insondable, mystérieux, obscur. *Ant.* **I.** Abordable, accessible, accostable, pénétrable. **III.** Clair, connu, intelligible, sensible.

Inactif
Syn. **I.** Désœuvré, endormi, immobile, inoccupé, oisif, paresseux, stagnant. **II.** Inefficace. *Ant.* **I.** Actif, agissant, alerte, entreprenant, occupé. **II.** Efficace.

Inaction

Syn. **I.** Désœuvrement, fainéantise, immobilité, inoccupation, inertie, léthargie, oisiveté, stagnation, torpeur.

Ant. **I.** Action, activité, ardeur, emploi, énergie, exercice, labeur, occupation, travail.

Inadmissible

Syn. **I.** Inacceptable, inconcevable, insoutenable, intolérable, irrecevable, scandaleux.

Ant. **I.** Acceptable, admissible, concevable, normal, plausible, recevable, vraisemblable.

Inaltérable

Syn. **I.** Fixe, immuable, imputrescible, incorruptible, inoxydable, inusable, invariable, permanent, perpétuel. **III.** Constant, éternel, stable.

Ant. **I.** Altérable, changeant, fragile. **III.** Instable, précaire.

Inanimé

Syn. **I.** Évanoui, inerte, mort. **III.** Froid, inexpressif, insensible, morne.

Ant. **I.** Animé, conscient, vivant. **III.** Expressif, sensible, vif.

Inanité

Syn. **I.** Frivolité, futilité, inutilité, puérilité, vanité.

Ant. **I.** Importance, prix, utilité, valeur.

Inappréciable

Syn. **I.** Inestimable, précieux.

Ant. **I.** Appréciable, médiocre, modique.

Inaptitude V. *Incapacité*

Inattaquable

Syn. **I.** Imprenable, inexpugnable. **II.** Authentique, certain, inaltérable. — Impeccable, irréprochable.

Ant. **I.** Attaquable, prenable. **II.** Altérable, critiquable, douteux. — Blâmable, faible, vulnérable.

Inattendu V. *Imprévu*

Inattention

Syn. **I.** Distraction, étourderie, faute, inadvertance, inapplication, inconséquence, irréflexion, légèreté, mégarde, négligence, omission, oubli.

Ant. **I.** Application, attention, circonspection, concentration, réflexion, sérieux, soin, vigilance.

Inauguration

Syn. **I.** Consécration, dédicace, ouverture, première, primeur. **III.** Commencement, début.

Ant. **I.** Abandon, désaffection, fermeture, suppression. **III.** Clôture, fin.

Inaugurer

Syn. **I.** Célébrer, consacrer, dédier, étrenner, ouvrir. **III.** Commencer, entreprendre.

Ant. **I.** Fermer. **III.** Copier, continuer, poursuivre.

Incalculable

Syn. **I.** Considérable, énorme, extraordinaire, illimité, immense, imprévisible, inappréciable, incommensurable, indéfini, infini, innombrable.

Ant. **I.** Appréciable, borné, calculable, commensurable, déterminé, faible, limité, minime, négligeable, ordinaire, prévisible, restreint.

Incandescent

Syn. **I.** Chaud, éblouissant, igné, lumineux, surchauffé. **III.** Ardent, brûlant.

Ant. **I.** Éteint, froid. **III.** Calme, indifférent.

Incapable

Syn. **I.** Ignorant, impropre, impuissant, inapte, incompétent, inhabile, maladroit, malhabile, nul.

Ant. **I.** Adroit, apte, averti, capable, compétent, éminent, habile, puissant.

Incapacité

Syn. **I.** Ignorance, impossibilité, impéritie, impuissance à, inaptitude, incompé-

tence, inhabileté, insuffisance, invalidité.
Ant. **I.** Aptitude, capacité, compétence, expérience, habileté, possibilité, pouvoir, puissance, savoir, science, talent, validité.

Incarcérer
Syn. **I.** Emprisonner.
Ant. **I.** Délivrer, libérer.

Incartade
Syn. **I.** Caprice, écart, erreur, extravagance, faute, folie, frasque, fredaine, peccadille.
Ant. **I.** Mesure, raison, retenue, sérieux.

Incendie
Syn. **I.** Brasier, combustion, feu, flamme, sinistre. **III.** Bouleversement, conflagration, guerre, révolution.

Incendier
Syn. **I.** Allumer, brûler, consumer, détruire, embraser, enflammer, exterminer. **III.** Échauffer, exciter.
Ant. **I.** Éteindre. **III.** Calmer, refroidir.

Incertain
Syn. *(Ch.)* **I.** Indéterminé. — Aléatoire, conditionnel, contestable, contingent, douteux, éventuel, hypothétique, improbable, précaire, problématique. **II.** Ambigu, changeant, confus, équivoque, fragile, imprécis, indéfini, indéfinissable, instable, nébuleux, obscur, vague, vaporeux, variable. *(Pers.)* **I.** Branlant, chancelant, embarrassé, faible, flottant, hésitant, indécis, irrésolu, oscillant, perplexe, vacillant, velléitaire.
Ant. **I.** *(Ch.)* Déterminé. — Assuré, authentique, avéré, certain, confirmé, démontré, effectif, évident, formel, garanti, incontestable, indubitable, manifeste, notoire, positif, probable, prouvé, sûr. **II.** Clair, défini, fixe, fort, invariable, net, précis, stable. *(Pers.)* **I.** Décidé, ferme, hardi, résolu, volontaire.

Incertitude
Syn. **I.** *(Ch.)* Ambiguïté, chance, contingence, embrouillement, équivoque, éventualité, faiblesse, fragilité, hasard, inconstance, insécurité, instabilité, obscurité, précarité, variabilité. — *(Pers.)* Anxiété, doute, embarras, flottement, hésitation, indécision, indétermination, irrésolution, perplexité, scrupule, tâtonnement, tergiversation, vacillation, versatilité.
Ant. **I.** *(Ch.)* Clarté, constance, évidence, force, invariabilité, netteté, précision, sécurité, stabilité, sûreté, vérité. — *(Pers.)* Assurance, certitude, décision, détermination, fermeté, opiniâtreté, résolution, ténacité, volonté.

Incessant
Syn. **I.** Continu, continuel, éternel, ininterrompu, perpétuel.
Ant. **I.** Discontinu, interrompu, momentané, rare.

Incident
Syn. *(N.)* **I.** Accroc, anicroche, aventure, cas, circonstance, difficulté, épisode, événement, péripétie. **III.** Chicane, dispute.

Incinération
Syn. **I.** Combustion, crémation, destruction, feu, ustion.

Inciser
Syn. **I.** Couper, débrider, entailler, fendre, ouvrir, scarifier.
Ant. **I.** Cicatriser, coudre, fermer, guérir, rattacher.

Incisif
Syn. **I.** Coupant, tranchant. **III.** Acerbe, acéré, aigu, concis, mordant, piquant, satirique.
Ant. **I.** Émoussé. **III.** Bon, complaisant, diffus, doux, indulgent, mou, terne.

Incision
Syn. **I.** Coupure, entaille, fente, taillade.

Inciter
Syn. **I.** Aiguillonner, animer, conseiller.

décider, déterminer, disposer, encourager, engager, entraîner, exhorter, incliner, influencer, inspirer, inviter, persuader, pousser à, solliciter, stimuler. *Ant.* I. Amortir, apaiser, arrêter, déconseiller, décourager, détourner, dissuader, empêcher, retenir.

Incivil
Syn. I. Discourtois, grossier, impertinent, impoli, incorrect, insolent, irrévérencieux, malappris, rustaud. *Ant.* I. Civil, correct, courtois, délicat, distingué, (bien) élevé, galant, sociable.

Inclément
Syn. I. Âpre, dur, rigoureux. *Ant.* I. Agréable, clément, doux, favorable.

Inclinaison
Syn. I. Déclivité, obliquité, penchant, pente. *Ant.* I. Aplomb, nivellement, redressement.

Inclination
Syn. I. Appétit, attirance, attrait, désir, disposition, envie, faible *(n.)*, goût, instinct, penchant, propension, tendance. − Affection, amour, attachement, sympathie. − Courbette, révérence, salut. *Ant.* I. Antipathie, aversion, dégoût, détestation, horreur, répugnance.

Incliner (et **S'**)
Syn. *(V. intr.)* I. Obliquer, pencher, tourner à. III. Désirer, (être) enclin, pencher, tendre (à, vers). *(V. tr.)* I. Abaisser, baisser, coucher, courber, infléchir, plier, ployer. III. Inciter, influencer, porter, pousser. *(V. pr.)* I. (Se) baisser, (se) courber, (se) pencher, (se) prosterner, saluer. III. Abandonner, céder, courber le front, obéir, (se) soumettre. *Ant.* *(V. intr.)* I. Redresser. III. Résister. *(V. tr.)* I. Aplanir, dresser, égaliser, élever, lever, niveler. III. Détourner, empêcher. *(V. pr.)* I. (Se) relever. − Dédai-

gner, mépriser. III. Contester, lutter, (s') obstiner, (s') opposer, (se) révolter.

Inclure
Syn. I. Comporter, comprendre, contenir, impliquer, incorporer, insérer, intercaler, introduire, joindre, renfermer. *Ant.* I. Écarter, éliminer, enlever, excepter, exclure, interdire, ôter, retrancher.

Incohérent
Syn. III. Absurde, confus, décousu, désordonné, emmêlé, extravagant, illogique, incompréhensible, inconséquent. *Ant.* III. Cohérent, compréhensible, conséquent, harmonieux, intelligent, logique, ordonné, précis, suivi.

Incolore
Syn. I. Blanc, clair, limpide, mat, pâle. III. Fade, plat, terne. *Ant.* I. Coloré, teinté. III. Brillant, éclatant, expressif, imagé.

Incommensurable
Syn. II. Démesuré, énorme, gigantesque, grand, illimité, immense, indéfini, infini, innombrable. *Ant.* II. Commensurable, imperceptible, limité, mesurable, minime, petit, restreint.

Incommode
Syn. I. Accablant, déplaisant, désagréable, embarrassant, encombrant, fatigant, gênant, incommodant, inconfortable. − *(Pers.)* Fâcheux, importun. *Ant.* I. Agréable, aisé, avantageux, commode, confortable, favorable, plaisant, pratique, satisfaisant. − Facile, sociable.

Incommodé
Syn. I. Indisposé, malade, souffrant. *Ant.* I. Dispos, (bien) portant, reposé.

Incommoder
Syn. I. Déranger, étourdir, fatiguer, importuner, indisposer, troubler. *Ant.* I. Laisser en repos, mettre à l'aise, tranquilliser.

Incomparable

Syn. **I.** Accompli, admirable, inégalable, (hors) pair, (sans) pareil, parfait, supérieur, unique.

Ant. **I.** Comparable, inférieur, médiocre.

Incompatibilité

Syn. **I.** Antagonisme, antipathie, contradiction, désaccord, disconvenance, inconciliabilité, opposition.

Ant. **I.** Accord, coexistence, cumul, compatibilité, harmonie, simultanéité.

Incompétence

Syn. **III.** Ignorance, inaptitude, incapacité, inexpérience.

Ant. **III.** Aptitude, capacité, compétence, expérience, savoir, science.

Incompréhensible

Syn. **I.** Abstrus, amphigourique, embrouillé, énigmatique, hermétique, impénétrable, inconcevable, indéchiffrable, inexcusable, inexplicable, inintelligible, insondable, mystérieux, obscur, ténébreux. − *(Pers.)* Bizarre, curieux, déconcertant, étrange.

Ant. **I.** Certain, clair, compréhensible, concevable, déchiffrable, élémentaire, évident, excusable, explicable, facile, intelligible, manifeste. − *(Pers.)* Normal, rassurant.

Inconcevable

Syn. **I.** Contradictoire, impensable, impossible. **II.** Bizarre, étonnant, étrange, extraordinaire, extravagant, inadmissible, incompréhensible, incroyable, inimaginable, phénoménal, stupéfiant.

Ant. **I.** Concevable, pensable, possible. **II.** Admissible, banal, commun, compréhensible, croyable, imaginable, juste, logique, naturel, ordinaire.

Inconnu

Syn. (Ch.) **I.** Absent, caché, ignoré, indéterminé, mystérieux, occulte, voilé. **II.** Inédit, inexpérimenté, inexploré, inouï, neuf, nouveau, rare. *(Pers.)* **I.** Anonyme, ignoré, incognito, obscur. **II.** Étranger, tiers.

Ant. (Ch.) **I.** Connu, déterminé, dévoilé, présent, public, révélé. **II.** Banal, expérimenté, exploré, éprouvé, notoire, usé, usuel, vieux. *(Pers.)* **I.** Célèbre, connu, fameux, renommé. **II.** Familier, parent.

Inconscient

Syn. **I.** Comateux, évanoui, inanimé, léthargique. **II.** Automatique, instinctif, machinal, spontané. − Maboul *(fam.)*.

Ant. **I.** Conscient, lucide. **II.** Intentionnel, volontaire, voulu. − Équilibré.

Inconséquent

Syn. **I.** Absurde. **II.** Inconsidéré, irréfléchi. *(Pers.)* **II.** Écervelé, étourdi, illogique, léger.

Ant. (Ch.) **I.** Raisonnable. **II.** Considéré, réfléchi. *(Pers.)* **II.** Conséquent, logique, sérieux.

Inconsidéré

Syn. **I.** Imprudent, indiscret, irréfléchi, maladroit. **II.** Étourdi, inconséquent, léger, malavisé.

Ant. **I.** Considéré, prudent, réfléchi, sage. **II.** Circonspect, sérieux.

Inconsistant

Syn. **I.** Flasque, maniable, mollasse, mou, tendre. **III.** Amorphe, changeant, fragile, frivole, indécis, variable, versatile, veule.

Ant. **I.** Consistant, dur, épais, fort, résistant, rigide, solide, stable. **III.** Énergique, ferme, fixe, immuable, volontaire.

Inconstant

Syn. **I.** Capricieux, changeant, flottant, fragile, frivole, fugitif, incertain, infidèle, instable, léger, ondoyant, papillonnant, vacillant, variable, volage.

Ant. **I.** Attaché, certain, constant, durable, entêté, ferme, fidèle, fort, immuable, inébranlable, persévérant, résistant, résolu, sérieux, stable.

Incontestable

Syn. **I.** Assuré, avéré, certain, démontré, évident, flagrant, formel, inattaquable, indéniable, indiscutable, indubitable, irrécusable, irréfutable, manifeste, prouvé, reconnu, sûr.
Ant. **I.** Attaquable, contestable, discutable, douteux, erroné, faux, hypothétique, incertain, niable, récusable, réfutable.

Inconvenance

Syn. **I.** Cynisme, désinvolture, effronterie, impertinence, sans-gêne. — Grossièreté, impolitesse, incorrection.
Ant. **I.** Bienséance, convenance, égard. — Courtoisie, délicatesse, politesse.

Inconvenant

Syn. **I.** Choquant, cru, cynique, déplacé, déshonnête, grossier, impertinent, impoli, incongru, incorrect, indécent, inopportun, libre, licencieux, malséant, obscène.
Ant. **I.** Bienséant, convenable, convenant, correct, décent, honnête, opportun, poli, satisfaisant.

Inconvénient

Syn. **I.** Conséquence, danger, défaut, désagrément, désavantage, écueil, empêchement, ennui, frais, incommodité, obstacle, risque.
Ant. **I.** Agrément, avantage, bienfait, commodité, faveur, privilège, qualité, utilité.

Incorporer

Syn. **I.** Adjoindre, agréger, annexer, assimiler, associer, comprendre, embrigader, enrégimenter, enrôler, insérer, intégrer, introduire, joindre, marier, mêler, mobiliser, rattacher, recruter, réunir.
Ant. **I.** Démobiliser, désunir, détacher, disjoindre, diviser, éliminer, exclure, isoler, licencier, retrancher, séparer.

Incorrect

Syn. **I.** Défectueux, fautif, faux, impropre, inexact, irrégulier, mauvais. **II.** Dé-

braillé, déloyal, déplacé, grossier, impoli, inconvenant.
Ant. **I.** Bon, correct, exact, juste, propre, régulier. **II.** Convenable, courtois, décent, délicat, discret, impeccable, poli.

Incorrigible

Syn. **I.** Entêté, impénitent, incurable, indécrottable, récidiviste.
Ant. **I.** Amendable, corrigible, modifiable, pénitent, souple.

Incorruptible

Syn. **I.** Imputrescible, inaltérable, inattaquable. **III.** Austère, honnête, intègre, juste, probe, vertueux.
Ant. **I.** Altérable, corruptible, périssable, putrescible. **III.** Corrompu, débauché, dépravé, impur, pervers, traître, vénal, vendu.

Incrédule

Syn. **I.** Impie, incroyant, irréligieux, libertin, mécréant. **II.** Défiant, sceptique, soupçonneux.
Ant. **I.** Croyant, pieux, religieux. **II.** Confiant, ingénu, naïf.

Incriminer

Syn. **I.** Inculper. **II.** Accuser, attaquer, blâmer, imputer, suspecter.
Ant. **I.** Disculper, justifier. **II.** Défendre, excuser.

Incroyable

Syn. **I.** Inconcevable, inimaginable, invraisemblable. **II.** Étonnant, extraordinaire, fantastique, inouï, prodigieux.
Ant. **I.** Croyable, vraisemblable. **II.** Anodin, banal, insignifiant, médiocre, ordinaire.

Incroyance

Syn. **I.** Athéisme, doute, incrédulité, irréligion.
Ant. **I.** Croyance, dévotion, foi, religion.

Incroyant

Syn. **I.** Agnostique, antireligieux, areligieux, athée, impie, incrédule, indiffé-

rent, irréligieux, mécréant, païen, sceptique.
Ant. **I.** Croyant, dévot, fidèle, religieux.

Inculper
Syn. **I.** Accuser, charger, dénoncer, déposer contre, imputer, incriminer, poursuivre.
Ant. **I.** Absoudre, défendre, disculper, excuser, justifier, libérer.

Inculquer
Syn. **I.** Apprendre, assimiler, enseigner, graver, implanter, imprégner, pénétrer de.
Ant. **I.** Enlever, extirper, ôter.

Inculte
Syn. **I.** Abandonné, aride, désertique, infertile, stérile. **II.** Désordonné, hirsute, négligé. **III.** Fruste, grossier, ignorant, illettré, primitif, sauvage.
Ant. **I.** Cultivable, défriché, fécond, fertile, productif. **II.** Soigné. **III.** Cultivé, instruit, raffiné, savant.

Incurable
Syn. **I.** Condamné, désespéré, fini, inguérissable, perdu. **III.** Incorrigible.
Ant. **I.** Convalescent, curable, guérissable. **III.** Corrigible.

Incurie
Syn. **I.** Abandon, apathie, indifférence, insouciance, laisser-aller, mollesse, négligence, relâchement.
Ant. **I.** Ambition, application, attention, concentration, préoccupation, soin, souci.

Incursion
Syn. **I.** Attaque, coup de main, course, débarquement, descente, envahissement, invasion, irruption, pointe, raid, razzia. **II.** Exploration, promenade, reconnaissance, voyage. **III.** Ingérence, intrusion.

Indécent
Syn. **I.** Choquant, déplacé, impudent, inconvenant, malséant. — Immodeste, impudique, impur, licencieux, obscène.

Ant. **I.** Bienséant, convenable, correct, décent. — Modeste, moral, pudique.

Indéchiffrable
Syn. **II.** Illisible. **III.** Embrouillé, énigmatique, incompréhensible, inexplicable, inintelligible, obscur.
Ant. **II.** Déchiffrable, lisible. **III.** Distinct, net.

Indécis
Syn. *(Ch.)* **I.** Changeant, douteux, flottant, incertain, indéterminé. **II.** Ambigu, dilatoire, indéfini, indistinct, nébuleux, vague. *(Pers.)* **I.** Désorienté, embarrassé, faible, hésitant, irrésolu, mobile, ondoyant, perplexe, timbré, vacillant.
Ant. *(Ch.)* **I.** Arrêté, déterminé, prononcé. **II.** Défini, distinct, net, précis. *(Pers.)* **I.** Décidé, énergique, ferme, inébranlable, résolu, tenace.

Indécision V. *Incertitude*

Indéfini
Syn. **I.** Général, illimité, imprécis, incertain, indécis, indéterminé, infini, perpétuel, vague.
Ant. **I.** Borné, clair, défini, déterminé, distinct, fini, limité, précis, restreint.

Indélébile
Syn. **I.** Ineffaçable. **III.** Définitif, durable, éternel, inaltérable, indestructible, perpétuel.
Ant. **I.** Délébile, effaçable. **III.** Altérable, court, destructible, éphémère, passager.

Indemnité
Syn. **I.** Allocation, compensation, dédommagement, dommages-intérêts, émolument, prestation, récompense, rémunération, réparation, rétribution.

Indépendance
Syn. **I.** Affranchissement, autonomie, émancipation, liberté, particularisme, séparatisme. **II.** Indocilité, non-conformisme.
Ant. **I.** Asservissement, assimilation, assu-

jettissement, contrainte, dépendance, domination, esclavage, subordination, sujétion. **II.** Conformisme, docilité.

Indépendant
Syn. **I.** Affranchi, autonome, émancipé, insoumis, libre, souverain. — Dissident, hétérodoxe, non-conformiste. **II.** Indocile.
Ant. **I.** Assujetti, contraint, dépendant, soumis, subordonné. — Conformiste, coopérateur, orthodoxe. **II.** Docile.

Indéracinable
Syn. **III.** Ancré, enraciné, inextirpable, invincible, tenace.
Ant. **III.** Déraciné, extirpable, fragile, fugace.

Indéterminé
Syn. **I.** Confus, flou, général, imprécis, illimité, incertain, indéfini, indéfinissable, indistinct, vague, vaporeux.
Ant. **I.** Certain, clair, défini, déterminé, distinct, limité, particularisé, précis, précisé.

Index
Syn. **I.** Catalogue, classement, fichier, indice *(méd.),* lexique, liste, table alphabétique.

Indication
Syn. **I.** Avis. — Annonce, indice, marque, signe. — Direction, prescription, renseignement, renvoi, tuyau *(fam.).*
Ant. **I.** Contre-indication.

Indice
Syn. **I.** Indication, marque, piste, signe, symptôme. — Charge, présomption, preuve, renseignement. — Échelle, index.

Indicible
Syn. **I.** Indéfinissable, indescriptible, ineffable, inexprimable, inouï.
Ant. **I.** Commun, exprimable, insignifiant, médiocre, ordinaire, usuel.

Indifférence
Syn. **I.** Abstention, apathie, dédain, déta-

chement, ennui, flegme, froideur, impassibilité, indépendance, indolence, insensibilité, insouciance, neutralité, sérénité. **II.** Agnosticisme, athéisme, incrédulité, irréligion, scepticisme.
Ant. **I.** Admiration, amour, ardeur, attachement, chaleur, chauvinisme, emballement, enthousiasme, entrain, ferveur, fougue, impétuosité, intérêt, passion, sensibilité, zèle. **II.** Croyance, foi, piété, religion.

Indifférent
Syn. **I.** Égal. — Apathique, blasé, dédaigneux, détaché, égoïste, étranger, froid, impassible, imperturbable, insensible, insouciant, insoucieux, neutre, passif, résigné, sec. **II.** Incrédule.
Ant. **I.** Important. — Ardent, attentif, curieux, déterminé, dévoué, émotif, enthousiaste, fervent, impétueux, impressionnable, inquiet, intéressé, sensible, soucieux. **II.** Croyant, dévot.

Indigence
Syn. **I.** Besoin, dénuement, détresse, gêne, mendicité, misère, nécessité, pauvreté, privation. **III.** Disette, faiblesse, manque.
Ant. **I.** Abondance, aisance, biens, fortune, luxe, opulence, prospérité, richesse. **III.** Affluence.

Indigène
Syn. (Adj. et n.) **I.** Aborigène, autochtone, habitant, local, natif, naturel, originaire.
Ant. **I.** Allogène, étranger, exotique, immigré, importé, réfugié.

Indigent
Syn. (Adj. et n.) **I.** Besogneux, malheureux, mendiant, misérable, miséreux, nécessiteux, pauvre.
Ant. **I.** Abondant, fortuné, heureux, prospère, riche.

Indignation
Syn. **I.** Colère, haro, mécontentement,

mépris, révolte, scandale, tollé.
Ant. **I.** Calme, contentement, douceur, enchantement, joie, modération.

Indigne
Syn. **I.** *(Pers.)* Abject, coupable, cruel, inhumain, méchant, méprisable, vil. — *(Ch.)* Abominable, avilissant, bas, déshonorant, exécrable, ignoble, inqualifiable, odieux, révoltant, scandaleux, trivial. *Ant.* **I.** *(Pers.)* Digne, honorable, méritant, noble. — *(Ch.)* Admirable, convenable, séant.

Indigner (et S')
Syn. **I.** *(V. tr.)* Écœurer, exaspérer, irriter, outrer, révolter, scandaliser. — *(V.pr.)* (S') emporter, (se) fâcher, fulminer, (s') irriter, (s') offenser, vitupérer. *Ant.* **I.** *V. tr.)* Adoucir, apaiser, calmer, édifier, louer. — *(V. pr.)* (S') enthousiasmer.

Indignité
Syn. *(Pers.)* **I.** Abaissement, abjection, avilissement, bassesse, déchéance, déshonneur. *(Ch.)* **I.** Bassesse, énormité, méchanceté, noirceur. **II.** Honte, turpitude, vilenie.
Ant. **I.** Dignité, honneur.

Indiquer
Syn. **I.** Désigner, donner, guider, marquer, montrer, signaler. — Apprendre, assigner, déterminer, dire, enseigner, énumérer, fixer, fournir. — Accuser, annoncer, attester, déceler, démontrer, dénoter, manifester, prouver, refléter, révéler, signifier, témoigner, trahir. — Dessiner, ébaucher, esquisser, tracer.
Ant. **I.** Cacher, dissimuler, taire, voiler. — Achever.

Indirect
Syn. **I.** (De) biais, courbe, détourné, dévié, oblique. **III.** Allusif, évasif, insinuant, sinueux, tortueux. **I.** Médiat.
Ant. **I.** Direct, droit. **III.** Absolu, (sans)

ambages, exact, formel, franc, rigoureux.
I. Immédiat.

Indiscipline
Syn. **I.** Désobéissance, désordre, dissipation, indocilité, insoumission, insubordination, rébellion, résistance, révolte, sédition.
Ant. **I.** Discipline, docilité, obéissance, ordre, soumission, subordination.

Indiscret
Syn. *(N.* et *adj.)* **I.** Bavard, curieux, écouteur, fâcheux, fureteur, gêneur, importun, inquisiteur, inquisitorial, intrus. **II.** Audacieux, déplacé, encombrant, immodéré, imprudent, inconsidéré, inconvenant, intempestif, malavisé.
Ant. **I.** Circonspect, délicat, discret, poli, réservé, sage. **II.** Convenable, décent, mesuré, modéré, opportun, prudent.

Indiscutable V. *Incontestable*

Indispensable
Syn. **I.** Obligatoire, obligé, requis. **II.** Essentiel, nécessaire, utile, vital.
Ant. **I.** Facultatif, libre, volontaire. **II.** Accessoire, inutile, négligeable, superflu, vain.

Indisposé
Syn. **I.** Fatigué, incommodé, malade, souffrant.
Ant. **I.** Dispos, frais, (bien) portant, reposé.

Indisposer
Syn. **I.** Gêner, incommoder. **III.** Aigrir, déplaire à, désobliger, fâcher, froisser, hérisser, importuner, mécontenter, (se) mettre à dos, prévenir contre, vexer.
Ant. **I.** Mettre à l'aise, soulager. **III.** Contenter, obliger, louer, plaire, satisfaire.

Individu
Syn. **I.** Échantillon, exemplaire, spécimen, unité. — Animal, plante. — Être

(humain), homme, individualité, moi, personne.
Ant. **I.** Collectivité. — Collection, foule, masse, peuple, population.

Individuel
Syn. **I.** Autonome, caractéristique, concret, distinct, isolé, particulier, personnel, propre, singulier, spécial, subjectif.
Ant. **I.** Collectif, commun, général, générique, public, social.

Indocile
Syn. **I.** Désobéissant, dissipé, entêté, indépendant, indiscipliné, insoumis, insubordonné, rebelle, récalcitrant, réfractaire, rétif, têtu.
Ant. **I.** Discipliné, docile, doux, facile, maniable, obéissant, soumis, souple, subordonné, tranquille.

Indolent
Syn. **I.** Apathique, avachi, endormi, fainéant, inactif, insouciant, mou, nonchalant, oisif, paresseux. **II.** Alangui, languissant.
Ant. **I.** Actif, alerte, ardent, diligent, emporté, entreprenant, fougueux, impétueux, zélé. **II.** Énergique, vif.

Indubitable V. *Incontestable*

Induction
Syn. **I.** Analyse, généralisation. — Analogie, association, inférence. **II.** Conclusion, conséquence.
Ant. **I.** Déduction, synthèse. **II.** Prémisse.

Induire
Syn. **I.** Inviter, pousser. — Tromper. — Conclure, inférer.
Ant. **I.** Déduire.

Indulgence
Syn. **I.** Bénignité, bienveillance, bonté, charité, clémence, compassion, compréhension, générosité, mansuétude, miséricorde, patience, tolérance. — Absolution, faveur, jubilé, pardon, rémission.
Ant. **I.** Âpreté, cruauté, dureté, férocité,

impatience, inclémence, insensibilité, rigueur, sévérité.

Indulgent
Syn. **I.** Accommodant, bénin, bienveillant, clément, complaisant, compréhensif, coulant, débonnaire, généreux, miséricordieux, patient. **II.** *(Ch.)* Facile, favorable, tolérant.
Ant. **I.** Âpre, cruel, dur, féroce, impatient, impitoyable, implacable, inclément, inexorable, inflexible, rigoureux, sévère, strict. **II.** Défavorable, intolérant.

Indûment
Syn. **I.** Illégitimement, injustement, irrégulièrement, (à) tort.
Ant. **I.** Dûment, justement, légitimement, régulièrement.

Industrie
Syn. **I.** Adresse, art, dextérité. **II.** Habileté, ingéniosité, intelligence, invention, savoir-faire. **I.** Économie, exploitation, machinisme, mécanisation. — Entreprise, établissement, fabrique, manufacture, usine.
Ant. **II.** Gaucherie, inhabileté, maladresse.

Industriel
Syn. **(N.)** **I.** Entrepreneur, fabricant, manufacturier, producteur, usinier.

Industrieux
Syn. **I.** Adroit, capable, expert, fin, habile, ingénieux, inventif.
Ant. **I.** Empoté, gauche, inhabile, maladroit, malhabile.

Inébranlable
Syn. **I.** Fixe, immobile, robuste, solide. **III.** Constant, courageux, déterminé, ferme, impassible, impavide, inflexible, persistant, stoïque, tenace.
Ant. **I.** Fragile. **III.** Accommodant, changeant, faible, inconstant, influençable.

Inédit
Syn. **I.** Non édité. **II.** Inconnu, inusité,

neuf, nouveau, original. *Ant.* **I.** Édité, imprimé, publié. **II.** Banal, connu, usé, vieux.

Ineffable
Syn. **I.** Indescriptible, indicible, inénarrable, inexprimable. **II.** Extraordinaire, sublime. *Ant.* **I.** Descriptible, exprimable. **II.** Ordinaire, terre-à-terre, trivial.

Ineffaçable
Syn. **I.** Indélébile. **II.** Éternel, immortel, impérissable, inaltérable, indestructible, mémorable, vivace. *Ant.* **I.** Délébile, effaçable. **II.** Altérable, caduc, destructible, passager.

Inefficace
Syn. **I.** Anodin, improductif, impuissant, infructueux, inopérant, inutile, stérile, vain. **III.** Platonique. *Ant.* **I.** Actif, agissant, bienfaisant, bon pour, efficace, efficient, excellent, infaillible, salutaire, utile. **III.** Réel.

Inégal
Syn. **I.** Abrupt, accidenté, boiteux, bosselé, bossu, montueux, raboteux, rugueux. — Irrégulier. — Différent, disparate, disproportionné. **III.** Bizarre, capricieux, changeant, fantasque, fluctuant, instable, variable. — Défectueux, imparfait. *Ant.* **I.** Égal, lisse, uni. — Régulier, uniforme. — Identique, même, pareil, proportionné, semblable. **III.** Calme, constant, ferme, persévérant, tenace, invariable. — Soutenu.

Inégalité
Syn. **I.** Accident, anfractuosité, aspérité, bosse, bossellement, cahot, dénivellation, irrégularité, rugosité, saillie, variation. — Asymétrie, déséquilibre, différence, disparité, disproportion, dissemblance. **III.** Imperfection. *Ant.* **I.** Régularité, uniformité. — Égalité, identité, proportion, ressemblance, symétrie.

Inélégant
Syn. **I.** Discourtois, grossier, incorrect, lourd, ridicule. *Ant.* **I.** Chic, délicat, distingué, élégant.

Inéluctable
Syn. **I.** Certain, fatal, forcé, immanquable, inévitable, insurmontable, invincible, irrésistible, nécessaire, sûr. *Ant.* **I.** Accidentel, aléatoire, douteux, évitable, incertain, maîtrisable, occasionnel, surmontable.

Inénarrable
Syn. **I.** Inexprimable. **II.** Bizarre, comique. *Ant.* **I.** Exprimable, racontable. **II.** Grave, normal, sérieux.

Inepte
Syn. **I.** Absurde, idiot, insensé, stupide. **II.** *(Pers.)* Bête, niais, sot. *Ant.* **I.** Raisonnable, sage, sensé. **II.** Fin, intelligent.

Ineptie
Syn. **I.** Absurdité, bêtise, stupidité. **II.** Idiotie, maladresse, sottise. *Ant.* **I.** Perspicacité, sagacité. **II.** Adresse, finesse, intelligence.

Inépuisable
Syn. **I.** Généreux, intarissable. **II.** Abondant, continu, durable, éternel, fécond, indéfini, inexhaustible, infini. *Ant.* **I.** Épuisable, tarissable. **II.** Limité, pauvre, stérile.

Inerte
Syn. **I.** Immobile, inactif, inanimé, mort, perclus. **III.** Abattu, apathique, atone, endormi, froid, indifférent, indolent, insensible, lent, mou, nonchalant, paralysé, paresseux, passif. *Ant.* **I.** Actif, animé, vigoureux. **III.** Alerte, énergique, entreprenant, remuant, vif.

Inertie
Syn. **I.** Résistance. — Atonie, paralysie.

III. Abattement, apathie, immobilisme, inaction, inactivité, indifférence, indolence, insensibilité, nonchalance, paresse, passivité, somnolence, stagnation, torpeur. *Ant.* **I.** Vitalité. **III.** Action, activité, ardeur, énergie, entrain, fougue, mouvement, sensibilité, vigueur.

Inespéré
Syn. **I.** Fortuit, imprévu, inattendu, inopiné, subit.
Ant. **I.** Attendu, déplorable, désespéré, désiré, espéré, préparé, prévu, voulu.

Inestimable
Syn. **I.** Inappréciable, incalculable. **III.** Cher, important, précieux, (sans prix).
Ant. **I.** Estimable. **III.** Banal, commun, vil.

Inévitable V. *Inéluctable*

Inexact
Syn. **I.** Altéré, contrefait, controuvé, erroné, fautif, faux, incorrect, infidèle. **II.** *(Pers.)* Négligent, non ponctuel.
Ant. **I.** Authentique, conforme, correct, exact, fidèle, fondé, juste, précis, réel, véridique, vrai. **II.** Assidu, ponctuel, régulier.

Inexactitude
Syn. **I.** Erreur, faute, imperfection, mensonge. **II.** *(Pers.)* Négligence.
Ant. **I.** Authenticité, exactitude, fidélité, précision, vérité. **II.** Assiduité, ponctualité.

Inexcusable
Syn. **I.** Impardonnable, injustifiable.
Ant. **I.** Excusable, justifiable, pardonnable.

Inexistant
Syn. **I.** Absent, chimérique, fictif, imaginaire, irréel, nul, utopique.
Ant. **I.** Certain, existant, positif, réel, vrai.

Inexorable
Syn. **I.** Dur, impitoyable, implacable, inflexible, insensible, intransigeant, sévère, sourd à. **II.** Cruel, draconien.
Ant. **I.** Accommodant, bon, clément, compatissant, généreux, indulgent, large, miséricordieux, sensible.

Inexpérience
Syn. **I.** Ignorance, impéritie, incapacité, ingénuité, inhabileté, maladresse, naïveté.
Ant. **I.** Capacité, expérience, habileté.

Inexpérimenté
Syn. **I.** Apprenti, commençant, ignorant, inexercé, inexpert, inhabile, maladroit, neuf, novice, profane.
Ant. **I.** Adroit, aguerri, as, capable, compétent, connaisseur, expérimenté, expert, habile.

Inexplicable
Syn. **I.** Bizarre, énigmatique, étrange, impénétrable, incompréhensible, inconcevable, indéchiffrable, indéfinissable, mystérieux, obscur.
Ant. **I.** Clair, compréhensible, explicable, justifié, légitime, net, précis.

Inexploré
Syn. **I.** Ignoré, inconnu, vierge.
Ant. **I.** Connu, exploré, foulé, parcouru, visité.

Inexprimable
Syn. **I.** Incommunicable, indescriptible, indicible, inénarrable, inexplicable. **II.** Extraordinaire, grandiose, immense, inouï, merveilleux, prodigieux, sublime.
Ant. **I.** Communicable, explicable, exprimable. **II.** Banal, commun, courant, fréquent, médiocre, ordinaire, usuel.

Inexpugnable
Syn. **I.** Fort, imprenable, insurmontable, invincible, invulnérable, solide, sûr.
Ant. **I.** Abandonné, défectueux, facile, faible, surmontable, vulnérable.

In extenso
Syn. **I.** Complet, complètement, entier, entièrement, intégral, intégralement, totalement.
Ant. **I.** Partiellement, sommairement.

Inextinguible
Syn. **III.** Ardent, dévorant, excessif, insatiable.
Ant. **I.** Extinguible. **III.** Assouvi, maîtrisable, rassasié, satisfait.

Inextricable
Syn. **I.** Complexe, confus, désordonné, difficile, embrouillé, emmêlé, enchevêtré, entortillé, indéchiffrable, mêlé, obscur.
Ant. **I.** Clair, débrouillé, démêlé, éclairci, net, ordonné.

Infaillible
Syn. (Ch.) **II.** Efficace, parfait, souverain, sûr.
Ant. **I.** Faillible. **II.** Inefficace, mauvais.

Infâme
Syn. **I.** Abject, atroce, avilissant, bas, dégradant, honteux, horrible, ignoble, indigne, odieux. **II.** Infect, malpropre, répugnant, sale.
Ant. **I.** Digne, estimable, glorieux, honorable, insigne, noble, respectable.

Infamie
Syn. **I.** Abjection, bassesse, déshonneur, honte, horreur, ignominie, turpitude, vilenie. — Calomnie, injure, insulte.
Ant. **I.** Délicatesse, dignité, estime, gloire, honneur, noblesse, respect. — Compliment, éloge.

Infantile
Syn. **I.** Enfantin, puéril.
Ant. **I.** Mûr, sénile, sérieux.

Infatigable
Syn. **I.** Actif, agissant, courageux, dur, endurant, increvable *(pop.),* indomptable, inlassable, patient, résistant, robuste.
Ant. **I.** Abattu, accablé, découragé, faible, flâneur, impatient, mou, paresseux.

Infatuation
Syn. **I.** Fatuité, narcissisme, orgueil, outrecuidance, prétention, suffisance, vanité.
Ant. **I.** Discrétion, humilité, modestie, réserve, retenue, simplicité.

Infatué
Syn. **I.** Fat, fier, gonflé, orgueilleux, outrecuidant, prétentieux, suffisant, vain, vaniteux.
Ant. **I.** Humble, modeste, réservé, sage, timide.

Infécond
Syn. **I.** Stérile. **II.** Aride, inculte, infertile, ingrat, maigre, pauvre. **III.** Improductif.
Ant. **I.** Fécond, prolifique. **II.** Abondant, fertile, fructueux, plantureux, riche. **III.** Productif.

Infect
Syn. **I.** Dégoûtant, écœurant, empesté, fétide, immonde, malodorant, nauséabond, pestilentiel, pourri, puant, putride, repoussant, répugnant, sale. **III.** Abject, ignoble.
Ant. **I.** Agréable, aromatique, attirant, bon, embaumé, odoriférant, net, parfumé, propre. **III.** Digne, noble.

Infecter
Syn. **I.** Contagionner, contaminer, empoisonner, envenimer, intoxiquer. **II.** Empester, empuantir, polluer, puer. **III.** Corrompre, gâter, souiller.
Ant. **I.** Assainir, désinfecter, soigner. **II.** Embaumer, purifier. **III.** Améliorer, corriger, régénérer.

Infection
Syn. **I.** Contagion, contamination, corruption, empoisonnement, épidémie, gangrène, putréfaction, transmission. **II.** Pestilence, pollution, puanteur.
Ant. **I.** Antisepsie, désinfection, soin. **II.** Arôme, assainissement, parfum.

Inféodé
Syn. **I.** Affilié, allié, associé, attaché, in-

corporé, inclus, rattaché, soumis.
Ant. **I.** Affranchi, distinct, divisé, indépendant, retiré, séparé, seul.

Inférer
Syn. **I.** Arguer, conclure, déduire, dégager, induire, raisonner, tirer.

Inférieur
Syn. (Adj.) **I.** Bas, profond. **III.** Dépendant, médiocre, mineur, moindre. *(N.)* **I.** Subalterne, subordonné.
Ant. (Adj.) **I.** Culminant, dominant, haut, supérieur. **III.** Autonome, distingué, éminent, indépendant, meilleur, remarquable. *(N.)* **I.** Chef, directeur, maître.

Infériorité
Syn. **III.** Défaut, désavantage, dessous, faiblesse, handicap, servitude, subordination.
Ant. **III.** Autorité, avantage, dessus, excellence, force, qualité, supériorité.

Infernal
Syn. **I.** Démoniaque, diabolique, endiablé, méphistophélique, satanique. **II.** Épouvantable, insupportable, terrible.
Ant. **I.** Angélique, bienheureux, céleste, divin. **II.** Aimable, bon, charmant, doux, mystique, paisible, parfait, ravissant.

Infertile V. *Infécond*

Infester
Syn. **I.** Attaquer, désoler, dévaster, hanter, harceler, piller, ravager, saccager, tourmenter. **II.** Empoisonner, envahir, remplir.
Ant. **I.** Débarrasser, défendre, dégager, libérer, protéger, respecter, sauvegarder. **II.** Fuir, quitter, (se) retirer.

Infidèle
Syn. **I.** Gentil, hérétique, impie, incroyant, mécréant, païen. **II.** Adultère, déloyal, inconstant, malhonnête, parjure, perfide, traître, trompeur, volage. — Déformé, déréglé, falsifié, faux, inexact, mensonger.

Ant. **I.** Croyant, dévot, fidèle, pieux. **II.** Constant, droit, durable, fidèle, franc, honnête, loyal, sincère, sûr. — Exact, vrai.

Infidélité
Syn. **I.** Abandon, déloyauté, inconstance, lâchage, malhonnêteté, perfidie, trahison. — Manquement. — Erreur, inexactitude.
Ant. **I.** Constance, droiture, fidélité, franchise, honnêteté, loyauté, probité, sincérité. — Foi. — Exactitude, vérité.

Infime
Syn. **I.** Bas, dernier, inférieur. **II.** Infinitésimal, minime, minuscule.
Ant. **I.** Élevé, éminent, suprême. — Capital, colossal, immense, important.

Infini
Syn. (Adj.) **I.** Éternel, perpétuel. **II.** Colossal, démesuré, énorme, extrême, illimité, immense, incalculable, incommensurable, indéfini, innombrable, interminable. *(N.)* **I.** Absolu, Dieu, parfait. — Éther, immensité.
Ant. **I.** Court, éphémère, fini, temporel. **II.** Borné, commun, déterminé, limité, minime, ordinaire, petit.

Infiniment
Syn. **I.** Beaucoup, énormément, excessivement, extrêmement, immensément, très.
Ant. **I.** Médiocrement, modérément, passablement, pauvrement, petitement, peu.

Infinitésimal
Syn. **II.** Atomique, imperceptible, infime, microscopique, minuscule.
Ant. **II.** Énorme, excessif, fantastique, gigantesque, monstrueux.

Infirme
Syn. **I.** (Mal) bâti, difforme, éclopé, estropié, handicapé, impotent, invalide, malade, mutilé.
Ant. **I.** Alerte, (bien) bâti, dispos, ferme, fort, ingambe, normal, résistant, robuste, sain, valide, vigoureux.

Infirmer
Syn. I. Abolir, affaiblir, amoindrir, annuler, battre en brèche, casser, démentir, diminuer, détruire, ruiner.
Ant. I. Affermir, assurer, attester, confirmer, corroborer, décréter, prouver, ratifier, renforcer.

Infirmité
Syn. I. Atrophie, débilité, difformité, disgrâce, faiblesse, handicap, impotence, incapacité, incommodité, invalidité, mutilation.
Ant. I. Capacité, force, intégrité, robustesse, santé, vigueur.

Inflammation
Syn. I. Chaleur, enflure, irritation, rubéfaction, rougeur, tuméfaction.

Infléchir (et S')
Syn. (V. tr.) I. Baisser, courber, dévier, incliner. III. Modifier. *(V. pr.)* I. Ployer.
Ant. (V. tr.) I. Dresser, redresser. III. Maintenir. *(V. pr.)* I. (Se) redresser.

Inflexible
Syn. I. Rigide. III. Dur, ferme, impitoyable, implacable, indomptable, inexorable, intraitable, intransigeant, rigoureux, sévère.
Ant. I. Flexible, souple. III. Clément, docile, doux, malléable, maniable, traitable.

Inflexion
Syn. I. Courbure, déviation, fléchissement, flexion, inclination. III. Accent, changement, modulation.
Ant. I. Raideur.

Infliger
Syn. I. Administrer, appliquer, donner, imposer, prononcer contre.
Ant. I. Épargner, éprouver, essuyer, libérer, protéger, subir.

Influence
Syn. I. *(Ch.)* Action, effet, empreinte, force, impact, impression, impulsion, incidence, vertu. — *(Pers.)* Aide, appui, ascendant, attraction, autorité, crédit, domination, empire, fascination, importance, inspiration, intercession, mainmise, persuasion, poids, pouvoir, prépondérance, prestige,. puissance, rôle, suggestion, tyrannie.
Ant. I. Entrave, impuissance, incommodité, insuffisance, nuisance, obstacle, préjudice.

Influencer
Syn. I. Agir sur, animer, changer, circonvenir, conduire, conseiller, convaincre, déteindre sur, endoctriner, entraîner, fasciner, incliner, influer, marquer, peser sur, prévenir, suggestionner.
Ant. I. (Se) désintéresser de.

Influent
Syn. I. Actif, agissant, autorisé, capable, efficace, fort, important, puissant.
Ant. I. Faible, impuissant, incapable, inefficace, insignifiant, nul, passif.

Influer V. *Influencer*

Information
Syn. I. Annonce, avertissement, avis, communication, communiqué, documentation, étude, faire-part, indication, interview, journal (parlé, télévisé), message, note, notification, nouvelle, renseignement, reportage, transmission, tuyau *(fam.).* — Enquête *(dr.),* examen, instruction, investigation, recherche, signification.

Informe
Syn. III. Amorphe, (mal) bâti, difforme, disgracieux, ébauché, grossier, imparfait, irrégulier, laid, lourd.
Ant. III. Achevé, accompli, beau, complet, élégant, fini, formé, gracieux, idéal, parfait, régulier, souple.

Informer (et S')
Syn. (V. tr.) III. Annoncer, apprendre, aviser, communiquer,,(faire) connaître, (mettre, tenir au) courant, déclarer, éclai-

rer, (mettre au) fait, instruire de, notifier, (faire) part de, prévenir, publier, renseigner, (faire) savoir. *(V. intr.)* I.\ Instruire *(dr.),* signifier. *(V. pr.)* I. (Se) documenter sur, (s') enquérir, enquêter, interroger sur, voir si.
Ant. III. Cacher, taire, voiler.

Infortune
Syn. I. Adversité, calamité, catastrophe, détresse, disgrâce, malheur, misère, revers.
Ant. I. Bonheur, chance, félicité, fortune, prospérité.

Infortuné
Syn. I. Indigent, malheureux, misérable, miséreux. II. Maudit.
Ant. I. Chanceux, fortuné, heureux, prospère. II. Béni.

Infraction
Syn. I. Contravention, délit, dérogation, désobéissance, faute, manquement, transgression, violation. II. Entorse *(fam.).*
Ant. I. Obéissance, observance, observation, respect.

Infranchissable
Syn. III. Insurmontable, invincible.
Ant. I. Franchissable. III. Aisé, facile, surmontable.

Infrangible
Syn. I. Incassable. III. Ferme, indestructible, résistant.
Ant. I. Cassable, cassant. III. Faible, fragile, frêle.

Infructueux
Syn. I. Improductif, infécond, ingrat. III. Inefficace, inutile, stérile, vain.
Ant. I. Fécond, fertile, fructueux, productif. III. Avantageux, efficace, profitable, utile.

Infus
Syn. I. Infusé. III. Inné, naturel.
Ant. III. Acquis, appris, gagné, obtenu.

Infuser
Syn. I. Macérer. II. Infiltrer, injecter, transfuser, verser. III. Communiquer, inoculer, introduire.
Ant. II. et III. Enlever, extraire, soutirer.

Infusion
Syn. I. Décoction, macération. III. Introduction, pénétration.

Ingambe
Syn. I. Alerte, dispos, gaillard, léger, preste, souple, vif.
Ant. I. Blessé, débile, impotent, infirme, languissant.

Ingénier (S')
Syn. I. (S') appliquer, chercher, (s') efforcer, (s') empresser, (s') escrimer, essayer, (s') évertuer, tâcher, tenter.
Ant. I. (Se) désintéresser, éviter, manquer, négliger.

Ingénieux
Syn. I. Adroit, astucieux, bon, capable, délié, entendu, expert, fertile, fin, habile, industrieux, intelligent, inventif, sagace, subtil. II. Beau, génial.
Ant. I. Bête, gauche, incapable, inexpert, lourdaud, maladroit, malhabile.

Ingéniosité
Syn. I. Adresse, astuce, dextérité, esprit, finesse, habileté, industrie, intelligence, invention, sagacité, savoir-faire.
Ant. I. Bêtise, gaucherie, inhabileté, maladresse, malhabileté.

Ingénu
Syn. I. Candide, franc, inexpérimenté, innocent, naïf, pur, simple, simplet.
Ant. I. Averti, coquet, expérimenté, hypocrite, madré, malin, malicieux, méchant, roué.

Ingénuité
Syn. I. Candeur, crédulité, franchise, ignorance, inexpérience, naïveté, pureté, simplicité, sincérité.
Ant. I. Coquetterie, expérience, fausseté, hypocrisie, méchanceté, rouerie.

Ingérer (et S')
Syn. (*V. tr.*) **I.** Absorber, avaler, déglutir.
ingurgiter, manger. (*V. pr.*) **III.** (S') entremettre, entrer, (se) faufiler, (s') immiscer, (s') interposer, intervenir, (s') introduire, (se) mêler.
Ant. (*V. tr.*) **I.** Régurgiter, vomir. (*V. pr.*)
III. (S') abstenir, (s') empêcher, éviter,
(se) garder, (s') interdire.

Ingrat
Syn. **I.** Dénaturé, égoïste, oublieux. **II.**
(Ch.) Aride, décevant, difficile, hostile,
infidèle, infructueux, pénible, stérile.
— *(Pers.)* Déplaisant, désagréable, disgra-
cieux, laid.
Ant. **I.** Dévoué, reconnaissant, soucieux
de, zélé. **II.** *(Ch.)* Facile, fécond, fertile,
fidèle, fructueux, rémunérateur. — *(Pers.)*
Avenant, plaisant.

Ingratitude
Syn. **I.** Égoïsme, méconnaissance, oubli.
Ant. **I.** Altruisme, gratitude, reconnais-
sance.

Ingrédient
Syn. **I.** Assaisonnement, (élément) consti-
tuant.

Ingurgiter
Syn. **I.** Avaler, boire, enfourner, engloutir, engouffrer, ingérer, manger. **III.** Acquérir, apprendre, bourrer, gaver.
Ant. **I.** Régurgiter. **III.** Priver.

Inhabile
Syn. **I.** Empoté, gauche, ignorant, incapable, inexpérimenté, inexpert, lourd,
maladroit, malhabile, naïf, novice.
Ant. **I.** Adroit, capable, débrouillard, dégourdi, diplomate, expérimenté, habile,
ingénieux, inventif, rusé.

Inhabité
Syn. **I.** Abandonné, délaissé, dépeuplé,
désert, désolé, inoccupé, libre, sauvage,
solitaire, vacant, vide.
Ant. **I.** Fréquenté, habité, occupé, peuplé, pris, rempli.

Inhabituel
Syn. **I.** Accidentel, anormal, exceptionnel, inaccoutumé, insolite, rare.
Ant. **I.** Familier, habituel, normal, ordinaire.

Inhalation
Syn. **I.** Absorption, aspiration, fumiga-
tion, humage, inspiration, respiration.
Ant. **I.** Exhalation, expiration.

Inhérent
Syn. **I.** Appartenant, associé, attaché, essentiel, immanent, inné, inséparable, intrinsèque, joint, lié, nécessaire.
Ant. **I.** Accessoire, accidentel, désuni,
disjoint, extrinsèque, fortuit, inutile, séparé, superflu.

Inhiber
Syn. **I.** Défendre, empêcher, prohiber. **II.**
Arrêter, freiner, supprimer.
Ant. **I.** Autoriser, permettre. **II.** Exciter,
stimuler.

Inhospitalier
Syn. **II.** Farouche, inabordable, inaccessible, sauvage.
Ant. **I.** Hospitalier. **II.** Accessible, accueillant.

Inhumain
Syn. **I.** Artificiel, atroce, barbare, cruel,
dur, impitoyable, insensible, terrible.
Ant. **I.** Affable, bon, charitable, doux,
généreux, humain, indulgent, pitoyable,
sensible.

Inhumation
Syn. **I.** Ensevelissement, enterrement, sé-
pulture.
Ant. **I.** Exhumation.

Inimaginable
Syn. **I.** Bizarre, étrange, extraordinaire,
impensable, inconcevable, incroyable, invraisemblable, paradoxal, phénoménal.
Ant. **I.** Commun, concevable, courant,
imaginable, naturel, ordinaire, simple,
vraisemblable.

Inimitié
Syn. **I.** Animosité, antipathie, aversion, haine, hostilité, rancune.
Ant. **I.** Accord, affection, amitié, amour, attachement, inclination, penchant, sympathie.

Inintelligent
Syn. **I.** Abruti *(fam.),* bête, borné, bouché, crétin, idiot, imbécile, obtus, sot, stupide.
Ant. **I.** Capable, clairvoyant, éveillé, fin, intelligent, pénétrant, sagace, subtil.

Inintelligible
Syn. **I.** Abstrus, amphigourique, confus, difficile, embrouillé, énigmatique, incompréhensible, indéchiffrable, mystérieux, nébuleux, obscur, vague.
Ant. **I.** Clair, compréhensible, déchiffrable, facile, intelligible, net, pénétrable, précis.

Ininterrompu
Syn. **I.** Consécutif, constant, continu, incessant, joint, lié, persistant.
Ant. **I.** Discontinu, disjoint, interrompu, rompu.

Inique V. *Injuste*

Initial
Syn. **I.** Commençant, élémentaire, fondamental, originaire, original, originel, premier, primitif, primordial.
Ant. **I.** Complémentaire, dernier, final, secondaire, terminal.

Initiateur
Syn. **I.** Auteur, créateur, éducateur, fauteur, fondateur, inaugurateur, innovateur, inspirateur, instaurateur, introducteur, inventeur, novateur, pionnier, précurseur, promoteur.
Ant. **I.** Archaïsant, épigone, imitateur, néophobe, routinier, suiveur.

Initiation
Syn. **I.** Admission, affiliation, entrée, introduction, investiture, réception. **III.**

Apprentissage, cléricature, commencement, début, éducation, entraînement, formation, instruction, préparation.

Initiative
Syn. **I.** Décision, entreprise, mesure, organisation, proposition. **II.** Action, intervention.

Initier
Syn. **I.** Admettre, affilier, (faire) entrer, introduire, recevoir. **III.** Apprendre, commencer, conduire, (mettre au) courant, au fait, éclairer, enseigner, former, instruire, montrer, révéler.

Injecter
Syn. **I.** Administrer, infiltrer, infuser, inoculer, insuffler, introduire.
Ant. **I.** Extirper, extraire.

Injonction
Syn. **I.** Commandement, intimation, mise en demeure, ordre, prescription, sommation, ukase, ultimatum.

Injure
Syn. **I.** *(Acte)* Affront, atteinte, avanie, coup, insulte, offense, outrage. — *(Propos)* Attaque, calomnie, grossièreté, infamies, insolence, invective, (gros) mot, sottise, vilenie.
Ant. **I.** *(Acte)* Bienfait. — *(Propos)* Compliment, éloge, louange, politesse.

Injurier
Syn. **I.** Aboyer, agonir, apostropher, attaquer, blesser, engueuler *(pop.),* insulter, invectiver, maudire, offenser, outrager, (chanter) pouilles.
Ant. **I.** Bénir, complimenter, encenser, exalter, féliciter, flatter, glorifier, louanger, louer, vanter.

Injurieux
Syn. **I.** Blessant, diffamant, flétrissant, grossier, humiliant, insolent, insultant, mortifiant, offensant, outrageant.
Ant. **I.** Agréable, aimable, charmant, délicat, élogieux, flatteur, glorieux, louable, poli, respectueux.

Injuste

Syn. **I.** *(Pers.)* Déloyal, fourbe, inique, mauvais, méchant, odieux, partial, tyrannique. — *(Ch.)* Abusif, arbitraire, attentatoire, faux, illégal, illégitime, immérité, indu, inéquitable, injustifié, irrégulier, léonin.
Ant. **I.** *(Pers.)* Bon, consciencieux, droit, honnête, impartial, intègre, juste. — *(Ch.)* Correct, équitable, fondé, justifié, légal, légitime, raisonnable.

Injustice

Syn. **I.** Abus, arbitraire, déloyauté, favoritisme, illégalité, iniquité, irrégularité, oppression, partialité, passe-droit, persécution.
Ant. **I.** Bien, droit, droiture, équité, impartialité, justice, légalité, régularité.

Injustifiable, injustifié

Syn. **I.** (Non) fondé, gratuit, immotivé, inacceptable, inadmissible, indéfendable, indu, inexcusable, insoutenable.
Ant. **I.** Acceptable, admissible, défendable, excusable, fondé, motivé, soutenable.

Inlassable

Syn. **I.** Infatigable, patient.
Ant. **I.** Impatient, las.

Inné

Syn. **I.** Atavique, congénital, foncier, héréditaire, infus, inhérent, instinctif, natif, naturel.
Ant. **I.** Acquis, adventice, appris, étudié.

Innocence

Syn. **I.** Candeur, fraîcheur, ignorance, ingénuité, pureté, virginité. — Non-culpabilité. **II.** Crédulité, franchise, naïveté, simplicité.
Ant. **I.** Débauche, dépravation, expérience, impureté. — Culpabilité. **II.** Astuce, finesse, malice, rouerie.

Innocent

Syn. **I.** Angélique, candide, chaste, ignorant, ingénu, pur. — Exonéré, irresponsable, non coupable. — Anodin, bénin, bon, inoffensif, irrépréhensible. **II.** Crédule, idiot, imbécile, naïf, niais, simple.
Ant. **I.** Averti, corrompu, dépravé, impur, pervers, vicieux. — Coupable, criminel, responsable. — Blâmable, dangereux, malfaisant, méchant, nocif, nuisible. **II.** Malin, roué, rusé.

Innocenter

Syn. **I.** Absoudre, acquitter, blanchir, disculper, excuser, exonérer, justifier, pardonner, réhabiliter.
Ant. **I.** Accuser, blâmer, charger, condamner, dénoncer, inculper, noircir.

Innombrable

Syn. **I.** Considérable, incalculable, infini, nombreux.
Ant. **I.** Clairsemé, insignifiant, rare, restreint, unique.

Innovateur V. *Initiateur*

Innovation

Syn. **I.** Changement, création, découverte, inconnu, inédit, instauration, invention, nouveau, nouveauté.
Ant. **I.** Archaïsme, coutume, immobilisme, routine, statu quo, tradition.

Innover

Syn. **I.** Changer, créer, inventer, trouver.
Ant. **I.** Conserver, copier, imiter, maintenir.

Inoccupé

Syn. **I.** *(Lieux)* Disponible, inhabité, libre, vacant, vague, vide. — *(Pers.)* Chômeur, désœuvré, inactif, oisif, sans travail.
Ant. **I.** *(Lieux)* Envahi, habité, plein, pris, occupé. — *(Pers.)* Absorbé, actif, affairé, surchargé.

Inoculer

Syn. **I.** Immuniser, introduire, vacciner. **III.** Communiquer, infuser, transmettre.

Inoffensif

Syn. **I.** Innocent. **II.** Anodin, bénin, insi-

gnifiant.
Ant. **I.** Agressif, nuisible. **II.** Dangereux,
funeste, néfaste.

Inondation
Syn. **I.** Débordement, déluge, submersion. **III.** Invasion, irruption, multitude.
Ant. **I.** Asséchement, desséchement, drainage, sécheresse. **III.** Désertion, rareté.

Inonder
Syn. **I.** Couvrir, déborder, immerger,
noyer, recouvrir, submerger. **II.** Arroser,
baigner, mouiller, (se) répandre, ruisseler
sur, tremper. **III.** Affluer, envahir, pénétrer, remplir.
Ant. **I.** Assécher, dessécher, drainer, sécher. **II.** Égoutter, éponger, essuyer. **III.**
Évacuer.

Inopérant
Syn. **I.** Impuissant, inefficace, vain.
Ant. **I.** Efficace, opérant.

Inopiné
Syn. **I.** Brusque, fortuit, imprévu, inattendu, soudain, subit, surprenant.
Ant. **I.** Attendu, graduel, prévu, progressif.

Inopportun
Syn. **I.** Déplacé, fâcheux, importun, inconvenant, intempestif, malséant.
Ant. **I.** Bienséant, bon, convenable, favorable, opportun, propice.

Inoubliable
Syn. **I.** Célèbre, fameux, glorieux, grandiose, grave, historique, illustre, immortalisé, imprimé, ineffaçable, insigne, marqué, mémorable, retentissant.
Ant. **I.** Effaçable, insignifiant, nul, ordinaire, oubliable, quelconque.

Inouï
Syn. **I.** Inconnu, nouveau. **II.** Énorme,
étonnant, étrange, extraordinaire, formidable, fort, incroyable, invraisemblable,
prodigieux.
Ant. **I.** Connu, vieux. **II.** Commun, cou-

rant, fréquent, insignifiant, médiocre, ordinaire, usuel, vraisemblable.

Inqualifiable
Syn. **I.** Abominable, bas, honteux, ignoble, inavouable, inconcevable, inconvenant, indigne, innommable, odieux, trivial.
Ant. **I.** Convenable, digne, fier, honnête,
honorable, juste, méritoire.

Inquiet
Syn. **I.** Alarmé, angoissé, anxieux, embarrassé, fiévreux, impatient, perplexe,
préoccupé, soucieux, tourmenté, tracassé,
troublé.
Ant. **I.** Calme, confiant, heureux, insouciant, paisible, rasséréné, rassuré, serein,
tranquille, tranquillisé.

Inquiétant
Syn. **I.** Affolant, alarmant, angoissant, effrayant, embarrassant, ennuyeux, grave,
menaçant, patibulaire, redoutable, sinistre, sombre, trouble.
Ant. **I.** Apaisant, calmant, consolant, rassurant, reposant.

Inquiéter (et **S'**)
Syn. **I.** *(V. tr.)* Affoler, alarmer, angoisser, chagriner, effrayer, émotionner,
épouvanter, harceler, mettre (en peine),
tourmenter, tracasser, troubler. — *(V. pr.)*
(S') alarmer, (s') émouvoir, (se) mettre
en peine, (se) soucier, (se) tracasser. —
(S') enquérir de, prendre soin, se préoccuper.
Ant. **I.** *(V. tr.)* Apaiser, calmer, laisser en
paix, en repos, pacifier, rassurer, tranquilliser. — *(V. pr.)* (se) désintéresser, négliger.

Inquiétude
Syn. **I.** Affolement, alarme, angoisse, anxiété, appréhension, crainte, effroi, émoi,
ennui, épouvante, malaise, peine, peur,
souci, tourment, transe. **II.** Préoccupation, soin, sollicitude.
Ant. **I.** Apaisement, assouvissement, béa-

titude, bonheur, calme, confiance, espoir, paix, placidité, quiétude, repos, sérénité, tranquillité. **II.** Incurie, indifférence.

Insaisissable
Syn. **II.** Aérien, fluide, fuyant, impalpable. **III.** Imperceptible, indiscernable, insensible.
Ant. **I.** et **II.** Saisissable. **III.** Discernable, distinct, perceptible, sensible, visible.

Insalubre
Syn. **I.** Impur, infect, malsain, nuisible, pestilentiel.
Ant. **I.** Assaini, favorable, hygiénique, pur, sain, salubre, sanitaire.

Insanité
Syn. **I.** Folie. **II.** Bêtise, ineptie, sottise, stupidité.
Ant. **I.** Bon sens. **II.** Finesse, intelligence.

Insatiable
Syn. **III.** Affamé, avide, cupide, dévorant, inapaisable, inassouvissable, inextinguible, insatisfait, vorace.
Ant. **III.** Assouvi, gavé, raisonnable, rassasié, repu, satisfait.

Inscription
Syn. **I.** Adhésion, citation, déclaration, écriture, enregistrement, immatriculation, mention, transcription. — Affiche, enseigne, épigraphe, épitaphe, exergue, graffiti, indication, légende.

Inscrire (et S')
Syn. (V. tr.) **I.** Afficher, consigner, copier, coucher, écrire, enregistrer, enrôler, graver, immatriculer, indiquer, marquer, mentionner, noter, porter. (V. pr.) **I.** Adhérer, (s') affilier, entrer dans. **III.** (S') insérer, (se) placer.
Ant. (V. tr.) **I.** Annuler, biffer, effacer, radier, raturer, rayer, supprimer. (V. pr.) **I.** (Être) congédié, démissionner, (se) retirer. **III.** (Se) retrancher.

Insensé
Syn. **I.** Déraisonnable, fou, insane. **II.**

Aberrant, absurde, excessif, extravagant, idiot, imbécile, immodéré, impossible, inepte, irréfléchi, ridicule.
Ant. **I.** Raisonnable, sensé. **II.** Avisé, équilibré, fin, intelligent, judicieux, lucide, modéré, posé, possible, réfléchi, sage.

Insensibiliser
Syn. **I.** Anesthésier, chloroformer, endormir, engourdir, éthériser, paralyser. **III.** Endurcir.
Ant. **I.** Réveiller. **III.** Attendrir, émouvoir, toucher, troubler.

Insensible
Syn. **I.** Anesthésié, endormi, engourdi, inconscient, léthargique, mort, paralysé. **III.** (Pers.) Apathique, calme, cruel, détaché, dur, égoïste, endurci, froid, glacial, impassible, impitoyable, indifférent, inhumain, sec. (Ch.) Graduel, imperceptible, insignifiant, léger, négligeable, progressif.
Ant. **III.** (Pers.) Ardent, bon, chaleureux, chaud, doux, émotif, ému, enflammé, généreux, humain, impressionnable, sensible, sympathique, tendre. (Ch.) Appréciable, fin, notable, perceptible, tangible.

Inséparable
Syn. (Adj. Ch.) **I.** Attaché, inhérent, insécable, joint, uni. **II.** Consubstantiel. (N. Pers.) **I.** Compagnon, compère. **II.** Éternel, inévitable.
Ant. (Adj. Ch.) **I.** Décomposable, désuni, disjoint, séparable. **II.** (N. Pers.) Adversaire, antagoniste.

Insérer (et S')
Syn. (V. tr.) **I.** Emboîter, encadrer, encarter, encastrer, enchâsser, entrer, greffer, implanter, inclure, incruster, incorporer, intercaler, interfolier, sertir. **II.** Ajouter, entrelarder de (fam.), entremêler, (faire) entrer, introduire, larder, mettre. (V. pr.) **I.** (S') attacher, (s') implanter. **III.** (Se) dérouler, (s') inscrire, (se) placer, (se) rattacher.

Ant. *(V. tr.)* **I.** et **II.** Enlever, exclure, ôter, retirer, retrancher, séparer, supprimer.

Insidieux
Syn. **I.** Captieux, fallacieux, fourbe, perfide, spécieux, trompeur. — Sournois *(méd.).* **II.** Rusé.
Ant. **I.** Droit, franc, honnête, loyal, ouvert, sincère, vrai. — Grave *(méd.).* **II.** Candide.

Insigne
Syn. **I.** *(N.)* Croix, décoration, dignité, distinction, écharpe, écusson, emblème, étoile, livrée, marque, médaille, plaque, ruban, signe, symbole. — *(Adj.)* Eclatant, éminent, extraordinaire, fameux, glorieux, important, signalé, remarquable.
Ant. *(Adj.)* **I.** Banal, ignoré, insignifiant, modeste, obscur, ordinaire, nul.

Insignifiant
Syn. **I.** *(Ch.)* Anodin, banal, chétif, dérisoire, frivole, futile, infime, malheureux, médiocre, menu, minime, misérable, négligeable, petit, vain, vide. **II.** *(Pers.)* Effacé, falot, inconsistant, quelconque, terne.
Ant. **I.** *(Ch.)* Admirable, capital, charmant, considérable, extraordinaire, frappant, grave, important, intéressant, remarquable, signifiant. **II.** *(Pers.)* Éminent, imposant.

Insinuant
Syn. **I.** Adroit, persuasif. **II.** Attirant, captieux, engageant, furtif, indirect, patelin, secret.
Ant. **I.** Gauche, maladroit. **II.** Désagréable, direct, droit, franc, rébarbatif.

Insinuation
Syn. **I.** Allusion, sous-entendu. **II.** Accusation, attaque, calomnie, propos.
Ant. **II.** Apologie, défense, éloge.

Insinuer (et **S'**)
Syn. **III.** *(V. tr.)* Avertir, conseiller, inspi-

rer, instiller, prétendre, souffler à l'oreille, suggérer, vouloir dire. — *(V. pr.)* (Se) couler, entrer, (se) faufiler, (se) fourrer, (se) glisser, (s') infiltrer, (s') introduire, pénétrer.
Ant. **III.** *(V. tr.)* Démontrer, établir, prouver. — *(V. pr.)* (S') abstenir.

Insipide
Syn. **I.** Insapide. **II.** Désagréable, douceâtre, fade. **III.** Assommant, ennuyeux, fastidieux, plat, terne.
Ant. **I.** Appétissant, sapide, savoureux. **II.** Délicieux. **III.** Divertissant, drôle, expressif, exquis, intéressant.

Insister
Syn. **I.** (Mettre l') accent sur, accentuer, (s') appesantir, appuyer sur, (s') étendre sur, répéter, souligner.
Ant. **I.** Abdiquer, abandonner (la partie), glisser, renoncer.

Insociable
Syn. **I.** Acariâtre, bourru, désagréable, désobligeant, hargneux, insupportable, misanthrope, ours, sauvage, solitaire.
Ant. **I.** Accommodant, aimable, liant, obligeant, prévenant, serviable, sociable.

Insolence
Syn. **I.** Arrogance, assurance, cynisme, hardiesse, hauteur, morgue, orgueil. — Effronterie, impertinence, irrespect. **II.** Grossièreté, injure, insulte, offense.
Ant. **I.** Discrétion, modestie. — Déférence, respect. **II.** Égard, politesse.

Insolent
Syn. **I.** Arrogant, cynique, hardi, hautain, orgueilleux, outrecuidant, rogue, suffisant. — Déplacé, désagréable, effronté, grossier, impertinent, impoli, impudent, inconvenant, injurieux, insultant. **II.** Extraordinaire, inimaginable, inouï.
Ant. **I.** Humble, modeste. — Affable, aimable, correct, courtois, poli, respectueux. **II.** Ordinaire.

Insolite
Syn. **I.** Anormal, bizarre, étonnant, étrange, excentrique, exceptionnel, extraordinaire, inaccoutumé, inhabituel, nouveau, rare.
Ant. **I.** Accoutumé, commun, courant, familier, habituel, normal, ordinaire, usuel.

Insolvable
Syn. **I.** Démuni, endetté, failli, pauvre, ruiné.
Ant. **I.** Solvable.

Insondable
Syn. **I.** Abyssal. **III.** Énigmatique, impénétrable, incompréhensible.
Ant. **III.** Compréhensible, limpide.

Insouciant
Syn. **I.** Apathique, étourdi, frivole, imprévoyant, indifférent, indolent, insoucieux, je-m'en-fichiste, je-m'en-foutiste, léger, négligent, nonchalant, oublieux, sans-souci.
Ant. **I.** Actif, agité, attentif, avide, bilieux, curieux, inquiet, préoccupé, prévoyant, prudent, soucieux.

Insoumis
Syn. **I.** *(N.)* Déserteur, dissident, insurgé, mutin, rebelle, réfractaire, révolté, séditieux. — *(Adj.)* Désobéissant, entêté, indépendant, indiscipliné, indocile, insubordonné, récalcitrant, rétif.
Ant. **I.** *(Adj.)* Appliqué, discipliné, docile, obéissant, sage, soumis, subordonné.

Insoutenable
Syn. **I.** Inadmissible, indéfendable, injustifiable. — Insupportable.
Ant. **I.** Admissible, défendable, évident, justifiable. — Supportable, tolérable.

Inspecter
Syn. **I.** Contrôler, enquêter, examiner, explorer, fouiller, scruter, surveiller, vérifier, visiter.

Inspecteur
Syn. **I.** Contrôleur, enquêteur, examinateur, réviseur, surveillant, vérificateur, visiteur.

Inspirateur
Syn. **I.** Agent, cause, conseiller, innovateur, instigateur.

Inspiration
Syn. **I.** Aspiration. **III.** Esprit, grâce, illumination. Éclair, idée, intuition. — Enthousiasme, souffle, veine, verve. — Conseil, impulsion, influence, insinuation, instigation, suggestion.
Ant. **I.** Expiration. **III.** Étude.

Inspirer (et **S'**)
Syn. *(V. tr.)* **I.** Aspirer, inhaler, insuffler, introduire. **III.** Animer, aviver, commander, conduire, conseiller, déterminer, dicter, diriger, donner, imprimer, inculquer, insinuer, provoquer, souffler, suggérer. *(V. pr.)* **I.** Imiter, (se) servir.
Ant. *(V. tr.)* **I.** Expirer. **III.** Éteindre, retirer. *(V. pr.)* **I.** Créer, innover.

Instable
Syn. **I.** Boiteux, branlant, chancelant. **II.** Errant, nomade, vagabond. **III.** Capricieux, changeant, fluctuant, fragile, inconstant, précaire, variable, versatile.
Ant. **I.** Fixe, solide, stable. **II.** Sédentaire, stationnaire, **III.** Constant, déterminé, ferme, invariable, permanent, persévérant.

Installation
Syn. **I.** *(Pers.)* Intronisation, investiture, mise en place, nomination, passation des pouvoirs. — *(Ch.)* Aménagement, appartement, arrangement, disposition, équipement, logement, pose.
Ant. **I.** *(Pers.)* Congédiement, démission, déplacement, destitution, mutation, renvoi. — *(Ch.)* Déménagement, évacuation, transfert, transport.

Installer (et **S'**)
Syn. *(V. tr.)* *(Pers.)* **I.** Introniser, investir, nommer. **II.** Caser, loger, mettre, poster. *(Ch.)* **I.** Accommoder, aménager, arran-

ger, disposer, dresser, équiper, établir, placer, poser. *(V. pr.)* **I.** (S') asseoir, camper, emménager, (s') enraciner, (s') établir, (se) fixer, (se) loger. **III.** (Se) fixer. *Ant.* **I.** *(V. tr.) (Pers.)* Congédier, déloger, déplacer, destituer, remercier, renvoyer. — *(Ch.)* Changer de place, transférer, transporter. — *(V. pr.)* (S'en) aller, déménager.

Instance
Syn. **I.** Insistance, prière, requête, sollicitation. — Procédure, procès. **II.** Juridiction, tribunal.
Ant. **I.** Indifférence, insouciance.

Instant
Syn. **I.** *(Adj.)* Immédiat, imminent, instantané, pressant, urgent. — *(N.)* Minute, moment, seconde.
Ant. **I.** *(Adj.)* Éloigné, lointain. — *(N.)* Éternité, perpétuité.

Instantané
Syn. **I.** Bref, brusque, court, éphémère, fugace, fugitif, immédiat, momentané, prompt, rapide, soudain, subit.
Ant. **I.** Durable, lent, long, ralenti, retardé, tardif.

Instauration
Syn. **I.** Création, établissement, fondation, inauguration, installation.
Ant. **I.** Abolition, démolition, destruction, suppression.

Instaurer
Syn. **I.** Constituer, établir, fonder, inaugurer, instituer, organiser.
Ant. **I.** Abolir, anéantir, détruire, renverser.

Instigateur
Syn. **I.** Agitateur, dirigeant, excitateur, fauteur, incitateur, initiateur, inspirateur, promoteur, protagoniste, provocateur. **III.** Auteur, cause, moteur.

Instigation
Syn. **I.** Conseil, encouragement, impulsion, incitation, influence, inspiration, poussée, suggestion, suscitation.

Instinct
Syn. **I.** Appétence, appétit, désir, disposition, habitude, impulsion, inclination, intuition, penchant, poussée, sens, tendance. — Aptitude, art, don, sens, talent.
Ant. **I.** Conscience, intelligence, jugement, raison.

Instinctif
Syn. **I.** Inconscient, inné, involontaire, machinal, naturel, réflexe, spontané.
Ant. **I.** Acquis, conscient, réfléchi, volontaire.

Instituer
Syn. **I.** Commencer, constituer, créer, ériger, établir, faire, fonder, former, instaurer, mettre en vigueur, organiser, promouvoir.
Ant. **I.** Abolir, abroger, supprimer.

Institut
Syn. **I.** Académie, association, centre, centre de recherche, collège, communauté, congrégation, conservatoire, école, établissement, faculté, fondation, institution, laboratoire, ordre, organisme, société, université.

Instituteur
Syn. **I.** Éducateur, enseignant, instructeur, maître d'école, pédagogue, précepteur, professeur.
Ant. **I.** Disciple, écolier, élève.

Institution
Syn. **I.** Création, érection, établissement, fondation, nomination. **II.** Collège, communauté, école, pension, pensionnat.

Instructeur
Syn. **I.** Conseiller technique, manager, moniteur, professeur.
Ant. **I.** Disciple, élève, étudiant.

Instructif
Syn. **I.** Bon, culturel, édifiant, éducatif,

enrichissant, formateur, pédagogique, profitable.
Ant. **I.** Banal, déformateur, dommageable, insignifiant, inutile, mauvais, nul, pauvre.

Instruction(s)
Syn. **I.** Apprentissage, édification, éducation, enseignement, étude, formation, initiation, pédagogie, recyclage. **II.** Bagage *(fig.)*, connaissances, culture, érudition, lettres, science. − *(Pl.)* Avertissements, consignes, directives, explications, ordres, prescriptions. **I.** Enquête *(dr.)*, information, interrogatoire, procédure, recherche.

Instruire (et S')
Syn. **I.** *(V. tr.)* Apprendre, dresser, éclairer, édifier, éduquer, élever, enseigner, former, inculquer, initier, préparer. − Avertir, aviser, informer, montrer, prévenir, renseigner, révéler. − Donner suite *(dr.)*, enquêter, examiner. − *(V. pr.)* Apprendre, (se) cultiver, étudier, (s') informer de, (se) renseigner.
Ant. **I.** Aveugler, déformer, tromper.

Instruit
Syn. **I.** Calé *(fam.)*, cultivé, docte, éclairé, érudit, expérimenté, ferré, fort, informé, lettré, renseigné, savant.
Ant. **I.** Ignare, ignorant, illettré, incompétent, inculte, inexpérimenté.

Instrument
Syn. **I.** Appareil, engin, machine, outil, ustensile. **III.** Agent, bras, exécutant, moyen.

Insubordonné V. *Insoumis*

Insuccès
Syn. **I.** Avortement *(fig.)*, chute, défaite, désastre, échec, faillite, fiasco, four *(fig.)*, perte, revers, veste *(fam.)*.
Ant. **I.** Avantage, chance, exploit, réussite, succès, triomphe, victoire.

Insuffisance(s)
Syn. **I.** Carence, défaut, déficit, manque, pénurie, privation, rareté. **II.** *(Pers.)* Faiblesse, ignorance, inaptitude, incapacité, infériorité, médiocrité. − *(Pl.)* Déficiences, lacunes.
Ant. **I.** Abondance, affluence, excédent, excès, suffisance, surplus. **II.** Aptitude, capacité, supériorité.

Insuffisant
Syn. **I.** *(Ch.)* Défectueux, faible, imparfait, incomplet, médiocre, pauvre. − *(Pers.)* Inapte, inférieur.
Ant. **I.** *(Ch.)* Abondant, complet, excessif, honorable, satisfaisant, suffisant. − *(Pers.)* Capable, supérieur.

Insuffler
Syn. **I.** Animer, aspirer, introduire, souffler. **III.** Communiquer, exciter, inspirer.
Ant. **I.** Dégonfler, expirer. **III.** Inhiber.

Insulte V. *Injure*

Insulter V. *Injurier*

Insupportable
Syn. **I.** *(Ch.)* Atroce, cruel, exaspérant, insoutenable, intolérable, irritant. − *(Pers.)* Agaçant, désagréable, ennuyeux, importun, inabordable.
Ant. **I.** *(Ch.)* Endurable, supportable, tolérable. − *(Pers.)* Agréable, aimable, charmant, intéressant, sympathique.

Insurgé
Syn. **I.** Agitateur, émeutier, factieux, insoumis, rebelle, récalcitrant, révolté, révolutionnaire, séditieux.
Ant. **I.** Défenseur, discipliné, pacifique, patriote, soumis, subordonné.

Insurger (S')
Syn. **I.** Contester, (se) dresser, (s') élever contre, (se) mutiner, protester, (se) rebiffer, (se) révolter, (se) soulever.
Ant. **I.** (S') apaiser, (se) calmer, (se) soumettre, (se) tranquilliser.

Insurmontable
Syn. **I.** Inéluctable, infranchissable, invincible, irrépréhensible, irrésistible.
Ant. **I.** Aisé, facile, franchissable, maîtrisable, possible, surmontable.

Insurrection
Syn. **I.** Agitation, émeute, levée de boucliers, mutinerie, rébellion, résistance, révolte, révolution, sédition, soulèvement, troubles.
Ant. **I.** Apaisement, calme, pacification, soumission, tranquillité.

Insurrectionnel
Syn. **I.** Factieux, insoumis, perturbateur, rebelle, révolté, révolutionnaire, séditieux, subversif.
Ant. **I.** Calme, discipliné, fidèle, obéissant, pacifique, soumis, subordonné.

Intact
Syn. **I.** Complet, frais, entier, indemne, intégral. — Pur, vierge. **III.** Sauf.
Ant. **I.** Altéré, détérioré, endommagé, entamé, incomplet, partiel. — Impur. **III.** Blessé.

Intangible
Syn. **I.** Impalpable, imperceptible. **III.** Intact, intouchable, inviolable, respectable, sacré, sacro-saint.
Ant. **I.** Palpable, perceptible, sensible, tangible. **III.** Méprisable, profané, violé.

Intarissable
Syn. **I.** Abondant, continu, inépuisable, ininterrompu. **III.** Fécond, généreux.
Ant. **I.** Épuisable, limité, pauvre, tarissable. **III.** Infécond, stérile.

Intégral
Syn. **I.** Absolu, complet, entier, intact, total.
Ant. **I.** Incomplet, limité, partiel.

Intègre
Syn. **I.** Équitable, honnête, impartial, impeccable, inattaquable, incorruptible, irréprochable, juste, probe, pur, vertueux.

Ant. **I.** Corrompu, déloyal, dépravé, déprédateur, injuste, malhonnête, partial, prévaricateur, vénal, vicieux, vulnérable.

Intégrer
Syn. **II.** Assimiler, associer, comprendre, incorporer.
Ant. **II.** Détacher.

Intellectuel
Syn. **I.** Cérébral, mental, moral, psychique, représentatif, spirituel.
Ant. **I.** Affectif, corporel, manuel, matériel.

Intelligence
Syn. **I.** Abstraction, âme, cerveau, conception, entendement, esprit, intellect, pensée, raison, tête. — Capacité, clairvoyance, discernement, finesse, lucidité, pénétration, perspicacité, réflexion, sagacité. — Compréhension, perception, accord, complicité, connivence, entente.
Ant. **I.** Corps, matière. — Aveuglement, bêtise, folie, idiotie, imbécillité, ineptie, inintelligence, stupidité. — Incompréhension. — Désunion, dissension, mésentente, mésintelligence.

Intelligent
Syn. **I.** Pensant, raisonnable. — Adroit, astucieux, capable, clairvoyant, débrouillard, éclairé, entendu, éveillé, fin, finaud, fort, habile, ingénieux, inventif, judicieux, lucide, ouvert, pénétrant, perspicace, profond, sagace, sensé, subtil, vif.
Ant. **I.** Irraisonnable. — Abruti, benêt, bête, borné, bouché, buse, déraisonnable, fou, idiot, imbécile, inepte, inhabile, inintelligent, niais, nigaud, obtus, sot, stupide.

Intelligible
Syn. **I.** Accessible, clair, compréhensible, concevable, déchiffrable, distinct, facile, limpide, lumineux, net, pénétrable, précis.
Ant. **I.** Compliqué, confus, diffus, difficile, énigmatique, étrange, incompréhensi-

ble, inconcevable, indéchiffrable, indistinct, inintelligible, obscur.

Intempérance
Syn. **I.** Abus, débauche, dérèglement, gloutonnerie, gourmandise, ivrognerie, vice.
Ant. **I.** Frugalité, mesure, modération, retenue, sobriété, tempérance.

Intempérant
Syn. **I.** Abusif, buveur, excessif, gourmand, immodéré, ivrogne.
Ant. **I.** Abstinent, modéré, sobre, tempérant.

Intempestif
Syn. **I.** Déplacé, désagréable, fâcheux, importun, inconvenant, indiscret, inopportun, malencontreux.
Ant. **I.** Agréable, convenable, opportun, propice, satisfaisant.

Intenable
Syn. **II.** Désagréable, gênant, incommode, inconfortable, insupportable, intolérable.
Ant. **II.** Agréable, endurable, supportable, tenable, tolérable.

Intense
Syn. **I.** Considérable, excessif, extrême, fort, grand, gros, haut, vif, violent.
Ant. **I.** Faible, léger, mesuré, modéré, petit.

Intensité
Syn. **I.** Accentuation, acuité, aggravation, amplitude, force, grandeur, paroxysme, puissance, recrudescence, véhémence, violence, virulence, vivacité.
Ant. **I.** Affaiblissement, baisse, déperdition, diminution, épuisement, faiblesse, mesure, modération.

Intenter
Syn. **I.** Actionner, agir, attaquer, ester, poursuivre.
Ant. **I.** Abandonner, débouter, renoncer, retirer.

Intention
Syn. **I.** Arrière-pensée, calcul, conception, dessein, détermination, disposition, idée, mobile, pensée, plan, préméditation, projet, propos, résolution. **II.** Décision, désir, volonté, vouloir. — But, fin, objectif, visée.
Ant. **II.** Doute, hésitation, indécision, perplexité.

Intentionnel
Syn. **I.** Arrêté, conscient, délibéré, prémédité, réfléchi, volontaire, voulu.
Ant. **I.** Automatique, imprévu, inconscient, involontaire, irréfléchi, réflexe, spontané.

Intercaler
Syn. **I.** Ajouter, encarter, glisser, insérer, interpoler, introduire, interposer, joindre.
Ant. **I.** Éliminer, enlever, exclure, extrapoler, ôter, retrancher, supprimer.

Intercéder
Syn. **I.** Aider, défendre, (s') entremettre, (s') interposer, intervenir, négocier, parler pour, prier, réclamer.
Ant. **I.** Abandonner, (se) désintéresser, rester neutre, nuire, (se) retirer.

Intercepter
Syn. **I.** Attraper, capter, (s') emparer, enlever, prendre, saisir, surprendre. **II.** Arrêter, barrer, boucher, cacher, couper, éclipser, endiguer, entraver, interrompre, obstruer, suspendre.
Ant. **I.** Délivrer, envoyer, livrer, remettre rendre. **II.** Poursuivre, reprendre.

Interdiction
Syn. **I.** Défense, embargo, empêchement, fermeture, opposition, prohibition, retrait. — Bannissement, interdit, suspension.
Ant. **I.** Autorisation, concession, consentement, laissez-passer, liberté, ouverture, permis, permission, sauf-conduit, tolérance. — Continuité, rapatriement.

Interdire

Syn. **I.** Censurer, condamner, consigner, défendre, empêcher, exclure, fermer, (s') opposer, prohiber, proscrire. — Mettre à pied, suspendre. **III.** Confondre, déconcerter, décontenancer, démonter, étonner, interloquer, troubler. *Ant.* **I.** Accepter, approuver, autoriser, commander, concéder, conseiller, permettre, tolérer. — Réintégrer. **III.** Encourager, enhardir, rassurer.

Interdit

Syn. (Adj.) **I.** Censuré, condamné, défendu, exclu, illégal, illicite, prohibé, tabou. — Banni, excommunié, incapable, suspendu. **III.** Ahuri, confondu, confus, déconfit, décontenancé, embarrassé, étonné, interloqué, pantois, renversé, stupéfait, surpris. *(N.)* **I.** Censure, condamnation. — Anathème, suspension. — Exclusion, exclusive. *Ant. (Adj.)* **I.** Accordé, autorisé, consenti, légal, licite, permis, toléré. — Absous, capable, rapatrié, réintégré. **III.** Calme, indifférent, placide. *(N.)* Permis *(n.)* — Absolution, continuité. — Admission, inclusion, réintégration.

Intéressant

Syn. **I.** Attachant, beau, bon, brillant, captivant, charmant, curieux, enchanteur, fascinant, important, palpitant, passionnant, piquant, plaisant, ravissant, remarquable. — Avantageux, désirable, lucratif. *Ant.* **I.** Banal, ennuyeux, fastidieux, indifférent, insignifiant, mauvais, médiocre, pénible, quelconque, rebattu, triste, usé. — Coûteux, désavantageux, élevé.

Intéressé

Syn. **I.** Concerné. — Avare, avide, calculé, cupide, égoïste, partial, vénal. *Ant.* **I.** Neutre. — Désintéressé, généreux, gratuit, impartial, objectif.

Intéresser (et S')

Syn. (V. tr.) **I.** (S') appliquer, concerner, (avoir) rapport, regarder, toucher. **II.** Associer, (faire) participer, (faire) prendre intérêt. **III.** Attacher, captiver, convenir, émouvoir, importer, passionner, plaire, saisir, séduire. *(V. pr.)* **I.** Aimer, cultiver, pratiquer, (se) préoccuper, (se) soucier, suivre. *Ant. (V. tr.)* **II.** Désintéresser, dissocier, empêcher. **III.** Dégoûter, déplaire, embêter, endormir, ennuyer, indisposer, mécontenter, refroidir. *(V. pr.)* **I.** (Se) désintéresser, (se) ficher, (se) moquer, négliger.

Intérêt(s)

Syn. **I.** Annuité, arrérages, avantage, bénéfice, cause, compte, dividende, gain, loyer, profit, rapport, rendement, rente, revenu, usure. **III.** Attention, bienveillance, curiosité, sollicitude, sympathie. — Importance, utilité. *Ant.* **I.** Fonds. **III.** Dégoût, désintérêt, fadeur, froideur, gratuité, indifférence, insignifiance. — Futilité, inutilité.

Intérieur

Syn. (Adj.) **I.** Central, interne. **II.** Civil, domestique, familial, intestin *(adj.)*. **III.** Intime, privé, profond, secret, spirituel. *(N.)* **I.** Centre, contenu, dedans. **II.** Chezsoi, foyer, home. **III.** Cœur, intimité, sein, tuf *(fig.)*. *Ant. (Adj.)* **I.** Extérieur, extrinsèque, périphérique. **III.** Corporel, public, superficiel. *(N.)* **I.** Bord, contour, dehors, extérieur. **III.** Apparence, aspect, façade.

Intérim

Syn. **I.** Intervalle. **II.** Remplacement, suppléance. *Ant.* **II.** Continuité, permanence.

Intérimaire

Syn. **I.** *(Adj.)* Passager, provisoire, temporaire, transitoire. — *(N.)* Remplaçant, suppléant.

Ant. **I.** *(Adj.)* Continuel, durable, permanent, régulier. — *(N.)* Titulaire.

Interlope
Syn. **I.** Clandestin, contrebandier, frauduleux. **III.** Équivoque, louche, suspect. *Ant.* **III.** Droit, franc, honnête, licite, loyal.

Interloquer V. *Interdire*

Intermède
Syn. **I.** Divertissement. **II.** Arrêt (temps d'), détente, entracte, interlude, interruption, intervalle, pause, répit, repos, suspension.

Intermédiaire
Syn. *(Adj.)* **I.** Médian, mitoyen, moyen. **III.** Interposé. *(N.)* **I.** Canal, entremise, moyen, truchement. — Agent, entremetteur, intercesseur, interprète, médium, négociateur, porte-parole, procureur. — Chargé d'affaires, commerçant, commissionnaire, courtier, fondé de pouvoir, mandataire, prête-nom, représentant, voyageur. *Ant.* **I.** *(Adj.)* Extrême, immédiat. — *(N.)* Producteur, consommateur.

Interminable
Syn. **I.** Éternel, infini, long, perpétuel, sempiternel. *Ant.* **I.** Bref, court, limité.

Intermittent
Syn. **I.** Clignotant, discontinu, inégal, irrégulier, saccadé. *Ant.* **I.** Consécutif, continu, continuel, ininterrompu, permanent, régulier.

International
Syn. **I.** Cosmopolite, général, mondial, universel. *Ant.* **I.** Individuel, limité, local, national, régional.

Interner
Syn. **I.** Emprisonner, enfermer. *Ant.* **I.** Libérer, relâcher.

Interpeller
Syn. **I.** Apostropher, appeler, avertir, évoquer, héler. **II.** Demander, (s') enquérir, interroger, questionner, réclamer, requérir, sommer. *Ant.* **I.** Objecter, réfuter, répliquer, répondre, rétorquer, riposter.

Interpoler V. *Intercaler*

Interposer
Syn. *(V. tr.)* **I.** Intercaler, mettre, placer, poser. *(V. pr.)* **I.** (Se) dresser, séparer. **III.** (S') entremettre, (s') immiscer, (s') ingérer, intervenir, négocier. *Ant.* *(V. tr.)* **I.** Enlever, retrancher. *(V. pr.)* **III.** (S') abstenir, (se) désintéresser, (s') éloigner, rester neutre.

Interposition
Syn. **III.** Entremise, ingérence, intercession, intervention, médiation. *Ant.* **III.** Abstention, désintéressement, désistement, neutralité.

Interprétation
Syn. **I.** Commentaire, exégèse, explication, sens, traduction. **II.** Version. — Exécution, jeu.

Interprète
Syn. **I.** Commentateur, exégète, traducteur. **II.** Intermédiaire, porte-parole, truchement. — Acteur, artiste, chanteur, comédien, exécutant, musicien.

Interpréter
Syn. **I.** Commenter, comprendre, déchiffrer, deviner, dire, expliquer, gloser, prendre, rendre, saisir. **II.** Exécuter, incarner, jouer.

Interrogation
Syn. **I.** Colle *(arg. scol.)*, demande, devoir, enquête, épreuve, examen, information, interpellation, interview, question. *Ant.* **I.** Repartie, réplique, réponse, riposte.

Interroger
Syn. **I.** Consulter, demander, (s') enquérir

auprès, (s') informer, interviewer, questionner, sonder. **II.** Fouiller. **III.** Examiner, scruter.
Ant. **I.** Répliquer, répondre, riposter.

Interrompre
Syn. **I.** Arrêter, briser, cesser, couper, discontinuer, entrecouper, hacher, intercepter, rompre, suspendre, trancher, troubler. **II.** Déranger.
Ant. **I.** Achever, amorcer, continuer, dérouler, finir, poursuivre, progresser, recommencer, reprendre, rétablir. **II.** Laisser en repos.

Interruption
Syn. **I.** Arrêt, cessation, coupure, discontinuation, discontinuité, entracte, halte, interception, intermède, intervalle, panne, pause, relâche, répit, rupture, suspension.
Ant. **I.** Achèvement, continuation, déroulement, progression, reprise, rétablissement.

Intersection
Syn. **I.** Angle, arête, coin, encoignure. **II.** Coupement, croisement.

Interstice
Syn. **I.** Espace, fente, intervalle.

Intervalle
Syn. **I.** Entracte, intermède, interruption, moment, pause, période, temps d'arrêt. — Distance, espace, fente, interligne, interstice. **III.** Abîme, différence, écart, fossé, inégalité, marge.
Ant. **I.** Continuité, suite.

Intervenir
Syn. **I.** *(Ch.)* Arriver, jouer, (se) produire, survenir. — *(Pers.)* Agir, (s') entremettre, (s') immiscer, (s') ingérer, intercéder, (s') interposer, (se) mêler de, négocier, opérer *(méd.),* prendre part, secourir.
Ant. **I.** (S') abstenir, (se) désister, ignorer, passer outre, rester neutre.

Intervention
Syn. **I.** Aide, appui, arbitrage, entremise, immixtion, incursion, ingérence, intercession, interposition, intrusion, médiation, ministère, office, service. **II.** Opération *(méd.),* traitement. — Action, facteur, rôle.
Ant. **I.** Abstention, indifférence, neutralité, non-intervention.

Intervertir
Syn. **I.** Changer, déplacer, déranger, permuter. **II.** Inverser, transposer. **III.** Renverser, retourner.
Ant. **I.** Laisser, maintenir, remettre, replacer.

Interviewer
Syn. **I.** Enquêter, entretenir, interroger, questionner.

Intimation
Syn. **I.** Appel, assignation, citation, convocation, déclaration, injonction, mise en demeure, sommation, ultimatum.

Intime
Syn. (Adj.) **I.** Complet, essentiel, intérieur, profond. **III.** Étroit, familier, inséparable. — Domestique, particulier, personnel, privé, secret, sexuel. *(N.)* **I.** Ami, confident, conseiller, familier.
Ant. (Adj.) **I.** Extérieur, négligeable, ouvert, visible. **III.** Froid, superficiel. — Étranger, impersonnel, public.

Intimer
Syn. **I.** Appeler, assigner, citer, commander, enjoindre, introduire, notifier, ordonner, signifier.
Ant. **I.** Abroger, annuler, débouter, invalider.

Intimider
Syn. **I.** Apeurer, bluffer, décontenancer, effaroucher, effrayer, gêner, glacer, impressionner, menacer, paralyser, terroriser, troubler.
Ant. **I.** Apaiser, attirer, encourager, enhardir, mettre à l'aise, rassurer.

INTIMITÉ

Intimité
Syn. **I.** Amitié, camaraderie, contact, familiarité, liaison, union. — Intérieur, privé, sanctuaire, secret.
Ant. **I.** Distance, public.

Intituler (et S')
Syn. **I.** *(V. tr.)* Appeler, désigner, nommer, titrer. — *(V. pr.)* (S') appeler, avoir pour titre, (se) qualifier.

Intolérable
Syn. **I.** Accablant, atroce, désagréable, douloureux, exaspérant, excédant, excessif, extrême, horrible, insupportable, intenable.
Ant. **I.** Agréable, charmant, plaisant, supportable, tolérable.

Intolérance
Syn. **I.** Étroitesse d'esprit, fanatisme, haine, intransigeance, parti pris, sectarisme.
Ant. **I.** Compréhension, indulgence, largeur d'esprit, tolérance.

Intoxiquer
Syn. **I.** Empoisonner, infecter.
Ant. **I.** Désinfecter, désintoxiquer, purifier.

Intraitable
Syn. **I.** Difficile, dur, entêté, entier, exigeant, impitoyable, indomptable, inébranlable, inflexible, inhumain, intransigeant, irréductible, obstiné, revêche.
Ant. **I.** Accommodant, arrangeant, conciliant, doux, facile, inoffensif, maniable.

Intransigeant
Syn. **I.** Autoritaire, dur, farouche, inflexible, intolérant, intraitable, irréductible, rigoriste, sévère.
Ant. **I.** Accommodant, faible, indulgent, malléable, mou, souple, tendre, tiède.

Intrépide
Syn. **I.** Audacieux, brave, courageux, hardi, impavide, vaillant, valeureux. **II.** Ferme, inébranlable. **III.** Déterminé, imperturbable, résolu.

Ant. **I.** Craintif, froussard, lâche, peureux, pleutre, poltron. **II.** Chancelant, faible. **III.** Changeant, hésitant, timide.

Intrigant
Syn. **I.** *(N.)* Arriviste, aventurier, diplomate, faiseur, picaro. — *(Adj.)* Fin, habile, rusé, souple, subtil.
Ant. **I.** *(Adj.)* Catégorique, franc, loyal, ouvert.

Intrigue
Syn. **I.** Action *(litt.)*, affabulation, imbroglio, nœud, péripétie, scénario, trame. — Affaire, aventure. **II.** Agissements, brigue, cabale, combinaison, complot, conjuration, machination, manège, manigance, manœuvre, menée, micmac *(fam.)*, rouerie, stratagème, tripotage.
Ant. **II.** Droiture, franchise, loyauté, sincérité.

Intriguer
Syn. **I.** *(V. tr.)* Embarrasser. — *(V. intr.)* Briguer, cabaler, combiner, comploter, conspirer, machiner, manigancer, manœuvrer, ourdir, tramer.

Intrinsèque
Syn. **I.** Essentiel, inhérent, intérieur, interne.
Ant. **I.** Accidentel, apparent, externe, extrinsèque, fictif.

Introduction
Syn. **I.** *(Pers.)* Admission, entrée, présentation, recommandation. — *(Ch.)* Acclimatation, adoption, apparition, importation, intromission. **II.** Apprentissage, initiation, préparation. — Avant-propos, avertissement, avis, commencement, exorde, exposition, ouverture, préambule, préface, prélude, prolégomènes, prologue. **III.** Infiltration, pénétration.
Ant. **I.** Sortie. **II.** Éviction, renvoi, retrait. — Conclusion, dénouement, épilogue, fin, péroraison. **III.** Effleurement.

Introduire (et S')
Syn. *(V. tr.) (Pers.)* **I.** Conduire, faire

passer. **II.** Accéder, (faire) connaître, présenter, recevoir. *(Ch.)* **I.** Enfoncer, engager, glisser, infuser, injecter, inoculer, insérer, insinuer, mettre dans. **II.** Acclimater, adopter, implanter, importer, innover. **III.** Inclure, incorporer, inculquer, inspirer, insuffler, intercaler, répandre, transporter. *(V. pr.)* **I.** Entrer, (se) faufiler, (se) glisser, pénétrer. **II.** (S') immiscer, (s') infiltrer, (s') ingérer, (se) mêler. *Ant. (V. tr.) (Pers.)* **I.** Chasser, éliminer, exclure, expulser, renvoyer. *(Ch.)* **I.** Arracher, déraciner, enlever, extirper, extraire, ôter, supprimer. *(V. pr.)* **I.** Sortir. **II.** (S') abstenir, (se) retirer.

Introniser
Syn. **I.** Couronner, établir, installer, placer, sacrer. **III.** Impatroniser.
Ant. **I.** Chasser, détrôner, renverser.

Introuvable
Syn. **I.** Caché, invisible, secret. — Énigmatique. **II.** Précieux, rare, unique.
Ant. **I.** Connu, trouvable, visible. **II.** Commun, fréquent, habituel.

Intrus
Syn. **I.** Étranger. **II.** Importun, indésirable, indiscret.
Ant. **I.** et **II.** Attendu, désiré, hôte, invité.

Intuition
Syn. **I.** Aperception, connaissance directe. **II.** Divination, flair, impression, inspiration, prémonition, pressentiment, sentiment.
Ant. **I.** Déduction, raisonnement.

Inusité
Syn. **I.** Anormal, exceptionnel, extraordinaire, inaccoutumé, inhabituel, insolite, nouveau, rare, singulier.
Ant. **I.** Commun, courant, habituel, ordinaire, traditionnel, usité.

Inutile
Syn. **I.** Frivole, futile, improductif, inefficace, infécond, infructueux, insignifiant,

négligeable, oiseux, superflu, vain, vide.
Ant. **I.** Commode, efficace, essentiel, favorable, fructueux, important, indispensable, nécessaire, précieux, utile.

Invalide
Syn. **I.** Blessé, impotent, infirme, mutilé. — Nul *(dr.)*.
Ant. **I.** Fort, gaillard, sain, vigoureux. — Valide.

Invalider
Syn. **I.** Abolir, abroger, annuler, casser, détruire, révoquer.
Ant. **I.** Approuver, autoriser, confirmer, consacrer, corroborer, sanctionner, valider.

Invariable
Syn. **I.** Constant, continu, égal, fixe, identique, immobile, inaltérable, permanent, stationnaire. — *(Pers.)* Ferme, immuable.
Ant. **I.** Altérable, changeant, différent, fluctuant, inconstant, indécis, variable.

Invasion
Syn.· **I.** Attaque, entrée, envahissement, incursion. **III.** Débordement, diffusion, inondation, intrusion, irruption, pénétration, propagation.
Ant. **I.** Expulsion, évacuation, fuite, retraite, sortie.

Invective V. *Injure*

Inventaire
Syn. **I.** Balance, bilan, exercice, stock, état. **II.** Catalogue, dénombrement, détail, évaluation, liste, nomenclature, recensement, répertoire, statistique, table, tableau.

Inventer
Syn. **I.** Concevoir, créer, découvrir, imaginer, trouver. **II.** Arranger, broder, controuver, exagérer, fabriquer, forger, supposer.
Ant. **I.** Copier, imiter, plagier, répéter, reproduire. **II.** Hériter, recevoir, recueillir.

Invention
Syn. **I.** Création, découverte, innovation, nouveauté, trouvaille. **II.** Affabulation, conception, fabrication, façon, fantaisie, fiction, idée, imagination, inspiration. — Combinaison, expédient, ressource. — Artifice, duperie, fable, mensonge, tromperie.
Ant. **I.** Copie, imitation, plagiat, reproduction. **II.** Réalité, vérité, vrai.

Inverse
Syn. **I.** Contraire, différent, opposé.
Ant. **I.** Analogue, direct, équivalent, même, pareil.

Inverser
Syn. **I.** Invertir, renverser. **II.** Intervertir, retourner, transposer.
Ant. **I.** Replacer, rétablir.

Inversion
Syn. **I.** Anastrophe, changement, déplacement, dérangement, hyperbole, interversion, renversement, retournement, transposition. — Anomalie, dépravation, homosexualité.
Ant. **I.** Logique, ordre, stabilité.

Investigateur
Syn. **I.** Chercheur, curieux, enquêteur, scrutateur.

Investigation
Syn. **I.** Enquête, examen, information, inquisition, instruction *(dr.)*, perquisition, recherche.

Investir
Syn. **I.** Assiéger, bloquer, cerner, encercler, envelopper, environner. **II.** Conférer à, doter, installer, pourvoir, revêtir. — Engager, placer.
Ant. **I.** Lever le siège. **II.** Annuler. — Retirer.

Invétéré
Syn. **I.** Ancré, enraciné, fortifié, implanté. — Endurci, fieffé, impénitent, vieux.
Ant. **I.** Curable, guérissable, passager.

Invincible
Syn. **I.** Imbattable. **II.** Impérissable, indomptable, infranchissable, insurmontable, irréductible, irréfutable, redoutable. **III.** Irrésistible.
Ant. **I.** Battable. **II.** Faible, maîtrisable, périssable, réfutable, surmontable, vaincu.

Inviolable V. *Intangible*

Invisible
Syn. **I.** Immatériel, imperceptible, infinitésimal, microscopique. **III.** Caché, dérobé, dissimulé, mystérieux, secret.
Ant. **I.** Grand, infini, matériel, perceptible, visible. **III.** Apparent, clair, évident, manifeste, ostensible, public.

Invitation
Syn. **I.** Convocation. **II.** Faire-part. —Appel, avertissement, demande, exhortation, prière, sommation. **III.** Attrait.
Ant. **I.** et **II.** Exclusion, expulsion, refus, renvoi, révocation.

Inviter
Syn. **I.** Appeler, convier, convoquer, retenir. **II.** Conseiller, engager, entraîner, exciter, exhorter, inciter, induire, presser, prier de, solliciter. **III.** *(Ch.)* Attirer, porter à, pousser à, provoquer, stimuler.
Ant. **I.** Bannir, chasser, congédier, ignorer, proscrire, refuser, renvoyer. **II.** Décourager, dissuader. **III.** Éloigner, repousser.

Invocation
Syn. **I.** Adjuration, appel, dédicace, demande, litanie, patronage, prière, protection, supplication.

Involontaire
Syn. **I.** Accidentel, automatique, convulsif, forcé, inconscient, instinctif, irréfléchi, machinal, mécanique, réflexe, spontané.
Ant. **I.** Arrêté, conscient, considéré, consenti, intentionnel, mûri, prémédité, réfléchi, volontaire, voulu.

Invoquer
Syn. **I.** Adjurer, appeler, conjurer, crier vers, prier, supplier. **II.** Évoquer, implorer, réclamer. **III.** Alléguer, (en) appeler à, arguer, attester, avancer, citer, prétexter. *Ant.* **I.** Dédaigner, mépriser. **II.** Obtenir. **III.** Contester, infirmer.

Invraisemblable
Syn. **I.** Chimérique, extraordinaire, impensable, improbable, inconcevable, incroyable, inimaginable, insoutenable, paradoxal. **II.** Étonnant, extravagant, fabuleux, fantastique, impossible, renversant, rocambolesque. *Ant.* **I.** Croyable, faisable, imaginable, plausible, probable, réalisable, vraisemblable. **II.** Normal, ordinaire, possible.

Invulnérable
Syn. **II.** Blindé, cuirassé contre, dur, fort, insensible à. *Ant.* **I.** Fragile, vulnérable. **II.** Dangereux, incertain.

Irascible
Syn. **I.** Acariâtre, atrabilaire, bilieux, brusque, chatouilleux, coléreux, difficile, emporté, irritable, nerveux, ombrageux, susceptible, vif, violent. *Ant.* **I.** Aimable, calme, flegmatique, indulgent, inoffensif, obligeant, paisible, patient, résigné, sociable.

Ironie
Syn. **I.** Brocard, dérision, flèche *(fig.)*, moquerie, persiflage, plaisanterie, pointe, raillerie, sarcasme. *Ant.* **I.** Affabilité, complaisance, courtoisie, gentillesse, obligeance, réserve, sérieux.

Ironique
Syn. **I.** Blagueur, caustique, goguenard, gouailleur, moqueur, narquois, persifleur, railleur, sarcastique. **III.** Dérisoire. *Ant.* **I.** Aimable, complaisant, délicat, gentil, obligeant, poli, réservé, sérieux.

Irradiation
Syn. **I.** Divergence, émission, radiation, rayonnement. **III.** Diffusion, propagation.

Irrationnel
Syn. **I.** Absurde, anormal, bête, déraisonnable, empirique, fou, gratuit, illogique, instinctif, machinal, stupide. *Ant.* **I.** Équilibré, fondé, intelligent, judicieux, logique, normal, raisonnable, rationnel, sensé.

Irréalisable
Syn. **I.** Chimérique, impossible, impraticable, inexécutable, utopique. *Ant.* **I.** Exécutable, faisable, possible, praticable, réalisable.

Irréconciliable
Syn. **I.** Brouillé, divisé, ennemi, opposé, rancunier, vindicatif. *Ant.* **I.** Ami, oublieux, raccommodable, réconciliable, réuni.

Irréel
Syn. **I.** Abstrait, chimérique, fabuleux, fantastique, imaginaire, inexistant, vain. *Ant.* **I.** Authentique, certain, effectif, évident, historique, réel, visible.

Irréfléchi
Syn. **I.** Déraisonnable, écervelé, étourdi, évaporé, impulsif, inconsidéré, instinctif, involontaire, léger, machinal. *Ant.* **I.** Avisé, calculé, pondéré, posé, raisonnable, raisonné, réfléchi, sérieux.

Irréfutable
Syn. **I.** Catégorique, certain, clair, exact, formel, incontestable, indiscutable, irrécusable, irréfragable, logique, péremptoire, positif, probant, sûr, tranchant. *Ant.* **I.** Discutable, faux, illogique, réfutable.

Irrégularité
Syn. **I.** Anomalie, asymétrie, caprice, défaut, défectuosité, désordre, écart, erreur, exception, faute, inégalité, manquement,

perturbation. — Illégalité, passe-droit.
Ant. **I.** Assiduité, constance, égalité, harmonie, justesse, ponctualité, précision, régularité, uniformité. — Équité, légalité.

Irrégulier
Syn. **I.** Accidentel, anormal, asymétrique, baroque, biscornu, bizarre, capricieux, changeant, convulsif, décousu, dérangé, déréglé, hétéroclite, inégal, instable, intermittent, saccadé, variable. **III.** Anormal, arbitraire, corrompu, débauché, désordonné, dévergondé, illégal, illicite, inconstant, incorrect, injuste. — Libre.
Ant. **I.** Conforme, continu, égal, harmonieux, méthodique, mesuré, normal, ordonné, régulier, rythmé, stable, symétrique, uniforme. **III.** Assidu, correct, juste, légal, licite, net, ponctuel, pur. — Régulier.

Irréligieux V. *Incroyant*

Irrémédiable
Syn. **I.** et **III.** Fatal, funeste, incurable, inguérissable, irréparable, néfaste, perdu.
Ant. **I.** et **III.** Curable, guérissable, remédiable, réparable, salutaire.

Irrémissible
Syn. **I.** Impardonnable, inexcusable.
Ant. **I.** Excusable, pardonnable, rémissible.

Irréparable
Syn. **I.** Inarrangeable. **III.** V. *Irrémédiable.*
Ant. **I.** Arrangeable, réparable.

Irréprochable
Syn. **I.** Accompli, honnête, idéal, impeccable, inattaquable, irrépréhensible, juste, parfait.
Ant. **I.** Blâmable, condamnable, défectueux, fautif, imparfait, injuste, malhonnête, reprochable.

Irrésistible
Syn. **I.** Imbattable. **III.** Capable, concluant, fort, foudroyant, impérieux, im-

placable, incœrcible, indomptable, inéluctable, invincible, irrépressible, puissant, tenace, tyrannique, violent.
Ant. **I.** Battable. **III.** Débile, domptable, faible, fragile, impuissant, incapable, répressible, vincible.

Irrésolu
Syn. **I.** Embarrassé, faible, flottant, hésitant, incertain, inconsistant, indécis, indéterminé, perplexe, (en) suspens, versatile.
Ant. **I.** Convenu. — Décidé, déterminé, ferme, hardi, intrépide, résolu, volontaire.

Irrésolution
Syn. **I.** Doute, embarras, faiblesse, flottement, hésitation, incertitude, indécision, indétermination, perplexité, scrupule, tergiversation, vacillation.
Ant. **I.** Aplomb, certitude, décision, dessein, détermination, fermeté, hardiesse, intrépidité, résolution.

Irrespectueux
Syn. **I.** Audacieux, grossier, impertinent, impoli, insolent, irrévérencieux, irrévérent, vulgaire. **II.** Injurieux.
Ant. **I.** Courtois, déférent, délicat, (bien) élevé, obséquieux, poli, respectueux. **II.** Élogieux.

Irresponsable
Syn. **I.** Inviolable. — Inconscient, innocent.
Ant. **I.** Équilibré, responsable.

Irrévérence
Syn. **I.** Grossièreté, impertinence, impolitesse, inconvenance, insolence, irrespect, mépris, profanation. **II.** Injure.
Ant. **I.** Bienséance, considération, courtoisie, déférence, délicatesse, obligeance, respect, révérence, vénération. **II.** Éloge.

Irrévocable
Syn. **I.** Arrêté, décidé, définitif, fixe, formel, péremptoire, résolu.
Ant. **I.** Annulable, indécis, résiliable, révocable.

Irriguer
Syn. **I.** Arroser, baigner, canaliser.
Ant. **I.** Assécher, drainer, tarir.

Irritable V. *Irascible*

Irritant
Syn. **I.** Agaçant, blessant, crispant, déplaisant, désagréable, énervant, enrageant, exaspérant, horripilant, impatientant, insupportable, provocant, révoltant, tannant, vexant. **II.** Âcre, échauffant, excitant, suffocant.
Ant. **I.** Anodin, apaisant, calmant, lénifiant. **II.** Adoucissant, balsamique, émollient.

Irritation
Syn. **I.** Agacement, colère, contrariété, énervement, exaspération, humeur, impatience, nervosité. **II.** Brûlure, démangeaison, inflammation. — Excitation, surexcitation.
Ant. **I.** Adoucissement, apaisement, calme, douceur, mesure, modération, tranquillité.

Irrité
Syn. **I.** Agacé, énervé, enragé, exaspéré, furieux, furibond, impatient, nerveux, vexé. **II.** Enflammé.
Ant. **I.** Adouci, calme, paisible, patient, tranquillisé.

Irriter (et S')
Syn. *(V. tr.)* **I.** Agacer, aigrir, moquer, contrarier, courroucer, crisper, énerver, exacerber, exaspérer, exciter, fâcher, horripiler, impatienter, indigner, révolter. **II.** Brûler, enflammer, envenimer, rubéfier. *(V. pr.)* **I.** Bouillir, (se) cabrer, éclater, écumer, (s') emporter, exploser, (se) fâcher, fulminer, (se) montrer, pester, tempêter. **II.** (S') enflammer.
Ant. **I.** Apaiser, calmer, complaire, flatter, pacifier, rasséréner, tranquilliser. **II.** Affaiblir, amortir, diminuer.

Irruption V. *Invasion*

Islamique
Syn. **I.** Mahométan, musulman.

Isolé
Syn. **I.** Séparé. **II.** Désert, écarté, éloigné, perdu, reculé, retiré. — Délaissé, esseulé, seul, solitaire. **III.** Détaché, individuel, unique.
Ant. **I.** Attaché, joint, uni. **II.** Fréquenté. — Allié, associé, coalisé, groupé. **III.** Collectif, commun, conjoint, jumelé.

Isolement
Syn. **I.** Abandon, claustration, délaissement, éloignement, exil, séquestration, solitude. **II.** Autarcie, non-conformisme, scission, séparation.
Ant. **I.** Association, compagnie, contact, groupement, société. **II.** Alliance, conformisme, rapprochement, union.

Isoler (et S')
Syn. *(V. tr.)* **I.** *(Ch.)* Détacher, écarter, ôter, séparer. *(Pers.)* Confiner, enfermer, mettre à l'écart. **III.** Abstraire, dégager, discerner, disjoindre, distinguer. *(V. pr.)* **I.** (Se) claustrer, (se) confiner, (s') enfermer, (se) réfugier, (se) retirer.
Ant. **I.** *(V. tr.)* Allier, associer, attacher, combiner, coordonner, grouper, incorporer, joindre, marier, mêler, unir. — *(V. pr.)* Apparaître, (se) montrer, (se) produire.

Israélite
Syn. **I.** Hébreu, juif, sémite.

Issu
Syn. **I.** Descendant, engendré, né, natif, originaire, provenant, sorti, venu. **III.** Dérivant, résultant, venant.

Issue
Syn. **I.** Débouché, dégagement, orifice, ouverture, passage, porte, sortie. **III.** Échappatoire, expédient, solution. — Aboutissement, dénouement, fin, résultat, terme.

Ant. **I.** Accès, entrée. **III.** Commencement, début, départ, origine, source.

Itinéraire
Syn. **I.** Chemin, circuit, direction, parcours, route, trajet. **II.** Passage, voyage.

Ivre
Syn. **I.** Aviné, éméché, gai, gris, paf *(pop.)*, pompette *(fam.)*, rond *(pop.)*, soûl. **II.** Enivré, grisé. **III.** Exalté, fou de, transporté par, troublé.
Ant. **I.** Dégrisé, désenivré, dessoûlé *(fam.)*, sobre. **II.** et **III.** Calme, froid, indifférent, lucide.

Ivresse
Syn. **I.** Cuite *(pop.)*, ébriété, intempérance, ivrognerie. **II.** Excitation, griserie, transport. **III.** Délire, enchantement, enivrement, enthousiasme, exaltation, extase, joie, ravissement.
Ant. **I.** Abstinence, modération, sobriété, tempérance. **II.** et **III.** Calme, désenchantement, froideur, indifférence, lucidité.

Ivrogne
Syn. **I.** Alcoolique, buveur, dipsomane, intempérant, pochard *(fam.)*, poivrot *(pop.)*, soûlard *(pop.)*, soûlaud *(pop.)*.
Ant. Abstinent, tempérant, sobre.

J

Jaboter, Jacasser
Syn. **I.** Crier, piailler. **II.** Babiller, bavarder, cancaner, caqueter, jaser.
Ant. **I.** (Se) taire.

Jactance
Syn. **I.** Orgueil, outrecuidance, présomption, prétention, suffisance, vantardise. **II.** Fanfaronnade.
Ant. **I.** Bonhomie, discrétion, humilité, mesure, modestie, naturel, réserve, simplicité, timidité.

Jadis
Syn. **I.** Anciennement, autrefois, naguère, (dans le) passé.
Ant. **I.** Aujourd'hui, demain, dorénavant, maintenant.

Jaillir
Syn. **I.** Fuser, gicler, partir, sortir, sourdre. **II.** Bondir, (s') élancer. **III.** Apparaître, (se) dégager, surgir.
Ant. **I.** Arrêter, maintenir, réprimer, retenir. **III.** (Se) cacher, (s') effacer.

Jaillissement
Syn. **I.** Crachement, élan, émission, jet, projection, sortie. **III.** Débordement, éruption, explosion.

Jalonner
Syn. **I.** Baliser, délimiter, déterminer, échelonner. **III.** Marquer.
Ant. **I.** Déborder, élargir.

Jalousie
Syn. **I.** Dépit, émulation, envie, inquiétude, haine, ombrage, rivalité. **II.** Contrevent, moucharabieh, persienne, volet.
Ant. **I.** Contentement, désintéressement, détachement, indifférence, satisfaction.

Jaloux
Syn. **I.** Attaché à, désireux, soucieux de. — Envieux. — Défiant, soupçonneux. **II.** Craintif, exclusif.
Ant. **I.** Débonnaire, indifférent. **II.** Ouvert, tolérant.

Jamais (À)
Syn. **I.** Éternellement, pour jamais, pour toujours, sans retour.
Ant. **I.** Exceptionnellement, parfois.

Janséniste
Syn. **II.** Austère, puritain, rigoriste, rigoureux, sévère.
Ant. **II.** Déréglé, facile, large, laxiste.

Jardin
Syn. **I.** Clos, enclos, fruitier, potager,

verger. — Parc, square, zoo. **II.** Garderie, maternelle. **III.** Éden, eldorado.

Jargon
Syn. **I.** Argot, baragouin, charabia, patois, sabir.

Jaser
Syn. **I.** Babiller, bavarder, causer, parler. **II.** Critiquer, médire. — Gazouiller, jacasser, piailler. *Ant.* **I.** (Se) taire. **II.** Accepter, approuver, vanter.

Jauger
Syn. *(V. tr.)* **I.** Évaluer. **II.** Cuber. **III.** Apprécier, estimer, juger. *(V. intr.)* **I.** Tenir.

Jaune
Syn. **I.** Ambré, blond, citron, cuivré, doré, fauve, flavescent, isabelle, jaunâtre, jaunet, kaki, ocré, ocreux, orangé, safran, safrané.

Javelot
Syn. **I.** Dard, framée, hast, javeline, projectile, sagaie.

Jérémiade
Syn. **I.** Doléance, geignement, gémissement, lamentation, litanie, plainte, pleurnicherie. *Ant.* **I.** Acclamation, applaudissement, cri de joie, enthousiasme, hourra, louange.

Jet
Syn. **I.** Élan, lancement, projection, trajectoire. — Crachat, émission, jaillissement. — Pousse, rejet, rejeton. — Avion à réaction. **II.** Faisceau, ruissellement. **III.** Ébauche, esquisse, essai. — Flot, flux.

Jeter (et Se)
Syn. *(V. tr.)* **I.** Envoyer, lancer, précipiter, projeter. — Abandonner, (se) débarrasser, (se) défaire. — Gaspiller, prodiguer. — Émettre, pousser, produire, rejeter. — Renverser, verser. **II.** Joncher, mettre, parsemer. **III.** Causer, répandre, semer. — Établir, poser. — Proférer.

(V. pr.) **I.** (S') élancer, (se) précipiter, tomber. — Déboucher, (se) décharger, (se) déverser. **III.** (S') engager, (se) lancer. *Ant.* *(V. tr.)* **I.**, **II.** et **III.** Accueillir, agripper, attraper, conserver, garder, ramasser, recevoir, retenir, saisir.

Jeu
Syn. **I.** Amusement, distraction, divertissement, jouet, passe-temps, plaisir, récréation. — Fête, réjouissance, sports. — Interprétation. — Assemblage, assortiment, collection, ensemble, série. — Action, défaut de serrage, facilité, fonctionnement, marge, mouvement. **III.** Badinage, bagatelle, calembour, plaisanterie. *Ant.* **I.** Effort, labeur, occupation, œuvre, travail. — Détail, partie, séparation. — Difficulté, embarras, immobilité, malaise, obstacle. **III.** Gravité, sérieux.

Jeune
Syn. *(N.)* **I.** Adolescent, benjamin, cadet, éphèbe, impubère, jouvenceau, mineur. *(Adj.)* **I.** Jeunet, jeunot. Neuf, nouveau, récent, vert. **II.** Frais, juvénile, vif. — Inexpérimenté, naïf, novice. *Ant.* *(N.)* **I.** Aîné, majeur, pubère, vieillard, vieux. *(Adj.)* **I.** Âgé, sénile. — Ancien, lointain, primitif, suranné. **II.** Caduc, défraîchi, fané. — Assagi, expérimenté, réfléchi.

Jeûne
Syn. **I.** Abstinence, carême, diète, ration, restriction. **III.** Abstention, mortification, privation. *Ant.* **I.** et **III.** Abondance, bombance, gourmandise, intempérance, régal, ripaille.

Joie(s)
Syn. **I.** Allégresse, bonheur, contentement, enchantement, épanouissement, exultation, félicité, gaieté, jubilation, ravissement. **II.** *(Pl.)* Agréments, bienfaits, jouissances, plaisirs, satisfactions.

Ant. I. Affliction, angoisse, chagrin, désenchantement, désespoir, deuil, désolation, douleur, peine, souffrance, tristesse. **II.** *(Pl.)* Désagréments, ennuis, épreuves, revers.

Joindre
Syn. **I.** Aboucher, abouter, accoler, accoupler, adjoindre, ajouter, ajuster, allier, annexer, appliquer, approcher, articuler, assembler, attacher, brancher, combiner, composer, connecter, coordonner, coudre, emboîter, embrancher, empatter, enchevaucher, enlier, entrelacer, épisser, fusionner, grouper, insérer, intercaler, jumeler, juxtaposer, lier, marier, mêler, nouer, raccorder, rapporter, rapprocher, rassembler, relier, renouer, réunir, sceller, serrer, souder. **III.** Associer, conjuguer, rallier, unifier, unir.
Ant. **I.** Couper, dégager, délier, dépecer, désaccoupler, désagréger, détacher, disjoindre, écarter, éloigner, espacer, fractionner, isoler, séparer. **III.** Brouiller, désunir, diviser, opposer.

Joli
Syn. **I.** Accort, agréable, beau, charmant, chic, délicat, délicieux, enjolivé, exquis, gentil, gentillet, gracieux, harmonieux, mignon, pimpant, ravissant. **II.** Avantageux, considérable, coquet, intéressant. — Amusant, piquant, plaisant.
Ant. **I.** Désagréable, disgracieux, enlaidi, immonde, laid, repoussant, répugnant. **II.** Désavantageux, insignifiant, médiocre. — Déplaisant.

Jonc
Syn. **I.** Alliance, anneau, bague.

Joncher
Syn. **I.** Couvrir, éparpiller, jeter, orner, parsemer, recouvrir, répandre, semer.
Ant. **I.** Débarrasser, dégarnir, enlever.

Jonglerie
Syn. **I.** Tour d'adresse. **III.** Charlatanisme, hypocrisie.

Jouer
Syn. *(V. intr.)* **I.** (S') amuser, badiner, (se) divertir, folâtrer, plaisanter, (se) récréer, rire. **II.** (Se) mouvoir. — Fonctionner. **III.** Entrer, intervenir. *(V. tr.)* **I.** Pratiquer (un jeu). — Exposer, hasarder, miser, parier, risquer, spéculer. — Exécuter, interpréter, monter, représenter, tourner. **II.** Incarner, simuler. **III.** Abuser, berner, tromper.

Jouet
Syn. **I.** Hochet, jeu, joujou. **III.** Cible, plastron, risée. — Automate, esclave, victime.

Joufflu
Syn. **I.** Arrondi, bouffi, boursouflé, gonflé, mafflu, rebondi.
Ant. **I.** Amaigri, creux, émacié, maigre, rachitique.

Joug
Syn. **I.** Attelage. **III.** Assujettissement, attache, contrainte, dépendance, domination, esclavage, oppression, servitude, sujétion.
Ant. **III.** Affranchissement, autonomie, émancipation, indépendance, liberté.

Jouir
Syn. **I.** Apprécier, déguster, goûter, jubiler, profiter de, (se) réjouir de, savourer. **II.** Avoir, bénéficier, disposer, posséder.
Ant. **I.** (S') attrister, pâtir, souffrir. **II.** Manquer de.

Jouissance
Syn. **I.** Bien-être, délectation, délice(s), joie, plaisir, satisfaction, volupté. **II.** Possession, usage, usufruit.
Ant. **I.** Abstinence, ascétisme, douleur, ennui, mal, malaise, souffrance. **II.** Dépossession, insuffisance, perte, privation, restriction.

Jouisseur
Syn. **I.** Bambocheur, coureur, débauché, épicurien, fêtard, libertin, noceur, sybarite, viveur, voluptueux.

Ant. I. Ascète, austère, chaste, continent, dévot, honnête, intègre, puritain, rigide, sérieux, sévère, sobre, vertueux.

Jour
Syn. **I.** Aube, aurore, clarté, lever, lumière, matin. — Journée. **II.** Fenêtre, fente, fissure, ouverture. — Être, naissance, procréation, vie. — Date, époque, temps. **III.** Apparence, aspect, éclairage, vue. *Ant.* **I.** Nuit, obscurité, ombre, soir, ténèbre. **II.** Fin, mort.

Journal
Syn. **I.** Bulletin, feuille, gazette, hebdomadaire, illustré, magazine, organe, périodique, presse, publication, quotidien. — Mémoires, récit.

Journalier
Syn. (N.) **I.** Artisan, manœuvre, ouvrier, travailleur. *(Adj.)* **I.** Coutumier, diurnal, quotidien, routinier. **II.** Incertain. *Ant. (N.)* **I.** Employeur, maître, patron. *(Adj.)* **I.** Exceptionnel, extraordinaire, inaccoutumé, rare, unique. **II.** Stable.

Journaliste
Syn. **I.** Chroniqueur, commentateur, correspondant, courriériste, critique, échotier, éditorialiste, envoyé (spécial), informateur, publiciste, reporter. — Folliculaire, pamphlétaire, polémiste.

Joute
Syn. **I.** Combat, match, rencontre, tournoi. **III.** Dispute, duel, escrime, lutte, rivalité.

Jouter
Syn. **I.** Combattre. **III.** Disputer, lutter, rivaliser. *Ant.* **I.** Abandonner, renoncer. **III.** Admettre, approuver, concéder.

Jouteur
Syn. **I.** Combattant. **III.** Adversaire, lutteur, rival. *Ant.* **III.** Allié, ami, associé, camarade, compagnon, partenaire.

Jouvenceau V. *Jeune*

Jovial
Syn. **I.** Communicatif, enjoué, gai, joyeux. *Ant.* **I.** Abattu, chagrin, maussade, renfrogné, sombre, triste.

Joyau
Syn. **I.** Bijou, décoration, ornement, parure, trésor. **III.** Rareté, valeur.

Joyeux
Syn. **I.** Agréable, amusant, content, enjoué, gai, heureux, hilare, jovial, jubilant. — Allègre, épanoui, radieux, ravi, rayonnant, réjoui, riant, rieur. *Ant.* **I.** Abattu, affligé, angoissé, désenchanté, désolé, dolent, malheureux, mécontent, mélancolique, morne, navré, sombre, triste. — Douloureux, funèbre, lugubre, mauvais, pénible.

Jubilation
Syn. **I.** Allégresse, contentement, fête, gaieté, joie, liesse, réjouissance, transport. *Ant.* **I.** Accablement, affliction, chagrin, déplaisir, douleur, mélancolie, tristesse.

Jucher (et Se)
Syn. (V. intr.) **I.** (Se) percher. — *(V. tr.)* Placer, poser. *(V. pr.)* **III.** Demeurer, habiter, (se) loger.

Judas
Syn. **I.** Fourbe, hypocrite, traître. **III.** Fente, guichet, ouverture. *Ant.* **I.** Droit, franc, loyal, sincère.

Judicieux
Syn. **I.** *(Pers.)* Droit, équilibré, raisonnable, sage, sensé, sérieux. — *(Ch.)* Bon, conséquent, exact, intelligent, juste, logique, pertinent, rationnel. *Ant.* **I.** Absurde, déséquilibré, extravagant, fou, illogique, inconséquent, insensé, irréfléchi, naïf, stupide.

Juge
Syn. **I.** Magistrat. **II.** Arbitre, critique, estimateur, expert, maître.

Jugement

Syn. **I.** Arrêt, décision, sentence, verdict. **II.** Décret. — Appréciation, avis, critique, idée, opinion, pensée, présomption, sens, sentiment, (point de) vue. **I.** Discernement, entendement, finesse, intelligence, jugeote *(fam.)* , perspicacité, raison, sens (bon sens, sens commun).

Ant. **I.** Aberration, démence, déraison, folie, inconséquence, non-sens, stupidité.

Juger

Syn. **I.** Conclure, décider, prononcer, statuer, trancher. **II.** Apprécier, arbitrer, connaître, considérer, croire, décréter, dire, discerner, distinguer, estimer, évaluer, examiner, fixer, jauger, penser, peser, régler, trouver.

Juguler

Syn. **III.** Arrêter, asservir, détruire, dompter, enrayer, étouffer, stopper.

Ant. **III.** Débloquer, désenrayer, libérer.

Juif

Syn. **I.** Hébreu, israélite, sémite. — Israélien.

Jumeler

Syn. **I.** Renforcer. — Accoupler, ajuster, joindre. **III.** Associer, conjuguer, réunir.

Ant. **I.** Affaiblir. — Dégager, disjoindre. **III.** Isoler, séparer.

Junior

Syn. **I.** Cadet, jeune, puîné.

Ant. **I.** Aîné, sénior.

Jurer

Syn. **I.** Affirmer, assurer, certifier, déclarer, (s') engager, promettre. — Attester (par serment), prêter serment. **II.** Blasphémer, crier, pester, sacrer *(fam.),* tempêter. **III.** Contraster, détonner, hurler, trancher.

Ant. **I.** Contester, démentir, désavouer, nier, réfuter, renier. **II.** Bénir, honorer. **III.** (S') accorder, (s') allier, assortir, cadrer.

Juridiction

Syn. **I.** Circonspection, compétence, for, ressort, siège, tribunal. **II.** Compétence, domaine, pouvoir, sphère.

Jurisconsulte

Syn. **I.** Juriste, légiste.

Jurisprudence

Syn. **I.** Droit. **II.** Coutume, doctrine, législation, précédent.

Juron

Syn. **I.** Blasphème, exclamation, imprécation, jurement.

Ant. **I.** Bénédiction, louange, prière.

Juste

Syn. (Pers.) **I.** Consciencieux, droit, équitable, honnête, impartial, intègre, loyal. *(Ch.)* **I.** Bon, correct, fondé, justifié, légal, légitime, loyal, motivé, raisonnable. — Adéquat, approprié, conforme, convenable, exact, précis, propre, réel, rigoureux, strict, véritable. **II.** Ajusté, collant, court, étroit, serré. — Insuffisant. **III.** Authentique, judicieux, logique, pertinent, rationnel, vrai.

Ant. **I.** *(Pers.)* Abusif, arbitraire, déloyal, inique, injuste, partial. *(Ch.)* **I.** Déraisonnable, illégitime, incorrect, injustifié, irrégulier, mauvais. — Faux, imprécis, impropre, inadéquat, inexact. **II.** Ample, lâche. — Suffisant. **III.** Boiteux, illogique, inauthentique, irrationnel.

Justesse

Syn. **I.** Authenticité, convenance, correction, exactitude, précision, propriété, raison, rectitude, vérité.

Ant. **I.** Approximation, erreur, fausseté, imprécision, impropriété, incorrection, inexactitude.

Justice

Syn. **I.** Droiture, équité, impartialité, intégrité, probité. — Droit, légalité, loi. — Cour, (pouvoir) judiciaire, juridiction, tribunal.

Ant. **I.** Abus, crime, iniquité, injustice, mensonge, partialité. — Illégalité, irrégularité.

Justification
Syn. **I.** Décharge, défense, excuse. — Argument, démonstration, explication, preuve, raison. **II.** Apologie.
Ant. **I.** et **II.** Accusation, attaque, blâme, culpabilité, faute, imputation, inculpation.

Justifier
Syn. **I.** Absoudre, acquitter, blanchir,

couvrir, décharger, **défendre**, disculper, excuser, innocenter, laver. — Autoriser, légitimer. — Confirmer, démontrer, expliquer, fonder, motiver, prouver, vérifier.
Ant. **I.** Accuser, blâmer, condamner, incriminer, noircir. — Interdire, proscrire. — Contredire, démentir, infirmer.

Juvénile V. *Jeune*

Juxtaposer V. *Joindre*

K

Kaki
Syn. **I.** Brun, fauve, flavescent, jaune, marron, ocre.

Kermesse
Syn. **I.** Ducasse, fête patronale, foire, réjouissance. **II.** Fête de charité.

Kidnapper
Syn. **I.** (Faire) disparaître, enlever, ravir, séquestrer. **II.** Voler.
Ant. **I.** et **II.** Laisser, rendre, restituer.

Kidnapping
Syn. **I.** Enlèvement, rapt d'enfant, séquestration. **II.** Violence, voie de fait.

Kiosque
Syn. **I.** Pavillon. **II.** Belvédère, gloriette, plate-forme, tonnelle. — Abri, édicule.

Knock-out
Syn. *(Adj.)* **I.** Assommé, évanoui, inconscient, mis hors de combat. **II.** Groggy.
Ant. **I.** Vainqueur, victorieux.

Krach
Syn. **I.** Banqueroute, catastrophe, débâcle (financière), déconfiture, effondrement, faillite.
Ant. **I.** Boom *(fam.)*.

Kyrielle
Syn. **I.** Litanie, série, suite. **II.** Foule, quantité, séquelle.

L

Labeur
Syn. **I.** Activité, besogne, corvée, occupation, ouvrage, peine, tâche, travail.
Ant. **I.** Désœuvrement, flânerie, inaction, inertie, loisir, oisiveté, paresse, repos.

Laboratoire
Syn. **II.** Arrière-boutique, atelier, officine. **III.** Essai.

Laborieux
Syn. **I.** *(Actes)* Ardu, difficile, fatigant, malaisé, pénible, rude. — Embarrassé, lourd. — *(Pers.)* Actif, appliqué, assidu, bûcheur, diligent, piocheur *(fam.)*, studieux, travailleur.
Ant. **I.** *(Actes)* Aisé, facile, reposant, simple. — Alerte, naturel. — *(Pers.)* Désœuvré, fainéant, flâneur, inactif, indo-

lent, inoccupé, insouciant mou, oisif, paresseux.

Labourer
Syn. **I.** Défoncer, effondrer, fouiller, herser, piocher, remuer, retourner, scarifier. **II.** Creuser, chasser. **III.** Déchirer, écorcher, égratigner.

Labyrinthe
Syn. **I.** Dédale, lacis, méandre. **III.** Complication, confusion, enchevêtrement, multiplicité. *Ant.* **III.** Clarification, clarté, facilité, simplicité.

Lacer
Syn. **I.** Attacher, lier, nouer, serrer. *Ant.* **I.** Défaire, délacer, délier, dénouer, desserrer.

Lacet
Syn. **I.** Cordon, lien. **II.** Contour, détour, méandre, zigzag. — Collet, filet, piège.

Lâche
Syn. **I.** Ample, déraidi, desserré, détendu, flasque, flottant, large, libre, mou, relâché. **III.** *(Style)* Languissant, lent, traînant. — *(Pers.)* Capitulard, couard, craintif, dégonflé, déserteur, faible, froussard, fuyard, peureux, pleutre, poltron, pusillanime, traître. — Bas, déloyal, méprisable, vil. *Ant.* **I.** Comprimé, étroit, raide, serré, tendu. **III.** Concis, dense, nerveux, vigoureux. — Audacieux, brave, courageux, énergique, hardi, héroïque, intrépide, résolu, tenace, vaillant, valeureux.

Lâcher
Syn. **I.** Débander, desserrer, détendre, larguer, relâcher. — Laisser aller/échapper, tomber. **II.** Détacher, envoyer, jeter, lancer. — Abandonner, délaisser, déserter, évacuer, laisser, planter là, plaquer *(pop.)*, quitter. **III.** Dire, exprimer. *Ant.* **I.** Agripper, empoigner, étreindre,

serrer, tenir. **II.** Continuer, fréquenter, garder, retenir. **III.** (Se) taire.

Lâcheté
Syn. **I.** Faiblesse, mollesse, paresse, pusillanimité, veulerie. — Couardise, crainte, peur, pleutrerie, poltronnerie. **II.** Bassesse, indignité, infamie, trahison, vilenie. *Ant.* **I.** Ardeur, énergie, force. — Audace, bravoure, cœur, courage, détermination, hardiesse, héroïsme, intrépidité, vaillance. **II.** Dignité, générosité, humanité, loyauté.

Lacis
Syn. **I.** Entrelacement, réseau. **III.** Labyrinthe.

Laconique
Syn. **I.** Bref, concis, court, serré, succinct. **II.** Lapidaire. *Ant.* **I.** Diffus, long, prolixe. **II.** Verbeux.

Lacune
Syn. **I.** Espace, fente. **II.** Absence, carence, défaut, défaillance, déficience, hiatus, ignorance, insuffisance, interruption, manque, omission, oubli, privation, suppression, trou. *Ant.* **II.** Abondance, achèvement, complément, connaissance, continuation, perfectionnement, présence, richesse, surplus.

Laïc
Syn. *(Adj.* et *nom)* **I.** Convers, lai, séculier. **II.** Neutre. *Ant.* **I.** Clerc, ecclésiastique, prêtre. **II.** Confessionnel.

Laid
Syn. **I.** Abominable, affreux, atroce, défiguré, déformé, dégoûtant, déplaisant, désagréable, difforme, disgracié, disgracieux, enlaidi, hideux, horrible, inélégant, inesthétique, informe, moche *(fam.)*, monstrueux, repoussant, répugnant, vilain. **II.** Bas, déshonnête, honteux, ignoble, malhonnête, malséant, sale, vil.

Ant. **I.** Agréable, attirant, beau, captivant, charmant, élégant, embelli, esthétique, galbé, gracieux, joli, magnifique, normal, séduisant. **II.** Bienséant, bon, honnête, noble, propre, superbe.

Laisser
Syn. (V. tr.) **I.** Aliéner, céder, confier, donner, léguer, livrer, remettre, réserver, transmettre. — Garder, maintenir, mettre, tenir. — Abandonner, cesser, délaisser, lâcher, négliger, omettre, oublier, planter là, quitter, renoncer à, (se) retirer, sacrifier. — Déposer, perdre. — *(Suivi d'un inf.)* Consentir, (ne pas) empêcher, permettre, souffrir, tolérer.
Ant. **I.** Conserver, (s') emparer, enlever, ôter, prendre, retirer. — Changer, déplacer, modifier. — Emmener, emporter, garder. — Mélanger, recouvrir. — Contrôler, défendre, résister.

Laisser-aller
Syn. **I.** Abandon, débraillé, désinvolture, désordre, inconvenance, incurie, indolence, insouciance, négligé, négligence, nonchalance, relâchement.
Ant. **I.** Application, bienséance, contrainte, convenance, correction, discipline, fierté, maintien, ordre, réserve, tenue, zèle.

Laissez-passer
Syn. **I.** Coupe-file, passavant, passeport, permis, sauf-conduit.

Laiteux
Syn. **I.** Blanc, blanchâtre, lacté, lactescent, opalin.
Ant. **I.** Noir, noirci, terni.

Lambeau
Syn. **I.** Chiffon, débris, haillon, loque, pièce. **II.** Fraction, morceau, parcelle, partie, segment. **III.** Bribe, fragment, section.

Lambin
Syn. **I.** Lent, long à, traînard.
Ant. **I.** Empressé, expéditif, rapide, vif.

Lambiner
Syn. (Fam.) **I.** (S') amuser, (s') attarder, lanterner, musarder, traînasser, traîner.
Ant. **I.** Accourir, (se) dépêcher, (se) hâter, (se) presser.

Lame
Syn. **I.** Feuille, feuillet, lamelle, paillettes, plaque. — Fer, fil, taille, tranchant. — Flot, vague.

Lamentable
Syn. **I.** Attristant, déplorable, désastreux, désespérant, désolant, douloureux, funeste, mauvais, médiocre, minable, misérable, navrant, pénible, piteux, pitoyable, triste.
Ant. **I.** Agréable, aimable, consolant, enivrant, enviable, heureux, joyeux, réconfortant, réjouissant, sympathique.

Lamentation(s)
Syn. **I.** Cri, désolation, gémissement, plainte, pleur, sanglot *(Pl.)* **II.** Doléances, jérémiades, murmures.
Ant. **I.** Agrément, charme, contentement, épanouissement, joie, satisfaction.

Lamenter (Se)
Syn. **I.** Déplorer, (se) désoler, geindre *(fam.)*, gémir, larmoyer, (se) plaindre, pleurer, pleurnicher *(fam.)*.
Ant. **I.** (Se) réjouir, rire.

Lancement
Syn. **I.** Envoi, jet, projection. **III.** Mise en circulation, publication.

Lancé
Syn. **I.** Célèbre, connu, notoire, (en) vedette, (en) vogue.
Ant. **I.** Ignoré, inconnu, obscur.

Lancer (et Se)
Syn. (V. tr.) **I.** Bombarder, catapulter, darder, décocher, émettre, envoyer, exhaler, jeter, lâcher, projeter, propulser. **III.** Décréter, fulminer. — Commencer, déclencher, diriger, éditer, entreprendre, introduire, patronner, pousser, publier, ré-

pandre, (mettre en) vedette. *(V. pr.)* **I.** (S') élancer, fondre sur, (se) jeter, (se) précipiter. **III.** Commencer, (s') embarquer, (s') engager, entamer, entrer dans, hasarder. — (Se) faire connaître, (se) mettre en vedette.
Ant. (V. tr.) **I.** Arrêter, contenir, empêcher, freiner, refréner, réprimer, résister, retenir. **III.** Achever, cacher, dissimuler. *(V. pr.)* **I.** Reculer. **III.** Rester neutre, (se) retirer. — (Se) cacher, (se) dérober, (être) inconnu.

Langoureux
Syn. **II.** Affecté, alangui, amoureux, caressant, doucereux, languissant, tendre.
Ant. **II.** Allègre, fougueux, impétueux, transporté, vif.

Langue
Syn. **I.** Dialecte, idiome, langage, parler, patois, sabir, verbe.

Langueur
Syn. **I.** Abattement, accablement, affaiblissement, alanguissement, anémie, atonie, dépérissement, dépression, épuisement, faiblesse, marasme, prostration. **II.** Apathie, inactivité, indolence, mollesse, nonchalance, paresse, somnolence, torpeur. **III.** Morbidesse.
Ant. **I.** Activité, animation, ardeur, audace, chaleur, courage, énergie, force, hardiesse, joie, vie, vitalité, vivacité.

Languir
Syn. **I.** (S') affaiblir, (s'en) aller, (s') anémier, baisser, décliner, dépérir, diminuer, (s') étioler. **II.** Croupir, stagner, traîner, végéter. — Attendre, désirer, (s') ennuyer, moisir *(fam.)*, (se) morfondre, sécher, soupirer.
Ant. **I.** et **II.** (Se) développer, (s') épanouir, prospérer, (se) ranimer, résister, (se) réveiller, tenir. — (Se) complaire, (se) désennuyer.

Languissant
Syn. **I.** Abattu, anémié, défaillant, faible.

II. Langoureux, languide, mourant. — Fade, morne, terne, traînant.
Ant. **I.** Actif, ardent, énergique, enjoué, éveillé, vigoureux. **II.** Brillant, intéressant, vif, vivant.

Lanterner V. *Lambiner*

Lapidaire V. *Laconique*

Lapider
Syn. **I.** Tuer. **II.** Attaquer, maltraiter. **III.** Vilipender.
Ant. **II.** Préserver, protéger. **III.** Louanger, vanter.

Lapsus
Syn. **I.** Contrepètrerie, cuir, erreur, faute, inadvertance, pataquès, perle.

Larcin
Syn. **I.** Maraude, rapine, vol. **III.** Plagiat.

Larder
Syn. **I.** Emplir, garnir. **II.** Blesser, percer, piquer. **III.** Accabler, railler, ridiculiser. — Entrelarder, entremêler, parsemer, truffer.

Large
Syn. **I.** Ample, déployé, dilaté, élargi, épanoui, étalé, étendu, évasé, grand, gros, lâche, ouvert, spacieux, vaste. **III.** Considérable, important. — Étendu *(sens).* — Compréhensif, indulgent, laxiste, libéral, tolérant. — Aisé, désintéressé, fastueux, généreux, prodigue, riche.
Ant. **I.** Court, effilé, étroit, long, maigre, mince, petit, resserré, restreint, serré, tendu. **III.** Dérisoire, insignifiant. — Rigoureux, strict. — Borné, exclusif, formaliste, intolérant, mesquin, ombrageux, scrupuleux, sévère. — Avare, égoïste, pingre.

Largesse(s)·
Syn. **I.** Générosité, libéralité. **II.** *(Pl.)* Cadeaux, dons, offrandes, présents. .
Ant. **I.** Avarice, égoïsme, mesquinerie.

Larme(s)
Syn. **I.** Pleur, sanglot. **III.** *(Pl.)* Affliction, chagrin, émotion.
Ant. **I.** Gaieté, joie, rire.

Larmoyant
Syn. **I.** Désolé, éploré, gémissant, (en) larmes, plaintif, triste. **II.** Pleurard, pleurnicheur. **III.** Emouvant.
Ant. **I.** et **II.** Enjoué, gai, joyeux, réjoui, riant. **III.** Froid.

Larmoyer V. *Lamenter (se)*

Las
Syn. **I.** Anéanti, éreinté, faible, fatigué, fourbu, harassé, moulu, recru, surmené. **II.** Blasé, dégoûté, désenchanté, ennuyé, excédé, irrité, lassé.
Ant. **I.** Alerte, allègre, dispos, frais, reposé. **II.** Animé, encouragé, enthousiasmé, stimulé.

Lascif
Syn. **I.** Charnel, concupiscent, érotique, immodeste, immoral, impudique, impur, indécent, libidineux, licencieux, lubrique, luxurieux, obscène, pornographique, salace, scandaleux, sensuel, voluptueux.
Ant. **I.** Austère, chaste, continent, décent, digne, distingué, froid, honnête, noble, pudique, pur, vertueux.

Lasser
Syn. **I.** Accabler, assommer, blaser, décourager, dégoûter, désabuser, ennuyer, excéder, fatiguer, harasser, importuner. **II.** Épuiser, rebuter.
Ant. **I.** Alléger, amuser, animer, délasser, distraire, égayer, encourager, enthousiasmer, reposer, stimuler. **II.** Attirer, réconforter, remplir.

Lassitude
Syn. **I.** Abattement, fatigue. **II.** Découragement, dégoût, désespérance, ennui, spleen.
Ant. **I.** Bien-être, entrain, repos. **II.** Courage, encouragement, enthousiasme.

Latent
Syn. **I.** Caché, dissimulé, invisible, larvé, secret, voilé.
Ant. **I.** Apparent, dévoilé, manifeste, ouvert, visible.

Latitude
Syn. **II.** Climat, région. **III.** Facilité, faculté, liberté.
Ant. **I.** Longitude, **III.** Défense, difficulté.

Lauréat
Syn. **I.** Champion, couronné, gagnant, premier, triomphateur, vainqueur.

Lauriers
Syn. **III.** Célébrité, couronne, gloire, succès, triomphe.
Ant. **III.** Défaite, déroute, dommage, échec, insuccès, perte, revers.

Lavage
Syn. **I.** Blanchissage, lessive, nettoyage. — Ablution, bain, débarbouillage, douche, lotion. — Lavement *(méd.).*
Ant. **I.** Crasse, malpropreté, saleté, salissure.

Laver
Syn. **I.** Blanchir, décrasser, dégraisser, détacher, lessiver, lotionner, nettoyer, rincer, savonner. — Baigner, débarbouiller, frotter. — Déterger, injecter. — Délaver. **III.** Blanchir *(fig.),* disculper, effacer, expier, purger, purifier, réparer, venger.
Ant. **I.** Barbouiller, contaminer, encrasser, graisser, maculer, noircir, salir, souiller, tacher. **III.** Accuser, imputer.

Leader
Syn. **I.** Chef, porte-parole, premier. **II.** Garant, responsable.

Lécher
Syn. **I.** Caresser. **II.** Effleurer, frôler. **III.** Flagorner, flatter. — Fignoler, finir, polir.
Ant. **I.** Rudoyer. **II.** Fuir, pénétrer. **III.** Blâmer, critiquer, déprécier. — Bâcler.

Leçon
Syn. **I.** Classe, conférence, cours, enseignement. **II.** Démonstration, répétition. − Lecture, variante, version. − Admonestation, avertissement, correction, exhortation, punition, réprimande. **III.** Conclusion, enseignement, morale.

Légal
Syn. **I.** Constitutionnel, décrété, édicté, juridique, légalisé, légitime, licite, permis, promulgué, publié, réglementaire, régulier, valide, voté.
Ant. **I.** Anticonstitutionnel, arbitraire, clandestin, conventionnel, défendu, illégal, illégitime, illicite, interdit, invalide, irrégulier, prohibé.

Légaliser
Syn. **I.** Authentifier, authentiquer, certifier, confirmer, légitimer, sanctionner.
Ant. **I.** Abroger, contester, défendre, empêcher, interdire, proscrire, révoquer.

Légat
Syn. **I.** Ambassadeur, délégué, nonce, prélat, pro-nonce, vicaire apostolique.

Légendaire
Syn. **I.** Fabuleux, fictif, imaginaire, mythique, **II.** Célèbre, illustre.
Ant. **I.** Authentique, historique, vrai. **II.** Inconnu.

Légende
Syn. **I.** Lecture. − Conte, épopée, fable, folklore, histoire, mythe, mythologie, saga, tradition. − Carnèle, explication, inscription.
Ant. **I.** Etude, histoire, vérité.

Léger
Syn. **I.** Aérien, agile, ailé, alerte, allégé, déchargé, délesté, délicat, dispos, élancé, éthéré, fin, gracile, grêle, impalpable, impondérable, menu, mince, souple, svelte, vaporeux, vif. − Digestible. − Faible, imperceptible, infime, insensible, insignifiant, petit, véniel. **III.** *(Pers.)* Ecervelé,

étourdi, frivole, futile, imprévoyant, imprudent, inconséquent, inconstant, insouciant, irréfléchi, versatile, vide, volage, − Facile, leste, libre, licencieux. − Badin, dégagé, désinvolte, enjoué.
Ant. **I.** Accablant, alourdi, chargé, dense, encombrant, épais, gros, lourd, massif, pesant, violent. − Indigeste. − Considérable, fort, grave, important. **III.** Circonspect, constant, fidèle, posé, sérieux. − Chaste, honnête, pudique. − Raisonnable, sévère.

Légiste
Syn. **I.** Conseiller, homme de loi, jurisconsulte, juriste.

Légitime
Syn. **I.** Equitable, juste, légal, réglementaire. **II.** Admissible, compréhensible, fondé, justifié, licite, motivé, normal, permis, raisonnable.
Ant. **I.** Illégal, illégitime, injuste, naturel (bâtard). **II.** Arbitraire, criminel, déraisonnable, illicite, inadmissible, injustifié.

Légitimer
Syn. **I.** Rendre légitime. **III.** Disculper, excuser, justifier.
Ant. **III.** Accuser, blâmer, condamner.

Legs
Syn. **I.** Aliénation, don, donation, fondation, héritage, libéralité, succession, testament.

Léguer
Syn. **I.** Céder, donner, laisser, transmettre.
Ant. **I.** Déshériter. − Hériter, recevoir.

Lent
Syn. **I.** Apathique, flâneur, flegmatique, lambin, long, mou, musard, traînard. **II.** Endormi, engourdi, épais, inactif, lourdaud, paresseux. − Alangui, calme, indolent, nonchalant, pesant, posé, tardif, traînant, tranquille.
Ant. **I.** Accéléré, actif, alerte, brusque, di-

323

ligent, dispos, empressé, expéditif, foudroyant, hâtif, instantané, léger, leste, précipité, pressé, preste, prompt, rapide, soudain, subit, véloce, vif.

Lenteur(s)
Syn. **I.** Apathie, douceur, patience. **II.** Épaisseur, lourdeur, paresse, pesanteur. — Inactivité. **III.** *(Pl.)* Atermoiements, délais, retards, tergiversations.
Ant. **I.** et **II.** Activité, agilité, brusquerie. Célérité, diligence, empressement, frénésie, hâte, promptitude, rapidité, vivacité. **III.** Accélérations, décisions.

Léser
Syn. **I.** *(Méd.)* Attaquer, atteindre, blesser, endommager. — Désavantager, frustrer. **II.** Nuire à, préjudicier. **III.** Blesser, offenser, vexer.
Ant. **I.** — **II.** Épargner. — Aider, assister, avantager, favoriser, gratifier, servir. **III.** Flatter, plaire, réparer.

Lésiner
Syn. **I.** Chicaner, économiser, épargner, marchander, rogner.
Ant. **I.** Débourser, dépenser, dilapider, gaspiller.

Lésion
Syn. **I.** Accident, blessure, complication, contusion, coup, désordre, inflammation, maladie, meurtrissure, perturbation, plaie, trouble. — Dommage *(dr.)*, préjudice, tort.

Lessiver V. *Laver*

Leste
Syn. **I.** Agile, alerte, allègre, dégagé, dispos, léger, prompt, rapide, souple, vif. **II.** Cavalier, désinvolte, impoli, inconvenant, irrespectueux. — Cru, égrillard, épicé, gaillard, gaulois, grivois, hardi, libre, licencieux, scabreux, vert.
Ant. **I.** Balourd, lent, lourd, maladroit, massif. **II.** Digne, grave, respectueux, sérieux, sévère. — Austère, chaste, décent, honnête, pudique.

Lester
Syn. **I.** Charger, garnir. **III.** Munir, pourvoir, remplir.
Ant. **I.** Alléger, décharger, délester, diminuer.

Léthargie
Syn. **I.** Assoupissement, catalepsie, coma, hypnose, inconscience, paralysie, sommeil, torpeur. — Hibernation. **III.** Apathie, atonie, engourdissement, prostration.
Ant. **I.** Activité, énergie, excitation, réveil, vie, vigueur, vitalité, vivacité.

Léthargique
Syn. **III.** Engourdi, insensible, nonchalant.
Ant. **III.** Actif, dégourdi, éveillé.

Lettre(s)
Syn. **I.** Caractère, sigle. — Billet, carte, communication, correspondance, courrier, dépêche, écrit, épître, message, missive, mot, pli, pneu, poulet *(fam.)*. — *(Pl.)* Humanités, littérature.

Lettré
Syn. **I.** Cultivé, docte, érudit, instruit, savant.
Ant. **I.** Analphabète, ignorant, illettré, inculte.

Leurre
Syn. **I.** Appât. **III.** Duperie, illusion, imposture, piperie, tromperie.
Ant. **III.** Certitude, désillusion, réalité, vérité.

Leurrer (et Se)
Syn. *(V. tr.)* **III.** Abuser, attraper, berner, bluffer, duper, embobiner *(fam.)*, endormir, enjôler, exploiter, jouer, mystifier, tromper. *(V. pr.)* (S') illusionner.
Ant. **III.** Désabuser, détromper, instruire.

Levain
Syn. **I.** Levure. **III.** Ferment, germe.

Levant *(n.)*
Syn. **I.** Est, orient.

Ant. I. Couchant, occident, ouest, ponant.

Lever (et Se)
Syn. (V. tr.) **I.** Élever, enlever, hausser, hisser, monter, remonter, soulever. — Dresser, redresser, relever. — Appareiller. **III.** Abolir, arracher, écarter, ôter, retirer, retrancher, supprimer. — Enrôler, mobiliser, recruter. — Percevoir, prélever, recueillir. *(V. intr.)* **I.**,(Se) dresser. — Pousser. — Fermenter. *(V. pr.)* **I.** (Se) mettre debout. — Sortir de son lit. **III.** Apparaître, arriver, commencer, fraîchir, souffler. *Ant. (V. tr.)* **I.** Abaisser, baisser, descendre, poser. — Asseoir, coucher, incliner, pencher. **III.** Continuer, laisser, maintenir. — Licencier, renvoyer. — Payer, verser. *(V. pr.)* **I.** (S') asseoir, (se) coucher.

Lexique
Syn. **I.** Dictionnaire, glossaire, index, vocabulaire.

Lézardé
Syn. **I.** Craquelé, crevassé, disjoint, fêlé, fendillé, fendu, fissuré.
Ant. **I.** Consistant, ferme, fort, intact, solide.

Liaison
Syn. (Ch.) **I.** Assemblage, jonction, union. — Coulé *(mus.).* — Cuir *(phonét.),* hiatus, pataquès, velours. **III.** Affinité, alliance, association, cohérence, cohésion, connexion, continuité, corrélation, correspondance, dépendance, enchaînement, filiation, rapport, relation, suite. — *(Pers.)* **III.** Accord, accointance, attache, attachement, chaîne, communication, contact, engagement, fréquentation, intrigue, lien, passade, relation.
Ant. (Ch.) **I.** Désunion, disjonction, division, scission. *(Pers.)* **III.** Désaccord, dissentiment, divergence, schisme, séparation.

Liant
Syn. **III.** Affable, doux, sociable, souple.

Ant. III. Antipathique, bourru, cassant, distant, sec.

Libelle
Syn. **I.** Attaque, diatribe, diffamation, factum, invective, pamphlet, satire, tract.
Ant. **I.** Apologie, compliment, éloge, louange.

Libeller
Syn. **I.** Dresser, écrire, rédiger. — Mandater. **II.** Exposer, formuler.

Libéral
Syn. **I.** Désintéressé, généreux, large, prodigue. **II.** Tolérant.
Ant. **I.** Avare, intéressé, mesquin, parcimonieux. **II.** Intolérant, tyrannique.

Libéralité(s)
Syn. **I.** Charité, générosité, largesse, magnificence, munificence, prodigalité, profusion. **II.** *(Pl.)* Aumônes, bienfaits, cadeaux, dons, gratifications, legs.

Libérateur
Syn. **I.** Défenseur, émancipateur, messie, rédempteur, sauveur.
Ant. **I.** Asservisseur, despote, oppresseur, tyran.

Libération
Syn. **I.** Délivrance, élargissement, salut. **II.** Acquittement, rachat. **III.** Affranchissement, dégagement, évacuation.
Ant. **I.** Asservissement, détention. **II.** Obligation. **III.** Esclavage, occupation, servitude.

Libérer (et Se)
Syn. (V. tr.) **I.** Délivrer, élargir, racheter, relâcher, relaxer. — Congédier. — Licencier, renvoyer. **II.** Débarrasser, débloquer, dégager, délier, démuseler, dépêtrer, désenchaîner, détacher, dételer, émanciper, évacuer. **III.** Affranchir, décharger, dégrever, délier, dispenser, exempter, exonérer, relever de. *(V. pr.)* **III.** (S') affranchir, (se) défaire de, (se) dégager, (s') émanciper, rompre, secouer

le joug, (se) soustraire. **II.** Acquitter, payer. **I.** (S') évader.

Ant. (V. tr.) **I.** Arrêter, capturer, coffrer, détenir, emprisonner, garder. **II.** Attacher, bloquer, embarrasser, empêtrer, enchaîner, engager, envahir, gêner, occuper, retenir. **III.** Accabler, asservir, assujettir, astreindre, entraver, étreindre, forcer, grever, opprimer.

Liberté(s)
Syn. **I.** Élargissement, relaxation. — Affranchissement, autonomie, délivrance, émancipation, indépendance, libération. — Crédit, droit, facilité, faculté, latitude, loisir, pouvoir — Autorisation, permission. — Aisance. **II.** Audace, franchise, franc-parler, hardiesse. — *(Pl.)* Droits. — Familiarités, privautés.
Ant. **I.** Captivité, détention, incarcération. — Asservissement, dépendance, esclavage, servitude. — Contrainte, entrave, obligation, obstacle. — Défense, interdiction. — Gêne. **II.** Discrétion, réserve, retenue.

Libertin
Syn. **I.** Impie, incrédule, irréligieux. — Bambocheur, corrompu, débauché, dévergondé, dissolu, voluptueux. **II.** Grivois, leste, libre.
Ant. **I.** Ascète, austère, dévot, modèle, sage, sérieux, vertueux. **II.** Chaste, pudique.

Libre
Syn. **I.** Évadé. — Affranchi. — Autonome, émancipé, indépendant, souverain. — Facultatif, loisible. — Dégagé, délié, exempt, franc, spontané, volontaire. **II.** Aisé, déboutonné *(fam.),* délibéré, désinvolte, facile, familier. — Cavalier, cru, égrillard, graveleux, hardi, inconvenant, léger, licencieux, osé. — *(Ch.)* Accessible, autorisé, dégagé, disponible, inoccupé, permis, vacant, vide. — Irrégulier.
Ant. **I.** Détenu, prisonnier. — Asservi, dépendant, enchaîné, esclave, opprimé, soumis. — Défendu, forcé, interdit, obligatoire. — Déterminé, fixé, imposé, involontaire, réglémenté, surveillé. **II.** Cérémonieux, compassé, sérieux, timide. — Décent, réservé. — *(Ch.)* Encombré, occupé, plein. — Régulier, traditionnel.

Libre penseur V. *Incrédule*

Licence
Syn. **I.** Autorisation, concession, permis. — Diplôme, grade universitaire. **II.** Désordre, dérèglement, excès.
Ant. **I.** Défense, entrave, interdiction. **II.** Décence, retenue.

Licencier
Syn. **I.** Congédier, destituer, remercier, renvoyer.
Ant. **I.** Embaucher, engager, enrôler, recruter.

Licencieux
Syn. **I.** Égrillard, érotique, grivois, immoral, impudique, indécent, libre, obscène.
Ant. **I.** Chaste, convenable, décent, digne, moral, noble, pudique.

Licite V. *Légitime*

Lien
Syn. **I.** Attache, bande, chaîne, corde, cordon, courroie, entrave, fers, ficelle, laisse, licou, ligature. **II.** Analogie, connexion, corrélation, enchaînement, filiation, rapport, suite. **III.** Accointance, affinité, attachement, intermédiaire, liaison, noeud, parenté, union. — Assujettissement, chaîne, servitude.
Ant. V. *Liaison*

Lier
Syn. **I.** Attacher, enchaîner, ficeler, fixer, garrotter, ligaturer, ligoter, nouer, retenir. — Cimenter, conglomérer, épaissir. **II.** Agencer, associer, coordonner, enchaîner, grouper, joindre, marier, relier. **III.** Contacter, rapprocher, unir. — Astreindre, engager, obliger.
Ant. **I.** Couper, défaire, déficeler, délier,

délivrer, dénouer, désenchaîner, détacher, rompre. — Éclaircir. **II.** Dissocier, diviser, isoler, séparer. **III.** Éloigner. — Dispenser, exempter.

Lieu
Syn. **I.** Alentour, climat, coin, contrée, emplacement, endroit, environs, espace, localité, parage, passage, pays, place, point, position, poste, région, secteur, séjour, site, situation, voisinage, zone. **II.** Dirigeants (haut lieu). **III.** Occasion, prétexte, raison, sujet.

Ligature V. *Lien*

Ligne
Syn. **I.** Barre, linéament, raie, rayure, strie, tiret, trait. — Frontière, limite. — Cordeau, fil. **II.** Contour, délinéament, dessin, forme, galbe, profil, silhouette. — Alignement, file, rangée. — Liaison, transport, voie. — Base, cordon, front, retranchement. — Filiation, lignée. **III.** Direction, règle, voie.

Lignée
Syn. **I.** Descendant, dynastie, extraction, famille, filiation, généalogie, lignage, maison, postérité, race, sang, souche, suite, tige, tronc.

Ligoter V. *Lier*

Ligue
Syn. **I.** Alliance, association, coalition, confédération, confrérie, groupement, parti, union. **II.** Brigue, cabale, complot, conjuration, conspiration, front, intrigue. *Ant.* **I.** Confusion, débandade, désunion, division, scission, séparation.

Limer
Syn. **I.** Dégrossir, frotter, polir, user. **II.** Élimer. **III.** Châtier, corriger, fignoler, parfaire, retoucher, revoir. *Ant.* **III.** Bâcler, gâcher, saboter.

Limier
Syn. **III.** Détective, espion, policier.

Limite
Syn. **I.** Bord, borne, bout, confins, démarcation, extrémité, fin, frontière, lisière.

Limité
Syn. **I.** Borné, circonscrit, délimité, étroit, fini, localisé, réduit, restreint. *Ant.* **I.** Illimité, immense, infini, total, vaste.

Limpide
Syn. **I.** Clair, net, transparent. **II.** Beau, cristallin, franc, pur. **III.** Intelligible, simple. *Ant.* **I.** Brouillé, brumeux, nébuleux, opaque, trouble. **II.** Douteux, louche. **III.** Confus, obscur.

Liquéfier
Syn. **I.** Délayer, dissoudre, fondre. *Ant.* **I.** Coaguler, congeler, solidifier.

Liquide
Syn. *(Adj.)* **I.** Clair, coulant, dilué, fluide, limpide. **III.** *(Fin.)* Disponible. *(N.)* **I.** Boisson, eau, liqueur. *Ant.* *(Adj.)* **I.** Dur, épais, gazeux, solide. **III.** Engagé, indispensable. *(N.)* **I.** Gaz, solide.

Liquider
Syn. **I.** Achever, payer, réaliser, régler, terminer. — Écouler, vendre. **III.** (Se) débarrasser *(fam.)*. *Ant.* **I.** Accroître, accumuler, acheter, acquérir, amorcer, commencer. **III.** Garder, retenir.

Lire
Syn. **I.** Ânonner, épeler. — Dire, énoncer, prononcer, réciter. — Expliquer, interpréter. — Débrouiller, déchiffrer. — Bouquiner, compulser, consulter, dépouiller, dévorer, feuilleter, fréquenter, parcourir. — Découvrir, discerner, pénétrer.

Lisière
Syn. **II.** Bande, laize. — V. *Limite*

Lisse
Syn. **I.** Doux, égal, glabre, glacé, laqué, lustré, poli, satiné, uni, verni.
Ant. **I.** Barbu, granuleux, hérissé, inégal, ridé, rugueux.

Liste
Syn. **I.** Bordereau, catalogue, état, index, inventaire, memento, menu, nomenclature, palmarès, relevé, répertoire, rôle, suite, tableau. **II.** Énumération, nombre, série.

Lit
Syn. **I.** Berceau, canapé, couche, couchette, divan, grabat, hamac, literie, sofa. **II.** Litière, matelas, tapis. — Couche, couchis, dépôt, strate. — Canal, chenal. **III.** Mariage.

Litanie(s)
Syn. **I.** Chant, invocations, prière. **III.** Dénombrement, enchaînement, énumération, kyrielle, liste, répétition, série, suite.

Litigieux
Syn. **I.** Contentieux, contestable, contesté, discutable, épineux, récusable.
Ant. **I.** Clair, évident, incontestable, irrécusable.

Littéral
Syn. **I.** Conforme, exact, fidèle, propre, strict, textuel.
Ant. **I.** Allégorique, différent, inexact, figuré, symbolique.

Littérateur
Syn. **I.** Auteur, écrivain, homme de lettres.

Littérature
Syn. **I.** Art d'écrire, langue, lettres, poésie, prose, roman, théâtre. **II.** Bibliographie d'une question.

Littoral
Syn. (N.) **I.** Bord, bordure, côte, plage, rivage, rive.
Ant. **I.** Centre, intérieur, milieu.

Liturgie
Syn. **I.** Cérémonial, cérémonie, culte, service (divin).

Livide
Syn. **I.** Bleu, bleuâtre, noir, plombé. **II.** Blafard, blême, décoloré, fané, hâve, pâle, terne.
Ant. **II.** Animé, coloré, frais, hâlé, rougeaud, rubicond, rutilant, vermeil.

Livre
Syn. **I.** Album, atlas, bouquin, écrit, œuvre, opuscule, ouvrage, production, publication, tome, travail, volume. — Partie (d'un ouvrage). — Carnet, registre.

Livrer
Syn. **I.** Déférer, remettre. — Abandonner, donner, rendre, soumettre. — Dénoncer, trahir. — Communiquer, confier, dévoiler. — Céder, débiter, fournir, porter, procurer, vendre. — Engager.
Ant. **I.** Arracher, délivrer. — Conserver, défendre. — Servir. — Cacher, dérober. — Détenir, garder, ôter, retirer. — Désengager.

Livret
Syn. **I.** Calepin, carnet, catalogue, registre. — Libretto.

Locataire
Syn. **I.** Hôte, loueur, preneur.
Ant. **I.** Bailleur, propriétaire.

Locution
Syn. **I.** Arrangement, expression, forme, idiotisme, tour, tournure, trope.

Loge
Syn. **I.** Loggia, avant-scène, baignoire. — Atelier, groupe de francs-maçons. — Conciergerie, logement, rez-de-chaussée. — Cabane, hutte. — Box, cage, niche, stalle. — Cassetin.

Logement V. *Maison*

Loger
Syn. (V. intr.) **I.** Caserner, demeurer, gî-

ter, habiter, résider, rester, séjourner. **III.**
(Se) rencontrer, (se) trouver. *(V. tr.)* **I.**
Abriter, caser, héberger, installer, mettre,
placer, recevoir, tenir. **II.** (S') introduire.
Ant. **I.** Chasser, congédier, déloger, déplacer, expulser, jeter, mettre dehors, à la
porte, renvoyer.

Logeur
Syn. **I.** Aubergiste, hôte, hôtelier.

Logique
Syn. **I.** *(N.)* Bon sens, cohérence, dialectique, méthode, raison, raisonnement. —
Fatalité, nécessité. — *(Adj.)* Cohérent,
conséquent, déductif, discursif, exact,
fondé, géométrique, judicieux, juste, méthodique, raisonnable, rationnel, serré,
suivi, vrai. — Naturel, nécessaire.
Ant. **I.** *(N.)* Désordre, illogisme, inconséquence. — *(Adj.)* Absurde, déraisonnable,
faux, illogique, incohérent, inconséquent,
irréfléchi, stupide. — Anormal, contingent, éventuel.

Logis V. *Maison*

Loi
Syn. **I.** Arrêt, arrêté, charte, code, constitution, décret, disposition, droit, édit, législation, ordonnance, prescription, règle,
règlement, statut. — Commandement, dé-
calogue. **II.** Devoir, équité, justice, norme, obligation, précepte, principe. —
Condition, nécessité. **III.** Autorité, domination, empire, pouvoir, puissance.
Ant. **I.** et **II.** Dispense, grâce, injustice, liberté, licence.

Lointain
Syn. *(Adj.)* **I.** Distant, éloigné, loin. **II.**
Reculé. **III.** Indirect, vague. *(N.)* **I.** Arriè-
re-plan, fond, (à l') horizon, (au) loin.
Ant. *(Adj.)* **I.** Proche, voisin. **II.** Immi-
nent, prochain, rapproché, récent. **III.**
Direct, précis. *(N.)* **I.** Alentour, auprès,
(à) côté, près.

Loisible
Syn. **I.** Permis.
Ant. **I.** Défendu.

Loisir(s)
Syn. **I.** Liberté, permission, possibilité. **II.**
(Pl.) Activités libres, culture, délasse-
ments, (temps de) détente, disponibilité,
distractions, divertissements, jeux, occupations libres, passe-temps, repos, sports,
tourisme, vacances, « violons d'Ingres ».
Ant. **II.** Occupations régulières, travail
habituel.

Long
Syn. **I.** Allongé, élancé, étendu, oblong.
— Ancien, infini, interminable, vieux. **III.**
Bavard, diffus, prolixe. — Lambin, lent,
tardif. — Abondant, entier, tout.
Ant. **I.** Court, large, petit. — Bref, instan-
tané. **III.** Concis, succinct. — Empressé,
vif. — Incomplet, insuffisant.

Longer
Syn. **I.** Border, côtoyer, (s') étendre le
long de, parcourir, raser.
Ant. **I.** (Se) détourner, dévier, (s') écarter,
(s') éloigner, pénétrer.

Longtemps
Syn. **I.** Autrefois, jadis. — Beaucoup, lon-
guement.
Ant. **I.** Naguère, récemment. — Brième-
ment, peu.

Longueur(s)
Syn. **I.** Distance, étendue, grandeur. —
Durée. **III.** *(Pl.)* Lenteur. — Redondance,
superfluité, verbiage.
Ant. **I.** Brièveté. **III.** Diligence. — Conci-
sion.

Loquacité
Syn. **I.** Babillage, bagou ou bagout
(fam.), bavardage, faconde, verbosité, volubilité.
Ant. **I.** Mutisme, retenue, silence.

Loque
Syn. **I.** Chiffon, défroque, fragment, gue-

nille, haillon, lambeau, morceau, oripeau. **III**. Épave.

Lorgner
Syn. **I**. Dévisager, examiner, fixer, regarder, reluquer, toiser. **III**. Convoiter, envier, guigner, loucher sur, prétendre à.
Ant. **III**. Dédaigner, ignorer, mépriser, refuser.

Lorgnette V. *Lunette*

Lot
Syn. **I**. Lopin, lotissement, part, partage, portion, succession, terrain. **II**. Assortiment, quantité, stock. — Acquisition, gain. **III**. Apanage, destin, sort.

Loterie
Syn. **I**. Jeu de hasard, sweepstake, tirage, tombola.

Louange(s)
Syn. **I**. Apologie, éloge, exaltation, glorification, honneur, panégyrique. — Adulation, flagornerie, flatterie. — *(Pl.)* Applaudissements, compliments, félicitations. **II**. Gloire, mérite.
Ant. **I**. Affront, blâme, critique, injure, insulte, offense, outrage, réprimande, reproche. **II**. Démérite, déshonneur.

Louanger V. *Louer*

Louangeur
Syn. (Adj.) **I**. Élogieux, laudatif.
Ant. **I**. Dénigreur, médisant.

Louche
Syn. **I**. Oblique, torve, (de) travers. **III**. Ambigu, douteux, équivoque, étrange, incertain, interlope, suspect, trouble.
Ant. **I**. Direct, droit. **III**. Clair, franc, honnête, net, sincère.

Louer
Syn. **I**. Affermer, arrenter, donner à loyer, réserver, retenir. — Acclamer, admirer, applaudir, approuver, bénir, célébrer, chanter, complimenter, congratuler, élever, encenser, exalter, féliciter, flatter,

glorifier, honorer, louanger, magnifier, prêcher, préconiser, proclamer, prôner, publier, recommander, rehausser, relever, remercier, vanter.
Ant. **I**. Abaisser, avilir, blâmer, censurer, critiquer, déplorer, déprécier, désapprouver, humilier, injurier, récuser, réprimander, sermonner, vilipender.

Lourd
Syn. **I**. Dense, épais, fort, gros, massif, mastoc, pesant. — Indigeste. **III**. Accablant, difficile, dur, écrasant, grand, grave, pénible, rude, violent. — *(Pers.)* Balourd, bête, embarrassé, empoté, fruste, gauche, grossier, lourdaud, maladroit, rustaud, sot, stupide.
Ant. **I**. Immatériel, impondérable, léger. — Digestible. **III**. Aisé, faible, facile, supportable. — Adroit, alerte, délicat, distingué, élancé, élégant, fin, gracieux, habile, souple, subtil, vif.

Lourdeur
Syn. **I**. Pesanteur, poids. **III**. Abattement, appesantissement. — Épaisseur, gaucherie, lenteur, maladresse, paresse d'esprit.
Ant. **I**. Légèreté. **III**. Allégement. — Aisance, dextérité, distinction, élégance, vivacité.

Louvoyer
Syn. **I**. Zigzaguer. **II**. Serpenter, tituber. **III**. Biaiser, hésiter, tergiverser.
Ant. **I**. Aller droit au but. **II**. (S') affermir, marcher droit. **III**. Choisir, (se) décider.

Loyal
Syn. **I**. Cordial, correct, dévoué, droit, fidèle, franc, honnête, ouvert, probe, régulier, sincère, vrai.
Ant. **I**. Déloyal, faux, fourbe, hypocrite, imposteur, infidèle, injuste, malhonnête, menteur, perfide, traître.

Lubrique V. *Lascif*

Lucarne
Syn. **I**. Baie, faîtière, fenêtre, jour, œil-de-bœuf. **II**. Ouverture, tabatière.

Lucide
Syn. **I.** Lumineux, translucide. **II.** Conscient. **III.** Clair, clairvoyant, éclairé, fin, intelligent, net, pénétrant, perspicace, sagace. *Ant.* **II.** Fou, inconscient. **III.** Aveugle, borné, bouché, imbécile, lourd, naïf, niais, obtus, passionné.

Lucidité
Syn. **I.** Acuité, clairvoyance, clarté, finesse, intelligence, netteté, pénétration, perspicacité, sagacité. — Connaissance, conscience, raison. *Ant.* **I.** Aveuglement, balourdise, ignorance, illusion, naïveté, passion. — Démence, imbécillité, inconscience.

Lucratif
Syn. **I.** Avantageux, bon, fructueux, payant, profitable, rentable. *Ant.* **I.** Bénévole, déficitaire, désavantageux, gratuit, infructueux, stérile.

Lucre
Syn. **I.** Bénéfice, gain, profit. *Ant.* **I.** Déficit, désavantage, perte.

Lueur
Syn. **I.** Aube, aurore, clarté, nitescence. **III.** Éclair, éclat, étincelle, flamme, rayon, trace. *Ant.* **I.** Obscurité, ombre. **III.** (À) profusion.

Lugubre
Syn. **I.** Chagrin, funèbre, funeste, macabre, morne, morose, mortel, sinistre, sombre, ténébreux. *Ant.* **I.** Distrayant, gai, joyeux, plaisant, réjouissant.

Luire
Syn. **I.** Briller, éclairer, rayonner, reluire. *Ant.* **I.** (S') effacer, pâlir, (se) ternir.

Lumière(s)
Syn. **I.** Clarté, éclair, éclat, étincelle, feu, flamme, jour, lueur, rayon, splendeur. — Bougie, chandelle, éclairage, électricité, lampe. **III.** Éclaircissement, explication, illumination, renseignement. — Évidence, publicité. — *(Pl.)* Connaissances, savoir, science. *Ant.* **I.** Obscurité, ombre, ténèbres. **III.** Aveuglement, complication, difficulté, énigme, mystère. — Cachette, secret. — Ignorance.

Lumineux
Syn. **I.** Ardent, brillant, clair, éclatant, étincelant, flamboyant, fulgurant, phosphorescent, resplendissant, **II.** Ensoleillé, gai, radieux. **III.** Ingénieux, intelligible, lucide. *Ant.* **I.** Obscur. **II.** Sombre. **III.** Embrouillé, énigmatique.

Lunatique
Syn. **I.** Bizarre, capricieux, fantasque, versatile. *Ant.* **I.** Égal, posé, raisonnable.

Lunette
Syn. **I.** Besicles, binocle, face-à-main, lorgnon, pince-nez, verres. — Jumelles, longue-vue, lorgnette, télescope.

Lustre
Syn. **I.** Luminaire, plafonnier, suspension. — Brillant *(n.)*, catissage, enduit, luisant *(n.)*, poli *(n.)*. **III.** Éclat, gloire, prestige, relief, réputation. *Ant.* **III.** Déshonneur, flétrissure, honte, infamie, tache.

Lustré
Syn. **I.** Cati, chatoyant, glacé, lissé, luisant, moiré, poli, satiné. *Ant.* **I.** Décati, délustré, déteint, terni.

Lutte
Syn. **I.** Catch, combat, dan, jiu-jitsu, judo, karaté. — Attaque, bataille, bagarre, conflit, guerre, mêlée. **III.** Antagonisme, compétition, concurrence, course, dispute, duel, match, opposition, rivalité, tournoi. — Contestation, controverse, démêlé, débat, différend, discussion.

Ant. **I.** et **III.** Accord, entente, harmonie, ordre, paix, résignation, sympathie, union.

Lutter
Syn. **I.** (S') affronter, attaquer, batailler, (se) battre, combattre, (se) défendre, disputer, (s') efforcer, (s') évertuer, ferrailler, jouter, (se) mesurer avec, militer, (s') opposer, résister, rivaliser.
Ant. **I.** Abandonner, céder, cesser (la lutte), fléchir, lâcher, reculer, (se) rendre, (se) résigner.

Luxe
Syn. **I.** Apparat, éclat, faste, magnificence, opulence, pompe, richesse, somptuosité, splendeur, tralala *(fam.).* **III.** Abondance, excès, profusion, superflu, superfluité.
Ant. **I.** Besoin, dénuement, gêne, indigence, misère, pauvreté, privation, simplicité. **III.** Nécessaire *(n.),* nécessité.

Luxueux
Syn. **I.** Abondant, confortable, éclatant, fastueux, magnifique, opulent, pompeux, princier, riche, somptueux, splendide.
Ant. **I.** Humble, modeste, pauvre, simple.

Luxure
Syn. **I.** Débauche, dépravation, dévergondage, impudicité, impureté, incontinence, lascivité, libertinage, licence, lubricité, orgie, paillardise, sadisme, sensualité.
Ant. **I.** Austérité, chasteté, continence, discipline, macération, mortification, pénitence, pureté.

Lycée
Syn. **I.** Collège, gymnase, institution.

Lyncher
Syn. **I.** Abattre, battre, descendre *(fam.),* écharper, exécuter, massacrer, tuer.
Ant. **I.** Défendre, délivrer, épargner, gracier, sauver.

Lyrisme
Syn. **III.** Ardeur, chaleur, enthousiasme, exaltation.

M

Macabre V. *Lugubre*

Macadamiser
Syn. **I.** Asphalter, bétonner, bitumer, empierrer, goudronner, paver, recouvrir, revêtir.

Macédoine
Syn. **I.** Jardinière, mélange, mixture, salade, salmigondis. **III.** Pot-pourri.

Macérer V. *Mortifier*

Mâcher
Syn. **I.** Broyer, croquer, déchiqueter, écraser, mastiquer, triturer. **II.** Chiquer, mâchonner, mordre. **III.** Faciliter, préparer.

Machiavélique
Syn. **I.** Astucieux, fourbe, perfide, rusé.
Ant. **I.** Droit, franc, honnête, loyal.

Machinal
Syn. **I.** Automatique, convulsif, habituel, inconscient, instinctif, involontaire, irréfléchi, mécanique, réflexe.
Ant. **I.** Accidentel, calculé, délibéré, étudié, raisonné, réfléchi, volontaire.

Machination
Syn. **I.** Agissement, artifice, brigue, cabale, combinaison, combine, complot, conspiration, intrigue, jeu, manège, manigance, manœuvre, menées, micmac *(fam.),* plan, rouerie, ruse.

Machine
Syn. **I.** Appareil, dispositif, engin, instrument, outil, véhicule.

Machiner
Syn. **I.** Brasser, combiner, comploter, conspirer, fomenter, intriguer, manigancer, manœuvrer, monter, ourdir, préparer, ruminer, tramer.

Mâchoires
Syn. **I.** Gencives, mandibules *(fam.)*, margoulette *(pop.)*, maxillaires, ratelier *(fam.)*.

Maçonner
Syn. **I.** Bâtir, construire, réparer, revêtir. **II.** Boucher, murer.
Ant. **I.** Abattre, défaire, démolir, détruire. **II.** Ouvrir.

Maculer
Syn. **I.** Barbouiller, encrasser, noircir, salir, souiller, tacher.
Ant. **I.** Blanchir, essuyer, frotter, nettoyer.

Madré
Syn. **I.** Artificieux, fin, finaud, futé, malin, matois, retors, rusé.
Ant. **I.** Benêt, bête, niais, nigaud. — Franc, sincère.

Madrier
Syn. **I.** Basting ou bastaing, chantier, chevron, plançon, poutre, solive, soliveau.

Mafia
Syn. **I.** Bande, camarilla, clan, clique, coterie, gang.

Mafflu
Syn. **I.** Arrondi, bouffi, boursouflé, gonflé, gras, gros, joufflu, plein, rebondi, rond.
Ant. **I.** Cave, creux, enfoncé, maigre.

Magasin
Syn. **I.** Bazar, boutique, commerce, débit, échoppe, établissement, étal, fonds de commerce. — Arsenal, chai, dépôt, dock, entrepôt, hangar, réserve, resserre, silo, stockage.

Magasinage *(can.)*
Syn. **I.** Emplettes, shopping.

Magasiner *(can.)*
Syn. **I.** Faire ses emplettes, courir les magasins, faire du shopping.

Magicien
Syn. **I.** Devin, enchanteur, mage, nécromancien, sorcier. **II.** Escamoteur, illusionniste, prestidigitateur. **III.** Captivant, ensorceleur, habile.
Ant. **III.** Désagréable, ennuyeux.

Magie
Syn. **I.** Cabale, diablerie, divination, ensorcellement, envoûtement, incantation, maléfice, occultisme, sorcellerie, sort, sortilège, théosophie, théurgie. **II.** Escamotage, illusionnisme, passe-passe, prestidigitation. **III.** Beauté, charme, enchantement, prestige, puissance, séduction.
Ant. **III.** Faiblesse, impuissance, laideur, répulsion.

Magistral
Syn. **I.** Doctoral, impérieux, imposant, pédant, péremptoire, solennel. **III.** Accompli, beau, grand, parfait, souverain, supérieur.
Ant. **I.** et **III.** Banal, commun, insignifiant, médiocre, ordinaire.

Magistrat
Syn. **I.** Échevin, édile, maire, ministre, préfet. — Juge, procureur, substitut.

Magnanimité
Syn. **I.** Bonté, clémence, cœur, élévation, générosité, grandeur d'âme, noblesse.
Ant. **I.** Bassesse, cruauté, égoïsme, inclémence, mesquinerie, sévérité.

Magnétiser
Syn. **I.** Fasciner, hypnotiser. **III.** Captiver, charmer, éblouir, enthousiasmer, séduire.

Ant. **I.** Démagnétiser. **III.** Dégoûter, désenchanter, ennuyer.

Magnificence
Syn. **I.** Apparat, éclat, faste, grandeur, lustre, luxe, majesté, merveille, pompe, richesse, solennité, somptuosité, splendeur. **II.** Générosité, munificence, prodigalité. *Ant.* **I.** Laideur, pauvreté, simplicité. **II.** Mesquinerie.

Magnifique
Syn. **I.** Admirable, beau, brillant, éclatant, épatant *(fam.)*, fastueux, grand, grandiose, luxueux, merveilleux, pompeux, riche, somptueux, splendide, superbe. **III.** Ambitieux, fier, glorieux, noble, remarquable. *Ant.* **I.** Détestable, effroyable, horrible, modeste, petit, simple. **III.** Humble, médiocre, négligeable.

Magot
Syn. **I.** Bas de laine, cachette, économie(s), épargne, somme, trésor.

Mahométan
Syn. **I.** Arabe, islamite, musulman.

Maigre
Syn. **I.** Amaigri, amenuisé, chétif, décharné, défait, efflanqué, émacié, étique, hâve, maigrelet, squelettique. **II.** Creusé, creux, étroit, filiforme, fluet, grêle, tiré. — Aride, pauvre, stérile. **III.** Insignifiant, médiocre, mince, petit. *Ant.* **I.** Adipeux, charnu, corpulent, dodu, gras, gros, obèse, potelé, rebondi, replet, rondelet. **II.** Développé, épais, joufflu, mafflu. — Fertile, luxuriant, plantureux, riche. **III.** Important, intarissable.

Maigreur
Syn. **I.** Amaigrissement, anémie, atrophie, cachexie, consomption, dépérissement, dessèchement, émaciation, épuisement, marasme. **III.** Pauvreté. *Ant.* **I.** Corpulence, embonpoint, graisse. **III.** Abondance.

Maigrir
Syn. **I.** *(V. intr.)* (S') amincir, décoller *(fam.)*, dépérir, fondre, perdre du poids. — *(V. tr.)* Amaigrir, atrophier, défaire, émacier. *Ant.* **I.** Empâter, engraisser, grossir, prendre du poids.

Main-forte
Syn. **I.** Aide, appui, assistance, concours, coups de main, secours. *Ant.* **I.** Abandon, entrave, obstacle, préjudice.

Mainmise
Syn. **I.** Confiscation, saisie. **II.** Accaparement, domination, prise de possession. **III.** Emprise, influence.

Maintenant
Syn. **I.** Actuellement, aujourd'hui, de nos jours, de notre temps, en ce moment, (à) présent, présentement. — Désormais. *Ant.* **I.** Anciennement, autrefois, jadis, naguère. — À l'avenir, en aucun temps.

Maintenir (et Se)
Syn. **I.** *(V. tr.)* Appuyer, assujettir, attacher, contenir, fixer, immobiliser, retenir, tenir. — Confirmer, conserver, continuer, défendre, entretenir, garder, sauvegarder. — Affirmer, assurer, certifier, prétendre, soutenir. — *(V. pr.)* Durer, rester, subsister, survivre, (se) tenir. *Ant.* **I.** *(V. tr.)* — Déplacer, détacher. — Abandonner, annuler, céder, innover, lâcher, modifier, renier, supprimer. — Contester, nier. — *(V. pr.)* Cesser, changer.

Maintien
Syn. **I.** Confirmation, conservation, continuité. — Air, allure, attitude, contenance, démarche, façon, mine, port, pose, posture, prestance, tenue. *Ant.* **I.** Abandon, changement, cessation, suppression. — Laisser-aller, négligence.

Maison
Syn. **I.** Bâtiment, bâtisse, cabane, château, chaumière, construction, édifice,

hôtel, immeuble, maisonnette, masure, palais, pavillon, taudis. — Abri, appartement, chez-soi, couvert, demeure, domicile, foyer, gîte, habitation, home, intérieur, loge, logement, logis, ménage, nid, pénates, pied-à-terre, résidence, séjour, studio, toit. **II.** Établissement, firme. **III.** Famille, maisonnée. — Descendance, lignée, race, sang.

Maître
Syn. (N.) **I.** Arbitre, chef, directeur, dirigeant, dominateur, gouvernant, patron, possesseur, propriétaire, souverain. — Éducateur, enseignant, instituteur, précepteur, professeur. **III.** As, connaisseur, étoile, exemple, initiateur, modèle. — *(Adj.)* Adroit, compétent, expert, savant. — *(Ch.)* Essentiel, important, majeur, premier, principal. *Ant.* **I.** Domestique, esclave, inférieur, serviteur, subalterne, sujet, valet. — Élève. **III.** Apprenti, disciple, novice. — Incompétent, inexpérimenté, maladroit. — Accessoire, secondaire.

Maîtresse
Syn. (N.) **I.** Directrice, gérante, propriétaire. — Enseignante, institutrice. — Amante, amie, belle, bien-aimée, concubine, liaison. — *(Adj.)* V. *Maître.*

Maîtrise
Syn. **I.** Calme, contrôle, empire, sang-froid. — Domination, possession, prépondérance, souveraineté, suprématie. — Grade universitaire. — Manécanterie. **III.** Aisance, brio, habileté, maestria, perfection, virtuosité. *Ant.* **I.** Abandon, désordre, émotion, peur, trouble. — Esclavage, infériorité, servitude. **III.** Apprentissage, ignorance, maladresse, médiocrité.

Maîtriser (et Se)
Syn. (V. tr.) **I.** Asservir, assujettir, fasciner, soumettre. — Contenir, contrôler, dominer, dompter, gouverner, refouler,

réprimer, retenir, surmonter, vaincre. **II.** Discipliner, enchaîner. *(V. pr.)* **I.** (Se) contrôler, (se) dominer, garder son calme, prendre sur soi, (se) vaincre. *Ant. (V. tr.)* **I.** Capituler, obéir, (se) soumettre. — Céder, (s') incliner, laisser aller, plier, succomber. **II.** Déchaîner, déclencher, délivrer. *(V. pr.)* **I.** (S') abandonner, éclater, (se) laisser aller.

Majesté
Syn. **I.** Dignité, éclat, gloire, grandeur, gravité, noblesse, prestige, souveraineté. **II.** *(Ch.)* Beauté, grandeur, magnificence, pompe, somptuosité, splendeur. *Ant.* **I.** et **II.** Bassesse, humilité, médiocrité, modestie, simplicité, vulgarité.

Majestueux
Syn. **I.** Auguste, fier, grave, imposant, noble, olympien, royal, solennel, souverain. **II.** Beau, colossal, grandiose, monumental, pompeux. *Ant.* **I.** et **II.** Bas, commun, grossier, humble, médiocre, petit, simple, vulgaire.

Majorer
Syn. **I.** Augmenter, élever, hausser, relever. **III.** Enfler, exagérer, surestimer, surfaire. *Ant.* **I.** et **III.** Baisser, diminuer.

Mal
Syn. (N.) **I.** Affliction, blessure, calamité, chagrin, désolation, dommage, douleur, épreuve, inconvénient, malaise, maladie, malheur, martyre, peine, perte, plaie, préjudice, souffrance, supplice, tort, torture, tourment. — Difficulté, effort, peine, travail. — Défaut, imperfection, insuffisance, tare. — Concupiscence, corruption, crime, faute, péché, perversion, perversité, vice. *Ant.* **I.** Avantage, bien, bonheur, joie, plaisir, santé. — Aisance, facilité. — Agrément, mérite, perfection, qualité. — Bienfait, bonté, innocence, pureté, vertu.

Malade
Syn. (Adj.) **I.** Abattu, alité, atteint, déprimé, fiévreux, incommodé, indisposé, maladif, souffrant. **II.** Altéré, anormal, dérangé, déréglé, détérioré, fatigué, gâté, périclitant, végétant. **III.** Agité, troublé. — *(N.)* Client, fou, infirme, patient. *Ant.* **I.** Convalescent, dispos, guéri, (bien) portant, sain. **II.** Florissant, normal, prospère, réparé. **III.** Calme, tranquille.

Maladie
Syn. **I.** Affection, contagion, crise, épidémie, fièvre, indisposition, infirmité, mal, malaise, trouble. **III.** Folie, manie, morbidité, passion. *Ant.* **I.** Bien-être, santé. **III.** Maîtrise de soi.

Maladif
Syn. **I.** Anémique, cacochyme, chétif, débile, égrotant, faible, frêle, infirme, malingre, pâle, rachitique, souffreteux, valétudinaire. **III.** Anormal, morbide. *Ant.* **I.** Allègre, fort, résistant, robuste, solide, vigoureux. **III.** Normal, sain.

Maladresse
Syn. **I.** Gaucherie, inexpérience, inhabileté. **III.** Balourdise, bêtise, bévue, boulette *(fam.)*, bourde, erreur, gaffe *(fam.)*, impair. *Ant.* **I.** Adresse, aisance, dextérité, habileté, savoir-faire.

Maladroit
Syn. **I.** *(Pers.)* Empoté, gauche, incapable, inhabile, malhabile, pataud. *(N.)* Balourd, gaffeur, lourdaud. **II.** *(Actions ou paroles)* Grossier, inconsidéré, lourd, malavisé, malheureux. *Ant.* **I.** Adroit, capable, dégourdi, expérimenté, fin, habile, preste. — Diplomate. **II.** Aisé, circonspect, délicat, facile, réfléchi.

Malaise
Syn. **I.** Chaleur, dérangement, embarras, gêne, incommodité, indigestion, indispo-

sition, mal, maladie, nausée, pesanteur, souffrance, vertige. **III.** Angoisse, contrariété, déplaisir, ennui, inquiétude, mécontentement, souci, tourment, tracas, tristesse, trouble. — Crise. *Ant.* **I.** Aise, bien-être, euphorie. **III.** Calme, contentement, placidité, plaisir, sérénité, tranquillité. — Abondance, épanouissement.

Malaisé
Syn. **I.** Ardu, délicat, difficile, dur, épineux, pénible, rude. — Abrupt, escarpé. *Ant.* **I.** Aisé, commode, facile, plaisant. — Abordable, accessible.

Malavisé
Syn. **I.** Bête, écervelé, imprudent, inconsidéré, indiscret, irréfléchi, maladroit, sot. *Ant.* **I.** Adroit, averti, avisé, circonspect, discret, fin, prévoyant, prudent, réfléchi, sensé.

Malaxer
Syn. **I.** Brasser, manier, masser, mélanger, pétrir, triturer. **III.** Assouplir, façonner, former. *Ant.* **I.** Condenser, durcir, épaissir, solidifier.

Malchance
Syn. **I.** Adversité, déveine *(fam.)*, fatalité, guigne *(fam.)*, malédiction, malheur, mésaventure, poisse, tuile *(fam.)*. *Ant.* **I.** Aubaine, bonheur, chance, veine.

Mâle
Syn. **I.** *(N.)* Homme. *(Adj.)* **I.** Masculin. **II.** Courageux, énergique, fort, hardi, martial, noble, vigoureux, viril. *Ant.* **I.** *(N.)* Femelle, femme. *(Adj.)* **I.** Féminin. **II.** Efféminé, faible.

Malédiction
Syn. **I.** Anathème, condamnation, exécration, imprécation, injure, réprobation. **II.** Fatalité, malchance, malheur. *Ant.* **I.** Bénédiction, charme, faveur, grâce. **II.** Bienfait, bonheur, chance.

Malencontreux
Syn. I. Déplorable, désagréable, ennuyeux, fâcheux, malheureux, regrettable.
Ant. I. Agréable, désirable, heureux, opportun, propice, souhaitable.

Malentendu
Syn. I. Confusion, équivoque, erreur, imbroglio, méprise, quiproquo. II. Désaccord, différend, dispute, mésentente. *Ant.* I. et II. Accord, éclaircissement, entente, explication.

Malfaisant
Syn. I. Corrosif, dangereux, maléfique, mauvais, méchant, nuisible, pernicieux, préjudiciable. *Ant.* I. Avantageux, bienfaisant, bienveillant, charitable, efficace, humain, précieux, salutaire.

Malfaiteur
Syn. I. Assassin, bandit, brigand, criminel, scélérat, voleur. *Ant.* I. Bienfaiteur, honnête homme, innocent.

Malhabile V. *Maladroit*

Malheur
Syn. I. Accident, adversité, affliction, calamité, catastrophe, chagrin, coups du sort, désastre, détresse, deuil, disgrâce, douleur, échec, épreuve, fatalité, fléau, infortune, mal, malchance, malédiction, misère, peine, perte, revers, ruine, traverse, tribulations. *Ant.* I. Béatitude, bonheur, chance, félicité, fortune, joie, réussite, succès, triomphe, veine.

Malheureux
Syn. I. *(N.)* Indigent, miséreux, pauvre. — *(Adj.)* *(Quelqu'un)* Accablé, éprouvé, frappé, infortuné, malchanceux, misérable, peiné, piteux, pitoyable, triste. — *(Quelque chose)* Affligeant, calamiteux, cruel, déplorable, désagréable, désas-

treux, difficile, dur, fâcheux, fatal, funeste, lamentable, malencontreux, néfaste, noir, pénible, préjudiciable, regrettable, rude. *Ant.* I. *(N.)* Richard, riche. — *(Adj.)* Bienheureux, chanceux, content, favorisé, fortuné, heureux, joyeux, satisfait, veinard *(fam.)*. — Agréable, aisé, avantageux, enviable, facile, fructueux, habile, réussi, souhaitable.

Malhonnête
Syn. I. Déloyal, improbe, indélicat, infidèle, injuste, tricheur, véreux. — Déshonnête, grossier, impoli, inconvenant, indigne. *Ant.* I. Consciencieux, délicat, fidèle, franc, honnête, intègre, juste, loyal, probe. — Civil, convenable, décent, digne, honorable, poli, réservé.

Malice
Syn. I. Astuce, malignité, malveillance, méchanceté, perfidie, ruse. II. Espièglerie, esprit, facétie, farce, moquerie, taquinerie, tour. *Ant.* I. Bénignité, bienveillance, bonté, candeur, douceur, humanité. II. Naïveté, niaiserie, simplicité.

Malicieux
Syn. I. Astucieux, mauvais, méchant, rusé. II. Coquin, farceur, ironique, malin, narquois, piquant, railleur, spirituel, taquin. *Ant.* I. Bon, candide, déférent, dévoué, doux, franc, ouvert. II. Naïf, niais, simple.

Malin
Syn. I. Mauvais, méchant. II. Malveillant, nocif, pernicieux, satirique. — Astucieux, déluré, espiègle, fin, finaud, futé, habile, intelligent, malicieux, rusé, spirituel, taquin. *Ant.* I. Bon, doux. II. Bienveillant, inoffensif. — Benêt, dupe, nigaud.

Malingre V. *Maladif*

Malléable
Syn. **I.** Ductile, façonnable, flexible, mou, plastique. **III.** Docile, influençable, maniable, obéissant, souple.
Ant. **I.** Cassant, dur, solide. **III.** Entêté, inexorable, inflexible, récalcitrant, résistant.

Malmener V. *Maltraiter*

Malpropre
Syn. **I.** Crasseux, immonde, impur, infâme, maculé, répugnant, sale, souillé. **III.** Dégoûtant, grossier, immoral, inconvenant, indécent, obscène. – Malhonnête, sordide.
Ant. **I.** Attrayant, blanc, décrassé, lavé, net, nettoyé, propre, pur, reluisant. **III.** Convenable, décent, moral. – Désintéressé, honnête.

Malsain
Syn. **I.** Contagieux, impur, insalubre, maladif, nuisible, pestilentiel, pourri. **III.** Dangereux, faisandé, funeste, immoral, morbide, risqué.
Ant. **I.** Antiseptique, assaini, bienfaisant, hygiénique, pur, sain, salubre, tonique. **III.** Avantageux, bon, frais, moral, sûr.

Malséant
Syn. **I.** Choquant, déplacé, grossier, incongru, inconvenant, incorrect, indécent, malsonnant.
Ant. **I.** Bienséant, convenable, décent, poli, réservé.

Maltraiter
Syn. **I.** Bafouer, battre, brimer, brutaliser, frapper, malmener, molester, rudoyer, tyranniser. **III.** Arranger *(fam.)*, éreinter, houspiller.
Ant. **I.** Cajoler, caresser, choyer, gâter, soigner. **III.** Épargner, louer.

Malveillance
Syn. **I.** Agressivité, animosité, antipathie, désobligeance, haine, hostilité, malignité, méchanceté, opposition, rancune, ressentiment, sabotage.
Ant. **I.** Amitié, amour, bienveillance, bonté, complaisance, dévouement, empressement, obligeance, sympathie.

Malveillant
Syn. **I.** Haineux, mauvais, méchant, rancunier. **II.** Antipathique, agressif, désobligeant, hostile, malin, malintentionné.
Ant. **I.** Bienveillant. **II.** Affectueux, amical, bon, complaisant, cordial, obligeant, sympathique.

Manager
Syn. **I.** Directeur, entraîneur, impressario.

Manchot
Syn. **I.** Estropié, infirme. **III.** Maladroit.
Ant. **III.** Actif, habile.

Mandat
Syn. **I.** Charge, commission, délégation, députation, fonction, mission, pouvoir, procuration, représentation. – Injonction, ordre.

Mandement
Syn. **I.** Instruction (pastorale).

Mander
Syn. (Vx ou *littér.)* **I.** Écrire, faire savoir. – Appeler, convoquer.

Manège
Syn. **I.** Carrousel, équitation, mouvement. **III.** V. *Machination*.

Mangeable
Syn. **I.** Bon, comestible. **II.** Délectable, ragoûtant, savoureux, succulent.
Ant. **I.** Immangeable, mauvais. **II.** Dégoûtant.

Manger
Syn. **I.** Absorber, (s') alimenter, avaler, bouffer *(pop.)*, boulotter *(fam.)*, casser la croûte *(pop.)*, consommer, déguster, dévorer, (s') empiffrer *(fam.)*, engloutir, engouffrer *(fam.)*, (se) gaver, grignoter, ingérer, ingurgiter, (se) nourrir, prendre, (se) restaurer, (se) sustenter. – Collation-

ner, déjeuner, dîner, souper. **II.** Attaquer, corroder, entamer, éroder, ronger. — Dépenser, dévorer, dilapider, dissiper, ruiner. *Ant.* **I.** (S') abstenir, jeûner, (se) priver. **II.** Galvaniser, protéger. — Conserver, garder, ménager, produire, rapporter.

Maniable
Syn. **I.** Commode, malléable, manœuvrable, pratique. **III.** Docile, doux, facile, obéissant, souple, traitable. *Ant.* **I.** Dur, encombrant, incommode, rigide. **III.** Difficile, exigeant, indocile, intraitable, rébarbatif, récalcitrant.

Maniaque
Syn. **I.** Bizarre, fantasque, fou, original. **II.** Obsédé. — Méticuleux, pointilleux. *Ant.* **I.** Équilibré, normal. **III.** Libéré, libre. — Désordonné, négligent.

Manie
Syn. **I.** Hantise, idée fixe, obsession. **II.** Bizarrerie, caprice, dada, démangeaison, fantaisie, folie, fureur, goût, lubie, maladie, marotte, passion, rage, tic, toquade, turlutaine.

Maniement
Syn. **I.** Emploi, manipulation, manœuvre, usage, utilisation. **II.** Administration, direction, exploitation, fonctionnement, gestion, gouvernement.

Manier
Syn. **I.** Façonner, malaxer, modeler, pétrir. — Administrer, gérer, manipuler. **III.** Conduire, diriger, gouverner, manœuvrer, mener. — Traiter, utiliser, user de.

Manière(s)
Syn. **I.** Façon, genre, méthode, mode, moyen, procédé, recette, sorte, style, tour. — Coutume, habitude. — *(Pl.).* Air, allure, attitude, comportement, urbanité, usages.

Maniéré
Syn. **I.** Affecté, apprêté, compassé, guindé, mignard, pincé, précieux, prétentieux, recherché. *Ant.* **I.** Aisé, modeste, naturel, simple.

Manifestation
Syn. **I.** Apparition, épiphanie. — Démonstration, expression, marque, phénomène, symptôme, témoignage. — Rassemblement, réunion, révolte, trouble.

Manifeste
Syn. **I.** *(Adj.)* Avéré, certain, clair, évident, formel, indiscutable, notoire, positif, public, visible. — *(N.)* Adresse, avis, déclaration, proclamation, profession de foi, programme. *Ant.* **I.** *(Adj.)* Aléatoire, contestable, douteux, embrouillé, implicite, incertain, latent, obscur, vague.

Manifester (et Se)
Syn. **I.** *(V. tr.)* Afficher, affirmer, annoncer, déclarer, découvrir, déployer, dévoiler, divulguer, exhiber, exprimer, indiquer, montrer, proclamer, prouver, publier, révéler, traduire, trahir. *(V. pr.)* Apparaître, (se) déclarer, éclater, (se) montrer, (se) révéler, surgir, survenir, (se) traduire. *Ant.* **I.** *(V. tr.)* Cacher, dissimuler, masquer, omettre, passer sous silence, voiler. — *(V. pr.)* (Se) cacher, comprimer, disparaître.

Manigance V. *Machination*

Manigancer V. *Machiner*

Manipuler V. *Manier*

Manœuvre(s)
Syn. **I.** Commande, fonctionnement, maniement. — *(Milit.)* Démonstration, déploiement, évolution, exercice, mouvement, revue. **III.** *(Pl.)* Action, agissements, combinaison, intrigue, machination, manège, menées, tractations. — *(N. m.)* Ouvrier. *Ant.* **III.** *(N.m.)* Directeur, ouvrier spécialisé.

Manœuvrer
Syn. (V. tr.) **I.** Conduire, diriger, gouverner, mouvoir. **III.** Manier, mener. *(V. intr.)* **I.** Naviguer. — Évoluer, parader. **III.** Agir habilement.

Manque
Syn. **I.** Absence, carence, défaillance, défaut, déficience, déficit, disette, indigence, insuffisance, pauvreté, pénurie, privation, rareté. **II.** Lacune, omission, oubli, vide.
Ant. **I.** Abondance, excédent, excès, (à) foison, profusion, suffisance, surplus.

Manquement
Syn. **I.** Délit, désobéissance, faute, infraction, irrégularité, péché.
Ant. **I.** Observance, observation.

Manquer
Syn. **I.** *(V. intr.)* Être dénué, dépourvu, privé. — Faire défaut. — Défaillir, (se) dérober, disparaître, faillir, glisser. — Échouer. — Déroger, enfreindre, pécher contre. — Négliger, omettre, oublier. — Risquer. — *(V. tr.)* Gâcher, laisser échapper, perdre, rater. — Être absent.
Ant. **I.** *(V. intr.)* Avoir, regorger. — Abonder, produire. — (Se) maintenir. — Réussir, triompher. — Exécuter, respecter ses engagements. — (S') acquitter de. *(V. tr.)* Atteindre, attraper, obtenir, saisir (l'occasion). — Assister, être présent.

Mansuétude
Syn. **I.** Bénignité, bienveillance, bonté, douceur, indulgence.
Ant. **I.** Cruauté, dureté, rigueur, sévérité.

Manteau
Syn. **I.** Caban, cape, capot *(vx)*, capote, douillette, imperméable, mante, mantelet, paletot, pardessus, pèlerine, pelisse, raglan, toge. **III.** Abri, couvert, enveloppe, masque, prétexte, semblant, voile.

Manuel
Syn. **I.** *(Adj.)* Artisanal. — *(N.)* Abrégé,

bréviaire *(fig.)*, compendium, cours, épitomé, livre, précis, résumé.
Ant. **I.** *(Adj.)* Industriel, intellectuel.

Manufacture
Syn. **I.** Atelier, fabrique, usine.

Manufacturé
Syn. **I.** Confectionné, exécuté, fabriqué, ouvré, transformé, travaillé.

Manufacturier
Syn. **I.** Entrepreneur, fabricant, industriel, usinier.

Manutention
Syn. **I.** Administration, chargement, déplacement, gestion, manipulation, transport, tripotage. **II.** Magasin.

Maquette
Syn. **I.** Ébauche, esquisse, étude, modèle, projet. **III.** Canevas.

Maquiller (et Se)
Syn. (V. tr.) **I.** Altérer, embellir, grimer, modifier. **III.** Camoufler, déguiser, falsifier, farder, truquer. *(V. pr.)* **I.** (Se) farder, (se) grimer.
Ant. **I.** Démaquiller. **III.** Montrer, rétablir.

Marais
Syn. **I.** Étang, fagne *(dial.)*, marécage, maremme, marigot, palus *(dial.)*, savane *(can.)*, tourbière. **III.** Bas-fond, boue, marécage.

Marasme
Syn. **I.** Affaiblissement, cachexie, maigreur. **II.** Apathie, langueur. **III.** Crise, dèche *(pop.)*, faillite, malaise, mévente, misère, ralentissement, stagnation.
Ant. **I.** Embonpoint, robustesse. **II.** Ardeur, vitalité. **III.** Abondance, aisance, opulence, prospérité.

Maraudeur
Syn. **I.** Chapardeur, fricoteur, pillard, voleur.

Marbré
Syn. **I.** Bigarré, jaspé, marqué, rayé, strié, tigré, veiné, vergeté, zébré.
Ant. **I.** Uni, uniforme.

Marchand
Syn. **I.** Boutiquier, camelot, commerçant, débitant, détaillant, fournisseur, grossiste, négociant, trafiquant, vendeur.
Ant. **I.** Acheteur, acquéreur, client, pratique.

Marchander
Syn. **I.** Chipoter, débattre, discuter, économiser, hésiter, lésiner. **III.** Chicaner.
Ant. **I.** Prodiguer.

Marchandises
Syn. **I.** Aliments, articles, cargaison, comestibles, commandes, débit, denrées, emplettes, fournitures, mercerie, produits, provisions, victuailles, vivres. — Camelote, pacotille.

Marche
Syn. **I.** Degré, pas. — Allure, cheminement, course, déambulation, démarche, erre, promenade, randonnée, route, tour, trajet. — Avance, défilé. **III.** Acheminement, cours, déroulement, développement, direction, évolution, fonctionnement, processus, progrès, progression, propagation, train. — Conduite, méthode, moyen, procédé, tactique, voie.
Ant. **I.** Arrêt, étape, halte, immobilité, repos.

Marché
Syn. **I.** Accord, affaire, contrat, convention, entente. — Bazar, braderie, foire, halle, souk. **II.** Pacte. — Bourse, clientèle, débouché, monopole, trust.

Marchepied
Syn. **I.** (Petit) banc, degré. **II.** Escabeau. **III.** Échelon.

Marcher
Syn. **I.** Aller, avancer, cheminer, déambuler, errer, flâner, (se) promener, (se) rendre. **III.** Accepter, acquiescer. *(Ch.)* **I.**
(S') écouler, fonctionner, rouler. **III.** Progresser, prospérer.
Ant. **I.** (S') arrêter, faire halte, stopper. **III.** Refuser. *(Ch.)* **I.** Bloquer, déranger. **III.** Rétrograder.

Marécage V. *Marais*

Marge
Syn. **I.** Bord, bordure. **III.** Écart, différence. — Délai, facilité, latitude.

Mari
Syn. **I.** Conjoint, époux.
Ant. **I.** Conjointe, épouse, moitié *(fam.).*

Mariage
Syn. **I.** Alliance, conjungo *(pop.),* épousailles *(vx),* hyménée, noce, union. **II.** Accord, association, assortiment, combinaison, mélange, réunion.
Ant. **I.** Célibat, divorce, répudiation, rupture, séparation.

Marier (et Se)
Syn. (v. tr.) **I.** Unir à/avec. **III.** Allier, apparier, assembler, associer, combiner, entrelacer, joindre, mélanger, réunir. — *(V. pr.)* **I.** Convoler *(fam.),* épouser, (s') unir à/avec. **III.** (S') harmoniser, (se) mêler.
Ant. (V. tr.) **III.** Désunir, diviser, isoler, séparer. — *(V. pr.)* **I.** Divorcer, répudier, rompre, (se) séparer. **III.** Contraster, (s') opposer.

Marin
Syn. (N.) **I.** Loup de mer, marinier, matelot, moussaillon *(fam.),* mousse, navigateur.

Marionnette
Syn. **I.** Fantoche, guignol, pantin, polichinelle, pupazzo. **III.** Automate, pantin.

Marmonner et **marmotter**
Syn. **I.** Bredouiller, mâchonner, murmurer.
Ant. **I.** Crier, hurler.

Marmot
Syn. (Fam.) **I.** Bambin, enfant, galopin *(fam.),* gamin *(fam.),* gosse *(fam.),* lardon

(pop.), mioche *(fam.),* môme *(fam.),* moutard *(pop.).*

Marotte V. *Manie*

Marque
Syn. **I.** Coche, empreinte, signe, trait. — Cachet, chiffre, contrôle, estampille, étiquette, frappe, label, monogramme, sceau, timbre. — Impression, reste, tache, trace, vestige. **II.** Jalon, mémento, repère, signet. **III.** Distinction, insigne, qualité, symbole. — Attribut, caractère, critère, griffe, indice, preuve, symptôme, témoignage.

Marquer
Syn. **I.** Cocher, coter, empreindre, estamper, estampiller, étiqueter, imprimer, indiquer, matriculer, noter, numéroter, poinçonner, pointer, repérer, signaler. **II.** Baliser, borner, délimiter, jalonner, tracer. — Accentuer, ponctuer, scander. **III.** Assigner, fixer. — Dire, exprimer, manifester, montrer, témoigner.
Ant. **I.** Biffer, effacer, enlever, raturer, rayer, supprimer. **II.** Élargir, étendre. — Atténuer. **III.** Changer, déplacer. — Cacher, taire.

Marteau
Syn. **I.** Asseau, boucharde, mailloche, martinet, massette. — Heurtoir.

Marteler
Syn. **I.** Battre, frapper. **II.** Tourmenter. **III.** Accentuer, marquer, ponctuer, scander.

Martial
Syn. **I.** Belliqueux, guerrier, militaire. **II.** Courageux, décidé.
Ant. **I.** Pacifique, pacifiste. **II.** Peureux, timide.

Martyre V. *Mal*

Martyriser
Syn. **I.** Persécuter. **II.** Crucifier, supplicier, torturer, tourmenter.

Mascarade
Syn. **I.** Carnaval, défilé, déguisement, travesti. **III.** Hypocrisie, mômerie.

Masculin V. *Mâle*

Masque
Syn. **I.** Cagoule, chienlit, déguisement, domino, loup, travesti. — Air, expression, faciès, physionomie, visage. **II.** Appareil protecteur. **III.** Apparence, dehors, extérieur, manteau, voile.

Masquer
Syn. **I.** Déguiser, travestir. **III.** Dissimuler, enrober, envelopper, farder, recouvrir, voiler. **II.** Cacher, dérober (à la vue), empêcher.
Ant. **I.** Démasquer. **II.** Montrer. **III.** Afficher, dévoiler, exhiber, révéler.

Massacre
Syn. **I.** Boucherie, carnage, extermination, hécatombe, tuerie.

Massacrer
Syn. **I.** Assassiner, détruire, égorger, exterminer, immoler, tuer. **III.** Abîmer, défigurer, endommager, gâter, saccager.
Ant. **I.** Défendre, épargner, ménager, préserver, sauver. **III.** Réparer, respecter.

Masse
Syn. **I.** Amas, bloc, grosseur, monceau, morceau, poids, tas, volume. — Marteau, massue. **II.** Ensemble, foule, groupe, majorité, multitude, peuple, quantité, totalité.
Ant. **I.** Bribe, brin, grain, parcelle. **II.** Individu, petit nombre, unité.

Masser
Syn. **I.** Rassembler, réunir. — Assouplir, frictionner, frotter, pétrir, presser.

Massif
Syn. (Adj.) **I.** Compact, dense, dur, épais, gros, grossier, lourd, matériel, pesant, plein. **III.** En grande quantité. *(N.)* **I.** Bois, bosquet.
Ant. **I.** Atomique, creux, élancé, grêle, léger, svelte, vide.

Masure
Syn. I. Baraque. bicoque. cabane. galetas. réduit, taudis.
Ant. I. Château, palais.

Mat
Syn. (Adj.) I. Amati, blafard, dépoli, fade, fané, livide, pâle. II. Compact. III. Sourd.
Ant. I. Brillant, bruni, éclatant, luisant, poli. II. Ténu. III. Sonore.

Mater
Syn. I. Faire mat *(échecs).* III. Abattre, assujettir, calmer, dompter, dresser, étouffer, humilier, mortifier, réprimer, soumettre, subjuguer, vaincre.
Ant. III. Ameuter, céder, exciter, irriter, monter, provoquer, soulever.

Matériaux
Syn. I. Matières. III. Documents, éléments, faits, fond, idées, renseignements.

Matériel
Syn. (Adj.) I. Charnel, concret, corporel, palpable, physique, tangible. III. Grossier, lourd, massif, matérialiste, pesant, prosaïque, sensuel, terre à terre. *(N.)* I. Équipement, mobilier, outillage.
Ant. I. Abstrait, immatériel, impalpable, incorporel, invisible, moral, spirituel. III. Délicat, éthéré, léger, subtil, surnaturel.

Mathématique
Syn. (Adj.) I. Exact, juste. II. Géométrique, précis, réel, rigoureux. — Absolu, automatique, inévitable, logique, nécessaire.
Ant. I. Faux, inexact. II. Imprécis, vague, variable. — Aléatoire, éventuel, problématique.

Matière
Syn. I. Corps, élément, matériau, matériel, substance. III. Discipline, domaine, fond, objet, question, sujet, thème. — Cause, motif, occasion, prétexte.
Ant. I. Esprit, forme.

Matin
Syn. I. Aube, aurore, lever, matinée, réveil. III. Commencement, début, jeunesse.
Ant. I. Après-midi, nuit, soir, soirée. III. Déclin, vieillesse.

Matois V. *Madré*

Matricule
Syn. I. Liste, registre, rôle. II. Immatriculation, numéro d'inscription.

Maturité
Syn. I. Maturation, mûrissement. III. Âge mûr, épanouissement, force de l'âge, plénitude. — Circonspection, sagesse.
Ant. III. Enfance, enfantillage, infantilisme.

Maudire
Syn. I. Condamner, réprouver. II. Abominer, (s') emporter contre, exécrer, haïr, pester contre.
Ant. I. Adorer, bénir. II. Accueillir, aimer, chérir, exalter, servir.

Maudit
Syn. I. Anathématisé, condamné, damné, rejeté, repoussé, réprouvé. II. Détestable, exécrable, haïssable, infortuné, malheureux, mauvais, sacré *(fam.)*, satané *(fam.).*
Ant. I. Aimé, béni, bienheureux, chéri, exalté, glorifié. — Admirable, agréable, aimable, bon, enviable, heureux.

Maugréer
Syn. I. Grogner, grommeler, jurer (après, contre), murmurer, pester, protester, ronchonner *(fam.)*, rouspéter *(fam.).*
Ant. I. Accepter, flatter, jubiler, vanter.

Mausolée
Syn. I. Cénotaphe, monument, sépulcre, tombeau. II. Catafalque.

Maussade
Syn. I. Acariâtre, acrimonieux, aigri, bourru, chagrin, désabusé, désagréable, grognon, hargneux, mécontent, mélanco-

lique, rechigné, renfrogné, revêche. — Ennuyeux, terne, triste.
Ant. **I.** Agréable, animé, charmant, content, enjoué, gai, jovial, satisfait. — Attrayant, divertissant.

Mauvais
Syn. **I.** *(Phys.)* Contagieux, dangereux, dégoûtant, délétère, désagréable, dommageable, fatal, malsain, nuisible, pernicieux, pollué. **II.** *(Actions, ch.)* Abominable, chétif, défectueux, désastreux, détestable, exécrable, faux, incorrect, manqué, médiocre. — Défavorable, funeste, inopportun, pénible, sinistre. — *(Pers.)* Faible, lamentable, nul. Corrompu, cruel, déshonnête, dur, indigne, injuste, méchant, pervers, vicieux, vilain.
Ant. **I.** *(Phys.)* Agréable, avantageux, bienfaisant, frais, pur, sain, salubre, savoureux. **II.** *(Actions, ch.)* Bon, correct, exact, excellent, parfait. — Favorable, heureux, opportun. — *(Pers.)* Adroit, habile. — Délicat, doux, droit, généreux, honnête, juste, secourable, sensible, tendre, vertueux.

Maxime
Syn. **I.** Adage, aphorisme, apophtegme, axiome, dicton, pensée, précepte, principe, proverbe, règle.

Maximum
Syn. **I.** *(N.)* Apogée, comble, limite, période *(n.m.)*, plafond, pointe, summum. — *(Adj.)* Maximal, supérieur, suprême.
Ant. **I.** *(N.)* Bas, minimum. — *(Adj.)* Inférieur, infime, minimal.

Méandre
Syn. **I.** Contour, courbe, détour, sinuosité. **II.** Lacet, zigzag. **III.** Biais, détours, faux-fuyants, ruse.
Ant. **I.** Raccourci. **III.** Droiture, franchise, rectitude.

Mécanique
Syn. (Adj.) **I.** V. *Machinal.* — *(N.)* Machine, mécanisme.

Mécaniser
Syn. **I.** Automatiser, équiper, industrialiser, motoriser. **II.** Robotiser.

Mécène
Syn. **I.** Bienfaiteur, protecteur, soutien.

Méchanceté
Syn. **I.** Cruauté, dureté, malignité, malveillance, noirceur, perfidie, perversité, scélératesse. **II.** Rosserie, (sale) tour, vacherie *(pop.)*, vilenie.
Ant. **I.** Bienveillance, bonté, douceur, gentillesse, humanité, obligeance.

Méchant
Syn. **I.** Agressif, cruel, dangereux, diabolique, dur, fielleux, haineux, malfaisant, malintentionné, malveillant, mordant, perfide, pervers, sans-cœur, venimeux. **II.** Insignifiant, mauvais, médiocre, nul, petit. — Insupportable, turbulent, vilain.
Ant. **I.** Bienveillant, bon, conciliant, débonnaire, doux, humain, inoffensif, obligeant, reconnaissant, sociable. **II.** Excellent. — Sage, tranquille.

Mécompte
Syn. **I.** Déficit, erreur. **III.** (Faux) calcul, contrariété, déception, désappointement, désillusion, revers.
Ant. **I.** Exactitude, vérité. **III.** Consolation, contentement, joie, réussite, satisfaction.

Méconnaître
Syn. **I.** Désavouer. — Ignorer, négliger, oublier. **II.** Déprécier, méjuger, mésestimer.
Ant. **I.** Reconnaître. — Comprendre, connaître, considérer. **II.** Apprécier, estimer.

Mécontent
Syn. **I.** Blessé, choqué, contrarié, déçu, dépité, ennuyé, fâché, froissé, insatisfait, irrité, offensé, offusqué, vexé.
Ant. **I.** Content, enchanté, heureux, joyeux, jubilant, ravi, réjoui, satisfait, triomphant.

Mécontentement
Syn. **I.** Chagrin, contrariété, déception, déplaisir, désappointement, ennui, insatisfaction, irritation.
Ant. **I.** Contentement, joie, plaisir, satisfaction.

Mécréant V. *Incroyant*

Médecin
Syn. **I.** Chirurgien, clinicien, docteur, généraliste, omnipraticien, praticien, spécialiste. **III.** Confesseur, directeur de conscience, prêtre.

Médiat
Syn. **I.** Indirect, intermédiaire.
Ant. **I.** Direct, immédiat.

Médiateur
Syn. **I.** Arbitre, conciliateur, intercesseur, intermédiaire, négociateur, pacificateur, truchement.
Ant. **I.** Agitateur, fomentateur, provocateur.

Médiation
Syn. **I.** Arbitrage, arrangement, conciliation, entremise, intercession, intermédiaire, intervention.
Ant. **I.** Agitation, effervescence, fomentation, provocation, soulèvement.

Médicament V. *Remède*

Médication
Syn. **I.** Cure, soins, thérapeutique, traitement.

Médiocre
Syn. **I.** Banal, bas, commun, faible, imparfait, inférieur, insignifiant, insuffisant, maigre, mesquin, mince, minime, modeste, modique, négligeable, ordinaire, pauvre, petit, piètre, quelconque.
Ant. **I.** Bon, brillant, considérable, distingué, éminent, étonnant, excellent, extraordinaire, fameux, grand, important, incomparable, magistral, parfait, précieux, rare, riche, supérieur.

Médiocrité
Syn. **I.** Fadeur, faiblesse, imperfection, insignifiance, insuffisance, mesquinerie, pauvreté, petitesse, platitude.
Ant. **I.** Éclat, excellence, génie, grandeur, importance, intérêt, perfection, rareté, richesse, talent.

Médire
Syn. **I.** Attaquer, critiquer, débiner *(fam.)*, déblatérer contre, décrier, dénigrer, diffamer, potiner.
Ant. **I.** Défendre, disculper, excuser, féliciter, louanger.

Médisance
Syn. **I.** Dénigrement, détractation, diffamation. **II.** Bavardage, cancan, commérage, méchanceté, potin, racontar, ragot *(fam.)*.
Ant. **I.** Apologie, compliment, éloge, louange.

Méditatif
Syn. **I.** *(Adj.)* Absorbé, contemplatif, pensif, préoccupé, songeur, soucieux. — *(N.)* Penseur, rêveur.
Ant. **I.** *(Adj.)* Distrait, écervelé, étourdi, irréfléchi, léger.

Méditation
Syn. **I.** Application, approfondissement, attention, concentration, contemplation, contention, pensée, recueillement, réflexion.
Ant. **I.** Dissipation, distraction, inapplication, inattention, étourderie, légèreté, paresse.

Méditer
Syn. **I.** *(V. tr.)* Approfondir, combiner, contempler, échafauder, imaginer, mûrir, préméditer, projeter, (se) proposer, ruminer. — *(V. intr.)* Penser, (se) recueillir, réfléchir, rêver, songer.
Ant. **I.** Abandonner, (s') amuser, (se) distraire, (se) divertir, passer outre.

Médium
Syn. **I.** Milieu *(mus.)*. — Intermédiaire

(spirit.). — Communication, document, message, moyen, support.

Meeting
Syn. **I.** Assemblée, caucus, réunion, séance.

Méfait
Syn. **I.** (Mauvais) coup, faute. **II.** Dégât, déprédation, malfaisance.
Ant. **I.** et **II.** Bienfaisance, bienfait, faveur, secours, service.

Méfiance
Syn. **I.** Appréhension, crainte, défiance, doute, soupçon, suspicion.
Ant. **I.** Abandon, assurance, calme, confiance, foi, sécurité.

Méfiant
Syn. **I.** Appréhensif, craintif, défiant, dissimulé, farouche, ombrageux, soupçonneux, timbré.
Ant. **I.** Audacieux, confiant, franc, ouvert, serein, sûr.

Méfier (Se)
Syn. **I.** Craindre, (se) défier, douter de, être sur ses gardes, (se) garder de, redouter, soupçonner.
Ant. **I.** (S') abandonner, avoir confiance, (se) confier, (se) fier, (s'en) rapporter, (s'en) remettre.

Mégère
Syn. **I.** Chipie, furie, harpie, pie-grièche, poison *(fam.)*, tigresse.
Ant. **I.** Femme affable, douce, sensible.

Meilleur
Syn. **I.** *(Adj.)* Excellent, mieux, préférable, premier, supérieur. *(N.)* Crème, élite, fleur, quintessence.
Ant. **I.** Dernier, inférieur, pire, pis.

Mélancolie
Syn. **I.** Abattement, amertume, cafard, chagrin, dépression, ennui, langueur, neurasthénie, noir, nostalgie, spleen, tristesse, vague à l'âme.

Ant. **I.** Allégresse, charme, délice, gaieté, joie, jubilation, transports.

Mélancolique
Syn. **I.** Cafardeux, chagrin, morne, morose, neurasthénique, pessimiste, sombre, triste.
Ant. **I.** Allègre, gai, joyeux, optimiste, réjoui.

Mélange
Syn. **I.** Alliage, alliance, amalgame, amas, assemblage, association, combinaison, composé, confusion, enchevêtrement, fouillis, fusion, incorporation, mixtion, mixture, ragoût, réunion, salade, union. **II.** Brassage, croisement, métissage.
Ant. **I.** Choix, discrimination, dissociation, division, séparation, tri, triage. **II.** Pureté de la race, sélection.

Mélanger
Syn. **I.** Allier, associer, fondre, fusionner, incorporer, mêler, mixtionner, panacher, réunir. — Brouiller, emmêler. **III.** Amalgamer, combiner, confondre.
Ant. **I.** Choisir, coordonner, démêler, dissocier, diviser, épurer, ranger, séparer, trier.

Mêlée
Syn. **I.** Bagarre, bataille, cohue, combat, conflit, lutte, querelle, rixe. **II.** Confusion.

Mêler (et Se)
Syn. *(V. tr.)* **I.** V. *Mélanger.* Battre, brasser, brouiller, malaxer, mixtionner. — Allier, joindre. — Associer, impliquer. — Embrouiller, emmêler, enchevêtrer, entrelacer, mettre. **II.** Accoupler, croiser, mâtiner. **III.** Bigarrer, entrelarder, entremêler, parsemer. *(V. pr.)* **I.** Entrer, (se) fusionner, (se) marier, (s') unir. — (S') associer, impliquer, (se) joindre, participer. — (S') occuper. **III.** (S') entremettre, (s') immiscer, (s') ingérer, intervenir.
Ant. *(V. tr.)* **I.** Débrouiller, démêler, dis-

poser, distinguer, diviser, isoler, ordonner, séparer, trier. *(V. pr.)* **I.** (S') abstenir.

Mélodieux
Syn. **I.** Doux, harmonieux, musical. **II.** Agréable, captivant, charmant.
Ant. **I.** Cacophonique, confus, discordant, dissonant, faux, incohérent. **II.** Désagréable.

Mélodrame
Syn. **I.** Drame, pièce, tragédie, tragicomédie

Membrane
Syn. **I.** Enveloppe, pellicule, tissu, tunique.

Membre
Syn. **I.** Organe, partie. **III.** Adepte, adhérent, affilié, associé, disciple, sociétaire.

Même
Syn. (Adj.) **I.** Analogue, égal, identique, pareil, semblable, similaire, tel.
Ant. **I.** Autre, contraire, différent, distinct, inégal.

Mémento
Syn. **I.** Commémoration. — Abrégé, agenda, aide-mémoire, carnet, guide, guide-âne, memorandum, pense-bête, résumé, sommaire, vade-mecum.

Mémoire *(n.f.)*
Syn. **I.** Rappel, souvenance, souvenir. **II.** Commémoraison, mémento. — Renommée, réputation.

Mémoire(s) *(n.m.)*
Syn. **I.** Écrit, exposé, factum, requête. — Dissertation. — Compte, facture, note. — *(Pl.)* Annales, autobiographie, chroniques, commentaires, journal, récit, relations, souvenirs.

Mémorable
Syn. **I.** Fameux, glorieux, historique, important, ineffaçable, inoubliable, marquant, remarquable.
Ant. **I.** Banal, insignifiant, ordinaire, oubliable, quelconque, ressassé, routinier, vulgaire.

Menaçant
Syn. **I.** Agressif, comminatoire *(dr.)*, dangereux, fulminant, imminent, inquiétant, provocant, redoutable.
Ant. **I.** Apaisant, apaisé, calme, éloigné, encourageant, engageant, rassurant.

Menace
Syn. **I.** Avertissement, bravade, défi, intimidation, provocation. **II.** Danger, péril.
Ant. **I.** Assurance, paix, prière, promesse, sécurité. **II.** Espoir.

Menacer
Syn. **I.** Avertir, braver, défier, fulminer, intimider, provoquer. — *(Ch.)* (Se) délabrer, gronder, présager, risquer.
Ant. **I.** Rassurer.

Ménage
Syn. **I.** Maison, mobilier, popote *(fam.)*. — Couple, famille, foyer.

Ménagement
Syn. **I.** Attention, circonspection, considération, douceur, égard, mesure, prudence, réserve, soin.
Ant. **I.** Brusquerie, brutalité, cruauté, dureté, grossièreté.

Ménager
Syn. (V. tr.) **I.** Économiser, épargner. — Mesurer. — Éviter de mettre en péril. — Respecter, soigner, (bien) traiter. **III.** Amener, arranger, faciliter, préparer, procurer, régler, réserver. — *(Adj. et n.)* **I.** Avare, économe, parcimonieux, soigneux. — Domestique, familial.
Ant. (V. tr.) **I.** Dépenser, gaspiller, prodiguer. — Exposer, fatiguer. — Accabler, brusquer, malmener. **III.** Empêcher, entraver. — *(Adj. et n.)* Dépensier, prodigue.

Mendiant
Syn. **I.** Chemineau, clochard, gueux *(vx)*, indigent, miséreux, nécessiteux, pauvre.

Ant. **I.** Cossu, fortuné, opulent, richard, riche.

Mendier
Syn. **I.** Demander, implorer, quémander, quêter, rechercher, solliciter.

Menées V. *Machination*

Mener
Syn. **I.** Amener, conduire, emmener, piloter, transporter. **II.** Entraîner, guider, manier. **III.** Commander, diriger, gouverner, manœuvrer. — Administrer, gérer, régir. — Disputer, négocier, poursuivre. *Ant.* **I.** Abandonner, (se) soumettre, suivre.

Ménestrel
Syn. **I.** Chanteur, jongleur, ménétrier, troubadour, trouvère.

Meneur
Syn. **I.** Chef, directeur, dirigeant, entraîneur, instigateur, leader, protagoniste. — Agitateur, conspirateur, provocateur. *Ant.* **I.** Dirigé, mouton, subordonné, suiveur, sujet.

Menotte(s)
Syn. **I.** Petite main mignonne. — *(Pl.)* Attaches, bracelets métalliques, chaînes, entraves, liens, poucettes.

Mensonge
Syn. **I.** Artifice, blague, bourrage de crâne, contrevérité, fausseté, hâblerie, hypocrisie, menterie, mystification, tromperie. **II.** Conte, fable, fiction, invention. **III.** Illusion, mirage, simulacre. *Ant.* **I. II.** et **III.** Authenticité, exactitude, franchise, réalité, vérité.

Mensonger
Syn. **I.** Calomnieux, controuvé, fallacieux, faux, menteur, trompeur. **II.** Inexact. *Ant.* **I.** Authentique, élogieux, franc, sincère, sûr, véridique, vrai. **II.** Exact.

Menteur
Syn. (N.) **I.** Blagueur, charlatan, hâbleur, hypocrite, imposteur, mythomane, trompeur, vantard.

Mention
Syn. **I.** Citation, indication, rappel, signalement. **II.** Énonciation *(dr.)*, précision, renseignement. — Appréciation, distinction.

Mentir
Syn. **I.** Abuser, (faire) accroire, blaguer, calomnier, dissimuler, (s') enferrer, feindre, inventer, mystifier, (se) parjurer, tromper. *Ant.* **I.** Désabuser, détromper, dire la vérité.

Menu
Syn. (Adj.) **I.** Chétif, délicat, délié, fin, fluet, frêle, gracile, grêle, léger, mince, petit, subtil, ténu. **III.** Négligeable. *Ant.* **I.** Ample, énorme, épais, fort, gros, pesant, robuste, trapu, volumineux. **III.** Important.

Menuisier
Syn. **I.** Charpentier, ébéniste.

Méphistophélique
Syn. **I.** Démoniaque, diabolique, infernal, pervers, satanique. *Ant.* **I.** Angélique, bon, céleste, divin, séraphique.

Méphitique
Syn. **I.** Corrompu, empesté, empoisonné, fétide, infect, malsain, nauséabond, puant, toxique. **III.** Impur, malfaisant. *Ant.* **I.** Assaini, embaumé, frais, hygiénique, purifié, sain, tonique. **III.** Bienfaisant, pur.

Méprendre (Se)
Syn. **I.** (S') abuser, confondre, errer, méconnaître, (se) tromper.

Mépris
Syn. **I.** Arrogance, aversion, déconsidéra-

tion, dédain, dégoût, discrédit, indifférence, mésestime, morgue.
Ant. **I.** Admiration, considération, crainte, déférence, envie, estime, intérêt, respect, vénération.

Méprisable
Syn. **I.** Abject, bas, dégoûtant, détestable, honteux, ignoble, ignominieux, indigne, infâme, lâche, misérable, odieux, vil.
Ant. **I.** Admirable, agréable, appréciable, auguste, désirable, estimable, honorable, important, respectable, vénérable.

Méprise
Syn. **I.** Bévue, confusion, erreur, faute, inadvertance, inattention, malentendu, quiproquo.
Ant. **I.** Application, attention, exactitude, justesse, réflexion, soin.

Mépriser
Syn. **I.** Avilir, braver, dédaigner, déprécier, (se) désintéresser, discréditer, (faire) fi de, honnir, ignorer, (se) moquer, narguer, négliger, ravaler, (se) rire de, transgresser.
Ant. **I.** Admirer, apprécier, considérer, convoiter, craindre, désirer, estimer, exalter, honorer, (s') intéresser, observer, respecter.

Mercantilisme
Syn. **I,** Abus, cupidité, exploitation, usure.
Ant. **I.** Désintéressement, équité, honnêteté.

Mercenaire
Syn. **I.** *(N.)* Dépendant, salarié, stipendié. **II.** *(Adj.)* Cupide, intéressé, vénal.
Ant. **I.** *(N.)* Dirigeant, patron. **II.** *(Adj.)* Désintéressé, généreux.

Méritant
Syn. **I.** Digne, estimé, vertueux.
Ant. **I.** Indigne, odieux.

Mérite
Syn. **I.** Capacité, qualité, prix, talent, valeur. — Éloge, gloire, honneur, vertu. — Décoration, récompense.
Ant. **I.** Défaut, faiblesse, incapacité. — Blâme, culpabilité, démérite.

Mériter
Syn. **I.** (Être) digne, encourir, gagner. **II.** Demander, exiger, obtenir, réclamer, valoir.
Ant. **I.** Démériter, perdre l'estime, réprouver.

Méritoire
Syn. **I.** Bon, digne, estimable, louable, vertueux.
Ant. **I.** Abominable, blâmable, coupable, indigne, mauvais.

Merveille
Syn. **I.** Chef-d'œuvre, enchantement, miracle, phénomène, prodige, rareté.
Ant. **I.** Banalité, horreur, monstruosité.

Merveilleux
Syn. **I.** *(Adj.)* Admirable, beau, éblouissant, épatant, étonnant, excellent, extraordinaire, féerique, génial, magique, magnifique, miraculeux, prodigieux, ravissant, remarquable, splendide, superbe. — *(N.)* Fantastique, surnaturel.
Ant. **I.** Banal, exécrable, horrible, insignifiant, laid, normal, ordinaire, terne.

Mésaventure
Syn. **I.** Accident, déconvenue, malchance.
Ant. **I.** Chance, triomphe.

Mésentente
Syn. **I.** Brouille, désaccord, dispute, dissension, divergence, mésintelligence.
Ant. **I.** Accord, entente, harmonie, union.

Mésestimer V. *Méconnaître*

Mesquin
Syn. **I.** Étriqué, étroit, petit. — Avare, avaricieux, chiche, parcimonieux, regardant, sordide.
Ant. **I.** Grand, grandiose, large (d'esprit), noble. — Généreux, libéral, prodigue.

Mesquinerie
Syn. **I.** Avarice, bassesse, étroitesse d'esprit, médiocrité, parcimonie, petitesse.
Ant. **I.** Faste, générosité, grandeur, largeur d'esprit, magnificence.

Message
Syn. **I.** Annonce, avis, commission, communication, dépêche, information, lettre, mission.

Messager
Syn. **I.** Agent, chasseur, commissionnaire, délégué, envoyé, facteur, porteur. **III.** Avant-coureur, avant-courrier, héraut.

Messie
Syn. **I.** Christ, envoyé, libérateur, rédempteur, sauveur.

Mesure
Syn. **I.** Dimension, échelle, évaluation, rapport, taille. − Dose, ration. − Borne, limite. − Cadence, mouvement, rythme. − Circonspection, équilibre, ménagement, modération, pondération, précaution, retenue, sagesse. **II.** Acte, disposition, moyen.
Ant. **I.** Démesure, exagération. − Abus, excès, outrance, outrecuidance, violence.

Mesuré
Syn. **I.** Calculé, réglé, régulier. **III.** Circonspect, modéré, prudent, sage.
Ant. **I.** Démesuré, léger, téméraire.

Mesurer (et Se)
Syn. *(V. tr.)* **I.** Apprécier, arpenter, calculer, cuber, doser, évaluer, juger, métrer, niveler, peser, toiser. − Proportionner, régler. **III.** Comparer, estimer, évaluer, juger. − *(V. pr.)* (Se) battre, lutter.

Métamorphose
Syn. **I.** Avatar, changement, évolution, modification, mutation, transformation, transmutation.
Ant. **I.** Invariabilité, stabilité.

Méthode
Syn. **I.** Art, démarche, dispositif, formule, logique, marche à suivre, mode, moyen, ordonnance, ordre, principe, procédé, recette, règle, système, théorie. **II.** Habitude.
Ant. **I.** Confusion, désordre, empirisme, errement, hasard, tâtonnement.

Méthodique
Syn. **I.** Calculé, exact, logique, mesuré, minutieux, ordonné, rangé, réfléchi, réglé, soigneux, systématique.
Ant. **I.** Brouillon, désordonné, empirique, inexact, mêlé.

Méticuleux
Syn. **I.** Appliqué, attentif, exigeant, maniaque, méthodique, minutieux, pointilleux, précis, scrupuleux, sévère, soigneux. **II.** Cérémonieux.
Ant. **I.** Brouillon, désordonné, insouciant, négligent, saboteur.

Métier
Syn. **I.** Branche, carrière, corporation, corps, état, fonction, gagne-pain, industrie, job *(fam.)*, occupation, profession, situation, travail. − Machine.

Métrer V. *Mesurer*

Métropole
Syn. **I.** Capitale, cité, ville. − État, mère patrie.
Ant. **I.** Campagne, village. − Colonie.

Mets
Syn. **I.** Aliments, nourriture, plat, provisions, victuailles, vivres.

Mettable
Syn. **I.** Passable, portable, sortable, utilisable.
Ant. **I.** Démodé, fini, immettable, inutilisable.

Mettre
Syn. **I.** Appliquer, apposer, appuyer, arranger, asseoir, déposer, disposer, employer, établir, étendre, fixer, installer,

introduire, investir, placer, poser, ranger, situer, superposer. **II.** Endosser, (s') habiller, passer, porter, revêtir, (se) vêtir. *Ant.* **I.** Démettre, déplacer, déranger, éliminer, enlever, extraire, ôter, retirer, retrancher, soustraire. **II.** (Se) déshabiller, (se) dévêtir.

Meuble
Syn. **I.** *(Adj.)* Ameubli, friable. — Léger, mobile, remuable, transportable. — *(N.)* Effets. — Ameublement, mobilier. *Ant.* *(Adj.)* **I.** Dur, inculte. — Immeuble, immobile, pesant.

Meubler
Syn. **I.** Équiper, fournir, garnir. **III.** Enrichir, occuper, orner, remplir. *Ant.* **I.** Dégarnir, démeubler. **III.** Déparer, supprimer.

Meule
Syn. **I.** Broyeur, concasseur. **II.** Affiloir, aléseuse. **I.** Meulon, tas.

Meurtre
Syn. **I.** Assassinat, crime, homicide.

Meurtrier
Syn. *(N.)* **I.** Assassin, criminel, homicide, tueur. *(Adj.)* **I.** Destructeur, fatal, funeste, mortel, sanglant. **II.** Dangereux, homicide. *Ant.* *(N.)* **I.** Victime. *(Adj.)* **I.** Avantageux, bon, propice. **II.** Inoffensif, sûr.

Meurtrir
Syn. **I.** Contusionner, écraser, fouler, froisser, marquer. **II.** Cotir, endommager, taler. **III.** Blesser, déchirer, peiner.

Meurtrissure
Syn. **I.** Blessure, bleu, contusion, coup, lésion, marque, pinçon, tache. **II.** Cotissure, talure. **III.** Peine, plaie. *Ant.* **III.** Baume, consolation, réconfort.

Meute
Syn. **I.** Troupe de chiens. **III.** Bande, racaille, ramassis.

Miasme
Syn. **I.** Effluve, émanation. **II.** Mauvaise odeur, putréfaction.

Microbe
Syn **.I.** Bacille, bactérie, ferment, vibrion, virus.

Microscopique
Syn. **I.** Atomique, imperceptible, infinitésimal, minuscule. *Ant.* **I.** Colossal, énorme, macroscopique, visible.

Mielleux
Syn. **III.** Affecté, cauteleux, douceâtre, doucereux, doux, hypocrite, melliflue, onctueux, papelard, patelin. *Ant.* **III.** Aigre, âpre, bref, brusque, brutal, droit, dur, franc, ouvert, sincère.

Miette V. *Morceau*

Mieux V. *Meilleur*

Mièvre
Syn. **I.** Affecté, doucereux, fade, gentil, guindé, maniéré. *Ant.* **I.** Dur, grossier, naturel, vif, vigoureux.

Mièvrerie
Syn. **I.** Affectation, afféterie, fadeur, gentillesse, manières, minauderie, préciosité, recherche. *Ant.* **I.** Indifférence, naturel, simplicité, spontanéité.

Mignard V. *Mignon*

Mignardise (s)
Syn. **I.** Délicatesse, gentillesse, grâce. — Affectation, afféterie. **II.** *(Pl.)* Chichis, manières, minauderies. *Ant.* **I.** Grossièreté, laideur, lourdeur. **II.** Naturel, simplicité.

Mignon
Syn. **I.** Admirable, adorable, beau, charmant, délicat, gentil, gracieux, joli, mignard. **II.** Agréable, aimable, complaisant, doux.

Ant. **I.** Détestable, haïssable, laid, répugnant, rustaud. **II.** Déplaisant, dur.

Migration
Syn. **I.** Changement, déplacement, émigration, immigration, invasion, transfert. **III.** Transmigration.

Mijoter
Syn. **I.** Faire cuire lentement. **II.** Mitonner. **III.** Fricoter, machiner, mûrir, préparer, tramer.

Milice
Syn. **I.** Armée, garde nationale, régiment, troupe.

Milieu
Syn. **I.** Axe, centre, cœur, foyer, intérieur, milan, moitié, noyau. − Ambiance, atmosphère, cadre, climat, décor, élément, entourage, environnement, habitat, lieu, parages, sphère. **II.** Association, cercle, club, groupe, patrie, société. **III.** Entre-deux, intermédiaire, moyen terme. − Mesure, moyenne.
Ant. **I.** Bord, bout, commencement, contour, côté, extérieur, extrémité, fin, limite.

Militaire
Syn. **I.** *(Adj.)* Belliqueux, guerrier, martial, soldatesque, stratégique. − *(N.)* Guerrier, homme de troupe, officier, soldat.
Ant. **I.** *(Adj.)* Civil. − *(N.)* Pékin.

Militant
Syn. **I.** *(Adj.)* Actif, combattant. − *(N.)* Adepte, membre actif, partisan.

Militer
Syn. **I.** *(Pers.)* Combattre, lutter, participer. − *(Ch.)* Agir pour/contre, plaider.

Milliardaire
Syn. **I.** Nabab, richissime.
Ant. **I.** Besogneux, mendiant, meurt-de-faim, miséreux.

Mimer
Syn. **I.** Contrefaire, copier, imiter, singer.

Minable
Syn. **I.** Déguenillé, étriqué, lamentable, loqueteux, misérable, pauvre, piètre, piteux, pitoyable. **II.** Très médiocre.
Ant. **I.** Dandy, enviable, heureux, réjouissant, triomphant. **II.** Réussi.

Minauderie(s)
Syn. **I.** Affectation. − *(Pl.)* Agaceries, avances, chichis, façons, mamours, mignardises, mines, simagrées.
Ant. **I.** Bourrade, brusquerie, franchise, rudesse, rudoiement.

Mince
Syn. **I.** Délicat, délié, effilé, élancé, filiforme, fin, fluet, fragile, gracile, grêle, léger, svelte, ténu. **III.** Infirme, insignifiant, médiocre, négligeable, petit, piètre.
Ant. **I.** Ample, épais, fort, gros, large, lourd, massif, touffu, volumineux. **III.** Considérable, grand, important.

Mine(s)
Syn. **I.** Allure, apparence, dehors, extérieur, figure, physionomie, prestance, visage. − *(Pl.)* V. *Minauderie.* **I.** Engin explosif. − Carrière, galerie, minière, souterrain. **III.** Filon, fonds, gisement.

Miner
Syn. **I.** Affouiller, caver, creuser, entamer, éroder, fouir, ronger, saper. **III.** Abattre, affaiblir, brûler, consumer, désintégrer, détruire, épuiser, ruiner, user.
Ant. **I.** Combler, consolider, étayer. **III.** Améliorer, animer, fortifier, guérir, raviver, réconforter, remonter, stimuler.

Mineur
Syn. **I.** Dépendant, jeune. **II.** Accessoire, moindre, secondaire.
Ant. **I.** Majeur. **II.** Important, supérieur.

Minime V. *Médiocre*

Ministère
Syn. **I.** Charge, emploi, fonction. **II.** Concours, coopération, entremise, intervention. **I.** Cabinet, conseil des ministres, département, gouvernement.

Ministre
Syn. **I.** Ecclésiastique, pasteur, prêtre. — Agent diplomatique, chargé d'affaires, homme d'État. **II.** Instrument, serviteur.

Minuscule
Syn. **I.** Exigu, infime, lilliputien, microscopique, minime, nain, petit.
Ant. **I.** Majuscule. — Énorme, géant, grand, immense.

Minutie
Syn. **I.** Babiole, bagatelle, futilité, insignifiance, niaiserie, vétille. — Application, exactitude, méticulosité, précision, soin.
Ant. **I.** Importance, valeur. — Inattention, négligence.

Minutieux
Syn. **I.** Consciencieux, difficile, exact, exigeant, formaliste, méticuleux, pointilleux, scrupuleux, tatillon, vétilleux. **II.** *(Ch.)* Attentif, détaillé, méthodique, soigné, soigneux.
Ant. **I.** et **II.** Désordonné, grossier, négligent, rapide, superficiel.

Miracle
Syn. **I.** Merveille, mystère, phénomène, prodige, signe.

Miraculeux
Syn. **I.** Extraordinaire, inexplicable, surnaturel. **II.** Étonnant, merveilleux, phénoménal, prodigieux, surprenant.
Ant. **I.** Naturel, normal. **II.** Banal, coutumier, ordinaire, quelconque.

Mirage
Syn. **I.** Illusion, image, phénomène, reflet. **II.** Apparence, chimère, mensonge, rêve, rêverie, trompe-l'œil, vision. **III.** Attrait, séduction.
Ant. **I.** Existence, réalité. **II.** Exactitude, naturel. **III.** Répulsion.

Mirer (et Se)
Syn. (V. tr.) **I.** Examiner, regarder. — Viser. **III.** Briguer, convoiter. *(V. pr.)* **I.** (Se)

contempler, (se) regarder. — (Se) refléter. **III.** (S') admirer, (se) complaire.

Mirifique
Syn. **I.** Beau, épatant, étonnant, extraordinaire, merveilleux, mirobolant, phénoménal, prodigieux, surprenant.
Ant. **I.** Banal, bas, insignifiant, laid, médiocre, ordinaire, simple, usuel.

Mirobolant V. *Mirifique*

Miroir
Syn. **I.** Glace, psyché. — Réflecteur, rétroviseur. **III.** Reflet, représentation.

Miroiter
Syn. **I.** Briller, chatoyer, scintiller. **III.** Appâter, captiver, fasciner, promettre, séduire.
Ant. **I.** Assombrir, embrumer, obscurcir. **III.** Cacher, choquer, dégoûter.

Misanthrope
Syn. (Adj.) **I.** Asociable, atrabilaire, bourru, farouche, insociable, pessimiste, sauvage, solitaire, sombre, triste. *(N.)* **II.** Ours *(fam.)*, pleurnicheur.
Ant. (Adj.) **I.** Affable, charitable, confiant, humain, joyeux, obligeant, optimiste, sociable. *(N.)* **II.** Bienfaiteur, mécène, philanthrope.

Mise
Syn. **I.** Enjeu. — Contribution, investissement, part, placement. — Accoutrement, ajustement, extérieur, habillement, tenue, toilette.

Misérable
Syn. (Adj.) **I.** Déplorable, lamentable, malheureux, pitoyable. — Besogneux, indigent, minable, miteux, pauvre, piteux. **II.** Funeste, mauvais, pénible, regrettable, triste. — Honteux, insignifiant, malhonnête, méchant, méprisable, mesquin, piètre. *(N.)* **I.** (Pauvre) diable, miséreux, traîne-misère, va-nu-pieds.
Ant. (Adj.) **I.** Convoité, enviable, favorable, heureux, souhaité. — Abondant,

opulent, prospère, riche. **II**. Admirable, joyeux. — Important, remarquable.

Misère(s)
Syn. **I**. Besoin, dénuement, détresse, indigence, infortune, malheur, mendicité, pauvreté, pénurie. **II**. *(Pl.)* Chagrins, disgrâces, ennuis, malheurs, peines, pitié. *Ant*. **I**. Abondance, aisance, bien-être, faste, fortune, luxe, magnificence, opulence, prospérité, richesse. **II**. Bonheur, félicité, grandeur.

Miséricorde
Syn. **I**. Absolution, bonté, charité, clémence, commisération, compassion, grâce, indulgence, pardon, pitié. *Ant*. **I**. Cruauté, dureté, implacabilité, indifférence, insensibilité, rigidité, rigueur, rudesse, sévérité.

Miséricordieux
Syn. **I**. Bon, charitable, clément, compatissant, débonnaire, généreux, sensible, tendre. *Ant*. **I**. Cruel, dur, endurci, impitoyable, implacable, inexorable, insensible, rigoureux, sévère, strict.

Missel
Syn. **I**. Livre de messe, paroissien.

Mission
Syn. **I**. Ambassade, charge, commission, délégation, députation, mandat. **II**. Apostolat, évangélisation, organisation. — Attribution, devoir, occupation, rôle, tâche, vocation. **III**. But, destination, fonction.

Missionnaire
Syn. **I**. Catéchiste, prédicateur, propagandiste, propagateur.

Missive V. *Lettre*

Mitigé
Syn. **I**. Adouci, atténué, relâché, tempéré. *Ant*. **I**. Aggravé, empiré, exagéré.

Mitonner
Syn. *(V. intr.)* **I**. Bouillir, mijoter. *(V. tr.)*
I. Accommoder, apprêter. **III**. Calculer, préméditer, préparer. — Cajoler, dorloter. *Ant*. *(V. tr.)* **III**. Brusquer, hâter, précipiter, rudoyer.

Mitoyen
Syn. **I**. Commun, connexe, intermédiaire, médian, moyen, voisin. *Ant*. **I**. Distinct, particulier, personnel, privé, séparé.

Mixte
Syn. **I**. Amalgamé, combiné, complexe, composé, fusionné, hétérogène, hybride, mélangé, mêlé. *Ant*. **I**. Décomposé, désagrégé, divisé, homogène, régulier, séparé.

Mixtion
Syn. **I**. Amalgame, combinaison, composition, incorporation, mélange, salade. **II**. Médicament, mixture. *Ant*. **I**. Décomposition, division, scission, séparation.

Mobile
Syn. *(Adj.)* **I**. Amovible, volant. — Ambulant, changeant, fugitif, mouvant, nomade. **III**. Agile, animé, capricieux, flottant, inconstant, instable, ondoyant, versatile. *(N.)* **I**. Cause, impulsion, moteur, motif, raison. *Ant*. *(Adj.)* **I**. Ancré, fixe, fixé, immobile, sédentaire, stationnaire. **III**. Constant, immuable, persévérant, stable.

Mobiliser
Syn. **I**. Appeler, embrigader, enrégimenter, enrôler, former, lever, rappeler, recruter. **II**. Réunir. **III**. Faire appel à, mettre en jeu. *Ant*. **I**. Chasser, congédier, démobiliser, désorganiser, expulser, licencier, remercier, renvoyer.

Mobilité
Syn. **I**. Activité, agilité, promptitude, souplesse. **III**. Caprice, fluctuation, incons-

tance, instabilité, légèreté, variabilité.
Ant. **I.** Fixité, immobilité, inertie, lenteur,, retardement. **III.** Aplomb, constance, fidélité, invariabilité, stabilité.

Modalité
Syn. **I.** Propriété, qualité. **II.** Circonstance, disposition, façon, forme, formule, manière.

Mode
Syn. **I.** *(N.f.)* Coutume, façon, fantaisie, habitude, manière, mœurs, pratique, usage. — Élégance, engouement, goût, snobisme, style, vogue. — *(N.m.)* Façon, forme, formule, genre, manière, méthode, modalité, qualité.

Modèle
Syn. **I.** *(N.)* Archétype, canon, échantillon, étalon, exemple, idéal, idée, original, paradigme, patron, prototype, règle, spécimen, standard, type. — Carton, esquisse, étude, forme, gabarit, maquette, moule, patron. — Académie, mannequin, pose. — Héros, paragon. — *(Adj.)* Bon, édifiant, exemplaire, parfait.
Ant. **I.** *(N.)* Copie, imitation. — *(Adj.)* Imitateur, imparfait, mauvais, scandaleux.

Modeler (et Se)
Syn. *(V. tr.)* **I.** Donner un relief, ébaucher, façonner, mouler, sculpter. **II.** Manier. **III.** Former, régler. *(V. pr.)* **III.** (Se) conformer, (s') inspirer, (se) régler sur.

Modération
Syn. **I.** Circonspection, convenance, discrétion, douceur, frugalité, ménagement, mesure, pondération, raison, réserve, retenue, sagesse, sobriété. — Assagissement, diminution. — Adoucissement, mitigation, réduction.
Ant. **I.** Abus, emportement, exagération, excès, gourmandise, immodération, intempérance, outrance, violence. — Augmentation, dissipation. — Aggravation.

Modéré
Syn. **I.** *(Pers.)* Calme, frugal, mesuré, modeste, sage, sobre, tempérant. — *(Ch.)* Bas, discret, doux, faible, médiocre, moyen, raisonnable, tempéré.
Ant. **I.** *(Pers.)* Agressif, emporté, extrémiste, furieux, intempérant, véhément, violent. — *(Ch.)* Abusif, démesuré, déraisonnable, exagéré, excessif, exorbitant, fort, immodéré, outré.

Modérer
Syn. **I.** Adoucir, affaiblir, amortir, apaiser, assagir, assouplir, atténuer, attiédir, borner, calmer, diminuer, freiner, limiter, mitiger, pondérer, ralentir, régler, réprimer, retenir, tempérer.
Ant. **I.** Accélérer, accentuer, aiguillonner, amplifier, augmenter, aviver, exagérer, exciter, intensifier, outrer.

Moderne
Syn. **I.** Actuel, contemporain, neuf, nouveau, présent, récent.
Ant. **I.** Ancien, antique, classique, désuet, passé, traditionnel.

Moderniser
Syn. **I.** Adapter, rajeunir, rénover, renouveler, réparer, transformer.
Ant. **I.** Décrépir, démoder, garder, maintenir, rester le même, stagner, vieillir.

Modeste
Syn. **I.** *(Pers.)* Discret, effacé, humble, modéré, petit, réservé, simple. — Chaste, décent, pudibond, pudique, sage. — *(Ch.)* Médiocre, modique, pauvre.
Ant. **I.** *(Pers.)* Altier, arrogant, dédaigneux, fat, fier, infatué, méprisant, orgueilleux, présomptueux, prétentieux, vaniteux. — Effronté, impudent, impudique, indécent. — *(Ch.)* Excessif, fastueux, luxueux.

Modestie
Syn. **I.** Humilité, réserve, retenue, simplicité. — Décence, pudeur, vertu.
Ant. **I.** Arrogance, cynisme, dédain, fa-

tuité, fierté, infatuation, mépris, orgueil, présomption, prétention, suffisance, vanité. − Immodestie, impudeur, indécence.

Modifier (et Se)
Syn. **I.** *(V. tr.)* Altérer, amender, changer, corriger, métamorphoser, rectifier, remanier, réviser, transformer. − *(V. pr.)* Changer, évoluer, varier.
Ant. **I.** *(V. tr.)* Conserver, fixer, garder, laisser, maintenir, perpétuer, poursuivre, stabiliser. − *(V. pr.)* (S') arrêter, persister, régresser.

Modique V. *Médiocre*

Moduler
Syn. **I.** Chanter, émettre, siffler, siffloter, varier.

Moelleux
Syn. **II.** Agréable, confortable, doux, gracieux, mou, onctueux, savoureux, soyeux, souple, tendre, velouté.
Ant. **II.** Coriace, désagréable, disgracieux, dur, raide, résistant.

Mœurs
Syn. **I.** Conduite, coutumes, habitudes, mentalité, modes de vie, morale, principes, us, usages.

Moindre
Syn. **I.** Abrégé, bas, contracté, différent, inférieur, plus petit, réduit.
Ant. **I.** Allongé, élevé, meilleur, supérieur.

Moine
Syn. **I.** Anachorète, cénobite, ermite, religieux.

Moiré
Syn. **III.** Chatoyant, lustré, ondé, varié.
Ant. **III.** Égal, mat, uni, uniforme.

Moisir
Syn. *(V. intr.)* **I.** Chancir, (se) gâter. **II.** Rester improductif, inactif. **III.** *(Pers.)* Attendre, croupir, languir, pourrir. *(V. tr.)* **I.** Altérer, détériorer, gâter.

Moisson
Syn. **I.** Coupe, cueillette, fenaison, récolte. **III.** Gains, glanures, lauriers, masse, quantité.

Moissonner
Syn. **I.** Abattre, couper, cueillir, faucher, récolter. **III.** Gagner, ramasser, recueillir. − Détruire, faire périr, tuer.
Ant. **I.** Ensemencer, semer. **III.** Disperser, perdre, répandre, − Epargner.

Moite
Syn. **I.** Humecté, humide, imbibé, mouillé.
Ant. **I.** Aride, desséché, égoutté, sec.

Moiteur
Syn. **I.** Humidité, sueur, transpiration.

Moitié
Syn. **I.** Demi(e). **II.** Demi, mi, milieu, (une bonne) partie, semi. **III.** *(Fam.)* Épouse, femme.

Môle
Syn. **I.** Brise-lames, digue, jetée, musoir. **II.** Embarcadère, quai.

Molécule
Syn. **I.** Atome, corpuscule, élément, particule.

Molester
Syn. **I.** Bousculer, brutaliser, importuner, lyncher, malmener, maltraiter, rudoyer.
Ant. **I.** Aider, dorloter, épargner, flatter, ménager, secourir.

Mollasse V. *Mou*

Mollesse
Syn. **I.** Moelleux (n.) **II.** Morbidesse, souplesse. **III.** Abandon, apathie, atonie, faiblesse, indolence, lâcheté, langueur, nonchalance, paresse, somnolence.
Ant. **I.** et **II.** Dureté, fermeté, rigidité. **III.** Activité, ardeur, courage, dynamisme, énergie, force, ténacité, vigueur, volonté.

Mollet
Syn. **I.** *(Adj.)* Douillet, doux, léger.
Ant. **I.** Dur, rude.

Mollir
Syn. **I.** Amollir. **II.** Chanceler. **III.** Céder, diminuer, faiblir, flancher, plier.
Ant. **I.** Durcir, raidir. **II.** (S') affermir. **III.** (S') entêter, persister, résister, tenir.

Molosse
Syn. **I.** Chien de garde, dogue, mâtin.

Moment
Syn. **I.** Date, époque, heure, instant, intervalle, jour, minute, temps, seconde. — Cas, circonstance, occasion.

Momentané
Syn. **I.** Bref, brusque, court, éphémère, passager, précaire, provisoire, subit, temporaire.
Ant. **I.** Continu, continuel, durable, incessant, permanent, perpétuel, prolongé, stable.

Momifier (et Se)
Syn. **I.** *(V. tr.)* Dessécher, embaumer. — *(V. pr.)* (S') atrophier, (se) dessécher, devenir inerte, (se) fossiliser, maigrir.
Ant. **I.** *(V. tr.)* Corrompre, putréfier. — *(V. pr.)* (Se) ranimer, (se) réveiller. — Grossir.

Monacal
Syn. **I.** Claustral, conventuel, monastique. **II.** Ascétique, caché, casanier, solitaire.
Ant. **I.** Érémitique. **II.** Émancipé, frivole, futile, mondain, profane.

Monarchie
Syn. **I.** Dynastie, royauté, souveraineté. **II.** Couronne, royaume.
Ant. **I.** Aristocratie, démocratie, oligarchie, république.

Monarque
Syn. **I.** Autocrate, empereur, potentat, prince, roi, souverain.
Ant. **I.** Dépendant, subordonné, sujet.

Monastère
Syn. **I.** Abbaye, cloître, communauté, couvent, laure, moutier *(vx)*, prieuré. **II.** Bonzerie, lamaserie.

Monceau
Syn. **I.** Accumulation, amas, anoncellement, pile, tas.
Ant. **I.** Division, éparpillement, morcellement.

Mondain
Syn. *(Adj.)* **I.** Profane, terrestre. — Frivole, futile, vain.
Ant. **I.** Religieux, sacré. — Grave, sérieux.

Mondanité(s)
Syn. **I.** Frivolité, futilité, vanité. — *(Pl.)* Divertissements du monde.
Ant. **I.** Austérité, gravité, sérieux, simplicité.

Monde
Syn. **I.** Cosmos, nature, univers. — Astre, continent, globe, planète, terre. **II.** Assemblage, ensemble, totalité. — Foule, gens, hommes, humanité, milieu, peuple, population, société. — *(Relig.)* Siècle.

Mondial
Syn. **I.** Général, international, planétaire, universel.
Ant. **I.** Local, national, particulier, régional, territorial.

Moniteur
Syn. **I.** Entraîneur.
Ant. **I.** Apprenti, élève.

Monnaie
Syn. **I.** Argent, espèces, numéraire.

Monographie
Syn. **I.** Biographie, description, étude.

Monologue
Syn. **I.** Aparté, déclamation, récitation, soliloque.
Ant. **I.** Conversation, dialogue, entretien.

Monopole
Syn. **I.** Accaparement, cartel, centralisation, privilège, régie. **III.** Exclusivité.
Ant. **I.** Compétition, concurrence, décentralisation, limite, partage, privation, restriction.

Monotone
Syn. **I.** Continu, monocorde, régulier. **III.**
Endormant, ennuyeux, fade, plat, triste,
uniforme.
Ant. **I.** Divers, nuancé, varié. **III.** Amusant, changeant, divertissant, gai, intéressant.

Monotonie
Syn. **III.** Ennui, grisaille, prosaïsme, uniformité.
Ant. **III.** Changement, diversité, variété.

Monstre
Syn. **I.** Phénomène. − Chimère, dragon.
III. Personne dénaturée, très laide.

Monstrueux
Syn. **I.** Bizarre, difforme, laid, phénoménal, tératologique. **II.** Colossal, énorme,
excessif, extraordinaire, prodigieux. **III.**
Abominable, affreux, effrayant, épouvantable.
Ant. **I.** Beau, normal. **II.** Ordinaire. **III.**
Apaisant, attirant, charmant, rassurant.

Monstruosité
Syn. **I.** Anomalie, bizarrerie, difformité,
malformation. **III.** Atrocité, horreur.
Ant. **I.** et **III.** Attrait, beauté, charme, délicatesse, merveille.

Montage
Syn. **I.** Ajustage, arrangement, assemblage, disposition, installation, monture.
Ant. **I.** Démontage, désassemblage, dislocation.

Montagne
Syn. **I.** Colline, élévation, éminence, hauteur; mont, monticule, pic. − Morne,
puy, sierra. **III.** Amas, amoncellement,
pile.
Ant. **I.** Plaine, vallée. **III.** Dispersion,
éparpillement.

Montagneux
Syn. **I.** Abrupt, accidenté, inégal, montueux, (à) pic, rocheux.

Ant. **I.** Aplani, égal, nivelé, plat, uni, uniforme.

Montant
Syn. *(N.)* **I.** Chevron, jambage, madrier,
portant, poutre. **III.** Chiffre, coût, prix,
somme, total.

Montée
Syn. **I.** Ascension, escalade, grimpée. −
Côte, escalier, raidillon, rampe. **II.** Crue.
III. Augmentation, crescendo, hausse.
Ant. **I.** Descente. − Déclivité, pente. **II.**
Baisse, chute. **III.** Decrescendo, diminution.

Monter (et Se)
Syn. *(V.intr.)* **I.** Aller, ascensionner, (s')élever, grimper, (se) hisser, prendre (le
train, etc.,), voler. **II.** Augmenter. **III.**
Avancer, (s') élever, progresser. *(V. tr.)* **I.**
Atteindre, escalader, franchir, gravir,
grimper, hisser, lever. − Ajuster, assembler, disposer, dresser, enchaîner, sertir.
− Équiper, fournir, pourvoir. − Combiner, machiner, organiser, ourdir, préparer, tramer. *(V. pr.)* **I.** (Se) fournir, (se)
pourvoir, − (S') irriter. − Atteindre, coûter, (s') élever, valoir.
Ant. *(V. intr.)* **I.** Descendre, dévaler. **II.**
Baisser, diminuer. **III.** Déchoir, décliner.
(V. tr.) Abaisser, descendre. − Défaire,
démolir, démonter, disjoindre. − Démunir, priver. *(V. pr.)* (Se) démunir. − (Se)
calmer. − Baisser.

Monticule
Syn. **I.** Butte, colline, élévation, éminence. **II.** Cairn, tas, tertre.

Montre
Syn. **I.** Apparat, ostentation, parade. −
Devanture, étalage, exposition, vitrine. −
Petite horloge.

Montrer (et Se)
Syn. *(V. tr.)* **I.** Arborer, découvrir, déployer, étaler, exhiber, exposer, offrir,
présenter, produire. − Désigner, indi-

quer, signaler. **III**. Décrire, démasquer, dépeindre, dévoiler, évoquer, représenter. – Démontrer, dire, établir, prouver, souligner. – Apprendre, enseigner. – Afficher, exprimer, manifester, marquer, professer, publier, révéler, témoigner, trahir. *(V. pr.)* **I**. Apparaître, paraître, surgir. **III**. (S') avérer.
Ant. (V. tr.) **I**. Cacher, celer, couvrir, éclipser, effacer, soustraire. **III**. Déguiser, masquer, voiler. – Désapprendre, oublier. – Dissimuler, taire. – *(V. pr.)* Disparaître.

Montueux V. *Montagneux*

Monture
Syn. **I**. Cheval. – Assemblage, châsse, encadrement, garniture, support.

Monument
Syn. **I**. Bâtiment, construction, édifice, palais. – Cénotaphe, mausolée, tombeau. **III**. Oeuvre imposante.

Monumental
Syn. **I**. Grandiose, imposant, majestueux. **II**. Colossal, énorme, extraordinaire, gigantesque, immense, prodigieux.
Ant. **I**. Infime, insignifiant, minime, ordinaire, ridicule, petit.

Moquer (Se)
Syn. **I**. Bafouer, contrefaire, (se) divertir de, (se) gausser, ironiser, (se) jouer de, narguer, parodier, persifler, plaisanter, railler, ridiculiser, rire de, satiriser, singer. **II**. Braver, dédaigner, leurrer, mépriser.
Ant. **I**. Admirer, aider, approuver, flatter, obliger, respecter, sympathiser. **II**. Encourager, favoriser, (s') intéresser, (se) préoccuper.

Moquerie
Syn. **I**. Dérision, ironie, lazzi, persiflage, plaisanterie, pointe, quolibet, raillerie, risée, sarcasme, satire.
Ant. **I**. Admiration, bienveillance, charité, considération, respect, sollicitude.

Moqueur
Syn. **I**. *(N.)* Blagueur, chineur, ironiste, railleur. – *(Adj.)* Acéré, caustique, facétieux, goguenard, gouailleur, impertinent, ironique, mordant, narquois, persifleur, sardonique, satirique.
Ant. **I**. *(Adj.)* Admiratif, flatteur, franc, sérieux, sincère.

Moral
Syn. **I**. Convenable, décent, édifiant, honnête, juste, probe, rangé, sage. – Immatériel, intellectuel, spirituel.
Ant. **I**. Amoral, dépravé, déshonnête, grivois, honteux, immoral, inconvenant, indécent, obscène, pornographique. – Corporel, matériel, physique.

Morale
Syn. **I**. Bien, conduite, déontologie, devoir, doctrine, éthique, honnêteté, mœurs, probité, règle, vertu. **II**. Conclusion, enseignement, leçon, maxime, moralité, précepte, réprimande.
Ant. **I**. Immoralité, mal.

Moraliser
Syn. **I**. *(V. intr.)* Prêcher. – *(V. tr.)* Admonester, catéchiser, corriger, réprimander, semoncer, sermonner, tancer.
Ant. **I**. Corrompre, dépraver, pervertir.

Moralité
Syn. **I**. Conduite, conscience, honnêteté, mentalité, mérite, (bonnes) mœurs, sens moral. **II**. Conclusion, enseignement.
Ant. **I**. Amoralité, bassesse, immoralité, perversion.

Morbide
Syn. **I**. Anormal, maladif, malsain, pathologique.
Ant. **I**. Normal, sain, vigoureux.

Morceau
Syn. **I**. Bout, fraction, fragment, grain, lambeau, miette, parcelle, part, partie, portion, segment, tronçon. **II**. Anthologie, bribe, citation, extrait, passage.

Ant. **I.** Bloc, ensemble, intégralité, totalité, tout.

Morceler

Syn. **I.** Casser, diviser, fragmenter. **II.** Démembrer, émietter, lotir, partager. **III.** Désagréger.

Ant. **I.** Assembler, bloquer, concentrer, fusionner, unir. **II.** Rassembler, regrouper, remembrer. **III.** Agglomérer.

Mordant

Syn. *(Adj.)* **I.** Acide, corrosif, rongeant. **II.** Âcre, cuisant. **III.** Acerbe, caustique, humoristique, incisif, ironique, narquois, piquant, satirique, vif. *(N.)* **III.** Fougue, vivacité.

Ant. *(Adj.)* **I.** Calmant. **II.** Agréable, doux. **III.** Accommodant, affable, bienfaisant, charitable, coulant, indulgent, obligeant.

Mordicus

Syn. **I.** Obstinément, opiniâtrement, tenacement.

Ant. **I.** Faiblement, mollement.

Mordre

Syn. **I.** Broyer, croquer, déchiqueter, déchirer, mâchonner, mordiller. **II.** Attaquer, engrener, entamer, serrer, user. — Piquer.

Morfondre (Se)

Syn. **I.** (Se) désespérer, (s') ennuyer à attendre, (s') impatienter, languir.

Ant. **I.** (S') amuser, (se) détendre, (se) distraire, (se) reposer.

Morfondu

Syn. **I.** Transi, glacé. **III.** Attristé, ennuyé, fâché.

Ant. **I.** Chaud, réchauffé. **III.** Gaillard, réjoui.

Morgue

Syn. **I.** Arrogance, dédain, fatuité, hauteur, infatuation, insolence, orgueil, prétention, suffisance.

Ant. **I.** Aménité, déférence, humilité, modestie, politesse, simplicité.

Moribond

Syn. **I.** Agonisant, languissant, mourant.

Ant. **I.** Actif, éveillé, vif, vigoureux, vivant.

Morigéner

Syn. **I.** Admonester, chapitrer, disputer *(fam.)*, gourmander, gronder, réprimander, secouer, sermonner, tancer.

Ant. **I.** Encourager, féliciter, louanger.

Morne

Syn. **I.** Abattu, accablé, mélancolique, morose, silencieux, sombre, taciturne. **II.** Atone, décoloré, éteint, plat, terne, vide.

Ant. **I.** Allègre, ardent, content, ensoleillé, gai, joyeux, satisfait, souriant. **II.** Animé, épanoui, expressif, intéressant, rayonnant, vivant.

Morose

Syn. **I.** Abattu, affligé, bizarre, bourru, chagrin, grognon, hargneux, mélancolique, morne, sombre, taciturne, triste.

Ant. **I.** Allègre, animé, content, gai, joyeux, ravi, souriant.

Mort

Syn. *(N.f.)* **I.** Décès, deuil, disparition, extinction, fin, perte, trépas. **II.** Anéantissement, destruction, enterrement, ruine. **III.** Désolation, tristesse. *(N.m.)* **I.** Cadavre, corps, dépouille, restes. *(Adj.)* **I.** Décédé, défunt, feu, inanimé, trépassé. **III.** *(Ch.)* Désert, stagnant.

Ant. *(N.f.)* **I.** Existence, naissance, résurrection, vie. **II.** Animation, avènement, commencement, départ, éclosion, essor, renouveau, reprise, survivance. **III.** Consolation, joie. *(N.m.)* Vivant. *(Adj.)* **I.** Animé, vif, vivant. **III.** Actif, mobile.

Mortel *(adj.)*

Syn. **I.** Destructeur, fatal, foudroyant, funeste, meurtrier. **III.** Ennuyeux, lugubre, pénible, sinistre.

Ant. I. Durable, éternel, immortel, impérissable. **III.** Bienfaisant, vivifiant.

Mortification
Syn. **I.** Abstinence, ascèse, ascétisme, austérités, macération, pénitence. **II.** Affront, camouflet, humiliation, vexation. *Ant.* **I.** Facilité, hédonisme, plaisir. **II.** Consolation, satisfaction.

Mortifier (et Se)
Syn. (V. tr.) **I.** Affliger, châtier, crucifier, macérer, mater, réprimer. **III.** Blesser, froisser, humilier, vexer. — Chagriner, fâcher, peiner. *(V. pr.)* **I.** (S') imposer des austérités.
Ant. (V. tr.) **I.** Caresser, dorloter. **III.** Flatter, louer, satisfaire. — Consoler, égayer, encourager, réconforter, stimuler.

Mortuaire
Syn. **I.** Funèbre, funéraire.

Mot
Syn. **I.** Expression, locution, parole, terme, vocable. **II.** Billet, écrit, lettre. — Dicton, maxime, pensée, sentence. — Boutade, plaisanterie, saillie, trait.

Moteur
Syn. **I.** Appareil, engin, machine. **III.** Agent, âme, animateur, directeur, instigateur, promoteur. — *(Ch.)* Cause, impulsion, mobile, motif, ressort.

Motif
Syn. **I.** Cause, explication, fin, intention, mobile, occasion, origine, pourquoi, prétexte, principe, raison, sujet. — Dessin, leitmotiv, matière, sujet, thème.

Motiver
Syn. **I.** Causer, expliquer, justifier, nécessiter.
Ant. **I.** Cacher, dissimuler, empêcher, entraver.

Mou
Syn. **I.** Amolli, assoupli, détendu, élastique, flasque, flexible, maniable, mollasse, pâteux, plastique, souple, spongieux, tendre. **II.** Doux, moelleux, mollet. — Cotonneux, désossé. **III.** Amorphe, apathique, avachi, faible, inconsistant, inerte, lâche, languissant, lent, nonchalant, traînard, veule.
Ant. **I.** Consistant, coriace, dur, résistant, rigide, solide. **II.** Ferme, fort, pierreux, vigoureux. **III.** Agissant, alerte, courageux, déterminé, dynamique, indomptable, intrépide, opiniâtre, résolu, tenace, vif, volontaire.

Mouchard
Syn. **I.** Espion, indicateur de police. **II.** Cafard *(fam.)*, délateur, dénonciateur, rapporteur, sycophante.
Ant. **I.** et **II.** Discret.

Moucheté
Syn. **II.** Bigarré, marqueté, tacheté, tigré.
Ant. **II.** Égal, uni, uniforme.

Moudre
Syn. **I.** Broyer, écraser, pulvériser, triturer. **II.** Accabler de coups, briser, réduire.

Moue
Syn. **I.** Bouderie, grimace, lippe.

Mouiller
Syn. (V. intr.) **I.** Jeter l'ancre, stopper. *(V. tr.)* **I.** Arroser, asperger, baigner, doucher, humecter, imbiber, immerger, inonder, irriguer, tremper. **II.** Couper, diluer.
Ant. **I.** *(V. intr.)* Désancrer. — *(V. tr.)* Assécher, dessécher, éponger, essuyer, sécher, tarir.

Moule
Syn. **I.** Empreinte, exemple, forme, matrice, modèle, original, patron, type.

Mouler
Syn. **I.** Couler, fondre, former. **II.** Accuser les formes, (s') ajuster, (s') appliquer, dessiner, épouser (les contours). **III.** Adapter à.

Moulu
Syn. **I.** V. *Moudre*. **III.** Brisé, courbatu,

éreinté, esquinté, fatigué, fourbu, las,
rompu, surmené.
Ant. **III.** Alerte, délassé, dispos, ragaillardi, reposé.

Mourant
Syn. **I.** Agonisant, expirant, moribond.
III. Langoureux, languissant. — Affaibli,
éteint, faibli. — Crevant *(pop.)*, endormant, ennuyeux, tuant.
Ant. **I.** Naissant. **III.** Vif. — Ardent, vigoureux. — Captivant, intéressant.

Mourir
Syn. **I.** (S'en) aller, décéder, disparaître,
(s') éteindre, expirer, finir, partir, passer,
périr, sombrer, succomber, tomber, trépasser.
Ant. **I.** Commencer, durer, éclore, exister, naître, (s') ouvrir, (en) réchapper, vivre.

Mousse
Syn. (N.f.) **I.** Bave, écume. — Crème
fouettée.

Mousseux
Syn. **I.** Champagnisé, crémeux, écumeux.
III. Léger, pétillant.

Moutonner
Syn. **I.** Écumer. **III.** (S') agiter, onduler.

Moutonnier
Syn. **I.** Grégaire, imitateur, mouton
(adj.), suiveur.
Ant. **I.** Créateur, novateur.

Mouvant
Syn. **I.** Instable, ondoyant. **II.** Chan-
geant, flottant, fluide, fugitif.
Ant. **I.** Dur, ferme, solide, stable. **II.**
Fixe, immobile.

Mouvement
Syn. **I.** Action, activité, agitation, animation, branle, changement, cours, course,
déplacement, élan, impulsion, motion,
oscillation, poussée, remuement, transmission, vitesse. — Danse, exercice, geste,
valse. — Mesure, rythme. — Pétulance,

turbulence, vivacité. **II.** Circulation,
trafic. — Évolution, manœuvre, marche.
III. Ardeur, initiative, inspiration, passion, sentiment, tendance. — Fougue, vie,
vivacité. — Progrès. — Groupement, organisation, parti. — Modification, variation.
Ant. **I.** et **II.** Arrêt, ataxie, immobilité,
inaction, inactivité, inertie, pause, repos,
stabilité, stagnation, tranquillité. **III.**
Calme, langueur.

Mouvementé
Syn. **I.** Accidenté, inégal, vallonné, varié.
III. Vivant. — Agité, animé. — Houleux,
orageux.
Ant. **I.** Égal, plat. — Inerte, monotone. —
Calme, paisible.

Mouvoir
Syn. (V. tr.) **I.** Actionner, (faire) agir,
agiter, changer, déplacer, secouer. **III.**
Émouvoir, exciter, pousser, stimuler.
(V. pr.) **I.** Aller, bouger, courir, (se) déplacer, fonctionner, marcher, remuer.
Ant. (V. tr.) **I.** Arrêter, cesser, fixer, immobiliser, retenir, stopper. **III.** Apaiser,
freiner, paralyser. *(V. pr.)* **I.** (S') arrêter,
rester.

Moyen (s)
Syn. (Adj.) **I.** Intermédiaire, médian. **II.**
Commun, courant, modéré, ordinaire. —
Correct, honnête, médiocre, passable,
quelconque. *(N.)* **I.** Expédient, façon,
formule, manière, méthode, procédé, recette, tour, truc, voie. — Canal, entremise, intermédiaire, instrument. — *(Pl.)*
Capacités, dons, facultés, forces, possibilités, ressources pécuniaires.
Ant. (Adj.) **I.** Extrême. **II.** Important. —
Exceptionnel, remarquable, supérieur.
— *(N.)* Fin. — Empêchement, entrave,
obstacle. — Impossibilité, impuissance,
pauvreté.

Moyennant
Syn. **I.** À l'aide de, avec, (en) échange
de, grâce à, (au) moyen de, par, pour.

Muet
Syn. **I.** Aphone. **II.** Coi, silencieux, taciturne. **III.** Caché, discret, fermé, secret.
Ant. **I.** Parlant. **II.** Bavard, exubérant, loquace, verbeux. **III.** Apparent, ouvert, visible.

Mufle
Syn. **I.** Museau. **III.** Goujat, malotru.
Ant. **III.** Galant.

Mugir
Syn. **I.** Beugler, meugler. **III.** Crier, retentir, rugir.

Multicolore
Syn. **I.** Coloré, nuancé, polychrome, varié.
Ant. **I.** Monochrome, uni, unicolore.

Multiforme
Syn. **I.** Polymorphe, varié.
Ant. **I.** Simple, uniforme.

Multiple
Syn. **I.** Complexe, divers, fréquent, nombreux, répété, varié.
Ant. **I.** Clairsemé, distinct, exceptionnel, isolé, particulier, rare, seul, simple, singulier, un, unique.

Multiplication
Syn. **II.** Accroissement, augmentation, décuplement, extension, génération, prolifération, propagation; pullulement, reproduction.
Ant. **II.** Diminution, division, raréfaction, scission.

Multiplier (et Se)
Syn. (V. tr.) **II.** Accroître, augmenter, centupler, décupler, propager, répéter, reproduire, semer. *(V. pr.)* **I.** (S') accroître, augmenter, croître, (se) développer. — Engendrer, procréer, (se) reproduire.
Ant. (V. tr.) **II.** Amoindrir, diminuer, diviser, soustraire. *(V. pr.)* **I.** Décimer, (se) dépeupler, restreindre.

Multitude
Syn. **I.** Abondance, armée, essaim, infinité, légion, (grand) nombre, nuée, quantité, tas. — Affluence, cohue, concours, foule, masse, peuple, populace, rassemblement, troupe.
Ant. **I.** Pénurie. — (Petit) nombre, personne, (une) poignée, rien.

Municipal
Syn. **I.** Communal.

Municipalité
Syn. **I.** Conseil municipal, édilité. **II.** Hôtel de ville, mairie. — Commune.

Munificence
Syn. **I.** Générosité, largesse, libéralité, magnificence, prodigalité.
Ant. **I.** Avarice, égoïsme, étroitesse, mesquinerie.

Munir (et Se)
Syn. (V. tr.) **I.** Approvisionner, ravitailler. **II.** Assurer, doter, équiper, fournir, garnir, nantir, outiller, pourvoir, procurer. *(V. pr.)* **I.** (S') armer, (se) précautionner, (se) prémunir, prendre.
Ant. **I.** Désapprovisionner. **II.** Dégarnir, démunir, déposséder, dépouiller, priver, rationner, spolier.

Munitions
Syn. **I.** Armements, armes, arsenal, explosifs, projectiles.
Ant. **I.** Désarmement.

Mur et Muraille
Syn. **I.** Barrière, cloison, clôture, défense, division, enceinte, fortification, parapet, paroi, rempart, séparation. **III.** Obstacle.

Mûr
Syn. **I.** Avancé, blet, développé, formé. **II.** Élimé, rapé, usé, vieux. **III.** Préparé, prêt à. — Adulte, fait. — Posé, raisonnable, réfléchi.
Ant. **I.** Vert. **II.** Neuf. **III.** Prématuré. — Jeune, puéril. — Déraisonnable, étourdi, irréfléchi.

Murer (et Se)
Syn. (V. tr.) **I.** Aveugler, boucher, cacher,

clore, condamner, dérober, emmurer, enclore, entourer, fermer. **III.** Enfermer, isoler. *(V. pr.)* **I.** (Se) cacher, (se) cloîtrer, (s') enfermer. **III.** (Se) renfermer. *Ant. (V. tr.)* **I.** Déboucher, démurer, enfoncer, percer, trouer un mur. **III.** Libérer, rejoindre. *(V. pr.)* **I.** Apparaître, (se) montrer. **III.** (S') extérioriser.

Mûrir
Syn. (V. intr.) **I.** Aoûter, croître, devenir mûr, dorer, grandir. **III.** (Se) développer, devenir sage, (se) former, vieillir. *(V. tr.)* **I.** Rendre mûr. **III.** Approfondir, étudier, méditer, peser, préparer, réfléchir sur. *Ant.* **I.** et **III.** Avorter.

Murmure (s)
Syn. **I.** Babil, bourdonnement, bruissement, bruit, chuchotement, gazouillement, marmottement, ronron, souffle, susurrement. **III.** *(Pl.)* Gémissements, grognements, plaintes, protestations, soupirs. *Ant.* **I.** Brouĥaha, clameur, éclat, grondement, hurlement, vacarme.

Murmurer
Syn. (V. intr.) **I.** Bourdonner, bruire, gazouiller, marmotter, ronronner. **III.** Bougonner *(fam.)*, geindre, gémir, grogner, grommeler, gronder, maugréer, (se) plaindre, protester, râler *(fam.)*, ronchonner *(fam.)*. *(V. tr.)* **I.** Chuchoter, dire, glisser, marmonner, susurrer. *Ant.* **I.** Crier, hurler, vociférer.

Musarder et **Muser**
Syn. **I.** Baguenauder, flâner, lambiner, lanterner, traîner. *Ant.* **I.** Agir, (faire) diligence, (s') occuper, peiner, travailler, trimer.

Musclé
Syn. **I.** Fort, musculeux. **III.** Énergique, nerveux, robuste, solide, vigoureux. *Ant.* **I.** Faible, flasque, mou. **III.** Chétif, débile, frêle, indolent, lâche.

Muse
Syn. **III.** Enthousiasme, inspiration poétique, lyre, poésie.

Musée
Syn. **I.** Cabinet, collection, galerie, museum, pinacothèque.

Museler
Syn. **I.** Attacher. **III.** Bâillonner, brider, dompter, enchaîner, retenir. *Ant.* **I.** Délier, démuseler, détacher. **III.** Dégager, libérer.

Musical
Syn. **II.** Artistique, chantant, doux, harmonieux, mélodieux, rythmé, symphonique. *Ant.* **II.** Discordant, dissonant, faux, incohérent.

Mutation
Syn. **I.** Changement, modification, révolution, variation. — Déplacement, permutation, remplacement. — Succession. *Ant.* **I.** Continuité, permanence, stabilité.

Mutilation
Syn. **I.** Ablation, amputation, blessure, castration, coupure. **II.** Dégradation. **III.** Altération, amoindrissement.

Mutiler
Syn. **I.** Amputer, blesser, châtrer, couper, écharper, enlever, estropier, retrancher. **II.** Abîmer, dégrader, détériorer, endommager, massacrer *(fam.)*. **III.** Altérer, déformer, diminuer, émasculer, tronquer. *Ant.* **I.** Conserver. **II.** Améliorer, réparer. **III.** Garder, respecter.

Mutin
Syn. (N.) **I.** Factieux, insoumis, insurgé, rebelle, révolté. *(Adj.)* **I.** Astucieux, badin, espiègle, gai. **II.** Eveillé, gamin, vif. *Ant. (N.)* **I.** Conformiste, soumis. *(Adj.)* **I.** Grave, sérieux. **II.** Endormi, engourdi, indolent.

Mutiner
Syn. **I.** (S') ameuter, (se) rebeller, (se) ré-

volter.
Ant. I. (Se) soumettre.

Mutinerie
Syn. I. Emeute, insurrection, révolte, révolution, sédition, soulèvement.
Ant. I. Calme, discipline, docilité, soumission.

Mutisme
Syn. I. Aphasie, mutité. III. Discrétion, réticence, silence.
Ant. I. Parole. III. Babillage, bavardage, confidence, indiscrétion, loquacité, verbiage.

Mutuel
Syn. I. Commun, corrélatif, partagé, réciproque.
Ant. I. Autonome, distinct, indépendant, individuel, isolé, séparé.

Mystère
Syn. I. Révélation, vérité de foi. II. Culte, liturgie, messe. I. Arcanes, énigme, obscurité, secret. II. Cachotterie(s), discrétion, prudence, silence.
Ant. I. Clarté, évidence. II. Connaissance, divulgation.

Mystérieux
Syn. I. Caché, cachottier, difficile, énigmatique, ésotérique, étrange, impé-nétrable, incompréhensible, inconnu, inexplicable, inexpliqué, insondable, invisible, magique, obscur, occulte, secret, sibyllin, ténébreux, voilé.
Ant. I. Clair, compréhensible, connu, divulgué, évident, explicite, expliqué, facile, formel, ouvert, pénétrable, public, révélé, simple.

Mystification
Syn. I. Attrape, canular, farce, fumisterie, mensonge, tromperie.
Ant. I. Démystification, réalité, sérieux, vérité.

Mystifier
Syn. I. Abuser, attraper, berner, enjôler, jouer, leurrer, rouler *(fam.)*, tromper.
Ant. I. Convaincre, désabuser, démystifier, détromper, instruire.

Mystique
Syn. (Adj.) I. Allégorique, surnaturel. II. Caché, profond, secret. *(N.)* II. Croyant, dévot, inspiré, pieux, religieux. − Illuminé.
Ant. (Adj.) I. Mondain, naturel, profane, rationaliste. II. Clair, évident. *(N.)* II. Impie.

Mythe
Syn. I. Fable, légende, mythologie. II. Allégorie, fiction, idée, utopie.
Ant. I. et II. Histoire, réalité, vérité.

N

Nabot V. *Nain*

Nacré
Syn. I. Chromatisé, irisé, luisant.
Ant. I. Blafard, décoloré, mat, terne.

Nager
Syn. I. Flotter, glisser, surnager. III. Baigner, patauger, (se) trouver. − Agir, manœuvrer.
Ant. I. Immerger, noyer, submerger.

Naïf
Syn. I. *(Adj.)* Candide, franc, inexpérimenté, ingénu, naturel, pur, simple, sincère, spontané. − Crédule, innocent, irraisonné, niais, puéril, sot. − *(N.)* Bête, gobe-mouches, gogo *(fam.)*, jobard, nigaud.
Ant. I. *(Adj.)* Arrogant, astucieux, cauteleux, critique, déluré, fin, habile, hautain, incrédule, intelligent, malin, perspicace,

réfléchi, roué, rusé, sceptique, spirituel, subtil.

Nain
Syn. **I.** *(N.)* Lilliputien, pygmée. – Avorton, gnome, nabot, riquiqui.
Ant. **I.** Colosse, géant, mastodonte.

Naissance
Syn. **I.** Accouchement, avènement, berceau, être, jour, nativité, patrie, vie. **II.** Descendance, extraction, lignée, origine. **III.** Apparition, commencement, début, éclosion, genèse, source.
Ant. **I.** Mort. **III.** Disparition, fin, limite, terme.

Naître
Syn. **I.** Venir au monde, voir le jour. – Croître, éclore, germer. **II.** (S') éveiller à, (s') ouvrir à. **III.** Apparaître, commencer, (se) développer, (se) lever, paraître, provenir, résulter, sortir, surgir.
Ant. **I.** Expirer, mourir. **II.** (Se) fermer à. **III.** (S'en) aller, achever, conclure, disparaître, finir.

Naïveté
Syn. **I.** Bonhomie, candeur, (bonne) foi, fraîcheur, ingénuité, pureté, simplicité, spontanéité. – Bêtise, crédulité, innocence.
Ant. **I.** Astuce, finesse.

Nantir V. *Munir*

Nappe
Syn. **I.** Linge. **III.** Étendue, surface.

Narcotique
Syn. **I.** *(N.)* Drogue, somnifère, soporifique, stupéfait. *(Adj.)* Anesthésique, assoupissant, calmant.
Ant. **I.** *(Adj.)* Excitant, stimulant.

Narguer
Syn. **I.** Affronter, bafouer, braver, défier, mépriser, (se) moquer, persifler, provoquer, railler.
Ant. **I.** Admirer, complimenter, encourager, louer, respecter, révérer.

Narquois
Syn. **I.** Caustique, goguenard, gouailleur, ironique, malicieux, moqueur, persifleur, railleur.
Ant. **I.** Charmant, complimenteur, flatteur, louangeur, obligeant, respectueux.

Narration
Syn. **I.** Description, exposé, exposition, histoire, récit, relation. **II.** Composition, devoir, rédaction.

Natal
Syn. **I.** National, originaire.
Ant. **I.** Étranger, réfugié.

Natif
Syn. **I.** Né, originaire. – Inné, naturel, originel.
Ant. **I.** Étranger, exotique. – Acquis.

Nation
Syn. **I.** Collectivité, communauté, État, nationalité, patrie, pays, peuple, population, race.
Ant. **I.** Individu.

Nationalisme
Syn. **I.** Loyalisme, patriotisme. – Chauvinisme, fanatisme.
Ant. **I.** Cosmopolitisme, internationalisme.

Natter
Syn. **I.** Entrecroiser, entrelacer, tordre, tresser.
Ant. **I.** Défaire, délacer, délier, dénatter, dénouer.

Naturaliser
Syn. **I.** Adopter, assimiler, incorporer, intégrer. – Acclimater, introduire.
Ant. **I.** Détacher, éliminer, retrancher. – Exclure.

Naturalisme
Syn. **I.** Positivisme, réalisme, vérisme.
Ant. **I.** Idéalisme, spiritualisme, surnaturalisme.

Nature

Syn. **I.** Création, monde, réalité, univers. — Entité, essence, existence, quiddité. — Catégorie, genre, espèce, qualité. **II.** Caractère, complexion, condition, constitution, disposition, humeur, idiosyncrasie, inclination, instinct, naturel, penchant, personnalité, tempérament, tendance. — Modèle. — Campagne, paysage. *Ant.* **I.** Dieu créateur, hasard, surnaturel. — Grâce, révélation, civilisation, réflexion. **II.** Indéterminisme, liberté.

Naturel

Syn. **I.** *(N.)* Nature, tempérament. — Abandon, facilité. — Aborigène, autochtone, habitant, indigène. — *(Adj.)* Normal, ordinaire, rationnel. — Authentique, brut, pur. — Physique. — Congénital, inné, instinctif. — Charnel, corporel. — Bâtard, illégitime. — Commun, logique, normal, raisonnable. — Aisé, facile, franc, réel, simple, sincère, spontané, vrai. *Ant.* **I.** *(N.)* Affectation, effort. — Allogène, étranger. — *(Adj.)* Divin, miraculeux, révélé, surnaturel. — Artificiel, fabriqué, frelaté. — Humain. — Acquis, appris, éduqué. — Spirituel. — Légitime. — Absurde, anormal, chimérique, étonnant, monstrueux. — Affecté, contraint, difficile, emprunté, recherché, suspect.

Naufrage

Syn. **I.** Échouage, perte, sinistre, submersion. **III.** Désastre, échec, effondrement, faillite, fiasco, insuccès, ruine. *Ant.* **I.** Renflouement, sauvetage. **III.** Réussite, succès, triomphe, victoire.

Nauséabond

Syn. **I.** Dégoûtant, écœurant, fétide, infect, puant. **III.** Rebutant, répugnant. *Ant.* **I.** Agréable, appétissant, aromatisé, embaumé, exquis, parfumé. **III.** Exaltant.

Nautique

Syn. **I.** Maritime, naval.

Ant. **I.** Aéronautique, aéronaval, terrestre.

Naviguer

Syn. **I.** Bourlinguer, caboter, cingler, croiser, filer, sillonner (les mers), voguer, voyager.

Navire

Syn. **I.** Bateau, bâtiment, cargo, embarcation, long-courrier, paquebot, vaisseau, yacht.

Navrant

Syn. **I.** Affligeant, attristant, consternant, déchirant, déplorable, désolant, douloureux, funeste, lamentable, malheureux, pénible, pitoyable, poignant, regrettable, triste. *Ant.* **I.** Allègre, consolant, gai, joyeux, jubilant, rayonnant, réconfortant, réjouissant.

Navrer

Syn. **I.** Affliger, attrister, chagriner, contrarier, contrister, désoler, peiner. *Ant.* **I.** Consoler, égayer, ravir, réconforter, réjouir.

Néanmoins

Syn. **I.** Cependant, mais, pourtant, toutefois.

Néant

Syn. **I.** Non-être, rien, vide. **III.** Inanité, vacuité. *Ant.* **I.** Être, existence, tout. **III.** Plénitude.

Nébuleux

Syn. **I.** Brumeux, nuageux, obscur, obscurci. **III.** Confus, flou, fumeux, incertain, indécis, trouble, vague. *Ant.* **I.** Clair, limpide, net, transparent. **III.** Formel, positif, précis.

Nécessaire

Syn. **I.** Absolu *(phil.)*, inconditionné, premier. **II.** Essentiel, important, indispensable, primordial, utile. — Fatal, forcé, immanquable, inéluctable, inévitable, obli-

gatoire, obligé, requis, rigoureux, urgent.
Ant. **I.** Contingent. **II.** Accidentel, éventuel, facultatif, fortuit, futile, inutile, négligeable, oiseux, superflu.

Nécessité
Syn. **I.** Besoin, contrainte, devoir, obligation. — Destin, fatalité. **II.** Exigence. — Dénuement, détresse, indigence, pauvreté.
Ant. **I.** Éventualité, possibilité. — Contingence. **II.** Aisance, luxe, opulence, richesse.

Nécessiter
Syn. **I.** Commander, demander, déterminer, exiger, impliquer, motiver, réclamer, requérir.

Nécessiteux
Syn. **I.** Besogneux, clochard, indigent, miséreux, pauvre.
Ant. **I.** Aisé, cossu, crésus, fortuné, nanti, riche.

Néfaste
Syn. **II.** Dangereux, défavorable, désastreux, dommageable, fatal, funeste, irrémédiable, malheureux, mauvais, mortel, nuisible, pernicieux.
Ant. **II.** Avantageux, bienfaisant, bon, commode, efficace, faste, favorable, heureux, précieux, propice, salutaire, utile.

Négatif
Syn. **I.** Critique, insignifiant, négligeable, nul.
Ant. **I.** Affirmatif, certain, évident, formel, manifeste, positif.

Négligeable
Syn. **I.** Dérisoire, infime, insignifiant, inutile, médiocre, mince, minime, nul, petit, piètre, vain.
Ant. **I.** Appréciable, captivant, essentiel, grandiose, important, imposant, intéressant, notable, remarquable, utile.

Négligence
Syn. **I.** Carence, inattention, incurie, in-

souciance, laisser-aller, nonchalance, omission, oubli, paresse. — Désintérêt, désinvolture, indifférence.
Ant. **I.** Application, assiduité, attention, conscience, diligence, exactitude, minutie, soin, zèle. — Considération, empressement, intérêt.

Négligent
Syn. **I.** Inappliqué, inattentif, insouciant, nonchalant, oublieux, paresseux, traînard.
Ant. **I.** Appliqué, assidu, attentif, consciencieux, diligent, méticuleux, soigneux, vif.

Négliger
Syn. **I.** (Se) désintéresser, (se) ficher *(fam.).* — Dédaigner, écarter, méconnaître, omettre, oublier. — *(Pers.)* Abandonner, délaisser, déserter, laisser.
Ant. **I.** (S') appliquer, soigner, (se) soucier. — Apprécier, cultiver, penser à. — Entretenir, suivre, tenir compte.

Négoce
Syn. **I.** Commerce, trafic.

Négociant
Syn. **I.** Commerçant, exportateur, marchand, trafiquant.
Ant. **I.** Détaillant.

Négociateur
Syn. **I.** Agent, arbitre, conciliateur, diplomate, intermédiaire, médiateur.

Négociations
Syn. **I.** Discussion, échange de vues, pourparlers, tractations.

Négocier
Syn. **I.** Composer, débattre, délibérer, discuter, intervenir, marchander, parlementer, traiter, transiger.

Néophyte
Syn. **I.** Catéchumène, (nouveau) converti. **II.** Adepte, novice, partisan, prosélyte.
Ant. **II.** Antagoniste, détracteur.

Nerf
Syn. **I.** Ligament, tendon. **III.** Efficacité, énergie, force, vigueur.

Nerveux
Syn. **III.** Énergique, vif, vigoureux. — Agité, émotif, énervé, excité, fébrile, impatient, irritable, névrosé, soucieux, tourmenté.
Ant. **III.** Lâche, languissant. — Calme, coi, flegmatique, froid, paisible, posé, rassis, serein, tranquille.

Nervosité
Syn. **I.** Agacement, agitation, énervement, exaspération, excitation, fébrilité, irritation, surexcitation. **II.** Hystérie, névrose.
Ant. **I.** Apaisement, calme, douceur, flegme, patience, pondération.

Net
Syn. **I.** Blanc, immaculé, poli, propre, transparent. **II.** Nettoyé. **III.** Catégorique, clair, distinct, exact, explicite, formel, franc, intelligible, limpide, lucide, lumineux, marqué, précis, pur, tranché.
Ant. **I.** Malpropre, sale, souillé, terni. **II.** Sali, taché. **III.** Ambigu, confus, embrouillé, flou, imprécis, impur, indécis, indistinct, louche, nébuleux, obscur, ténébreux, vague.

Nettoyer
Syn. **I.** Astiquer, balayer, blanchir, brosser, cirer, curer, débarrasser, débarbouiller, décrasser, décrotter, dégraisser, détacher, déterger, épousseter, essuyer, frotter, laver, lessiver, ratisser, savonner. **II.** Dépouiller, liquider, vider. **III.** Purifier.
Ant. **I.** Barbouiller, encrasser, maculer, salir, souiller, tacher, ternir. **II.** Épargner.

Neuf
Syn. **I.** Frais, inconnu, inédit, inouï, moderne, nouveau, original, récent. — *(Pers.)* Inexpérimenté, inhabile, novice.
Ant. **I.** Âgé, ancien, antique, désuet, loin-tain, primitif, suranné, vieux. — Expert, habile.

Neurasthénique V. *Mélancolique. Névrosé*

Neutraliser
Syn. **I.** Affaiblir, amoindrir, annuler, arrêter, contrecarrer, étouffer, paralyser, supprimer.
Ant. **I.** Activer, aider, animer, encourager, éveiller.

Neutre
Syn. **I.** Non belligérant. — Désintéressé, impartial, indifférent, objectif. **III.** Laïque. — Détaché, froid, indécis, terne.
Ant. **I.** Allié, belligérant, ennemi. — Dirigé, engagé, intéressé, partial, partisan. **III.** Confessionnel. — Éclatant, expressif, original.

Névrosé
Syn. **I.** Déprimé, déséquilibré, hystérique, neurasthénique.
Ant. **I.** Calme, équilibré, joyeux, pondéré, réconforté, sain.

Niais
Syn. (N.) **I.** Benêt, bêta *(fam.),* cruche *(fam.),* dadais, godiche *(fam.),* naïf, nigaud, sot. *(Adj.)* **I.** Bête, imbécile, innocent, stupide. **II.** Béat.
Ant. **I.** Expérimenté, fin, habile, intelligent, malin, rusé, spirituel, subtil.

Niaiserie
Syn. **I.** Bêtise, crédulité, sottise. **II.** Ânerie, babiole, bagatelle, baliverne, fadaise, frivolité, futilité, naïveté, platitude.
Ant. **I.** Intelligence, finesse, malice. **II.** Esprit, saveur, sérieux.

Niche
Syn. **I.** Espièglerie, facétie, farce, gaminerie, malice, plaisanterie, taquinerie, tour. — Cavité, enfoncement. — Alcôve, réduit. — Loge (d'un chien).

Nicher (et Se)
Syn. (V. intr.) **I.** Nidifier. **II.** Demeurer, (s') établir, habiter, loger, percher, rési-

der, séjourner. *(V. tr.)* **I.** Caser, mettre, placer. *(V. pr.)* **II.** (S') abriter, (se) blottir, (se) cacher, (s') installer. **III.** (Se) fourrer, (se) mettre.
Ant. **I.** Débusquer, décamper, déguerpir, déloger, dénicher, errer, végéter.

Nid
Syn. **I.** Aire, couvée, nichée. **III.** Demeure, gîte, habitation, logement, retraite. — Repaire.

Nier
Syn. **I.** Contester, contredire, démentir, dénier, désavouer, (s') inscrire en faux, refuser, rejeter, renier, rétracter.
Ant. **I.** Affirmer, assurer, attester, avouer, certifier, confirmer, corroborer, garantir, maintenir, ratifier, reconnaître, sanctionner, soutenir.

Nigaud V. *Niais*

Nimbe
Syn. **I.** Auréole, cercle, couronne (de gloire), halo.

Niveau
Syn. **I.** Degré, égalité, élévation, hauteur, horizontalité, plan, surface. — Crue, étiage. **III.** Comparaison, diapason, échelon, portée, standing, valeur.
Ant. **I.** Dissemblance, inégalité, irrégularité.

Niveler
Syn. **I.** Aplanir, araser, unir. **III.** Égaliser, uniformiser.
Ant. **I.** Bosseler, grossir. **III.** Différencier.

Noble
Syn. **I.** Aristocratique, auguste, beau, courageux, digne, élevé, éminent, éthéré, généreux, grand, haut, honorable, magnanime, magnifique, relevé, sublime, supérieur. — Distingué, imposant, majestueux, olympien.
Ant. **I.** Abject, bas, commun, grossier, ignoble, infâme, médiocre, mesquin, ordinaire, petit, populaire, roturier, trivial. — Familier, insignifiant, vulgaire.

Noblesse
Syn. **I.** Aristocratie. **II.** Beauté, élévation, fierté, générosité, grandeur, hauteur, honorabilité, magnanimité. — Dignité, distinction, majesté.
Ant. **I.** Bourgeoisie, plèbe, roture. **II.** Abjection, bassesse, ignominie, infamie, médiocrité, mesquinerie. — Familiarité, vulgarité.

Noce
Syn. **I.** Mariage, réjouissance. — Débauche, excès.

Nocif V. *Nuisible*

Nœud
Syn. **I.** Attache, boucle, collet, lacet. **III.** Attachement, chaîne, lien. — Difficulté, fond, hic, point capital. — Intrigue, péripétie.
Ant. **III.** Désunion. — Chance, dénouement, facilité, solution.

Noir
Syn. **I.** Nègre. — Basané, bronzé, foncé, hâlé, livide, noirâtre, noiraud. — Crasseux, sale. — Couvert, obscur, sombre, ténébreux. **III.** Atroce, funèbre, funeste, mauvais, méchant, mélancolique, odieux, pervers.
Ant. **I.** Blanc, blond, clair. — Net, propre. — Ensoleillé, illuminé, lumineux. **III.** Bon, gai, optimiste, riant.

Noirceur
Syn. **I.** Obscurité, tache noire. **III.** Horreur, méchanceté, perfidie.
Ant. **I.** Blancheur, clarté. **III.** Beauté, bonté, loyauté, probité.

Noircir
Syn. *(V. intr.)* **I.** Brunir. *(V. tr.)* **I.** Barbouiller, charbonner, enfumer, mâchurer, maculer, salir, teindre. — Assombrir, estomper, obscurcir. **III.** Accuser, calom-

nier, dénigrer, déshonorer, diffamer, flétrir, ternir.
Ant. *(V. tr.)* **I.** Blanchir, laver, nettoyer. — Éclaircir, éclairer. **III.** Défendre, disculper, flatter, honorer, innocenter, justifier, louer, vanter.

Nom
Syn. **I.** Éponyme, patronyme, prénom, prête-nom, pseudonyme, signature, surnom. **II.** Renom, renommée, réputation. **I.** Appellation, dénomination, désignation, mot, qualification, terme, titre, vocable. — Substantif.

Nomade
Syn. **I.** *(Adj.)* Ambulant, errant, instable, mobile. — *(N.)* Bédouin, bohémien, forain. **II.** Vagabond.
Ant. **I.** *(Adj.)* Fixe, sédentaire, stable. — *(N.)* Casanier.

Nombre
Syn. **I.** Chiffre, numéro. **II.** Effectif, fréquence, masse, multitude, quantité. — Cadence, harmonie, rythme.
Ant. **II.** Individu. — Discordance.

Nombrer
Syn. **I.** Compter, dénombrer, évaluer, supputer.

Nombreux
Syn. **I.** Abondant, considérable, fort, grand, important, infini, innombrable. — Beaucoup, fréquent, multiple.
Ant. **I.** Clairsemé, petit. — Peu, rare, seul, singulier, unique.

Nomenclature
Syn. **I.** Terminologie. **II.** Catalogue, collection, inventaire, liste, recueil, répertoire.

Nomination
Syn. **I.** Choix, désignation, élection, élévation, promotion. — Mention.

Nommer
Syn. **I.** Appeler, baptiser, dénommer,
prénommer, surnommer. — Désigner, qualifier. — Citer, énoncer, énumérer, indiquer, mentionner. **II.** Affecter, choisir, commettre, constituer, établir, instituer, investir, proclamer, reconnaître pour, titulariser.
Ant. **I.** Cacher, dissimuler, passer sous silence, taire. **II.** Dégommer *(fam.)*, déposer, destituer, limoger.

Non
Syn. **I.** *(Adv.)* Aucunement, guère, nenni, nullement, pas, point. — *(N.)* Refus.
Ant. **I.** *(Adv.)* (D') accord, assurément, certainement, certes, entendu, oui, si, volontiers. — *(N.)* Acceptation.

Nonchalant
Syn. **I.** Apathique, endormi *(fam.)*, fainéant, inactif, indolent, insouciant, mou, paresseux. **II.** Alangui, languissant, lent, tiède.
Ant. **I. et II.** Actif, agissant, ardent, courageux, diligent, empressé, énergique, enthousiaste, ferme, impétueux, soucieux, vif, zélé.

Nonobstant
Syn. **I.** *(Prép.)* (En) dépit de, (sans) égard à, malgré. — *(Adv.)* Cependant, néanmoins.

Non-sens
Syn. **I.** Absurdité, bêtise, contradiction, contresens, erreur, faute, galimatias.
Ant. **I.** Bon sens, sens.

Nord
Syn. **I.** *(N.)* Septentrion. — *(Adj.)* Arctique, boréal, hyperboréen, nordique, septentrional.
Ant. **I.** *(N.)* Midi, sud. — *(Adj.)* Antarctique, austral, méridional.

Normal
Syn. **I.** Commun, correct, courant, fréquent, habituel, juste, naturel, ordinaire, régulier. — Compréhensible, légitime, raisonnable.

Ant. I. Absurde, abusif, anormal, bizarre, étrange, exceptionnel, extraordinaire, faux, insolite, irrégulier, particulier, spécial. — Arbitraire, déraisonnable, incompréhensible, injuste.

Normaliser
Syn. **I.** Automatiser, codifier, régulariser, simplifier, standardiser, uniformiser.
Ant. **I.** Bouleverser, compliquer, diversifier, perturber.

Norme (s)
Syn. **I.** Canon, décret, ligne, loi, principe, règle. — *(Pl.)* Standards, types.
Ant. **I.** Bizarrerie, difformité.

Nostalgie
Syn. **I.** Mal du pays. **II.** Ennui, mélancolie, regret, spleen, tristesse.
Ant. **II.** Contentement, distraction, gaieté, joie, plaisir, satisfaction.

Notable
Syn. **I.** *(Adj.)* Appréciable, considérable, important, insigne, remarquable, sensible. — *(N.)* Notabilité, personnalité.
Ant. **I.** Insensible, insignifiant, négligeable, ordinaire.

Notamment
Syn. **I.** Comme, (par) exemple, nommément, particulièrement, singulièrement, spécialement.

Note
Syn. **I.** Signe de musique. — Annotation, aperçu, apostille, commentaire, considération, éclaircissement, explication, mention, nota, notation, notice, notule, observation, réflexion, remarque, renvoi. — Avis, communication, communiqué, mémorandum. — Addition, compte, facture, mémoire. — Appréciation, cote, observation, point.

Noter
Syn. **I.** Annoter, consigner, copier, écrire, enregistrer, gloser, indiquer, inscrire, marquer, relever, transcrire. **II.** Appré-

cier, coter, étiqueter, juger.
Ant. **I.** Ignorer, omettre, passer outre.

Notice
Syn. **I.** Analyse, préface. — Abrégé, sommaire.

Notifier
Syn. **I.** Annoncer, apprendre, avertir, aviser, communiquer, déclarer, informer, intimer, (faire) part, prévenir, rendre compte, révéler, signifier.
Ant. **I.** Cacher, dissimuler, négliger, omettre, passer sous silence, taire.

Notion (s)
Syn. **I.** *(Pl.)* Clartés, éléments, principes, rudiments. — Concept, connaissance, conscience, idée, pensée.
Ant. **I.** Inexpérience, ignorance.

Notoire
Syn. **I.** Clair, évident, manifeste, public, su, visible. — *(Pers.)* Avéré, célèbre, connu, notable, reconnu (comme tel), renommé.
Ant. **I.** Contestable, contesté, douteux, faux, privé. — Ignoré, inconnu, obscur.

Notoriété
Syn. **I.** Célébrité, renom, renommée, réputation.
Ant. **I.** Obscurité, oubli.

Nouer
Syn. **I.** Attacher, lacer, lier, unir. **II.** Envelopper, fermer, fixer, serrer, réunir. **III.** Engager, établir, former, organiser, ourdir.
Ant. **I. et II.** Défaire, délacer, délier, dénouer, désunir, détacher. **III.** Avorter, briser, rompre.

Nourri
Syn. **I.** Alimenté. **II.** Abondant, dense, gros, riche. **III.** Clairsemé, maigre, pauvre, raréfié.

Nourrir (et Se)
Syn. (*V. tr.*) **I.** Alimenter, allaiter, assou-

vir, fortifier, gaver, rassasier, ravitailler, restaurer, soutenir. **II.** Développer, entretenir. **III.** Former. — Caresser, espérer, préparer. *(V. pr.)* **I.** Consommer, manger, (se) sustenter, vivre de. **III.** (Se) repaître. *Ant. (V. tr.)* **I.** Affamer, affaiblir, anémier, priver, sevrer. **II.** Détruire. **III.** Chasser, écarter (un sentiment). *(V. pr.)* **I.** Jeûner.

Nourrissant
Syn. **I.** Fortifiant, nutritif, réconfortant, reconstituant, riche, stimulant, substantiel, succulent, tonique. *Ant.* **I.** Affaiblissant, anémiant, débilitant, indigeste, mauvais, pauvre.

Nourriture V. *Aliment*

Nouveau
Syn. **I.** Différent, frais, jeune, moderne, récent, vert. — Inaccoutumé, inédit, inouï, insolite, neuf, original. — Commençant, naissant. **II.** Autre, second. *Ant.* **I.** Ancien, antique, archaïque, lointain, mûr, traditionnel, vieux. — Banal, éculé, usé. — Finissant, mourant. — **II.** Même.

Nouveauté
Syn. **I.** Actualité, fraîcheur, primeur. — Curiosité, hardiesse, originalité. — Changement, création, innovation, invention. — Ouvrage nouveau. *Ant.* **I.** Ancienneté, antiquité. — Archaïsme, banalité, cliché. — Coutume, stabilité, tradition, vieillerie.

Nouvelle (s)
Syn. **I.** Annonce, bruit, canard, écho, fable, rumeur. — Anecdote, conte, historiette, récit. — *(Pl.)* Chronique, événements, faits, informations, renseignements, rubrique. — Signes de vie.

Novateur
Syn. **I.** *(N.)* Créateur, initiateur, innovateur, inventeur, réformateur, rénovateur. — *(Adj.)* Audacieux, révolutionnaire.

Ant. **I.** *(N.)* Conservateur, continuateur, copiste, imitateur. — *(Adj.)* Réactionnaire, rétrograde.

Novice
Syn. (N.) **II.** Apprenti, commençant, débutant. **III.** Néophyte. *(Adj.)* **II.** Candide, ignorant, inexpérimenté, ingénu, inhabile, jeune, maladroit, naïf, neuf. *Ant.* **II.** As, connaisseur, expert. — Expérimenté, habile.

Noviciat
Syn. **I.** Probation. **III.** Apprentissage, éducation, entraînement, (premiers) essais, formation, préparation, stage. *Ant.* **I.** Profession. **III.** Connaissance, expérience, habitude, pratique.

Noyer (et Se)
Syn. (V. tr.) **I.** Tuer. — Enfoncer, engloutir, engouffrer, inonder, submerger. — Délayer, diluer, étouffer. *(V. pr.)* **I.** (S') asphyxier, disparaître, périr, sombrer. **III.** Échouer, (s') égarer, (se) perdre. *Ant. (V. tr.)* **I.** Aider, émerger, sauver, secourir. *(V. pr.)* **I.** Flotter, nager, surnager. **III.** Réussir.

Nu
Syn. **I.** Découvert, dénudé, dépouillé, déshabillé, dévêtu, dévoilé. **II.** Austère, démuni, dépourvu, pauvre. **III.** Franc, simple. *Ant.* **I.** Couvert, emmitouflé, enveloppé, habillé, vêtu, voilé. **II.** Muni, nanti. **III.** Déguisé, fardé.

Nuage, nue
Syn. **I.** Brouillard, bruine, brume, grain, nébulosité, nuée, vapeur. **III.** Chagrin, ennui, mésintelligence, obscurité, souci, trouble. *Ant.* **I.** Azur, clarté, lumière. **III.** Bonheur, chance, entente, évidence, quiétude, sérénité.

Nuageux
Syn. **I.** Brumeux, couvert, gris, nébuleux,

obscur, sombre, vaporeux. **III.** Diffus, triste, trouble, vague.
Ant. **I.** Azuré, clair, ensoleillé, serein. **III.** Distinct, gai, limpide, net, précis.

Nuancer
Syn. **I.** Assortir, colorer. **III.** Adoucir, atténuer, bigarrer, diversifier, modérer, varier.
Ant. **I.** et **III.** Contraster, opposer, trancher, uniformiser.

Nuée
Syn. **I.** Nuage, nue, vapeur. **III.** Abondance, foule, infinité, multitude, myriade, quantité.
Ant. **III.** Petit nombre, poignée, rareté.

Nuire
Syn. (Pers.) **I.** Compromettre, desservir, discréditer, léser, préjudicier. **II.** Endommager, ruiner. *(Ch.)* **I.** Abîmer, contrarier, défavoriser, désavantager, gêner, entraver, obstruer.
Ant. **I.** *(Pers.)* Aider, assister, collaborer, protéger, seconder, servir. — *(Ch.)* Avantager, dégager, faciliter, favoriser, réparer.

Nuisible
Syn. **I.** Contraire, corrosif, dangereux, délétère, désavantageux, dommageable, encombrant, funeste, hostile, malfaisant, mauvais, néfaste, nocif, pernicieux, préjudiciable.
Ant. **I.** Ami, anodin, avantageux, bienfaisant, bon, favorable, inoffensif, profitable, propice, sain, salubre, salutaire, utile.

Nuit V. *Obscurité*

Nul
Syn. **I.** Aboli, annulé, caduc, désuet, inexistant, invalidé, négatif. **II.** Inefficace, inutile, inutilisable. — Ignorant, incapable, nullité, zéro.
Ant. **I.** Approuvé, existant, important, réel, positif, valable, valide. **II.** Efficace, serviable, utile, utilisable. — Éminent, érudit, fort, savant.

Numéroter
Syn. **I.** Chiffrer, coter, folioter, marquer, matriculer, paginer.

Nutritif V. *Nourrissant*

O

Oasis
Syn. **III.** Ilot, refuge.

Obédience
Syn. **I.** Obéissance. **II.** Autorisation, ordre, permission. — Allégeance, appartenance, dépendance, domination, soumission, subordination.
Ant. **I.** Désobéissance, indépendance.

Obéir
Syn. **I.** Accomplir, acquiescer à, céder, (se) conformer, déférer à, écouter, fléchir, (s') incliner, observer, obtempérer, (se) plier à, respecter, (se) soumettre, subir, suivre.
Ant. **I.** Commander, diriger, ordonner. —

Contrevenir, désobéir, enfreindre, (s') opposer, (se) rebeller, refuser, regimber, résister, transgresser, violer.

Obéissance
Syn. **I.** Dépendance, discipline, docilité, esclavage, joug, obédience, observance, observation, servitude, soumission, subordination, sujétion.
Ant. **I.** Commandement. — Désobéissance, indiscipline, indocilité, insoumission, insubordination, résistance, révolte. — Contravention, infraction, transgression, violation.

Obéissant
Syn. **I.** Attaché, discipliné, docile, doux,

gouvernable, passif, sage, soumis. **II.**
Flexible, malléable, maniable, souple.
Ant. **I.** Buté, désobéissant, entêté, indiscipliné, indocile, insoumis, insubordonné, obstiné, opiniâtre, rebelle, réfractaire, rétif, révolté, têtu. **II.** Cassant, raide.

Obérer
Syn. **I.** Accabler, charger, endetter, grever.
Ant. **I.** Acquitter, alléger, décharger, dégrever, enlever, soulager.

Obèse
Syn. **I.** Bedonnant, corpulent, énorme, gras, gros, ventru.
Ant. **I.** Émacié, étique, fluet, frêle, maigre, mince.

Obésité
Syn. **I.** Corpulence, embonpoint, grosseur.
Ant. **I.** Amaigrissement, émaciation, étisie, maigreur.

Objecter
Syn. **I.** Alléguer, contester, contredire, critiquer, opposer, prétexter, répliquer, répondre, rétorquer.
Ant. **I.** Accepter, accueillir, acquiescer, admettre, agréer, approuver, concéder, consentir.

Objectif
Syn. (Adj.) **I.** Impartial, impersonnel, positif, réel, scientifique, vrai. **II.** Détaché. *(N.)* **I.** Cible. **III.** Ambition, but, dessein, visée, vue.
Ant. (Adj.) **I.** Subjectif. — Affectif, arbitraire, fictif, partial.

Objection
Syn. **I.** Contestation, contradiction, critique, difficulté, discussion, inconvénient, obstacle, opposition, protestation, réfutation, remarque, réplique, réponse.
Ant. **I.** Acceptation, approbation, consentement.

Objet
Syn. **I.** Article, chose, outil, ustensile. **III.** Cause, motif. — But, dessein, fin, intention. — Contenu, matière, substance, sujet, thème.
Ant. **I.** Fiction, forme, rêve, sujet.

Objurgation
Syn. **I.** Admonestation, blâme, critique, dissuasion, représentation, réprimande, reproche, semonce. — Exhortation.
Ant. **I.** Apologie, approbation, compliment, éloge, encouragement.

Obligation
Syn. **I.** Assujettissement, charge, contrainte, dette, devoir, engagement, exigence, nécessité, promesse, responsabilité, tâche. — Titre *(dr. commun).*
Ant. **I.** Amusement, autonomie, dispense, émancipation, faculté, grâce, indépendance, inutilité, liberté.

Obligatoire
Syn. **I.** Absolu, essentiel, formel, impérieux, indispensable. — Fatal, forcé, inévitable, nécessaire, obligé, (de) rigueur, requis.
Ant. **I.** Facultatif, inutile, libre, superflu, volontaire. — Fortuit.

Obligeance
Syn. **I.** Amabilité, bienveillance, bonté, complaisance, gentillesse, prévenance, serviabilité.
Ant. **I.** Aversion, désobligeance, haine, hostilité, indifférence, malveillance.

Obligeant
Syn. **I.** Affable, aimable, attentionné, bienveillant, bon, complaisant, empressé, gentil, prévenant, serviable.
Ant. **I.** Désobligeant, détestable, froid, haïssable, indifférent, malveillant, mesquin, négligent, odieux.

Obliger
Syn. **I.** Assujettir, astreindre, condamner, contraindre, engager, exiger, forcer, im-

poser, lier, nécessiter, réduire à, soumettre à, violenter. — Aider, rendre service, secourir.
Ant. **I.** Affranchir, dégager, délier, dispenser, épargner, exempter, libérer. — Blesser, contrarier, déplaire, désobliger, froisser, nuire.

Oblique
Syn. **I.** (De) biais, dévié, gauche, incliné, indirect, infléchi. **III.** Louche, tortueux, suspect.
Ant. **I.** Direct, droit, perpendiculaire, tendu. **III.** Franc, loyal, sincère.

Oblitérer
Syn. **I.** Annuler, biffer, maculer, marquer. — Obstruer *(méd.).* **III.** Effacer, supprimer.
Ant. **I.** Conserver, préserver. — Déboucher. **III.** Aviver.

Obole
Syn. **I.** Aumône, contribution, don, offrande.

Obscène
Syn. **I.** Dégoûtant, déshonnête, graveleux, grivois, grossier, immoral, impudique, inconvenant, indécent, licencieux, malpropre, ordurier, pornographique, sale.
Ant. **I.** Chaste, convenable, décent, innocent, moral, propre, pudique, pur.

Obscur
Syn. **I.** Assombri, chargé, couvert, embrumé, épais, nébuleux, noir, nuageux, obscurci, ombreux, opaque, sombre, ténébreux. — Foncé, terne, triste. **III.** Abscons, abstrus, difficile, énigmatique, incompréhensible, inexplicable, mystérieux. — Brumeux, caché, complexe, compliqué, confus, embrouillé, équivoque, ésotérique, flou, fumeux, hermétique, indistinct, secret, sibyllin, vague, voilé. — *(Pers.)* Effacé, humble, ignoré, inconnu, insignifiant.
Ant. **I.** Brillant, clair, éclairci, éclairé,

éclatant, limpide, lumineux, rayonnant, splendide, vif. — Étincelant, luisant. **III.** Compréhensible, connu, distinct, explicable, facile, intelligible. — Évident, formel, manifeste, net, précis, simple. — Célèbre, connu, illustre, important.

Obscurcir
Syn. **I.** Assombrir, éclipser, embrumer, enténébrer, noircir, troubler. — Embrunir, foncer, ternir. **III.** Brouiller, cacher, envelopper, épaissir, voiler. — Obnubiler.
Ant. **I.** Éclaircir, éclairer, illuminer. — Briller. **III.** Démontrer, dévoiler.

Obscurité
Syn. **I.** Noir *(n.),* noirceur, nuit, ombre, opacité, ténèbres. **III.** Ambiguïté, confusion, doute, incertitude, mystère, nuage, vague. — Anonymat, effacement, humilité, médiocrité.
Ant. **I.** Clarté, jour, limpidité, lumière, translucidité, transparence. **III.** Évidence, netteté, ordre, précision. — Célébrité, gloire, renom.

Obsédé
Syn. **I.** Fou, malade, maniaque.
Ant. **I.** Équilibré, normal, sain.

Obséder
Syn. **I.** Accabler, agacer, assiéger, assommer, cramponner *(fam.),* énerver, ennuyer, fatiguer, importuner. **III.** Hanter, poursuivre, préoccuper, tourmenter, tracasser, travailler.
Ant. **I.** et **III.** Amuser, assurer, calmer, délivrer, détendre, rasséréner, rassurer, reposer, tranquilliser.

Obsèques
Syn. **I.** Convoi, enterrement, funérailles, inhumation, sépulture.

Obséquieux
Syn. **I.** Adulateur, courtisan, flatteur, plat, rampant, servile.
Ant. **I.** Cassant, hautain, impertinent, impoli. — Droit, franc, ouvert, simple.

Observance
Syn. **I.** Accomplissement, discipline, exécution, obéissance, observation, pratique.
— Loi, règle.
Ant. **I.** Dérogation, désobéissance, indiscipline, inobservance, manquement.

Observateur
Syn. **I.** *(Adj.)* Attentif, critique, curieux, inquisiteur, scrutateur. — *(N.)* Chercheur, investigateur. — Assistant, auditeur, spectateur, témoin.
Ant. **I.** *(Adj.)* Distrait, inattentif, indifférent, insouciant.

Observation
Syn. **I.** Exécution, obéissance, observance, pratique. — Analyse, attention, étude, examen, expérience, introspection. — Contrôle, surveillance. **II.** Annotation, appréciation, commentaire, considération, critique, note, objection, pensée, raisonnement, réflexion, remarque, spéculation. — Avertissement, remontrance, réprimande, reproche.
Ant. **I.** Inobservation, transgression, violation. — Inattention. **II.** Déconsidération, dédain, ignorance, mépris. — Compliment, éloge.

Observer
Syn. **I.** Accomplir, (s') acquitter de, adopter, (se) conformer à, exécuter, faire, garder, obéir à, (se) plier à, pratiquer, remplir, respecter, satisfaire à, suivre, tenir. — Considérer, contempler, envisager, étudier, examiner, regarder. — Dévisager, fixer, reluquer, toiser. — Épier, espionner, guetter, surveiller. — Constater, noter, remarquer, signaler.
Ant. **I.** Dédaigner, désobéir, enfreindre, mépriser, oublier, transgresser, violer. — (Se) distraire. — (S') éloigner, laisser aller. — Négliger, omettre.

Obsession
Syn. **I.** Complexe, crainte, ennui, hantise, idée fixe, inquiétude, manie, phobie, préoccupation, tourment, tracas.
Ant. **I.** Agrément, distraction, joie, plaisir.

Obstacle
Syn. **I.** Barrage, barricade, barrière, écran, rideau, steeple-chase. **III.** Achoppement, difficulté, embarras, empêchement, encombre, entrave, obstruction, opposition, résistance.
Ant. **III.** Aide, appui, contribution, facilité, liberté, renfort.

Obstination
Syn. **I.** Acharnement, constance, détermination, entêtement, insistance, opiniâtreté, persévérance, persistance, résolution, ténacité.
Ant. **I.** Capitulation, caprice, compréhension, débonnaireté, docilité, inconstance, souplesse, versatilité.

Obstiné
Syn. **I.** Acharné, assidu, constant, persévérant, tenace, volontaire. — Entêté, opiniâtre, têtu.
Ant. **I.** Inconstant, instable. — Compréhensif, docile.

Obstruction
Syn. **I.** Embarras, engorgement, iléus, occlusion. **III.** Barrage *(polit.)*, encombrement, entrave, obstacle, paralysie.
Ant. **I.** Déblaiement, débouché, libre cours, ouverture. **III.** Coopération.

Obstruer
Syn. **I.** *(Méd.)* Boucher, engorger, oblitérer. **II.** Arrêter, barrer, bloquer, embarrasser, embouteiller, encombrer, paralyser.
Ant. **I.** Déboucher, désobstruer, désengorger. **II.** Déblayer, dégager, désencombrer, faciliter, libérer, ouvrir.

Obtempérer V. *Obéir*

Obtenir
Syn. **I.** Accrocher *(fam.)*, acheter, acquérir, arracher, avoir, conquérir, décrocher

(fam.), enlever, extorquer, gagner, impétrer *(dr.)*, (se) procurer, remporter, soutirer. **II.** Atteindre, parvenir à, poursuivre, produire, réaliser, trouver.
Ant. **I. et II.** Échouer, manquer, perdre, rater, refuser.

Obtus
Syn. **I.** Arrondi, émoussé, large. **III.** Bête, borné, bouché *(fam.)*, épais, lourd.
Ant. **I.** Aigu, droit (angle). **III.** Compréhensif, fin, intelligent, pénétrant, vif.

Obvier
Syn. **I.** Arrêter, empêcher, éviter, parer, prévenir, remédier.
Ant. **I.** Aggraver, causer, permettre.

Occasion
Syn. **I.** Aubaine, chance, événement, éventualité, facilité, hasard, moment, opportunité, possibilité, temps. — Cause, matière, motif, prétexte, raison, sujet. **II.** Cas, circonstance, coïncidence, conjoncture, occurrence, rencontre. — Solde.

Occasionner
Syn. **I.** Amener, causer, créer, déclencher, déterminer, entraîner, provoquer, susciter.
Ant. **I.** Épargner, éviter, venir de.

Occulte
Syn. **I.** Caché, inconnu, mystérieux, secret. **II.** Clandestin. — Cabalistique, ésotérique, hermétique, magique.
Ant. **I.** Clair, connu, évident, simple.

Occupation
Syn. **I.** Activité, affaire, besogne, charge, devoir, emploi, fonction, labeur, métier, ouvrage, passe-temps, poste, profession, service, situation, travail. — Appropriation, possession. — Assujettissement, envahissement.
Ant. **I.** Chômage, congé, désœuvrement, détente, inaction, inactivité, non-activité, oisiveté, relaxation, repos, rente, retraite, sinécure, trêve, vacance(s). — Abandon, perte. — Évacuation, libération.

Occuper (et S')
Syn. (V. tr.) **I.** (S') approprier, assujettir, capturer, (s') emparer, enlever, envahir, prendre, saisir, tenir. — Demeurer. — Emplir, habiter, loger. **III.** Absorber, accaparer, appliquer, captiver, consacrer, détenir, employer, exercer, meubler, passer, remplir. *(V. pr.)* **I.** (S') abandonner, (s') appliquer, (se) consacrer, (se) dépenser, (s') employer, faire, (s') intéresser, (se) mêler, penser à, travailler, vaquer, veiller.
Ant. (V. tr.) **I.** Abandonner, affranchir, évacuer, libérer, quitter. **III.** Chômer, négliger, oublier. *(V. pr.)* **I.** (Se) désintéresser, (se) distraire.

Occurrence V. *Occasion*

Octroi
Syn. **I.** Attribution, concession, contribution. **II.** Douane.

Octroyer
Syn. **I.** Accorder, allouer, attribuer, autoriser, concéder, consentir, dispenser, distribuer, donner, verser.
Ant. **I.** Refuser.

Odeur
Syn. **I.** Arôme, baume, bouquet, effluve, émanation, exhalaison, essence, fragrance, fumet, parfum, senteur. — Puanteur, relent, remugle.

Odieux
Syn. **I.** Abject, abominable, antipathique, atroce, bas, dégoûtant, détestable, détesté, exécrable, haï, haïssable, honteux, ignoble, infâme, injuste, insupportable, méchant, répugnant.
Ant. **I.** Adorable, agréable, aimable, bon, charmant, digne, doux, élevé, juste, noble, obligeant, traitable.

Odorant
Syn. **I.** Aromatique, balsamique, embaumé, odoriférant, parfumé, suave.
Ant. **I.** Fade, fétide, infect, inodore, insipide, nauséabond, pestilentiel, puant.

Oeil
Syn. **II.** Prunelle, pupille, regard, vision, vue. — Chas, ouverture, trou. — Bourgeon, bouton, pousse.

Oeuf
Syn. **I.** Embryon, germe, ovule. — Coque, coquille. **III.** Origine.

Oeuvre(s)
Syn. **I.** Activité, entreprise, produit, résultat, tâche, travail. — *(Pl.)* Acte, action. — Chef-d'œuvre, composition, écrit, livre, ouvrage, production, tableau.

Offense
Syn. **I.** Affront, avanie, blessure, injure, insolence, insulte, outrage. **II.** Désobéissance, faute, péché. — Attaque, atteinte, attentat contre.
Ant. **I.** Bienfait, compliment, éloge, flatterie, louange. **II.** Hommage, obéissance, respect.

Offenser (et S')
Syn. (V. tr.) **I.** Atteindre, bafouer, blesser, braver, choquer, froisser, humilier, injurier, insulter, manquer à, offusquer, outrager, vexer. **II.** Désobéir, pécher. *(V. pr.)* **I.** (Se) fâcher, (se) formaliser, (se) froisser, (s') indigner, (s') offusquer, (se) scandaliser.
Ant. (V. tr.) **I.** Bénir, charmer, complimenter, défendre, féliciter, flatter, glorifier, plaire, protéger, respecter. **II.** (Etre) fidèle, obéir. *(V. pr.)* **I.** (S') enthousiasmer.

Offensif
Syn. **I.** Agressif, brutal, violent.
Ant. **I.** Défensif, inoffensif, répressif.

Offensive
Syn. **I.** Agression, assaut, attaque, charge, combat.
Ant. **I.** Contre-attaque, contre-offensive, défense, défensive, fuite, opposition, résistance.

Office(s)
Syn. **I.** Charge, devoir, emploi, fonction, métier, rôle. — Agence, bureau, organisme, service. — *(Liturgie)* Bréviaire, livre d'heures, messe, ordo, salut. — *(Pl.)* Conciliation, médiation, obligeance.

Officiel
Syn. **I.** Annoncé, authentique, autorisé, certifié, confirmé, consacré, légal, notoire, public, reconnu, solennel, sûr. **II.** Conventionnel.
Ant. **I.** Apocryphe, faux, illégal, officieux, privé. **II.** Naturel, simple.

Offrande
Syn. **I.** *(Relig.)* Holocauste, hommage, libation, oblation, sacrifice. **II.** Aumône, charité, don, obole, présent.

Offre
Syn. **I.** Avance(s), ouverture(s), proposition. **II.** Oblation, offrande, sacrifice.
Ant. **I.** Demande, refus.

Offrir (et S')
Syn. (V. tr.) **I.** Donner, exposer, montrer, présenter, proposer, soumettre. — *(Relig.)* Consacrer, faire hommage, immoler, sacrifier, vouer. **III.** Dédier. *(V. pr.)* **I.** (Se) consacrer, (se) dévouer, (s') immoler, (se) sacrifier, (se) vouer. — (S') exhiber, (s') exposer, (se) proposer. **II.** (Se) montrer, (se) présenter, (se) produire, (se) rencontrer.
Ant. (V. tr.) **I.** Accepter, recevoir. — Demander, solliciter. — Dédaigner, enlever, exclure, ôter, priver, refuser, retirer, retrancher, supprimer.

Offusquer (et S')
Syn. (V. tr.) **I.** Boucher, cacher, éclipser, obscurcir, troubler, voiler. — Aveugler, éblouir. **III.** Choquer, contrarier, déplaire, ennuyer, froisser, heurter, indisposer, mécontenter, offenser. *(V. pr.)* (Se) formaliser, (se) froisser.
Ant. (V. tr.) **III.** Charmer, complaire, plaire.

Oindre
Syn. **I.** Frictionner, graisser, huiler, lubrifier. — (*Relig.*) Bénir, consacrer, sacrer.

Oiseau
Syn. **I.** Oiselet, oisillon, volaille, volatile. — Civière à mortier. **III.** Individu, moineau.

Oiseux
Syn. **I.** Futile, inutile, stérile, superflu, vain, vide.
Ant. **I.** Efficace, fructueux, important, nécessaire, utile.

Oisif
Syn. **I.** *(Adj.)* Désœuvré, fainéant, inactif, indolent, inoccupé, musard *(fam.)*, paresseux. — *(N.)* Badaud, chômeur, flaneur.
Ant. **I.** *(Adj.)* Actif, affairé, appliqué, diligent, bûcheur, laborieux, occupé, studieux, travailleur.

Oisiveté
Syn. **I.** Désœuvrement, fainéantise, farniente, inaction, loisir, paresse.
Ant. **I.** Activité, besogne, étude, occupation, travail.

Olympien
Syn. **I.** Auguste, calme, imposant, majestueux, noble, serein.
Ant. **I.** Bas, grossier, insignifiant, simple, vulgaire.

Ombrage
Syn. **I.** Feuillage. **II.** Ombre. **III.** Défiance, inquiétude, jalousie, soupçon.
Ant. **I.** et **II.** Clarté, lumière. **III.** Confiance, tranquillité.

Ombrageux
Syn. **III.** Défiant, difficile, farouche, inquiet, jaloux, malveillant, méfiant, soupçonneux, susceptible.
Ant. **III.** Confiant, cordial, coulant, crédule, enthousiaste, facile, généreux, large (d'idée), magnanime.

Ombre
Syn. **I.** Couvert, demi-jour, ombrage, pénombre. **II.** Nuit, obscurcissement, obscurité, opacité, ténèbres. **III.** Apparence, chimère, reflet, semblant, simulacre, soupçon, trace.
Ant. **I.** Clarté, éclairage, éclat, jour, lumière, soleil. **III.** Réalité.

Ombré
Syn. **I.** Couvert, estompé, foncé, grisé, voilé.
Ant. **I.** Clair, lumineux, net.

Ombreux
Syn. **I.** Ombragé, sombre, ténébreux.
Ant. **I.** Brillant, clair, ensoleillé.

Omettre
Syn. **I.** Laisser de côté, manquer de, négliger, oublier, passer, sauter, taire.
Ant. **I.** Accomplir, consigner, exécuter, faire, mentionner, songer à.

Omission
Syn. **I.** Absence, bourdon *(typo.)*, faute, inattention, lacune, manque, négligence, oubli, prétention, réticence.
Ant. **I.** Accomplissement, acte, action, exécution, observance, présence.

Omnipotence
Syn. **I.** Absolutisme, autorité, domination, souveraineté, suprématie, toute-puissance.
Ant. **I.** Anarchie, soumission, subordination, sujétion.

Onction
Syn. **I.** Friction. — Geste rituel. **III.** Componction, dévotion, douceur, ferveur, piété.
Ant. **III.** Brutalité, dureté, indifférence, irrévérence, sécheresse.

Onctueux
Syn. **I.** Gras, huileux. **II.** Doux, lié, moelleux, velouté. **III.** Dévot, pénétrant, touchant. — Doucereux, mielleux, patelin.
Ant. **I.** Sec. **II.** Dur, rude, rugueux. **III.** Indifférent, irrévérencieux, tiède. — Agressif, brutal, sincère.

Onde
Syn. **I.** Eau, flot, lame, vague.

Ondée
Syn. **I.** Averse, giboulée, grain, pluie.
Ant. **I.** Beau temps, éclaircie.

Ondoyant
Syn. **I.** Dansant, irrégulier, léger, mouvant, onduleux, sinueux, souple. **III.** Capricieux, changeant, fantaisiste, flexueux, inconstant, mobile, variable.
Ant. **I.** Fixe, immobile, régulier. **III.** Constant, ferme, invariable, stable.

Ondulation
Syn. **I.** Agitation, balancement, flottement, fluctuation, frisson, oscillation, vague. **II.** Cran, permanente. — Contour, méandre, pli, repli, sinuosité.
Ant. **I.** Calme, immobilité. **II.** Droite, raideur.

Onduleux
Syn. **I.** Accidenté, courbe, flexueux, inégal, ondoyant, ondulant, ondulé, serpentin, sinueux, tortueux.
Ant. **I.** Aplani, droit, égal, lisse, nivelé, plat, raide, uni.

Onéreux
Syn. **I.** Cher, coûteux, dispendieux, écrasant, lourd. — En payant *(dr.)*.
Ant. **I.** Abordable, avantageux, économique, (bon) marché, modique. — Bénévole, gracieux, gratuit.

Opacité V. *Obscurité*

Opaque
Syn. **I.** Epais. **II.** Impénétrable, obscur, ténébreux. **III.** Incompréhensible.
Ant. **I.** et **II.** Clair, cristallin, diaphane, limpide, lumineux, translucide, transparent. **III.** Compréhensible.

Opérateur
Syn. **I.** Caméraman, machiniste, manipulateur.

Opération(s)
Syn. **I.** Acte, action. — Accomplissement, combinaison, entreprise, exécution, manipulation, traitement, travail. — Calcul. — Intervention chirurgicale. — Bataille, campagne, expédition, offensive. — Affaire, transaction (s), spéculation.

Opérer
Syn. **I.** Accomplir, effectuer, exécuter, faire, pratiquer, produire, réaliser. — Agir, faire effet, machiner, (s'y) prendre, procéder, réussir. — Amputer, intervenir, pratiquer une intervention chirurgicale.
Ant. **I.** Abolir, anéantir, défaire, détruire.

Opiniâtre
Syn. **I.** Entêté, obstiné, têtu. **II.** *(Pers.)* Acharné, constant, déterminé, entier, persévérant, résolu, tenace, volontaire. *(Ch.)* Irréductible, persistant.
Ant. **I.** Discipliné, docile, malléable, obéissant, soumis. **II.** Faible, inconstant, lâche, versatile, veule. — Passager.

Opinion (s)
Syn. **I.** Appréciation, avis, conviction, croyance, façon de voir, idée, impression, jugement, pensée, point de vue, position, sens, sentiment, tendance, vue. **II.** *(Pl.)* Doctrine, idées, idéologie, parti, théorie, thèse.
Ant. **I.** Hésitation, indécision, information, neutralité.

Opportun
Syn. **I.** Assuré, bienséant, bon, convenable, expédient, favorable, indiqué, propice, séant, utile.
Ant. **I.** Défavorable, déplacé, déplorable, fâcheur, importun, inopportun, intempestif, néfaste.

Opposé
Syn. **I.** *(Adj.)* Adverse, antagoniste, antonyme, contradictoire, contraire, différent, discordant, divergent, incompatible, inconciliable, inverse. — *(Pers.)* Adversaire, contraire, défavorable, dissident,

ennemi, hostile, opposant, rebelle. — *(N.)* Antipode, contraire, contre-pied, encontre, extrême, pôle, rebours.
Ant. **I.** *(Adj.)* Adéquat, analogue, approchant, conforme, contigu, correspondant, identique, même, semblable, synonyme. — Allié, ami, partisan.

Opposer (et S')
Syn. (V. tr.) **I.** Affronter, élever, mettre, placer, présenter. — Alléguer, dire, objecter, prétexter, réfuter, repousser. **II.** Comparer, confronter, dissocier. **III.** Armer, braquer, diviser, dresser, exciter. *(V. pr.)* **I.** *(Pers.)* (S') affronter, braver, contrarier, contrecarrer, contredire, défendre, (se) dresser, empêcher, entraver, éviter, interdire, lutter contre, paralyser, résister. — *(Ch.)* Gêner. — (Se) faire face/front. — Contraster, différer, diverger.
Ant. (V. tr.) **I.** Accéder, accorder, acquiescer, agréer, approuver, appuyer, céder, concéder. **II.** Rapprocher. **III.** Concilier, coopérer, réconcilier. *(V. pr.)* **I.** *(Pers.)* Activer, aider, favoriser, permettre. — *(Ch.)* Concorder, (se) répondre, (se) ressembler.

Opposition
Syn. **I.** Antinomie, antipathie, antithèse, antonymie, contradiction, contraste, différence, dissemblance, dissonance, divergence, incohérence. — Antagonisme, choc, combat, conflit, contestation, désaccord, dispute, dissension, dissentiment, hostilité, rivalité. — Barrière, défense, désapprobation, difficulté, digue, empêchement, entrave, frein, objection, obstacle, obstruction, réaction, rébellion, résistance, révolte, veto. **II.** Minorité.
Ant. **I.** Conjonction, harmonie. — Analogie, cohérence, conformité, correspondance. — Accord, alliance, conciliation, coopération. — Acceptation, adhésion, aide, approbation, concours, consente-

ment, dégagement, facilité, obéissance, soumission. **II.** Majorité.

Opresser
Syn. **I.** Comprimer, étouffer, gêner, opprimer. **III.** Accabler, étreindre, tourmenter.
Ant. **I.** Dilater, soulager. **III.** Apaiser, calmer, libérer, rasséréner, relever.

Oppresseur
Syn. **I.** *(N.)* Autocrate, bourreau, despote, dictateur, dominateur, persécuteur, tyran. — *(Adj.)* Oppressif.
Ant. (N.) **I.** Défenseur, libérateur, protecteur.

Oppressif
Syn. **I.** Coercitif, compressif, cruel, despotique, dictatorial, injuste, opprimant, tyrannique, vexatoire.
Ant. **I.** Accueillant, agréable, déférent, délicat, humain, indulgent, libéral.

Oppression
Syn. **I.** Halètement, suffocation. **III.** Asphyxie *(fig.),* asservissement, contrainte, dépendance, domination, esclavage, force, joug, sujétion, tyrannie.
Ant. **III.** Liberté, protection.

Opprimer
Syn. **I.** Abaisser, accabler, asservir, assujettir, astreindre, écraser, humilier, pressurer, soumettre, tyranniser, violenter. **II.** Comprimer, étouffer.
Ant. **I.** Accueillir, aider, calmer, libérer, relever, soulager. **II.** Exprimer, extérioriser.

Opprobre
Syn. **I.** Abjection, avilissement, déshonneur, flétrissure, honte, ignominie, souillure.
Ant. **I.** Considération, dignité, gloire, honneur, renom, réputation, vénération.

Opter
Syn. **I.** Adopter, choisir, (se) décider, préférer, (se) prononcer.
Ant. **I.** (S') abstenir.

Option
Syn. **I.** Adoption, choix, prédilection, préférence.
Ant. **I.** Abstention.

Opulence
Syn. **I.** Abondance, aisance, fortune, prospérité, richesse. **III.** Ampleur, générosité.
Ant. **I.** Besoin, indigence, misère, pauvreté. **III.** Maigreur.

Opulent
Syn. **I.** Abondant, aisé, cossu, riche. **III.** Ample, fort, généreux, gros.
Ant. **I.** Misérable, miséreux, pauvre. **III.** Maigre, petit.

Oracle
Syn. **I.** Divination, prédiction, prophétie, vaticination. **II.** Décision, opinion, vérité. — Augure.

Orage
Syn. **I.** Averse, cyclone, ouragan, pluie, tempête, tourmente, trombe. **III.** Calamité, difficulté, revers, trouble.
Ant. **I.** et **III.** Calme.

Orageux
Syn. **III.** Agité, houleux, mouvementé, troublé, tumultueux.
Ant. **III.** Calme.

Oraison
Syn. **I.** Orémus, prière. — Méditation.

Orateur
Syn. **I.** Conférencier, parleur, prédicateur, rhéteur *(péj.)*, tribun. — Discoureur.

Orbite
Syn. **I.** Cavité, creux, ouverture. — Orbe, trajectoire. **III.** Sphère, zone d'influence.

Orchestre
Syn. **I.** Concert, ensemble, fanfare, formation, harmonie, jazz, musique. — Fosse. — Parterre.

Orchestrer
Syn. **I.** Arranger, composer, harmoniser, instrumenter. **III.** Amplifier, divulguer, organiser.
Ant. **I.** Désaccorder. **III.** Cacher, dissimuler, taire.

Ordinaire
Syn. **I.** *(Adj.)* Accoutumé, courant, coutumier, facile, familier, fréquent, général, habituel, normal, usuel. — Banal, commun, grossier, insignifiant, médiocre, moyen, quelconque, simple, vulgaire. — *(N.)* Habitude. — Alimentation, menu.
Ant. **I.** *(Adj.)* Anormal, ardu, bizarre, difficile, exceptionnel, extraordinaire, inaccoutumé, inouï, insolite, original, rare. — Distingué, important, raffiné, remarquable, supérieur.

Ordonnance
Syn. **I.** Agencement, architecture, arrangement, disposition, distribution, groupement, harmonie, ordre, organisation, plan, proportion, symétrie. **II.** Acte, bulle, constitution, décision, décret, édit, jugement, loi, règlement. — Prescription.

Ordonner
Syn. **I.** Agencer, arranger, classer, combiner, composer, coordonner, disposer, distribuer, grouper, harmoniser, organiser, placer, ranger. — Conférer (les ordres), consacrer. — Adjurer, commander, contraindre, décider, décréter, demander, dicter, dire, enjoindre, imposer, mander *(vx)*, obliger, prescrire, prier, requérir de, sommer, statuer.
Ant. **I.** Brouiller, compliquer, confondre, déranger, désorganiser, gâcher, mêler, troubler. — Exécuter, interdire, obéir, observer.

Ordre
Syn. **I.** Arrangement, classement, disposition, harmonie, méthode, ordonnance, organisation, structure, suite. — Déterminisme, loi, nature. — Civilisation, hiérarchie, société. — Armée, police. — Calme, devoir, discipline, norme, règle, subordination, tranquillité. — Catégorie, classe,

genre, groupe, rang. — Association, communauté, compagnie, corporation, corps, institut. — Degré, grade (de la hiérarchie cléricale catholique), sacrement. **II.** Commandement, consigne, direction, injonction, instruction, prescription. *Ant.* **I.** Anarchie, chaos, confusion, dérèglement, désordre, pêle-mêle. **II.** Défense, interdiction.

Ordure (s)
Syn. **I.** Détritus, excrément, fumier. — *(Pl.)* Balayures, débris, déchets, immondices, saletés. **III.** Boue, fange, souillure. — Cochonnerie, grossièreté, horreur, obscénité, saloperie. *Ant.* **III.** Bienséance, délicatesse, distinction, propreté, pureté.

Ordurier
Syn. **I.** Bas, épicé, grivois, grossier, honteux, ignoble, obscène, sale, scatologique. *Ant.* **I.** Châtié, décent, délicat, digne, distingué, poli, propre, pudique.

Organe
Syn. **I.** Appareil, sens. **II.** Organisme. Mécanisme. **III.** Entremise, instrument, interprète, journal, moyen, porte-parole, représentant, véhicule, voie, voix.

Organisation
Syn. **I.** Agencement, aménagement, arrangement, combinaison, conformation, constitution, direction, disposition, fonctionnement, harmonie, ordonnance, planning. **III.** Ordre, régime, service, structure. — Assemblée, association, ensemble, entreprise, groupement, organisme, parti, société, syndicat. *Ant.* **I.** Anarchie, chaos, confusion, désordre, désorganisation, inorganisation.

Organisé
Syn. **I.** Organique, vivant. **II.** Aménagé, conformé, équipé, harmonieux, installé, planifié, programmé. — Prévu, réglé, systématique. *Ant.* **I.** Inerte, inorganique. **II.** Anarchi-

que, dérangé, désorganisé, inorganisé. — Déréglé, imprévu.

Organiser (et S')
Syn. (V. tr.) **II.** Agencer, aménager, arranger, classer, combiner, composer, concerter, constituer, coordonner, créer, diriger, disposer, établir, fonder, former, instaurer, instituer, monter, ordonner, planifier, préparer, prévoir, programmer, régler. *(V. pr.)* **I.** (S') arranger, (se) constituer, (s') élaborer, (se) former. *Ant.* **II.** Démolir, déranger, dérégler, désorganiser, détruire, gêner, incommoder, négliger, nuire.

Organisme
Syn. **I.** Corps. **III.** Ensemble (organisé), machine. — Agence, association, bureau, office, organe, organisation, service.

Orgie
Syn. **I.** Bacchanale. **II.** Débauche, désordre, licence. **III.** Excès, profusion, surabondance. *Ant.* **II.** Austérité, chasteté, modération, ordre. **III.** Mesure, sobriété.

Orgueil
Syn. **I.** Amour-propre, arrogance, fatuité, fierté, forfanterie, gloriole, hauteur, infatuation, insolence, jactance, mégalomanie, morgue, ostentation, outrecuidance, présomption, prétention, rodomontade, suffisance, superbe, vanité. *Ant.* **I.** Bassesse, candeur, componction, honte, humilité, ingénuité, modestie, naturel, pudeur, réserve, retenue, simplicité, timidité, vérité.

Orgueilleux
Syn. **I.** Altier, arrogant, avantageux, crâneur, dédaigneux, faraud *(vx* ou *région.),* fat, fier, hautain, important, infatué, insolent, m'as-tu-vu *(fam.),* méprisant, outrecuidant, paon, parvenu, pédant, poseur, présomptueux, prétentieux, puant *(fam.),* suffisant, superbe, vain, vaniteux.

Ant. **I.** Bonhomme, candide, effacé, humble, ingénu, modeste, naïf, pudibond, réservé, simple, timide, vertueux.

Orient
Syn. **I.** Est, levant.
Ant. **I.** Couchant, occident, ouest, ponant.

Orientation
Syn. **I.** Direction, exposition, position, situation. **III.** Tendance.

Orienter (et S')
Syn. (V. tr.) **I.** Diriger, exposer, tourner. **III.** Aiguiller, conduire, diriger, guider. *(V. pr.)* **I.** (Se) repérer, (se) reconnaître, (se) retrouver. **III.** (Se) diriger, (se) tourner vers.
Ant. (V. tr.) **I.** Dépayser, dérouter, détourner, égarer. **III.** Désorienter, fourvoyer. *(V. pr.)* **I.** (S') égarer. **III.** Stagner.

Oriflamme
Syn. **II.** Bannière, drapeau, étendard.

Originaire
Syn. **I.** Aborigène, autochtone, issu de, natif de, naturel, né à, sorti de, venu de. — Inné, originel, premier, primitif.
Ant. **I.** Étranger, immigré, importé. — Postérieur, second, subséquent, ultérieur.

Original
Syn. (N.) **I.** Manuscrit, minute, prototype. **II.** Archétype, modèle, type. — Bohème, excentrique, fantaisiste, olibrius *(fam.)*, numéro *(fam.)*, phénomène *(fam.)*. *(Adj.)* **I.** Authentique. — Hardi, inédit, neuf, nouveau, particulier, personnel, rare, spécial, typique. **II.** Bizarre, curieux, étonnant, étrange, excentrique, fantasque, pittoresque.
Ant. (N.) **I.** Copie, double, imitation, reproduction, traduction. *(Adj.)* **I.** Inauthentique. — Artificiel, banal, commun, conformiste, contrefait, copié, habituel, imité, impersonnel, insignifiant, ordinaire, plagié, reproduit, traditionnel, vulgaire. **II.** Courant, normal, simple.

Originalité
Syn. **I.** Fantaisie, fraîcheur, hardiesse, nouveauté, personnalité. **II.** Bizarrerie, étrangeté, excentricité, singularité.
Ant. **I.** Banalité, classicisme, cliché, conformisme, imitation, impersonnalité. **II.** Équilibre, normalité.

Origine
Syn. **I.** Commencement, création, début, départ, formation, genèse, naissance. — Base, cause, fondement, germe, principe, racine, source. — Ascendance, extraction, famille, filiation. **II.** Dérivation, étymologie. — Provenance.
Ant. **I.** Fin, mort. — Achèvement, conclusion, dénouement, extrémité, terme.

Originel
Syn. **I.** Initial, originaire, premier, primitif. — Maternel, natal, natif.
Ant. **I.** Artificiel, dernier, final, terminal. — Étranger.

Ornement(s)
Syn. **I.** Agrément, atour, attrait, bijou, colifichet, décoration, élégance, embellissement, enjolivement, fanfreluche, fantaisie, fioriture, garniture, motif, ornementation, parure. — *(Pl. Lit.)* Insignes, vêtements. **III.** Gloire, honneur.
Ant. **I.** Chamarrures, dénuement, enlaidissement, laideur, simplicité. **III.** Déshonneur, honte.

Orner
Syn. **I.** Agrémenter, broder, chamarrer *(péj.)*, décorer, égayer, émailler, embellir, enjoliver, enluminer, festonner, fleurir, illustrer, ornementer, ouvrager, parer, pavoiser, peindre, sculpter. **III.** Colorer, habiller, rehausser. — Étoffer, enrichir, garnir, meubler, polir.
Ant. **I.** Abîmer, défigurer, déformer, dénuder, déparer, détériorer, enlaidir, simplifier. **III.** Appauvrir, dégarnir, enlever, minimiser.

Ornière
Syn. **I.** Affaissement, creux, crevasse, fondrière, trace, trou. **III.** Chemin battu, errements, habitude, routine.
Ant. **III.** Initiative, innovation.

Orthodoxie
Syn. **I.** Conformité, dogme, vérité. **II.** Conformisme, doctrine (officielle), ligne (de penser ou d'agir), règle.
Ant. **I.** Hétérodoxie. **II.** Déviation, déviationnisme, non-conformisme.

Os
Syn. **I.** Carcasse, charpente, ossature, ossements, squelette, structure.

Oscillant
Syn. **I.** Boitillant, oscillateur. **III.** Hésitant, incertain.
Ant. **I.** Régulier. **III.** Assuré, ferme.

Oscillation
Syn. **I.** Balancement, bercement, branle, dodelinement, nutation, roulis, secousse, tangage, tremblement, vacillation, va-et-vient. **II.** Vibration. **III.** Fluctuation, hésitation, incertitude, variabilité, variation.
Ant. **I.** Équilibre, immobilité, stabilité, constance. **III.** Détermination, fermeté, invariabilité, solidité.

Osciller
Syn. **I.** (S') agiter, (se) balancer, baller, branler, bringuebaler, dodeliner, flotter, onduler, rouler, tanguer, vaciller. **III.** Balancer, hésiter, varier.
Ant. **I.** Arrêter, fixer, immobiliser, stabiliser. **III.** Affermir, agir, (se) décider.

Osé
Syn. **I.** *(Pers.)* Audacieux. *(Ch.)* Dangereux, hardi, hasardeux, imprudent, leste, libre, risqué, téméraire.
Ant. **I.** *(Pers.)* Craintif, peureux, timide. *(Ch.)* Convenable, modeste, prudent, réfléchi, sage.

Oser
Syn. **I.** Affronter, (s') aventurer, (s') avi-ser, braver, défier, entreprendre, essayer, expérimenter, (se) hasarder à, risquer, tenter. **II.** Aimer à, (se) permettre, vouloir.
Ant. **I.** Attendre, craindre, hésiter, reculer, tâtonner, tergiverser.

Ossature
Syn. **I.** V. *Os.* **III.** Armature, canevas.

Ossements
Syn. **I.** Cendres, débris, os, restes, squelette. **II.** Ossuaire.

Ostensible
Syn. **I.** Apparent, manifeste, notoire, ostentatoire, ouvert, patent, public, visible.
Ant. **I.** Caché, discret, dissimulé, furtif, imperceptible, invisible, secret, subreptice.

Ostentation
Syn. **I.** Affectation, étalage, gloriole, montre, orgueil, parade, vanité.
Ant. **I.** Discrétion, effacement, humilité, modestie, naturel, retenue, simplicité.

Ostracisme
Syn. **I.** Bannissement, déportation, proscription. **II.** Boycottage, élimination, exclusion, expulsion, quarantaine.
Ant. **I.** Rapatriement, rappel. **II.** Admission, réhabilitation, réintégration.

Ostrogoth
Syn. **III.** Barbare, bourru, grossier, inconvenant, malappris, sauvage.
Ant. **III.** Correct, courtois, galant, gracieux, poli, raffiné.

Otage
Syn. **I.** Caution, gage, garant, garantie, répondant.

Ôter
Syn. **I.** Arracher, débarrasser, découvrir, dégager, déplacer, déplanter, déraciner, enlever, extirper, extraire, retirer, tirer. — Couper, décompter, déduire, défalquer, diminuer, élaguer, émonder, prélever, retenir, retrancher, rogner, soustraire. —

Confisquer, démunir, déposséder, dépouiller, prendre, priver, voler. — Abolir, annuler, effacer, éliminer, rayer, supprimer.
Ant. **I.** Ajouter, couvrir, fixer, garder, implanter, laisser, mettre, placer, planter, poser. — Accroître, amplifier, augmenter, grossir, majorer. — Donner, remettre, rendre, restituer. — Confirmer, établir, insérer, installer, maintenir.

Ouailles V. *Paroissien*

Oubli
Syn. **I.** Absence, amnésie, lacune, trou (de mémoire). — Abandon, manquement. **II.** Distraction, étourderie, inadvertance, inattention, incurie, omission. — Abnégation, dévouement. — Pardon.
Ant. **I.** Mémoire, rappel, réminiscence, souvenance, souvenir. — Observation, respect. **II.** Application, attention, soin. — Égoïsme. — Ressentiment.

Oublier
Syn. **I.** Désapprendre. — Abandonner, délaisser, (se) désintéresser, distraire de, laisser, manquer à, omettre, négliger, passer, sauter.
Ant. **I.** (Se) rappeler. — Évoquer (le souvenir), (s') occuper de, penser à, reconnaître, remémorer, repasser, retenir, songer à, (se) souvenir.

Oublieux
Syn. **I.** Distrait, étourdi, indifférent, ingrat, insouciant, léger, négligent.
Ant. **I.** Attentif, prévoyant, reconnaissant, réfléchi, sérieux, soigneux.

Ouest
Syn. **I.** Couchant, occident, ponant *(vx)*.
Ant. **I.** Est, levant, orient.

Oui
Syn. **I.** (D') accord, assurément, bien, bien sûr, bon, certainement, certes, (sans) contredit, entendu, évidemment, oui-da *(fam.)*, parfaitement, si, volontiers.

Ant. **I.** Aucunement, jamais, nenni, non, non pas, nullement, pas du tout, point.

Ouïr
Syn. **I.** Écouter, entendre.
Ant. **I.** Faire la sourde oreille.

Ouragan
Syn. **I.** Cyclone, tornade, tourbillon, tempête, typhon, vent. **II.** Bourrasque, orage, rafale, tourmente. **III.** Trouble, tumulte.
Ant. **I.** Bonace, calme. **III.** Apaisement, tranquillité.

Ourdir
Syn. **II.** Tisser, tramer, tresser. **III.** V. *Machiner.*

Outil
Syn. **I.** Appareil, engin, instrument, machine, matériel, ustensile. **III.** Aide, moyen.

Outillé
Syn. **I.** Équipé, monté, muni, nanti, pourvu.
Ant. **I.** Démuni, dénué, dépourvu.

Outrage
Syn. **I.** Affront, attaque, avanie, coup, humiliation, injure, insulte, invective, offense. **III.** Atteinte, dommage, tort. — Attentat (aux mœurs), violation.
Ant. **I.** Compliment, congratulation, éloge, félicitation, gentillesse, louange, politesse. **III.** Avantage, bienfait. — Réparation.

Outrageant V. *Injurieux*

Outrager V. *Offenser*

Outrance
Syn. **I.** Démence, exagération, excès. — *(Loc. adv.)* Outre, mesure.
Ant. **I.** Mesure, modération.

Outré
Syn. **I.** Abusif, amplifié, chargé, démesuré, exagéré, excessif, extrême, forcé, outrancier. — Indigné, irrité, révolté, scandalisé, suffoqué.

Ant. **I.** Abrégé, amoindri, exact, juste. mesuré, modéré, normal, pondéré, précis. — Apaisé, calmé, enthousiaste, tranquillisé.

Outrecuidance
Syn. V. *Orgueil.* **I.** Audace, effronterie, impertinence.
Ant. **I.** Modestie, réserve.

Outrepasser
Syn. **III.** Abuser, dépasser, empiéter, excéder, franchir, passer (les bornes).
Ant. **III.** Amoindrir, borner, diminuer, modérer, respecter, restreindre, tempérer.

Ouvert
Syn. **I.** Béant. — Accessible, libre. — Découvert. — Entamé, fendu, incisé, percé, troué. — Commencé, inauguré. **III.** Avenant, communicatif, cordial, démonstratif, expansif, franc, sincère. — Déclaré, déclenché, manifeste, public. — Éveillé, intelligent, pénétrant, vif.
Ant. **I.** Clos, fermé, obstrué. — Couvert, protégé. — Terminé. **III.** Faux, froid, hypocrite, renfermé. — Fini, intime, secret. — Borné, buté, étroit.

Ouverture(s)
Syn. **I.** Accès, entrée, issue, passage, trou, vide. — Brèche, embrasure, fenêtre, fente, jour, œil, porte. — Orifice. — Commencement, début, inauguration. — Prélude. **II.** *(Pl.)* Avances, offres, propositions. **III.** Moyen, occasion, possibilité, voie d'accès.
Ant. **I.** Barrage, barrière, bouchon, digue, fermeture, obstacle, obstruction. — Clôture, fin. — Finale *(mus.).* **II.** Refus, retard.

Ouvrage
Syn. **I.** Besogne, corvée, entreprise, occupation, opération, œuvre, tâche, travail. **II.** Bouquin *(fam.),* composition, écrit, livre, œuvre, production, produit.
Ant. **I.** Chômage, divertissement, inactivité, oisiveté, récréation, repos.

Ouvragé
Syn. **I.** Brodé, façonné, forgé, orné, ouvré, sculpté, travaillé.
Ant. **I.** Brut, commun, grossier, rudimentaire, sommaire.

Ouvrier
Syn. **I.** Aide, journalier, manœuvre, prolétaire, salarié, tâcheron, travailleur. **II.** Artisan, artiste.

Ouvrir (et S')
Syn. *(V. tr.)* **I.** Débarrer, déverrouiller, entrouvrir. — Aérer. — Déballer, déboucher, décacheter, déclouer, défaire. — Déplier, déployer, écarter, écarquiller, étaler, étendre. — Couper, fendre, inciser, percer, pratiquer. — Frayer. — Attaquer, commencer, inaugurer. **II.** Créer, fonder. **III.** Découvrir, éveiller. *(V. intr.)* Donner sur. *(V. pr.)* **I.** (Se) déplier, éclore, (s') épanouir, fleurir. — Donner sur. — Apparaître, (s') offrir, (se) présenter. — Commencer. **III.** (S') abandonner, (se) communiquer, (se) confier, (s') épancher.
Ant. **I.** Barrer, fermer, interdire, murer. — Boucher, cacheter, clouer. — Plier, replier. — Brider, cicatriser, occlure. — Obstruer. — Clore, finir, terminer. **II.** Abolir, détruire, renverser. **III.** Abêtir, abrutir. — *(V. pr.)* Dépérir, (s') étioler. — (Se) cacher. — (Se) terminer. **III.** (Se) fermer, (se) méfier, (se) raidir, (se) taire.

Ouvroir
Syn. **II.** Atelier.

Ovation
Syn. **I.** Acclamation, applaudissement, vivat.
Ant. **I.** Huée, sifflement.

Ovationner
Syn. **I.** Acclamer, accueillir, applaudir, saluer.
Ant. **I.** Conspuer, huer, siffler.

P

Pacage
Syn. I. Embouche, herbage, pâtis, pâturage, pâture.

Pacifier
Syn. I. Rétablir (l'ordre). III. Adoucir, apaiser, calmer, retenir, tranquilliser.
Ant. I. et III. Agiter, ameuter, attiser, combattre, exaspérer, exciter, révolter, troubler.

Pacifique
Syn. I. Bon, calme, doux, humain, inoffensif, paisible, placide, posé, soumis, tranquille. II. Débonnaire.
Ant. I. Agité, agressif, batailleur, belliqueux, coléreux, difficile, emporté, guerrier, martial, ombrageux, querelleur, révolté, tourmenté. II. Dur, méchant.

Pacotille
Syn. I. Bibelot, camelote, marchandise, toc.
Ant. I. Joyau, richesse, trésor, valeur.

Pacte
Syn. I. Accord, alliance, contrat, convention, engagement, entente, marché, traité.
Ant. I. Désaccord, désunion, discorde, division, mésentente.

Pactiser
Syn. I. (S') associer, contracter, convenir, (s') entendre, négocier, traiter. III. Composer, transiger.
Ant. I. et III. Disconvenir, (se) dissocier, (s') entêter, (s') opposer, repousser.

Paginer
Syn. I. Coter, folioter, marquer, numéroter.

Paie V. *Salaire*

Paiement
Syn. I. Acquittement, déboursement, règlement, remboursement, solde. III. Récompense, rétribution.

Ant. I. Dette. III. Punition, sanction.

Païen
Syn. I. Gentil, idolâtre, infidèle. II. Athée, impie, incrédule, incroyant, irréligieux, mécréant.
Ant. I. Chrétien, fidèle. II. Croyant, dévot, pieux, religieux.

Pailleté
Syn. I. Orné, parsemé. III. Brillant, constellé, scintillant.
Ant. III. Sombre, terne.

Paillette
Syn. I. Écaille, lamelle, orpaillage, paillon, parcelle d'or.

Pair(s)
Syn. I. (Adj.) Égal, pareil. — (N.) Lord. — (Pl.) Égaux.
Ant. I. Impair.

Paire
Syn. I. Couple, deux, pariade.

Paisible V. *Pacifique*

Paître
Syn. I. Brouter, manger, pacager, paturer.

Paix
Syn. I. Accord, conciliation, concorde, entente, fraternité, harmonie, ordre, pacification, union. II. Apaisement, béatitude, bonheur, calme, quiétude, repos, sérénité, silence, tranquillité.
Ant. I. Conflit, désaccord, désordre, discorde, dissension, guerre, lutte, mésentente, révolution, trouble. II. Agitation, alarme, animation, bruit, inquiétude, souci, tumulte.

Palais
Syn. I. Castel, château, édifice, hôtel, monument, palace. II. Tribunal.
Ant. I. Bicoque, bouge, chaumière, galetas, masure, réduit, taudis.

Pâle
Syn. **I.** Blafard, blanc, blanchâtre, blême, décoloré, étiolé, exsangue, hâve, livide. — Clair, doux, faible, incolore. **III.** Éteint, fade, terne.
Ant. **I.** Coloré, congestionné, rougeaud, sanguin. — Brillant, éclatant. — Foncé, voyant. **III.** Brillant, éclatant, vif.

Paletot
Syn. **I.** Manteau, pardessus.

Palier
Syn. **I.** Carré, étage, plate-forme. **III.** Degré, échelon, phase.
Ant. **I.** Descente, montée.

Palinodies
Syn. **I.** (Changements d'opinion), désaveux, rétractations, revirements, volteface.
Ant. **I.** Affirmation, aveu, confirmation, constance.

Pâlir
Syn. (Pers.) **I.** Blêmir. *(Ch.)* **I.** (Se) décolorer, jaunir, passer, ternir. **III.** (S') affaiblir, diminuer, (s') estomper.
Ant. **I.** Brunir, (se) colorer, (s') empourprer, rougir. **III.** Briller, luire.

Palissade
Syn. **I.** Barrière, clôture, enclos, mur, palis.

Palissader
Syn. **I.** Clôturer, enclore, entourer, fermer, protéger.
Ant. **I.** Déclore, dégager, ouvrir, trouer.

Palliatif
Syn. (Adj.) **I.** Adoucissant, atténuant. *(N.)* **I.** Calmant, sédatif. **III.** Expédient.
Ant. **I.** Excitant, irritant, stimulant.

Pallier
Syn. **I.** Cacher, déguiser, voiler. **III.** Atténuer, obvier à, parer à, remédier à, tempérer.
Ant. **I.** Découvrir, dévoiler. **III.** Arranger, réparer.

Palme
Syn. **III.** Apothéose, décoration, gloire, honneurs, récompense, triomphe, victoire.
Ant. **III.** Dégradation, déshonneur, honte, punition.

Palpable
Syn. **I.** Matériel. **II.** Apparent, perceptible, positif, réel, sensible, tangible, visible. **III.** Certain, clair, évident, manifeste.
Ant. **I.** Immatériel, impalpable, spirituel. **II.** Caché, chimérique, dissimulé, imperceptible, insensible, intangible, invisible, irréel. **III.** Aléatoire, douteux, incertain.

Palper
Syn. **I.** Manier, sentir, tâter, toucher. **II.** Examiner *(méd.)*, masser. **III.** *(Fam.)* Recevoir (de l'argent).

Palpitant
Syn. **I.** Pantelant, tremblant. **II.** Bouleversant, émouvant, intéressant, passionnant, pathétique, saisissant.
Ant. **II.** Banal, ennuyeux, insignifiant, terne.

Palpiter
Syn. **I.** Battre, éprouver, frémir, ressentir. **III.** Scintiller, vibrer.
Ant. **I.** Apaiser, calmer, endurcir, refroidir. **III.** (S') effacer, pâlir.

Pâmer (Se)
Syn. **I.** (S') évanouir *(vx)*. **III.** (S') abandonner à, (s') émerveiller, (s') enthousiasmer, (s') esclaffer, (s') extasier.
Ant. **I.** Revenir (à soi). **III.** Décrier, dédaigner, déprécier, désenchanter.

Pamphlet
Syn. **I.** Diatribe, factum, libelle, satire, tract.

Panaché
Syn. **I.** Empanaché. **II.** Bariolé, disparate, mélangé, varié.

Pancarte
Syn. **I.** Affiche, écriteau, enseigne, placard.

Panégyrique
Syn. **I.** Éloge, exaltation, glorification. louange. **II.** Apologie, défense, dithyrambe.
Ant. **I.** et **II.** Blâme, critique, dénigrement, réquisitoire.

Panique
Syn. **I.** Affolement, effroi, épouvante, frayeur, peur, terreur. — Déroute, désordre, fuite, sauve-qui-peut.
Ant. **I.** Calme, flegme, impassibilité, placidité, quiétude, sang-froid, sérénité, tranquillité.

Panne
Syn. **I.** Accident, accroc, arrêt, dérangement, détraquement, dérèglement, ennui mécanique, incident, interruption.
Ant. **I.** Fonctionnement, marche.

Panorama
Syn. **I.** Paysage, site, spectacle, tableau, vue. **III.** Étude (d'ensemble).

Panse V. *Ventre*

Panser
Syn. **I.** Brosser, étriller. — Bander, soigner, traiter. **III.** Adoucir, calmer.
Ant. **I.** Blesser, endolorir. **III.** Aviver, meurtrir.

Pansu
Syn. **I.** Bedonnant, gros, ventru. **II.** Renflé.
Ant. **I.** Décharné, émacié, maigre.

Pantalon
Syn. Culotte.

Pantelant
Syn. **I.** Essoufflé, haletant, palpitant. **III.** Ému.
Ant. **I.** Animé, dispos, frais. **III.** Froid, indifférent.

Pantin
Syn. **I.** Fantoche, jouet. **III.** Automate, bouffon, girouette, guignol, mannequin, marionnette, polichinelle.
Ant. **III.** Personnage, sage *(n.)*.

Pantois V. *Penaud*

Pape
Syn. **I.** Saint-Père, souverain pontife.

Papillonner
Syn. **I.** (S') agiter, (se) débattre, voler. **III.** Changer, (s') éparpiller, folâtrer, virevolter, voltiger.
Ant. **III.** (S') attarder, (se) concentrer, (se) fixer.

Papillotant
Syn. **I.** Clignotant, miroitant, scintillant. **III.** Clinquant, éblouissant.
Ant. **I.** Fixe, immobile, stable. **III.** Terne, vrai.

Papotage
Syn. **I.** Bavardage, cancan, commérage, ragot, verbiage.
Ant. **I.** Circonspection, discrétion, mutisme, réticence, silence.

Paquebot
Syn. **I.** Bateau, bâtiment, navire, vaisseau.

Paquet
Syn. **I.** Bagage, balle, ballot, balluchon ou baluchon, caisse, colis, emballage, sachet.

Parabole
Syn. **II.** Allégorie, apologie, comparaison, fable, histoire, image, récit, symbole.

Parachever
Syn. **I.** Achever, ciseler, compléter, couronner, fignoler *(fam.)*, finir, lécher *(fam.)*, limer, parfaire, perfectionner, polir, soigner.
Ant. **I.** Bâcler, ébaucher, esquisser, expédier, gâcher, liquider, saboter, torchonner *(fam.)*.

Parade
Syn. **I.** Carrousel, cérémonie, défilé, procession, revue. **II.** Exhibition, spectacle. **III.** Affectation, étalage, montre, ostentation.

Parader
Syn. **I.** Défiler, manœuvrer. — Croiser *(mar.).* **III.** (S') étaler, (se) montrer, (se) pavaner, plastronner.
Ant. **III.** (Se) cacher, (s') éclipser, (se) terrer.

Paradis
Syn. **I.** Ciel. **III.** Éden, élysée, olympe. — Poulailler *(fam.), (théâtre).*
Ant. Enfer, érèbe, géhenne.

Paradisiaque
Syn. **I.** Bienheureux, céleste, divin, heureux, parfait. **II.** Enchanteur.
Ant. **I.** Épouvantable, imparfait, infernal, malheureux, satanique. **II.** Désagréable.

Paradoxal
Syn. **I.** Antithétique. **II.** Bizarre, contraire, excessif, inconcevable, invraisemblable.
Ant. **II.** Commun, normal, usuel.

Parages
Syn. **I.** Abords, alentours, approches, contrée, endroit, environs, pays, proximité, voisinage.
Ant. **I.** (À) distance, éloignement, (au) loin.

Paragraphe
Syn. **I.** Alinéa, article (d'une loi), division, partie, section, subdivision, verset.

Paraître
Syn. **I.** Apparaître, arriver, (se) dessiner, émerger, (se) montrer, poindre, (se) présenter, surgir, survenir. — Comparaître, (se) produire (en public), venir. — (Être) édité/imprimé/publié. **III.** Éclore, naître, percer. — Briller, (se) manifester, (se) faire remarquer. **I.** (S') avérer, avoir l'air, passer pour, sembler, simuler.
Ant. **I.** (Se) cacher, (se) coucher, disparaître, (s') éclipser, (s') éloigner, (s') enfuir, fuir, partir.

Parallèle
Syn. (Adj.) **I.** Correspondant, semblable,

similaire, symétrique. **III.** Comparable, concomitant. *(N.)* **III.** (En) balance, comparaison, confrontation, rapprochement, similitude.
Ant. (Adj.) **I.** Confluent, convergent, disparate, dissemblable, dissymétrique. **III.** Différent, divergent, incomparable. *(N.)* **III.** Différence, disparité.

Paralyser
Syn. **I.** Ankyloser, engourdir, insensibiliser. **II.** Bloquer, empêcher, entraver, immobiliser. **III.** Annihiler, arrêter, figer, gêner, glacer, intimider, neutraliser, stupéfier.
Ant. **I.** Animer, dégourdir, éveiller, sensibiliser. **II.** Aider, débloquer, dégager, faciliter, mobiliser. **III.** Activer, exciter, extérioriser, presser, progresser, promouvoir, stimuler.

Parapet
Syn. **I.** Balustrade, banquette, garde-corps *(mar.),* garde-fou, mur, rambarde.

Parapher
Syn. **I.** Contresigner, marquer, signer, viser.

Paraphrase
Syn. **I.** Amplification, commentaire, éclaircissement, explication, glose, interprétation, traduction. — Fantaisie *(mus.).*
Ant. **I.** Esquisse, résumé, schéma.

Paraphraser
Syn. **I.** Amplifier, commenter, délayer, développer, éclaircir, étendre, expliquer, gloser.
Ant. **I.** Abréger, amoindrir, écourter, obscurcir, préciser, réduire, résumer, resserrer.

Parasite
Syn. (N.) **I.** Écornifleur, écumeur, pillard, pique-assiette. — Vermine. **II.** Inutile *(n.). (Adj.)* **III.** Encombrant, étranger, gênant, importun, inutile, superflu, vain. — Nuisible.

Ant. **III.** Indépendant, indispensable, nécessaire, utile. — Antiparasite.

Parc
Syn. **I.** Jardin d'acclimation, ménagerie, zoo. — Jardin (public), promenade, square. — Campus. — Bergerie, clôture, enclos, parcage, pâtis, pâturage. — Enceinte. **II.** Garage, parcage, parking, stationnement.

Parcelle
Syn. **I.** Atome, bribe, brin, débris, déchets, division, fraction, fragment, grain, miette, morceau, particule, partie. *Ant.* **I.** Bloc, ensemble, entier, masse, tout, totalité.

Parcimonieux
Syn. **I.** Avare, chiche, économe, pingre, regardant. **II.** Mesquin. *Ant.* **I.** Abondant, dépensier, gaspilleur. **II.** Généreux, large.

Parcourir
Syn. **I.** Arpenter, couvrir, explorer, faire, franchir, sillonner, suivre, traverser, visiter. **III.** Examiner, feuilleter, lire, regarder. — Passer (en revue).

Parcours
Syn. **I.** Chemin, circuit, cours, course, distance, itinéraire, marche, promenade, randonnée, (d'une seule) traite, trajet.

Pardessus V. *Paletot*

Pardon
Syn. **I.** Absolution, acquittement, amnistie, grâce, indulgence, miséricorde, oubli, rédemption, remise, rémission. **II.** Excuse. *Ant.* **I.** Blâme, condamnation, critique, punition, rancune, représailles, ressentiment. **II.** Reproche.

Pardonner
Syn. **I.** Absoudre, amnistier, délier, disculper, gracier, innocenter, oublier, remettre. — Admettre, excuser, souffrir,

supporter, tolérer. — Épargner, excepter, ménager. *Ant.* **I.** Accuser, blâmer, censurer, condamner, frapper, punir. — Rejeter, réprimer. — Accabler, inclure.

Pareil
Syn. **I.** *(Adj.)* Adéquat, analogue, égal, équivalent, identique, même, semblable, similaire, synonyme, tel, uniforme. — *(N.)* Congénère, pair, semblable. *Ant.* **I.** Antonyme, autre, contraire, différent, dissemblable, incomparable, inégal.

Parement
Syn. **I.** Broderie, décoration, garniture, ornement. — Retroussis, revers. — Revêtement.

Parent(s)
Syn. **I.** *(N.)* Aïeul, allié, ancêtre, apparenté, ascendant, descendant, miens, proches, siens. — *(Pl.)* Mère, père. *(Adj.)* Collatéral, consanguin, germain, utérin. **III.** Analogue, semblable. *Ant.* **I.** Enfant, fils, fille. — Étranger, inconnu.

Parenté
Syn. **I.** Adoption, alliance, ascendance, consanguinité, cousinage, famille, filiation, fraternité, origine, sang. **III.** Affinité, analogie, rapport, ressemblance.

Parer
Syn. *(V. tr.)* **I.** Agrémenter, apprêter, arranger, bichonner *(fam.)*, décorer, embellir, enjoliver, orner, pomponner. **III.** Attribuer, auréoler. *(V. tr.)* **I.** Détourner, éviter, (faire) face à. *(V. intr.)* **I.** Obvier, pourvoir, remédier. — Aviser à. *Ant.* **I.** Déparer, enlaidir. — Attaquer.

Paresse
Syn. **I.** Apathie, assoupissement, atonie, désœuvrement, engourdissement, fainéantise, indolence, inertie, langueur, lenteur, lourdeur, mollesse, négligence, nonchalance, oisiveté.

Ant. **I.** Action, activité, application, diligence, effort, empressement, énergie, labeur, rapidité, travail, vivacité.

Paresseux
Syn. (N.) **I.** Cancre, fainéant, sans-cœur. *(Adj.)* **I.** Apathique, désœuvré, endormi, inactif, indolent, inerte, lent, mou, nonchalant. **II.** Atone.
Ant. (N.) **I.** Bûcheur, travailleur. *(Adj.)* **I.** Actif, alerte, diligent, énergique, laborieux. **II.** Vif.

Parfait
Syn. **I.** Absolu, accompli, achevé, admirable, adorable, complet, consommé, divin, excellent, exemplaire, exquis, fieffé, idéal, impeccable, incomparable, infini, irréprochable, magistral, merveilleux, modèle, pur, supérieur, total.
Ant. **I.** Approximatif, défectueux, déplorable, difforme, exécrable, imparfait, inachevé, incomplet, inférieur, laid, mauvais, médiocre, moyen, partiel, relatif.

Parfois
Syn. **I.** (Des) fois *(pop.)*, quelquefois, tantôt, (de) temps à autre, (de) temps en temps.
Ant. **I.** Constamment, jamais, toujours.

Parfum
Syn. **I.** Aromate, arôme, bouquet, effluve, essence, exhalaison, fragrance, fumet, odeur, senteur. **III.** Émanation.
Ant. **I.** Fétidité, miasme, puanteur.

Paria
Syn. **I.** Intouchable. **III.** Maudit, méprisable, méprisé, misérable.
Ant. **III.** Estimé, heureux, recherché, remarquable.

Parier
Syn. **I.** Caver, gager, jouer, miser, ponter, risquer. **II.** Affirmer.

Parité
Syn. **I.** Analogie, comparaison, égalité, équivalence, ressemblance, similitude.

Ant. **I.** Contraste, différence, disparité, disproportion, dissemblance.

Parjure
Syn. **I.** *(N.)* Infidélité, (faux) serment, trahison, traîtrise. *— (Adj.)* Infidèle, traître.
Ant. **I.** *(N.)* Engagement, fidélité, foi, vérité. *— (Adj.)* Fidèle, loyal.

Parking V. *Parc*

Parlant
Syn. **I.** Bavard, causant, locuteur, loquace. **II.** Éloquent, expressif, ressemblant, suggestif, vivant.
Ant. **I.** Aphone, auditeur, discret, muet, silencieux, taciturne. **II.** Figé, inexpressif, morne, terne.

Parlement
Syn. **I.** Assemblée législative/nationale, chambre (des députés/des communes), corps législatif, représentation nationale.

Parlementer
Syn. **I.** Argumenter, débattre, discuter, négocier, traiter. **II.** Discutailler.
Ant. **I.** Couper court, éconduire, (se) taire, trancher.

Parler
Syn. (V. intr.) **I.** Articuler, débiter, dire, énoncer, (s') exprimer, proférer, prononcer des mots. **II.** Bavarder, causer, conférer, converser, déclamer, deviser, dialoguer, discourir, discuter, (s') entretenir, haranguer, improviser, pérorer. *— (Parler pour :)* Intervenir, plaider, recommander. *(V. tr.)* **I.** Employer (une langue), pratiquer, utiliser. *(N.)* **I.** Dialecte, idiome, langue, patois. *(N.)* — Langage, parole, son.
Ant. (V.) **I.** et **II.** (Rester) coi, (être, rester) muet, (garder le) silence, (se) taire.

Parleur
Syn. **I.** Bavard, causeur, discoureur, harangueur, jaseur, pie, phraseur.
Ant. **I.** Discret, muet, silencieux, taciturne.

Parmi
Syn. **I.** Chez, (à) côté de, dans, entre, (au) milieu de, (au) nombre de. (au) sein de.
Ant. **I.** Autour de, (en) dehors de, loin de.

Parodie
Syn. **I.** Caricature, charge, contrefaçon, imitation, (à la) manière de, pastiche, travestissement.
Ant. **I.** Copie conforme, reproduction exacte, texte original.

Parodier
Syn. **I.** Imiter. **III.** Caricaturer, charger, contrefaire, copier, imiter, mimer, pasticher, singer *(fam.)*, travestir.
Ant. **III.** Créer, inventer, respecter.

Paroi
Syn. **I.** Cloison, mur, muraille, séparation. − Surface interne.
Ant. **I.** Fente, ouverture, passage, trou, trouée.

Paroissien
Syn. **I.** Fidèle, ouaille(s). − Missel.

Parole
Syn. **I.** Langage, phonation. − Discours, expression, mot, parler, propos. − Diction, élocution, éloquence, ton, voix. − Apophtegme, devise, maxime, sentence. − *(Relig.)* Écriture, logos, verbe. **II.** Assurance, engagement, foi, promesse, serment.
Ant. **I.** Aphonie, mutisme, mutité, silence. − Action, écrit, réticence. **II** Dégagement, palinodie, reniement, rétractation.

Paroxysme
Syn. **I.** Accès, crise, exacerbation, redoublement.
Ant. **I.** Apaisement, calme, diminution.

Parquer
Syn. **I.** Enfermer, mettre, placer. − Garer, ranger, stationner. **III.** Entasser, relé-

guer.
Ant. **I.** Délivrer, libérer. **III.** Disperser.

Parquet
Syn. **I.** Plancher. **II.** Corbeille *(Bourse)*, tribunal.

Parrainer V. *Patronner*

Parsemer
Syn. **I.** Couvrir, disperser, éparpiller, étendre, jeter, joncher, orner, pailleter, recouvrir, répandre, saupoudrer, semer. **III.** Émailler, entremêler, truffer.
Ant. **I.** Amasser, assembler, grouper, joindre, rassembler, réunir. **III.** Concentrer, unifier, uniformiser.

Part
Syn. **I.** Division, fraction, fragment, partie. − Contingent, lot, lotissement, morceau, partage, portion, ration, tranche. − Concours, contribution, quote-part. − *(Dr.)* Action, apport, obligation, valeur.
Ant. **I.** Ensemble, entier, tout.

Partage
Syn. **I.** Démembrement, dichotomie, distribution, division, fractionnement, morcellement, répartition, sectionnement. − Part.
Ant. **I.** Accumulation, assemblement, indivision, réunion, union.

Partager
Syn. **I.** Couper, démembrer, diviser, fractionner, fragmenter, morceler, scinder, sectionner, séparer, subdiviser. − Attribuer, dispenser, distribuer, lotir, répartir. **III.** (S') associer à, embrasser, épouser, éprouver, participer à. − Écarteler, tirailler.
Ant. **I.** Accaparer, amasser, conserver, entasser, garder, réunir. **III.** (S') abstenir, (se) dissocier, (s') isoler. − Unir.

Partenaire
Syn. **I.** Allié, associé, collègue, compagnon.

Ant. **I.** Adversaire, compétiteur, concurrent, rival.

Parti
Syn. (N.) **I.** Camp, clan. **II.** Cause. **III.** Côté. **I.** Association, formation, front, groupe, mouvement, rassemblement, union. — Décision, détermination, position, résolution, solution. — Avantage, bénéfice, intérêt, profit, utilité. — Personne à marier. *(Adj.)* **I.** Absent, disparu. **II.** Éméché, gai, gris, ivre.
Ant. (Adj.) **I.** Présent, resté, revenu. **II.** Lucide, sobre.

Partial
Syn. **I.** Arbitraire, déloyal, influencé, inique, injuste, partisan, passionné, prévenu, tendancieux.
Ant. **I.** Droit, équitable, honnête, impartial, intègre, juste, objectif.

Partialité
Syn. **I.** Abus, arbitraire, aveuglement, faiblesse, favoritisme, injustice, préférence, préjugé, prévention.
Ant. **I.** Équité, impartialité, justice, objectivité.

Participer
Syn. **I.** Aider, appuyer, assister, collaborer, concourir, encourager, figurer, (s') immiscer, (être) intéressé, intervenir, (se) joindre, (se) mêler, soutenir. — Apporter, contribuer, fournir à. **III.** (S') associer, partager. *(Participer de)* Tenir.
Ant. **I.** (S') abstenir, délaisser, (s') éloigner, embarrasser, entraver, (rester) neutre, nuire, séparer.

Particulariser
Syn. **I.** Différencier, distinguer, fixer, individualiser.
Ant. **I.** Banaliser, confondre, généraliser.

Particularité
Syn. **I.** Attribut, caractéristique, différence, individualité, modalité, propriété, spécificité. — *(Gram.)* Anomalie, exception.
Ant. **I.** Généralité, universalité. — Règle, régularité.

Particulier
Syn. **I.** Individuel, personnel, privé, propre, respectif, subjectif. — Caractéristique, distinct, distinctif, spécial, spécifique. **II.** Intime, séparé. — Extraordinaire, original, remarquable, singulier, spécial, unique.
Ant. **I.** Collectif, commun, général, public, universel. **II.** Banal, courant, fréquent, habituel, normal, ordinaire, vulgaire.

Partie
Syn. **I.** Division, élément, fraction, fragment, morceau, part, portion, tronçon. — *(Oeuvre)* Acte, article, chant, chapitre, division, fragment, livre, morceau, mouvement, passage, point, scène, section. — *(Dr.)* Contractant, plaidant, plaignant. — Divertissement, jeu, manche, set. **II.** Combat, lutte.

Partiel
Syn. **I.** Divisé, fragmentaire, incomplet, relatif.
Ant. **I.** Absolu, complet, entier, exhaustif, global, total.

Partir
Syn. **I.** (S') absenter, (s'en) aller, décamper, décoller, délaisser, déserter, disparaître, (s') éloigner, (s') enfuir, quitter, (se) retirer, sortir. — Jaillir, sauter. — Découler, émaner, procéder, provenir. **III.** Mourir.
Ant. **I.** Aborder, accoster, approcher, arriver, atterrir, demeurer, (s') établir, (s') installer, rester, revenir, venir. **III.** Durer, vivre.

Partisan
Syn. **I.** Adepte, adhérent, affilié, allié, ami, associé, attaché, dévoué, disciple, fidèle, militant, propagandiste, recrue,

supporter. **II.** Défenseur, prosélyte.
Ant. **I.** Adversaire, antagoniste, contradicteur, détracteur, ennemi, opposant, rival.

Parure
Syn. **I.** Atour, décoration, garniture, mise, ornement, toilette.

Parvenir
Syn. **I.** Aller (jusqu'à), arriver, atteindre, venir. **II.** *(Faire parvenir, ch.)* Acheminer, adresser, expédier, transmettre. **III.** Accéder à. (s') élever, réussir.
Ant. **I.** (S') éloigner. **III.** Manquer, rater.

Parvenu
Syn. **I.** (Homme) arrivé, arriviste, nouveau riche.
Ant. **I.** Modeste, pauvre, simple.

Pas
Syn. **I.** Allure, démarche, marche. — Distance, enjambée, foulée, longueur. — Piste, trace. — Palier, seuil. **III.** Difficulté, obstacle. — Avance, essai, étape, jalon, progrès. — Préséance.
Ant. **I.** Course, galop, trot.

Passable
Syn. **I.** Acceptable, admissible, honnête, médiocre, mettable, moyen, potable *(fam.).* suffisant, supportable.
Ant. **I.** Excellent. — Défectueux, ennuyeux, imparfait, inadmissible, incomplet, insuffisant.

Passage
Syn. **I.** Franchissement, traversée, va-et-vient, venue, voyage. — Accès, brèche, chemin, col, corridor, couloir, galerie, ouverture, percée, trouée, voie. — Canal, chenal. — Écoulement, fuite. **III.** Changement, transition. — Endroit, extrait, fragment, morceau, page. — Trépas.
Ant. **I.** Digue, fermeture.

Passager
Syn. **I.** *(N.)* Excursionniste, touriste, voyageur. — *(Adj.)* Court, discontinu,

éphémère, fugitif, momentané, provisoire, temporaire, transitoire.
Ant. **I.** Constant, continu, durable, éternel, habituel, incessant, permanent.

Passant
Syn. **I.** *(N.)* Flâneur, piéton, promeneur. — *(Adj.)* Fréquenté.
Ant. **I.** *(Adj.)* Désert, isolé, solitaire.

Passé
Syn. *(N.)* **I.** Antériorité, antiquité, (en) arrière, histoire, mémoire, souvenir, tradition. *(Adj.)* **I.** Accompli, ancestral, ancien, antécédent, défunt, dernier, écoulé, expiré, rétroactif, rétrospectif, révolu. **II.** Décoloré, défraîchi, éteint, fané, flétri, terni.
Ant. *(N.)* **I.** Actualité, aujourd'hui, avenir. *(Adj.)* **I.** Actuel, futur, présent, prospectif. **II.** Éclatant, frais, neuf.

Passe-droit
Syn. **I.** Faveur, illégalité, irrégularité, partialité, privilège, prérogative.
Ant. **I.** Équité, impartialité, légalité, régularité.

Passe-passe
Syn. **I.** Attrape, ficelle, illusion, magie, tour d'escamotage, truc. **III.** Fourberie (habile), tromperie.

Passeport
Syn. **I.** Autorisation, laissez-passer, papiers, sauf-conduit, visa.

Passer
Syn. *(V. intr.) (Lieu)* **I.** Aller et venir, changer (de lieu), circuler, côtoyer, défiler, (se) déplacer, émigrer, évoluer, longer, marcher, parcourir, précéder, (se) rendre à, (se) promener, suivre. — Aller, entrer, pénétrer, (se) présenter, rendre visite, venir. **II.** Descendre *(fam.),* (être) digéré, digérer. — *(Temps)* **I.** Cesser, couler, courir, disparaître, (se) dissiper, (s') écouler, (s')enfuir, (s') envoler, (s') éteindre, filer, finir, fuir, mourir, terminer, trépasser, vieillir. **II.** Changer,

(se) faner, (se) flétrir, pâlir, ternir. — Paraître. *(V. tr.)* **I.** Contourner, dépasser, devancer, doubler, enjamber, escalader, franchir, transporter, traverser. — Caresser, glisser, introduire, promener, donner, étendre, mettre, répandre, transmettre. — Couler, cribler, filtrer, tamiser. — *(Dr.)* Conclure, dresser, faire, libeller. **II.** Consumer, employer, occuper, perdre, tuer (le temps). — Négliger, omettre, oublier, sauter, taire. — Accepter, concéder, excuser, permettre, tolérer. **III.** Subir (les épreuves d'un examen). — (Être) accepté, admis, reçu. — Surpasser. — *(Passer les bornes :)* Exagérer, excéder, outrepasser, outrer. *(V. pr.)* **I.** (Se) dérouler, (s') écouler. **II.** Advenir, arriver, avoir lieu, (se) produire. — Cesser, finir. — (S') abstenir, (se) dispenser, (se) priver, renoncer à. *Ant.* *(V. intr.)* **I.** (S') arrêter, demeurer, (s') immobiliser, rester, stationner. — Durer, (s') éterniser. *(V. tr.)* **II.** Mentionner, (s') occuper de, penser à. — Défendre, interdire. **III.** (Être) refusé. — Atténuer, modérer. *(V. pr.)* **I.** (S') arrêter. **II.** (S') attacher à, avoir besoin, (se) gaver.

Passerelle
Syn. **I.** Pont. — Plan incliné. **II.** Escalier mobile. **III.** Passage, relation.

Passe-temps
Syn. **I.** Amusement, délassement, distraction, divertissement, jeu, plaisir, récréation, repos.
Ant. **I.** Contrariété, désagrément, ennui, ouvrage, travail.

Passible
Syn. **I.** Assujetti à, redevable de.
Ant. **I.** Exempté, libéré.

Passif
Syn. **II.** Apathique, aveugle *(fig.),* inactif, indifférent, inerte, neutre, non violent, résigné.
Ant. **II.** Actif, agissant, déterminé, diligent, énergique, entreprenant, intéressé, laborieux, révolté, violent.

Passion
Syn. **I.** Adoration, affection, amour, ardeur, attachement, avidité, béguin, chaleur, délire, élan, emballement, émotion, enthousiasme, exaltation, fanatisme, fièvre, flamme, frénésie, goût, penchant, sentiment, transport, trouble.
Ant. **I.** Antipathie, aversion, calme, détachement, flegme, haine, horreur, indifférence, liberté, lucidité, mesure, modération, pondération, refoulement, retenue.

Passionnant
Syn. **I.** Affolant, attachant, captivant, électrisant, émouvant, empoignant, enivrant, excitant, impressionnant, intéressant, palpitant, pathétique, saisissant.
Ant. **I.** Apaisant, banal, ennuyeux, fastidieux, froid, insignifiant, rassérénant.

Passionné
Syn. **I.** *(Pers.)* Amant, amoureux, avide, chaleureux, chaud, débauché, embrasé, enfiévré, enflammé, enivré, enthousiaste, épris, exalté, fanatique, féru, romanesque, sectaire, transporté. — *(Ch.)* Ardent, brûlant, effréné, endiablé, fébrile, fervent, forcené, frénétique, furieux, partial, véhément, vif, violent.
Ant. **I.** *(Pers.)* Apathique, calme, détaché, discret, flegmatique, frigide, indolent, lucide, mesuré, modéré, pondéré, raisonnable, rangé, réservé, sage, vertueux. — *(Ch.)* Faible, froid, impartial, inerte, léger, morne, terne, tiède.

Pasteur
Syn. **I.** Berger, chevrier, gardeur, gardien, pastoureau, pâtre. **III.** Chef, conducteur. — Ministre protestant. — Évêque, prêtre.
Ant. **III.** Fidèles, ouailles.

Pastiche
Syn. **I.** Contrefaçon, copie, faux, imitation, plagiat, reproduction.
Ant. **I.** Authenticité, création, original, production.

Pastiche
Syn. **I.** À la manière de, contrefaçon, copie, imitation, plagiat, reproduction.
Ant. **I.** Authenticité, création, original, production.

Pastoral
Syn. **II.** Agreste, bucolique, champêtre, idyllique, rural, rustique. **III.** *(Relig.)* Ministériel, sacerdotal, spirituel.

Pataud
Syn. **I.** Gauche, lent, lourd, maladroit.
Ant. **I.** Aisé, facile, fin, rapide, vif.

Patauger
Syn. **I.** Barboter, (s') embourber, (s') enliser, patouiller *(fam.),* piétiner. **III.** (S') embarrasser, (s') embrouiller, (s') empêtrer, (se) perdre.
Ant. **I.** Avancer, (se) dégager, (se) libérer. **III.** (Se) dépêtrer, (se) retrouver, (se) tirer de.

Patelin
Syn. **I.** Doucereux, faux, flatteur, hypocrite, insinuant, mielleux, onctueux.
Ant. **I.** Brutal, cassant, franc, loyal, sincère, tranchant.

Patent
Syn. **I.** Criant, évident, flagrant, indéniable, manifeste, notoire, ouvert *(fig.).*
Ant. **I.** Caché, confus, douteux, faux, furtif, latent.

Paternel
Syn. **I.** Familial. **II.** Bon, débonnaire, indulgent, miséricordieux.
Ant. **I.** Filial. **II.** Austère, dur, rigoureux, sévère.

Pâteux
Syn. **I.** Boueux, cotonneux, épais, mollasse *(fam.).* **II.** Assourdi, embarrassé, empâté, gras, mou. **III.** Filandreux, lourd.
Ant. **I.** Clair, fluide, juteux, limpide. **II.** Net, sonore. **III.** Délié, léger.

Pathétique
Syn. **I.** Dramatique, éloquent, émouvant, empoignant, palpitant, passionnant, touchant.
Ant. **I.** Amusant, comique, désopilant, froid, gai, impassible, réconfortant, réjouissant.

Pathos
Syn. **II.** *(Fam. et péj.)* Affectation, boursouflure, emphase, galimatias.
Ant. **II.** Naturel, simplicité.

Patience
Syn. **I.** Calme, constance, douceur, endurance, flegme, indulgence, longanimité, résignation, persévérance.
Ant. **I.** Brusquerie, colère, emportement, énervement, exaspération, impatience, inconstance, irritation, nervosité, violence.

Patient
Syn. **I.** *(Adj.)* Calme, constant, débonnaire, doux, endurant *(vx),* indulgent, longanime, persévérant, résigné. — *(N.)* Client, malade.
Ant. **I.** *(Adj.)* Brusque, coléreux, fougueux, impatient, irritable, prompt, vif, violent.

Pâtir
Syn. **I.** Endurer, éprouver, languir, péricliter, ressentir, souffrir, stagner, subir, supporter.
Ant. **I.** Agréer, bénéficier, calmer, jouir, profiter, rasséréner, soulager, tolérer.

Patois
Syn. **I.** Dialecte, idiome, parler. **II.** Argot, jargon. — Baragouin, charabia.
Ant. **II.** Langage correct.

Patouiller V. *Patauger*

Patraque
Syn. **I.** Anémié, égrotant, faible, fatigué, (mal) fichu, malade.
Ant. **I.** Dispos, (en bon) état, fort, (en) santé, solide.

Pâtre V. *Pasteur*

Patriarcal
Syn. **I.** Ancestral, ancien, antique, familial. **II.** Simple, vertueux. — Suranné.
Ant. **I.** Contemporain, moderne, nouveau, récent.

Patriarche
Syn. **I.** *(Relig.)* Chef. — Ancêtre, ancien, vieillard.
Ant. **I.** Adolescent, contemporain, enfant, jeune homme.

Patrie
Syn. **I.** État, nation, pays natal. **II.** Berceau, foyers, lieu de naissance. **III.** Climat, contrée, milieu.

Patrimoine
Syn. **I.** Biens, héritage, legs, propriété, succession. **III.** Apanage.

Patrimonial
Syn. **I.** Familial, héréditaire.
Ant. **I.** Acheté, acquis, étranger.

Patriote
Syn. **I.** Nationaliste. — *(Péj.)* Chauvin, patriotard.
Ant. **I.** Antipatriote, cosmopolite, internationaliste.

Patriotisme
Syn. **I.** Nationalisme. — Chauvinisme, loyalisme.
Ant. **I.** Antipatriotisme, cosmopolitisme, défaitisme, internationalisme.

Patron
Syn. **I.** Directeur, employeur, entrepreneur, maître. **II.** Capitaine, chef, bourgeois *(fam.)*, tenancier. — Protecteur, saint, titulaire. **I.** Carton, dessin, forme, modèle.
Ant. **I.** Apprenti, employé, journalier, ouvrier, salarié. **II.** Subalterne. — Bonne, domestique. — Commis, garçon, serveur. — Protégé.

Patronage
Syn. **I.** Aide, auspices, égide, parrainage, protection, recommandation, sauvegarde, soutien, vocable. **II.** Favoritisme. — Club, gymnase, organisation.

Patronner
Syn. **I.** Aider, appuyer, commanditer, encourager, financer, garantir, introduire, parrainer, protéger, recommander, sauvegarder, soutenir.
Ant. **I.** Abandonner, accabler, combattre, délaisser, négliger, opprimer, pressurer, tourmenter, tyranniser.

Pâturage V. *Pacage*

Pâture
Syn. **I.** Aliment, becquée, manger, nourriture. **II.** Pâturage. **III.** Lecture, proie.

Paupérisme
Syn. **I.** Appauvrissement, dénuement, indigence, misère, pauvreté.
Ant. **I.** Abondance, aisance, capitalisme, fortune, opulence, richesse.

Pause
Syn. **I.** Arrêt, délassement, halte, interruption, intervalle, mi-temps, silence, suspension.
Ant. **I.** Continuation, marche, mouvement, prolongement, reprise, travail.

Pauvre
Syn. (N.) **I.** Besogneux *(vx)*, clochard, gueux, indigent, malheureux, meurt-de-faim, misérable, miséreux, nécessiteux, paria, pouilleux, prolétaire. *(Adj.)* **I.** *(Pers.)* Appauvri, démuni, famélique, gêné, humble, infortuné, privé, ruiné. **II.** *(Événement)* Calamiteux, déplorable, pitoyable. — *(Sol)* Aride, chétif, ingrat, maigre, modeste, stérile. — *(Aspect)* Décharné, dénué, dépourvu, minable, miteux, piteux.
Ant. (N.) **I.** Capitaliste, crésus, nabab, richard. *(Adj.)* **I.** Aisé, cossu, fortuné, opulent, prospère, riche. **II.** Heureux. — Fécond, fertile, florissant, généreux, luxu-

riant. — Abondant, copieux, gras, pourvu.

Pauvreté
Syn. I. (Pers.) Besoin, dèche (pop.), dénuement, gêne, indigence, mendicité, misère, nécessité, paupérisme, privation, ruine. II. (Ch.) Aridité, disette, maigreur, manque, pénurie. III. Banalité, faiblesse, insuffisance, médiocrité, platitude, stérilité, vide.
Ant. I. Aisance, aise, bien-être, fortune, luxe, opulence, prospérité, richesse. II. Abondance, excès, fertilité, luxuriance. III. Excellence, fécondité, originalité.

Pavaner (Se)
Syn. I. (S') afficher, (s') étaler, paonner, parader, plastronner, (se) rengorger, (faire la) roue.
Ant. I. (Se) cacher, (s') effacer, (s') humilier.

Pavé
Syn. I. Bloc, carreau, dalle, pierre. II. Carrelage, dallage, mosaïque, pavage, pavement, revêtement. III. (Fam.) Rue.

Paver
Syn. I. Carreler, couvrir, daller, revêtir. III. Joncher, recouvrir.
Ant. I. Décarreler, découvrir, dépaver. III. Dégarnir.

Pavillon
Syn. I. Tente (vx). II. (Liturg.) Voile. — Abri, belvédère, chalet, cottage, gloriette, kiosque, maisonnette, rotonde, tonnelle, villa. — (Mar.) Bannière, drapeau, enseigne, étendard.

Pavoiser
Syn. III. Décorer, orner, parer.
Ant. III. Déparer, enlaidir.

Payant
Syn. I. Acquittant, déboursant. III. Avantageux, fructueux, profitable, rentable.

Ant. I. Gratuit, invité. III. Désavantageux, improductif, infructueux.

Paye V. Salaire

Payer
Syn. I. Acquitter, (s') acquitter de, amortir, appointer, débourser, décaisser, dédommager, défrayer, indemniser, (se) libérer, liquider, régler, rembourser, remettre, rémunérer, rétribuer, solder, verser. — Avancer, cotiser, financer, souscrire. — Acheter, corrompre, gagner, soudoyer, suborner, stipendier. II. Offrir, régaler. III. Expier, punir, récompenser.
Ant. I. Débiter, déduire, devoir, donner, emprunter, encaisser, garder, imposer, recevoir, vendre.

Pays
Syn. I. Contrée, empire, endroit, État, lieu, parages, patrie, peuple, région, territoire, zone. II. Foyers. III. Domaine, royaume.
Ant. I. Étranger.

Paysage
Syn. I. Décor, panorama, site, vue. — Dessin, tableau.

Paysan
Syn. (N.) I. Agriculteur, campagnard, cultivateur, fermier, laboureur. II. (Péj.) Rustaud. — (Adj.) I. Rural, rustique, terrien.
Ant. I. Bourgeois, citadin. II. Raffiné.

Péché
Syn. I. Faute, manquement, offense, transgression.
Ant. I. Fidélité, grâce, respect, vertu.

Pécheur
Syn. I. Coupable, délinquant, fautif, offenseur.
Ant. I. Innocent, juste, vertueux.

Pédagogie
Syn. I. Éducation (science de l'), ensei-

gnement (méthode d'), instruction (art de l').

Ant. **I.** Ignorance, inexpérience.

Pédagogue
Syn. **I.** Éducateur, enseignant, instituteur, maître, précepteur, professeur, régent *(vx).* **II.** Censeur, pédant.
Ant. **I.** Disciple, élève. **II.** Humble, modeste.

Pédant
Syn. (N.) **I.** Magister, pédagogue. **II.** Basbleu, bonze, cuistre, paon, pontife, poseur. *(Adj.)* **I.** Affecté, doctoral, dogmatique, emphatique, fat, pédantesque, solennel, suffisant.
Ant. (Adj.) **I.** Affable, franc, humble, modeste, naturel, simple, sobre, spontané.

Peigner
Syn. **I.** Arranger, coiffer, démêler, lisser, ordonner. **III.** *(Vx à l'actif)* Fignoler, lécher, soigner.
Ant. **I.** Décoiffer, défaire, dépeigner, ébouriffer, écheveler, mêler. **III.** Bâcler.

Peindre
Syn. **I.** Badigeonner, barbouiller, barioler, colorer, colorier, enduire, laquer, peinturer, peinturlurer, ripoliner. *— (Bx arts)* Brosser, décorer, figurer, orner, portraiturer, représenter, reproduire. **II.** Exécuter. **III.** Décrire, dépeindre, exprimer, montrer, tracer.

Peine
Syn. **I.** Amende, châtiment, condamnation, pénalité, punition. *— (Relig.)* Dam, damnation, enfer, pénitence, purgatoire. *—* Affliction, chagrin, douleur, épreuve, inquiétude, malheur, regret, remords, souci, souffrance, tourment, tracas, tristesse. *— (Activité)* Difficulté, effort, embarras, fatigue, labeur, mal, obstacle, tâche, travail, tribulation.
Ant. **I.** Absolution, compensation, consolation, indulgence, pardon, récompense,

remise. *—* Bonheur, contentement, félicité, gaieté, joie, paix, plaisir. *—* Aide, aisance, détente, facilité, repos.

Peiner
Syn. **I.** *(V. tr.)* **Affliger, attrister,** chagriner, déplaire, **désobliger,** désoler. *— (V. intr.)* **(S') appliquer, (s')** efforcer, (s') évertuer, (se) **fatiguer, suer,** travailler, trimer *(fam.).*
Ant. **I.** *(V. tr.)* **Amuser, consoler,** divertir, égayer, réjouir, soulager. *— (V. intr.)* (Se) reposer.

Pelage
Syn. **I.** Fourrure, laine, livrée, manteau, mantelure, poil, robe, toison.

Pêle-mêle
Syn. **I.** *(Adv.)* **Çà et là,** confusément, (en) désordre, (en) vrac. *— (N.)* **Capharnaüm,** chaos, désordre, **embrouillamini,** fatras, fouillis, mélange, méli-mélo *(fam.).*
Ant. **I.** Clarté, **netteté, ordre,** précision, suite.

Pèlerin
Syn. **I.** Dévot, **fidèle. II.** Excursionniste, touriste, visiteur, **voyageur.**
Ant. **II.** Casanier, **sédentaire.**

Pellicule
Syn. **I.** Enveloppe, **lamelle, membrane,** parcelle. *—* Feuille, **film, négatif.**

Pelote
Syn. **I.** Balle, boule, **coussinet, sphère.**

Pelotonner (Se)
Syn. **III.** (Se) blottir, (se) ramasser, (se) replier, (se) tapir.
Ant. **III.** (S'allonger, (s') étendre, (s') étirer.

Pelouse
Syn. **I.** Gazon, herbe.

Pelure
Syn. **I.** Enveloppe, **épluchure. III.** *(Fam.)* Habit, manteau, **vêtement.**
Ant. **I.** Centre, **intérieur, noyau.**

Pénalité
Syn. **I.** Pénalisation *(sports).* V. *Peine.*

Pénates
Syn. **III.** *(Fam. et ironiq.)* Chez-soi, demeure, foyer, habitation, maison.
Ant. **III.** Á l'étranger.

Penaud
Syn. **I.** Confus, contrit, déconcerté, déconfit, désemparé, embarrassé, gêné, honteux, humilié, interdit, pantois, piteux.
Ant. **I.** Décidé, ferme, fier, fringant, hardi, rassuré, résolu.

Penchant
Syn. **I.** *(Vx)* Flanc, pente, versant. — Affection, aptitude, attrait, disposition, faible *(n.),* goût, impulsion, inclination, instinct, prédisposition, propension, sympathie, tendance.
Ant. **I.** Antipathie, aversion, dégoût, inaptitude, répugnance.

Pencher (et Se)
Syn. (V. tr.) **I.** Abaisser, baisser, coucher, courber, incliner, renverser. *(V. intr.)* **I.** Chanceler, descendre, obliger, perdre l'équilibre. **III.** Décliner. — *(Pencher pour, vers)* Adopter, préférer, prendre parti, (se) prononcer pour. *(V. pr.)* **I.** (Se) baisser, (s') incliner. **III.** *(Se pencher sur)* Étudier, examiner.
Ant. **I.** Elever, ériger, lever, redresser.

Pendant
Syn. **I.** *(Adj.)* Ballant, tombant. — *(Dr.)* En cours, en instance, en suspens. *(N.)* Contre-partie, double, réplique, semblable, symétrie. — Boucle d'oreille, pendeloque. *(Prép.)* (Au) cours de, dans, durant, en, (au) milieu de. *(Pendant que, loc. conj.)* Alors que, cependant que, lorsque, quand, tandis que.
Ant. (Adj.) **I.** Dressé, droit, redressé. — Jugé, réglé, résolu.

Pendard V. *Coquin*

Pendre
Syn. **I.** *(V. tr.)* Accrocher, attacher, fixer, suspendre. — Exécuter. — *(V. intr.)* Pendiller, retomber, (être) suspendu, tomber, traîner.
Ant. **I.** Décrocher, dépendre, détacher, enlever.

Pendule
Syn. **I.** *(N.m.)* Balancier, régulateur. *(N.f.)* Cartel, horloge, pendulette, réveil.

Pénétrable
Syn. **I.** Abordable, accessible, perméable. **III.** Clair, compréhensible, facile, intelligible, saisissable, sensible.
Ant. **I.** Étanche, impénétrable, imperméable, inaccessible. **III.** Confus, difficile, incompréhensible, inintelligible, insensible, insondable.

Pénétrant
Syn. **I.** Acéré. **II.** Mordant, perçant. **III.** Fort. — Aigu, clair, clairvoyant, fin, lucide, perspicace, profond, sagace, subtil, vif.
Ant. **II.** Doux, émoussé. **III.** Borné, inintelligent, lourd, obtus, stupide, superficiel.

Pénétré
Syn. **I.** Imprégné, trempé. **III.** Confit *(fam.),* convaincu, imbu, plein, rempli, touché. — Compris, découvert, deviné.
Ant. **III.** Incertain, incompris, irrésolu, peu sûr, sceptique.

Pénétrer
Syn. (V. intr.) **I.** Absorber, accéder, aller, (se) couler, (s') enfoncer, (s') engager, entrer, envahir, (se) faufiler, (se) glisser, (s') infiltrer, (s') insinuer, (s') introduire. *(V. tr.)* **I.** Imbiber, imprégner, passer, traverser, tremper. **II.** Transir, transpercer. **III.** Approfondir, attendre, comprendre, découvrir, percer, percevoir, pressentir, remplir, saisir, scruter, sentir, sonder, toucher.

Ant. *(V. intr.)* **I.** (S') abstenir, (s'en) aller, (s') éloigner, fuir, partir. *(V. tr.)* **I.** Affleurer. **III.** Effleurer.

Pénible

Syn. **I.** Ardu, astreignant, difficile, dur, épuisant, fatigant, harassant, ingrat, laborieux. **III.** Affligeant, attristant, cruel, déplorable, désolant, douloureux, ennuyeux, funeste, lamentable, mauvais, navrant, triste.

Ant. **I.** Agréable, aisé, doux, facile. **III.** Amusant, attrayant, bon, intéressant, joyeux, réconfortant.

Pénitence

Syn. **I.** Ascétisme, austérité, discipline, jeûne, macération, mortification, privation. **II.** *(Théol. chrét.)* Confession, contrition, expiation, regret, repentir, résipiscence, satisfaction. — Châtiment, peine, pensum, punition.

Ant. **I.** Endurcissement, impénitence, sensualité. **II.** *(Sacr.)* Absolution, pardon, rémission. — Prix, récompense.

Pénitencier

Syn. **I.** Bagne, geôle, prison. — Confesseur.

Pénitent

Syn. **I.** *(N.)* Ascète, personne qui se confesse. — *(Adj.)* Contrit, repentant.

Ant. **I.** Impénitent, invétéré.

Pénombre

Syn. **II.** Clair-obscur, demi-jour. **III.** Effacement, obscurité.

Ant. **II.** Clarté, jour, lumière. **III.** Célébrité, renom.

Pensée (s)

Syn. **I.** Entendement, esprit, intelligence, jugement, raison, raisonnement. — Doctrine, système. — Avis, conception, conviction, croyance, dessein, idée, image, imagination, impression, intention, méditation, notion, opinion, préoccupation, projet, rêverie, sentiment, souvenir,

(point de) vue. **II.** Adage, aphorisme, axiome, dicton, maxime, mot, parole, proverbe, sentence. — *(Pl.)* Considérations, notations, notes, observations, propos, réflexions, remarques.

Penser

Syn. **I.** *(V. intr.)* (Se) concentrer, concevoir, considérer, délibérer, méditer, peser, raisonner, (se) recueillir, réfléchir, ruminer, songer, spéculer, voir. — *(V. tr.)* Admettre, croire, estimer, imaginer, juger, présumer, projeter, soupçonner, supposer. — Approfondir, examiner, mûrir.

Ant. **I.** (Se) désintéresser, négliger, oublier.

Penseur

Syn. **I.** Méditatif, philosophe, rêveur, sage.

Pensif

Syn. **I.** Songeur. **II.** Absorbé, attentif, contemplatif, occupé, préoccupé, rêveur, songeur, soucieux.

Ant. **II.** Badin, étourdi, inattentif, indifférent, insouciant, léger, plaisant.

Pension

Syn. **I.** Allocation, annuité, bourse, dotation, prestation, rente, retraite, revenu, subside, subvention. — Hôtel-restaurant, collège, couvent, institution, internat, pensionnat.

Pensum

Syn. **I.** Pénitence, punition. **II.** Corvée.

Ant. **I.** Prix, récompense.

Pente

Syn. **I.** Côte, côté, déclivité, descente, inclinaison, penchant, versant. **III.** Inclination, propension, tendance.

Ant. **I.** Aplomb, plateau.

Pénurie

Syn. **I.** Crise, défaut, disette, épuisement, manque, rareté.

Ant. **I.** Abondance, multitude, pléthore, profusion, surabondance, surplus.

Pépier
Syn. **I.** Crier, gazouiller, jaser, piauler.
Ant. **I.** (Se) taire.

Perçant
Syn. **II.** Aigre, pénétrant, piquant, saisissant, vif. − Aigu, bruyant, criard, déchirant, éclatant, strident. **III.** *(Vx)* Perspicace.
Ant. **II.** Agréable, faible. − Amorti, doux, harmonieux, sourd. **III.** Obtus.

Percée
Syn. **I.** Brèche, clairière, dégagement, éclaircie, ouverture, trouée. **II.** Déchirure. − *(Milit., sports)* Avance, enfoncement, irruption, pénétration.
Ant. **I.** Clôture, fermeture. **II.** Recul.

Perceptible
Syn. **I.** Apparent, audible, palpable, sensible, visible. − Encaissable, percevable, recouvrable. **III.** Clair, compréhensible, évident, intelligible.
Ant. **I.** Caché, dissimulé, impalpable, imperceptible, insensible, invisible. − Irrécouvrable. **III.** Incompréhensible, inintelligible.

Perception
Syn. **I.** Impression, intuition, représentation, sens, sensation, vue. − Collecte, encaissement, recouvrement, rentrée.
Ant. **I.** *(Fin.)* Dépense, sortie.

Percer
Syn. *(V. tr.)* **I.** Creuser, crever, cribler, déchirer, enfoncer, forer, ouvrir, perforer, sonder, tarauder, transpercer, traverser, trouer, vriller. **III.** Déceler, découvrir, pénétrer. − *(Vx)* Affliger, darder. *(V. intr.)* **I.** Apparaître, crever, paraître, poindre. **III.** (Se) manifester, transparaître, transpirer. − (Se) distinguer, réussir.
Ant. *(V. tr.)* **I.** Boucher, clore, fermer, murer, obstruer. **III.** Cacher, celer, couvrir. *(V. intr.)* **I.** (Se) cacher, disparaître. **III.** (Se) dissimuler. − Échouer. Rester inconnu.

Percevoir
Syn. **I.** Apercevoir, découvrir, deviner, discerner, distinguer, entendre, éprouver, saisir, sentir, voir. − Empocher *(fam.)*, encaisser, lever, recevoir, recouvrer, recueillir, retirer, toucher.
Ant. **I.** Ignorer. − Débourser, donner, payer, remettre, verser.

Percher (Se)
Syn. **I.** (Se) brancher, (se) jucher, (se) poser. **II.** *(Fam.)* Demeurer, loger, résider, (se) trouver.

Perclus
Syn. **I.** Ankylosé, engourdi, gourd, impotent, inerte, infirme, invalide, paralysé, paralytique.
Ant. **I.** Actif, agité, alerte, dégourdi, ingambe, (bien) portant, sain, souple, valide, vif, vigoureux.

Percolateur
Syn. **I.** Cafetière-filtre.

Percussion
Syn. **I.** Choc, collision, coup, heurt, impact, impulsion. − *(Méd.)* Auscultation, exploration.

Percuter
Syn. **I.** Frapper, heurter, tamponner, télescoper. − *(Méd.)* Explorer.
Ant. **I.** Éviter, parer.

Perdant
Syn. **I.** Battu, défait, vaincu.
Ant. **I.** Gagnant, vainqueur, victorieux.

Perdition
Syn. **I.** *(Relig.)* Avilissement, corruption, perte, perversion, ruine (morale). − Danger, détresse.
Ant. **I.** Conservation, préservation, protection, salut.

Perdre (et Se)
Syn. *(V. tr.)* **I.** Aliéner, (s') appauvrir, (ne plus) avoir, (être) dépossédé, oublier, (être) privé de, subir une perte. − Détruire, dissiper, gâcher, gaspiller. − Déso-

rienter, égarer. — (Se faire) battre, échouer, reculer, (être) vaincu. **III.** Décrier, déshonorer, discréditer, léser, ruiner. — Corrompre, damner, dépraver, dévoyer, pervertir. *(V. pr.)* **I.** Disparaître, (s') égarer. — (S') enfoncer, (s') engloutir, (s') engouffrer, (se) jeter, sombrer. — (S') avarier, (se) gâter, pourrir. **III.** (S') embrouiller, (se) fourvoyer, (se) noyer. — (Se) corrompre, (se) débaucher. *Ant. (V. tr.)* **I.** Acquérir, avoir, conserver, défendre, gagner, garder, obtenir, posséder, prendre, recouvrer, récupérer, regagner, retrouver, sauver, trouver. — Guider, orienter. — Conquérir, dominer, remporter, vaincre. — Aider, louer, rassurer, soulager. — Préserver, sauver. *(V. pr.)* **I.** Reparaître, (se) retrouver — (Se) conserver. — (Se) débrouiller, (se) dépêtrer. — (S') améliorer, (se) perfectionner.

Perdu
Syn. **I.** *(Lieu)* Désert, écarté, éloigné, isolé, lointain. — *(Ch.)* Abîmé, disparu, égaré, endommagé, gâté, introuvable, inutile, invisible. — *(Animal)* Errant. — *(Pers.)* Condamné, désespéré, fichu *(fam.)*, foutu *(fam.)*, incurable, inguérissable. — Dépaysé. — Ruiné. — Absorbé, plongé. — Corrompu, débauché. *Ant.* **I.** Habité, rapproché. — Précieux, profitable, retrouvé, utile, visible. — Curable, guérissable, sauvé. — Fortuné, protégé. — Distrait. — Pur, vertueux.

Père
Syn. **I.** Auteur (des jours), chef (de famille), papa, paternel *(pop.)*. **II.** *(Pl.)* Aïeux, ancêtres, ascendants. **III.** Créateur, fondateur, inventeur.

Pérégrination V. *Voyage*

Péremptoire
Syn. **II.** Absolu, catégorique, décisif, irrévocable, (sans) réplique, tranchant. *Ant.* **II.** Discutable, hésitant, incertain, indécis.

Perfectible
Syn. **I.** Améliorable, amendable, corrigible. *Ant.* **I.** Imperfectible, incorrigible.

Perfection(s)
Syn. **I.** Absolu, achèvement, amélioration, beau, beauté, bien, bonté, consommation, couronnement, excellence, fini *(n.)*, idéal, nec plus ultra, parachèvement, summum. — *(Pl.)* Qualités, vertus. *Ant.* **I.** Abjection, approximation, bâclage, défaut, défectuosité, difformité, faute, gâchage, imperfection, médiocrité, nullité, sabotage.

Perfectionner
Syn. **I.** Achever, améliorer, compléter, corriger, embellir, épurer, fignoler, finir, parachever, parfaire, polir, retoucher. *Ant.* **I.** Abîmer, bâcler, dégrader, détériorer, endommager, enlaidir, gâcher, gâter, ruiner, saboter.

Perfide
Syn. *(N.)* **I.** Fourbe, scélérat, traître. *(Adj.)* **I.** *(Pers.)* Déloyal, félin, infidèle. **II.** *(Ch.)* Captieux, fallacieux, faux, félon, hypocrite, insidieux, machiavélique, méchant, rusé, trompeur, venimeux. *Ant. (Adj.)* **I.** Droit, fidèle, loyal. **II.** Bon, cordial, franc, honnête, sincère, solide.

Perfidie
Syn. **I.** Déloyauté, félonie, fourberie, infidélité, machiavélisme, malignité, trahison, traîtrise. *Ant.* **I.** Droiture, fidélité, franchise, loyauté, probité.

Perforer V. *Percer*

Performance
Syn. **I.** Record. **III.** Exploit, succès, victoire.

Péricliter
Syn. **I.** Baisser, décliner, décroître, descendre, diminuer, pâlir, pâtir. *Ant.* **I.** Accroître, (s') améliorer, augmen-

ter, croître, monter, progresser, prospérer, réussir.

Péril
Syn. **I.** Danger, difficulté, hasard, menace, risque.
Ant. **I.** Calme, repos, sécurité, sûreté, tranquillité.

Périlleux
Syn. **I.** Alarmant, critique, dangereux, difficile, hasardeux, menaçant, risqué. **III.** Audacieux, brûlant, délicat, hardi, osé, scabreux.
Ant. **I.** et **III.** Bon, convenable, facile, sûr.

Périmé
Syn. **II.** Annulé, expiré, invalide, nul. **III.** Ancien, attardé, caduc, démodé, désuet, (en) retard.
Ant. **II.** Légal, réglementaire, valable, valide. **III.** Actuel, moderne, neuf, récent.

Période
Syn. **I.** Âge, cycle, durée, époque, ère, étape, intervalle, phase, stade.

Périodique
Syn. **I.** *(N.)* Journal, magazine, publication, revue. — *(Adj.)* Alternatif, fixe, fréquent, habituel, régulier.
Ant. **I.** Capricieux, changeant, discontinu, espacé, intermittent, irrégulier, sporadique, variable.

Péripétie
Syn. **I.** Coup de théâtre, dénouement, nœud. **II.** Épisode, événement, incident.

Périphérie
Syn. **I.** Bord, contour, pourtour. **II.** Banlieue, environs, faubourg, zone.
Ant. **I.** Centre, milieu.

Périr
Syn. **I.** *(Pers.)* V. *Mourir.* — *(Ch.)* (S') anéantir, crouler, disparaître, (s') écrouler, finir.
Ant. **I.** (Se) conserver, durer, subsister, tenir, vivre.

Périssable
Syn. **I.** Court, éphémère, fragile, fugace, mortel, passager. — Altérable, corruptible, putrescible.
Ant. **I.** Durable, éternel, immortel, impérissable, permanent. — (Bien) conservé, frais, inaltérable, incorruptible.

Permanence
Syn. **I.** Constance, continuité, durabilité, fixité, identité, maintien, persistance, régularité, stabilité. **II.** Bureau, local, salle, service.
Ant. **I.** Discontinuité, évolution, instabilité, intermittence, interruption, modification, suppression.

Permanent
Syn. **I.** *(Adj.)* Constant, continu, durable, fixe, inaltérable, incessant, perpétuel, persistant, stable. — *(N.f.)* Frisure, ondulation.
Ant. *(Adj.)* **I.** Changeant, court, discontinu, éphémère, évanescent, fugace, fugitif, intermittent, momentané, passager, provisoire, temporaire.

Perméable
Syn. **I.** Pénétrable, transparent. **III.** Accessible, ouvert à, sensible.
Ant. **I.** Imperméable, impénétrable. **III.** Fermé à, inaccessible, insensible, réfractaire.

Permettre (et Se)
Syn. **I.** *(V. tr.)* Accorder, admettre, approuver, autoriser, concéder, laisser, passer, souffrir, tolérer. — Aider à, comporter. — Accepter, agréer. — *(V. pr.)* (S') accorder, (s') aviser, oser.
Ant. **I.** Défendre, empêcher, interdire, (s') opposer, prohiber, proscrire. — Inhiber. — Contraindre, forcer.

Permis
Syn. **I.** *(N.)* Autorisation, laissez-passer, licence, passavant, permission, sauf-conduit. — *(Adj.)* Admis, légitime, licite, loisible. V. *Permettre.*
Ant. (Adj.) **I.** Défendu, illicite, interdit.

407

Permission
Syn. **I.** Acquiescement, agrément, autorisation, concession, consentement, dispense, droit, liberté, tolérance. **II.** Campos *(fam.)*, congé.
Ant. **I.** Défense, empêchement, interdiction, opposition, prohibition, refus.

Permuter
Syn. **I.** *(V. intr.)* Changer (de poste), échanger. — *(V. tr.)* Intervertir, transposer.
Ant. **I.** Rester en place. — Laisser, remettre.

Pernicieux
Syn. **I.** Dangereux, dommageable, fatal, malsain, mauvais, nocif, nuisible, préjudiciable. — Diabolique, funeste, malfaisant, sinistre, subversif.
Ant. **I.** Avantageux, bienfaisant, bon, favorable, propice, sain, salutaire.

Péroraison
Syn. **I.** Conclusion, fin. **II.** Épilogue.
Ant. **I.** Commencement, début, exorde.

Pérorer
Syn. **I.** Débiter, discourir, palabrer, pontifier.

Perpétrer
Syn. **I.** Accomplir, commettre, consommer, exécuter.
Ant. **I.** (S') abstenir, empêcher.

Perpétuel
Syn. **I.** Constant, continu, continuel, durable, éternel, impérissable, incessant, permanent, sempiternel. **II.** *(Pl.)* Fréquent, habituel.
Ant. **I.** Court, éphémère, momentané, passager, temporaire. **II.** Rare, sporadique.

Perpétuer (et Se)
Syn. **I.** *(V. tr.)* Continuer, éterniser, immortaliser, maintenir, pérenniser, transmettre. — *(V. pr.)* (Se) continuer, durer, (se) reproduire, rester, survivre.

Ant. **I.** *(V. tr.)* Abolir, cesser, changer, éteindre. *(V. pr.)* Finir.

Perplexe
Syn. **I.** Embarrassé, ennuyé, hésitant, indécis, inquiet, irrésolu, soucieux.
Ant. **I.** Assuré, convaincu, décidé, fixé, résolu, sûr.

Perquisition
Syn. **I.** Descente (de justice), enquête, fouille, recherche, reconnaissance, visite (domiciliaire). **III.** Inquisition, investigation.

Persécuter
Syn. **I.** Martyriser, opprimer, torturer, tourmenter, tyranniser. **II.** (S') acharner contre, harceler, importuner, molester, poursuivre, presser, pressurer.
Ant. **I. et II.** Aider, défendre, encourager, favoriser, garder, patronner, préserver, protéger, sauvegarder, soutenir.

Persécuteur
Syn. **I.** *(N.)* Despote, oppresseur, tyran. — *(Adj.)* Cruel, persécutant.
Ant. **I.** Défenseur, protecteur. — Bienveillant, bon.

Persévérance
Syn. **I.** Acharnement, assiduité, constance, courage, entêtement, fermeté, fidélité, insistance, obstination, opiniâtreté, patience, persistance, ténacité, volonté.
Ant. **I.** Abandon, abjuration, caprice, changement, désistement, fantaisie, inconstance, indécision, versatilité.

Persévérant
Syn. **I.** Acharné, constant, entêté, ferme, fidèle, obstiné, opiniâtre, patient, persistant, tenace.
Ant. **I.** Capricieux, changeant, fantaisiste, incertain, inconstant, indécis, irrésolu, vacillant, versatile.

Persévérer
Syn. **I.** (S') acharner, continuer, demeurer, (s') entêter, insister, (s') obstiner,

(s') opiniâtrer, patienter, persister, poursuivre, tenir (bon, ferme).
Ant. **I.** Abandonner, abdiquer, abjurer, céder, cesser, délaisser, déserter, (se) désister, flancher, lâcher, quitter, renoncer.

Persiflage
Syn. **I.** Dérision, ironie, moquerie, raillerie, sarcasme, satire.
Ant. **I.** Admiration, appréciation, considération, déférence, égard(s), hommage, louange, respect.

Persistant
Syn. **I.** Constant, continu, durable, éternel, ferme, fixe, inébranlable, obstiné, opiniâtre, patient, soutenu, tenace.
Ant. **V.** *Persévérant.*

Persister
Syn. **I.** *(Pers.* **V.** *Persévérer.) — (Ch.)* Continuer, demeurer, durer, (se) maintenir, rester, (se) soutenir, subsister, tenir.
Ant. **I.** (S') arrêter, cesser, (s') évanouir, faiblir, flancher, renoncer.

Personnalité
Syn. **I.** Comportement, constitution, individualité, moi, nature, personne, tempérament. **II.** Caractère, originalité, relief. **III.** Lumière, notabilité, notable, personnage, sommité, vedette.
Ant. **I.** Généralité, impersonnalité. **III.** Quelconque.

Personne(s)
Syn. **I.** Âme, être (humain), homme, moi, personne, soi, sujet. — *(Pl.)* Gens.

Personnel
Syn. (Adj.) **I.** Exclusif, individuel, intime, nominatif, particulier, privé, propre, spécial. **II.** Original. *(N.)* **I.** Domesticité, main-d'œuvre, ouvriers.
Ant. (Adj.) **I.** Collectif, commun, général, impersonnel, public, universel. **II.** Banal, emprunté. *(N.)* **I.** Matériel.

Perspective
Syn. **I.** Échappée, vue. **III.** Angle, aspect,

éclairage, espérance, éventualité, expectative, horizon, idée, optique, point de vue.

Perspicace
Syn. **I.** Averti, intelligent, sagace. **II. V.** *Pénétrant.*
Ant. **I.** Aveugle, myope.

Perspicacité
Syn. **I.** Acuité, clairvoyance, discernement, finesse, flair, habileté, intelligence, lucidité, pénétration, sagacité, subtilité.
Ant. **I.** Aveuglement, cécité, enfantillage, erreur, imbécillité, naïveté, sottise, stupidité.

Persuader
Syn. **I.** Convaincre, décider, déterminer, endoctriner, entraîner, gagner, séduire, toucher. — Inculquer, insinuer, suggérer.
Ant. **I.** Déconseiller, détourner, dissuader.

Persuasif
Syn. **I.** Convaincant, éloquent, entraînant, séduisant.
Ant. **I.** Insignifiant, terne.

Persuasion
Syn. **I.** Attrait, conviction, séduction, suggestion. — Assurance, confiance, croyance.
Ant. **I.** Dissuasion, répulsion. — Doute.

Perte
Syn. **I.** *(Dépossession)* Appauvrissement, coulage, déchet, déficit, dégât, détriment, dilapidation, dommage, extinction, fuite, gâchage, gaspillage, naufrage, perdition, préjudice, privation, sinistre. — *(Désavantage)* Chute, déchéance, défaite, déperdition, diminution, échec, insuccès, manque, tare. — *(Disparition)* Deuil, éloignement, malheur, mort, séparation.
Ant. **I.** Aubaine, bénéfice, butin, conservation, excédent, gain, profit, recouvrement, relèvement. — Accroissement, avantage, conquête, progrès, réussite, succès. — Bonheur, réapparition, réunion, vie.

Pertinence
Syn. **I.** À-propos, bien-fondé, convenance.
Ant. **I.** Désaccord, disconvenance.

Pertinent
Syn. **I.** Approprié, convenable, justifié.
II. Compétent, judicieux, juste.
Ant. **I.** Déplacé, impertinent, inapplicable, inconvenant, injustifié. **II.** Absurde, incompétent, stupide.

Perturbateur V. *Séditieux*

Perturbation
Syn. **I.** Dérangement, trouble. — *(Méd.)* Désordre, détraquement, lésion. — Agitation, anarchie, bouleversement, chambardement, chaos, crise, désarroi, désorganisation, remue-ménage.
Ant. **I.** Calme, concorde, harmonie, ordre, organisation, paix, tranquillité.

Pervers
Syn. **I.** Corrompu, dénaturé, dépravé, lâche, malfaisant, méchant, vicieux. **II.** Diabolique.
Ant. **I.** Austère, bon, continent, digne, honnête, intègre, noble, normal, sage, sain, vertueux.

Perversion
Syn. **I.** Altération, avilissement, corruption, débauche, dégradation, dépravation, dérèglement, égarement. — Anomalie, détraquement, déviation. **II.** Folie (morale), perversité.
Ant. **I.** Amélioration, correction, honnêteté, honneur, intégrité, perfection, probité, sanctification, vertu.

Perversité
Syn. **I.** Corruption, dépravation, méchanceté. — Malignité, perfidie. **II.** Vice.
Ant. **I.** Bienveillance, bonté, perfectionnement, pureté. **II.** Vertu.

Pervertir
Syn. **I.** Corrompre, débaucher, dévoyer, empoisonner, gâter, séduire. — Altérer,

changer, dégénérer, dénaturer, détériorer, détraquer, fausser, troubler, vicier.
Ant. **I.** Améliorer, amender, bonifier, convertir, corriger, édifier, élever, épurer, purifier, sanctifier, sauver.

Pesant
Syn. **I.** Alourdi, appesanti, gros, indigeste, lourd, massif, surchargé. **II.** Abrutissant. **III.** Assujettissant, désagréable, douloureux, encombrant, ennuyeux, épais, importun.
Ant. **I.** Digestible, impondérable, léger. **III.** Agréable, aisé, éveillé, prompt, vif.

Pesanteur
Syn. **I.** Attraction, fardeau, gravitation, gravité, masse, poids. **II.** Engourdissement, malaise. — Force, violence. **III.** Lenteur, lourdeur.
Ant. **I.** Légèreté. **II.** Euphorie. **III.** Rapidité, souplesse, vivacité.

Peser,
Syn. (V. tr.) **I.** Jauger, soupeser, tarer. **III.** Apprécier, approfondir, calculer, considérer, estimer, évaluer, examiner, juger, mesurer, réfléchir à. *(V. intr.)* **I.** Avoir tel poids. — *(Peser sur)* **I.** Alourdir, appuyer, écraser, pousser, presser. **III.** Accabler, appesantir, incomber à, influencer, influer sur, opprimer, retomber. — *(Peser à)* **III.** Coûter, dégoûter, ennuyer, fatiguer, importuner, obséder, (faire) peine.
Ant. **I.** Alléger, décharger, délester, réconforter, soulager.

Pessimiste
Syn. **I.** Atrabilaire, broyeur de noir, hypocondriaque, inquiet, maussade, mélancolique, misanthrope. **II.** Alarmiste, défaitiste. — *(Ch.)* Sombre.
Ant. **I.** Enjoué, gai, optimiste.

Pester V. *Maugréer*

Pestilentiel
Syn. **I.** Fétide, infect, nauséabond, puant. **II.** Contagieux, épidémique, malsain,

nuisible. III. *(Vx)* Corrupteur, pernicieux.

Ant. **I.** Odoriférant, parfumé. **II.** Assaini, hygiénique, pur, sain, salubre.

Pétard
Syn. **III.** *(Pop.)* Bruit, tapage. — *(Fam.)* Bombe, scandale, sensation.

Pétillant
Syn. **III.** Agile, brillant, châtoyant, enflammé, éveillé, intelligent, scintillant, vif.
Ant. **III.** Endormi, éteint, morne, ombrageux, obscur, pâle, paresseux, sombre, terne, vague.

Pétiller
Syn. **I.** Craquer, crépiter, péter. **III.** Briller, châtoyer, éclater, étinceler, flamboyer, jaillir, scintiller.
Ant. **III.** Assombrir, blêmir, éteindre, obscurcir, ternir.

Petit
Syn. **I.** *(N.)* Bambin, bébé, gnome, mioche, nain, pygmée. — *(Adj.)* Bas, court, courtaud, exigu, fin, imperceptible, infime, invisible, menu, microscopique, mince, minime, minuscule, rabougri, réduit, ténu. — Chétif, délicat, dérisoire, faible, maigre, modique, précaire. **II.** Bref, sommaire, succinct. — Humble, insignifiant, médiocre, modeste, négligeable. — Bas, borné, étriqué, étroit, mesquin, mineur, piètre, vil.
Ant. **I.** *(N.)* Adulte, géant. *(Adj.)* Ample, colossal, démesuré, élevé, énorme, grand, haut, immense, infini, long, ostensible, spacieux, volumineux. — Abondant, copieux, fort, gros, robuste. **II.** Détaillé, long. — Célèbre, considérable, important, imposant, puissant. — Digne, généreux, magnanime, noble.

Petitesse
Syn. **I.** Exiguïté, modicité. **II.** Bassesse, défaut, étroitesse, faiblesse, médiocrité, mesquinerie.

Ant. **I.** Ampleur, énormité, grandeur, grosseur. **II.** Générosité, largesse, libéralité, noblesse, prouesse.

Pétition
Syn. **I.** Demande, instance, prière, réclamation, requête, sollicitation, supplique. **II.** Protestation (collective).

Pétri
Syn. **III.** Façonné, formé, modelé. — Plein, rempli.

Pétrifier
Syn. **I.** Fossiliser, lapidifier. — Incruster. **III.** Clouer, ébahir, effrayer, épouvanter, étonner, figer, fixer, glacer, immobiliser, méduser, paralyser, river, stupéfier, terrifier.
Ant. **III.** Amadouer, apprivoiser, caresser, rasséréner, rassurer.

Pétulance
Syn. **I.** Ardeur, brio, chaleur, exubérance, fougue, impétuosité, promptitude, turbulence, vitalité, vivacité.
Ant. **I.** Apathie, froideur, inactivité, indifférence, indolence, mollesse, nonchalance, réserve.

Peuplade
Syn. **I.** Groupement, horde, tribu.

Peuple
Syn. **I** Nation, pays, population, race, société. — Foule, masse, multitude, (grand) public. — Plèbe, populace, populo *(pop.),* prolétariat.
Ant. **I.** Individu. (Haute) classe, noblesse.

Peur
Syn. **I.** Affolement, alarme, angoisse, anxiété, appréhension, crainte, effroi, épouvante, frayeur, frisson, frousse, hantise, inquiétude, lâcheté, panique, phobie, pusillanimité, saisissement, terreur, trac *(fam.),* transes, trouble.
Ant. **I.** Assurance, audace, bravoure, calme, courage, crânerie *(vx),* flegme, har-

diesse, héroïsme, intrépidité, sang-froid, tranquillité, vaillance.

Peureux
Syn. **I.** Capon *(fam.* et *vx),* couard, craintif, froussard *(fam.),* lâche, pleutre, poltron, pusillanime.
Ant. **I.** Audacieux, brave, courageux, déterminé, effronté, fort, hardi, héroïque, résolu, vaillant.

Peut-être
Syn. **I.** (Sans) doute, possible, probablement.
Ant. **I.** Assurément, certainement, forcément.

Pharamineux V. *Extraordinaire*

Pharisaïque
Syn. **III.** Fourbe, hypocrite, sournois.
Ant. **III.** Droit, franc, loyal, sincère.

Pharisien
Syn. **III.** Hypocrite, orgueilleux.
Ant. **III.** Humble, sincère.

Phase
Syn. **I.** Apparence, aspect. — Changement, degré, échelon, étape, forme, palier, période, stade, succession, transition.

Phénoménal V. *Extraordinaire*

Phénomène
Syn. **I.** Apparence, expérience, fait, manifestation, observation. — Événement, merveille, miracle, phénix, prodige. — Monstre, rareté. — *(Fam.) (Individu)* Excentrique, original.

Philanthrope
Syn. **I.** *(N.)* Bienfaiteur, humanitariste. — *(Adj.)* Bienfaisant, bon, charitable, compatissant, désintéressé, généreux, humanitaire, large, libéral.
Ant. **I.** *(N.)* Misanthrope. *(Adj.)* Avare, cupide, égoïste, inhumain, intéressé, sordide.

Philosophe
Syn. **I.** *(N.)* Penseur, sage. — *(Adj.)* Phi-

losophique. **II.** Calme, ferme, optimiste, réfléchi, résigné, sage, satisfait, sérieux.
Ant. (Adj.) **II.** Agité, badin, étourdi, irréfléchi, révolté, tourmenté.

Philosopher
Syn. **I.** Discuter, étudier, méditer, penser, raisonner, réfléchir, spéculer.
Ant. **I.** (S') amuser, badiner, (se) distraire.

Phobie
Syn. **I.** Aversion, crainte, dégoût, haine, horreur, névrose, peur.
Ant. **I.** Admiration, amour, goût, poursuite, sympathie.

Phosphorescent
Syn. **I.** Fluorescent, luisant, luminescent. **II.** Brillant, étincelant, lumineux.
Ant. **I.** et **II.** Obscur, opaque, sombre.

Phrase
Syn. **I.** Formule, période, propos, sentence, style.
Ant. **I.** Lettre, mot.

Phraseur
Syn. **I.** Bavard, déclamateur, parleur, rhéteur *(péj.).*
Ant. **I.** Discret, muet, réticent, silencieux.

Physionomie
Syn. **I.** Air, attitude, expression, face, figure, mine, physique *(n.m.),* traits, visage. **II.** *(Ch.)* Apparence, aspect, caractère.

Physique
Syn. (Adj.) **I.** Matériel, naturel, réel. — Corporel, matériel. — Charnel, sexuel.
Ant. **I.** Chimique, immatériel, irréel, vivant. — Intellectuel, mental, moral, psychique, psychologique. — Sentimental, spirituel.

Piailler
Syn. **I.** Cacarder, piauler. **II.** *(Fam. Pers.)* Crier. **III.** Criailler, protester.
Ant. **II.** Murmurer, susurrer. **III.** Acquiescer, (se) taire.

Pianoter
Syn. **I.** Jouer. **II.** Frapper, tapoter.

Pic
Syn. **I.** Pivert. – Picot, pioche, rivelaine.
– Dent, mont, piton, sommet.

Picorer
Syn. **I.** Becqueter, picoter. – Butiner. **III.**
Plagier.

Pièce
Syn. **I.** Division, élément, fragment, morceau, partie, unité. – Espèce(s), jeton, monnaie, piécette. – Acte, certificat, diplôme, document, papier(s), titre. – Chambre, compartiment, partie, salle. – Oeuvre, ouvrage (comédie, drame, tragédie, poème). *Ant.* **I.** Ensemble, entier, tout.

Pied-à-terre
Syn. **I.** Appartement, garçonnière, logement (provisoire), studio.

Piédestal
Syn. **I.** Piédouche, socle, support. **III.**
Admiration, prestige.

Piège
Syn. **I.** Appât, appeau, chausse-trape, collet, filet, lacet, ratière, souricière, trappe, traquenard, trébuchet. **III.** Artifice, attrape-nigaud, embûche, embuscade, guet-apens, machination, ruse. *Ant.* **III.** Aide, assurance, protection, secours.

Pierre
Syn. **I.** Caillou, galet, pavé, roc, roche, rocher.

Pierreux
Syn. **I.** Caillouteux, graveleux, rocailleux, rocheux. *Ant.* **I.** Boueux, fangeux, ferreux, sablonneux.

Piété
Syn. **I.** Culte, dévotion, ferveur. **II.**
Affection, amour, attachement, respect.
Ant. **I.** Impiété, irréligion. **II.** Irrévérence.

Piétiner
Syn. (*V. intr.*) **I.** Piaffer, trépigner. **II.** Marquer le pas, patauger. **II]**. Ne pas avancer, ne pas progresser. (*V. tr.*) **I.** Fouler, marcher sur. **III.** Écraser, malmener, mépriser. *Ant.* (*V. intr.*) **I.** Avancer, courir. **III.** Évoluer, progresser. (*V. tr.*) **III.** Protéger, relever, respecter.

Piètre
Syn. **I.** Chétif, dérisoire, faible, insignifiant, médiocre, mesquin, minable (*fam.*), mince (*fig.*), miteux, nul, petit, triste. *Ant.* **I.** Considérable, fort, généreux, grand, important, riche, robuste, valable.

Pieux
Syn. **I.** Croyant, dévot, édifiant, fervent, religieux. **II.** Respectueux. *Ant.* **I.** Athée, blasphématoire, impie, incroyant, irréligieux, païen, profane, tiède. **II.** Infidèle, irrespectueux, méprisant.

Piler
Syn. **I.** Broyer, concasser, écraser, fracasser, pulvériser, triturer.

Pilier
Syn. **I.** Ante, colonne, pilastre, poteau, pylone, support. **III.** Appui, défenseur, étai, soutien. – Habitué.

Pillage
Syn. **I.** Dégât, déprédation, rapine, razzia, (mise à) sac, saccage, vol. **II.** Concussion, détournement, malversation. **III.** Plagiat.

Pillard
Syn. **I.** Brigand, maraudeur, pilleur, pirate, saccageur, voleur. **III.** Écumeur, exploiteur, plagiaire.

Piller
Syn. **I.** Dépouiller, dérober, dévaliser, dévaster, marauder, pirater, prendre, ra-

voir, usurper, voler. **II.** Dévorer. **III.** Écumer, pirater, plagier.

Pilote
Syn. (N.) **I.** (Homme de) barre, barreur, conducteur, lamaneur, nautonier *(vx)*, nocher *(vx)*, timonier. — Aviateur. **II.** Cicerone, guide. **III.** Mentor. *(Adj.)* **I.** Modèle *(adj.)*, type *(adj.)*.

Piloter
Syn. **I.** Conduire, diriger, gouverner, mener. **III.** Guider.
Ant. **I.** Détourner, égarer, fourvoyer, perdre, tromper.

Pimbêche
Syn. **I.** Chipie, mijaurée, pécore, péronnelle.
Ant. **I.** (Femme) charmante, gentille, modeste, simple, sympathique.

Pimenté
Syn. **I.** Assaisonné, relevé. **III.** Épicé, grivois, irrévérencieux, licencieux, salé.
Ant. **I.** Affadi, doux. **III.** Chaste, propre, réservé.

Pimpant
Syn. **I.** Chic, élégant, fringant, gracieux, joli. **II.** Coquet. **III.** Animé, éveillé.
Ant. **I.** Commun, grossier, inélégant, laid, vulgaire. **III.** Terne.

Pinacle
Syn. **I.** Pignon. **III.** Apogée, comble, faîte, sommet.
Ant. **I.** Base, fondement. **III.** Début.

Pince
Syn. Pincette, tenailles. — Fronce, pli.

Pincer
Syn. **I.** Coincer, presser, serrer. **II.** Mordre, piquer. **III.** Appréhender, arrêter, attraper, prendre, surprendre.

Pingre
Syn. **I.** Avare, chiche, ladre, mesquin, radin, rapiat *(fam.)*.
Ant. **I.** Dépensier, dissipateur, gaspilleur, généreux, libéral, prodigue.

Piocher
Syn. **I.** Creuser, fouir. **III.** Bûcher *(fam.)*, étudier, travailler.
Ant. **III.** Fainéanter, paresser.

Pionnier
Syn. **I.** Colon, défricheur, explorateur, squatter. **III.** Bâtisseur, créateur, promoteur, protagoniste.

Piper V. *Tromper*

Piquant
Syn. **I.** Acéré, perforant, pointu. **II.** Aigre, cuisant, fort, froid, pénétrant, vif. **III.** Acide, aigu, caustique, douloureux, malicieux, moqueur, mordant, satirique. — Agréable, excitant, inattendu, intéressant. — Amusant, curieux, fin, original, pittoresque.
Ant. **I.** Arrondi, contondant, émoussé, épointé. **II.** Doux. **III.** Bénin, bienveillant. — Contrariant, désagréable, fade, morne, pénible, plat, triste.

Pique
Syn. **III.** Méchanceté.
Ant. **III.** Gentillesse.

Piquer (et Se)
Syn. (V. tr.) **I.** Aiguillonner, darder, enfoncer, larder, percer. **II.** *(Méd.)* Immuniser, injecter, vacciner. — Attaquer, mordre, ronger, trouer. — Attacher, capitonner, coudre, épingler, fixer. — Moucheter, parsemer, piqueter, tacheter. — Détacher *(mus.)*. — Brûler, chatouiller, cuire, (se) démanger, fourmiller, (se) gratter, picoter, pincer. **III.** Agacer, blesser, froisser, irriter, vexer. — Exciter, intéresser, intriguer. *(V. pr.)* **I.** (Se) fâcher, (se) formaliser, (s') offenser. — (Se) flatter, (se) glorifier, (se) prétendre, (se) vanter.
Ant. **III.** Adoucir, cajoler, flatter, tranquilliser.

Pirate
Syn. **I.** Aventurier, brigand, corsaire, écumeur, forban, flibustier. **III.** Bandit, escroc, requin, voleur.

Pire (ou pis)
Syn. **I.** Aggravé, empiré, inférieur, plus mal.
Ant. **I.** Amélioré, amendé, bonifié, meilleur, mieux, perfectionné, préférable, supérieur.

Pirouette
Syn. **I.** Cabriole, demi-tour, galipette *(fam.),* volte. **III.** Echappatoire, plaisanterie, retournement, revirement, volte-face.

Piscine
Syn. **I.** Baignoire, bains, bassin, réservoir, thermes.

Pisser
Syn. **I.** (Faire) pipi, pissoter, uriner. **II.** (S') écouler, fuir.

Piste
Syn. **I.** Empreinte, foulée, marque, passage, trace, voie. **II.** Aire, bande de terrain, emplacement, sentier, terrain, parcours jalonné, trajet aménagé, balisé. — Enregistrement. **III.** Direction, indication, indice, recherche, trace.

Pistonner
Syn. **III.** *(Fam.)* Appuyer, patronner, protéger, recommander.
Ant. **III.** Dénigrer, ennuyer, nuire, opprimer, tracasser.

Pitance
Syn. **I.** *(Vx)* Ration, nourriture. — *(Fam. péj.)* Subsistance.— Pâtée.

Piteux
Syn. **I.** Confus, déplorable, lamentable, rechigné, triste. — *(Ch.)* Chétif, insignifiant, mauvais, médiocre, minable.
Ant. **I.** Content, heureux, satisfait. — Bon, satisfaisant, triomphant.

Pitié
Syn. **I.** Apitoiement, attendrissement, commisération, compréhension, miséricorde, sensibilité, sympathie.
Ant. **I.** Antipathie, cruauté, dureté, froideur, indifférence, insensibilité.

Pitoyable
Syn. **I.** Attendrissant, déplorable, douloureux, épouvantable, funeste, malheureux, misérable, navrant, pauvre, triste. — Lamentable, mauvais, médiocre, méprisable, minable, piteux.
Ant. **I.** Attrayant, charmant, encourageant, enviable, heureux, rassurant. — Bon, excellent.

Pitre
Syn. **I.** Bouffon, clown, comique *(n.),* mime, paillasse. **III.** Farceur, guignol.

Pittoresque
Syn. **II.** Beau, captivant, enchanteur, intéressant, original, piquant.
Ant. **I.** Disgracieux, ennuyeux, laid, monotone, morne.

Pivot
Syn. **I.** Axe, racine *(bot.),* support, tourillon. **II.** Appui, base, centre, soutien. **III.** Animateur, cheville (ouvrière), instigateur, organisateur, responsable.

Pivoter
Syn. **I.** Pirouetter, tourbillonner, tourner, tournoyer, virer.
Ant. **I.** Immobiliser, stabiliser.

Placard
Syn. **I.** Armoire. — Affiche, avis, écriteau, épreuve(s) *(typogr.),* feuille, pancarte.

Place
Syn. **I.** Emplacement, endroit, espace, lieu, site, terrain. — Citadelle, forteresse. — Champ de Mars, esplanade, parvis, placette, rond-point, square. — Chaise, fauteuil, siège, strapontin. — Disposition, ordre, position. **III.** Charge, dignité, emploi, fonction, métier, poste, rang, situation.

Placement
Syn. **I.** Investissement, mise de fonds.

Placer
Syn. **I.** Disposer, établir, fixer, installer,

mettre, poser, poster, ranger. — Localiser, situer. **II.** Assigner, caser *(fam.),* constituer. — Déposer, investir, prêter, vendre. **III.** Fonder. *Ant.* **I.** Défaire, déplacer, déranger, transférer, transporter.

Placide
Syn. **I.** Calme, doux, flegmatique, imperturbable, paisible, serein, tranquille. *Ant.* **I.** Anxieux, coléreux, emporté, fougueux, irritable, nerveux, violent.

Plafond
Syn. **I.** Plancher *(vx).* **II.** Caisson, soffite, solive, travée, voûte. **III.** Limite (supérieure), maximum. *Ant.* **I.** Parquet. **III.** Minimum.

Plage
Syn. **I.** Bord de la mer, côte, grève, rivage. **II.** Rive (sableuse), station (balnéaire). **III.** Contrée.

Plagiaire
Syn. **I.** Contrefacteur, copiste, écumeur, imitateur, pasticheur, pilleur. *Ant.* **I.** Auteur, créateur, inventeur.

Plagiat
Syn. **I.** Copie, emprunt, imitation, larcin, pillage. *Ant.* **I.** Création, invention.

Plagier
Syn. **I.** Imiter, piller. **II.** Calquer, contrefaire, démarquer, voler. *Ant.* **I.** Créer, innover, inventer.

Plaidoyer
Syn. **I.** Défense, discours, plaidoirie. **III.** Apologie, défense, éloge, justification. *Ant.* **I.** Accusation, réquisitoire.

Plaie
Syn. **I.** Abcès, balafre, blessure, brûlure, déchirure, entaille, lésion. **II.** Cicatrice. **III.** Affliction, déchirement, douleur, mal, meurtrissure, peine. — Calamité, dommage, *(vx)* fléau, malheur.

Ant. **III.** Allégresse, félicité, joie, plaisir, ravissement, réjouissance.

Plaindre (et Se)
Syn. (V. tr.) **I.** (S') apitoyer, (s') attendrir, compatir, prendre en pitié. *(V. pr.)* **I.** Geindre, gémir, (se) lamenter, pleurer. **II.** Grommeler, maugréer, murmurer, protester, râler *(fam.),* récriminer, rouspéter. *(fam.). Ant. (V. tr.)* **I.** Endurer, envier, souffrir, supporter. *(V. pr.)* **I.** et **II.** (Se) contenter, (se) féliciter, (se) satisfaire.

Plaine
Syn. **I.** Campagne, champ, étendue, pampa, steppe, surface, toundra, vallée. *Ant.* **I.** Colline, élévation, mont, montagne.

Plainte
Syn. **I.** Cri (de douleur), geignement, gémissement, jérémiade, lamentation, peur, soupir. — Blâme, doléance, litanie(s), réclamation, récrimination, reproche, revendication. — *(Dr.)* Accusation, dénonciation, poursuite. *Ant.* **I.** Approbation, compliment, félicitation, joie, louange, plaisir. — *(Dr.)* Désistement.

Plaintif
Syn. **I.** Dolent, geignard, gémissant, larmoyant, pleurard, pleurnicheur, triste. *Ant.* **I.** Animé, déridé, égayé, enjoué, gai, jovial, joyeux, réjoui, riant.

Plaire (et Se)
Syn. **I.** *(V. intr.) (Pers.)* Agréer, attirer, captiver, charmer, contenter, flatter, gagner, (faire) plaisir, revenir à *(fam.),* satisfaire, séduire. *(Ch.)* Convenir, enchanter, ravir, réjouir, réussir, sourire. — *(Impersonnel)* Aimer, vouloir. — *(V. pr.)* Aimer, (s') amuser, (se) complaire, (se) délecter, goûter, (s') intéresser. *Ant.* **I.** *(V. intr.)* Blaser, chagriner, contrarier, dégoûter, déplaire, désobliger, ennuyer, froisser, indisposer, irriter, mécon-

tenter, offenser, offusquer, peiner. —
(V. pr.) (Se) déplaire, (s') ennuyer.

Plaisant
Syn. **I.** Agréable, aimable, attrayant, captivant, charmant, engageant, gai, gentil,
gracieux, sympathique. — Amusant, bon,
comique, divertissant, drôlatique, drôle,
rigolo *(fam.).*
Ant. **I.** Antipathique, assommant, déplaisant, désagréable, ennuyeux, fâcheux,
grave, importun, sévère.

Plaisanter
Syn. **I.** *(V. intr.)* (S') amuser, badiner,
batifoler, blaguer, charrier *(pop.),* (se)
gausser, jouer. — *(V. tr.)* Chiner, (se) moquer, railler, taquiner.
Ant. **I.** Parler sérieusement.

Plaisanterie
Syn. **I.** Badinage, badinerie, blague, bobard, bouffonnerie, boutade, calembredaine, facétie, galéjade, gaudriole *(fam.),*
joyeuseté, moquerie, quolibet, raillerie,
taquinerie. — Attrape, farce. **II.** Bagatelle, bêtise.
Ant. **I.** Gravité, sérieux.

Plaisantin
Syn. **I.** *(N.)* Blagueur, farceur, fumiste,
loustic, (mauvais) plaisant, railleur. —
(Adj.) Badin, facétieux.
Ant. **I.** Homme grave, sage, sérieux, so-
lennel.

Plaisir (s)
Syn. **I.** Agrément, bien-être, bonheur,
contentement, délectation, désir, euphorie, joie, jouissance, libido, satisfaction,
volupté. **II.** *(Pl.)* Amusement, délices,
distraction, divertissement, ébats, félicité,
gaieté, jeu, passe-temps, récréation, réjouissance. — Bienfait, faveur, grâce,
(bon) office, service.
Ant. **I.** Affliction, amertume, austérité,
chagrin, continence, déplaisir, désolation,
douleur, épreuve, mélancolie, peine, souci, souffrance, tristesse. **II.** Recueillement,

ouvrage, travail. — Corvée, désagrément,
ennui.

Plan
Syn. *(Adj.)* **I.** Droit, égal, plat, uni. *(N.)* **I.**
Droite, hauteur, niveau, perspective, sur-
face. **II.** Photogramme. **III.** Aspect, côté,
degré, domaine. — Importance, ordre. **I.**
Cadre, canevas, charpente, corrigé,
coupe, disposition, dessin, diagramme,
ébauche, épure, esquisse, levé, maquette,
modèle, ordre, organisation, schéma,
schème, squelette. **II.** Planification, planning. **III.** But, combinaison, dessein, entreprise, idée, moyen, programme, projet.
Ant. *(Adj.)* **I.** Courbe, gauche, inégal, irrégulier, ondulé.

Planer
Syn. **I.** Flotter, (se) soutenir, voler. **III.**
Dominer, survoler. — Menacer, suspen-
dre.
Ant. **I.** (S') abaisser, descendre. **III.** (Être)
submergé. — Rassurer.

Plant
Syn. **I.** Cep, pied, pousse, semis, tige.

Plantation
Syn. **I.** Champ, culture, exploitation, jardin, peuplement, potager, repiquage, terrain, verger.

Plante
Syn. **I.** Herbe, végétal.

Planter
Syn. **I.** Boiser, cultiver, ensemencer, peupler, repiquer, semer. **II.** Enfoncer,
ficher, fixer, introduire, mettre. — Arborer, dresser, élever, installer, monter, poser. **III.** Abandonner, laisser, plaquer,
quitter.
Ant. **I.** Arracher, déplanter, déraciner,
déterrer, extirper.

Plantureux
Syn. **I.** Abondant, copieux, gras, gros,
opulent. — Fécond, fertile, riche.
Ant. **I.** Chétif, chiche, frugal, maigre. —

Aride, infécond, infertile, stérile.

Plaquer
Syn. **I.** Appliquer, coller, contre-plaquer, couvrir, étamer, joindre, recouvrir. **II.** (S') aplatir. **III.** *(Pop.)* Abandonner, lâcher, laisser tomber, planter. *Ant.* **III.** Garder, retenir.

Plastique
Syn. **I.** Flexible, malléable, mou, souple. **III.** Influençable, maniable. *Ant.* **I.** Dur, rigide, tendu. **III.** Cassant, inflexible, têtu.

Plastronner V. *Parader*

Plat
Syn. (Adj.) **I.** Aplani, aplati, égal, horizontal, mince, nivelé, plan *(adj.)*, ras, uni. **III.** Banal, fade, insipide, médiocre, pauvre. — Bas, obséquieux, rampant, servile, vil, vulgaire. *(N.)* **I.** Pièce, plateau, ustensile, vaisselle. — Mets. *Ant. (Adj.)* **I.** Accidenté, bombé, épais, hérissé, inégal, montagneux, ondulé, raboteux. **III.** Amusant, fin, humoristique, intelligent, piquant, pittoresque, spirituel. — Arrogant, hautain.

Plateau
Syn. **I.** Plat *(n.)*. — Causse, haut-fond, haute plaine, haute terre. **II.** Plate-forme, scène, studio.

Plate-forme
Syn. **I.** Appontement. — Échafaud, estrade, ring, terrasse, tribune. — *(Milit.)* Banquette, barbette. **II.** Plateau. **III.** Base, programme.

Platitude
Syn. **I.** Médiocrité. **II.** *(Ch.)* Banalité, fadaise, insipidité, niaiserie. — *(Pers.)* Aplatissement, avilissement, bassesse, grossièreté, obséquiosité. *Ant.* **I.** Excellence, grandeur. **II.** Esprit, finesse, fraîcheur, hardiesse, saveur. — Dignité, fierté, noblesse.

Platonique
Syn. **I.** Chaste, éthéré, pur. — Formel, idéal, théorique. *Ant.* **I.** Charnel, matériel. — Effectif, pratique, réaliste, réel.

Plausible
Syn. **I.** Acceptable, admissible, possible, probable, valable, vraisemblable. *Ant.* **I.** Inacceptable, inadmissible, impossible, improbable, invraisemblable.

Plèbe
Syn. **II.** *(Péj.)* Peuple, populo *(fam.)*, prolétariat, racaille. *Ant.* **I.** Patriarcat. **II.** Aristocratie, noblesse.

Plébiscite
Syn. **I.** Référendum, vote.

Plein
Syn. **I.** Bondé, bourré, comble, occupé, ras, rempli. **II.** Compact, dense, massif. — Gras, gros, replet, rond. — Gavé, ivre, repu, soûl. — Absolu, complet, entier, plénier, total, tout. — *(Plein de)* **I.** *(Ch.)* Abondant, inondé, regorgeant, saturé. **III.** *(Pers.)* Débordant, foisonnant, imbu, imprégné, pénétré, pétri. — *(Plein de soi)* Égoïste, enflé, enivré, infatué. *Ant.* **I.** Déblayé, dégagé, dépeuplé, discipliné, désert, évacué, inoccupé, libre, vide. **II.** Ajouré, creux, évidé. — Maigre. — Affamé, assoiffé, inassouvi, sobre. — Incomplet, partiel. **I.** *(Ch.)* Dénué de, insuffisant. **III.** *(Pers.)* Pauvre. — Humble, modeste.

Plénier
Syn. **I.** Complet, entier, général, plein, total. *Ant.* **I.** Incomplet, particulier, partiel.

Plénitude
Syn. **I.** Ampleur, épanouissement. **III.** *(Vx)* Abondance. — Intégralité, totalité. *Ant.* **I.** Vide. **III.** Pénurie, rareté. — Fraction, partie.

Pléonasme
Syn. **I.** Périssologie, redondance, répétition (de mots), tautologie.

Pléthore
Syn. **I.** Abondance, excès, surabondance, surplus.
Ant. **I.** Disette, manque, pénurie.

Pleurer
Syn. *(V. intr.)* **I.** Brailler, larmoyer, (se) plaindre, pleurnicher *(fam.* et *péj.),* sangloter. **II.** Suinter. **III.** (S') apitoyer, gémir, (se) lamenter, plaindre. *(V. tr.)* **I.** Déplorer, regretter. — Répandre, verser. *Ant.* *(V. intr.)* **I.** (S') amuser, badiner, (s') esclaffer, pouffer, rire. *(V. tr.)* **I.** (Se) féliciter, (se) réjouir.

Pleurnicheur
Syn. *(Fam.)* **I.** Criard, grognon. **II.** Geignard, larmoyant, plaintif, pleurard, pleurnichard.
Ant. **I.** Aimable, gai, joyeux. **II.** Animé, enjoué, réjoui.

Pleurs
Syn. **I.** Gémissements, lamentations, larmes, sanglots.
Ant. **I.** Rires.

Pleuvoir
Syn. **I.** Bruiner, couler, pleuviner, tomber. **III.** Abonder, pulluler.
Ant. **III.** Manquer.

Pli
Syn. **I.** Fronce, marque, ondulation, ourlet, plissé, plissement, rempli *(n.),* retroussis, sinuosité. — Ride. **II.** Lettre, message. **III.** Habitude.

Pliable
Syn. **I.** Flexible, souple. **III.** Docile, malléable.
Ant. **I.** Inflexible, raide. **III.** Indocile.

Plier (et Se)
Syn. *(V. tr.)* **I.** Corner, enrouler, fermer, plisser, replier. **II.** Ranger, serrer. **I.** Arquer, courber, fléchir, incliner, incurver, infléchir, ployer, recourber. **III.** Accoutumer, assujettir, dompter, exercer, façonner. *(V. intr.)* **I.** (S') affaisser, céder, fléchir. **III.** Faiblir, mollir, reculer, (se) soumettre. *(V. pr.)* **III.** (S') accommoder, (se) conformer, (s') habituer, (s') incliner, obéir, (se) prêter, (se) rendre, (se) résigner.
Ant. **I.** Déballer, déplier, déployer, développer, étaler, étendre, ouvrir. **III.** Désobéir, (s') entêter, (s') obstiner, refuser, résister.

Plisser
Syn. **I.** Chiffonner, froisser, froncer, godronner, onduler, rider.
Ant. **I.** Aplatir, défroisser, défroncer, déplisser, égaliser.

Plonger (et Se)
Syn. *(V. tr.)* **I.** Baigner, enfoncer, immerger, introduire, noyer, tremper. **II.** Enfermer, enfouir, jeter, mettre. **III.** Précipiter. *(V. intr.)* **I.** Descendre, disparaître, (s') enfoncer, piquer. **III.** Tomber. — *(V. pr.)* (S') abîmer, (s') absorber, entrer, (se) perdre.
Ant. *(V. tr.)* **I.** Émerger, sortir. **II.** Retirer. *(V. intr.)* **I.** Apparaître, (se) montrer.

Ployer V. *Plier*

Pluie
Syn. **I.** Abat, averse, bruine, crachin, déluge, eau, giboulée, grain, ondée. **III.** Abondance, avalanche, débordement, grêle *(fig.),* multitude, nuée, quantité.
Ant. **I.** Sécheresse. **III.** Disette, pénurie, rareté.

Plumer
Syn. **I.** Arracher, déplumer, dépouiller, ôter. **III.** Escroquer, exploiter, pigeonner *(fam.),* spolier, voler.
Ant. **III.** Donner, munir, pourvoir, (se) remplumer *(fam.),* restituer.

Plupart (La)
Syn. **I.** Généralité, majorité, ordinaire-

ment, (le) plus grand nombre, presque toujours/tous.
Ant. **I.** Aucun, nul, peu.

Plus
Syn. **I.** Davantage, encore, principalement, surtout.
Ant. **I.** Moins.

Plusieurs
Syn. **I.** Certains, différents, divers, maint, quelques, quelques-uns, plus d'un.
Ant. **I.** Un.

Pochard
Syn. **I.** *(Pop.)* Ivrogne, poivrot, soûlard, soulaud.
Ant. **I.** Sobre, tempérant.

Poche
Syn. **I.** Gousset, pochette, filet. — *(Anat.)* Bourse, cavité, jabot.

Poésie
Syn. **I.** Chant, harmonie, imagination, inspiration, lyrisme, muse, rythme, souffle, veine, versification. — Poème. **II.** Beauté, émotion (esthétique).
Ant. **I.** Prose. **II.** Prosaïsme.

Poète
Syn. **I.** Aède, auteur, barde, chantre, écrivain, ménestrel, rimeur, troubadour, versificateur. **II.** Rêveur, voyant.
Ant. **I.** Prosateur.

Poétique
Syn. **II.** Beau, idéal, imagé, lyrique, noble, rêveur, romantique, sublime.
Ant. **II.** Antipoétique, prosaïque, réaliste, trivial, vulgaire.

Poids
Syn. **I.** Charge, densité, fardeau, lourdeur, masse, pesanteur. — Étalon, mesure. **III.** Faix, remords, responsabilité, souci. — Autorité, considération, force, importance, influence, valeur.
Ant. **I.** et **III.** Futilité, inefficacité, insignifiance, légèreté.

Poignant
Syn. **III.** Aigu, atroce, déchirant, douloureux, dramatique, émouvant, navrant, pénible, prenant.
Ant. **III.** Agréable, aisé, calmant, facile, froid, gai, joyeux.

Poilu
Syn. **I.** Barbu, chevelu, pileux, velu.
Ant. **I.** Épilé, glabre, imberbe, lisse.

Poindre
Syn. **I.** Pointer, sortir. **II.** Apparaître, commencer à paraître, à se montrer, lever, (se) lever.
Ant. **I.** et **II.** Disparaître.

Point
Syn. **I.** Côté, endroit, foyer, lieu, position, repère, site. — Instant, moment. — État, situation. — Degré, intensité, période. **II.** Maille, piqûre. — Marque, note, score, signe, unité. **III.** Article, disposition, division, partie. — Matière, nœud, question, sujet. — Aspect, caractère, face, manière, opinion, optique, perspective.

Pointe
Syn. **I.** Bout, extrémité. — Aiguille, cap, cime, pic, piton, sommet. — Clou, pique, poinçon. **III.** Avant-garde, pilote, premier rang. — Finish, maximum, sprint. — (Petite) dose, grain, once, (un) soupçon de. — Moquerie, raillerie.

Pointer
Syn. *(V. tr.)* **I.** Cocher, contrôler, enregistrer, marquer, noter, relever. — Braquer, diriger, viser. — Dresser en pointe. *(V. intr.)* **I.** (S') élever, jaillir, (se) manifester, paraître, poindre, (faire) saillir, sortir. (S') enregistrer.
Ant. **I.** Disparaître, (s') éclipser. — Détourner.

Pointilleux
Syn. **I.** Chatouilleux, exigeant, formaliste, irascible, minutieux, susceptible, vé-

POINTU

tilleux. **II.** Maniaque, pointu.
Ant. **I.** Accommodant, arrangeant, complaisant, conciliant, coulant, facile, obligeant, serviable, souple.

Pointu
Syn. **I.** Acéré, aigu, fin, mince, perçant, piquant. **III.** Affecté, contracté, minutieux, pincé, pointilleux, sec, susceptible. — Aigu, désagréable, élevé. *Ant.* **I.** Arrondi. **III.** Amène, conciliant, doux, naturel, simple. — Agréable, grave.

Pointure
Syn. **I.** Dimension, forme, grandeur, taille.

Poison
Syn. **I.** Toxine, toxique, venin.
Ant. **I.** Antidote, contrepoison.

Poissard V. *Populacier*

Poisser
Syn. **I.** Enduire, engluer. **II.** Salir. **III.** *(Pop.)* Arrêter, attraper, prendre.

Poisseux
Syn. **I.** Agglutinant, collant, gluant, gras, visqueux. **II.** Sali.

Poitrine
Syn. **I.** Buste, cœur, coffre *(fam.)*, gorge, poitrail *(fam.)*, poumons, seins, thorax, torse.

Poivré
Syn. **I.** Assaisonné, épicé. **III.** Grossier, licencieux, salé.
Ant. **I.** Fade. **III.** Décent, propre, réservé.

Poivrot V. *Pochard*

Pôle
Syn. **I.** Bout, extrémité.
Ant. **I.** Centre, milieu.

Polémique
Syn. **I.** Controverse, débat, discussion, lutte.
Ant. **I.** Accord, entente.

Poli
Syn. **I.** Arrondi, astiqué, brillant, clair, éclatant, lisse, luisant, net, uni, verni. **III.** Châtié, fini, soigné. — Aimable, amène, bienséant, cérémonieux, civil, convenable, correct, courtois, (bien) élevé, galant, gracieux, prévenant, respectueux.
Ant. **I.** Mat, obscur, pâle, rugueux, sombre, terne. **III.** Arrogant, discourtois, (mal) élevé, grossier, impoli, incivil, inconvenant, incorrect, malappris, malotru, rustaud, rustre.

Police
Syn. **I.** Agent, constable, gardien (de la paix), gendarme, limier *(fig.)*, policier, sbire, sûreté. **II.** Discipline. — *(Dr.)* Contrat d'assurance.

Policé
Syn. **I.** Civilisé, éduqué, raffiné.
Ant. **I.** Barbare, sauvage.

Polir
Syn. **I.** Adoucir, doucir, limer, planer, poncer. — Astiquer, fourbir, frotter, lustrer. **III.** Affiner, civiliser, cultiver, épurer. — Châtier, ciseler, corriger, fignoler, finir, lécher *(fam.)*, limer *(fig.)*, parachever, parfaire, perfectionner, soigner.
Ant. **I.** Délustrer, dépolir, ternir. **III.** Abrutir, alourdir, corrompre. — Bâcler.

Polisson
Syn. **I.** *(Pers.)* Désobéissant, espiègle. *(Ch.)* Canaille, égrillard, fripon, licencieux, paillard.
Ant. **I.** Rangé, sage. — Bégueule, chaste, convenable, décent, pudique.

Politesse
Syn. **I.** Affabilité, amabilité, bienséance, civilité, courtoisie, déférence, éducation, égards, galanterie, savoir-vivre, urbanité, usage.
Ant. **I.** Effronterie, grossièreté, impertinence, impolitesse, incivilité, inconvenance, insolence, irrévérence.

Politique
Syn. (N.f.) **I.** Affaires publiques, gouvernement. **II.** Adresse, calcul, diplomatie, stratégie, tactique. *(N.m.)* **I.** Gouvernant, homme d'État/public, politicien. *(Adj.)* **II.** Adroit, avisé, diplomate, fin, habile, machiavélique *(péj.),* prudent, renard *(péj.),* rusé, sage, souple.
Ant. (Adj.) **II.** Brusque, cassant, idiot, ignorant, imbécile, imprudent, maladroit, sot, stupide.

Polluer
Syn. **I.** Altérer, contaminer, corrompre, empoisonner, gâter, infecter, salir, souiller, vicier. **III.** *(Vx)* Profaner.
Ant. **I.** Améliorer, assainir, désinfecter, épurer. **III.** Respecter.

Pollution
Syn. **I.** Altération, contamination, infection, souillure. **III.** *(Vx)* Profanation.
Ant. **I.** Amélioration, assainissement, épuration. **III.** Respect, vénération.

Poltron V. *Lâche*

Pompe
Syn. **I.** Appareil, distributeur (d'essence), gonfleur, machine, poste. **III.** Apparat, cérémonie, éclat, emphase, étalage, faste, grandeur, luxe, magnificence, ostentation, solennité, somptuosité, splendeur.
Ant. **III.** Candeur, modestie, naturel, simplicité, sobriété.

Pomper
Syn. **I.** Absorber, aspirer. **II.** Sucer. **III.** Attirer, soutirer, *(pop.)* épuiser.
Ant. **I.** Expirer, souffler. **III.** Éloigner, repousser.

Pompette V. *Ivre*

Pompeux
Syn. **I.** (Vx) Fastueux, imposant, magnifique, majestueux, somptueux. − *(Péj.)* Affecté, ampoulé, déclamatoire, emphatique, sentencieux, solennel.
Ant. **I.** Léger, modeste, morne, naturel, simple, sobre.

Pomponner (Se)
Syn. **I.** (S') attifer, (se) bichonner, (se) parer.
Ant. **I.** (S') accoutrer, (s') affubler, (s') enlaidir, (se) négliger.

Poncif
Syn. **I.** Banalité, cliché, lieu commun.
Ant. **I.** Création, originalité.

Ponctualité
Syn. **I.** Assiduité, exactitude, fidélité, régularité.
Ant. **I.** Délai, inexactitude, négligence, retard.

Ponctuel
Syn. **I.** Assidu, exact, fidèle, réglé, régulier.
Ant. **I.** Déréglé, inexact, irrégulier, négligent, retardataire.

Ponctuer
Syn. **I.** Accentuer, diviser, marquer, scander, séparer, souligner.

Pondération
Syn. **I.** Balancement, harmonie, proportion, symétrie. **III.** Calme, circonspection, équilibre, mesure, modération, prudence, sérénité.
Ant. **I.** Déséquilibre, disproportion. **III.** Bizarrerie, colère, étourderie, fébrilité, frénésie, immodération, impulsivité, nervosité.

Pondéré
Syn. **I.** Calme, équilibré, mesuré, modéré, posé, rangé, réfléchi, sage, sérieux, sobre.
Ant. **I.** Bizarre, bouillant, déséquilibré, emporté, étourdi, immodéré, impulsif, irréfléchi, léger, nerveux.

Pont
Syn. **I.** Passerelle, ponceau, ponton, viaduc. **III.** Intermédiaire, liaison, transition.
Ant. **III.** Rupture, séparation.

Pontife
Syn. **I.** Évêque, grand prêtre, pape, pré-

lat. **II.** *(Fam.)* Bonze, pédant, poseur.

Pontifiant
Syn. **II.** Doctoral, empesé, emphatique, majestueux, prétentieux, solennel.
Ant. **II.** Modeste, naturel, simple.

Pontifier
Syn. **I.** Officier. **III.** Discourir, parader, (se) pavaner, poser, présider, trouer.
Ant. **III.** Disparaître, (s') éclipser, (s') effacer, (se) retirer.

Populace
Syn. *(Péj.)* **I.** Foule, masse, multitude, peuple, plèbe, populo, prolétariat, roture, vulgaire *(n.)*.
Ant. **I.** Aristocratie, élite, gratin *(fam.)*, noblesse.

Populacier
Syn. **I.** Bas, commun, grossier, poissard, trivial, vulgaire.
Ant. **I.** Délicat, distingué, fin, noble, poli, raffiné, sublime.

Populaire
Syn. **I.** Démocratique, folklorique, national, plébéien, public, répandu. **II.** Aimé, connu, considéré, estimé, prisé.
Ant. **I.** Bourgeois, érudit, littéraire, privé, savant. **II.** Abhorré, déplaisant, détesté, exécré, haï, honni, impopulaire, méprisé.

Popularité
Syn. **I.** Célébrité, considération, estime, faveur, gloire, notoriété, renom, renommée, réputation, sympathie, vogue.
Ant. **I.** Impopularité.

Populeux
Syn. **I.** Abondant, dense, nombreux, surpeuplé.
Ant. **I.** Dépeuplé, désert, inhabité, sauvage, solitaire.

Porc
Syn. **I.** Cochon, goret, pourceau, verrat. **III.** Débauché, glouton, grossier, sale, saligaud.

Ant. **III.** Délicat, propre, sobre, tempérant.

Pore
Syn. **I.** Fissure, interstice, intervalle, orifice, trou, vide.

Poreux
Syn. **I.** Percé, perméable, spongieux.
Ant. **I.** Étanche, imperméable.

Pornographique V. *Obscène*

Port
Syn. **I.** Abri, bassin, escale, rade, relâche. **II.** Aéroport. **III.** But. — Havre, refuge. **I.** Portage, portement. **II.** Affranchissement, taxe, transport. **III.** Air, allure, aspect, attitude, comportement, contenance, démarche, maintien, prestance, tenue.

Portatif
Syn. **I.** Léger, portable, transportable.
Ant. **I.** Intransportable, lourd, pesant.

Porte (s)
Syn. **I.** Entrée, guichet, huis *(vx)*, issue, ouverture, portail, portière, portillon, sortie. **II.** *(Pl. Géogr.)* Défilé, gorge. **III.** Accès, introduction, moyen. — Échappatoire.
Ant. **I.** Cloison, mur, muraille.

Porte-bonheur
Syn. **I.** Amulette, fétiche, gris-gris, porte-chance, porte-veine *(fam.)*, talisman. **II.** Mascotte.
Ant. **I.** Porte-malheur.

Portée
Syn. **I.** Nichée *(fig.)*, parturition, progéniture. — Notation *(mus.)*, note. — Atteinte, distance. **III.** Aptitude, capacité, étendue, force, niveau. — Conséquence, effet, efficacité, gravité, importance, poids, valeur.
Ant. **III.** Faiblesse, inefficacité, insignifiance, nullité.

Porte-parole
Syn. **I.** Interprète, représentant, truchement. **II.** *(Ch.)* médium, organe.

Porter (et Se)
Syn. (V. tr.) **I.** Apporter, charger, coltiner, emporter, enlever, exporter, importer, lever, livrer, soulever, supporter, transmettre, transporter, véhiculer. — Arborer, avoir, mettre, revêtir. — Engendrer, produire, rapporter. — Inscrire. **II.** Contenir, receler. — Conduire, diriger. **III.** Diriger, orienter, promener *(fig.).* — Causer, exprimer, manifester, montrer, présenter., — Engager, exciter, pousser. — Étendre. *(V. intr.)* **I.** Atteindre (le but). **III.** Avoir de l'effet, étourdir, griser. *(V. pr.)* **I.** Aller *(santé).* — Être encore à la mode. — Courir, (se) lancer. **III.** (Se) livrer à, (se) présenter à, comme.
Ant. **I.** Abaisser, décharger, déposer, lâcher, poser, reposer, retirer.

Porteur
Syn. **I.** *(Fardeau)* Débardeur, déchargeur, déménageur, portefaix. — *(Message)* Commissionnaire, courrier, facteur, messager, télégraphiste. — *(Banque)* Bénéficiaire, détenteur.

Portier
Syn. **I.** Concierge, gardien, guichetier, tourier. — *(Péj.)* Cerbère.

Portion
Syn. **I.** Part, ration, tranche. **II.** Division, fraction, fragment, lopin, lot, morceau, parcelle, partie, section, segment, tronçon.
Ant. **II.** Ensemble, entier, totalité, tout.

Portrait
Syn. **I.** Effigie, peinture, photographie, représentation, tableau. **II.** Description. **III.** Image, réplique, ressemblance.

Pose
Syn. **I.** Application, installation, mise en place. **II.** Attitude, position. **III.** Affectation, prétention, recherche, snobisme.
Ant. **I.** Dépose. **II.** Instantané. **III.** Humilité, modestie, naturel, simplicité.

Posé
Syn. **I.** Calme, grave, mûr, pondéré, prudent, rassis, réfléchi, sage, sérieux.
Ant. **I.** Brusque, écervelé, emporté, étourdi, frivole, inconséquent, irréfléchi, léger.

Poser (et Se)
Syn. (V. tr.) **I.** Appliquer, apposer, appuyer, asseoir, camper, établir, fixer, installer, mettre, placer, poster. **III.** Affirmer, énoncer, établir, soulever. — Mettre en valeur. *(V. intr.)* **III.** Crâner, (se) pavaner, plastronner, (se) rengorger, (faire la) roue. *(V. pr.)* **I.** Atterrir, (se) jucher, (se) percher. **III.** (S') affirmer, (s') ériger.
Ant. *(V. tr.)* **I.** Déposer, enlever, lever, ôter. *(V. intr.)* **III.** (S') effacer, (s') humilier. *(V. pr.)* **I.** (S') envoler, errer.

Poseur
Syn. **I.** *(N.)* Fat, prétentieux, snob, vaniteux. — *(Adj.)* Affecté, artificiel, maniéré.
Ant. **I.** Humble, modeste, naturel, simple.

Positif
Syn. **I.** Matériel, objectif, réel. — Assuré, authentique, certain, évident, incontestable, solide, sûr, vrai. — Concret, constructif, effectif, pratique, utilitaire. — Affirmatif.
Ant. **I.** Naturel. — Intuitif, mystique, spéculatif. — Aléatoire, chimérique, douteux, faux, incertain, insignifiant, irréel, négligeable, nul. — Abstrait, destructeur, idéal. — Négatif.

Position
Syn. **I.** Disposition, emplacement, localisation, orientation, place, point, situation. — Attitude, pose, posture, station. **III.** Condition, emploi, établissement, rang, situation, sort, standing. — Attitude *(fig.),* conception, intention, opinion, point de vue.

Possédé
Syn. **I.** Démoniaque, dominé. **III.** Furieux, insensé.
Ant. **I.** Exorcisé.

Posséder (et Se)
Syn. (V. tr.) **I.** Avoir, détenir, disposer de, jouir de, occuper, (être) pourvu de. **II.** Abonder en, renfermer. **III.** Connaître, dominer, savoir. *(V. pr.)* — (Se) contenir, (se) dominer, (se) maîtriser. *Ant.* **I.** Déposséder, manquer de, spolier. **III.** Ignorer.

Possesseur
Syn. **I.** Acquéreur, détenteur, propriétaire. **II.** Dépositaire, maître. *Ant.* **I.** Démuni, locataire.

Possession
Syn. **I.** Appartenance, détention, jouissance, propriété, usage. **II.** Avoir, bien, colonie, domaine, établissement, territoire. *Ant.* **I.** Dépossession, location, privation.

Possibilité(s)
Syn. **I.** Cas, éventualité. — Capacité, faculté, loisir *(vx)*, potentialité, pouvoir, puissance, virtualité. — *(Pl.)* Chances, moyens, ressources. *Ant.* **I.** Impossibilité, nécessité.

Possible
Syn. **I.** Accessible, admissible, convenable, exécutable, facile, faisable, praticable, réalisable. — Contingent, éventuel, probable, virtuel. *Ant.* **I.** Impossible, impraticable, inapplicable, inexécutable, infaisable, irréalisable. — Improbable, invraisemblable.

Poste
Syn. (N.f.) **I.** Courrier. — *(N.m.)* **I.** Coin, emplacement, lieu, place. **II.** Corps de garde. **I.** Cabine, habitacle. — Distributeur, pompe. — Radio, télévision. **III.** V. *Emploi.*

Poster
Syn. **I.** Mettre à la poste. — Etablir, installer, mettre, placer. **II.** Embusquer, planter. *Ant.* **I.** Déplacer, déranger, transférer.

Postérieur
Syn. **I.** *(Adj.)* Consécutif, futur, subséquent, suivant, ultérieur. — *(N. fam.)* Arrière-train, cul *(pop.)*, derrière. *Ant.* **I.** Antécédent, antérieur, contemporain, précédent.

Postérité
Syn. **I.** Descendance, enfants, famille, lignée. — Avenir, futur, immortalité. *Ant.* **I.** Ascendance, préexistence.

Postiche
Syn. **I.** Ajouté, artificiel, factice, faux, rapporté. **III.** Inventé, simulé. *Ant.* **I.** et **III.** Naturel, vrai.

Postulant
Syn. **I.** Aspirant, candidat, prétendant, quémandeur, solliciteur.

Postulat
Syn. **I.** Axiome, base, convention, fondement, hypothèse, principe.

Postuler
Syn. **I.** *(V. tr.)* Briguer, demander, quémander, revendiquer, solliciter. — Poser comme principe. — *(V. intr. Dr.)* Occuper pour. *Ant.* **I.** Abandonner, démissionner, rebuter, refuser, renvoyer.

Posture
Syn. **I.** Attitude, contenance, maintien, position. **III.** Condition, état, situation.

Potable
Syn. **I.** Buvable. **II.** *(Fam.)* Acceptable, passable, recevable, valable. *Ant.* **I.** Imbuvable. **II.** Inacceptable, insuffisant, irrecevable.

Potage
Syn. **I.** Bouillon, consommé, soupe.

Pot-au-feu
Syn. **I.** Bœuf à la mode, bouilli. **III.** *(Adj. fam.)* Popote.

Potelé
Syn. **I.** Charnu, dodu, gras, grassouillet,

rebondi, replet.
Ant. **I.** Décharné, frêle, maigre, maigrelet.

Potentat
Syn. **I.** Despote, monarque, souverain, tyran. **II.** Magnat, roi.
Ant. **I.** Démocrate.

Potin
Syn. **I.** Bavardage, cancan, commérage, ragot *(fam.)*. **II.** Bruit, tapage, vacarme.
Ant. **I.** et **II.** Discrétion, silence.

Poudrerie *(can.)*
Syn. **I.** Blizzard, rafale, tourbillon de neige.

Pouffer
Syn. **I.** Éclater, (s') esclaffer, rire.
Ant. **I.** Gémir, pleurer.

Pouilleux
Syn. **I.** *(N.)* Gueux, misérable, pauvre. — *(Adj.)* Sale, sordide.
Ant. **I.** Cossu, richard, riche. — Net, propre.

Pourboire V. *Gratification*

Pourceau V. *Porc*

Pourchasser
Syn. **I.** Chasser, courir après, poursuivre. **III.** Hanter.
Ant. **I.** Abandonner, éviter, fuir.

Pourri
Syn. **I.** Altéré, avarié, croupi, décomposé, détérioré, gâté, infect, moisi, purulent, putréfié, putrescent, putride, vicié. **III.** Contaminé, corrompu, faisandé, gangrené, malsain.
Ant. **I.** et **III.** Bon, (en bonne) condition, (bien) conservé, frais, intact, parfait, parfumé, propre, sain, salubre.

Pourriture
Syn. **I.** Décomposition, infection, putréfaction, putrescence, putridité. **III.** Carie, corruption, gangrène, purulence.
Ant. **I.** Assainissement, conservation, désinfection, épuration, fraîcheur, salubrité. **III.** Correction, perfectionnement, pureté.

Poursuite(s)
Syn. **I.** Chasse, course. — *(Dr.)* Accusation, action, assignation, demande, instance, procédure, procès. **II.** Continuation, reprise. — *(Pl. Vx)* Démarches pressantes. **III.** Recherche.
Ant. **I.** Éloignement, fuite. — Désistement. **II.** Arrêt, cessation, fin.

Poursuivre
Syn. **I.** Chasser, courir après, foncer sur, pourchasser, serrer de près, talonner, traquer. — *(Dr.)* Accuser, actionner, agir, ester. **II.** Importuner, presser, relancer. — Continuer, mener, persévérer, pousser. **III.** Briguer, chercher, rechercher, viser. — Harceler, persécuter, tourmenter. — *(Ch.)* Hanter, obséder.
Ant. **I.** Éviter, fuir. — Renoncer. **II.** Laisser (en paix). — Amorcer, commencer, inaugurer. **III.** Abandonner, arrêter, cesser.

Pourtant
Syn. **I.** Cependant, mais, néanmoins, toutefois.

Pourtour
Syn. **I.** Ceinture, cercle, circonférence, circuit, contour, tour.
Ant. **I.** Centre, milieu.

Pourvoi
Syn. *(Dr.)* **I.** Appel, pétition, recours, requête, supplique.

Pourvoir
Syn. *(V. intr.)* **I.** Assurer, entretenir, parer à, subvenir. *(V. tr.)* **I.** Alimenter, approvisionner, armer, donner à, équiper, fournir, garnir, munir, nantir, orner, procurer, suppléer à. **II.** Doter, douer.
Ant. **I.** Abandonner, dégarnir, délaisser, démunir, déposséder, déserter, négliger, omettre.

Pourvoyeur
Syn. **I.** Approvisionneur, fournisseur, ravitailleur.

Pousse
Syn. **I.** Croissance, poussée. — Bourgeon, branche, brin, drageon, germe, recru, rejet, rejeton, scion, tige, turion. **III.** Produit.

Poussée
Syn. **I.** Bourrade, bousculade, propulsion, pression. **II.** *(Archit.)* Charge, pesée, poids. — *(Méd.)* Accès, crise. **III.** Impulsion, pulsion.

Pousser
Syn. (V. tr.) **I.** Balayer, bousculer, bouter *(vx)*, chasser, culbuter, déplacer, éloigner, enfoncer, heurter, jeter, refouler, rejeter, repousser. — Produire. **II.** Lancer, projeter. **III.** Aider, conduire, engager, entraîner, exciter, exhorter, favoriser, inciter, inviter, porter, solliciter, stimuler. — (Faire) avancer, continuer, poursuivre, prolonger. *(V. intr.)* **I.** Avancer, (se) porter. — Croître, (se) développer, grandir, poindre, pointer, sortir, venir. **III.** (S') accroître, augmenter, pulluler.
Ant. (V. tr.) **I.** Amener, hâler, immobiliser, tirer. **III.** Détourner, dissuader, éloigner, empêcher, freiner, gêner, incommoder, léser, nuire.

Poussière
Syn. **I.** Atome, balayures, ordures, particules, pollen, poudre. **II.** Cendres, débris, dépouille, restes.

Pouvoir
Syn. (N.) **I.** Capacité, droit, faculté, liberté, permission, possibilité, puissance, virtualité. — Autorisation, délégation, juridiction, procuration. — Autorité, gouvernement. **II.** Ascendant, crédit, domination, efficacité, empire, influence.
Ant. **I.** Impossibilité, impuissance, incapacité, inhabileté.

Prairie
Syn. **I.** Herbage, pâturage, pré, savane, steppe.
Ant. **I.** Hauteur, mont, montagne.

Praticable
Syn. **I.** Applicable, faisable, possible, réalisable, utilisable. — Accessible, carrossable.
Ant. **I.** Difficile, impossible, impraticable, inapplicable, infaisable, irréalisable, malaisé. — Inabordable, inaccessible.

Praticien
Syn. **I.** Exécutant *(arts)*. — Chirurgien, clinicien, médecin traitant.
Ant. **I.** Artiste. — Chercheur, théoricien.

Pratique
Syn. **I.** *(N.f.)* Action, application, connaissance, exécution, exercice, réalisation. — Agissements, conduite, coutume, habitude, méthode, procédé, routine, usage, vogue. — Assiduité, culte, observance. — Acheteur, client. — *(Adj.)* Concret, positif, pragmatique, réaliste, utile, utilitaire. — Exécutable, facile, faisable, possible, praticable. — Commode, efficace, ingénieux, maniable.
Ant. **I.** *(N.f.)* Inexpérience, spéculation, théorie. — Inobservance. — *(Adj.)* Abstrait, contemplatif, idéaliste, sentimental, spéculatif, théorique. — Difficile, impossible. — Incommode, inefficace, malcommode.

Pratiquer
Syn. **I.** Accomplir, appliquer, exercer, garder, (se) livrer à, observer. — Employer, exécuter, faire, opérer. **II.** Frayer, ménager, ouvrir. **III.** Fréquenter.
Ant. **I.** (S') abstenir, ignorer. **III.** Abandonner, éviter.

Pré V. *Prairie*

Préambule
Syn. **I.** Avant-propos, début, entrée en matière, exorde, exposition, introduction,

préface, préliminaire. **III.** Prélude, prodrome.
Ant. **I.** Conclusion, fin, péroraison.

Précaire
Syn. **I.** Aléatoire, chancelant, court, éphémère, fragile, incertain, instable, passager, périssable.
Ant. **I.** Assuré, durable, ferme, long, permanent, solide, stable.

Précaution
Syn. **I.** Disposition, garantie, mesure. — Attention, circonspection, diplomatie, ménagement, prévoyance, prudence, réserve.
Ant. **I.** Étourderie, imprévoyance, imprudence, témérité.

Précédent
Syn. **I.** *(Adj.)* Antécédent, antérieur, préalable. — *(N.)* Antécédent *(n.)*, exemple, fait analogue, référence, usage.
Ant. **I.** *(Adj.)* Postérieur, subséquent, suivant, ultérieur.

Précéder
Syn. **I.** Dépasser, devancer, diriger, distancer, marcher devant, prévenir. **III.** (L') emporter sur.
Ant. **I.** Poursuivre, remplacer, succéder, suivre, talonner. — Accompagner, coexister, coïncider.

Précepte
Syn. **I.** Commandement, enseignement, instruction, leçon, loi, maxime, prescription, principe, règle.

Prêcher
Syn. **I.** Annoncer, catéchiser, enseigner, évangéliser, instruire. **II.** Conseiller, exhorter, préconiser, prôner, recommander. — Endoctriner, moraliser, sermonner.
Ant. **II.** Combattre, déconseiller, dénoncer, (s') opposer.

Prêcheur
Syn. **III.** *(Péj.)* Radoteur *(fam.)*, sermonneur.

Précieux
Syn. **I.** Avantageux, cher, estimable, important, inappréciable, inestimable, parfait, rare, riche, unique, utile, valable. **II.** Affecté, maniéré, recherché.
Ant. **I.** Banal, commun, inutile, ordinaire, pauvre, universel, vil. **II.** Désinvolte, naturel, simple.

Précipice
Syn. **I.** Abîme, cavité, gouffre, ravin. **III.** Danger, désastre, malheur, ruine.
Ant. **I.** Éminence. **III.** Bonheur, fortune, sécurité, succès.

Précipitation
Syn. **I.** Brusquerie, empressement, fougue, hâte, impatience, impétuosité, irréflexion, promptitude, rapidité, vitesse, vivacité.
Ant. **I.** Atermoiement, calme, douceur, indolence, lenteur, modération, retenue.

Précipiter (et Se)
Syn. *(V. tr.)* **I.** Entraîner, jeter, pousser. **II.** Accélérer, avancer, bousculer, brusquer, forcer, hâter, presser. **III.** Anéantir, ruiner. *(V. pr.)* **I.** (Se) jeter, piquer (une tête), tomber. — Assaillir, foncer, fondre, (se) lancer, (se) ruer. — Accourir, (s') agiter, courir, (se) dépêcher, (s') empresser, (se) hâter.
Ant. *(V. tr.)* **I.** Hisser. **II.** Ajourner, arrêter, attendre. différer, ralentir, remettre, retarder. **III.** Affermir.

Précis
Syn. **I.** *(Adj.)* Absolu, catégorique, clair, déterminé, distinct, explicite, fixé, formel, net. — Certain, exact, juste, ponctuel, rigoureux. — Concis, court, laconique, serré. — *(N.)* Abrégé, résumé, sommaire.
Ant. **I.** Ambigu, confus, douteux, équivoque, flou, imprécis, indéterminé, indistinct, obscur, vague. — Approchant, approximatif, incertain, indécis, inexact. — Diffus.

Précision(s)
Syn. **I.** Clarté, concision, détermination, exactitude, justesse, netteté, régularité, rigueur, sûreté. — *(Pl.)* Détails, développements, données, explications.
Ant. **I.** Ambiguïté, approximation, confusion, hésitation, imprécision, incertitude, inexactitude, vague. — Généralités.

Précoce
Syn. **I.** Hâtif. **II.** Prématuré, pressé. **III.** Avancé, prodige.
Ant. **I.** Tardif. **III.** Arriéré, attardé.

Préconiser
Syn. **I.** Prôner, recommander.
Ant. **I.** Dénigrer, dénoncer, déprécier.

Précurseur
Syn. **I.** *(N.)* Ancêtre, devancier, éclaireur, initiateur, pionnier, prédécesseur. — *(Adj.)* Annonciateur, avant-coureur, messager, prémonitoire.
Ant. **I.** Successeur. — Postérieur, suivant.

Prédestiner
Syn. **I.** Appeler. **II.** Décider (d'avance), destiner, disposer, fixer, marquer, réserver, vouer.

Prédication
Syn. **I.** Discours, enseignement, homilétique, homélie, prêche, prône, sermon.

Prédiction
Syn. **I.** Divination, prophétie, vaticination. **II.** Annonce, augure, destin, horoscope, oracle, prévision *(vx)*.
Ant. **I.** Actualité, présent, réalité.

Prédire
Syn. **I.** Annoncer, dévoiler, prophétiser, vaticiner. **II.** Augurer, deviner, présager, prévoir, pronostiquer.

Prédisposer
Syn. **I.** Amener, incliner, influencer, préparer.
Ant. **I.** Choquer, éloigner, indisposer.

Prédominer
Syn. **I.** Dominer, (l') emporter, précéder *(fig.)*, prévaloir, régner, surpasser.

Prééminence
Syn. **I.** Autorité, avantage, dessus, hégémonie, prédominance, préférence, prépondérance, primauté, supériorité, suprématie.
Ant. **I.** Désavantage, dessous, infériorité.

Préface
Syn. **I.** Avant-propos, avertissement, avis, introduction, notice, préambule, présentation, prolégomènes. **III.** Commencement, préliminaires, prélude.

Préférable
Syn. **I.** Meilleur, mieux, supérieur.
Ant. **I.** Inférieur, mauvais, pire, secondaire.

Préféré
Syn. **I.** *(Adj.)* Attitré, choisi, chéri, privilégié. — *(N.)* Chouchou, favori.
Ant. **I.** Détesté, haï, rejeté, sacrifié.

Préférence
Syn. **I.** *(Pers.)* Acception, affection, attirance, choix, égards, faible *(n.)*, faveur, favoritisme, ménagement, partialité, prédilection, sympathie. — *(Ch.)* Avantage, option, privilège.
Ant. **I.** Antipathie, aversion, défaveur, discrédit, impartialité, répulsion, ressentiment.

Préférer
Syn. **I.** Adopter, aimer mieux, chérir, choisir, élire, estimer le plus, incliner pour, opter, pencher pour.
Ant. **I.** Haïr, rejeter.

Préjudice
Syn. **I.** Atteinte, dam, désavantage, détriment, dommage, injustice, lésion, mal, tort.
Ant. **I.** Aide, avantage, bénéfice, bien, bienfait, secours, service.

Préjudiciable
Syn. **I.** Attentatoire, contraire, défavorable, dommageable, malheureux, nuisible, pernicieux.
Ant. **I.** Avantageux, bienfaisant, favorable, profitable, utile.

Préjugé
Syn. **I.** Idée/opinion préconçue, jugement (favorable ou défavorable), parti pris, préconception, prévention.
Ant. **I.** Délibération, réflexion.

Prélat
Syn. **I.** Haut dignitaire ecclésiastique, évêque, monseigneur, pontife.

Prélever
Syn. **I.** Enlever, extraire, ôter, percevoir, prendre, retenir, retirer, soustraire. – Exiger, imposer.
Ant. **I.** Ajouter, compléter, donner. – Dégrever, dispenser.

Préliminaire(s)
Syn. (N. Pl.) **I.** Préparatifs. **II.** Commencement, prélude. – Introduction, jalon, préambule, préface, prologue. *(Adj.)* **I.** Antérieur, initial, préparatoire.
Ant. **I.** *(N.)* Conclusion, fin. – *(Adj.)* Final, postérieur.

Prélude
Syn. **I.** Introduction, ouverture, prologue. **III.** Annonce, avant-coureur, avant-goût, commencement, préliminaire, présage, prologue.

Préluder
Syn. **I.** Annoncer, commencer, essayer, improviser. **III.** (S') essayer, (s') exercer, (se) préparer.
Ant. **I.** Conclure.

Prématuré
Syn. **I.** Anticipé, avancé, hâtif, précoce. **II.** (Avant) terme.
Ant. **I.** Arriéré, attendu, lent, tardif. **II.** (À terme).

Prémédité
Syn. **I.** Calculé, concerté, étudié, intentionnel, médité, mûri, préparé, projeté, réfléchi.
Ant. **I.** Automatique, inconscient, involontaire, irréfléchi, spontané.

Prémices
Syn. **I.** Primeurs. **III.** Avant-goût, commencement, début, genèse, origine, principe.
Ant. **III.** Achèvement, arrière-goût, conclusion, dénouement, fin, terme.

Premier
Syn. (Adj.) **I.** Antérieur, initial, liminaire, nouveau, originaire, original, originel, primé, primitif, primordial, prochain. **II.** Capital, dominant, fondamental, meilleur, principal, supérieur, (en) tête. *(N.)* **I.** Aîné, ancêtre, auteur, devancier, doyen, initiateur, pionnier, premier-né, promoteur, protagoniste.
Ant. (Adj.) **I.** Dernier, extrême, moderne, suprême, ultime. **II.** Inférieur, secondaire. *(N.)* **I.** Benjamin, cadet.

Prémunir (et Se)
Syn. (V. tr.) **I.** Armer *(fig.)*, avertir, garantir, préserver. – *(V. pr.)* (S') armer, (s') assurer, (se) garantir, (se) garer, (se) munir, (se) précautionner.
Ant. **I.** *(V. tr.)* Négliger, omettre. – *(V. pr.)* (S') aventurer, (s') exposer, (se) hasarder.

Prendre
Syn. (V. tr.) **I.** *(Saisir)* Agripper, attraper, empoigner, étreindre, serrer, tenir, toucher à. – *(Prendre pour soi)* Accaparer, accepter, accueillir, acheter, adopter, capter, emmener, emporter, mettre, prélever, (se) procurer, recevoir, recueillir, (faire) usage de, user, utiliser. – Absorber, avaler, boire, consommer, manger. – (S') adjoindre, (s') associer, embaucher, employer, engager. – Con-

tracter. — *(Prendre de force)* (S') accaparer, appréhender, arracher, arrêter, capturer, confisquer, conquérir, dépouiller, (s') emparer, enlever, envahir, occuper, ravir, voler. — Violer. **II.** Coûter, demander, exiger. **III.** Surprendre. — Comprendre, considérer, éprouver, interpréter. — Assumer, endosser. *(V. intr.)* **I.** Congeler, durcir, (s') épaissir, (se) figer, (prendre) racine. **III.** Marcher, réussir. — (S') implanter.
Ant. (V. tr.) **I.** Jeter, lâcher. — Abandonner, céder, (se) départir, donner, laisser, léguer, livrer, offrir, perdre, répudier, vendre. — Renvoyer, (se) séparer de. — Évacuer, relâcher, rendre, restituer. *(V. intr.)* **I.** Rester tel quel. **III.** Manquer, rater.

Préoccupation(s)
Syn. **I.** Angoisse, difficulté, ennui, inquiétude, obsession, occupation, pensée, soin, souci, tourment, tracas.
Ant. **I.** Calme, indifférence, oubli, paix, quiétude, repos, sérénité, tranquillité.

Préoccuper (et Se)
Syn. (V. tr.) **I.** Agiter, inquiéter, tourmenter, tracasser. — Absorber, hanter, obséder. — *(V. pr.)* (S') embarrasser, (s') inquiéter, (s') intéresser, penser à.
Ant. **I.** *(V. tr.)* Calmer, consoler, pacifier, rasséréner, rassurer, , tranquilliser. — *(V. pr.)* (Se) désintéresser, (se) moquer.

Préparation
Syn. **I.** Apprêts, arrangements, composition, préparatifs. **II.** Ébauche, esquisse, essai, étude, introduction, mise (en train), organisation, plan. — Apprentissage, formation, stage.
Ant. **II.** Accomplissement, exécution, interprétation, pratique, réalisation. — Expérience, métier.

Préparatoire
Syn. **I.** Antérieur, initial. — Primaire.
Ant. **I.** Postérieur, ultérieur. — Moyen, supérieur.

Préparer (et Se)
Syn. (V. tr.) **I.** Accommoder, aménager, apprêter, arranger, disposer, dresser, faciliter, façonner, frayer, mettre, organiser. **III.** Amorcer, combiner, ébaucher, échafauder, élaborer, étudier, machiner, méditer, ménager, mijoter, mitonner, monter, mûrir, ourdir. — Destiner, réserver. — Entraîner, former, instruire. — Annoncer, présager. *(V. pr.)* **I.** (S') apprêter, (se) disposer, préluder.
Ant. **I.** Accomplir, défaire, déranger, effectuer, empêcher, exécuter, extérioriser, réaliser. **III.** Improviser.

Prépondérance
Syn. **I.** Autorité, domination, maîtrise, prééminence, supériorité.
Ant. **I.** Assujettissement, dépendance, infériorité, subordination.

Préposé
Syn. **I.** Agent, chargé, commis, délégué, employé, représentant, responsable.

Prérogative
Syn. **I.** Attribut, attribution, avantage, dignité, droit, honneur, pouvoir, préséance, privilège. **II.** Don, faculté.
Ant. **I.** Contrainte, devoir, obligation.

Près de
Syn. **I.** *(Espace)* (Aux) abords, (en) contact, contre, (à) côté, non loin, (à) proximité. — Adjacent, attenant, avoisinant, contigu, limitrophe, mitoyen, proche, voisin. — *(Temps)* Imminent, prochain.
Ant. **I.** Loin. — Distant, éloigné, espacé. — Passé.

Présage
Syn. **I.** Augure, auspice, conjecture. **II.** Annonce, avant-coureur, avertissement, prélude, symptôme.

Présager
Syn. **I.** *(Ch.)* Annoncer, augurer, avertir, indiquer, préluder. — *(Pers.)* Conjecturer, flairer, prédire, préfigurer, pressentir,

présumer, prévoir, pronostiquer, prophétiser.

Presbytère
Syn. **I.** Cure, maison curiale.

Prescription
Syn. **I.** Commandement, instruction, précepte, règle, règlement. — *(Méd.)* Avis, conseil, disposition, indication, ordonnance, ordre, recommandation. — *(Dr.)* Acquisition, péremption.
Ant. **I.** Interdiction.

Prescrire
Syn. **I.** Commander, décréter, demander, dicter, disposer, enjoindre, fixer, imposer, réclamer, vouloir. — *(Méd.)* Conseiller, ordonner, recommander. — *(Dr.)* Acquérir, (se) périmer.
Ant. **I.** Observer, obéir, subir.

Présent
Syn. **I.** *(Adj.)* Assistant, témoin. — Actuel, contemporain, courant, immédiat, moderne. — *(N.)* Temps actuel. — Cadeau, don, étrennes, oblation, offrande.
Ant. **I.** *(Adj.)* Absent. — Ancien, futur, passé. — *(N.)* Avenir, passé.

Présentable
Syn. **I.** Acceptable, convenable, correct, digne, propre, sortable.
Ant. **I.** Déplacé, inacceptable, incorrect, malpropre, malséant.

Présentation
Syn. **I.** Allure, apparence, maintien. — Défilé, émission, exhibition, exposition, manifestation, production, spectacle. **III.** Développement, préface.

Présentement V. *Maintenant*

Présenter (et Se)
Syn. *(V. tr.)* **I.** Introduire. — Arranger, donner, exhiber, exposer, montrer, offrir, tendre, (faire) voir. **III.** Proposer, soumettre. — Développer, expliquer, exprimer. *(V. pr.)* *(Pers.)* **I.** Assister, compa-

raître, (se faire) connaître, figurer, (se) montrer, paraître, (se) porter (comme candidat), (se) proposer. — *(Ch.)* **I.** Apparaître, (se) produire, survenir, venir.
Ant. *(V. tr.)* **I.** Congédier, ignorer, remercier. — Cacher, éliminer, enlever, rayer, retenir, retrancher. **III.** Conclure.

Préservation
Syn. **I.** Conservation, garantie, protection, sauvegarde.
Ant. **I.** Abandon, destruction, dommage.

Préserver
Syn. **I.** Abriter, assurer, défendre, épargner, garantir, garer, immuniser, prémunir, protéger, sauvegarder, sauver. **II.** Conserver, garder.
Ant. **I.** Contaminer, délaisser, détruire, nuire. **II.** Détériorer.

Présider
Syn. **I.** Conduire, diriger, gérer, régler, veiller à. — *(Liturgie)* Officier, pontifier.
Ant. **I.** Assister, servir.

Présomption
Syn. **I.** Charge, conjecture, hypothèse, indice, supposition. **III.** Audace, fatuité, orgueil, outrecuidance, prétention, témérité, vanité.
Ant. **I.** Certitude, évidence. **III.** Humilité, modestie.

Présomptueux V. *Orgueilleux*

Presque
Syn. **I.** À peu près, approximativement, environ, quasi, quasiment.
Ant. **I.** Absolument, complètement, tout à fait.

Pressant
Syn. **I.** Chaleureux, chaud, impératif, impérieux, insistant, instant *(adj.)*, suppliant. — Ardent, important, urgent.
Ant. **I.** Facultatif, indifférent, insignifiant.

Pressé
Syn. **I.** Compact, comprimé, serré. **III.** Gêné. — Hâtif, impatient. — Important,

pressant, urgent.
Ant. **I.** Clairsemé. **III.** Libéré, libre. — Patient. — Dilatoire, lent, négligeable, retardé.

Pressentiment
Syn. **I.** Appréhension, avertissement, crainte, espérance, impression, intuition, prémonition, présage, prescience, sentiment. *Ant.* **I.** Assurance, confiance, imprévision, surprise.

Pressentir
Syn. **I.** Deviner, (se) douter de, présager, prévoir, sentir. **II.** Entrevoir, flairer *(fig.),* soupçonner, subodorer. — *(Pers.)* Contacter, interroger, sonder.
Ant. **I.** (S') aveugler, ignorer, méconnaître, (se) méprendre. — Savoir.

Presser (et Se)
Syn. (V. tr.) **I.** Broyer, comprimer, contracter, écraser, entasser, étreindre, exprimer, extraire, fouler, oppresser, pressurer, resserrer, serrer, tasser. — Appliquer, appuyer, peser. **III.** Contraindre, influer, obliger. — *(Pers.)* Aiguillonner, assaillir, assiéger, bousculer, brusquer, courir après, harceler, poursuivre, tourmenter. — Encourager, engager, exciter, exhorter, inviter, pousser. — *(Ch.)* Accélérer, activer, hâter, précipiter. *(V. intr.)* Être urgent. *(V. pr.)* **I.** (Se) blottir, (s') entasser. **III.** (Se) dépêcher, (s') empresser, (se) grouiller *(pop.),* (se) hâter.
Ant. (V. tr.) **I.** Dilater, écarter. — Effleurer. **III.** Exempter, libérer. — Attendre, calmer, éloigner, repousser, retenir. — Décourager, dissuader, — Freiner, modérer, ralentir, retarder. *(V. pr.)* **III.** Lambiner, traîner.

Pression
Syn. **I.** Compression, étreinte, force, impulsion, serrement. — Pesée, poussée. **III.** Contrainte, empire, influence.
Ant. **I.** Desserrement, détente, relaxation.

III. Aisance, laisser-aller, libération, liberté.

Pressurer
Syn. **I.** **V.** *Presser.* **III.** Accabler, écraser, épuiser, exploiter, fatiguer, maltraiter, opprimer, saigner. *Ant.* **III.** Aider, décharger, défendre, donner, libérer, relever, soulager, soutenir.

Prestance V. *Port*

Prestation
Syn. **I.** Aide, allocation, contribution, fourniture *(milit.),* indemnité. *Ant.* **I.** Bénéfice, rendement, revenu.

Preste
Syn. **I.** Adroit, agile, alerte, leste, prompt, rapide, vif. *Ant.* **I.** Endormi, gauche, lent, lourd, maladroit, mou.

Prestidigitateur
Syn. **I.** Escamoteur, illusionniste, manipulateur. **III.** Magicien.

Prestige
Syn. **I.** Ascendant, autorité, crédit, empire, influence, poids, réputation. **II.** Attrait, auréole *(fig.),* éclat, gloire. *Ant.* **I.** et **II.** Déchéance, discrédit, médiocrité, nullité, obscurité.

Prestigieux
Syn. **I.** Admirable, beau, éblouissant, étonnant, extraordinaire, fantastique, magique, magnifique, merveilleux, prodigieux, renversant. *Ant.* **I.** Banal, commun, familier, insignifiant, médiocre, ordinaire, piètre, simple, usuel.

Présumer
Syn. **I.** Augurer, conjecturer, présager, soupçonner, supposer. — Croire, estimer, penser.

Prêt
Syn. **I.** *(Adj.) (Pers.)* Consentant, déter-

miné, disposé, enclin, mûr pour, préparé, résolu. — *(Ch.)* Paré. — *(N.)* Avance, crédit, prime, subside, subvention. — Investissement, placement.

Prétendant
Syn. **I.** Aspirant, candidat, postulant. — Amoureux, fiancé, soupirant.
Ant. **I.** Époux, mari.

Prétendre
Syn. **I.** Affirmer, alléguer, avancer, déclarer, soutenir. — Ambitionner, aspirer à, tendre, vouloir.
Ant. **I.** Nier. — (Se) désintéresser, refuser, renoncer.

Prétendu
Syn. **I.** Apparent, dit, faux, présumé, soi-disant, supposé.
Ant. **I.** Authentique, certain, réel, sûr.

Prétentieux
Syn. **I.** Fat, orgueilleux, présomptueux, vaniteux. — Affecté, arrogant, maniéré.
Ant. **I.** Humble, modeste. — Aisé, naturel, simple.

Prétention
Syn. **I.** Exigence, revendication. **II.** Ambition, désir, visée. **V.** *Orgueil.*
Ant. **II.** Modestie, simplicité.

Prêter (et Se)
Syn. (V. tr.) **I.** Allouer, avancer, commanditer, donner, fournir, octroyer, procurer. **II.** Attribuer, imputer, supposer. *(V. pr.) (Pers.)* **I.** (S') accommoder, consentir, (se) plier. — *(Ch.)* Convenir.
Ant. (V. tr.) **I.** Emprunter, enlever, ôter.

Prétexte
Syn. **I.** Allégation, couverture, échappatoire, excuse, faux-fuyant, (faux) motif, subterfuge.
Ant. **I.** (Vraie) cause, fait, fond de l'affaire, réalité, vérité.

Prétexter
Syn. **I.** Alléguer, arguer, (s') autoriser, in-

voquer *(fig.)*, objecter, opposer.
Ant. **I.** Approuver, céder.

Prêtre
Syn. **I.** *(Chrétienté)* Curé, ecclésiastique, membre du clergé, ministre du culte, pasteur.
Ant. **I.** Laïc, ouaille.

Preuve
Syn. **I.** Argument, charge *(dr.)*, confirmation, conviction (pièce à), critère, démonstration, évidence, fondement, justification, raison, vérification. — Gage, garantie, indice, manifestation, marque, signe, témoignage.
Ant. **I.** Doute, incertitude.

Prévaloir (et Se)
Syn. **I.** *(V. intr.)* Dominer, (s') emporter, prédominer. — *(V. pr.)* Alléguer. — (S') enorgueillir, (se) flatter, (se) targuer.
Ant. **I.** (Se) départir, fléchir. — (S') abaisser, (s') humilier.

Prévarication
Syn. **I.** Déloyauté, déprédation, forfaiture, infidélité, malversation, trahison.
Ant. **I.** Dévouement, fidélité, honnêteté, loyauté.

Prévenance (s)
Syn. **I.** Obligeance. **II.** *(Pl.)* Amabilités, attentions, délicatesses, égards, gentillesses, petits soins.
Ant. **I.** Désobligeance, malveillance, mépris. **II.** Avanies, grossièretés, impolitesses.

Prévenant
Syn. **I.** Affable, aimable, attentionné, complaisant, déférent, empressé, obligeant, serviable. — *(Ch.)* Agréable, avenant.
Ant. **I.** Arrogant, brusque, déplaisant, désobligeant, égoïste, grossier, impoli, indifférent. — Désagréable, rebutant.

Prévenir
Syn. **I.** Aller au-devant, anticiper, devan-

cer, précéder. **II.** Disposer par avance. — Alerter, avertir, aviser, informer. — Détourner, écarter, empêcher, éviter, obvier à, parer à. **III.** Influencer.
Ant. **I.** Retarder, tarder. **II.** Cacher, taire, (se) taire. — (S') abstenir, produire, provoquer.

Prévention
Syn. **I.** Antipathie, défiance, hostilité, méfiance, partialité, parti pris, préjugé. — Emprisonnement, incarcération.
Ant. **I.** Amour, impartialité, sympathie. — Élargissement, libération.

Prévenu
Syn. (N.) **I.** Accusé, inculpé.
Ant. **I.** Disculpé.

Prévision(s)
Syn. **I.** Connaissance, divination, intuition, prescience, pressentiment. — *(Pl.)* Calculs, conjectures, probabilités, pronostics, sondages, statistiques. **II.** Attente, espérance, prédiction, présage, prophétie, supposition.
Ant. **I.** Imprévision, mécompte.

Prévoir
Syn. **I.** Anticiper, augurer, calculer, deviner, entrevoir, envisager, prédire, présager, pressentir, présumer, pronostiquer, prophétiser. — Préparer.
Ant. **I.** (S') aventurer, ignorer, méconnaître. — Improviser.

Prévoyance
Syn. **I.** Attention, clairvoyance, épargne, précaution, prudence, sagesse.
Ant. **I.** Étourderie, imprévoyance, insouciance, laisser-aller, négligence.

Prévoyant
Syn. **I.** Clairvoyant, diligent, précautionneux, prudent.
Ant. **I.** Imprévoyant, insouciant, négligent.

Prier
Syn. **I.** Adorer, invoquer. **II.** Appeler, de-

mander, implorer, insister, presser, solliciter, supplier. — Convier, inviter.
Ant. **I.** Blasphémer, jurer, sacrer *(fam.)*. **II.** Répondre, obtenir, recevoir.

Prière
Syn. **I.** Acte, adoration, cri, demande, déprécation, dévotion, élévation, intercession, invocation, litanies, neuvaine, obsécration, oraison, orémus, supplication. **II.** Imploration, instance, supplication, supplique. — Invitation, sollicitation.
Ant. **I.** Blasphème, juron, profanation, sacrilège. **II.** Réponse.

Primauté V. *Prééminence*

Prime
Syn. **I.** Commission, dividende, gain, gratification, profit, rémunération, ristourne. **III.** Encouragement, récompense.

Primesautier
Syn. **I.** Impulsif, irréfléchi, prompt, spontané, vif.
Ant. **I.** Pondéré, prudent, réfléchi, sage.

Primeur
Syn. **I.** Commencement, étrenne, fraîcheur, prémices. **III.** Nouveauté.
Ant. **I.** Tardivité. **III.** Ancienneté, vieillerie.

Primitif
Syn. **I.** Ancien, antique, archaïque. — Brut, initial, originaire, originel, premier. **II.** Élémentaire, rudimentaire, sommaire. — Fruste, grossier, inculte, sauvage, simple.
Ant. **I.** Actuel, contemporain, dernier, jeune, moderne, nouveau, postérieur, récent. **II.** Perfectionné. — Civilisé, évolué.

Primordial
Syn. **I.** Premier, primitif. **II.** Capital, essentiel, indispensable, nécessaire, principal, vital.
Ant. **I.** Moderne, récent. **II.** Insignifiant, mineur, négligeable, secondaire.

Prince

Syn. **I.** Chef (d'État), monarque, roi, souverain. — Cardinal. **II.** Premier. **III.** Maître, seigneur.

Ant. **I.** Fidèle, inférieur, serviteur, sujet.

Princier

Syn. **III.** Luxueux, royal, somptueux.

Ant. **III.** Pauvre, simple.

Principal

Syn. **I.** Capital, cardinal, central, décisif, dominant, essentiel, fondamental, grand, important, meilleur, prédominant, primordial.

Ant. **I.** Accessoire, complémentaire, futile, secondaire, superflu, vain.

Principe(s)

Syn. **I.** Agent, auteur, cause, commencement, créateur, début, essence (première), ferment, fondement, idée, origine, raison, source. — Axiome, base, donnée, postulat, prémisse. **II.** *(Pl.)* Éléments, rudiments. — Lois, maximes, (bonnes) mœurs, normes, préceptes, règles, théorie.

Ant. **I.** Conclusion, conséquence, couronnement, déduction, effet, fin, résultat. — Application, exception, pratique, usage.

Printanier

Syn. **I.** Vernal. **II.** Frais, gai, jeune, léger, neuf, nouveau, renouveau.

Ant. **I.** Automnal. **II.** Éteint, flétri, usé, vieillot, vieux.

Priorité

Syn. **I.** Antériorité, préséance. **III.** Primauté.

Ant. **I.** Postérité. **III.** Infériorité.

Prise

Syn. **I.** Préhension. — Butin, capture, conquêtes, enlèvement, occupation, proie. — Coagulation, durcissement, solidification. — (Pincée) de tabac. **III.** *(Prise de bec)* Dispute, querelle.

Ant. **I.** Liquéfaction, vaporisation. **III.** Entente.

Priser

Syn. **I.** *(Tabac)* Aspirer, humer, prendre. **III.** Apprécier, estimer.

Ant. **III.** Discréditer, mépriser.

Prison

Syn. **I.** Bagne, cachot, cellule, dépôt, geôle, pénitencier, violon. **II.** Détention, emprisonnement, prévention, réclusion.

Prisonnier

Syn. **I.** Captif, détenu, enfermé, interné, séquestré. **II.** Reclus. **III.** Esclave.

Ant. **I.** Délié, délivré, évadé, indépendant, libéré, libre.

Privation(s)

Syn. **I.** Absence, défaut, disparition, insuffisance, manque, perte, restriction, suppression, vide. **II.** *(Pl.)* Abstinence, jeûne, renoncements, sacrifices. — Gêne, indigence, pauvreté.

Ant. **I. et II.** Abondance, aisance, jouissance, richesse.

Privautés

Syn. **I.** Caresses, familiarités, libertés, sans-façon, sans-gêne.

Ant. **I.** Civilités, discrétion, réserve, respect.

Privé

Syn. **I.** Dénué, dépourvu. — Individuel, intime, particulier, personnel, réservé. **II.** Incognito, officieux. — Libre.

Ant. **I.** Muni, nanti. — Collectif, commun, général, politique, public, social. **II.** Officiel. — National, public.

Privément

Syn. **I.** En particulier, en secret, intimement, particulièrement, personnellement.

Ant. **I.** À ciel ouvert, au vu et au su, publiquement.

Priver (et Se)

Syn. **I.** *(V. tr.)* Déposséder, dépouiller, destituer, enlever, frustrer, ôter. — *(V. pr.)* (S') abstenir, (s') empêcher de, (s') imposer des privations, (se) passer

de, (se) refuser, renoncer.
Ant. **I.** *(V. tr.)* Accorder, donner, fournir, gratifier, munir. *(V. pr.)* (Se) gaver, (se) permettre.

Privilège
Syn. **I.** Attribution, avantage, concession, droit, exemption, franchise, honneur, immunité, indult, monopole, passe-droit, pouvoir, préférence, prérogative. **III.** Bénéfice, faveur. Apanage, don.
Ant. **I.** et **III.** Désavantage, handicap, inconvénient, infériorité, obstacle, préjudice.

Privilégié
Syn. **I.** Avantagé, chanceux, choisi, élu, favori, favorisé, fortuné, gâté, préféré, riche.
Ant. **I.** Défavorisé, désavantagé, handicapé, infortuné, malchanceux, malheureux, pauvre.

Prix
Syn. **I.** Change, cote, cours, coût, estimation, évaluation, marché, montant, somme, tarif, taux, total, valeur. **II.** Importance, mérite, rançon. – Coupe, diplôme, médaille, oscar, récompense.
Ant. **II.** Châtiment, peine, punition, répression, réprimande.

Probabilité(s)
Syn. **I.** Apparence, plausibilité, possibilité, vraisemblance. **II.** *(Pl.)* Chances, conjectures, perspectives.
Ant **I.** Improbabilité, invraisemblance.

Probable
Syn. **I.** Plausible, possible, vraisemblable.
Ant. **I.** Certain, improbable, invraisemblable.

Probant
Syn. **I.** Concluant, convaincant, décisif, démonstratif, péremptoire.
Ant. **I.** Discutable, douteux, incertain.

Probe
Syn. **I.** Fidèle, honnête, intègre. **II.** Cons-

ciencieux, délicat, droit.
Ant. **I.** et **II.** Déloyal, dépravé, fourbe, improbe, malhonnête.

Probité
Syn. **I.** Droiture, fidélité, honnêteté, incorruptibilité, intégrité, justice, loyauté.
Ant. **I.** Déloyauté, fourberie, improbité, infidélité, malhonnêteté.

Problématique
Syn. **I.** Aléatoire, conjectural, douteux, équivoque, hasardeux, hypothétique, incertain, suspect.
Ant. **I.** Certain, évident, formel, indubitable, manifeste, probant, sûr.

Problème
Syn. **I.** Question. **II.** Conflit, difficulté, ennui.
Ant. **I.** Solution. **II.** Accord, paix, satisfaction.

Procédé(s)
Syn. **I.** Attitude, comportement, conduite, façon. – *(Pl.)* Agissements, errements. – Artifice, convention, dispositif, ficelle *(fig.)*, formule, manière, marche, méthode, moyen, recette, secret, truc *(fam.)*.

Procéder
Syn. **I.** Agir, avancer, (se) conduire, marcher. **II.** *(Procéder à)* Accomplir *(dr.)*, célébrer *(dr.)*, commencer à exécuter, faire, opérer, réaliser. – *(Procéder de)* Dérouler, dépendre, dériver, émaner, provenir, venir.
Ant. **I.** (S') abstenir, différer, hésiter, remettre, retarder.

Procès
Syn. **I.** Action, affaire, cause, débats, instance, instruction, litige, procédure, poursuite.

Procession
Syn. **I.** *(Relig.)* Cérémonie, cortège, défilé, marche. **II.** File, queue, succession, suite, théorie. **III.** Série.

Processus
Syn. I. Développement, évolution, fonction, marche, mécanisme, progrès.
Ant. I. Arrêt, contraction, organisation, préparation, suspension.

Procès-verbal
Syn. I. Constat, contravention. II. Compte rendu, rapport, relation.

Prochain
Syn. I. (Adj.) Proche, voisin. — Imminent, rapproché, suivant. — Direct, immédiat. — (N.) (Les) autres (hommes), autrui.
Ant. I. (Adj.) Lointain. — Dernier, passé. — Indirect, médiat. — (N.) Soi-même.

Proche (s)
Syn. (Adj.) I. — (Espace) Adjacent, attenant, avoisinant, contigu, environnant, juxtaposé, limitrophe, voisin. — (Temps) Immédiat, imminent. III. Approximatif, approchant. — (N. Pl.) Entourage, parents.
Ant. I. Distant, espacé, lointain, reculé. — Éloigné. III. Différent.

Proclamation
Syn. I. Annonce, ban, déclaration, décret, divulgation, édit, publication, rescrit. II. Appel, manifeste, profession de foi, programme.

Proclamer
Syn. I. Déclarer, publier. II. Affirmer, annoncer, clamer, confesser, crier, déclarer, dévoiler, divulguer, manifester, professer, révéler.
Ant. I. et II. Cacher, celer, déguiser, dissimuler, masquer, taire, voiler.

Procréer
Syn. I. Enfanter, engendrer. III. Produire.

Procuration
Syn. I. Mandat, pouvoir.

Procurer (et Se)
Syn. I. (V. tr.) Assurer, donner, fournir,

munir, nantir, pourvoir. — (Ch.) Apporter, causer, conférer, mériter, occasionner, offrir, valoir. — (V. pr.) Acquérir, conquérir, obtenir, quérir, trouver.
Ant. I. Enlever, extraire, ôter, refuser, soustraire.

Prodigalité(s)
Syn. I. Bonté, générosité, largesse, libéralité. — (Pl.) Dépenses excessives. II. Dissipation, excès, gaspillage, profusion.
Ant. I. Avarice, économie, égoïsme, épargne, mesquinerie, parcimonie. II. Dénuement, rareté.

Prodige
Syn. I. Magie, miracle. II. Chef-d'œuvre, merveille, tour de force. — (Pers.) Génie, phénomène.
Ant. II. Banalité, insignifiance, médiocrité, nullité.

Prodigieux
Syn. II. Considérable, épatant (fam.), étonnant, extraordinaire, fabuleux, fantastique, génial, incroyable, inouï, merveilleux, miraculeux, mirobolant (fam.), phénoménal, prestigieux.
Ant. II. Commun, coutumier, enfantin, insignifiant, médiocre, ordinaire, quelconque, trivial.

Prodigue
Syn. I. (Adj.) Dépensier. — Désintéressé, généreux, large, libéral. — (N.) Dilapidateur, dissipateur, gaspilleur, panier percé (fam.).
Ant. I. Avare, chiche, économe, égoïste, étroit, mesquin, parcimonieux, pingre.

Prodiguer (et Se)
Syn. (V. tr.) I. Consumer, dépenser, dilapider, dissiper, gaspiller. II. Accorder, déployer, distribuer, donner (à profusion), répandre. III. Étaler, montrer. (V. pr.) I. (Se) dépenser, (se) dévouer.
Ant. (V. tr.) I. Accumuler, économiser, épargner, ménager, mesurer, réserver. II. Garder, refuser. (V. pr.) I. (Se) ménager.

Prodrome(s)
Syn. **I.** Avant-coureur, préambule *(vx).* —
(Pl.) Symptômes *(méd.).*

Producteur
Syn. (N.) **I.** Auteur, créateur, initiateur,
inventeur. **II.** Agriculteur, industriel,
« producer » *(film),* réalisateur.
Ant. **I.** Destructeur. **II.** Consommateur,
intermédiaire.

Productif
Syn. **I.** Bon, fécond, fertile, fructueux,
généreux.
Ant. **I.** Aride, destructif, improductif, infécond, infertile.

Production
Syn. **I.** *(Dr.)* Exhibition, présentation. —
Agriculture, industrie. — Création, éclosion, fabrication, formation, génération,
genèse, rendement. **II.** Fruits, produit, résultat. — Écrit, émission radiophonique,
film, œuvre, ouvrage, pièce, réalisation
(d'un film), programme télévisé.
Ant. **I.** Consommation, distribution. —
Anéantissement, destruction, inaction,
inactivité, inertie.

Produire (et Se)
Syn. (V. tr.) **I.** *(Dr.)* Déposer, exhiber,
fournir, présenter, alléguer, citer. — Cultiver, donner, former, fournir, fructifier,
porter, procréer, proliférer, rapporter,
rendre. — Confectionner, fabriquer,
faire, manufacturer, obtenir, sortir *(v. tr.),*
usiner. — Composer, créer, donner, écrire, réaliser (un film). **III.** Causer, déterminer, enfanter, engendrer, entraîner, occasionner, provoquer, susciter. *(V. pr.)* **I.**
(Pers.) Jouer, (se) montrer, paraître en
public. — *(Ch.)* Advenir, arriver, (s') opérer, (se) passer, survenir.
Ant. (V. tr.) **I.** Cacher. — Consommer,
défaire, détruire. **III.** Procéder de, venir
de.

Produit
Syn. **I.** Bénéfice, bien, fruit, gain, production, profit, rapport, recette, récolte.

— *(Arith., chimie)* Résultat. **II.** Aliment,
denrée, marchandise. **III.** Conséquence,
effet, suite.
Ant. **I.** Facteur. — Dommage, manque,
perte, privation. **III.** Auteur, cause, condition.

Proéminent
Syn. **I.** Apparent, bossu, gros, saillant.
Ant. **I.** Creux, rentrant, uni.

Profanation
Syn. **I.** Outrage, sacrilège, violation. **III.**
Abus, avilissement, dégradation.
Ant. **I.** Réparation, respect, vénération.
III. Exaltation, glorification.

Profane
Syn. **I.** Civil, laïc, mondain, séculier,
temporel. **II.** Étranger à, ignorant, incompétent, novice. — Béotien, philistin.
Ant. **I.** Religieux, sacré. **II.** Averti, connaisseur, initié.

Proférer
Syn. **I.** Articuler, dire, émettre, jeter, pro-
noncer.
Ant. **I.** (Se) taire.

Professer
Syn. **I.** Afficher, avouer, déclarer, procla-
mer, reconnaître. — Enseigner. — Exer-
cer, pratiquer (un art, etc.) *(vx).*
Ant. **I.** Contester, désavouer, nier, rejeter.
— Étudier.

Professeur
Syn. **I.** Enseignant, instituteur, instruc-
teur, pédagogue. **III.** Maître.
Ant. **I.** Disciple, écolier, élève, étudiant.

Profession
Syn. **I.** Déclaration, proclamation. — Art,
carrière, charge, emploi, état, fonction,
métier, ministère, occupation, partie, situation, spécialité. — *(État relig.)* Consécration, engagement, oblation.

Professionnel
Syn. **I.** *(Adj.)* Expérimenté, spécialisé,
technique. — *(N.)* Spécialiste.

Ant. **I.** *(Adj.)* Privé. — *(N.)* Amateur, dilettante, non-professionnel.

Profil
Syn. **I.** Contour, galbe, ligne, linéament. — Aspect, silhouette.

Profiler (et Se)
Syn. *(V. tr.)* **I.** Représenter. — Exécuter, tracer. **II.** Présenter. *(V. pr.)* **I.** (Se) découper, (se) dessiner, (se) détacher, (se) projeter.

Profit
Syn. **I.** Aubaine, avantage, bénéfice, bien, enrichissement, fruit *(fig.)*, gain, intérêt, lucre, parti, produit, revenu, utilité. *Ant.* **I.** Déficit, détriment, désavantage, dommage, perte, préjudice.

Profitable
Syn. **I.** Avantageux, bon, efficace, fructueux, payant, productif, rentable, salutaire, utile. *Ant.* **I.** Désavantageux, dommageable, futile, improductif, inefficace, infructueux, inutile, néfaste.

Profiter
Syn. **I.** Bénéficier, exploiter, jouir de, tirer parti, utiliser. — (S') améliorer, gagner, progresser. — Croître, (se) développer, grandir, grossir. **II.** Rapporter. — Servir. *Ant.* **I.** Gâcher, manquer, négliger, perdre, rater. — Décroître, diminuer. **II.** Nuire.

Profond
Syn. **I.** Bas, creux, encaissé, enfoncé, inférieur. **II.** Épais, obscur. — Grave, gros. **III.** *(Pers.)* Intelligent, pénétrant, perspicace, sagace, savant. — *(Ch.)* Éloigné, lointain. — Difficile, élevé, fort. — Foncier, impénétrable, intérieur, intime, mystérieux, secret. — Ardent, complet, extrême, grand, immense, intense, vif. *Ant.* **I.** Élevé, haut, supérieur. **II.** Clair, léger. — Aigu, petit. **III.** Borné, superficiel. — Proche. — Banal, élémentaire, facile. — Apparent, extérieur, public, visible. — Faible, médiocre.

Profusion
Syn. **I.** Abondance, débauche *(fam.)*, étalage, excès, prodigalité, surabondance. **III.** Débordement, flot, foule. *Ant.* **I.** et **III.** Dénuement, économie, insuffisance, mesure, minutie, parcimonie, rareté.

Progéniture
Syn. **I.** Descendance, enfants, famille, rejetons, petits. *Ant.* **I.** Aïeul, parents (père, mère).

Programme
Syn. **I.** Affiche, annonce, ordre du jour, prospectus. **II.** Calendrier, dessein, emploi du temps, exposé, manifeste, objectifs, plan (détaillé), planification, planning, plate-forme *(fig.)*, projets.

Progrès
Syn. **I.** Amélioration, amendement, augmentation, avancement, cheminement *(fig.)*, croissance, développement, essor, évolution, montée, perfectionnement, progression. **II.** Civilisation, marche en avant, modernisme, technique. *Ant.* **I.** Arrêt, décadence, déchéance, déclin, décroissance, dégénérescence, dégradation, destruction, faillite, immobilité. **II.** Barbarie, recul, régression, rétrogradation.

Progressif
Syn. **I.** Ascendant, croissant. **II.** Gradué, graduel. *Ant.* **I.** Décroissant, dégressif, régressif. **II.** Brusque, soudain.

Prohiber
Syn. **I.** Condamner, défendre, empêcher, exclure, interdire. *Ant.* **I.** Autoriser, permettre.

Proie
Syn. **I.** Butin, capture, dépouilles, prise. **II.** Pâture, victime.

Projectile
Syn. **I.** Balle, bombe, boulet, cartouche, dard, flèche, fusée, grenade, mitraille, munitions, plomb, torpille.

Projet
Syn. **I.** Canevas, dessin, ébauche, esquisse, étude, maquette, schéma. **II.** But, dessein, idée, intention, plan, programme, vue. — Projet de loi *(bill)*.
Ant. **I.** Exécution, réalisation.

Projeter
Syn. **I.** Envoyer, jeter, lancer. — Faire apparaître, passer. **III.** Combiner, concerter, concevoir, décider, envisager, imaginer, préméditer, préparer, programmer, (se) proposer, tramer.
Ant. **III.** Accomplir, effectuer, exécuter, faire, réaliser.

Prolétaire
Syn. **I.** *(Vx)* Indigent, pauvre. — Ouvrier, plébéien, salarié, travailleur.
Ant. **I.** Riche. — Aristocrate, bourgeois, capitaliste, financier, patron, propriétaire.

Prolétariat
Syn. **I.** Peuple, plèbe, populace.
Ant. **I.** Aristocratie, bourgeoisie, capital.

Prolifique
Syn. **I.** Fécond.
Ant. **I.** Stérile.

Prolixe
Syn. **I.** Bavard, diffus, long, verbeux. **II.** Abondant, copieux, expansif, exubérant.
Ant. **I.** et **II.** Bref, concis, court, laconique, sobre, succinct.

Prologue
Syn. **I.** Avant-propos, début, entrée, exorde, introduction, préface. **III.** Préliminaire, prélude.
Ant. **I.** et **III.** Appendice, conclusion, dénouement, épilogue, fin, péroraison.

Prolongement(s)
Syn. **I.** Allongement, extension. **III.** *(Pl.)* Conséquences, continuation, développe-

ments, rebondissements, suites.
Ant. **I.** Contraction, raccourcissement. **III.** Arrêt, cessation, fin, interruption. — Origine, principe.

Prolonger (et Se)
Syn. **I.** *(V. tr.)* *(Temps)* Accroître, poursuivre, pousser, proroger. — *(Espace)* Allonger, étendre. — *(V. pr.)* *(Temps)* Continuer, durer, (s') éterniser, (se) perpétuer, persister. — *(Espace)* (S') étendre, (se) poursuivre.
Ant. **I.** *(V. tr.)* Abréger, cesser, couper, diminuer, raccourcir. — *(V. pr.)* Arrêter, discontinuer, suspendre.

Promener (et Se)
Syn. **I.** *(V. tr.)* Conduire, mener, porter, transporter. — *(V. pr.)* (Se) balader, cheminer, circuler, déambuler, errer, marcher, voyager.
Ant. **I.** Abandonner, laisser. — (S') arrêter, demeurer, (s') immobiliser, rester, stationner.

Promesse
Syn. **I.** Assurance, engagement, obligation, parole d'honneur, serment, vœu. — *(Dr.)* Contrat, convention, engagement. **II.** Annonce, signe.

Promettre
Syn. **I.** (S') engager, jurer, (s') obliger, vouer. **II.** Affirmer, assurer, certifier. — Annoncer, prédire.
Ant. **I.** Dégager, délier, (se) déporter, refuser.

Promis
Syn. *(Vx* ou *région.)* **I.** Fiancé, futur.

Promiscuité
Syn. **I.** Confusion, mélange, mitoyenneté, voisinage.
Ant. **I.** Discrimination, éloignement, séparation.

Promoteur
Syn. **I.** Animateur, auteur, créateur, initiateur, inspirateur, instigateur, pionnier,

protagoniste.
Ant. **I.** Continuateur, imitateur, suiveur.

Promotion
Syn. **I.** Accession, avancement, élévation, nomination. **II.** Année, classe. — Stimulation (des ventes).
Ant. **I.** Déchéance, dégradation, destitution. **II.** Baisse, effondrement, négligence.

Promouvoir
Syn. **I.** Bombarder *(fig.* et *fam.),* élever, nommer, porter, pousser. — Accélérer, activer, animer, encourager, favoriser, soutenir, susciter.
Ant. **I.** Abaisser, déchoir, dégrader, destituer, limoger. — Amoindrir, décourager, diminuer, entraver, ralentir.

Prompt
Syn. **I.** Brusque, hâtif, immédiat, instantané, rapide, soudain. — Actif, diligent, empressé, expéditif. **II.** Agile, allègre, leste, preste, vif. **III.** Ardent, bouillant, coléreux, emporté, fougueux, impétueux, pétulant.
Ant. **I.** Lent, long, pesant, retardataire. — Apathique, engourdi, indolent, négligent. **II.** Lourd, nonchalant. **III.** Calme, doux, flegmatique, patient, posé.

Promptitude
Syn. **I.** Célérité, rapidité, vélocité, vitesse. — Activité, dextérité, diligence, empressement, hâte, précipitation. **II.** Agilité, prestesse, vivacité. **III.** Fougue, impétuosité, pétulance.
Ant. **I.** Lenteur. — Inactivité, négligence, paresse. **II.** Lourdeur, nonchalance. **III.** Calme, mollesse, réserve.

Promulguer
Syn. **I.** Décréter, divulguer, édicter, émettre, publier.
Ant. **I.** Abroger, cacher, supprimer, taire.

Prôner
Syn. **I.** Célébrer, louer, prêcher, préconiser, proclamer, recommander, vanter.

Ant. **I.** Censurer, combattre, déprécier, discréditer, ignorer, mépriser.

Prononcé
Syn. **I.** *(Dr.)* Déclaré, dit, rendu. **III.** Accentué, accusé, fort, marqué, perceptible. — Arrêté, ferme, formel, résolu.
Ant. **III.** Effacé, faible, indécis, pâle. — Provisoire.

Prononcer (et Se)
Syn. **I.** *(V. tr.)* Accentuer, appuyer, articuler, détacher, marteler, scander. — Débiter, déclamer, dire, émettre, énoncer, exprimer, formuler, proférer, réciter. — *(Dr.)* Déclarer, décréter, infliger, rendre. — *(V. intr.) (Dr.)* Juger. — *(V. pr.)* Choisir, (se) décider, (se) déterminer, opter.
Ant. **I.** Accueillir, écouter, entendre, prêter l'oreille. — (S') abstenir.

Pronostic(s)
Syn. **I.** Apparence, conjecture, prévision, prophétie, signe.
Ant. **I.** Certitude, réalité.

Propagation
Syn. **I.** Multiplication, reproduction. — Développement, diffusion, expansion, extension, rayonnement, transmission. **III.** Apostolat, propagande.
Ant. **I.** Anéantissement, destruction. — Captage, concentration, confinement.

Propager (et Se)
Syn. **I.** *(V. tr.)* Multiplier. — Colporter, diffuser, divulguer, populariser, vulgariser. — Augmenter. — *(V. pr.)* (Se) communiquer, (se) développer, (s') étendre, gagner, (se) répandre.
Ant. **I.** Borner, limiter, restreindre. — Détrôner.

Propension
Syn. **I.** Disposition, goût, inclination, penchant, pente, tendance.
Ant. **I.** Antipathie, aversion, haine, horreur, répugnance, répulsion.

Prophétie V. *Prédiction*

Prophétiser
Syn. **I.** Prédire, vaticiner. **II.** Conjecturer, deviner, prévoir, pronostiquer.
Ant. **I.** et **II.** (S') abstenir, (se) récuser.

Prophylactique
Syn. **I.** Antiseptique, aseptique, assainissant, hygiénique, immunisant, préventif.
Ant. **I.** Anaphylactique, infectieux, microbien, venimeux.

Propice
Syn. **I.** Ami, beau, bienfaisant, bon, convenable, favorable, opportun, propre à, salutaire, utile.
Ant. **I.** Adverse, contraire, dangereux, défavorable, funeste, impropre, inopportun, inutile, néfaste, pernicieux.

Proportion(s)
Syn. **I.** Comparaison, équilibre, harmonie, mesure, pourcentage, rapport, symétrie. **II.** *(Pl.)* Dimensions, étendue, importance, intensité. **III.** *(Vx)* Analogie, convenance, correspondance.
Ant. **I.** Déséquilibre, discordance, disproportion.

Proportionné
Syn. **I.** Assorti, convenable, mesuré. — *(Pers.)* Bien balancé *(pop.),* bien bâti *(fam.),* bien fait, harmonieux, régulier.
Ant. **I.** Disparate, disproportionné. — Difforme, irrégulier, mal fait.

Propos
Syn. **I.** But, dessein, intention, résolution. **II.** Matière, objet, sujet. — Conversation, discours, entretien, paroles.
Ant. **II.** Méditation, pensée, réflexion, rêve, songe.

Proposer (et Se)
Syn. (V. tr.) **III.** Inviter, offrir, présenter, soumettre, suggérer. *(V. pr.)* **I.** (S') offrir, (se) présenter. **III.** Compter, projeter de.
Ant. (V. tr.) **III.** Éviter, négliger, refuser, retirer. *(V. pr.)* **I.** (S') abstenir, (se) récuser.

Proposition(s)
Syn. **I.** Avances, motion, offre, ouvertures. — Affirmation, énoncé, expression, jugement, théorème.

Propre
Syn. **I.** Distinctif, exclusif, individuel, littéral, particulier, personnel, spécial, spécifique, textuel, véritable. — Approprié, convenable, exact, juste. — *(Propre à)* Apte à, bon à, capable, fait pour, habile à, (de) nature à. — Blanc, blanchi, immaculé, lavé, nettoyé, pur, savonné, soigneux. **III.** Honnête, impeccable, moral.
Ant. **I.** Collectif, commun, inexact. — Inapte. — Crasseux, infect, maculé, malpropre, poussiéreux, sale, sali, souillé. **III.** Immoral, malhonnête.

Propreté
Syn. **I.** Clarté, décence, élégance, netteté. **II.** Hygiène, soin, toilette. — Ménage, nettoyage.
Ant. **I.** Crasse, malpropreté, saleté.

Propriétaire
Syn. **I.** Acquéreur, actionnaire, détenteur, possédant, possesseur.
Ant. **I.** Locataire, prolétaire.

Propriété
Syn. **I.** Appropriation, jouissance, possession. — Avoir, bien, bien-fonds, domaine, immeuble, maison, patrimoine, terre. — Attribut, caractère, efficacité, qualité. — Convenance, justesse.

Prorogation
Syn. **I.** Ajournement, délai, prolongation, remise, renvoi, suspension.
Ant. **I.** Abolition, dissolution.

Proroger
Syn. **I.** Ajourner, prolonger, remettre, retarder, suspendre.
Ant. **I.** Abolir, abréger, dissoudre, écourter, supprimer.

Prosaïque
Syn. **III.** Banal, commun, matériel, plat,

terre à terre, vulgaire.
Ant. **III.** Élevé, idéal, lyrique, noble, poétique, remarquable.

Proscription
Syn. **I.** Bannissement, exil, expulsion, ostracisme. **II.** Condamnation, interdiction. *Ant.* **I.** Accueil, rappel, retour. **II.** Approbation, autorisation, permission.

Proscrire
Syn. **I.** Bannir, chasser, exiler, expulser. **II.** Abolir, condamner, défendre, éliminer, interdire, rejeter. *Ant.* **I.** Rapatrier, rappeler. **II.** Admettre, approuver, autoriser, permettre, tolérer.

Prosélyte
Syn. **I.** Catéchumène, converti, initié, néophyte. **II.** Apôtre, propagandiste. — Adepte, disciple, fidèle, partisan, sectateur *(vx)*. *Ant.* **I.** et **II.** Apostat, hérésiarque, impie, incrédule, infidèle.

Prospère
Syn. **I.** Beau, florissant, fortuné, heureux, resplendissant *(fig.)*, riche. *Ant.* **I.** Infortuné, malheureux, misérable, pauvre.

Prospérer
Syn. **I.** Avancer, croître, (se) développer, (s') enrichir, (s') étendre, fleurir, marcher, réussir. *Ant.* **I.** (S') appauvrir, avorter *(fig.)*, dépérir, échouer, languir, péricliter.

Prospérité
Syn. **I.** *(Pers.)* Aisance, bien-être, bonheur, chance, félicité, fortune, richesse, santé, succès. — *(Affaires)* Abondance, activité, développement, essor. *Ant.* **I.** Adversité, besoin, détresse, échec, faillite, infortune, insuccès, malheur, pauvreté, revers. — Crise, effondrement, marasme, ruine.

Prosterné
Syn. **I.** Agenouillé, courbé, incliné. **III.**

Contrit, humble, pieux, repentant, suppliant. *Ant.* **I.** Redressé, relevé. **III.** Arrogant, insoumis.

Prostituer (et Se)
Syn. *(V. tr.)* **I.** Corrompre, débaucher. **III.** Dégrader, déshonorer, salir. *(V. pr.)* **I.** (Se) donner. **III.** (S') abaisser, (s') avilir. *Ant.* *(V. tr.)* **I.** Convertir, relever. **III.** Élever, ennoblir, perfectionner. *(V. pr.)* **I.** (S') abstenir, refuser. **III.** (Se) grandir, (se) revaloriser.

Prostitution
Syn. **I.** Commerce charnel, débauche, proxénétisme, racolage, trafic, traite des blanches. **III.** Corruption, dégradation, vice. *Ant.* **I.** Conversion. **III.** Idéal, noblesse, pureté, vertu.

Prostration
Syn. **I.** Prosternation. **II.** Abattement, accablement, affaissement, anéantissement, dépression, effondrement, épuisement. *Ant.* **I.** Redressement. **II.** Euphorie, exultation, relèvement.

Protagoniste V. *Promoteur*

Protecteur
Syn. **I.** *(N.)* Aide, appui, bienfaiteur, champion, chevalier, défenseur, gardien, mécène, patron, providence, soutien, support, tuteur. — *(Adj.)* Tutélaire. — *(Péj.)* Condescendant, dédaigneux. *Ant.* **I.** *(N.)* Agresseur, autocrate, despote, dictateur, ennemi, malfaiteur, oppresseur, persécuteur, tyran. — Protégé. — *(Adj.)* Admiratif, respectueux.

Protection
Syn. **I.** Aide, assistance, défense, garantie, garde, sauvegarde, secours, sûreté, tutelle. — Conservation. — *(Méd.)* Immunisation, immunité, prophylaxie. — *(Relig.)* Auspices, égide, invocation, patronage.

II. Appui, encouragement, parrainage, recommandation, soutien.
Ant. **I.** Agression, attaque, déprédation, hostilité, oppression, persécution, tyrannie.

Protéger
Syn. **I.** Abriter, convoyer, défendre, escorter, garantir, garder, immuniser, préserver, sauvegarder, veiller sur. — Aider, assister, prémunir, secourir. **II.** Appuyer, encourager, épauler, favoriser, patronner, pistonner *(fam.)*, recommander, soutenir.
Ant. **I.** Assaillir, asservir, attaquer, découvrir, dévaster, menacer, persécuter, pressurer, tyranniser. **II.** Contrarier, entraver, nuire, opprimer.

Protestation
Syn. **I.** Assurance, déclaration, démonstration, prouesse, témoignage. **II.** Contrepied, désapprobation, murmure, objection, plainte, refus, réprobation.
Ant. **II.** Acceptation, acquiescement, adhésion, admission, approbation, concession, consentement, résignation, soumission.

Protester
Syn. **I.** Affirmer, assurer, promettre. — (S') élever contre, (s') opposer. **II.** Contester, (s') indigner, murmurer, (se) plaindre de, (se) rebeller, (se) rebiffer, réclamer, (se) regimber, rouspéter *(fam)*.
Ant. **II.** Accepter, accueillir, acquiescer, admettre, agréer, approuver, appuyer, concéder, consentir, (se) résigner, (se) soumettre.

Protocole
Syn. **I.** Cérémonial, étiquette, formulaire. **III.** Bienséance, décorum, (respect des) formes, (des) usages.

Prouesse(s)
Syn. **I.** Bravoure, vaillance. **II.** Exploit, hauts faits, performance. **III.** Prodige.
Ant. 'I. Bassesse, crime, faute, vilenie.

Prouver
Syn. **I.** Démontrer, établir, illustrer, justifier, montrer. **II.** Attester, confirmer, corroborer, dénoter, indiquer, marquer, révéler, témoigner.
Ant. **I.** Démentir, infirmer, nier, récuser, réfuter.

Provenance V. *Origine*

Provenir
Syn. **I.** Émaner, partir de, sortir de, venir de. — Découler, dépendre, dériver, descendre, (être) issu, naître, procéder, résulter, tenir, tirer.

Proverbe
Syn. **I.** Adage, aphorisme, apophtegme, dicton, maxime, pensée, sentence.

Proverbial
Syn. **I.** Connu, gnomique, sentencieux ,*(vx)*, traditionnel, universel. **II.** Exemplaire, remarquable, typique.
Ant. **I.** Inconnu, personnel, rare. **II.** Médiocre, négligeable.

Providence
Syn. **I.** Ciel, créateur, Dieu. **II.** Aide, appui, protecteur, secours.
Ant. **I.** Créature. **II.** Ennemi, entrave, obstacle, oppresseur.

Providentiel
Syn. **I.** Céleste, divin. **II.** Bon, heureux, inattendu, inespéré, merveilleux, opportun, salutaire.
Ant. **II.** Dangereux, défavorable, ennuyeux, fâcheux, inopportun, malencontreux, néfaste.

Provision(s)
Syn. **I** Approvisionnement, réserve, stock. — Denrées, ravitaillement, victuailles, vivres. **II.** *(Dr.)* Acompte, avance, couverture, dépôt. — *(Pl.)* Commissions, courses.

Provisoire
Syn. **II.** Court, éphémère, momentané,

passager, temporaire, transitoire.
Ant. **II**. Définitif, durable, stable.

Provocant
Syn. **I**. Agressif, batailleur, belliqueux, irritant, querelleur. **II**. Affolant, agaçant, aguichant, coquet, excitant, hardi.
Ant. **I**. Affable, doux, inoffensif, pacifique. **II**. Apaisant, calmant, froid, pudique, réservé.

Provoquer
Syn. **I**. Attaquer, braver, défier. − Amener, entraîner, inciter, pousser. **II**. Agacer, aguicher, allumer, exciter. **III**. **V**. *Occasionner.*
Ant. **I**. Amortir, apaiser, calmer. − Prévenir. **II**. Éloigner, essuyer, subir.

Prude
Syn. **I**. Affecté, bégueule, pudibond, puritain. **II**. Chaste.
Ant. **I**. Dévergondé, léger. **II**. Impudique.

Prudence
Syn. **I**. Circonspection, défiance, précaution, prévoyance, réflexion, sagesse.
Ant. **I**. Audace, imprévoyance, imprudence, témérité.

Prudent
Syn. **I**. Averti, avisé, calme, circonspect, défiant, discret, mesuré, précautionneux, prévoyant, réfléchi, réservé, sage, sérieux, vertueux. **II**. Bon.
Ant. **I**. Aventureux, dangereux, étourdi, fou, imprévoyant, imprudent, insouciant, irréfléchi, léger, présomptueux, téméraire.

Psychique
Syn. **I**. Intellectuel, mental, moral, psychologique, spirituel.
Ant. **I**. Organique, physiologique, somatique.

Puant
Syn. **I**. Empesté, empuanti, fétide, infect, pestilentiel. **III**. *(Vx)* Impudent, répugnant.

Ant. **I**. Aromatique, embaumé, odoriférant, parfumé.

Puanteur
Syn. **I**. Fétidité, infection.
Ant. **I**. Arôme, parfum.

Public
Syn. **I**. *(Adj.)* Banal, collectif, commun, communal, général, gouvernemental, national, politique, universel. − *(Lieu)* Accessible (à tous), communautaire, fréquenté, libre, ouvert, populaire. − Affiché, annoncé, authentique, célèbre, colporté, connu, dévoilé, divulgué, ébruité, évident, manifeste, notoire, ostensible, propagé, publié, renommé, répandu, révélé. − *(N.)* (La) foule, gens, masse, multitude, peuple. − Assemblée, assistance, auditoire, spectateurs.
Ant. **I**. Individuel, particulier, personnel, privé. − Clandestin, interdit, réservé. − Caché, dissimulé, furtif, ignoré, inconnu, inédit, intime, mystérieux, secret. − *(N.)* Huis clos, intimité (dans l').

Publication
Syn. **I**. *(Dr.)* Annonce, ban, divulgation, proclamation, promulgation. **II**. Apparition, édition, lancement, parution. − Brochure, écrit, ouvrage, périodique.
Ant. **I**. Dissimulation, réserve, silence.

Publicité
Syn. **I**. Affichage, annonce, battage, exposition, lancement, propagande, réclame, retentissement, renommée, slogan, tam-tam *(pop.)*.
Ant. **I**. Clandestinité, huis clos.

Publier
Syn. **I**. Afficher, annoncer, avertir, communiquer, colporter, crier, déclarer, dévoiler, divulguer, édicter, exposer, exprimer, manifester, proclamer, promulguer, propager, répandre, révéler, vulgariser. − *(Vx)* Célébrer, vanter. **II**. Écrire, éditer, imprimer, lancer, sortir.

PUDEUR

Ant. **I.** Cacher, conserver, dissimuler, masquer, soustraire, taire.

Pudeur
Syn. **I.** Chasteté, décence, honte, modestie, pruderie *(péj.),* pudibonderie, pudicité. **II.** Délicatesse, discrétion, réserve, retenue.
Ant. **I.** Dévergondage, impudeur, impudicité, impureté, indécence, libertinage. **II.** Audace, cynisme.

Pudibond
Syn. **I.** Prude, pudique, timide.
Ant. **I.** Effronté, égrillard, grivois.

Pudique
Syn. **I.** Chaste, décent, modeste, pudibond, sage. **II.** Discret, réservé.
Ant. **I.** Immodeste, impudique, indécent, obscène. **II.** Audacieux, cynique.

Puer V. *Empester*

Puéril
Syn. **I.** Enfantin, infantile. **III.** Frivole, futile, naïf, vain.
Ant. **I.** et **III.** Adulte, mûr, sérieux.

Puiser
Syn. **I.** Pomper, prendre, tirer. **III.** Emprunter, extraire, glaner.

Puissance V. *Pouvoir*

Puissant *Syn.* **I.** *(Ch.)* Efficace, énergique. — *(Pers.)* Capable, considérable, fort, grand, haut, important, influent, marquant, omnipotent, prépondérant, redoutable, riche, saillant, souverain, toutpuissant. **II.** Intense, profond, violent, vigoureux, viril.
Ant. **I.** Anodin, inefficace. — Impuissant, incapable, insignifiant, médiocre, ordinaire, pauvre, petit, vain. **II.** Faible, superficiel. — Chétif, impuissant.

Puits
Syn. **I.** Cavité, citerne, fontaine, réservoir, source, trou. **II.** Excavation, puisard.

Pulluler
Syn. **I.** Croître, (se) multiplier, pousser. **II.** Fourmiller, grouiller. **III.** Abonder, foisonner, regorger.
Ant. **III.** (Se) raréfier.

Pulvériser
Syn. **I.** Broyer, écraser, égruger, émier, émietter, moudre, piler, triturer. **III.** Anéantir, détruire, foudroyer.
Ant. **I.** Agglomérer, assembler, grouper, joindre, réunir. **III.** Conserver, créer, maintenir.

Punir
Syn. **I.** Châtier, condamner, corriger, frapper, sévir. — Flétrir, réprimer, sanctionner.
Ant. **I.** Couronner, dédommager, encourager, louanger, récompenser. — Épargner.

Punition
Syn. **I.** Châtiment, condamnation, correction, expiation, leçon, peine, répression, sanction. **II.** *(Sports)* Pénalisation, pénalité.
Ant. **I.** Cadeau, compensation, don, louange, présent, récompense, rémunération.

Pur
Syn. **I.** *(Physique)* Affiné, assaini, blanc, clair, cristallin, épuré, filtré, fin, immaculé, inaltéré, limpide, naturel, net, propre, purifié, raffiné, tamisé. **III.** *(Intellectuel)* Absolu, complet, franc, idéal, immatériel, serein, simple. — *(Moral)* Angélique, candide, chaste, continent, délicat, désintéressé, droit, intact, intègre, irréprochable, modeste, platonique, pudique, vertueux, vierge, virginal. — *(Langage)* Châtié, correct, élégant.
Ant. **I.** Altéré, artificiel, contaminé, frelaté, gâté, infecté, malpropre, mélangé, sale, souillé, taché, terni, vicié. **III.** Appliqué, composite, imparfait, incomplet. — Charnel, dissolu, immonde, immoral, im-

pudique, impur, pervers, trouble, vicieux.
— Incorrect, grossier, vulgaire.

Pureté
Syn. **I.** Blancheur, clarté, fraîcheur, limpidité, netteté, propreté. **II.** Candeur, chasteté, continence, droiture, franchise, ingénuité, innocence, pudeur, vertu, virginité. — Correction, délicatesse, perfection. *Ant.* **I.** Immondice, malpropreté, mélange, saleté, scorie, tache. **III.** Corruption, immoralité, impureté, libertinage, vice. — Imperfection, incorrection.

Purgatif
Syn. **I.** Drastique, évacuant, laxatif.
Ant. **I.** Astringent.

Purger
Syn. **I.** Éliminer, évacuer, relâcher. **II.** *(Vx)* Débarrasser, épurer, purifier.
Ant. **I.** Resserrer. **II.** Infecter, salir.

Purifier
Syn. **I.** Assainir, désinfecter, épurer, filtrer, laver, nettoyer.
Ant. **I.** Contaminer, infecter, salir, souiller.

Purisme
Syn. **I.** Affectation, correction (exagérée), pureté, rigorisme.
Ant. **I.** Incorrection, laxisme, libéralisme, naturel.

Pusillanime
Syn. **I.** Couard, craintif, faible, froussard *(pop.)*, lâche, peureux, pleutre, poltron, sans-cœur, timide, timoré, trembleur.
Ant. **I.** Audacieux, brave, courageux, énergique, entreprenant, ferme, généreux, vaillant.

Putréfaction V. *Pourriture*

Putride V. *Pourri*

Pygmée
Syn. **I.** Négrille. **II.** Homuncule *(fam.)*, nabot, nain, riquiqui. **III.** Myrmidon. *Ant.* **I.** Colosse, géant, mastodonte. **III.** Célébrité.

Pyramidal
Syn. **III.** *(Vx)* Énorme, étonnant.
Ant. **III.** Ordinaire, quelconque.

Q

Quai
Syn. **I.** Débarcadère, embarcadère. **II.** Plate-forme, trottoir.

Qualification
Syn. **I.** Appellation, compétence, qualité, titre.
Ant. **I.** Apprentissage, disqualification, incompétence.

Qualifié
Syn. **I.** Autorisé, capable, compétent, diplômé.
Ant. **I.** Disqualifié, inapte, incompétent.

Qualifier
Syn. **I.** Appeler, caractériser, dénommer, déterminer, nommer, tenir pour, traiter

de. — Autoriser, (être) capable.
Ant. **I.** Discréditer, disqualifier.

Qualité
Syn. **I.** *(Ch.)* Attribut, caractère, nature, propriété. — *(Pers.)* Aptitude, capacité, compétence, disposition, don, mérite, talent, valeur, vertu. — Condition, fonction, qualification, titre.
Ant. **I.** *(Ch.)* Quantité. — *(Pers.)* Défaut, faiblesse, imperfection, inconvénient, infériorité, tare.

Quantité
Syn. **I.** Capacité, charge, contenance, dose, durée, étendue, grandeur, masse, mesure, nombre, poids, somme, valeur,

volume. **II.** Abondance, avalanche, flot, foule, multitude, tas.

Quartier (s)
Syn. **I.** Morceau, partie, pièce, portion, tranche. — Croissant, phase. — District, faubourg, région, secteur, voisinage. — *(Pl.)* Campement, cantonnement, caserne.

Quasi ou quasiment
Syn. **I.** À peu près, en quelque sorte, pour ainsi dire, presque.

Quelconque
Syn. **II.** Banal, insignifiant, médiocre, ordinaire.
Ant. **II.** Curieux, fameux, original, rare.

Quelquefois V. *Parfois*

Quelques
Syn. **I.** Divers, un certain nombre, un groupe, plusieurs, une poignée, une quantité.
Ant. **I.** Nul, peu.

Quémander
Syn. **I.** Demander, mendier, quêter, solliciter.
Ant. **I.** Donner, prodiguer, répandre.

Quémandeur
Syn. **I.** Demandeur *(vx),* importun, mendiant, quêteur, solliciteur, tapeur.

Querelle
Syn. **I.** Altercation, bagarre, chamaillerie *(fam.),* contestation, démêlé, désaccord, dispute, dissension, échauffourée, rixe.
Ant. **I.** Accord, compréhension, concorde, entente, paix.

Quereller (et Se)
Syn. **I.** *(V. tr.)* — Blâmer, chercher noise, chanter pouilles, chicaner, gourmander, gronder, tancer. — *(V. pr.)* (Se) chamailler *(fam.),* (se) disputer.
Ant. **I.** *(V. tr.)* — Apaiser, flatter, louanger, réconcilier. — *(V. pr.)* (S') entendre.

Querelleur
Syn. **I.** Agressif, batailleur, chamailleur, chicanier, chicaneur, disputeur, hargneux, provocateur, tracasseur.
Ant. **I.** Aimable, conciliant, doux, médiateur, pacificateur, sociable.

Question
Syn. **I.** Demande, information, interrogation. **II.** Affaire, controverse, délibération, difficulté, discussion, examen, matière, point, problème, sujet.
Ant. **I.** Affirmation, négation, réponse.

Quête V. *Collecte*

Quêter
Syn. **I.** Demander, recueillir. **III.** Mendier, quémander, rechercher, solliciter.
Ant. **I.** et **III.** Donner, prodiguer, répandre.

Queue
Syn. **I.** Extrémité (caudale/postérieure). — *(Bot.)* Pédoncule, pétiole, tige. **II.** Basques, pan, traîne, traînée. — Manche. **III.** Arrière, bout, coda *(mus.),* conclusion, dénouement, fin. — Dernier rang, file d'attente.
Ant. **I.** Commencement, début, tête.

Quiet
Syn. (Vx) **I.** Calme, paisible, tranquille.
Ant. **I.** Inquiet.

Quiétude
Syn. **I.** Accalmie *(fig.),* ataraxie, béatitude, bien-être, calme, paix, repos, sérénité, tranquillité.
Ant. **I.** Agitation, angoisse, anxiété, détresse, inquiétude, peur, souci, trouble.

Quintessence
Syn. **I.** Condensé, essence, extrait. **III.** (Le) meilleur, moelle *(fig.),* nec plus ultra, (le) principal, raffinement, suc *(fig.).*
Ant. **I.** Camelote, débris, miette, rebut, reliquat, résidu, restant, reste.

Quintessencié
Syn. **III.** Affecté, alambiqué, raffiné, so-

phistiqué, subtilisé.
Ant. **III.** Naturel, simple.

Quinteux
Syn. **I.** Acariâtre, bizarre, capricieux, changeant, fantasque, rétif *(cheval).*
Ant. **I.** Constant, mesuré, persévérant, pondéré, stable.

Quiproquo
Syn. **I.** Équivoque, erreur, malentendu, méprise.
Ant. **I.** Entente.

Quittance
Syn. **I.** Acquit, décharge, libération, quitus, reçu, récépissé.
Ant. **I.** Compte, dette, devoir, engagement, obligation, passif.

Quitte
Syn. **I.** Débarrassé, délivré, dispensé, exempt, exonéré, libéré, libre.
Ant. **I.** Débiteur, engagé, lié, obligé.

Quitter
Syn. **I.** *(Activité, lieu)* Abandonner, abdiquer, (s'en) aller, décoller, délaisser, démarrer, déménager, (se) démettre, déserter, (s') éloigner, fuir, lâcher, laisser, partir, résigner, (se) séparer, sortir de. — Abjurer, renier, sacrifier. — *(Vêtement)* Enlever, ôter, retirer, tirer.

Ant. **I.** Avoir, continuer, garder, maintenir, reprendre, tenir. — Approcher, arriver, demeurer, entrer, (s') établir, fréquenter, réapparaître, réintégrer, rentrer, rester, venir. — Rétablir, revenir. — Mettre.

Quoique
Syn. **I.** Bien que, encore que, malgré que.

Quolibet
Syn. **I.** Brocard, lazzi, plaisanterie, pointe, raillerie.
Ant. **I.** Acclamation, amabilité, compliment, éloge, vivat.

Quote-part
Syn. **I.** Apport, contribution, cotisation, écot, part, quotité.

Quotient
Syn. **I.** Facteur, rapport, résultat.

Quotidien
Syn. *(Adj.)* **I.** Habituel, journalier. **II.** Banal, monotone. — *(N.)* Journal.
Ant. *(Adj.)* **I.** Exceptionnel, inhabituel, inusité, occasionnel, rare, unique. **II.** Remarquable, varié.

Quotité
Syn. **I.** Lot, montant, quantité, quota, quote-part, part, portion, somme.

R

Rabâcher V. *Répéter*

Rabais
Syn. **I.** Baisse, bonification, dégrèvement, diminution, escompte, réduction, remise, ristourne, solde. **II.** Amoindrissement, dépréciation, dévaluation. **III.** Abaissement, humiliation.
Ant. **I.** Accroissement, agrandissement, amplification, augmentation, élévation, grossissement, hausse, majoration. **II.** Élargissement, intensification, recrudes-

cence, redoublement. **III.** Ascension, avancement, dépassement, évolution.

Rabaisser
Syn. **I.** Baisser. **III.** Abaisser, abattre, amoindrir, avilir, dégrader, déprécier, dévaluer, diminuer, écraser, humilier, rabattre, rapetisser, ravaler, restreindre.
Ant. **I.** Exhausser, rehausser, relever. **III.** Apprécier, honorer, vanter.

Rabat-joie
Syn. **I.** Bougon, contestataire, éteignoir

(fig.), grincheux, grognon, ronchonneur, trouble-fête.
Ant. I. Animateur, bouffon, boute-en-train, gai luron.

Rabattre
Syn. I. Baisser, rabaisser. — Décompter, déduire, défalquer, diminuer, retenir, retrancher. II. Aplanir, aplatir, coucher. III. Abaisser, humilier, réprimer. — Déchanter.
Ant. I. Relever. — Accroître, augmenter, élever, grossir, majorer, rehausser. II. Gonfler, redresser. III. Activer, encourager, éveiller, remonter.

Râblé
Syn. I. Costaud, épais, fort, large, musclé, robuste, solide, trapu.
Ant. I. Délicat, fragile, frêle, menu, mince, petit.

Raboter
Syn. I. Aplanir, dégauchir, égaliser, niveler, planer, varloper. II. Racler. III. *(Vx)* Corriger, parachever, polir.
Ant. III. Abîmer, bâcler, dégrader, détériorer.

Raboteux
Syn. II. Âpre, écorché, inégal, irrégulier, rêche, rocailleux, rugueux. III. Abrupt, difficile, dur, hérissé, rude.
Ant. II. Doux, égal, lisse, poli, uni. III. Aisé, coulant.

Rabougri
Syn. I. Court, difforme, petit. II. Chétif, contracté, débile, rachitique, racorni, ratatiné, recroquevillé, ténu.
Ant. I. Élancé, grand, parfait. II. Colosse, décontracté, fort, rebondi, robuste, sain, vigoureux.

Rabouter
Syn. I. Assembler, coudre, épisser, joindre, raboutir, raccorder, rattacher, réunir.
Ant. I. Découdre, défaire, délier, désunir, détacher, séparer.

Rabrouer
Syn. I. Gronder, (envoyer) promener, rebuter, rudoyer, tancer.
Ant. I. Agréer, câliner, choyer, dorloter.

Racaille
Syn. I. Canaille, fripouille, lie, pègre, plèbe, populace, rebut.
Ant. I. Aristocratie, élite, noblesse.

Raccommoder
Syn. I. Rafistoler *(fam.),* rapetasser *(fam.),* rapiécer, ravauder, recoudre, remailler, réparer, repriser, retaper *(fam.),* stopper. III. Accorder, arranger, concilier, rabibocher *(fam.),* réconcilier, réunir.
Ant. I. Abîmer, défaire, détériorer. III. Briser, brouiller, désunir, détruire.

Raccord
Syn. I. Assemblage, jonction, ligature, rapprochement, rattachement, réunion, soudure, suture. II. Accord, ajustement, conjonction, transition, union.
Ant. I. Coupure, disjonction, écartement, séparation. II. Désaccord, désunion, isolement.

Raccourcir
Syn. I. *(V. tr.)* Couper, diminuer, écimer, élaguer, émonder, étriquer, rapetisser, retrancher, rogner, tailler. — Abréger, écourter, réduire. — *(V. intr.)* Diminuer, rétrécir.
Ant. I. Allonger, augmenter, déployer, développer, étendre, prolonger, rallonger.

Raccrocher (et Se)
Syn. (V. tr.) I. Accrocher, remettre, rependre, replacer, suspendre. — *(Pers.)* Accoster, arrêter, racoler. III. Rattacher à, relier. *(V. intr.)* Interrompre (une communication téléphonique). *(V. pr.)* I. (Se) cramponner, (se) retenir. III. *(Fam.)* (Se) raccorder à, (se) rapporter à, (se) rattacher à, (se) relier à. — (S') attacher à.
Ant. (V. tr.) I. Arracher, décrocher, dé-

pendre, déplacer, éliminer. — Éviter, fuir, laisser. III. Isoler, séparer. (V. pr.) I. Échapper de, glisser, tomber.

Race
Syn. I. Ancêtres, ascendance, branche, descendance, dynastie, famille, filiation, lignée, origine, postérité, souche, tige. — (Zool.) Croisement, métissage. II. Ethnie, nation, peuple; III. Engeance, espèce, sorte.

Rachat
Syn. I. Achat, recouvrement, réméré. II. Délivrance, remboursement. III. Expiation, rédemption, salut.
Ant. I. Abandon, revente. II. Captivité, détention, emprisonnement, esclavage. III. Damnation, perdition, perte.

Racheter
Syn. I. Acheter. — (Se) libérer, (se) rédimer, rembourser. — Délivrer. III. (Relig.) Effacer, expier, sauver. — Compenser, dédommager.
Ant. I. Retrocéder, revendre.

Rachitique
Syn. I. Noué. II. Chétif, débile, maigre, malingre, rabougri.
Ant. II. Épanoui, fort, robuste, sain, vigoureux.

Racine
Syn. I. Coiffe, collet, pivot, radicelle, radicule, souche. II. Base, naissance. III. Cause, commencement, germe, origine, principe, source. — Attache, lien.
Ant. I. Faîte, sommet. III. Effet, fin, résultat, terme.

Râclée
Syn. I. Correction, dégelée, dérouillée, fessée, frottée, rossée, volée. II. Défaite.
Ant. I. Cadeau, don, félicitations, gratification, récompense. II. Succès, victoire.

Racler
Syn. I. Curer, cureter, enlever, frotter, gratter, nettoyer, raboter (fam.), râteler,

ratisser, ruginer. III. Jouer (maladroitement).
Ant I. Couvrir, encrasser, enduire, recouvrir, salir.

Racoler
Syn. I. Embrigader, engager, enrégimenter, enrôler, recruter. II. Accoster, attirer, raccrocher, solliciter. III. (Se) procurer.
Ant. I. Détourner, dissuader. II. (S') éloigner de, éviter, fuir.

Racontar
Syn. I. Bavardage, cancan, commérage, conte, indiscrétion, médisance, on-dit, potin(s), propos, ragot (fam.).
Ant. I. Circonspection, délicatesse, discrétion, mutisme, réserve, retenue, silence.

Raconter
Syn. I. Conter, débiter, détailler, dire, narrer, rapporter, réciter, relater, retracer. II. Décrire, dépeindre, expliquer, exposer, peindre.
Ant. I. Cacher, camoufler, dissimuler, omettre, taire, voiler.

Racorné
Syn. I. Coriace, desséché, dur, durci. II. Rabougri, ratatiné. III. Borné, étroit, inintelligent, insensible, sec.
Ant. I. Mou, tendre. III. Délicat, intelligent, ouvert, sensible, souple.

Radiation
Syn. I. Annulation, correction, retrait, suppression. — Émanation, irradiation, onde, radioactivité, rayonnement.
Ant. I. Admission, enregistrement, inscription.

Radical
Syn. I. Absolu, complet, définitif, draconien, entier, foncier, fondamental, infaillible, principal, souverain, strict, total.
Ant. I. Incertain, incomplet, partiel, superficiel, vague.

Radieux
Syn. I. Brillant, éclatant, rayonnant. III.

(Pers.) Épanoui, heureux, ravi, réjoui.
Ant. **I.** Couvert, éteint, obscur, pâle, sombre, ténébreux, terne. **III.** Assombri, maussade, morne, morose, triste.

Radotage
Syn. **I.** Prêchi-prêcha, rabâchage, redite, répétition, verbiage. **II.** Divagation, extravagance.

Radoter
Syn. **I.** Déraisonner, rabâcher, répéter, ressasser. **II.** Dérailler *(fam.),* divaguer, extravaguer.

Rafale
Syn. **I.** Bourrasque, cyclone, ouragan, tempête, tornade, tourbillon, typhon, vent. **II.** Décharge, fusillade, salve, tir.
Ant. **I.** Brise, zéphir.

Raffermir
Syn. **I.** Durcir, indurer. **III.** Affermir, cimenter, consolider, endurcir, fortifier, renforcer.
Ant. **I.** Amollir, ramollir. **III.** Affaiblir, avachir, aveulir, décourager, ébranler.

Raffermissement
Syn. **I.** Durcissement, induration. **III.** Affermissement, consolidation, stabilisation.
Ant. **I.** Affaiblissement, ramollissement. **III.** Ébranlement, fléchissement.

Raffiné
Syn. **I.** Affiné, épuré, fin, pur. **III.** Affecté, délicat, élégant, étudié, gracieux, habile, maniéré, recherché, sophistiqué, subtilisé.
Ant. **I.** Brut. **III.** Frugal, fruste, grossier, inculte, lourd, simple.

Raffinement
Syn. **I.** Affectation, délicatesse, élégance, finesse, grâce, minutie, préciosité, recherche, subtilité.
Ant. **I.** Barbarie, grossièreté, indélicatesse, inélégance, simplicité, vulgarité.

Raffiner
Syn. **I.** Distiller, épurer. **III.** Affiner, alambiquer, fignoler, perfectionner, policer, subtiliser.
Ant. **I.** Contaminer, entacher, souiller. **III.** Abêtir, alourdir, saboter, simplifier.

Raffoler
Syn. (Fam.) **I.** Adorer, aduler, aimer, (s') emballer pour, (s') engouer de, (s') enticher de, (être) épris de, (être) fou de, goûter, (se) passionner.
Ant. **I.** Abhorrer, condamner, détester, fuir, haïr, maudire, réprouver.

Rafistoler V. *Raccommoder*

Raflée V. *Volée*

Rafraîchir (et Se)
Syn. (V. tr.) **I.** Refroidir, rendre frais. — Améliorer, nettoyer, raviver, rénover, réparer, retaper *(fam.),* revigorer, rogner, tailler. **III.** Rajeunir, revivifier. *(V. pr.)* **I.** Boire, (se) désaltérer.
Ant. (V. tr.) **I.** Brûler, chauffer, réchauffer, tiédir. — Abîmer, gâter, négliger, salir. **III.** Accabler, épuiser, fatiguer. *(V. pr.)* **I.** Avoir soif, suer.

Rafraîchissement
Syn. **II.** Boissons, consommation, fruits, glaces.

Ragaillardir V. *Revigorer*

Rage
Syn. **I.** Agitation, agressivité, hydrophobie. **II.** Colère, frénésie, fureur, passion. — Besoin, envie, fièvre, manie.
Ant. **I.** et **II.** Bonté, calme, douceur, mesure, modération, paix, sérénité.

Rageur
Syn. **I.** Coléreux, hargneux, irritable, violent. **II.** Acrimonieux, maussade, mécontent.
Ant. **I.** et **II.** Bon, calme, doux, gai, modéré, paisible, patient, pondéré, serein.

Ragot V. *Racontar*

Ragoûtant
Syn. **I.** Alléchant, appétissant. **III.** Agréable, attrayant, plaisant.
Ant. **I.** Dégoûtant. **III.** Déplaisant, désagréable, rebutant.

Raid
Syn. **I.** Attaque, coup de main, descente, expédition, incursion, razzia.

Raide
Syn. **I.** Ankylosé, contracté, dur, engourdi, fort, rigide. — Droit, ferme, immobile, tendre. — Abrupt, difficile, escarpé. **III.** Compassé, empesé, gourmé, guindé. — Austère, autoritaire, brusque, inflexible, insensible, rigoureux, sévère.
Ant. **I.** Flasque, mou, souple. — Élastique, flexible, mobile. — Accessible, facile. **III.** Aisé, naturel, simple. — Compréhensif, doux, indulgent, sensible.

Raie
Syn. **I.** Bande, barre, entaille, hachure, ligne, rainure, rayure, ride, sillon, tiret, trait, vergeture, zébrure.

Railler
Syn. **I.** Bafouer, blaguer, brocarder, ironiser, (se) moquer, persifler, plaisanter, ridiculiser, satiriser.
Ant. **I.** Admirer, célébrer, louer.

Raillerie V. *Moquerie*

Rainure
Syn. **I.** Cannelure, creux, entaille, fente, jable, raie, rayure, strie, striure. **II.** Glissière, gorge.

Raison
Syn. **I.** *(Faculté)* Cerveau, compréhension, connaissance, entendement, esprit, intelligence, pensée. — Discernement, jugement, lucidité, sagesse, (bon) sens, sens commun, tête. — *(Cause)* Explication, origine, pourquoi *(n.)*, principe. — But, considération, fin, fondement, justification, mobile, motif, sujet. — Allégation, excuse, prétexte, preuve.

RALENTIR

Ant. **I.** Cœur, déraison, foi, folie, instinct, intuition, révélation, sensibilité, sentiment. — Aberration, aliénation, stupidité, tort.

Raisonnable
Syn. **I.** Intelligent, pensant, rationnel. — Judicieux, juste, légitime, logique, normal. **II.** Abordable, acceptable, modéré.
Ant. **I.** Inintelligent, irraisonnable. — Absurde, déraisonnable, extravagant, fou, illogique, insensé. **II.** Anormal, arbitraire, illégitime, injuste. — Exagéré, excessif, exorbitant.

Raisonnement
Syn. **I.** Abstraction, argumentation, déduction, démonstration, dialectique, induction, logique, principe, raison, spéculation, syllogisme. **II.** Argument, objection (s), observations, preuve, réplique.
Ant. **I.** Instinct, intuition, sentiment. **II.** Absurdité, illogisme.

Raisonner
Syn. *(V. intr.)* **I.** Argumenter, déduire, induire, penser, philosopher, rationner, réfléchir, spéculer. **II.** Alléguer, discuter, disputer, ergoter, répliquer, rétorquer. *(V. tr.)* **I.** Calculer, éprouver, examiner. — *(Pers.)* Admonester.
Ant. **I.** Dérailler, déraisonner, divaguer, radoter. **II.** Accueillir, obéir, (se) soumettre, (se) taire.

Raisonneur
Syn. *(N.)* **I.** Argumenteur, dialecticien, logicien, sophiste. **II.** Chicanier, discuteur, ergoteur. *(Adj.)* **I.** Chicaneur, entêté, insoumis, répondeur.
Ant. (Adj.) **I.** Conciliant, docile, soumis.

Rajeunir
Syn. *(V. intr.)* **I.** Redevenir jeune. **II.** Reverdir. — *(V. tr.)* V. *Renouveler.*
Ant. **I.** Vieillir.

Ralentir
Syn. **I.** Diminuer, freiner, modérer, retarder. **II.** Arrêter.

Ant. I. Accélérer, activer, dépêcher, expédier, hâter, précipiter, presser.

Ralliement
Syn. **I.** Assemblée, attroupement, groupement, meeting, rassemblement, réunion. **II.** Congrès, états généraux, manifestation. **III.** Adhésion.
Ant. **I.** Débâcle, débandade, déroute, dispersion, division, scission. **III.** Démission, retrait.

Rallier (et Se)
Syn. (V. tr.) **I.** Rassembler, regagner, regrouper, rejoindre, réunir. **III.** Assembler, gagner, grouper, ramener à, unir. *(V. pr.)* **I.** (Se) réformer. **III.** Adhérer à, approuver, croire à, (se) ranger.
Ant. (V. pr.) **I.** Déserter, disperser, disséminer. **III.** Désunir, diviser, éliminer, isoler, séparer. *(V. pr.)* **I.** (Se) débander, (se) disperser. **III.** Démissionner, rejeter, (se) retirer.

Rallonge
Syn. **I.** Allonge. **II.** Agrandissement, allongement, augmentation, extension, prolongement, rallongement. **III.** *(Fam.)* Supplément.
Ant. **II.** Raccourcissement, rapetissement, réduction.

Ramassé
Syn. **I.** Blotti, pelotonné, recroquevillé, resserré. **II.** Court, courtaud, gros, massif, robuste, trapu. **III.** Concis, dense.
Ant. **I.** Étendu, étiré. **II.** Élancé, mince, svelte. **III.** Diffus, prolixe.

Ramasser (et Se)
Syn. (V. tr.) **I.** Amasser, assembler, collecter, collectionner, enlever, gagner, rafler *(fam.)*, rassembler, regrouper, relever, réunir. — Cueillir, glaner, récolter, recueillir. — *(Fam.) (Pers.)* Arrêter, capturer, prendre, saisir. *(V. pr.)* **I.** V. *(Se)* blottir. — *(Fam.)* (Se) relever. **III.** (Se) concentrer.

Ant. (V. tr.) **I.** Désunir, disperser, épandre, éparpiller, étaler, étendre, répandre.

Ramassis
Syn. **I.** Amas,' assemblage, collection, fatras. — *(Pers.)* Bande, canaille, écume, meute *(fig.)*.

Rame
Syn. **I.** Aviron, godille, pagaie. — Convoi, métropolitain (métro), train.

Rameau
Syn. **I.** Branche, brindille, ramille, ramure.

Ramener (et Se)
Syn. (V. tr.) **I.** Amener, mener, prendre, raccompagner, reconduire. — Centrer, diriger, rabattre, rapporter, remettre, rendre, tirer. **II.** Guérir, ranimer, ressusciter, sauver. — Convertir, corriger, rappeler. **III.** Restaurer, rétablir. — Concentrer, diminuer, réduire. *(V. pr.)* **III.** (Se) réduire.
Ant. (V. tr.) **I.** Déplacer, écarter, éloigner, reporter, retourner. **II.** Aggraver, empirer, tuer.

Ramer
Syn. **I.** Canoter, godiller, pagayer.

Ramification
Syn. **I.** Branche, rameau. **II.** Division, embranchement, prolongement, subdivision. **III.** Groupement (secondaire).

Rampant V. *Obséquieux* et *Servile*

Ramper
Syn. **II.** (Se) glisser, (se) traîner. **III.** (S') abaisser, (s') aplatir, (se) mettre à plat ventre.
Ant. **II.** Culminer. **III.** Braver, (s') élever, (se) redresser.

Ramure
Syn. **I.** Branchage, feuillage, frondaison.

Rancœur et **Rancune** V. *Ressentiment*

Rançon
Syn. **I.** Coût, indemnité, prix, rachat. **III.**

Expiation. — Compensation, contrepartie, suite.

Randonnée
Syn. **I.** Balade *(fam.)*, circuit, course, excursion, marche, promenade, tour, tournée, virée *(fam.)*, voyage. *Ant.* **I.** Arrêt, halte, stationnement.

Rang.
Syn. **I.** File, haie, ligne, rangée, série, suite. **II.** Ordre, place, tour. **III.** Catégorie, classe, condition, degré, dignité, échelon, grade, liste, nombre, place, position, situation, titre. — Classement, importance, valeur.

Rangé
Syn. **III.** Posé, réglé, régulier, sage, sérieux. *Ant.* **III.** Bohème, débauché, dissolu.

Ranger (et Se)
Syn. (V. tr.) **I.** V. *Ordonner.* **II.** Garer, serrer. **III.** Soumettre. *(V. pr.)* **I.** (Se) disposer, (se) placer. **II.** (S') écarter, (se) garer. **III.** Adopter, (se) rallier, — (S') assagir.
Ant. (V. tr.) **I.** Déplacer, déranger, dérégler, désordonner, désorganiser, mélanger. **III.** Exempter, libérer. *(V. pr.)* **III.** Rejeter, résister. — (Se) dévergonder.

Ranimer
Syn. **I.** *(Ch.)* Attiser, rallumer. — *(Pers.)* Renaître, ressusciter, revivre. **II.** Guérir, ravigoter, réanimer, remonter, restaurer, rétablir, revigorer, vivifier. **III.** Animer, aviver, consoler, encourager, exalter, raffermir, raviver, réchauffer, réconforter, relever, réveiller.
Ant. **I.** Éteindre, étouffer. — Mourir. **II.** Assoupir, dépérir, empirer, endormir, engourdir, immobiliser, paralyser. **III.** Abattre, affaiblir, attrister, décourager.

Rapace
Syn. (Adj.) **I.** Âpre (au gain), avare, avaricieux, avide, cupide, usurier, vorace.

Ant. (Adj.) **I.** Désintéressé, détaché, généreux, indifférent, large, prodigue.

Rapacité
Syn. **I.** Âpreté, avarice, avidité, cupidité, usure. *Ant.* **I.** Désintéressement, détachement, générosité, indifférence, largesse, prodigalité.

Rapetasser V. *Raccommoder*

Rapetisser
Syn. (V. tr.) **I.** Amenuiser, amincir, diminuer, écourter, raccourcir, réduire, restreindre. **III.** Abaisser, amoindrir, ravaler. *(V. intr.* ou *pr.)* **I.** (Se) ratatiner, rétrécir,
Ant. (V. tr.) **I.** Agrandir, allonger, amplifier, augmenter, élargir, étendre, grossir. **III.** Élever, exalter, magnifier. *(V. intr.)* **I.** Accroître, grandir.

Rapide
Syn. (Adj.) **I.** Abrupt, impétueux, raide. — Agile, alerte, léger, leste, preste, véloce, vite *(adj.).* — Diligent, empressé, expéditif, prompt. — Accéléré, bref, brusque, hâtif, instantané, précipité, pressé, soudain, subit. — Furtif, sommaire, superficiel. **III.** Vif. — *(N.)* Torrent. — Express.
Ant. (Adj.) **I.** Lent, ralenti, stagnant. — Endormi, engourdi, lambin, paresseux. — Long, retardataire. — Détaillé, minutieux. **III.** Émoussé, lent. — *(N.)* (Train) omn:bus.

Rapidité
Syn. **I.** Vélocité, vitesse. — Agilité, prestesse. — Activité, animation, célérité, diligence, promptitude, volubilité. — Accélération, hâte, précipitation. **III.** Vivacité.
Ant.|**I.** Lenteur. — Nonchalance, paresse, pesanteur. — Ralentissement. **III.** Lourdeur.

Rapiécer V. *Raccommoder*

Rapine
Syn. **I.** Brigandage, déprédation, pillage. **II.** Concussion, détournement, exaction, gain (illicite), malversation, maraude, vol.

Rappel
Syn. **I.** Retour. — Mobilisation. — (*Théâtre*) Acclamations, applaudissements, ovations. **II.** ̇ Avertissement. **III.** Appel, commémoration, évocation, mémoire, mention, réminiscence, souvenir. — Arrérage(s), paiement.
Ant. **I.** Bannissement, exil, renvoi. — Huées, sifflets. **III.** Oubli.

Rappeler (et Se)
Syn. (V. tr.) **I.** Appeler, faire revenir, téléphoner de nouveau. — Avertir, destituer. — Mobiliser. — Acclamer, applaudir. — Citer, commémorer, mentionner, redire, retracer. **III.** Ramener, évoquer, faire penser à, représenter, ressembler à, revivre. *(V. pr.)* **I.** (Se) remémorer, (se) souvenir.
Ant. (V. tr.) **I.** Laisser, négliger. — Réintégrer. — Huer, siffler. *(V. pr.)* **I.** Omettre, oublier.

Rapport(s)
Syn. **I.** Bénéfice, fruit, gain, produit, rendement, rente, revenu. — Analyse, compte rendu, exposé, récit, relation, témoignage. — *(Péj.)* Dénonciation, indiscrétion. **III.** Affinité, analogie, comparaison, conformité, corrélation, correspondance, lien, rapprochement, relation, ressemblance. — *(Pl.)* Commerce, communication, contact, fréquentation, liaison, relation.
Ant. **I.** Perte. **III.** Différence, disproportion, dissemblance, incompatibilité.

Rapporter (et Se)
Syn. (V. tr.) **I.** Ramener, remettre, rendre, restituer. **II.** Fructifier, produire, profiter, rendre *(intr.)* — Citer, colporter, dénoncer, dire, raconter, relater, répéter.

— Attribuer, rapprocher, rattacher, situer. — *(Dr.)* Abroger, annuler. *(V. pr.)* **I.** (S') appliquer à, cadrer avec, concerner, correspondre à, (se) rattacher à, (se) référer à.
Ant. (V. tr.) **I.** Emporter, enlever, receler, retenir. **II.** Consommer, coûter, perdre. — Cacher, dissimuler, taire, voiler. — Distinguer, opposer. — *(Dr.)* Confirmer, proroger.

Rapprochement
Syn. **I.** Comparaison, parallèle, rapport, recoupement, réunion. **II.** Accommodement, réconciliation.
Ant. **I.** Différenciation. **II.** Désunion, éloignement.

Rapprocher (et Se)
Syn. (V. tr.) **I.** Approcher, avancer, joindre, ressembler, resserrer, réunir. **III.** Accoler, assimiler, comparer, grouper, lier. *(V. pr.)* **I.** Aborder, côtoyer, (se) serrer. **III.** (Se) comparer, (se) réconcilier, (se) ressembler.
Ant. (V. tr.) **I.** Disjoindre, écarter, éloigner, espacer, séparer. **III.** Désunir, différencier, opposer. *(V. pr.)* **I.** (S') éloigner. **III.** (Se) brouiller, diverger.

Rapt
Syn. **I.** Détournement, enlèvement, kidnapping, ravissement *(vx)*.
Ant. **I.** Affranchissement, délivrance, libération.

Rare
Syn. **I.** Accidentel, anormal, clair, clairsemé, curieux, exceptionnel, inaccoutumé, inouï, insolite, introuvable, inusité, original, précieux, rarissime, recherché, singulier, unique. **III.** Étonnant, étrange, exquis, extraordinaire, insigne, remarquable, surprenant.
Ant. **I.** Abondant, banal, commun, courant, dense, dru, épais, fréquent, général, habituel, nombreux, normal, ordinaire, pléthorique. **III.** Coutumier, insignifiant, médiocre.

Raréfaction
Syn. **I.** Diminution, épuisement, manque, privation.
Ant. **I.** Abondance, accumulation, concentration, condensation.

Raréfier
Syn. **I.** Diminuer, réduire.
Ant. **I.** Accroître, augmenter.

Rareté
Syn. **I.** Défaut, disette, insuffisance, manque, pénurie. **II.** Curiosité, phénomène. *Ant.* **I.** Abondance, avalanche, densité, excès, foison, nombre, pléthore, profusion, répétition, surabondance. **II.** Banalité, fréquence.

Raseur
Syn. **III.** Ennuyeux, fâcheux, fatigant, importun, rasant, rasoir.
Ant. **III.** Aimable, avenant, discret, intéressant.

Rassasié
Syn. **I.** Bourré *(fam.)*, contenté, gavé, plein, repu. **III.** Assouvi, satisfait, saturé *(fig.)*, soûl.
Ant. **I.** Affamé, famélique, vide. **III.** Assoiffé, avide, désireux, inassouvi, insatiable, mécontent.

Rassasier (et Se)
Syn. (V. tr.) **I.** Apaiser, bourrer, contenter, gaver, gorger, remplir, saturer. **III.** Assouvir, blaser, combler, satisfaire. *(V. pr.)* **I.** (Se) gaver, etc., **III.** (Se) repaître, (se) soûler.
Ant. (V. tr.) **I.** Affamer, vider. **III.** Décevoir, mécontenter, vexer.

Rassemblement
Syn. **I.** Affluence, agglomération, assemblée, attroupement, cohue, concentration, concours, groupement, manifestation, meeting, multitude, ralliement, réunion, troupe. **III.** Union.
Ant. **I.** Dispersion, dissémination, distribution, division, éparpillement, séparation. **III.** Désunion.

Rassembler
Syn. (Pers.) **I.** Agglomérer, assembler, attrouper, concentrer, masser, réunir. **III.** Grouper, rallier, recruter, unir. *(Ch.)* **I.** Accumuler, amasser, joindre, recueillir.
Ant. **I.** Disperser, disséminer, diviser, éparpiller, fragmenter, isoler, parsemer, séparer. **III.** Désorganiser, désunir.

Rasséréner (et Se)
Syn. (V. tr.) **III.** Calmer, tranquilliser. — *(V. pr.)* **III.** (S') apaiser, (se) rassurer.
Ant. **III.** *(V. tr.)* Agiter, troubler. — *(V. pr.)* (S') affoler, (s') énerver, (s') inquiéter.

Rassis
Syn. **I.** Dur. **III.** Calme, équilibré, mûri, pondéré, posé, réfléchi, sérieux.
Ant. **I.** Frais, tendre. **III.** Extrémiste, fougueux, violent.

Rassurer
Syn. **I.** Calmer, consoler, rasséréner, tranquilliser.
Ant. **I.** Affoler, alarmer, ébranler, effarer, effaroucher, effrayer, inquiéter, intimider, menacer, troubler.

Ratatiné
Syn. **I.** Contracté, déformé, flétri, plissé, rabougri, racorni, ramassé, rapetissé, replié, tassé.
Ant. **I.** Élancé, épanoui, tendu.

Rater
Syn. **I.** *(V. intr.)* Échouer, faire fiasco. — *(V. tr.)* Louper *(fam.)*, manquer. — Gâcher, perdre.
Ant. **I.** Aboutir, arriver, conquérir, (l') emporter, réussir, vaincre.

Ratification
Syn. **I.** Approbation, autorisation, confirmation, homologation, sanction.
Ant. **I.** Abrogation, annulation, dénonciation, désapprobation, rétractation.

Ratifier
Syn. **I.** Approuver, autoriser, confirmer,

entériner, homologuer, sanctionner. **II.**
Avouer, consacrer. *Ant.* **I.** et **II.** Abroger, annuler, démentir,
dénoncer, désapprouver, désavouer, refu-
ser, rejeter.

Ratiociner V. *Raisonner*

Ration
Syn. **I.** Part, portion, répartition. **II.**
Pitance, quantité, rationnement, restric-
tion. **III.** Dose, part.
Ant. **I.** Ensemble, tout. **II.** Abondance,
profusion.

Rationalisation
Syn. **I.** Normalisation, planning, stakha-
novisme, standardisation, taylorisation,
taylorisme. **II.** Sublimation.

Rationnel V. *Raisonnable*

Rattacher (et Se)
Syn. *(V. tr.)* **I.** Attacher de nouveau, incorporer, lier. **III.** Relier, subordonner.
(V. pr.) **III.** Appartenir, dépendre, (se)
raccrocher à.
Ant. **I.** Détacher, écarter, éloigner, séparer.

Rattraper (et Se)
Syn. *(V. tr.)* **I.** Atteindre, attraper de
nouveau, rejoindre, reprendre, ressaisir,
retenir. **III.** Récupérer, regagner, retrouver. *(V. pr.)* **I.** (Se) raccrocher, (se) retenir. **III.** (Se) dédommager, (se) racheter,
(se) reprendre, (se) ressaisir.
Ant. *(V. tr.)* **I.** Manquer, rater. *(V. pr.)* **I.**
(S') abandonner.

Rature
Syn. **I.** Biffure, correction, rectification,
surcharge, trait.

Raturer
Syn. **I.** Barrer, biffer, rayer. **II.** Corriger,
effacer. **III.** Annuler, retrancher.
Ant. **I.** Écrire. **II.** Conserver. **III.** Ajouter,
confirmer, maintenir.

Rauque
Syn. **I.** Enroué, éraillé, guttural. **II.** Âpre,
rude, sauvage.
Ant. **I.** Agréable, clair, doux, suave. **II.**
Délicat, raffiné.

Ravage
Syn. **I.** Dégât, destruction, détérioration,
dévastation, dommage, pillage, ruine, sac.
III. Désordre.
Ant. **I.** Amélioration, aménagement,
bienfait, construction, réparation.

Ravager
Syn. **I.** Anéantir, bouleverser, désoler,
détruire, dévaster, endommager, piller,
ruiner. **II.** Infester, saccager.
Ant. **I.** Améliorer, construire, épargner,
ménager, respecter, rétablir.

Ravaler V. *Rabaisser*

Ravaudage
Syn. **I.** Raccommodage, rapiéçage,
reprise, stoppage. **III.** Rafistolage.

Ravauder V. *Raccommoder*

Ravi
Syn. **III.** Charmé, comblé, content, enchanté, enthousiaste, épanoui, fier, heureux, joyeux, radieux, rayonnant, satisfait.
Ant. **III.** Assombri, attristé, chagrin,
déçu, désappointé, sombre, triste.

Ravigoter V. *Ranimer*

Ravir
Syn. **I.** Arracher, emmener, (s') emparer
de, emporter, enlever, kidnapper, ôter,
prendre, usurper, voler. **III.** Charmer,
emballer, enchanter, enivrer, enthousiasmer, plaire à, transporter.
Ant. **I.** Donner, ramener, rapporter,
remettre. **III.** Affliger, attrister, chagriner,
décevoir, déplaire, désappointer, ennuyer, mécontenter.

Ravissant
Syn. **I.** Admirable, agréable, beau, char-

mant, délicieux, enchanteur, exaltant, exquis, joli, magnifique, séduisant, superbe.
Ant. **I.** Décevant, déplaisant, désagréable, désolant, effroyable, ennuyeux, fâcheux, insupportable, laid, odieux, rebutant.

Ravissement
Syn. **I.** *(Vx)* Enlèvement, rapt. **II.** Délectation, extase. **III.** Admiration, bonheur, contentement, enchantement, enthousiasme, exaltation, excitation, joie, transport.
Ant. **III.** Affliction, chagrin, déception, dégoût, déplaisir, désenchantement, désillusion, ennui, répugnance.

Ravisseur
Syn. **I.** *(N.)* Kidnappeur, voleur. — *(Adj.)* Avide, rapace.
Ant. **I.** *(N.)* Libérateur, protecteur, sauveur. — *(Adj.)* Désintéressé, doux, indifférent.

Ravitailler V. *Approvisionner*

Raviver
Syn. **I.** Aviver, rafraîchir. **III.** Enflammer, exciter, ranimer, réconforter, réveiller, stimuler.
Ant. **I.** Amortir, effacer, estomper, ternir.
III. Amoindrir, anéantir, atténuer, détruire, endormir, éteindre, étouffer.

Rayer
Syn. **I.** Entamer, érafler, hachurer, marquer, strier, zébrer. **II.** Annuler, barrer, biffer, effacer, raturer. **III.** Abolir, détruire, éliminer, enlever, exclure, ôter, radier, rejeter, supprimer.
Ant. **I.** Garder, laisser. **II.** Écrire, immatriculer, inscrire, surajouter, surcharger.
III. Admettre, annexer, conserver, inclure, incorporer, réintégrer.

Rayon(s)
Syn. **I.** Jet, radiation, rai, trait. — Segment. — Sillon *(agric.)* — Gâteau de cire.
II. Foyer. — Distance, espace. — Degré, étagère, planche, rayonnage, tablette.

Comptoir. **III.** Apparence, lueur. —District, domaine, envergure, zone.

Rayonnant
Syn. **I.** Brillant, radiant. **III.** Éclatant, radieux, ravi.
Ant. **I.** Nuageux, obscur, sombre. **III.** Éteint, morne, triste.

Rayonnement
Syn. **I.** Clarté, émission, irradiation, lumière, radiation, reflet. **III.** Éclat *(fig.)*, influence, joie, lustre, prestige, renommée, satisfaction. — Action, développement, propagation.
Ant. **I.** Obscurité. **III.** Insatisfaction, médiocrité, tristesse. — Décadence, déclin, étouffement, obscurcissement, régression.

Rayonner
Syn. **I.** Irradier, luire. **III.** Briller, éclater. — (Se) développer, (se) manifester, (se) propager, (se) répandre.

Rayure
Syn. **I.** Bande, éraflure, griffure, hachure, ligne, rainure, sillon, strie, striure, trait, zébrure.

Réaction
Syn. **I.** Autodéfense, réflexe, stimulus.
III. Comportement, conséquence, contrecoup, défense, effet, opposition, réponse, résistance, sursaut.
Ant. **III.** Indifférence, neutralité.

Réactionnaire
Syn. **I.** Conservateur, immobiliste, intégriste, rétrograde *(fig.)*.
Ant. **I.** Avancé, novateur, progressiste, révolutionnaire.

Réagir
Syn. **I.** Agir sur, répondre à. **III.** *(Réagir à)* (Se) comporter, sursauter. — *(Réagir contre)* Combattre, (se) défendre, lutter, (s') opposer, reprendre le dessus, résister, (se) secouer. — *(Réagir sur)* (Se) répercuter.
Ant. **III.** Abandonner, abattre, (se laisser) aller, succomber, tomber.

Réalisateur
Syn. I. Exécuteur. II. Cinéaste, metteur en ondes, metteur en scène.

Réalisation
Syn. I. Accomplissement, application, exécution. II. Création, œuvre, production.

Réaliser (et Se)
Syn. (V. tr.) I. Accomplir, achever, actualiser, combler, concrétiser, effectuer, exécuter, faire, opérer, remplir. — *(Néol.)* Comprendre, concevoir, (se) représenter, saisir. *(V. pr.)* I. Arriver, (s') effectuer. II. (S') épanouir, (se) traduire.
Ant. I. Défaire, détruire, échouer, faillir, manquer, rater, supprimer.

Réalisme
Syn. I. Naturalisme. — Objectivité, pragmatisme. II. Crudité, vulgarité.
Ant. I. Idéalisme, symbolisme. — Irréalisme, utopie. II. Délicatesse, réserve.

Réalité
Syn. I. Existence, matérialité, objectivité, vérité. — Chose, être, fait, matière, monde, nature, objet, réel, vie.
Ant. I. Apparence, erreur, idéal, illusion, néant, non-être, possibilité, subjectivité. — Chimère, fiction, invention, rêve, songe.

Rébarbatif
Syn. I. Bourru, désagréable, dur, farouche, rebutant, renfrogné, repoussant, revêche. III. Aride, ennuyeux, ingrat.
Ant. I. Affable, agréable, aimable, engageant. II. Attachant, attrayant, séduisant.

Rebattu
Syn. I. Banal, commun, connu, éculé, rebâché, réchauffé, ressassé, usé.
Ant. I. Inédit, inusité, neuf, nouveau, original, rare.

Rebelle
Syn. I. Désobéissant, dissident, entêté, factieux, frondeur, indiscipliné, indocile, insoumis, insurgé, mutin, récalcitrant, résistant, rétif, révolté, séditieux. II. Fermé à, inapte à, opposé à, réfractaire à.
Ant. I. Discipliné, docile, doux, obéissant, sage, soumis, souple. II. Apte à, favorable à, ouvert à.

Rébellion
Syn. I. Émeute, insurrection, mutinerie, révolte, révolution, sédition, soulèvement. II. Désobéissance, indiscipline, insoumission, insubordination, opposition, résistance.
Ant. I. Accord, entente, ordre, paix. II. Discipline, obéissance, soumission, subordination.

Rebuffade
Syn. I. Mépris, nasarde, refus, vexation.
Ant. I. (Bon) accueil, avance, gentillesse.

Rebut
Syn. I. Débris, déchet, détritus, ordure, rancart, résidu, reste. III. Balayure *(fig.)*, écume *(fig.)*, lie, racaille.
Ant. I. Entier, utilité, valeur. III. Crème, élite, fleur.

Rebutant
Syn. I. Décourageant, désagréable, ennuyeux, rébarbatif, repoussant, répulsif. V. *Rebuter.*
Ant. I. Agréable, attirant, charmant, encourageant, passionnant, séduisant, tentant.

Rebuter
Syn. I. Choquer, contrarier, décourager, dégoûter, déplaire à, déprimer, détourner, ennuyer, fatiguer, harasser, lasser. — Repousser. II. Rejeter.
Ant. I. Aiguillonner, animer, attirer, charmer, encourager, exciter, favoriser, intéresser, plaire, stimuler. II. Accepter.

Récalcitrant
Syn. I. *(Adj.)* V. *Rebelle.* — *(N.)* Factieux, insoumis, mutin, séditieux.
Ant. I. Docile, fidèle, obéissant, soumis, souple.

Récapitulation
Syn. **I.** Abrégé, inventaire, répétition, résumé, sommaire, synthèse. **II.** Rappel, révision, revue.
Ant. **I.** Amplification, analyse, détail.

Récapituler
Syn. **I.** Redire, répéter, reprendre, résumer, synthétiser. **II.** Repasser, réviser, revoir.
Ant. **I.** Amplifier, analyser, détailler.

Receler
Syn. **I.** Cacher, détenir, garder, soustraire. **III.** Contenir, renfermer.
Ant. **I.** Déceler, remettre. **III.** Dévoiler, montrer.

Récemment
Syn. **I.** Dernièrement, fraîchement, naguère, nouvellement.
Ant. **I.** Anciennement, autrefois, jadis.

Recensement
Syn. **I.** Dénombrement, statistiques. **II.** Compte, énumération, évaluation, inventaire, vérification.

Recension
Syn. **I.** Comparaison, confrontation. **II.** Compte rendu, édition critique. **III.** Examen, inventaire, recensement.

Récent
Syn. **I.** Actuel, dernier, frais, inédit, jeune, moderne, neuf, nouveau.
Ant. **I.** Ancien, archaïque, désuet, éloigné, lointain, primitif, suranné, vieux.

Réception
Syn. (Ch.) **I.** Acceptation, reçu. — *(Techn.)* Approbation, vérification. *(Pers.)* **I.** Accueil, bureau, hospitalité. — Cérémonie, cocktail, fête, gala, réunion, soirée, thé, veillée. **II.** Admission, initiation, installation, intronisation, nomination.
Ant. (Ch.) **I.** Émission, envoi, expédition, refus. *(Pers.)* **I.** Congédiement. **II.** Exclusion.

Recette
Syn. **I.** Bénéfice, boni, encaissement, gain, produit, profit, recouvrement, revenu. — Formule, manière, procédé. **III.** Méthode, moyen, secret, truc *(fam.)*.
Ant. **I.** Débours, dépense, perte.

Recevable
Syn. **I.** Acceptable, admissible, valable.
Ant. **I.** Inacceptable, inadmissible, irrecevable.

Recevoir
Syn. (Ch.) **I.** Accepter, acquérir, avoir, empocher, emprunter, encaisser, gagner, hériter, obtenir, percevoir, réceptionner, recouvrer, recueillir, toucher. — *(Pers.)* **I.** Accueillir, héberger, introduire, inviter, traiter. **II.** Accepter, admettre, adopter, agréer, coopter, initier, installer.
Ant. (Ch.) **I.** Débourser, donner, émettre, envoyer, expédier, léguer, offrir, payer, réclamer, transmettre. — Esquiver (un coup). *(Pers.)* **I.** et **II.** Congédier, éconduire, éliminer, exclure, refuser.

Réchauffer
Syn. **I.** Attiédir, chauffer, dégeler. **III.** V. *Ranimer.*
Ant. **I.** Refroidir. **III.** Amortir *(fig.)*.

Rêche
Syn. **I.** Âpre, dur, râpeux, rugueux. **III.** Rétif, revêche, rude.
Ant. **I.** Doux, moelleux, soyeux, sucré. **III.** Agréable, avenant.

Recherche
Syn. **I.** Exploration, fouille, investigation, prospection, sondage. **II.** Enquête, étude, examen, expérience, observation, spéculation, tâtonnement, travail. — *(Dr.)* Information, instruction, perquisition. **III.** Affectation, afféterie, pose, préciosité, raffinement. — Poursuite.
Ant. **III.** Abandon, laisser-aller, naturel, négligé *(n.)*, simplicité, sobriété. — Renoncement, renonciation.

Recherché
Syn. **I.** Aimé, couru, rare. — Étudié, raffiné, soigné, travaillé. **II.** *(Péj.)* Affecté, apprêté, maniéré, précieux.
Ant. **I.** Abandonné, fréquent, inconnu. — Négligé. **II.** Banal, commun, naturel, simple.

Rechercher
Syn. **I.** Chercher, explorer, prospecter. **II.** Approfondir, étudier, examiner, fouiller, scruter, sonder, vérifier. — (S') enquérir, enquêter, (s') informer, perquisitionner, pourchasser. **III.** Ambitionner, briguer, courir après, désirer, poursuivre, souhaiter, viser à. — Fréquenter.
Ant. **III.** Abandonner, dédaigner, fuir, haïr, renoncer. — Éviter.

Récipient
Syn. **I.** Pot, ustensile, vase. **III.** Réceptacle.

Réciproque V. *Mutuel*

Récit
Syn. **I.** Anecdote, chronique, compte rendu, exposé, histoire, mémoire, narration, rapport, relation, tableau *(fig.)* — Conte, fable, légende, nouvelle, roman.

Réciter
Syn. **I.** Débiter, déclamer, dire, lire, prononcer.

Réclamant
Syn. **I.** *(Dr.)* Demandeur, plaignant, requérant. **II.** Protestataire.
Ant. **I.** Défendeur, intimé.

Réclamation
Syn. **I.** Appel, demande, exigence, pétition, plainte, requête, revendication. **II.** Protestation, récrimination.

Réclame
Syn. **I.** Affiche, annonce, battage *(fam.)*, prospectus, publicité, tam-tam *(fam.)*. **III.** Éloge.
Ant. **III.** Discrédit.

Réclamer
Syn. **I.** *(V. tr.)* Demander, exiger, implorer, invoquer, revendiquer, solliciter. — *(Ch.)* Appeler, commander, nécessiter, requérir. — *(V. intr.)* Intercéder, (se) plaindre, protester, récriminer, regimber.
Ant. **I.** Accepter, céder, donner, livrer, offrir, prendre, recevoir.

Reclus
Syn. **I.** Enfermé, isolé, renfermé, retiré, solitaire.
Ant. **I.** Fréquenté, libéré, libre, sociable.

Réclusion
Syn. **I.** *(Dr.)* Captivité, détention, emprisonnement, incarcération, internement, séquestration. **II.** Éloignement, isolément, retraite, solitude.
Ant. **I.** Élargissement, indépendance, libération, liberté, relâchement. **II.** Compagnie, contact, société.

Récolte
Syn. **I.** Arrachage, cueillette, fenaison, moisson, vendange. **II.** Bien, produit, rendement. **III.** Butin, collecte, gain, profit.
Ant. **I.** Emblavure, ensemencement, semailles, semence.

Récolter
Syn. **I.** Cueillir, moissonner, ramasser, vendanger. **III.** Gagner, recevoir, recueillir.
Ant. **I.** Semer. **III.** Distribuer, perdre, répandre.

Recommandable
Syn. **I.** Désirable, estimable, honnête, honorable, méritant, respectable.
Ant. **I.** Condamnable, détestable, indésirable, méprisable.

Recommandation
Syn. **I.** Apostille, appui, patronage, piston *(fam.)*, protection, référence, soutien. — Avertissement, avis, commandement, conseil, exhortation, ordre.
Ant. **I.** Entrave, obstacle, opposition.

Recommander

Syn. **I.** Apostiller, appuyer, épauler, favoriser, parler pour, patronner, pistonner *(fam.),* protéger. — Prêcher, préconiser, prier. — Avertir, commander, conseiller, exhorter, inviter à, suggérer. — *(Postes)* Faire enregistrer.
Ant. **I.** (S') opposer. — Dénigrer. — Condamner, déconseiller, dissuader.

Recommencer

Syn. (V. tr.) **I.** Reprendre. — *(Recommencer à)* (Se) remettre à. **II.** Bisser, refaire, réitérer, renouveler, répéter. *(V. intr.)* **I.** Renaître, (se) renouveler. — Récidiver *(péj.),* repartir *(fig.),* reprendre, revenir. *Ant.* **I.** Cesser, finir.

Récompense

Syn. **I.** Bénéfice, cadeau, compensation, dédommagement, don, faveur, gratification, indemnité, paiement, pourboire, prime, rémunération, rétribution, salaire. **II.** Accessit, citation, coupe, couronne, croix, décoration, diplôme, laurier, médaille, mention, oscar, prix.
Ant. **I.** et **II.** Blâme, châtiment, correction, expiation, peine, punition, répression, reproche, sanction.

Récompenser

Syn. **I.** Compenser, dédommager, gratifier, indemniser, payer, primer, rémunérer, rétribuer. **II.** Citer, couronner, décorer, distinguer, reconnaître. — Bénir, encourager.
Ant. **I.** et **II.** Châtier, corriger, démériter, punir.

Réconciliation

Syn. **I.** *(Liturg. cath.)* Bénédiction, réintégration. — Accommodement, oubli, paix, pardon, raccommodement *(fam.),* rapprochement. **II.** Fraternisation.
Ant. **I.** Profanation, suspension, violation. — Brouille, conflit, désaccord, désunion, discorde, division, divorce, mésentente, séparation.

Réconcilier (et Se)

Syn. **I.** *(V. tr.) (Liturg.)* Bénir, réunir à. — Rabibocher *(fig.* et *fam.),* raccommoder *(fam.),* rapprocher. — *(V. pr.)* (Se) pardonner, (se) remettre d'accord, renouer.
Ant. **I.** *(V. tr.)* Offenser, profaner, violer. — Brouiller, désunir, diviser, opposer, séparer. — *(V. pr.)* (Se) fâcher.

Reconduire

Syn. **I.** Escorter, raccompagner, ramener. **II.** *(Dr.)* Renouveler. **III.** *(Iron.)* Chasser, éconduire, expulser.
Ant. **I.** Accueillir, recevoir.

Réconfort

Syn. **I.** Aide, appui, consolation, encouragement, espoir, secours, soutien.
Ant. **I.** Abattement, découragement, inquiétude, souci.

Réconfortant

Syn. **I.** Cordial, excitant, fortifiant, reconstituant, remontant, stimulant, tonique. **III.** *(Au moral)* Apaisant, consolant, consolateur, encourageant, rassurant.
Ant. **I.** Affaiblissant, débilitant. **III.** Accablant, attristant, décourageant, déprimant, désespérant, navrant.

Réconforter

Syn. **I.** *(Au phys.)* Ravigoter, remonter, restaurer, rétablir, retaper, revigorer. **III.** *(Au moral)* Aider, consoler, encourager, ragaillardir, ranimer, raviver, relever, soutenir, stimuler.
Ant. **I.** Affaiblir, débiliter. **III.** Abattre, accabler, affliger, décourager, déprimer, désespérer, navrer.

Reconnaissance

Syn. **I.** *(Milit.)* Découverte, examen, exploration, inspection, investigation, observation, recherche. — Acception, admission, aveu, confession. — Identification, mémoire, souvenir. **II.** Gratitude, obligation, remerciement. — *(Dr.)* Reçu.
Ant. **I.** Dénégation, désaveu, méconnais-

sance, négation, oubli, refus. **II.** Ingratitude.

Reconnaissant
Syn. **I.** Dévoué, obligé, redevable.
Ant. **I.** Ingrat, oublieux.

Reconnaître
Syn. **I.** *(Milit.)* Arraisonner, explorer, sonder. — Connaître, discerner, distinguer, identifier, retrouver, voir. — Accepter, accorder, admettre, attribuer, avouer, confesser, constater, convenir, déclarer, (se) rappeler, (se) souvenir. **II.** Récompenser, remercier.
Ant. **I.** Confondre. — Contester, dénier, douter, méconnaître, rejeter. **II.** Oublier.

Reconnu
Syn. **I.** Avéré, indiscuté, notoire, public.
Ant. **I.** Apocryphe, caché, clandestin, inconnu, secret.

Reconstituer
Syn. **I.** Rebâtir, recréer, réédifier, réformer, réorganiser. — *(Méd.)* Guérir, régénérer, remettre, rétablir. **III.** Déterminer, vivifier.
Ant. **I.** Abolir, briser, détruire.

Reconstruire
Syn. **I.** Rebâtir, réédifier, relever. **II.** Défaire. **III.** Détruire.

Recopier
Syn. **I.** Mettre au net, reporter, reproduire, transcrire.

Record
Syn. **I.** Exploit, performance, prouesse, succès.
Ant. **I.** Échec, insuccès.

Recourir
Syn. **I.** (S') adresser à, aller vers, (faire) appel, appeler, employer, passer par, (avoir) recours à, (se) servir de, (faire) usage de, user, (en) venir à.

Recours
Syn. **I.** *(Dr.)* Appel, demande, pourvoi, requête. **II.** Refuge, ressource, sauvegarde, secours, soutien.

Recouvrer
Syn. **I.** Rattraper, ravoir, reconquérir, récupérer, regagner, reprendre, retrouver. — Encaisser, percevoir, toucher.
Ant. **I.** Égarer, perdre. — Payer, verser.

Récréation
Syn. **I.** Agrément, amusement, délassement, détente, distraction, divertissement, jeu, passe-temps, pause, plaisir, réjouissance, relaxation.
Ant. **I.** Activité, corvée, désagrément, ennui, fatigue, lassitude, tâche, tension, travail.

Récréer
Syn. **I.** Amuser, délasser, distraire, divertir, réjouir.
Ant. **I.** Embêter *(fam.)*, ennuyer, fatiguer, lasser.

Récrier (Se)
Syn. **I.** (S') exclamer, (s') indigner, protester, réclamer.
Ant. **I.** Accéder, accepter, acquiescer, consentir, souscrire.

Récriminations
Syn. **I.** Blâmes, cris, doléances, plaintes, protestations, revendications.
Ant. **I.** Approbations, consentements, éloges, louanges, résignation(s).

Récriminer
Syn. **I.** Protester, réclamer, trouver à redire.
Ant. **I.** Admirer, approuver, encourager, féliciter.

Recru V. *Harassé*

Recrudescence
Syn. **I.** Aggravation, progression. **II.** Accroissement, augmentation, redoublement, regain, renforcement, reprise.
Ant. **I.** et **II.** Accalmie, affaiblissement, baisse, déperdition, diminution, recul, régression.

Recrue

Syn. **I.** Conscrit, soldat. **II.** Adepte, adhérent, partisan.

Recruter

Syn. **I.** Lever, mobiliser. **II.** Embaucher, engager, enrégimenter, enrôler, incorporer. **III.** Attirer, embrigader *(fig.)*, employer, racoler *(fam.)*, réunir. *Ant.* **I.** Exempter, réformer. **II.** Congédier, éliminer, licencier, remercier, renvoyer.

Rectification

Syn. **I.** Amendement, changement, correction, mise au point, modification, note, réserve.

Rectifier

Syn. **I.** Corriger, mettre au point, modifier, rétablir. **III.** Améliorer, châtier, redresser, réformer, revoir. *Ant.* **I.** et **III.** Altérer, déformer.

Rectitude

Syn. **I.** Exactitude, fermeté, justesse, logique, rigueur, véracité. — Droiture, honnêteté, justice. *Ant.* **I.** Erreur, fausseté, inexactitude, mensonge. — Duplicité, relâchement.

Reçu

Syn. **I.** Acquit, décharge, quittance, récépissé. *Ant.* **I.** Compte, dette, échéance, obligation.

Recueil

Syn. **I.** Album, ana, anthologie, choix, collection, compilation, florilège, mélanges, répertoire, sottisier. **III.** Assemblage, collection, réunion.

Recueillement

Syn. **I.** Contemplation, ferveur, méditation, oraison, piété, récollection. **II.** Application, concentration, réflexion. *Ant.* **I.** Dissipation, divertissement. **II.** Distraction, étourderie, inattention, irréflexion.

Recueillir (et Se)

Syn. (V. tr.) **I.** Avoir, cueillir, gagner, obtenir, rassembler, recevoir, récolter, réunir. — Accueillir, héberger, prendre (chez soi). **III.** Amasser, enregistrer. *(V. pr.)* **I.** Prier. **II.** (S') absorber, (se) concentrer, méditer, penser, réfléchir, (se) renfermer, rentrer en soi, (se) replier. *Ant. (V. tr.)* **I.** Distribuer, ensemencer, éparpiller, gaspiller. *(V. pr.)* **II.** (Se) dissiper, (se) distraire, (s') épancher, (s') étourdir.

Recul

Syn. **I.** *(Milit.)* Repli, retraite. — Éloignement, récession, reflux, retrait. **III.** Dérobade, reculade, régression, retard. *Ant.* **I.** Avance, invasion, percée. — Approche, rapprochement. **III.** Avancement, progrès.

Reculé

Syn. **I.** *(Lieu)* Distant, écarté, éloigné, isolé, lointain, relégué, retiré. — *(Temps)* Ancien, antique, haut, passé, postérieur, vieux. — Ajourné, différé, retardé. *Ant.* **I.** Adjacent, contigu, limitrophe, proche, voisin. — Actuel, moderne, nouveau, récent. — Avancé.

Récupérer

Syn. **I.** Ramasser, ravoir, recouvrer, recueillir, reprendre, ressaisir, retrouver. *Ant.* **I.** Abandonner, laisser, perdre.

Récuser (et Se)

Syn. (V. tr.) **I.** Repousser. **II.** Contester, dénier, refuser, rejeter. *(V. pr.)* **I.** (S') abstenir. *Ant. (V. tr.)* **I.** Accepter, agréer, approuver. **II.** Attester. *(V. pr.)* **I.** Intervenir, prendre part.

Rédaction

Syn. **I.** Composition, dissertation, narration, récit. — Établissement, formule, libellé.

Rédemption V. *Rachat*

Redevance
Syn. **I.** Charge, dette, engagement, obligation, rente. – Contribution, droit, impôt, taxe.
Ant. **I.** Acquittement, affranchissement, paiement, quittance.

Rédiger
Syn. **I.** Composer, écrire, élaborer, (s') exprimer, formuler. – *(Dr.)* Dresser, libeller.

Redire
Syn. **I.** *(V. tr.)* Rabâcher, radoter, rapporter, récapituler, répéter, ressasser, seriner. – *(V. intr.)* Blâmer, censurer, critiquer.
Ant. **I.** *(V. tr.)* Cacher, omettre, taire. *(V. intr.)* Admettre, approuver, recommander.

Redite V. *Répétition*

Redondance
Syn. **I.** Amplification, enflure, excès, prolixité, superfluité, surabondance, verbiage. **II.** Cheville, inutilité, pléonasme.
Ant. **I.** Concision, simplicité, sobriété. **II.** Efficacité, importance, utilité.

Redonner
Syn. **I.** Rembourser, remettre, rendre, restituer, rétrocéder.
Ant. **I.** Conserver, enlever, reprendre.

Redoubler
Syn. **I.** Accroître, augmenter, doubler. **II.** Recommencer (une classe).
Ant. **I.** Cesser, diminuer.

Redoutable
Syn. **I.** Dangereux, effrayant, puissant, rude, terrible.
Ant. **I.** Bon, débonnaire, inoffensif, rassurant.

Redouter
Syn. **I.** *(V. tr.)* Appréhender, craindre, (avoir) peur de. – *(V. intr.)* (S') effrayer, trembler.

Ant. **I.** Aimer, désirer, mépriser, négliger, rechercher.

Redressement
Syn. **I.** Consolidation. **III.** Correction, rectification, réforme, relèvement, réparation, restauration.
Ant. **I.** Abaissement, courbure. **III.** Déformation.

Redresser (et Se)
Syn. *(V. tr.)* **I.** Défausser, dégauchir. – Dresser, lever, relever. **III.** Améliorer, corriger, rectifier, réformer, réparer, réprimander, restaurer. *(V. pr.)* **I.** (Se) cabrer, *(*se) dresser. **III.** (Se) relever.
Ant. *(V. tr.)* **I.** Courber, déformer, gauchir, plier. – Incliner, renverser. **III.** Corrompre, dévier, fourvoyer. *(V. pr.)* **I.** (S') affaisser, crouler. **III.** (S') écrouler.

Réduction
Syn. **I.** Analyse, correction, simplification, transformation. – Baisse, compression, diminution, rabais, remise, restriction, ristourne. **II.** Maquette, miniature.
Ant. **I.** Accroissement, agrandissement, amplification, augmentation, hausse, majoration, relèvement. **II.** Agrandissement.

Réduire
Syn. **I.** Analyser, concentrer, convertir, décomposer, dissoudre, transformer. – Abaisser, amoindrir, atténuer, borner, comprimer, diminuer, limiter, minimiser, rationner, restreindre. – Abréger, condenser, écourter, raccourcir. **II.** Contraindre, économiser, forcer, obliger.
Ant. **I.** Accroître, adjoindre, aggraver, ajouter, amplifier, élargir, élever, étendre, exagérer, hausser, majorer, multiplier, surélever. **II.** Dépenser, gaspiller. – Exempter, libérer.

Réédifier V. *Reconstruire*

Réel
Syn. *(N.)* V. *Réalité.* *(Adj.)* **I.** Actuel, assuré, authentique, certain, concret, dé-

montré, effectif, évident, existant, fondé, historique, incontesté, indubitable, objectif, palpable, positif, sérieux, solide, tangible, visible. — Exact, juste, véritable, vrai.
Ant. **I.** Abstrait, apparent, artificiel, chimérique, erroné, factice, fictif, idéal, imaginaire, incertain, inexistant, irréel, négatif, nul, possible, simulé, subjectif, virtuel. — Faux, inexact, mensonger.

Refaire (et Se)
Syn. (V. tr.) **I.** Recommencer, reconstruire, recréer, refondre, reformer, renouveler, réparer, répéter, restaurer, rétablir. *(V. pr.)* **I.** Récupérer, (se) rétablir. **III.** (Se) transformer.
Ant. (V. tr.) **I.** Abandonner, défaire, endommager, laisser.

Référence(s)
Syn. **I.** Annotation, apostille, indication, note, renvoi. — *(Pl.)* Attestations, certificat, recommandations.

Référer à (Se)
Syn. **I.** Attester, consulter, (s'en) rapporter à, recourir à. — *(Ch.)* (Se) rapporter, viser.

Réfléchi
Syn. **I.** Calculé, considéré, délibéré, raisonné. **III.** *(Pers.)* Avisé, circonspect, équilibré, grave, intelligent, mûr, pondéré, posé, prudent, rassis, recueilli, sage, sérieux.
Ant. **I.** Inconsidéré, indélibéré, instinctif, irréfléchi, machinal. **III.** Étourdi, évaporé, frivole, impulsif, inconséquent, léger, naïf, primesautier.

Réfléchir
Syn. **I.** Refléter, réfracter, renvoyer, répéter, réverbérer. **III.** *(V. intr.)* Calculer, (se) concentrer, délibérer, méditer, penser, (se) recueillir, ruminer, songer. — *(Réfléchir à, sur qq. ch.)* Approfondir, considérer, étudier, examiner, mûrir, peser.

Reflet
Syn. **I.** Chatoiement, éclat, miroitement, rayon, réflexion, réfraction, réverbération. **III.** Écho, image, imitation, réplique, reproduction.

Refléter (et Se)
Syn. (V. tr.) **I.** Réfléchir, renvoyer. **III.** Exprimer, indiquer, reproduire, traduire. *(V. pr.)* **I.** Briller, (se) mirer. **III.** Transparaître.

Réflexe
Syn. **I.** *(N.)* Automatisme, réaction. — *(Adj.)* Automatique, inconscient, instinctif, involontaire, machinal, spontané.
Ant. **I.** Arrêté, conscient, intentionnel, prémédité, volontaire, voulu.

Réflexion
Syn. **I.** Rayonnement, reflet, réfraction, réverbération. **III.** Attention, calcul, concentration, délibération, discernement, intelligence, méditation. — Considération, note, observation, pensée, remarque.
Ant. **III.** Dissipation, étourderie, inattention, irréflexion, légèreté, négligence.

Refondre
Syn. **III.** Changer, corriger, modifier, refaire, remanier, transformer.

Réforme
Syn. **I.** Amélioration, amendement, changement, correction, perfectionnement, progrès, révision. **II.** Protestantisme.
Ant. **I.** Altération, corruption, décadence, déclin, dégradation, dérèglement, relâchement.

Réformer (et Se)
Syn. **I.** *(V. tr.)* Améliorer, amender, changer, corriger, régénérer. — *(Milit.)* Radier, rayer. — *(V. pr.)* (S') amender, (se) corriger, renoncer à.
Ant. **I.** Aggraver, corrompre, dégénérer, détériorer, empirer, gâter.

Refouler
Syn. **I.** Chasser, éloigner, (faire) refluer, repousser, vaincre. **III.** Comprimer, contenir, étouffer, refréner, réprimer, retenir. — Rejeter. *Ant.* **I.** Accueillir, attirer, inviter. **III.** Apaiser, assouvir, défouler, exprimer.

Réfractaire
Syn. **I.** Résistant. **II.** Fermé à, insensible, irréductible, opposé à. **III.** Désobéissant, insoumis, rebelle. *Ant.* **I.** Fusible. **II.** Ouvert à, réceptif, sensible. **III.** Docile, malléable, obéissant, soumis.

Refrain
Syn. **I.** Chant, reprise. **III.** Antienne, chanson *(fig.)*, leitmotiv, rengaine, répétition, ritournelle, scie.

Refréner V. *Réprimer*

Réfrigérant
Syn. **I.** Frigorifique, rafraîchissant, refroidisseur. **III.** Désagréable, froid, glacial. *Ant.* **I.** Calorifique, réchauffant. **III.** Chaleureux, charmant, obligeant.

Réfrigérateur
Syn. **I.** Chambre froide, congélateur, frigidaire, glacière.

Refroidir
Syn. **I.** Attiédir, congeler, frapper, frigorifier, glacer, rafraîchir, réfrigérer. **III.** Décourager, diminuer, geler, glacer. — Fâcher, mécontenter. *Ant.* **I.** Chaufffer, réchauffer. **III.** Enflammer, enthousiasmer, exalter. — Contenter, satisfaire,

Refroidissement
Syn. **I.** Congélation, réfrigération. **II.** Grippe, indisposition, rhume. **III.** Affaiblissement, attiédissement. *Ant.* **I.** Bouillonnement, chauffage, échauffement. **III.** Exaltation, réchauffement.

Refuge
Syn. **I.** Abri, asile, retraite. **II.** Gîte. **III.** Havre *(fig.)*, port *(fig.)*, recours, ressource, secours, soutien.

Réfugié
Syn. **I.** Émigré, étranger, expatrié.

Réfugier (Se)
Syn. **I.** (S') abriter, (se) blottir,. (se) cacher, (se) nicher, (se) retirer, (se) sauver. — Émigrer, (s') enfuir, (s') expatrier, fuir. *Ant.* **I.** Apparaître, (se) montrer, paraître. — Immigrer, rapatrier, réintégrer.

Refus
Syn. **I.** Déni *(dr.)*, opposition, rebuffade, résistance, veto. *Ant.* **I.** Acceptation, acquiescement, approbation, autorisation, avance, engagement.

Refuser (et Se) *Syn.* **I.** *(V. tr.) (Ch.)* Contester, décliner, dédaigner, dénier, rejeter, repousser. — *(Pers.)* Ajourner, blackbouler *(fam.)*, coller *(fam.)*, débouter, écarter, éconduire, évincer, exclure, rebuter, renvoyer. — *(V. pr.)* (S') abstenir, (s') interdire, (se) priver, résister. *Ant.* **I.** *(V. tr.)* Accepter, accorder, attribuer, donner, endosser, offrir, permettre, reconnaître. — Accueillir, élire, recevoir. — *(V. pr.)* (S') accommoder, (se) conformer, consentir, participer.

Refuter
Syn. **I.** Combattre, contredire, critiquer, objecter, (s') opposer à, renverser, répondre à, repousser, rétorquer. *Ant.* **I.** Accepter, admettre, approuver, appuyer, corroborer, endosser, soutenir.

Regagner
Syn. **I.** Rattraper, recouvrer, récupérer, reprendre. — Réintégrer, rejoindre, rentrer, retourner à, revenir à. *Ant.* **I.** Perdre, reperdre. — (S') éloigner de, fuir.

Regain
Syn. **I.** Recoupe. **III.** Recrudescence, renouveau, retour.
Ant. **III.** Baisse, déclin, marasme.

Régaler (et Se)
Syn. (V. tr.) **I.** Offrir, traiter. *(V. pr.)* **I.** Déguster, festoyer. **III.** (Se) délecter, goûter, savourer.
Ant. (V. pr.) **I.** Chipoter, pignocher. **III.** Détester.

Regard
Syn. **I.** Clin d'œil, coup d'œil, œillade, perception, vision, vue, yeux. **III.** Attention.

Regardant V. *Avare*

Regarder
Syn. **I.** Contempler, dévisager, examiner, fixer, guigner, lorgner, observer, reluquer, remarquer, toiser, voir. **III.** Considérer, envisager, rechercher. — *(Ch.)* Concerner, intéresser, toucher. — *(Regarder comme)* Estimer, juger.
Ant. **I.** Détourner (les yeux), éviter, passer outre.

Régénération
Syn. **I.** Reconstitution, reproduction, restauration. **III.** Changement, réformation, renaissance, renouvellement, résurrection *(fig.)*.
Ant. **I.** Dégénérescence, détérioration. **III.** Corruption, décadence, déchéance, décrépitude.

Régenter
Syn. **I.** Commander, diriger, gouverner, mener.
Ant. **I.** Obéir, (se) plier, (se) soumettre.

Régie
Syn. **I.** Administration, direction, gérance, gestion. **II.** Entreprise publique.

Regimber
Syn. **I.** Ruer. **III.** (Se) cabrer, (s') entêter, (se) gendarmer, (s') insurger, (s') opposer, protester, (se) rebiffer, résister.
Ant. **III.** Céder, consentir, obéir, (se) soumettre.

Régime
Syn. **I.** Administration, constitution, direction, gouvernement, institution, système. **II.** Conduite, règle. — Cure, diète.
Ant. **I.** et **II.** Anarchie, confusion, dérèglement, désordre, laisser-aller.

Régiment
Syn. **I.** Corps, troupe, unité. **II.** *(Fam.)* Affluence, armée, foule, légion, multitude, nuée, quantité.
Ant. **II.** Individu, personne, (une) poignée.

Région
Syn. **I.** Canton, circonscription, contrée, district, pays, province, territoire, zone. **II.** Espace, étendue, lieu. — Partie, zone (d'un organisme). **III.** Domaine, sphère.

Régir
Syn. **I.** *(Vx)* Administrer, diriger, gérer, gouverner. **III.** Déterminer.

Registre
Syn. **I.** Agenda, album, archives, cadastre, cahier, calepin, carnet, écritures, journal, livre, matrice, matricule, répertoire, rôle. — *(Mus.)* Diapason, tessiture. **III.** Éventail *(fig.)*, gamme *(fig.)*, ton, tonalité.

Règle
Syn. **III.** Canon, cérémonial, code, commandement, convention, coutume, étiquette, exemple, formule, habitude, maxime, modèle, norme, précepte, prescription, principe, règlement, règlementation, usage. — Constitution, discipline, institutions, lois, observance, statuts.
Ant. **III.** Désordre, exception, exemption, irrégularité.

Règlement
Syn. **I.** Arrêté, décret, ordonnance. —

Consigne, règle, réglementation, statuts. — Accord, arrangement, conclusion. — Acquittement, paiement, solde. *Ant.* **I.** Dérangement, dérèglement.

Réglementaire
Syn. **I.** Administratif, autorisé, irrégulier, légal, nul, périmé.

Régler (et Se)
Syn. (V. tr.) **I.** Rayer, tracer. — Ajuster, régulariser. **II.** Arrêter, décider, déterminer, disposer, établir, fixer, mesurer, modérer, normaliser, ordonner, réglementer. — Arranger, conclure, résoudre, terminer, trancher, vider. — Acquitter, liquider, payer, solder *(V. pr.)* **I.** (Se) conformer, consulter, suivre.
Ant. (V. tr.) **I.** Déranger, dérégler, détraquer. **II.** Désaxer, désordonner. — Compliquer, différer, empirer. — Devoir.

Règne
Syn. **I.** Durée, époque, gouvernement, pouvoir. **III.** Domination, empire, influence, prédominance.

Régner
Syn. **I.** Gouverner. **II.** Dominer. — *(Ch.)* Durer, exister, prédominer.

Regorger
Syn. **I.** Déborder. **III.** Abonder, foisonner, (être) plein de, pulluler.
Ant. **I.** et **III.** Manquer de.

Régression
Syn. **I.** Diminution, récession, recul.
Ant. **I.** Développement, progrès, progression.

Regret
Syn. **I.** Chagrin, doléances, nostalgie, peine. — Contrition, remords, repentir. **II.** Déception, déplaisir. — Excuse.
Ant. **I.** et **II.** Consolation, contentement, espoir, joie, plaisir, satisfaction.

Regrettable
Syn. **I.** Déplorable, désagréable, ennuyeux, fâcheux, malheureux.
Ant. **I.** Désirable, souhaitable.

Regretter
Syn. **I.** Pleurer. — (Se) repentir, (se) reprocher. — Déplorer, désapprouver, désavouer. **II.** (Être) désolé, navré, (s') excuser.
Ant. **I.** (Se) féliciter, (se) réjouir de. **II.** Désirer, souhaiter.

Régularité
Syn. **I.** Assiduité, exactitude, ponctualité, précision. — Égalité, harmonie, symétrie, uniformité.
Ant. **I.** Imprécision, intermittence. — Anomalie, bizarrerie, disparité, inégalité, irrégularité.

Régulier
Syn. **I.** *(Ch.)* Cadencé, continu, correct, égal, géométrique, habituel, harmonieux, homogène, légal, méthodique, monotone, normal, ordonné, réglementaire, symétrique, uniforme, usuel. — *(Pers.)* Assidu, constant, correct *(fam.),* exact, loyal, ponctuel, réglé.
Ant. **I.** Accidentel, anormal, asymétrique, bizarre, disparate, exceptionnel, illégal, imprécis, inexact, intermittent, irrégulier, libre, spécial. — Bohème, négligent. — Séculier.

Réhabiliter (et Se)
Syn. (V. tr.) **I.** Blanchir, disculper, innocenter, laver. **II.** Absoudre, pardonner, réintégrer, rétablir. *(V. pr.)* **I.** (Se) racheter.
Ant. **I.** Avilir, condamner, diffamer, exclure, flétrir. — Déchoir.

Rehausser
Syn. **I.** Élever, monter, remonter, surélever. — Aviver, embellir, orner. **III.** Augmenter, ranimer. — Ennoblir, faire ressortir, relever, souligner.
Ant. **I.** Descendre, rabaisser. — Atténuer, enlaidir. **III.** Amoindrir, diminuer, rabat-

tre. — Avilir, dégrader, déprécier, mépriser, ternir.

Réintégrer
Syn. **I.** Replacer, reprendre, rétablir. **II.** Regagner, revenir.
Ant. **I.** Abandonner, exclure, laisser. **II.** Déserter, (s') éloigner, fuir, quitter.

Réitérer V. *Répéter*

Rejaillir
Syn. **I.** Éclabousser, gicler, jaillir. **III.** (Se) reporter, retomber sur.

Rejeter
Syn. **I.** Relancer, renvoyer. — Chasser, éloigner, repousser. — Éjecter, évacuer, expulser, rendre, vomir. — Abandonner, jeter. — Écarter, reporter. — *(Dr.)* Débouter, récuser. **III.** Décliner, rebuter, refuser, repousser, répudier. — Accuser, attribuer, imputer.
Ant. **I.** Accueillir, recevoir. — Absorber, assimiler, digérer. — conserver, garder, prendre. — *(Dr.)* Admettre, approuver, entériner. **III.** Accepter, agréer, appuyer. — Assumer.

Rejeton
Syn. **I.** Bouture, pousse, scion. **III.** *(Fam.)* Descendant, enfant, fils.

Rejoindre
Syn. **I.** Rallier, regagner, retourner à. — Atteindre, rattraper, retrouver. **II.** Rapprocher, rassembler, réunir, tomber dans.
Ant. **I.** Déserter, quitter. — Distancer, éloigner. **II.** Désunir, disjoindre, séparer.

Réjouir (et Se)
Syn. (V. tr.) **I.** Amuser, contenter, dérider, divertir, égayer, enchanter, épanouir, plaire, ravir, récréer. *(V. pr.)* **I.** (Se) féliciter, jubiler *(fam.)*.
Ant. **I.** Attrister, chagriner, contrarier, contrister, désoler, ennuyer, mécontenter, peiner. — (S') affliger.

Réjouissance(s)
Syn. **I.** Amusement, distraction, divertis-

sement, jubilation, liesse, partie, plaisir. — *(Pl.)* Agapes, fêtes, noces.
Ant. **I.** Affliction, chagrin, contrariété, deuil, ennui, peine, tristesse.

Relâche
Syn. **I.** Arrêt, cessation, détente, intermittence, interruption, pause, relâchement, répit, suspension, trêve. — *(Mar.)* Escale.
Ant. **I.** Assiduité, continuité, élan, essor, fatigue, reprise.

Relâché
Syn. **I.** Distendu. — Libéré, libre. **III.** Débauché, dévergondé, dissolu, lâche. — Affaibli, facile, faible, mitigé.
Ant. **I.** Raide, tendu. — Détenu. **III.** Honnête, probe, sérieux. — Ardent, difficile, rigoureux, serré, sévère, strict.

Relâchement
Syn. **I.** Décontraction, délassement, distension, relaxation, repos. **III.** Abandon, affaiblissement, dévergondage, laisser-aller, négligence, ralentissement.
Ant. **I.** Contraction, distension, fatigue, tension. **III.** Accélération, ardeur, austérité, effort, sagesse.

Relâcher (et Se)
Syn. (V. tr.) **I.** Décontracter, défaire, délacer, délasser, desserrer, détendre, lâcher. — Élargir, libérer, relaxer. **II.** Adoucir, suspendre, tempérer, *(V. intr.)* **I.** Rabattre. — *(Mar.)* Accoster, toucher (au port). *(V. pr.)* **III.** Diminuer, (se) distendre, faiblir, (se) perdre. — *(Pers.)* (Se) négliger.
Ant. (V. tr.) **I.** Comprimer, contracter, raidir, resserrer, serrer, tendre. — Détenir, emprisonner, retenir. **II.** Durcir, renforcer. *(V. pr.)* **III.** (S') affermir. — Prendre soin.

Relater
Syn. **I.** Conter, dire, exposer, narrer, raconter, rapporter. — *(Dr.)* Citer, consigner, mentionner.
Ant. **I.** Cacher, garder, taire.

Relatif
Syn. **I.** Connexe, corrélatif, correspondant, dépendant, proportionnel, subordonné. **II.** Approximatif, contingent, imparfait, incomplet, limité, partiel, subjectif.
Ant. **I.** Contraire, disproportionné, indépendant, invariable, opposé. **II.** Absolu, idéal, objectif, parfait.

Relation
Syn. **I.** Connexion, corrélation, rapport. — Dépendance, fonction. — Chronique, journal, mémoire, narration, procès-verbal, récit, témoignage. — *(Pers.)* Accointances, commerce, connaissance(s), contact, correspondance, flirt, fréquentation, liaison, rapport, situation.
Ant. **I.** *(Pers.)* Dégagement, détachement, distance, émancipation, rupture, séparation.

Relativité
Syn. **I.** Analogie, contingence, rapport.
Ant. **I.** Différence, exclusivité.

Relaxation
Syn. **I.** *(Méd.)* Décontraction, relâchement. **II.** Détente, relâche, repos.

Relaxer (et Se)
Syn. **I.** *(V. tr.)* *(Dr.)* Élargir, libérer, relâcher. — *(Méd.)* Décontracter, détendre, relâcher, reposer. *(V. pr.)* (Se) détendre, (se) reposer.
Ant. **I.** Écrouer. — Contracter.

Relayer (et Se)
Syn. *(V. tr.)* **II.** Changer, relever, remplacer. *(V. pr.)* **I.** Alterner, (se) remplacer mutuellement.
Ant. **II.** Continuer, garder, maintenir, poursuivre.

Reléguer
Syn. **I.** Bannir, déporter. **II.** Confiner, éloigner, enfermer, interner. **III.** Abandonner, classer (avec mépris), écarter, rejeter.

Ant. **I.** et **II.** Dégager, libérer, ramener, rapprocher. **III.** Apprécier, estimer, garder.

Relevé
Syn. *(Adj.)* **I.** Retroussé, troussé. — Élevé, haussé. **II.** Épicé, fort, piquant. **III.** Élevé, généreux, noble, sublime, supérieur. *(N.)* **I.** Compte, dépouillement, détail, état, liste, relèvement, statistique, tableau.
Ant. **I.** Baissé, bas, plat, rabaissé. **II.** Doux, fade, insipide. **III.** Disgracieux, ignoble, inférieur, vil, vulgaire.

Relèvement
Syn. **I.** Redressement. — Augmentation, hausse, majoration. — Relevé. **III.** Redressement *(fig.)*, réforme, rétablissement.
Ant. **I.** Abaissement, aplatissement. — Baisse, diminution, réduction. **III.** Avilissement, chute, effondrement.

Relever (et Se)
Syn. *(V. tr.)* **I.** Lever, monter, rebâtir, reconstituer, redresser, refaire, remettre, retrousser, soulever. — Élever, monter. **II.** Ramasser. — Assaisonner, épicer. — Relayer, remplacer. — Destituer, limoger, révoquer. Dégager, délier, libérer. **III.** Exalter, exciter, exhausser, ranimer, raviver, réconforter, rétablir. — Constater, copier, inscrire, noter, remarquer, signaler, souligner. — Corriger, reprendre. — Augmenter, hausser, majorer, revaloriser. — Accentuer, agrémenter, pimenter, rehausser *(V. intr.)* **I.** (Se) rétablir. **II.** Guérir. **I.** Dépendre. **II.**, Ressortir. **III.** Appartenir, concerner. *(V. pr.)* **I.** (Se) ramasser *(fam.)*, (se) redresser, remonter. **III.** (Se) remettre, ressusciter, (s'en) sortir.
Ant. *(V. tr.)* **I.** Affaisser, détruire, renverser. **II.** Affadir. — Réintégrer. — Astreindre, obliger à. **III.** Abaisser, abattre, affaiblir, dégrader, déprimer. — Approu-

ver, laisser faire. — Déprécier, diminuer, rabaisser, rabattre. — Affaiblir, édulcorer. *(V. intr.)* Descendre, tomber.

Relief(s)
Syn. **I.** *(Pl.)* Restes. — Bosse, inégalité, proéminence, saillie. — Bas-relief, haut-relief, modelé, sculpture. **III.** Apparence, contraste, éclat, évidence, lustre, opposition, ton. *Ant.* **I.** Creux, ravin. **III.** Banalité, effacement.

Relier
Syn. **I.** Assembler, brocher, cartonner, coudre. — Joindre, raccorder, unir. **III.** Attacher, enchaîner, lier, rassembler, réunir. *Ant.* **I.** Défaire, délier, dénouer, détacher, disjoindre, éparpiller. **III.** Désunir, séparer.

Religieux
Syn. (Adj.) **I.** Croyant, dévot, mystique, pieux, respectueux, sacré, saint. **II.** Attentif, exact, fidèle, minutieux, ponctuel, scrupuleux. *Ant.* **I.** Anticlérical, athée, impie, incroyant, infidèle, irréligieux, mondain, profane, temporel. — Civil, laïque. **II.** Indifférent, inexact, négligent.

Religion
Syn. **I.** Communion, confession, credo, croyance, culte, dévotion, doctrine, dogme, église, foi, piété. — Congrégation, couvent, état religieux, monastère, ordre. **III.** Devoir, respect, scrupule, vénération. *Ant.* **I.** Athéisme, hérésie, impiété, incroyance, irréligion, mépris.

Reliquat
Syn. **I.** Restant, reste. *Ant.* **I.** Entier, totalité, tout.

Reluire
Syn. **I.** Briller, éclater, illuminer, luire, rayonner. *Ant.* **I.** (S') assombrir, noircir, (s') obscurcir, ternir.

Reluisant
Syn. **I.** Éclatant, luisant, poli, rayonnant. **II.** Propre. **III.** Brillant. *Ant.* **I.** Dépoli, embu, mat. **II.** Sale, sali, souillé. **III.** Effacé, médiocre.

Reluquer V. *Regarder*

Remâcher
Syn. **III.** Rabâcher, réfléchir, repasser, reprendre, ressasser, revenir, ruminer. *Ant.* **III.** Négliger, omettre, passer outre.

Remaniement
Syn. **I.** Changement, correction, modification, réorganisation.

Remanier
Syn. **I.** Arranger, changer, corriger, modifier, refaire, refondre, réparer, retoucher, revoir, transformer. *Ant.* **I.** Conserver, préserver.

Remarquable
Syn. **I.** Distinct, étonnant, marquant, mémorable, notable, particulier, saillant. — Brillant, distingué, émérite, éminent, épatant *(fam.)*, extraordinaire, formidable *(fam.)*, important, insigne, parfait, rare, supérieur. *Ant.* **I.** Banal, commun, imparfait, inférieur, insignifiant, médiocre, nul, ordinaire, simple, vulgaire.

Remarque
Syn. **I.** Critique, objection, observation. — Annotation, aperçu, commentaire, considération, note, pensée, réflexion.

Remarquer
Syn. **I.** Apercevoir, constater, découvrir, discerner, distinguer, examiner, noter, observer, relever, voir. — Avertir, aviser, signaler.

Rembourré
Syn. **I.** Bourré, capitonné, matelassé. **II.** *(Fam.)* Grassouillet, gros. *Ant.* **I.** Creux, dépouillé, vide. **II.** Délicat, maigre.

Remboursement
Syn. **I.** Acquittement, amortissement, paiement, rachat, remise.
Ant. **I.** Débours, déboursement.

Rembourser
Syn. **I.** (S') acquitter, amortir, dédommager, indemniser, payer, remettre, rendre.
Ant. **I.** Avancer, débourser, emprunter, encaisser, endommager, garder, nuire, retenir.

Rembrunir (Se)
Syn. **III.** (S') assombrir, (s') attrister, (se) chagriner, (se) contrister.
Ant. **III.** (S') égayer, (s') épanouir, (s') illuminer, (se) réjouir.

Remède
Syn. **I.** Antidote, calmant, contrepoison, drogue, médicament, panacée, potion, traitement. **III.** Antidote, baume, expédient, moyen, palliatif, ressource, solution.
Ant. **I.** Mal, maladie.

Remédier
Syn. **I.** Guérir. **III.** Arranger, corriger, obvier, pallier, parer, préserver, réparer, sauver.
Ant. **III.** Attaquer, détruire, empirer, gâcher, perdre.

Remémorer (et Se)
Syn. **I.** *(V. tr.)* Évoquer, redire, repasser. — *(V. pr.)* (Se) rappeler, (se) souvenir.
Ant. **I.** Ignorer, oublier, passer.

Remercier
Syn. **I.** Bénir, dédommager, louer, rendre grâce, savoir gré. — Refuser. **III.** Chasser, congédier, destituer, renvoyer, révoquer.
Ant. **III.** Accepter, admettre, employer, engager, garder, réintégrer.

Remettre (et Se)
Syn. *(V. tr.)* **I.** Ramener, rapporter, replacer, retourner. — Confier, consigner, délivrer, donner, livrer, redonner, rendre, restituer. **II.** Raccommoder, redresser, remboîter, réparer, rétablir. — Ajourner, différer, reporter, retarder, surseoir. **III.** Absoudre, pardonner. *(V. pr.)* **I.** (Se) replacer. — Guérir, (se) relever, (se) rétablir. — (Se) calmer, (s'en) relever, (se) tranquilliser. — (Se) livrer.
Ant. *(V. tr.)* **I.** Déplacer. — Confisquer, conserver, emporter, enlever, garder, receler, refuser. **II.** Abîmer, disloquer. — Hâter, presser. **III.** Condamner.

Réminiscence
Syn. **I.** Ressouvenir, souvenance, souvenir.
Ant. **I.** Abandon, négligence, oubli.

Remise
Syn. **I.** Abri, débarras, garage, hangar, resserre. — Dégrèvement, dépôt, don, livraison, renonciation. — Commission, courtage, escompte, rabais, réduction, ristourne. — Ajournement, délai, sursis. **III.** Grâce, pardon, rémission.
Ant. **I.** Addition, retenue, supplément, taxe. — Conservation, maintien. **III.** Condamnation.

Remiser
Syn. **I.** Garer, placer, ranger, rentrer, serrer. **II.** (Se) débarrasser. **III.** *(Fam.)* Rabrouer, rembarrer.
Ant. **I.** Déplacer, déranger, sortir.

Rémission
Syn. **I.** Absolution, grâce, indulgence, miséricorde, pardon. **II.** Accalmie, apaisement, interruption, pause, répit. **III.** Rémittence.
Ant. **I.** Condamnation, refus, sévérité. **II.** Aggravation, crise.

Remonte-pente
Syn. **I.** Fil, funiculaire, remontée, téléférique, télésiège, téléski, tire-fesses *(fam.)*.

Remonter
Syn. *(V. tr.)* **I.** Gravir (de nouveau), parcourir. — Élever, exhausser, rassembler, relever. — Ajuster, réparer. **III.** Raffer-

mir, ranimer, réconforter, (se) ressaisir, rétablir, soutenir. *(V. intr.)* **I.** Monter (de nouveau), retourner, revenir. — (S') élever (de nouveau). **III.** (S') accroître, augmenter.
Ant. (V. tr.) **I.** Descendre, dévaler. — Abaisser. — Démonter, disloquer. **III.** Affaiblir, décourager, dégonfler *(fam.)*, déprimer. *(V. intr.)* **I.** Redescendre. **III.** Diminuer.

Remontrance
Syn. **I.** Admonestation, algarade, avertissement, blâme, critique, observation, représentation, réprimande, reproche, savon *(fam.)*, semonce.
Ant. **I.** Approbation, éloge, félicitation, louange.

Remords
Syn. **I.** Chagrin, componction, contrition, ferme propos, regret, repentir, reproche.
Ant. **I.** Contentement, paix, satisfaction, tranquillité.

Remorque
Syn. **I.** Baladeuse, caravane, roulotte, semi-remorque. **II.** Dépanneuse. **III.** À la suite de.

Remorquer
Syn. **I.** Dépanner, haler, tirer, touer, traîner.
Ant. **I.** Abandonner, dériver, lâcher, laisser.

Rempart
Syn. **I.** Enceinte, fortification, mur, muraille, parapet, talus, terre-plein. **III.** Bastion, bouclier, défense, protection, sauvegarde.
Ant. **I.** Brèche, ouverture, trou. **III.** Abandon, désertion, faiblesse.

Remplaçant
Syn. **I.** Doublure, intérimaire, relève, représentant, substitut, successeur, suppléant.
Ant. **I.** Titulaire.

Remplacer
Syn. **I.** Changer, doubler, relayer, relever, renouveler, représenter, substituer, succéder, supplanter, suppléer.
Ant. **I.** Conserver, garantir, garder, retenir.

Rempli
Syn. **I.** Comble, complet, pénétré, plein, saturé. — *(Fam.)* Bourré, gavé, gorgé, rassasié, repu. **II.** Accompli, tenu, terminé. — Employé, garni, occupé. **III.** *(Péj.)* Enflé, farci, gonflé, imbu.
Ant. **I.** Épuisé, incomplet, tari, vacant, vidé. — Affamé, creux, décharné. **II.** Débarrassé, dégagé, dégarni, dépeuplé, évacué. **III.** Effacé, humble.

Remplir
Syn. **I.** Bourrer, charger, combler, enfler, gonfler, saturer. **II.** Compléter, farcir, garnir, munir. **III.** *(Pers.)* Accomplir, (s') acquitter de, exécuter, exercer, occuper, réaliser, satisfaire à, tenir.
Ant. **I.** Assécher, creuser, débarrasser, évacuer, nettoyer, tarir, vider. **II.** Arrêter, dégager, dégarnir, dépeupler, dépouiller. **III.** Manquer à, négliger, omettre.

Remporter
Syn. **I.** Rapporter, reprendre, transporter. — Enlever, gagner, obtenir, vaincre.
Ant. **I.** Donner, laisser. — Manquer, perdre, rater.

Remuant
Syn. **I.** Agité, entreprenant, mobile, turbulent, vif.
Ant. **I.** Calme, endormi, fixe, immobile, inerte, languissant, passif, stationnaire.

Remuer
Syn. (V. tr.) **I.** Bouger, déplacer, déranger, mouvoir. — Battre, brasser, fouiller, malaxer, pétrir, retourner. **III.** Attendrir, bouleverser, émouvoir, peiner, toucher, troubler. *(V. intr.)* **I.** (S') agiter, bouger, branler, gesticuler, gigoter *(fam.)*. — (Se) balancer, frémir, frissonner, onduler. **II.**

(Se) soulever. *(V. pr.)* I. (Se) mouvoir. III. (S') agiter, (se) démener, (se) dépenser, (s') évertuer, (se) grouiller *(pop.)*. *Ant. (V. tr.)* I. Arrêter, cesser, fixer, immobiliser, retenir. III. Apaiser, réjouir, tranquilliser. *(V. pr.)* I. (Rester) immobile. III. Dormir.

Rémunération V. *Salaire*

Rémunérer
Syn. I. Appointer, indemniser, payer, rétribuer, salarier.
Ant. I. Garder, refuser.

Renaissance
Syn. I. *(Relig.)* Incarnation, régénération. III. Progrès, réapparition, renouveau, résurrection, retour, réveil.
Ant. III. Agonie, engourdissement, léthargie, mort, nonchalance, stagnation, torpeur.

Renaître
Syn. III. (Se) ranimer, réapparaître, recommencer, refleurir, (se) renouveler, repousser, (se) reproduire, ressusciter, revivre.
Ant. III. Agoniser, disparaître, (s') effacer, mourir.

Renchérir
Syn. I. Ajouter, augmenter, élever, enchérir, hausser. III. Amplifier, exagérer, exalter, pousser.
Ant. I. Baisser, diminuer. III. Abaisser, avilir, déprécier, discréditer, mépriser.

Rencontre
Syn. I. Coïncidence, conjoncture, croisement, hasard, hiatus, interférence, occasion, occurrence. − *(Pers.)* I. Confrontation, contact. II. Concours, congrès, entretien, entrevue, interview, rendez-vous, réunion. − Attaque, bataille, duel, échauffourée, engagement. − Combat, compétition, épreuve, match. − Choc, collision, heurt, tamponnement, télescopage.
Ant. I. Bifurcation, éloignement, fuite.

Rencontrer (et Se)
Syn. (V. tr.) I. Apercevoir, croiser, tomber sur, voir. II. Contacter, interviewer, joindre, (avoir, prendre) rendez-vous avec. − Atteindre, découvrir, trouver. − Matcher. − Heurter, tamponner, télescoper. *(V. pr.)* I. (Se) croiser, (se) heurter, (se) rejoindre, (se) réunir. − Être, exister, (se) trouver.
Ant. I. (S') éloigner, éviter, fuir, manquer.

Rendement
Syn. I. Bénéfice, gain, productivité, produit, profit, rapport, revenu. III. Effet, efficacité, fertilité.
Ant. I. Déficit, diminution, perte. III. Handicap, inefficacité.

Rendre (et Se)
Syn. (V. tr.) I. Donner, payer, porter, rapporter, redonner, rembourser, remettre, renvoyer, restituer, rétrocéder. − Rejeter, vomir. − Céder, livrer. II. Exécuter, exprimer, représenter, reproduire, traduire. III. Comprendre, prononcer. − *(V. intr.)* Produire, rapporter. *(V. pr.)* I. Aller, (se) transporter. − Capituler, céder, (se) livrer. III. Accéder à, acquiescer, déférer, obéir, (se) soumettre.
Ant. (V. tr.) I. Confisquer, conserver, dérober, emprunter, encaisser, garder, léser, receler, voler. − Absorber, digérer. II. Arrêter, taire.

Rendu
Syn. I. Arrivé, exécuté, prononcé, remis. V. *Harassé.*
Ant. I. Gardé, recelé, retenu.

Rêne
Syn. I. Bride, courroie, guide. III. Conduite, direction, gestion.

Renégat
Syn. I. Apostat, hérétique, schismatique. III. Déserteur, traître.
Ant. I. et III. Fidèle.

Renfermé
Syn. **I.** Confiné, enfermé. **II.** Cloîtré, emprisonné, interné, reclus. **III.** Caché, cachottier, concentré, contenu, dissimulé, fermé, muet, secret, solitaire, sombre, taciturne.
Ant. **I.** Aéré. — Libéré, libre. **III.** Communicatif, expansif, extériorisé, ouvert, sociable.

Renfermer (et Se)
Syn. (V. tr.) **I.** Cacher, confiner, emprisonner, séquestrer. — Circonscrire, enclore, entourer. — Contenir, posséder, recevoir. **III.** Comporter, comprendre, impliquer, inclure, receler. *(V. pr.)* **I.** (Se) claquemurer, receler. **III.** (Se) murer, (se) recueillir, (se) replier sur soi.
Ant. (V. tr.) **I.** Libérer. — Exposer, montrer, ouvrir. **III.** Exclure. *(V. pr.)* **I.** Sortir. **III.** Communiquer, (s') épancher.

Renflé
Syn. **I.** Arrondi, bombé, convexe, courbé, enflé, épais, galbé, gibbeux, gonflé, pansu, rond.
Ant. **I.** Aplati, creux, mince, plat.

Renforcer
Syn. **I.** Armer, consolider, doubler, étayer, jumeler. **II.** Grossir. **III.** Affermir, appuyer, corroborer, fortifier.
Ant. **I.** Abattre, détruire, ébranler, saper. **II.** Diminuer. **III.** Affaiblir.

Renfort
Syn. **I.** Consolidation, renforcement. **III.** Aide, appui, assistance, auxiliaire, secours, soutien, supplément.
Ant. **III.** Affaiblissement, dommage, épuisement, obstacle, préjudice.

Rengaine
Syn. **I.** Banalité, rabâchage, redite, refrain, répétition, scie.
Ant. **I.** Nouveauté, trouvaille.

Renier
Syn. **I.** Abjurer, apostasier, désavouer, méconnaître, renoncer, rétracter. **II.**

Abandonner, déserter, rejeter, répudier.
Ant. **I.** (Se) convertir, embrasser, professer, reconnaître. **II.** Aider, aimer, défendre, louer, secourir, vanter.

Renom et Renommée
Syn. **I.** Célébrité, considération, gloire, notoriété, popularité, réputation, vogue.
Ant. **I.** Banalité, déconsidération, discrédit, médiocrité, obscurité, ombre, oubli.

Renommé
Syn. **I.** Célèbre, fameux, réputé.
Ant. **I.** Ignoré, inconnu, obscur.

Renoncement
Syn. **I.** Abandon, abnégation, altruisme, délaissement, dépouillement, désintéressement, désistement, détachement, oubli, renonciation, sacrifice.
Ant. **I.** Attachement, avidité, conservation, égoïsme, réclamation, revendication.

Renoncer (et Se)
Syn. (V. tr.) **I.** Abandonner, (se) défaire, délaisser, (se) départir, (se) dépouiller, (se) désister, (se) dessaisir, laisser, (se) priver, quitter, reculer, (se) retirer. **II.** Abdiquer, abjurer, apostasier, renier. **III.** *(Mor., relig.)* (Se) désintéresser, (se) détacher, divorcer *(fig.)*, mourir à. *(V. pr.)* **III.** (S') oublier, (se) sacrifier.
Ant. (V. tr.) **I.** (S') attacher, (s') attribuer, conserver, continuer, garder, maintenir, persévérer, persister, réclamer, revendiquer. **II.** Accepter, consentir, vouloir. **III.** (S') attacher, (s') intéresser, tenir à.

Renonciation V. *Abandon*

Renouer
Syn. **I.** Nouer, rattacher. **III.** (Se) réconcilier, renouveler, reprendre, rétablir.
Ant. **I.** Délier, dénouer, détacher, disjoindre, séparer. **III.** Interrompre, supprimer.

Renouveau
Syn. **I.** Printemps. **III.** Recommencement, renaissance, renouvellement, reprise, résurrection, retour, réveil.

Ant. **I.** Arrière-saison, morte-saison. **II.** Déclin, langueur, monotonie, torpeur.

Renouveler (et Se)
Syn. (V. tr.) **I.** Changer, moderniser, rafraîchir, rajeunir, ranimer, rappeler, raviver, refaire, régénérer, réitérer, remplacer, renouer *(fig.)*, rénover, ressusciter *(fig.)*, rétablir, réveiller, revigorer, transformer. **II.** *(Dr.)* Proroger, reconduire. *(V. pr.)* **I.** Recommencer, (se) réformer, renaître, réparer, repousser, (se) reproduire. *Ant.* **I.** Continuer, garder, maintenir, supprimer, vieillir. **II.** Abolir, abroger, annuler.

Renouvellement
Syn. **I.** Réapprovisionnement, recommencement, régénération, remplacement, renaissance, renouveau, rétablissement, transformation. **II.** *(Dr.)* Prorogation, rénovation. — *(Relig.)* Confirmation, rénovation. *Ant.* **I.** Conservation, maintien, suppression. **II.** Abolition, abrogation, annulation.

Rénovation
Syn. **I.** Amélioration, modernisation, rajeunissement, régénération, renouvellement, réparation, restauration, résurrection, transformation. **II.** *(Relig.)* Confirmation, renouvellement. *Ant.* **I.** Décadence, dégradation, détérioration, rétrogradation.

Rénover
Syn. **I.** Améliorer, moderniser, rafraîchir, renouveler, réparer, transformer.

Renseignement(s)
Syn. **I.** Avis, communication, confidence, document(s), documentation, enquête, indication, indice, information, nouvelle(s), précision, révélation, tuyau *(fam.)*. *Ant.* **I.** Cachotterie, mutisme, réticence.

Renseigner (et Se)
Syn. **I.** *(V. tr.)* Avertir, éclairer, informer, initier, instruire. — *(V. pr.)* Demander, (se) documenter, (s') enquérir, enquêter, interroger.

Rente
Syn. **I.** Annuité, arrérages, intérêt, produit, rapport, revenu. *Ant.* **I.** Charge, créance, obligation, redevance.

Rentrée
Syn. **I.** Réapparition, réinstallation, réintégration, reprise, retour. — *(Fin.)* Encaissement, perception, recette, recouvrement. *Ant.* **I.** Départ, disparition, sortie, vacances. — Dépense.

Rentrer
Syn. (V. intr.) **I.** Réapparaître, réinstaller, réintégrer, retourner, revenir. — *(Ch.)* (S') emboîter, (s') enfoncer, pénétrer. **II.** Recouvrer, récupérer, retrouver. **III.** Entrer, (s') insérer. *(V. tr.)* **I.** Cacher, dissimuler, introduire, remiser. **II.** Enfoncer. **III.** Refouler. *Ant.* **I.** Disparaître, échapper, (s') éloigner, quitter, ressortir, sortir.

Renversé
Syn. **II.** Déconcerté, étonné, stupéfait, stupéfié. *Ant.* **II.** Calme, froid, indifférent, rassuré.

Renversement
Syn. **I.** Changement, interversion, retournement, transposition. **II.** Révolution. **III.** Anéantissement, bouleversement, chambardement, chute, culbute, dégringolade, éboulement, écroulement, effondrement, ruine. *Ant.* **I.** Redressement, remise (en ordre). **II.** Équilibre, stabilité. **III.** Construction, établissement, gain, progrès, relèvement, succès, triomphe, victoire.

Renverser
Syn. **I.** Intervertir, inverser, retourner, transposer. — Abattre, bouleverser, coucher, culbuter, démolir, démonter, désarçonner, enfoncer, étendre, faucher, pencher, répandre, terrasser, verser. **III.** Abattre, chasser, déboulonner *(fig.)*, défaire *(fig.* et *fam.)*, détrôner, détruire, saper, vaincre.
Ant. **I.** Redresser, remettre, rétablir. — Bâtir, consolider, construire, édifier, élever, garder, ramasser, relever, retenir, solidifier. **III.** Aider, constituer, couronner, défendre, établir, instaurer.

Renvoi
Syn. **I.** Congé, congédiement, destitution, exclusion, expulsion, licenciement, révocation. — *(Dr.)* Ajournement, remise. — Retour. **II.** Astérisque, marque, référence, signe.
Ant. **I.** Acceptation, admission, adoption, embauchage, embauche, engagement, maintien, rappel. — Envoi, réception.

Renvoyer
Syn. **I.** Réexpédier, refuser, remettre, rendre, retourner. — Relancer. — Chasser, congédier, démobiliser, destituer, disgracier, éconduire, exclure, libérer, licencier, répudier. — Adresser à, transmettre. — *(Dr.)* Ajourner, différer, reporter, retarder. **II.** Réfléchir, refléter, répercuter, répéter.
Ant. **I.** Accepter, accueillir, admettre, agréer, appeler, embaucher, employer, engager, garder, introduire, prendre, recevoir, recruter, retenir.

Réorganiser
Syn. **I.** Améliorer, arranger, rebâtir, reconstruire, remanier, réparer, rétablir.
Ant. **I.** Abandonner, désorganiser, dissoudre, liquider.

Repaire
Syn. **I.** Antre, bauge, caverne, gîte, retraite, tanière, terrier, trou. **II.** Abri, asile, nid, refuge.

Repaître (et Se)
Syn. (V. tr.) **III.** Duper, entretenir, flatter, nourrir. *(V. pr.)* **I.** (S') assouvir, dévorer, jouir de, (se) nourrir, (se) rassasier. *Ant.* **I.** (S') abstenir, affamer, jeûner, (se) priver, rationner.

Répandre (et Se)
Syn. (V. tr.) **I.** Déverser, renverser, verser. — Couvrir, diffuser, dispenser, disséminer, émettre, éparpiller, étaler, étendre, jeter, joncher, parsemer, semer. **II.** Colporter, diffuser, divulguer, ébruiter, lancer, populariser, propager, publier, vulgariser. — Dispenser, distribuer, épancher, prodiguer. *(V. pr.)* **I.** *(Ch.)* Couler, déborder, (se) dégager, (se) déverser, (s') écouler, (s') exhaler. — *(Pers.)* Abonder, envahir, remplir. **III.** (S') accréditer, circuler, courir, (s') épancher, (s') étendre, gagner, (se) manifester, (se) propager.
Ant. (V. tr.) **I.** Amasser, garder, ramasser, retenir. **II.** Arrêter, cacher, capter, empêcher, réprimer, taire. — Accaparer, comprimer, économiser, épargner. *(V. pr.)* **III.** (Se) confiner.

Répandu
Syn. **I.** *(P.p. de répandre)* Diffus, épars, profus. **III.** Accrédité, connu, courant, dominant, notoire, populaire, public, universel.
Ant. **I.** Amassé, concentré, ramassé, rassemblé. **II.** Caché, inconnu, masqué, mystérieux, restreint, voilé.

Réparation
Syn. **I.** Amélioration, radoub, réfection, replâtrage, restauration. **III.** Expiation, raccommodement *(fam.)*, redressement, satisfaction. — Compensation, dédommagement, indemnité.
Ant. **I.** Dégât, destruction, détérioration, dommage, endommagement.

Réparer
Syn. **I.** Améliorer, arranger, consolider, rafistoler *(fam.)*, rafraîchir, rajuster, ra-

piécer, refaire, relever, remanier, rénover, reprendre, repriser, restaurer, rétablir, retaper *(fam.)*. **III.** Corriger, dédommager, effacer, expier, racheter, redresser, réhabiliter, remédier à.
Ant. **I.** Abîmer, détériorer, détruire, endommager, ruiner. **III.** Aggraver, blesser, gâter, pervertir.

Repartie V. *Réponse*

Repartir
Syn. **III.** Répliquer, répondre, riposter. — Recommencer, reprendre.
Ant. **III.** (Se) taire. — Cesser.

Répartir
Syn. **I.** Disperser, distribuer, diviser, partager, séparer. **II.** Classer, échelonner, étaler.
Ant. **I.** (S') accaparer, (s') attribuer, garder, monopoliser, ramasser, retenir. **II.** Regrouper, réunir.

Repas
Syn. **I.** Agapes, banquet, buffet, cassecroûte, collation, déjeûner, dîner, dînette, festin, goûter, lunch, pique-nique, réfection, réveillon, souper.
Ant. **I.** Abstinence, jeûne, privation.

Repasser
Syn. (V. intr.) **I.** Retourner, revenir. *(V. tr.)* **I.** Affiler, affûter, aiguiser. — Défriper, lisser. **III.** Apprendre, calculer, examiner, relire, répéter, réviser, revoir, vérifier. — Évoquer, remémorer, retracer.
Ant. (V. tr.) **I.** Émousser. — Chiffonner, froisser. **III.** Laisser, négliger, omettre. — Oublier.

Repêcher
Syn. **I.** Reprendre, retirer, retrouver. **III.** Aider, sauver.
Ant. **I.** Abandonner, noyer. **III.** Perdre, rejeter.

Repentant
Syn. **I.** Confus, contrit, marri, pénitent.

Ant. **I.** Content, impénitent, satisfait.

Repentir (et Se) repentir
Syn. **I.** *(N.)* Componction, contrition, regret, remords, repentance. — *(V. pr.)* Pleurer, regretter, (se) reprocher, (s'en) vouloir.
Ant. **I.** *(N.)* Contentement, satisfaction. — *(V.)* (S') obstiner.

Répercussion
Syn. **I.** Écho, réflexion, renvoi. **III.** Choc, conséquence, contrecoup, effet, incidence, retentissement, suite.

Repère
Syn. **I.** Empreinte, jalon, marque, signe. **III.** Jalon.
Ant. **III.** Confusion, équivoque, incertitude, obscurité, tâtonnement.

Repérer
Syn. **I.** Borner, déterminer, fixer, indiquer, jalonner, marquer, orienter, signaler. **II.** Apercevoir, découvrir, dénicher, dépister, détecter, flairer, reconnaître, remarquer, retrouver.
Ant. **I.** Omettre, tâtonner. **II.** Perdre de vue.

Répertoire
Syn. **I.** Catalogue, classement, fichier, index, inventaire, liste, nomenclature, recueil, registre, relevé, table, tableau, vade-mecum. — Agenda, cahier, carnet.

Répertoriser
Syn. **I.** Cataloguer, classer, classifier, inscrire.
Ant. **I.** Déclasser, mêler.

Répéter
Syn. **I.** Redire, réitérer. — Rabâcher, radoter, rebattre (les oreilles), ressasser, seriner. — Raconter, rapporter. **II.** *(Ch.)* Réfléchir, reproduire. — *(Pers.)* Multiplier, recommencer, refaire, renouveler. — Apprendre, récapituler, repasser.
Ant. **I.** Abandonner, arrêter, cesser, renoncer, terminer. — (S') abstenir, négli-

ger, omettre, supprimer. **II.** Créer, innover.

Répétition
Syn. **I.** Rabâchage *(fam.)*, radotage, redite, refrain, rengaine, ritournelle, scie. — Pléonasme, redondance, tautologie. — Fréquence, rechute, récidive, recommencement, réitération, reprise, retour, routine. — Cours, étude, leçon, révision. **II.** Copie, écho, imitation, réplique, reproduction. *Ant.* **I.** et **II.** Création, innovation, nouveauté, primeur.

Répit
Syn. **I.** Arrêt, cessation, délai, interruption, sursis, trêve. — Détente, pause, relâche, repos. *Ant.* **I.** Continuation, continuité, prolongement, suite. — Fatigue.

Replet
Syn. **I.** Corpulent, courtaud, dodu, gras, grassouillet, gros, pansu, rondelet, trapu, ventru. *Ant.* **I.** Délicat, élancé, fluet, maigre, maigrichon, malingre, mince.

Repli (s)
Syn. **I.** Pli, ourlet, rebord, rempli, revers, ride. **II.** Nœud, sinuosité. **III.** *(Pl.)* Recoins. *Ant.* **I.** Égalité, plan, régularité, uniformité.

Replier (et Se)
Syn. (V. tr.) **I.** Plier, retrousser. **II.** Abaisser, courber, ployer, reployer. *(V. pr.)* **I.** (Se) pelotonner, (se) ramasser, (se) recroqueviller, (se) tortiller. — Battre en retraite, reculer, (se) retirer, rétrograder. **III.** (S') abstraire, (se) recueillir, réfléchir, (se) renfermer. *Ant.* **I.** Déplier, étendre. **II.** Déployer, redresser, relever. *(V. pr.)* **I.** (S') étendre. — Avancer, lutter, progresser. **III.** (S') épancher.

Réplique
Syn. **I.** Boutade, repartie, réponse, riposte. — Discussion, objection, observation. **II.** Copie, double, répétition, reproduction. — Jumeau, sosie. *Ant.* **I.** Abstention, couardise, mutisme, reculade. — Rétractation.

Répondant
Syn. **I.** Caution, endosseur, garant, otage, porte-parole, responsable. *Ant.* **I.** Débiteur, requérant.

Répondre
Syn. (V. tr. ou intr.) **I.** Dire, objecter, récriminer, réfuter, rembarrer, repartir, répliquer, riposter. — *(Répondre à)* Raisonner, répliquer. — Correspondre avec, écrire à. — (S') accorder, concorder avec, correspondre à, satisfaire à. — (Se) présenter, rendre, (se) rendre. **II.** Obéir, opposer, réagir. — *(Répondre de)* Affirmer, assurer. — Assumer, cautionner, couvrir, endosser, (s') engager, garantir, (être) responsable. *Ant.* **I.** Demander, interroger, questionner, (se) récuser, (se) taire. — Décevoir. **II.** (S') opposer. — Désavouer, (se) désolidariser.

Réponse
Syn. **I.** Boutade, repartie, réplique, riposte, saillie. **II.** Explication, justification, objection, réaction, réfutation, solution, verdict. *Ant.* **I.** Abstention, demande, interrogation, mutisme, question, réticence. **II.** Accusation, approbation.

Reporter (et Se)
Syn. **I.** *(V. tr.)* Rapporter, rejeter, reléguer, retourner. — Ajourner, différer, remettre, renvoyer. — *(V. pr.)* (Se) référer, revenir, (se) transporter. *Ant.* **I.** Garder, laisser, procéder.

Repos
Syn. **I.** Congé, convalescence, délassement, détente, distraction, loisir, récréa-

tion, relaxation, vacances. — Arrêt, halte, pause, relâche, répit. **II.** Immobilité, sieste, sommeil. **III.** Calme, paix, quiétude, tranquillité.
Ant. **I.** Effort, fatigue, labeur, travail. **II.** Agitation, insomnie, mobilité, mouvement. **III.** Alerte, brouhaha, bruit, ennui, peine.

Reposer (et Se)
Syn. *(V. intr.)* **II.** Dormir, gésir. *(Reposer sur)* **I.** (S') appuyer, porter. **III.** Être basé, fondé, dépendre. *(V. pr.)* **I.** (Se) délasser, (se) détendre, (se) relaxer, souffler. **III.** *(Se reposer sur)* (S') appuyer, compter, (se) décharger, (se) fier.
Ant. **I.** Fatiguer, lasser, travailler. **III.** (S') inquiéter, (se) méfier.

Repoussant
Syn. **I.** Dégoûtant, écœurant, fétide, infect, nauséabond, répugnant, sale. — Affreux, hideux, laid, monstrueux. **III.** Antipathique, désagréable, ignoble, répulsif.
Ant. **I.** Alléchant, appétissant, beau, joli, net, propre, séduisant. **III.** Agréable, attrayant, captivant, charmant, noble.

Repousser
Syn. **I.** Écarter, éloigner, reculer, refouler, résister à. **II.** Bannir, chasser, déloger, éconduire, rebuter, vaincre. — Dégoûter, déplaire. **III.** Décliner, refuser, réfuter, rejeter, renvoyer.
Ant. **I.** Accueillir, appeler, inviter, rapprocher. **II.** Attaquer, recevoir. — Attirer, plaire. **III.** Accepter, accorder, admettre, envier, rechercher.

Répréhensible
Syn. **I.** Blâmable, condamnable, critiquable, punissable. — *(Pers.)* Coupable.
Ant. **I.** Irrépréhensible, irréprochable, louable, recommandable. — Innocent.

Reprendre
Syn. *(V. tr.)* **I.** Rattraper, recouvrer, récupérer, regagner, remporter, ressaisir, retirer, retrouver. — Raccommoder, réparer,

retoucher. — Continuer, poursuivre, recommencer, (se) remettre à, renouer. **II.** Redire, répéter. **III.** Blâmer, censurer, corriger, désapprouver, réprimander, tancer. *(V. intr.)* Repousser. — Recommencer. — Revenir.
Ant. *(V. tr.)* **I.** Laisser, quitter, redonner. — Détériorer. — Cesser, discontinuer, finir, interrompre. **III.** Approuver, louanger, louer.

Représailles
Syn. **I.** Châtiments, contre-attaque, riposte. **II.** Revanche, vengeance.
Ant. **I.** Fuite, pardon, retraite.

Représentant
Syn. **I.** Agent, commis, commissionnaire, voyageur. — Correspondant, délégué, intermédiaire, mandataire, porte-parole, procureur, remplaçant, substitut. — Ambassadeur, chargé d'affaires, commissaire, consul, diplomate, légat, nonce. **II.** Échantillon, modèle, type.
Ant. **I.** Commettant, employeur, patron.

Représentation(s)
Syn. **I.** Dessin, effigie, emblème, fac-similé, figure, image, signe, symbole. — *(Psycho.)* Évocation, perception. — Comédie, pièce, reproduction, spectacle. **III.** Délégation, diplomatie, mandat. — *(Pl.)* Protestations.
Ant. **I.** Original.

Représenter
Syn. **I.** Désigner, dessiner, exprimer, figurer, imaginer, imiter, peindre, reproduire, symboliser. — Décrire, dépeindre, évoquer, exposer, personnifier, rappeler, refléter. **II.** Donner, incarner, interpréter, jouer, mettre en scène. — Postuler *(dr.)*, remplacer. — *(Ch.)* Correspondre à, équivaloir à. **III.** Avertir, remontrer.
Ant. **I.** Cacher, dissimuler, effacer. **II.** Déléguer. **III.** Approuver, féliciter.

Répressif
Syn. **I.** Coercitif, correctif, limitatif, pé-

nal, préventif, prohibitif, restrictif.
Ant. **I.** Autorisé, complaisant, encourageant, libre, permis.

Réprimande
Syn. **I.** Admonestation, avertissement, blâme, correction, critique, observation, remontrance, reproche, semonce.
Ant. **I.** Approbation, compliment, éloge, félicitation, louange.

Réprimander
Syn. **I.** Admonester, blâmer, chicaner, condamner, gronder, houspiller, morigéner, reprendre, semoncer, sermonner, tancer.
Ant. **I.** Approuver, complimenter, louer.

Réprimer
Syn. **I.** Arrêter, brider, contenir, contraindre, empêcher, étouffer, modérer, refouler, refréner, retenir. — Châtier, punir, sévir.
Ant. **I.** Aider, aiguillonner, consentir, continuer, exciter, faciliter, favoriser, encourager, permettre, tolérer.

Reprise
Syn. **I.** Raccommodage, rapiéçage, ravaudage, réparation, stoppage. **II.** Continuation, récidive, recommencement, regain, relance, réouverture, retour.
Ant. **II.** Abandon, arrêt, baisse, cessation, déclin, diminution, discontinuation, fermeture, ralentissement, récession.

Repriser V. *Raccommoder*

Réprobation
Syn. **I.** *(Relig.)* Damnation, malédiction. — Anathème, blâme. **II.** Condamnation, désapprobation, mécontentement, réprimande, reproche, répulsion.
Ant. **I.** Justification, salut. **II.** Apologie, approbation, compliment, contentement, satisfaction.

Reproche V. *Réprimande*

Reproduction
Syn. **I.** Fécondation, génération, multiplication, propagation. — Image, imitation,

reflet, répétition, représentation. — Édition, impression, publication. **II.** Calque, cliché, copie, double, duplicata, épreuve, fac-similé, réplique.
Ant. **I.** Création, nouveauté, original, primeur.

Reproduire (et Se)
Syn. *(V. tr.)* **I.** Produire, répéter, reprendre. — Dessiner, peindre. — Éditer, imprimer, photocopier, photographier, polycopier. **II.** Calquer, contrefaire, copier, imiter, mimer, refaire, refléter, rendre, représenter, singer. — *(V. pr.)* Engendrer, (se) multiplier, (se) perpétuer, proliférer, (se) propager. — Recommencer, (se) répéter.
Ant. **I.** Créer, innover.

Réprouver
Syn. **I.** *(Relig.)* Damner, maudire. — Anathématiser, blâmer. **II.** Condamner, critiquer, désapprouver, désavouer, rejeter, repousser.
Ant. **I.** Absoudre, bénir, pardonner, sauver. **II.** Accepter, agréer, approuver, louanger.

Repu
Syn. **I.** Contenté, gavé, rassasié, satisfait.
Ant. **I.** Affamé, avide, famélique, insatiable, vide.

Répudier
Syn. **I.** Divorcer, renvoyer, rompre. **II.** Abandonner, rejeter, renier, renoncer, repousser.
Ant. **I.** Accepter, accueillir, épouser. **II.** Adhérer, admettre, approuver, concéder, continuer.

Répugnance
Syn. **I.** Dédain, dégoût, écœurement, nausée, répulsion. **III.** Antipathie, aversion, horreur, hostilité, opposition.
Ant. **I.** Attirance, attraction, attrait, charme, envie, goût. **III.** Séduction, sympathie.

Répugnant
Syn. **I.** Dégoûtant, écœurant, fétide, in-

fect, rebutant, repoussant, sale. **III.** Abject, affreux, antipathique, déplaisant, désagréable, détestable, laid.
Ant. **I.** Alléchant, désirable, parfumé, propre, ragoûtant, savoureux. **III.** Agréable, attirant, attrayant, beau, charmant, séduisant, sympathique.

Répulsion V. *Répugnance*

Réputation V. *Renom*

Réputé
Syn. **I.** *(P.p.)* Considéré comme, estimé, regardé comme. — *(Adj.)* Célèbre, connu, coté, fameux, renommé, (en) vogue.
Ant. **I.** Inconnu, obscur.

Requérir
Syn. **I.** Demander, exiger, nécessiter, réclamer, sommer. **II.** Prier, solliciter.
Ant. **I.** Décliner, refuser.

Requête
Syn. **I.** Demande, démarche, instance, pétition, placet, prière, sollicitation, supplique.

Réquisition
Syn. **I.** Demande, levée *(dr.),* réclamation, réquisitoire *(dr. crim.).*

Rescinder V. *Annuler*

Réseau
Syn. **II.** Enchevêtrement, ensemble, entrelacement, labyrinthe, lacis. **III.** Organisation.

Réserve(s)
Syn. **I.** Approvisionnement, économie, épargne, provision, stock. — Arrière-boutique, dépôt, entrepôt, magasin. — Réservoir. — Territoire (réservé). **III.** *(Pl. dr.)* Protestations, restrictions. — Circonspection, discrétion, modération, modestie, prudence, retenue, réticence.
Ant. **I.** Dépense, dissipation, gaspillage, prodigalité. **III.** Audace, familiarité, hardiesse, imprudence, impudence, indiscrétion.

Réservé
Syn. **I.** Dévolu, gardé, privé, retenu. **III.** Circonspect, discret, modéré, modeste, prudent, sage, sérieux, sobre. — Contenu, secret.
Ant. **III.** Audacieux, effronté, expansif, familier, fat, immodéré, imprudent, indiscret.

Réserver
Syn. **I.** Conserver, économiser, épargner, garder. — Assurer, louer, retenir. **III.** Attribuer, destiner, ménager, prédestiner.
Ant. **I.** Dépenser, détruire, gaspiller, lâcher. — Disposer, donner.

Résidence V. *Maison*

Résider
Syn. **I.** Demeurer, domicilier *(admin.),* habiter, séjourner. **III.** Consister en.
Ant. **I.** Laisser, partir, quitter.

Résidu
Syn. **I.** Boue, déchet, dépôt, détritus, ordure(s), rebut, reste, scorie, sédiment.

Résignation
Syn. **I.** Docilité, endurance, impassibilité, obéissance, patience, soumission.
Ant. **I.** Énervement, fatigue, impatience, irritation, lutte, protestation, révolte.

Résigné
Syn. **I.** Docile, endurant, obéissant, patient, philosophe, soumis.
Ant. **I.** Entêté, factieux, impatient, indigné, insoumis, insurgé, irascible, irrité, rebelle, rétif, révolté.

Résigner (et Se)
Syn. **I.** *(V. tr.)* Abandonner, abdiquer, (se) démettre, démissionner, quitter, renoncer à. — *(V. pr.)* (S') abandonner, accepter, céder, consentir, (se) plier, (se) rendre, (se) résoudre, (se) soumettre, subir.
Ant. **I.** *(V. tr.)* Demeurer, garder, rester, retenir. — *(V. pr.)* (S') insurger, lutter, (s') opposer, protester, (se) révolter.

Résilier V. *Annuler*

Résistance
Syn. **I.** Dureté, force, inertie, solidité. **II.**
Défense, difficulté, obstacle, obstruction,
opposition, réaction. **III.** Endurance, fermeté, opiniâtreté, ténacité. — Désobéissance, entêtement, insurrection, non-violence, rébellion, refus, sédition.
Ant. **I.** Faiblesse, fragilité. **II.** Abandon,
attaque, capitulation, fuite. **III.** Acquiescement, adhésion, approbation, assentiment, consentement, coopération, soumission.

Résistant
Syn. **I.** Consistant, fort, inusable, rénitent
(méd.,) rustique *(agric.)*, tenace, vivace.
III. Endurant, énergique, ferme, robuste,
solide, vigoureux.
Ant. **I.** Faible, fragile, mou. **III.** Débile,
fluet, maladif, réceptif, soumis.

Résister
Syn. **I.** Durer, (se) maintenir, supporter,
survivre, tenir (bon). — Combattre, (se)
débattre, (se) défendre, lutter contre,
(s') opposer, repousser, tenir (tête). **III.**
(Se) cabrer, contrarier, contrecarrer, désobéir, réagir contre, (se) rebiffer, refuser, regimber, (se) révolter.
Ant. **I.** Céder, crouler, fléchir, ployer. —
Capituler, (s') enfuir, (se) rendre, succomber. **III.** Accéder, consentir, obéir,
vouloir.

Résolu
Syn. **I.** Assuré, brave, courageux, décidé,
déterminé, énergique, ferme, hardi, intrépide, opiniâtre.
Ant. **I.** Faible, indéterminé, irrésolu, lâche, mou, peureux.

Résolution
Syn. **I.** Décomposition, transformation.
II. Annulation, dissolution, rescision, résiliation, révocation. **III.** Dessein, détermination, intention, parti, propos, proposition. — Programme, projet, vœu. — Au-

dace, courage, décision, énergie, fermeté,
hardiesse.
Ant. **III.** Crainte, doute, hésitation, faiblesse, indécision, irrésolution.

Résonnant
Syn. **I.** Éclatant, retentissant, sonore.
Ant. **I.** Aphone, atone, étouffé, faible, si-
lencieux, sourd.

Résorber
Syn. **I.** *(Méd.)* Résoudre. **II.** Absorber,
avaler, boire, happer, manger. **III.** Com-
primer, diminuer.
Ant. **II.** Remettre, restituer, vomir. **III.**
Accroître, manifester.

Résoudre (et Se)
Syn. (V. tr.) **I.** Analyser, changer, décomposer, désagréger, dissoudre, transformer. — Résorber *(méd.)*. **II.** Annuler
(dr.), décider, dénouer, déterminer, deviner, régler, solutionner, trancher, trouver,
vider. *(V. pr.)* **I.** (Se) décider, (se) déterminer, (se) résigner à.
Ant. **II.** Dévier, (s') égarer, errer, (se) méprendre, (se) tromper. *(V. pr.)* **I.** Douter,
tergiverser.

Respect(s)
Syn. **I.** Considération, déférence, estime,
politesse, pudeur, révérence, vénération.
— *(Pl.)* Civilités, devoirs, égards, hommages, salutations, témoignages. **II.** Adoration, culte, piété.
Ant. **I.** Arrogance, désinvolture, effronterie, insolence, irrévérence, mépris.

Respectable
Syn. **I.** Auguste, digne, estimable, honorable, sacré, vénérable. **II.** Important, imposant.
Ant. **I.** Bas, dédaignable, déshonorant,
grossier, impoli, insolent, méprisable,
vulgaire. **II.** Insignifiant.

Respectabilité
Syn. **I.** Dignité, estime, honorabilité.
Ant. **I.** Indignité, irrévérence.

Respecter
Syn. **I.** Considérer, craindre, estimer, honorer, révérer, vénérer. — **II.** Épargner, garder, ménager, obéir à, observer.
Ant. **I.** Attaquer, déshonorer, insulter, mépriser, offenser, outrager, profaner. **II.** Attenter, blesser, déroger, désobéir, empiéter, enfreindre, violer.

Respectif
Syn. **I.** Mutuel, réciproque.
Ant. **I.** Absolu, général, illimité, indépendant, infini, universel.

Respectueux
Syn. **I.** Courtois, déférent, humble, poli, prévenant, révérencieux.
Ant. **I.** Dédaigneux, effronté, grossier, impoli, insolent, irrespectueux, irrévérencieux, méprisant, outrageant.

Respirer
Syn. (V. intr.) **I.** Aspirer, expirer, inspirer, souffler. — Haleter, ronfler. **II.** Vivre. (S') arrêter, éprouver du soulagement, (se) reposer, reprendre haleine, revivre. **III.** Apparaître, éclater. *(V. tr.)* **I.** Absorber, humer, inhaler, prendre le frais, renifler, sentir. **III.** Exprimer, manifester, marquer, montrer, témoigner.
Ant. **I.** Asphyxier, étouffer, étrangler, mourir, suffoquer.

Resplendir
Syn. **I.** Briller, chatoyer, étinceler, flamboyer, (s') illuminer, luire, miroiter, rayonner, rutiler, scintiller.
Ant. **I.** (S') assombrir, (s') obscurcir, pâlir, ternir.

Resplendissant
Syn. **I.** Brillant, éclatant, étincelant, rutilant, scintillant.
Ant. **I.** Obscur, pâle, sombre, terne.

Responsabilité
Syn. **I.** Devoir, engagement, exigence, obligation. — Culpabilité, faute, imputabilité. **II.** Sanction. — Caution, charge,

dignité, office, situation, tâche.
Ant. **I.** Droit, indépendance, liberté. — Irresponsabilité, non-responsabilité.

Responsable
Syn. **I.** *(Adj.)* Comptable, engagé, garant, solidaire. — *(N.)* Auteur, chargé de, coupable. — Chef, dirigeant. — Cause, raison suffisante.
Ant. **I.** Irresponsable.

Ressaisir (et Se)
Syn. **I.** *(V. tr.)* Raccrocher, rattraper, recouvrer, reprendre. — *(V. pr.)*(Se) maîtriser, redevenir maître de, (se) retrouver.
Ant. **I.** *(V. tr.)* Abandonner.

Ressasser
Syn. **I.** Insister, rabâcher, réitérer, remâcher, répéter, revenir sur, ruminer.
Ant. **I.** Glisser sur.

Ressemblance
Syn. **I.** Accord, affinité, concordance, conformité, correspondance, identité, parenté, parité, rapport, relation, similitude, symétrie. **II.** Image, imitation, portrait, représentation, reproduction, sosie.
Ant. **I.** Contraste, différence, disparité, dissemblance, dissimilitude, opposition, variété.

Ressembler
Syn. **I.** Évoquer, rappeler, tenir de. — (S') apparenter, approcher de, copier, imiter, représenter.
Ant. **I.** Contraster, différer, diverger, (s') opposer.

Ressentiment
Syn. **I.** Aigreur, amertume, animosité, colère, dépit, haine, hostilité, rancœur, rancune, vengeance, vindicte.
Ant. **I.** Amitié, amour, attachement, indulgence, oubli, pardon.

Ressentir
Syn. **I.** Éprouver, goûter, sentir. — Connaître, endurer, souffrir, subir.
Ant. **I.** Ignorer. — Bénéficier, jouir.

Resserrer (et Se)
Syn. (V. tr.) I. Comprimer, contracter, diminuer, refermer, rétrécir, serrer. II. Presser, tasser. III. Abréger, condenser. — Comprimer, étouffer, refouler, réprimer, retenir. *(V. pr.)* I. (Se) contracter, (se) crisper, (se) rétrécir. III. (Se) rapprocher. *Ant. (V. tr.)* I. Desserrer, dilater, élargir, relâcher. II. Écarter. III. Diluer. — Épanouir. *(V. pr.)* I. (Se) dilater. III. (Se) relâcher.

Ressort
Syn. I. Amortisseur, déclic, suspension. III. Activité, cran *(fam.)*, énergie, force, moteur, volonté. I. Attribution *(dr.)*, compétence, domaine, juridiction, ressource, sphère. *Ant.* III. Atonie, inertie. I. Incompétence.

Ressortir
Syn. I. (Se) détacher. II. (Se) contraster, découper, trancher. III. Apparaître, briller, (se) révéler. I. Concerner *(dr.)*, dépendre de, relever de. — Déduire, (se) dégager, résulter. *Ant.* I. (Se) creuser, (s') effacer. II. Accorder, unifier. III. (Se) cacher, disparaître.

Ressource(s)
Syn. I. Arme, atout, excuse, expédient, moyen, recours, refuge, remède, ressort, secours. — *(Pl.)* Argent, bourse, capital, économies, finance, fonds, fortune, recettes, revenus, richesses, trésorerie. III. Biens, facultés, moyens, possibilités. *Ant.* I. Pauvreté. III. Incapacité.

Ressusciter
Syn. (V. intr.) I. Reprendre vie, revivre. II. Guérir, (se) remettre, renaître, (se) rétablir. III. Réapparaître, redevenir, (se) relever. *(V. tr.)* I. Faire revivre. II. Ranimer, rétablir. III. Déterrer, exhumer, renouveler, réveiller. *Ant. (V. intr.)* I. Ensevelir. II. Tomber malade. III. Descendre, tomber. *(V. tr.)* I. Abattre. II. Assoupir. III. Maintenir.

Restaurant
Syn. I. Buffet, cabaret, café-restaurant, cafétéria, cantine, gargote, grill-room, hôtel-restaurant, libre-service (self-service), mess, popote, relais, restauroute (ou restoroute), rôtisserie, snack-bar, wagon-restaurant.

Restaurateur
Syn. I. Aubergiste, hôtelier, traiteur. *Ant.* I. Consommateur.

Restauration
Syn. I. Régénération, rénovation, rétablissement — Reconstruction, réfection. *Ant.* I. Déposition, destitution. — Dégât, dégradation, détérioration.

Restaurer (et Se)
Syn. (V. tr.) I. Rétablir. — *(Bx-arts)* Améliorer, reconstituer, refaire, remettre à neuf, rénover, réparer. *(V. pr.)* I. Manger, (se) sustenter. *Ant.* I. *(V. tr.)* Débiliter. — Destituer, renverser. — Dégrader, endommager.

Reste(s)
Syn. I. Complément, différence, excédent, reliquat, solde, soulte, surplus. — Et caetera. — *(Pl.)* Débris, décombres, dépouille, épave, fragments, ruines, traces, vestiges. — Bribes, détritus, miettes, rebuts, reliefs, résidus, restants. — Cendres, os, ossements, reliques. — Descendants, survivants. *Ant.* I. Entier, tout.

Rester
Syn. I. Demeurer, (être) domicilié, habiter *(fam.)*, loger, résider, séjourner. — (Se) maintenir, stationner. — (Se) conserver, durer, (se) perpétuer, persévérer, persister, subsister, tenir. III. Croupir, moisir, pourrir. — Mourir *(fam.)*. — Laisser en chemin, en plan, en route, en suspens. — Garder en secret, (se) souvenir. *Ant.* I. (S') absenter, accourir, (se) déplacer, déserter, disparaître, (s') en aller,

(s') enfuir, (s') esquiver, fuir, partir, quitter. — Bouger, branler. **III.** (S') effacer.

Restituer
Syn. **I.** Redonner, remettre, rendre, retourner. — Reconstituer, recréer, rétablir. — Dégager, libérer, reproduire.
Ant. **I.** Confisquer, dépouiller, dérober, (s') emparer, emprunter, garder, prendre, retenir, voler.

Restreindre
Syn. **I.** Abréger, amoindrir, borner à, comprimer, contraindre, délimiter, diminuer, gêner, limiter à, modérer, rabaisser, raccourcir, rationner, réduire.
Ant. **I.** Accroître, agrandir, amplifier, augmenter, compléter, développer, élargir, étendre, exagérer, généraliser, grandir, propager.

Restrictif
Syn. **I.** Étroit, limitatif, prohibitif, strict.
Ant. **I.** Extensif, illimité, permissif.

Restriction(s)
Syn. **I.** Critique, doute, réserve, réticence. — Équivoque, restriction mentale, sousentendu. — Amoindrissement, compression, économie, limitation. — *(Pl.)* Privations, rationnement, réductions.
Ant. **I.** Accroissement, agrandissement, amplification, augmentation, élargissement, exagération, extension.

Résultat(s)
Syn. **I.** Aboutissement, bilan, conclusion, conséquence, contrecoup, décision, dénouement, échec, effet, fin, issue, progrès, réussite, séquelle, solution, succès, suite. — Produit, quotient, réponse, résultante, somme. — Oeuvre, ouvrage. — *(Pl.)* Notes, places, points, votes.
Ant. **I.** Cause, facteur, point de départ, principe, source.

Résulter
Syn. *(V. intr.)* **I.** Découler, dépendre, (s') ensuivre, être issu, naître, procéder,

provenir, venir de. — Entraîner, produire, sortir, suivre. *(Impers.)* Advenir, apparaître, apparoir *(dr.)*, arriver, déduire, (se) dégager, donner, impliquer, ressortir, tenir.
Ant. **I.** Causer, provoquer.

Résumé
Syn. **I.** Abrégé, aide-mémoire, analyse, aperçu, condensé, digest, diminution, épitomé, extrait, mémento, précis, récapitulation, réduction, relevé, sommaire, synopsis, synthèse. **II.** Bilan.
Ant. **I.** Amplification, développement, paraphrase.

Résumer
Syn. **I.** Abréger, analyser, condenser, diminuer, écourter, récapituler, réduire.
Ant. **I.** Développer, exposer.

Rétablir (et Se)
Syn. *(V. tr.)* **I.** Arranger, ramener, reconstituer, refaire, relever, renouveler, réparer, replacer, restaurer, restituer. **II.** Réhabiliter, réinstaller, réintégrer. — Guérir, ranimer, remettre, retaper, sauver. *(V. pr.)* **I.** Renaître, revenir. *(Pers.)* (S') améliorer, guérir, (se) refaire, (se) relever, (se) remettre, ressusciter, (en) revenir, (s'en) tirer.
Ant. **I.** Abattre, briser, détruire, endommager, renverser. **II.** Déplacer, muter.

Rétablissement
Syn. **I.** Remise, restauration. — Amélioration, relèvement. Convalescence, guérison, recouvrement, retour à la santé.
Ant. **I.** Anéantissement, interruption. — Aggravation, épuisement, langueur.

Retaper
Syn. *(Fam.)* **I.** Défroisser, taper, tirer. **II.** Améliorer, arranger, rafistoler *(fam.)*, réparer. — Réconforter, remonter, rétablir, revigorer.
Ant. **I.** Froisser. **II.** Défaire, détruire. — (S') épuiser, languir.

Retard

Syn. **I.** Ajournement, atermoiement, délai, retardement. **II.** Lenteur, piétinement, ralentissement. — Décalage.
Ant. **I.** et **II.** Accélération, avancement, empressement, hâte.

Retardataire

Syn. **I.** Lambin, lent, traînard. **II.** Arriéré, infirme, retardé, sous-développé. — Archaïque, attardé, désuet.
Ant. **I.** Ponctuel. **II.** Hâtif, précoce. — Avancé, moderne.

Retarder

Syn. **I.** Arrêter, attarder, ralentir. — Ajourner, atermoyer, décaler, différer, éloigner, reculer, remettre, reporter, surseoir à, traîner. — Empêcher.
Ant. **I.** Accélérer, activer, agir, avancer, poursuivre, précipiter. — Anticiper, hâter.

Retenir (et Se)

Syn. (V. tr.) **I.** Accaparer, conserver, déduire, détenir, garder, précompter, prélever, rabattre, retrancher. — Accrocher, arrêter, attacher, clouer, empêcher, emprisonner, enchaîner, étreindre, fixer, immobiliser, maintenir, tenir. — (S') assurer de, engager, louer, réserver. **II.** Apprendre, (se) rappeler, (se) souvenir. **III.** Comprimer, contraindre, étouffer, modérer, réprimer. *(V. pr.)* **I.** (S') accrocher, (se) cramponner, (se) rattraper. **III.** (S') abstenir, (se) contenir, (se) contraindre, différer de, (s') empêcher.
Ant. (V. tr.) **I.** Abandonner, céder, donner, remettre, rendre, restituer. — Lâcher, laisser, libérer. **III.** Animer, entraîner, exciter.

Retentir

Syn. **I.** Bruire, crier, éclater, frapper, remplir, répercuter, résonner, tinter, tonner, vibrer, vrombir. **III.** Réagir, (se) répercuter.
Ant. **I.** Amortir, assourdir, étouffer.

Retentissant

Syn. **I.** Assourdissant, bruyant, résonnant, sonore, tonitruant, vibrant. **II.** Éclatant, éminent, fracassant, glorieux, illustre.
Ant. **I.** Étouffé, sourd. **II.** Ignoré, inconnu, insignifiant, médiocre.

Retentissement

Syn. **I.** Contrecoup, répercussion, résonance. **II.** Bruit, éclat, publicité, renommée, succès.
Ant. **I.** Silence. **II.** Échec, effacement, obscurité.

Retenu

Syn. **I.** Gardé, loué, réservé. **II.** Collé *(fam.)*, consigné, puni. **III.** Circonspect, discret, modéré, sobre, tempérant.
Ant. **I.** Libre. **II.** Libéré. **III.** Effréné, expansif, extravagant.

Retenue

Syn. **I.** Précompte, prélèvement, recouvrement d'impôt. — Barrage, bassin, réservoir. **II.** Colle, consigne, punition. **III.** Circonspection, décence, dignité, discrétion, mesure, modération, modestie, réserve, sagesse, sobriété, tenue.
Ant. **I.** Bénéfice, boni, excédent, gratification, guelte, pourboire, prime. **II.** Élargissement, libération. **III.** Audace, désinvolture, effusion, excès, familiarité, impudence, incontinence, indécence, indiscrétion, laisser-aller, licence.

Réticence

Syn. **I.** Cachotterie, demi-mot, dissimulation, faux-fuyant, omission, restriction (mentale), sous-entendu. — Interruption, silence, suspension. **II.** Hésitation, réserve.
Ant. **I.** Aveu, franc-parler, sincérité. **II.** Assurance.

Rétif

Syn. **I.** Ramingue, vicieux. **III.** Difficile, indocile, quinteux, rebelle, récalcitrant, rêche, résistant, revêche, têtu.

Ant. **III.** Discipliné, docile, doux, facile, maniable, soumis.

Retiré
Syn. **I.** Retraité. — Désert, détourné, (à l') écart, écarté, éloigné, isolé, lointain, reculé, secret, solitaire. *Ant.* **I.** En activité. — Fréquenté, proche, public, rapproché, voisin.

Retirer (et Se)
Syn. (V. tr.) **I.** Arracher, dégager, dépouiller, déraciner, déterrer, enlever, extraire, ôter, prendre, ramener, remorquer, repêcher, reprendre. **II.** Abolir, annuler, renoncer, (se) rétracter, supprimer. — Bénéficier, gagner, hériter, percevoir, prélever, recueillir, soutirer, toucher. *(V. pr.)* **I.** (S'en) aller, disparaître, (se) disperser, (s') éclipser, (s') éloigner, fausser compagnie, partir, prendre congé, quitter, reculer, sortir. — Abandonner, (se) démettre, démissionner, (se) désister. — Descendre, refluer. — (Se) contracter, (se) rétracter, rétrécir. — (Se) cacher, (se) cantonner, (s') ensevelir, (s') enterrer, (s') isoler, (se) réfugier. *Ant. (V. tr.)* **I.** Ajouter, apporter, déposer, donner, mettre, remettre. **II.** Maintenir. — Perdre, prêter, rendre. *(V. pr.)* **I.** (S') avancer, entrer, envahir. — Demeurer, rester. — Monter *(eaux)*. — (Se) dilater. — Apparaître, (se) montrer, paraître.

Retomber
Syn. **I.** Redescendre, tomber. — (S') incliner, (se) pencher, pendre, (se) rabattre. **III.** Rechuter, récidiver. — Revenir à. — Être attribué, être rejeté sur, incomber à, peser, rejaillir sur. *Ant.* **I.** Monter, remonter. **III.** (Se) relever.

Rétorquer
Syn. **I.** Contredire, critiquer, objecter, réfuter, répliquer, répondre, riposter. *Ant.* **I.** Approuver, confirmer, (se) taire.

Retors
Syn. **I.** Tordu. **III.** Artificieux, astucieux, cauteleux, fin, finaud, habile, madré, malin, matois, rusé, tortueux. *Ant.* **III.** Direct, droit, simple.

Retouche
Syn. **I.** Amélioration, correction, reprise. — Glacis, rehaut, touche. — Essayage, modification, rectification.

Retoucher
Syn. **I.** Améliorer, arranger, corriger, remanier, reprendre, revoir. — Modifier, rectifier, repiquer *(phot.)*. **III.** Châtier, limer, perfectionner.

Retour
Syn. **I.** Réexpédition, renvoi. — Annonce, réapparition, recommencement, regain, renaissance, renouveau, rentrée, réveil. — Palingénésie, périodicité, répétition, reprise, rythme. **III.** Changement, conversion, retournement, revirement. *Ant.* **I.** Aller, départ, disparition, éloignement, séparation.

Retourner (et Se)
Syn. (V. intr.) **I.** Aller, (s') éloigner, partir, rebrousser chemin, refluer, regagner, réintégrer, rejoindre, rentrer, repartir, revenir. **III.** Reprendre, retrouver, revenir à. *(V. tr.)* **I.** Renverser, tourner. — Bêcher, fouiller, labourer, remuer. — Réexpédier, refuser, renvoyer. **III.** Examiner, ruminer. *(V. pr.)* **I.** Capoter, chavirer, faire demi-tour, (se) rabattre.

Retracer
Syn. **I.** Dessiner, repeindre, tracer. **III.** Conter, décrire, dépeindre, évoquer, exposer, raconter, rappeler, représenter. *Ant.* **III.** Effacer, rayer.

Rétractation
Syn. **I.** Désaveu, palinodie, reniement, réparation (d'honneur). — Abjuration *(rel.)*, annulation *(dr.)*. *Ant.* **I.** Affirmation, aveu, confirmation.

Rétracter (et Se)
Syn. (V. tr.) **I.** Contracter. **II.** Abandonner, abjurer, annuler, démentir, désavouer, nier, renier, reprendre, retirer. *(V. pr.)* **I.** (Se) contracter, (se) recroqueviller, (se) resserrer, (se) retirer. **III.** (Se) dédire, (se) désavouer. *Ant. (V. tr.)* **I.** Dilater. **II.** Affirmer, confirmer. *(V. pr.)* **I.** (Se) contracter, (se) défendre. **II.** (Se) louer.

Retrait
Syn. **I.** Reflux. — Évacuation, recul. — Contraction, diminution. **II.** Annulation, suppression. **III.** Abandon. — Défense, repli sur soi. *Ant.* **I.** Avance, crue. — Dilatation. **II.** Dépôt.

Retraite
Syn. **I.** *(Milit.)* Décrochage, défense, marche, recul, reflux, repli. — Débâcle, débandade, déroute, exode, fuite. **II.** Abri, asile, caverne, gîte, réduit, refuge. — Repaire, tanière, terrier. **III.** Repos, solitude. — Récollection. — Pension, rente, revenu. *Ant.* **I.** Avance, défense, invasion. **III.** Activité, occupation.

Retrancher (et Se)
Syn. (V. tr.) **I.** Amputer, couper, éliminer, émonder, enlever, ôter, supprimer, tailler. — Décompter, déduire, défalquer, distraire, prélever, rabattre, retenir, retirer, rogner, soustraire. **II.** Abréger, biffer, élaguer, expurger, tronquer. — Exclure, excommunier. *(V. pr.)* **I.** (Se) fortifier, (se) protéger. *Ant. (V. tr.)* **I.** Ajouter, augmenter, mettre, remettre. — Additionner, majorer, multiplier. — Amplifier, conserver. — Réintégrer.

Rétréci
Syn. **I.** Contracté, diminué, étranglé, étréci, étroit, exigu, resserré. **III.** Borné, étriqué, inintelligent, limité, obtus.

Ant. **I.** Ample, amplifié, développé, dilaté, élargi, étendu, large. **III.** Intelligent, ouvert.

Retremper
Syn. **III.** Fortifier, ranimer, remonter, revigorer, vivifier. *Ant.* **III.** Débiliter, déprimer, épuiser.

Rétribuer
Syn. **I.** Attribuer, indemniser, payer, rémunérer. — Appointer, salarier. **II.** Acquitter, gratifier, honorer, régler, solder, verser. — Récompenser. *Ant.* **I.** Enlever, ôter, prélever. — Déduire, prélever, réduire.

Rétribution
Syn. **I.** Appointements, cachet, commission, émoluments, gages, honoraires, paiement, paye, rémunération, salaire, solde, traitement. — Droit, gain, indemnité. **II.** Récompense. *Ant.* **I.** Bénévolat, gratuité, précompte, prélèvement, saisie.

Rétroactif
Syn. **I.** Antérieur, passé, rétrospectif. *Ant.* **I.** Progressif, prospectif.

Rétrograde
Syn. **III.** Arriéré, conservateur, contre-révolutionnaire, immobiliste, réactionnaire, régressif, retardataire. *Ant.* **III.** Novateur, progressif, progressiste, révolutionnaire.

Rétrograder
Syn. **I.** Reculer, remonter. **II.** Baisser, déchoir, descendre, régresser, retarder. *Ant.* **I.** Avancer. **II.** Progresser.

Retrousser
Syn. **I.** Découvrir, ramener, relever, remonter, replier, soulever, trousser. *Ant.* **I.** Baisser, cacher, rabattre.

Retrouver (et Se)
Syn. (V. tr.) **I.** Découvrir, reconquérir, recouvrer, récupérer, regagner, repren-

dre, ressaisir. — Atteindre, attraper, dépister, joindre, rattraper, rejoindre, repincer. **II.** Distinguer, identifier, reconnaître, revoir, trouver. *(V. pr.)* **I.** (S') orienter, (se) reconnaître. — (Se) rencontrer. *Ant.* **I.** Égarer, oublier, perdre. — Dérouter.

Réunion
Syn. **I.** *(Ch.)* Adjonction, annexion, assemblage, incorporation, jonction, rapprochement, rassemblement, rattachement. — Accumulation, agglomération, agrégation, amalgame, entassement, mélange, salade *(péj.)*. — Combinaison, concentration, confusion, conjonction, convergence, enchaînement, synthèse, union. — Amas, bloc, bouquet, chapelet, collection, couple, faisceau, gerbe, groupe, masse, paire, recueil, tas. — *(Pers.)* Aréopage, assemblée, assises, carrefour, cénacle, chapitre, colloque, comité, commission, complot, concile, conciliabule, conférence, congrès, conseil, consistoire, débat, états généraux, groupement, meeting, séance de travail, séminaire, symposium, synode, table ronde. — Assistance, auditoire, compagnie, congrégation. **II.** *(Ch.)* Accord, adhérence, alliance, fusion, liaison, mariage, rencontre. — *(Pers.)* Colonie, communauté, confédération, fédération. population, sénat, société, syndicat. **III.** Syncrétisme. *Ant.* **I.** Désunion, dispersion, dissociation, division, éparpillement, fractionnement, partage, séparation.

Réunir (et Se)
Syn. **I.** *(V. tr.)* *(Ch.)* Assembler, attacher, combiner, grouper, joindre, lier, ramasser, unir. — Adjoindre, ajouter, annexer, incorporer. — Accumuler, additionner, agencer, amasser, entasser, mélanger, mêler, recomposer. — Concilier, confondre, cumuler, englober. — Accoupler, appareiller, apparier. — *(Pers.)* Associer, convoquer, inviter, rassembler. — *(V. pr.)*

(Pers.) (Se) rapprocher, (se) rencontrer, (se) retrouver. *Ant.* **I.** *(Ch.)* Couper, désagréger, désunir, détacher, disjoindre, disperser, disséminer, dissocier, diviser, éparpiller, fractionner, fragmenter, parsemer, partager, séparer, soustraire. — *(Pers.)* Brouiller, désaccorder, dissoudre (une assemblée).

Réussir
Syn. **I.** *(Ch.)* Aboutir, (s') accomplir, avancer, marcher *(fam.)*, plaire, prospérer, (se) réaliser, tourner bien. — *(Pers.)* Arriver, atteindre à, parvenir. — Entreprendre, (s'en) tirer. — (L') emporter, gagner, triompher, vaincre. — Briller, percer. *Ant.* **I.** Avorter, échouer, être collé *(fam.)*, être recalé, manquer, rater.

Réussite
Syn. **I.** Gain, succès, triomphe, victoire. — Bonheur, chance, veine. *Ant.* **I.** Désastre, échec, insuccès. — Infortune, malchance, malheur.

Revalorisation
Syn. **I.** Relèvement, valorisation. — Accroissement, hausse, majoration, montée des prix, montée en flèche. *Ant.* **I.** Avilissement, dépréciation, dévalorisation. — Déflation, dévaluation.

Revaloriser
Syn. **I.** Relever, surenchérir, valoriser. — Accroître, élever, enchérir, hausser, majorer, monter, réévaluer, renchérir. *Ant.* **I.** Avilir, déprécier, dévaluer.

Revanche
Syn. **I.** Talion, vengeance, vindicte. — Châtiment, représailles, ressentiment, riposte. **III.** Compensation, consolation, dédommagement, réparation. *Ant.* **I.** Oubli, pardon.

Rêve
Syn. **I.** Cauchemar, songe. **II.** Ambition, chimère, désir, espérance, hallucination,

illusion, imagination, mirage, phantasme, rêvasserie, rêverie, songerie, utopie. *Ant.* **I.** Veille. **II.** Accomplissement, action, exécution, réalisation, réalité, réel.

Revêche
Syn. **I.** Acariâtre, bourru, difficile, dur, grincheux, hargneux, intraitable, maussade, rébarbatif, rêche. *Ant.* **I.** Avenant, doux, mielleux.

Réveiller (et Se)
Syn. (V. tr.) **I.** Éveiller. **III.** Aviver, dérouiller, exalter, exciter, galvaniser, provoquer, ranimer, raviver, ressusciter, revivifier, stimuler. — Évoquer, rappeler. *(V. pr.)* **I.** (S') éveiller. **III.** *(Pers.)* (Se) remuer, (se) secouer. *(Ch.)* Renaître. *Ant.* **I.** Assoupir, endormir. **III.** Apaiser, attiédir, engourdir, étourdir, hébéter.

Révélateur
Syn. **I.** Accusateur, caractéristique, déterminant, distinctif, divulgateur, personnel, significatif, spécifique, symptomatique. *Ant.* **I.** Secret, trompeur.

Révélation
Syn. **I.** Divination, illumination, mystère, religion, vision. — Aveu, divulgation, indiscrétion. **II.** Confidence, déclaration, information, initiation. *Ant.* **I.** Duperie, tromperie. **II.** Obscurité, secret.

Révéler (et Se)
Syn. (V. tr.) **I.** Apprendre, communiquer, déceler, découvrir, dévoiler, divulguer, épancher, manifester, parler, proclamer. — Déclarer, dire, enseigner, initier, instruire, rapporter, redire, trahir. **II.** Détecter. — Accuser, annoncer, attester, démasquer, dénoncer, exhiber, indiquer, marquer, montrer, prouver, témoigner. — Éveiller, sentir. *(V. pr.)* **I.** Apparaître, (s') avérer, (se) dessiner, (se) manifester, ressortir, surgir, (se) trouver. *Ant.* **I.** Cacher, celer, dissimuler, garder, omettre, taire. — Couvrir.

Revenant
Syn. **I.** Apparition, double, esprit, fantôme, spectre, vision.

Revendication
Syn. **I.** Demande, desiderata, doléances, exigence, plainte, prétention, réclamation. — Pétition, requête. *Ant.* **I.** Abandon, renonciation.

Revendiquer
Syn. **I.** Demander, (se) plaindre, prétendre à, réclamer. **III.** (S') arroger, assumer, (s') attribuer, (se) charger de, exiger, prendre sur soi. *Ant.* **I.** Donner, refuser. **III.** (Se) décharger, décliner, rejeter, renoncer.

Revenir
Syn. **I.** *(Pers.)* Rebrousser chemin, reculer, regagner, réintégrer, rejoindre, rentrer, reparaître, repasser, retourner, tourner bride. — Guérir, renaître, reprendre conscience, (se) rétablir, revivre. — *(Ch.)* Refluer. — Appartenir, coûter, échoir, équivaloir, incomber, valoir. **III.** Annuler, changer d'avis, (se) contredire, (se) dédire, (se) déjuger, (se) rétracter. — (Se) remettre à, reprendre. *Ant.* **I.** *(Pers.)* (S'en) aller, disparaître, partir, quitter, repartir. — (S') évanouir.

Revenu
Syn. **I.** Avantage, fruit, gain, intérêt, loyer, produit, profit, rapport, rente, usufruit. — Denier, dotation, pension, salaire, traitement. — Casuel, préhende. *Ant.* **I.** Capital, fonds. — Dépense.

Rêver
Syn. (V. intr.) **II.** Béer. — Divaguer, rêvasser, songer. *(V. tr.)* **III.** Ambitionner, convoiter, désirer, souhaiter. — Forger, imaginer, inventer, penser, projeter. *Ant.* **III.** Accomplir, agir, réaliser.

Réverbérer
Syn. **I.** Diffuser, réfléchir, refléter, renvoyer, transmettre. — Faire écho, répercuter.

Révérence
Syn. **I.** Considération, déférence, égard, estime, respect, vénération. − Courtoisie, hommage, honneur. − Culte, piété. **II.** Courbette, inclination, salamalec, salut, salutation.
Ant. **I.** Inconvenance, irrévérence, mépris.

Révérencieux
Syn. **I.** Cérémonieux, déférent, humble, obséquieux, poli, respectueux.
Ant. **I.** Dédaigneux, familier, grossier, impoli, irrespectueux, irrévérencieux, orgueilleux, simple.

Révérer
Syn. **I.** Adorer, craindre, honorer, respecter, vénérer.
Ant. **I.** Déshonorer, flétrir, mépriser, offenser.

Rêverie V. *Rêve*

Revers
Syn. **I.** Derrière, dos, envers, verso. − Pile. − Parement, repli, retroussis. **III.** Accident, déboire, déception, défaite, échec, épreuve, inconvénient, infortune, insuccès, malchance, malheur, traverse, tribulations, vicissitude.
Ant. **I.** Avers, endroit, face, obvers, recto. **III.** Chance, fortune, réussite, succès, victoire.

Revêtir
Syn. **I.** Endosser, habiller, mettre, vêtir. − Couvrir, enduire, garnir, orner, protéger, recouvrir, tapisser. − Pourvoir. **II.** Accréditer, autoriser, investir. **III.** Emprunter, parer. − Colorer, décorer.
Ant. **I.** Dénuder, dépouiller, dévêtir.

Rêveur
Syn. (Adj.) **I.** Imaginatif, méditatif, pensif, romanesque, songeur. **II.** Perplexe, soucieux. *(N.)* **I.** Contemplateur, penseur, poète. − *(Péj.)* Idéologue, lunatique, rêvasseur, songe-creux, utopiste, visionnaire.

Ant. **I.** Actif, pratique, réaliste. − Réalisateur.

Revigorer
Syn. **I.** Ragaillardir, ravigoter, réconforter, remonter, restaurer, soutenir, stimuler.
Ant. **I.** Déprimer, endormir, épuiser.

Revirement
Syn. **I.** Changement, détournement, évolution, renversement. **III.** Cabriole, palinodie, pirouette, retournement, volteface.

Réviser
Syn. **I.** Collationner, examiner, repasser, reprendre, revoir, vérifier. − Améliorer, changer, corriger, modifier, réformer.
Ant. **I.** Laisser aller.

Réviseur
Syn. **I.** Juge *(dr.).* − Correcteur, examinateur, vérificateur.

Révision
Syn. **I.** Examen, vérification. − Amélioration, amendement, changement, correction, mise à jour, modification, remaniement.

Revivifier
Syn. **I.** Ranimer, ravigoter, ressusciter, réveiller, revigorer, vivifier.
Ant. **I.** Assoupir, éteindre, étouffer.

Revivre
Syn. (V. intr.) **I.** Ressusciter, revenir à la vie. **II.** Reprendre de l'énergie, des forces. − Respirer. − (Se) continuer dans. *(V. tr.)* **I.** Recommencer. **III.** Évoquer, (se) rappeler.
Ant. (V. intr.) **I.** (S') éteindre, mourir.

Révocation
Syn. **I.** Abolition, abrogation, annulation, contrordre, dédit *(dr.).* − *(Pers.)* Congédiement, destitution, exclusion, licenciement, renvoi.
Ant. **I.** Maintien. − Désignation, nomination.

Revoir
Syn. **I.** Regarder de nouveau, retrouver, voir de nouveau. — Examiner, reconsidérer, réviser. **II.** Améliorer, corriger, limer, polir, repasser, reprendre, retoucher. — (Se) rappeler, (se) représenter, revivre, (se) souvenir.
Ant. **I.** Dire adieu. **II.** Bâcler, saboter.

Révoltant
Syn. **I.** Choquant, criant, dégoûtant, indigne, odieux.
Ant. **I.** Convenable, convenant, délicat, digne.

Révolte
Syn. **I.** Désobéissance, insoumission, insubordination. — Dissidence, émeute, faction, guerre civile, insurrection, lutte, mutinerie, putsch, rébellion, révolution, sécession, sédition, soulèvement, troubles. **II.** Hostilité, indignation, opposition violente, résistance.
Ant. **I.** Conformisme, conformité, obéissance, résignation, soumission.

Révolté
Syn. **I.** Dissident, émeutier, insoumis, rebelle, séditieux. — Factieux, insurgé, mutin. **II.** Contestataire, insolent, résistant, révolutionnaire. **III.** Indigne, outré.
Ant. **I.** Résigné, soumis. **II.** Conformiste.

Révolter (et Se)
Syn. (V. tr.) **I.** Choquer, dégoûter, écœurer, fâcher, indigner. *(V. pr.)* **I.** (S') insurger, (se) mutiner, (se) rebeller, (se) soulever. **II.** (Se) cabrer, désobéir, protester, regimber, résister. — (Se) dresser contre, (s') élever. **III.** Crier au scandale, (s') indigner, refuser.
Ant. (V. tr.) **I.** Apaiser, calmer. — Charmer, soumettre. *(V. pr.)* **I., II.** et **III.** Céder, (se) conformer, obéir, (se) résigner.

Révolu
Syn. **II.** Accompli, achevé, écoulé, fini, passé. — Complet, sonné *(fam.)*. — Défunt, disparu, périmé.

Ant. **II.** Inachevé, incomplet. — Actuel, vivant.

Révolution
Syn. **I.** Bouleversement, cataclysme, chambardement, changement, renversement, tourmente. — *(Fam.)* Agitation, bagarre, ébullition, effervescence, fermentation, feu. — Courbe, cycle, gravitation, marche, rotation, tour. **II.** Forces révolutionnaires, gouvernement, pouvoir. **III.** Convulsion, incendie.
Ant. **I.** Calme, concorde, contre-révolution, paix, réaction, soumission.

Révolutionnaire
Syn. **I.** Agitateur, factieux *(péj.)*, militant, rebelle, révolté, séditieux. — Novateur.
Ant. **I.** Anti-révolutionnaire, contre-révolutionnaire. — Conservateur, continuateur, réactionnaire, traditionaliste. — Réformiste.

Révolutionner
Syn. **I.** Agiter, bouleverser, chambarder, changer, émouvoir. **II.** Modifier, transformer.
Ant. **I.** Apaiser, calmer, modérer. **II.** Laisser, maintenir.

Révoquer
Syn. **I.** *(Pers.)* Casser, congédier, dégrader, déposer, destituer, exclure, limoger, relever (de ses fonctions), renvoyer, suspendre. **II.** Abolir, abroger, annuler *(dr.)*, contremander, rapporter. — Contester, douter de, mettre en doute, nier, suspecter.
Ant. **I.** Réintégrer. **II.** Confirmer, établir, ratifier. — Croire.

Revue
Syn. **I.** Inspection, inventaire, révision, vérification. — Dénombrement, recensement. — Défilé, parade, prise d'armes. **II.** Annales, bulletin, digest, magazine, périodique. — Spectacle de variété.

Riant
Syn. **I.** Beau, enchanteur, fleuri, rayon-

nant. **II.** Gai, réjoui, souriant. **III.** Agréable, gracieux.
Ant. **I.** Douloureux, triste. **II.** Abrupt, austère, désertique, funèbre. **III.** Sauvage, sombre.

Ribambelle
Syn. **I.** Cortège, défilé, enfilade, file, flopée *(pop.)*, kyrielle *(fam.)*, quantité, série, suite, tapée *(pop.)*.

Ribote
Syn. **I.** Bombe, bringue *(pop.)*, débauche, foire *(pop.)*, noce, orgie.
Ant. **I.** Sobriété, tempérance.

Ricaneur
Syn. **I.** Méprisant, moqueur, railleur.
Ant. **I.** Sérieux.

Riche
Syn. *(Pers.)* **I.** *(Adj.)* Aisé, argenté *(fam.)*, argenteux *(pop.)*, cossu, cousu d'or, fortuné, galetteux *(pop.)*, gros, huppé, nanti, opulent, pourvu, richissime, rupin *(pop.)*. *(N.)* **I.** Capitaliste *(fam.)*, milliardaire, millionnaire, nabab. — Parvenu. — *(Ch.)* Abondant, copieux, généreux, nourri, nourrissant, nutritif. — Coûteux, fastueux, somptueux. **II.** Fécond, fertile, florissant, luxuriant, plantureux, productif, prospère.
Ant. *(Pers.)* **I.** Besogneux, chiche, dépourvu, famélique, indigent, malheureux, miséreux, nécessiteux, pauvre, ruiné. *(Ch.)* **I.** Court, maigre, médiocre, mesquin. **II.** Aride, chenu, infécond, infertile, stérile.

Richesse
Syn. **I.** Argent, avoir, bien, capital, finance, fonds, fortune, moyen(s), or. — Abondance, aisance, importance, opulence, prospérité. — Ressource, trésor. **III.** Fécondité, fertilité. — Éclat, faste, luxe, magnificence, somptuosité.
Ant. **I.** Besoin, dénuement, épuisement, gêne, indigence, médiocrité, misère, pauvreté, ruine. **III.** Aridité, désert, stérilité.

Ricochet
Syn. **I.** Bond, rebond, saut. **III.** Conséquence, contrecoup, éclaboussure, effet, rebondissement, retour, suite.

Rictus
Syn. **I.** Contraction. **II.** Grimace, rire forcé.

Ride
Syn. **I.** Creux, ligne, patte d'oie, pli, plissement, raie, sillon, strie. **II.** Onde, ondulation.
Ant. **I.** Égalité, plan, uniformité.

Ridé
Syn. **I.** Crispé, flétri, froncé, parcheminé, plissé, rabougri *(fam.)*, ratatiné *(fam.)*. — Ravagé, raviné. — Ondulé.
Ant. **I.** Égal, jeune, lisse, plant, uni.

Rideau
Syn. **I.** Baldaquin, brise-bise, draperie, store, tenture, toile, voilage, voile. — Ciel (de lit), moustiquaire, portière. **II.** Écran, ligne, obstacle.
Ant. **I.** Ouverture. **II.** Échappée, vue.

Ridicule
Syn. *(Adj.)* *(Pers.)* **I.** Affecté, bouffon, grotesque, maniéré. — *(Ch.)* **I.** Absurde, burlesque, caricatural, cocasse, déraisonnable, impayable, loufoque, risible, saugrenu, sot. **II.** Dérisoire, insignifiant. *(N.)* **I.** Défaut, travers.
Ant. *(Adj.)* **I.** Correct, digne, grave, imposant, sérieux, sévère. **II.** Important. *(N.)* **I.** Perfection, qualité.

Ridiculiser
Syn. **I.** Affubler, bafouer, blaguer, caricaturer, chansonner, charger, contrefaire, dégrader, (se) moquer de, parodier, persifler, plaisanter, railler, rire de, satiriser, tourner en dérision.
Ant. **I.** Acclamer, applaudir, complimenter, encourager, féliciter, louer, vanter.

Rien *(n.)*
Syn. **I.** Absence, inanité, néant, vide,

zéro. **II.** Babiole, bagatelle, bêtise, bricole, colifichet, fadaise, foutaise, futilité, niaiserie.
Ant. **I.** Quelque chose, tout. **II.** Valeur.

Rieur
Syn. **I.** Enjoué, gai, joyeux, réjoui. **II.** Riant.
Ant. **I.** Affligé, douloureux, mélancolique, triste.

Rigide
Syn. **I.** Dur, inflexible, raide. **II.** Empesé, engoncé, guindé. **III.** Austère, ferme, grave, légaliste, puritain, rigoriste, rigoureux, sévère, spartiate, strict.
Ant. **I.** Élastique, flasque, flexible, maniable, mou, souple. **II.** Aisé, chaleureux, naturel. **III.** Accommodant, clément, conciliant, dissolu, indulgent, large, laxiste, tolérant.

Rigidité
Syn. **I.** Dureté, raideur. **III.** Austérité, gravité, inflexibilité, puritanisme, rigorisme, rigueur, sévérité.
Ant. **I.** Élasticité, flaccidité, flexibilité, souplesse. **III.** Abandon, douceur, indulgence, laxisme, tolérance.

Rigoler
Syn. **I.** (S') amuser, badiner, (se) moquer, plaisanter, rire.
Ant. **I.** (S') ennuyer, pleurer.

Rigolo
Syn. *(Adj. Fam.)* **I.** Amusant, comique, drôle, marrant, plaisant, risible, tordant. **II.** Curieux, étrange. *(N.)* Boute-en-train, plaisantin.
Ant. **I.** Pénible, triste. **II.** Banal, normal.

Rigorisme V. *Rigidité* et *Rigueur*

Rigoureux
Syn. **I.** Âpre, cruel, dur, excessif, froid, inclément, pénible, rude. **III.** Austère, draconien, implacable, inflexible, raide, rigide, rigoriste, sévère. — Étroit, méticuleux, serré, strict. — Certain, exact, géométrique, incontestable, juste, mathématique, ponctuel, précis, scientifique.
Ant. **I.** Agréable, chaud, clément, tempéré, tiède. **III.** Désinvolte, indulgent, tempéré, tendre. — Large, négligent. — Approximatif, faux, imprécis, incertain, inexact.

Rigueur
Syn. **I.** Âpreté, dureté, inclémence, intempéries. **III.** Austérité, cruauté, jansénisme, obligation, rigidité, rigorisme, sévérité. — Exactitude, fermeté, inflexibilité, logique, netteté, précision, rectitude, régularité.
Ant. **I.** Clémence, douceur. **III.** Désinvolture, faveur, humanité, indulgence, tendresse. — Approximation, imprécision, incertitude, liberté.

Rimer
Syn. **I.** Composer, faire des vers, rimailler *(péj.)*, versifier. **III.** Correspondre, signifier.

Rincer
Syn. **I.** Laver, nettoyer, rafraîchir.
Ant. **I.** Encrasser, graisser, maculer, tacher.

Ring
Syn. **I.** Estrade, piste. **II.** Boxe, lutte.

Ripaille
Syn. **I.** Bamboche, bombance, bombe, festin, fête, noce, ribote.
Ant. **I.** Abstinence, austérité, jeûne.

Riposte
Syn. **I.** Du tac au tac, réaction, repartie, réplique, réponse (vive). **II.** Botte. **III.** Contre-attaque, défense, représailles, vengeance.
Ant. **I.** Attaque.

Rire
Syn. *(V.)* **I.** (Se) dérider, (se) désopiler, (se) dilater la rate, éclater, (s') esclaffer, glousser *(fam.)*, (se) marrer, pouffer, rigoler *(fam.)*, sourire, (se) tordre *(pop.)*. **II.**

(S') amuser, (se) divertir, (s') égayer, (se) réjouir. – Badiner, jouer, (se) moquer, narguer, plaisanter, railler, ricaner, ridiculiser. *(N.)* I. Fou rire, rigolade *(fam.)*, risette, sourire. – Éclat, gaieté, hilarité. II. Moquerie, raillerie, ricanement, risée. *Ant. (V.)* I. Pleurer. II. (S') attrister, (s') ennuyer. *(N.)* I. Larme, pleur, sanglot, sérieux. II. Admiration, flatterie, respect.

Risée V. *Moquerie* et *Rire*

Risible
Syn. I. Amusant, cocasse, comique, drôle, impayable, ridicule, sot.
Ant. I. Grave, respectable, sérieux, triste.

Risque
Syn. I. Aventure, danger, hasard, inconvénient, jeu, péril. II. Éventualité *(dr.)*, fortune de mer, préjudice, responsabilité.
Ant. I. Assurance, précaution, prudence, sécurité, sûreté.

Risqué
Syn. I. Aléatoire, audacieux, aventureux, dangereux, hasardeux, périlleux, téméraire. II. Licencieux, osé, scabreux.
Ant. I. Assuré, inoffensif, sûr. II. Chaste, pudique.

Risquer (et **Se**)
Syn. (V. tr. et *intr.)* I. Affronter, (s') avancer, aventurer, braver, commettre, compromettre, défier, engager, entreprendre, éprouver, exposer à, hasarder, jouer, manquer de, menacer, mettre en danger, (se) montrer, oser, tenter. II. Expérimenter. *(V. pr.)* I. (S') aventurer, .commencer, essayer, (s') exposer, (s'y) frotter.
Ant. I. et II. Assurer, fuir, reculer. – (S') abstenir, éviter, omettre.

Ristourne
Syn. I. Attribution, bonification, commission, réduction, remise, retour. – Annulation, diminution *(dr. marit.)*.

Rite
Syn. I. Cérémonial, cérémonie, culte, liturgie, pratique, rituel. II. Magie, protocole. III. Convention, coutume, habitude, usage.

Rituel
Syn. (Adj.) I. Religieux. III. Conventionnel, habituel, invariable, obligatoire, précis, traditionnel. *(N.)* I. Livre liturgique, pénitentiel, pontifical, processionnal, sacramentaire. III. Ensemble de règles, de rites.
Ant. (Adj.) I. Profane. III. Accidentel, exceptionnel, inaccoutumé, rare.

Rivage
Syn. I. Bord de l'eau, côte, grève, limite, littoral, plage. II. Berge, rive. – Contrée, pays.
Ant. I. Au large, haute mer.

Rival
Syn. I. Adversaire, antagoniste, combattant, compétiteur, concurrent, ennemi. II. Égal, émule. – Amant.
Ant. I. Allié, associé, camarade, partenaire.

Rivaliser
Syn. I. Approcher de, combattre, concurrencer, disputer, faire assaut, lutter. – Chercher à égaler, à surpasser. III. Défier.

Rivalité
Syn. I. Antagonisme, combat, compétition, concours, concurrence, conflit, émulation, jalousie, joute, lutte, opposition, tournoi.
Ant. I. Coopération.

Rive V. *Rivage*

River
Syn. I. Attacher, enchaîner, lier. – Aplatir, rabattre, recourber. II. Fixer, riveter. III. Assujettir, immobiliser.
Ant. I. Déchaîner, délier, détacher. III. Libérer, mouvoir.

Rivière
Syn. **I.** Eau, flot, onde. — Affluent, confluent, tributaire. — Courant, cours d'eau, gave, oued, torrent. — Aven, bétoire, entonnoir, gouffre, résurgence. — Cascade, cataracte, chute, rapide, saut. **III.** Collier de diamants, pierrerie.

Rixe
Syn. **I.** Bagarre, bataille, chicane, combat, démêlé, dispute, échauffourée, lutte, mêlée, pugilat, querelle. *Ant.* **I.** Accord, entente.

Robot
Syn. **I.** Cerveau électronique, engin cybernétique, ordinateur. **II.** Appareil ménager, photo. — Automate.

Robuste
Syn. **I.** Costaud, fort, infatigable, musclé, puissant, résistant, solide, valide, vigoureux, vivace. **III.** Énergique, ferme, inébranlable. *Ant.* **I.** Caduc, chétif, débile, délicat, faible, fluet, fragile, frêle, maladif, malingre. **III.** Chancelant, vacillant.

Rocailleux
Syn. **I.** Caillouteux, graveleux, pierreux, rocheux. **II.** Raboteux, rude. **III.** Cahotique, dur, heurté. — Râpeux, rauque. *Ant.* **I.** Argileux, terreux. **II.** Égal, lisse, uni. **III.** Doux, raffiné.

Rocambolesque
Syn. **I.** Abracadabrant, bizarre, curieux, étonnant, étrange, exceptionnel, exorbitant, extravagant, fabuleux, fantastique, incroyable, invraisemblable.

Rocher
Syn. **I.** Bloc, falaise, massif, pierre, roc, roche. — Banc, brisant, écueil, étoc. — Éminence, esplanade, monolithe, montagne.

Rococo
Syn. **I.** Baroque, jésuite, rocaille. **II.** Antique, chargé, démodé, lourd, périmé, pompadour, ridicule, vieilli, vieillot, vieux. *Ant.* **II.** Jeune, léger, moderne, nouveau, récent, sobre.

Roder
Syn. **I.** Frotter, polir, unir, user. — Adapter, ajuster. **II.** Mettre au point *(fam.).* — *(Pers.)* Avoir l'expérience, être au courant.

Rôder
Syn. **I.** Aller à l'aventure, (se) balader *(fam.),* battre le pavé, errer, flâner, traîner, vagabonder. *Ant.* **I.** (S') arrêter, demeurer, rester.

Rôdeur
Syn. **I.** Errant, flâneur. — Apache, chemineau, malfaiteur, maraudeur, vagabond.

Rodomontade
Syn. **I.** Bravade, fanfaronnade, forfanterie, hâblerie, vantardise. *Ant.* **I.** Franchise, humilité, modestie.

Rogaton(s)
Syn. **I.** Bribe, débris, graillon, rebut, reste, rognure.

Rogner
Syn. **I.** Arrondir, couper, échancrer, écourter, raccourcir. — *(Spécialt.)* Éjointer, émarger. **III.** Diminuer, enlever, lésiner, ôter, prélever, retrancher. *Ant.* **I.** Allonger. **III.** Ajouter, augmenter.

Rogue
Syn. **I.** Arrogant, dédaigneux, déplaisant, dur, fat, fier, froid, hargneux, hautain, méprisant, raide, revêche, rude. *Ant.* **I.** Aimable, bon, câlin, caressant, chaleureux, doux, humble, modeste, obligeant, poli.

Roi
Syn. **I.** Monarque, prince, souverain. — Despote, tyran. — Schah, seigneur, sultan. **II.** Chef, magnat. **III.** Phénix. *Ant.* **I.** Dépendant, sujet, valet.

Rôle

Syn. **I.** Distribution, emploi, figuration, panne, personnage, utilité. — Action, attribution, charge, conscription *(milit.)*, devoir, fonction, influence, métier, mission, vocation. — Catalogue, liste, matricule, registre, tableau. **III.** Ordre, rang.

Roman

Syn. **I.** Conte, fiction, histoire, légende, narration, nouvelle, récit. **III.** Affabulation, chimère, fable, invention, invraisemblance, utopie.
Ant. **III.** Fait, réalité, vraisemblance.

Romanesque

Syn. **I.** *(Ch.)* Chimérique, épique, extraordinaire, fabuleux, fantastique, imaginaire, invraisemblable, merveilleux. — *(Pers.)* Aventureux, chevaleresque, passionné, rêveur, sentimental.
Ant. **I.** Banal, commun, plat, prosaïque, réaliste. — Insensible, naturel, pratique, simple.

Romantique V. *Romanesque*

Rompre

Syn. *(V. tr.)* **I.** Arracher, briser, casser, couper, enfoncer, fracasser, fracturer. **III.** Annuler, défaire, (se) dégager de, dénoncer, déroger à, désunir, détruire, dissoudre, empêcher, enfreindre, interrompre, manquer à, résilier. *(V. intr.)* **I.** Casser, céder. **III.** Abandonner, (se) brouiller, (se) désaccorder, divorcer, (en) finir, laisser tomber *(fam.)*, (se) quitter, renoncer à, (se) séparer.
Ant. *(V. tr.)* **I.** Attacher, nouer, réparer, souder. **III.** Contracter, entretenir, ratifier, rétablir. *(V. intr.)* **I.** Résister. **III.** (Se) réconcilier.

Rompu

Syn. **I.** Échiné, éreinté, exténué, fatigué, fourbu, harassé, moulu, recru, rendu. — Dressé, expérimenté, expert, habile, habitué.
Ant. **I.** Reposé. — Inexpérimenté.

Ronchonner V. *Murmurer*

Rond

Syn. *(Adj.)* **I.** Circulaire, concentrique, cylindrique, orbiculaire, sphérique. — Complet, entier. **II.** Arrondi, boulot, charnu, dodu, gras, gros, mafflu, potelé, rebondi, renflé, replet, rondelet, voûté. **III.** Cordial, droit, franc, loyal, simple. — Ivre. *(N.)* **I.** Anneau, cerceau, cercle, circonférence, disque, globe, rondelle, rotonde, sphère. **II.** Argent.
Ant. *(Adj.)* **I.** Anguleux, carré, pointu. — Incomplet, partiel. **II.** Décharné, efflanqué, étique, fluet, maigre. **III.** Astucieux, brusque, cérémonieux, hypocrite. — Sobre.

Rond-de-cuir *(péj.)*

Syn. **I.** Bureaucrate, commis aux écritures, copiste, employé de bureau, fonctionnaire, gratte-papier *(péj.)*, scribouillard.

Ronde

Syn. *(N.)* **I.** *(À la ronde)* Alentour, autour, dans un rayon, tour à tour. — Espace circulaire. — Chemin, circumnavigation, périple, randonnée, tournée, voyage. **II.** Examen, garde, guet, inspection, patrouille, reconnaissance, tour, visite de surveillance. — Chanson, danse. — Figure de note.

Rondelet V. *Rond*

Rondement

Syn. **I.** Carrément, directement, franchement, loyalement.
Ant. **I.** Lentement, mollement. — Hypocritement.

Rondeur

Syn. **I.** Embonpoint. **III.** Bonhomie, droiture, franchise, loyauté, sans façon, simplicité, sincérité.
Ant. **III.** Astuce, duplicité, hypocrisie.

Rond-point

Syn. **I.** Bifurcation, carrefour, croisée des

chemins, embranchement, étoile, fourche, patte-d'oie, place.

Ronflant
Syn. **I.** Bruyant. **III.** Ampoulé, creux, déclamatoire, emphatique, grandiloquent, pompeux, prétentieux, résonnant, sonore. *Ant.* **I.** Étouffé, sourd. **III.** Naturel, silencieux, simple, voilé.

Ronger
Syn. **I.** Grignoter, manger, mordiller, mordre, piquer. — Altérer, attaquer, brûler, corroder, désagréger, détruire, dissoudre, entamer, éroder, miner, saper. **III.** Consumer, dévorer, regretter, tourmenter. *Ant.* **I.** Conserver, consolider, enrichir, grossir. **III.** Apaiser, consoler, pacifier.

Rosse
Syn. (N.) **I.** Bidet, haridelle, rossinante. *(Adj.)* **III.** Injuste, malveillant, méchant, mordant, satirique, sévère, vache *(pop.)*. *Ant.* **III.** Bienveillant, compréhensif, indulgent, juste, large, tolérant.

Rosser
Syn. **I.** Battre, brutaliser, cogner, éreinter, frapper, frotter l'échine, rouer de coups, vaincre *(fam.)*. *Ant.* **I.** Caresser, choyer, dorloter, gâter.

Rotation
Syn. **I.** Cercle, moulinet, mouvement circulaire, tour. — *(Mécan., géom.)* Circumduction, giration, gyrostat, précession. **II.** Assolement.

Rotatoire
Syn. **I.** Circulaire, giratoire, rotatif, rotationnel, tournant. *Ant.* **I.** Fixe, immobile.

Rôtir
Syn. **I.** Cuire, cuisiner, frire, griller, rissoler, sauter. **II.** Brasiller, brûler, chauffer, dessécher, torréfier. **III.** Bronzer, dorer, exposer au soleil.

Roturier
Syn. (N.) **I.** Bourgeois, manant, plébéien, serf, vilain. *(Adj.)* **II.** Grossier, simple, trivial, vulgaire. *Ant.* **I.** Gentilhomme, noble, patricien. **II.** Aristocratique, distingué, élégant, raffiné.

Roublard
Syn. **I.** Astucieux, débrouillard, finaud, habile, madré, malin, matois, renard, retors, rusé. *Ant.* **I.** Naïf.

Roucouler
Syn. **I.** Caracouler, chanter, gazouiller. **II.** Gémir. **III.** Batifoler, conter fleurette, coqueter, flirter, marivauder.

Roué
Syn. **I.** Astucieux, cauteleux, combinard, finaud, futé, habile, madré, malicieux, malin, matois, retors, roublard, rusé. **II.** Corrompu, débauché, libertin, vicieux. **III.** Abattu, daubé, éreinté, fatigué, rompu, rossé, tabassé. *Ant.* **I.** Bon, droit, ingénu, inhabile, naïf. **II.** Rangé, sage, vertueux. **III.** Dispos, frais, reposé.

Rouer
Syn. **I.** Écarteler, supplicier. **III.** Battre, dauber, écraser, éreinter, frapper, rosser, tabasser. *Ant.* **III.** Aider, défendre.

Rouge
Syn. **I.** Amarante, carmin, corail, cramoisi, cuivré, écarlate, érubescent, garance, grenat, incarnat, ponceau, pourpre, purpurin, rougeâtre, rubis, tomate, vermeil, vermillon, vineux. **II.** Coloré, congestionné, couperosé, empourpré, enflammé, flamboyant, incandescent, rougeaud, rougeoyant, rubescent, rubicond, rutilant, sanguin. **III.** Confus, ému, honteux, timide. *Ant.* **I.** Blafard, blanc, blême, livide, pâle.

Rougir
Syn (V. intr.) **I.** Devenir rouge, rou-

geoyer. *(V. tr.)* **I.** (Être) congestionné, empourprer, mûrir, rubéfier.
Ant. **I.** Blanchir, blêmir, pâlir.

Rouillé
Syn. **I.** Altéré, érugineux, oxydé, rubigineux, taché, vert-de-grisé. **III.** Ankylosé, émoussé, engourdi, éraillé, étiolé, grinçant, oublieux, paralysé, sclérosé.
Ant. ›**I.** Dérouillé, galvanisé. **II.** Alerte, fort, habile, rajeuni, souple, vif.

Roulage
Syn. **I.** Circulation, roulement. — Camionnage, charroi, transport. — *(Agric.)* Ameublement, émottage, plombage.

Roulant
Syn. **I.** Ambulant, itinérant, mobile. — Convoyeur. (Escalier, ruban, tapis, transporteur, trottoir) automatique, mécanique. **III.** Continu, ininterrompu. — Amusant, comique, drôle, tordant.
Ant. **I.** Fixe, immobile. **III.** Discontinu, intermittent. — Grave, sérieux, tragique.

Rouleau
Syn. **I.** Bande, bâton, bigoudi, bobine, boucharde, brise-mottes, croskill, cylindre, déchargeoir. — Lame *(spécialt.)* **III.** Fin.

Rouler (et Se)
Syn. (V. tr.) **I.** Charrier, déplacer, emporter, entraîner, pousser, tourner, transporter. — Aplanir, aplatir, émotter, rabattre. — Enrober, enrouler, envelopper. **III.** Méditer. — Duper, tromper, voler. *(V. intr.)* **I.** Couler, déchoir, dégringoler, dévaler, glisser, tomber. — Bourlinguer, circuler, (se) mouvoir, traîner, voyager. **III.** Porter sur, toucher à, traiter de. *(V. pr.)* **I.** (S') enrouler, (s') envelopper, (se) lover, (se) vautrer.
Ant. **I.** Déployer, dérouler, étaler.

Roulis
Syn. **I.** Balancement, oscillation, roulement, secousse.

Roulotte
Syn. **I.** Maison ambulante, remorque. **II.** Caravane *(camping)*.

Rouspéter
Syn. **I.** Grogner, maugréer, (se) plaindre, protester, rager, râler, réclamer, résister, rouscailler *(pop.)*.
Ant. **I.** Céder, (se) taire.

Roussir
Syn. **I.** *(V. tr.)* Brûler, cramer, griller, havir, rendre roux, rougir. *(V. intr.)* Devenir roux. — Attacher *(cuis.)*.

Route
Syn. **I.** Artère, autoroute, chaussée, chemin, corniche, lacet, passage, voie. — Bifurcation, carrefour, côte, échangeur, embranchement, patte-d'oie, pente, profil, tournant, virage. — Distance, étape, itinéraire, marche, parcours, trajet, voyage. **II.** Cours, palier, rocade. **III.** Avenir, carrière, destin, entreprise, vie. — Méthode, moyen.

Routine
Syn. **I.** Habitude, irréflexion, mode, ornière, poncif, pratique, train-train, usage. — Engourdissement, misonéisme, préjugé, traditionalisme.
Ant. **I.** Initiative, innovation.

Royal
Syn. **I.** Monarchique, princier, régalien, souverain. **II.** Digne, généreux, grandiose, imposant, magnifique, majestueux, noble, parfait, riche, somptueux, splendide, superbe.
Ant. **I.** Plébéien. **II.** Grossier, laid, modeste, simple, vulgaire.

Ruban
Syn. **I.** Bande, brassard, cadogan (ou catogan), chou, cocarde, coque, cordon, cordonnet, faveur, fleuret, galon, ganse, gros-grain, liséré, padou, rosette. — Passementerie, rubannerie. — Chatterton, magnétophone. **III.** Décoration, insigne.

Rubicond
Syn. **I.** Enluminé, rouge, rougeaud, vermeil.
Ant. **I.** Blafard, blême, pâle.

Rubrique
Syn. **I.** Article, chronique, désignation, en-tête, manchette, titre. **III.** Catégorie, classe, genre. — Coutumier, pratiques, règles.

Rude
Syn. (Pers.) **I.** Agreste, barbare, fruste, grossier, impoli, mal dégrossi, primitif, bourru, brusque, désagréable, dur, farouche, hérissé, rébarbatif, redoutable, revêche, sévère. — Courageux, hardi. *(Ch.)* **I.** Abrupt, brutal, difficile, éreintant, lourd, pénible, scabreux, terrible, violent. **II.** Âpre, cruel, froid, rigoureux. — Raboteux, rêche, rugueux. — Guttural, heurté, rauque. — Drôle, fameux, fier, fort, sacré, solide
Ant. (Pers.) **I.** Civilisé, policé, raffiné. **II.** Aimable, attentif, bon, diplomate. *(Ch.)* **I.** Doux, facile, léger. **II.** Chaud, tempéré. — Doux, lisse, soyeux. — Faible.

Rudesse
Syn. **I.** Brutalité, cruauté, dureté, inclémence, rigueur, rugosité. — Âpreté, aspérité, austérité, brusquerie, grossièreté, implacabilité, impolitesse, raideur, rigidité, rusticité, sécheresse, sévérité, verdeur.
Ant. **I.** Affabilité, amabilité, douceur, facilité, gentillesse, raffinement.

Rudimentaire
Syn. **I.** Brut, élémentaire, embryonnaire, imparfait, insuffisant, sommaire. — Fruste, primitif, simple.
Ant. **I.** Complet, développé, perfectionné.

Rudiments
Syn. **I.** Apprentissage, ABC, abrégé, éléments, essentiel, notions. **III.** Commencement, ébauche, embryon, essai, germe, linéament, principe.

Ant. **I.** Complément, supplément. **III.** Accomplissement, achèvement, réalisation.

Rudoyer
Syn. **I.** Brimer, brusquer, brutaliser, gronder, houspiller, malmener, maltraiter, molester, secouer, tancer, tarabuster, tourmenter.
Ant. **I.** Cajoler, câliner, caresser, dorloter.

Rue
Syn. **I.** Artère, avenue, boulevard, chaussée, voie. — Allée, cours, cul-de-sac, impasse, mail, passage, promenade, quai, ruelle, venelle. — Carrefour, coin, débouché, trottoir. **III.** Pavé.

Ruer (et Se)
Syn. (V. intr.) **I.** Ginguer, regimber, résister. **III.** (S') opposer, protester. *(V. pr.)* **I.** Attaquer, courir sur, descendre, (s') élancer, foncer, fondre, frapper, (se) jeter, (se) lancer, (se) précipiter, sauter, tomber sur.
Ant. **I.** (Se) modérer, ralentir, retarder, (se) retenir.

Rugir
Syn. (V. intr.) **II.** Crier, hurler, vociférer. *(V. tr.)* **III.** Proférer avec violence.

Rugosité
Syn. **I.** Âpreté, aspérité, callosité, dureté, inégalité, rudesse.
Ant. **I.** Douceur, poli *(n.)*.

Rugueux
Syn. **I.** Âpre, dur, inégal, raboteux, râpeux, rêche, rude.
Ant. **I.** Coulant, doux, égal, lisse, moelleux, poli, soyeux, uni.

Ruine(s)
Syn. **I.** Dégradation, délabrement, dépérissement, détérioration, dévastation, éboulement, écroulement, effondrement, vétusté. **III.** Anéantissement, chute, décadence, déconfiture, déliquescence, destruction, dissolution, faillite, fin, mort, perte, renversement — Banqueroute, cul-

bute, débâcle, dégringolade, déroute, krach, liquidation, naufrage. — Abîme, gouffre. — Déchet, épave, loque. — *(Pl.)* **I.** Débris, décombres, démolitions, restes, traces, vestiges. **II.** Dégâts, désastre, ravages. *Ant.* **I.** Établissement, relèvement, renforcement. **III.** Essor, fortune, gain, progrès, renaissance, réussite, succès, valeur. — *(Pl.)* Réparation.

Ruiner (et Se)
Syn. (V. tr.) **I.** Abattre, altérer, anéantir, consumer, couler, crouler, démolir, détériorer, détruire, dévaster, dévorer, dissoudre, ébranler, étioler, esquinter, gâcher, gâter, infirmer, miner, nuire, perdre, péricliter, périr, ravager, renverser, ronger, saccager, saper, user, vider. — *(Pers.)* Dépouiller, écraser, épuiser, étrangler *(fig.),* gruger, plumer, spolier. *(V. pr.)* Dépenser trop, (s') écrouler, (s') effondrer, (s') enfoncer, perdre son argent. *Ant.* **I.** Affermir, augmenter, conserver, construire, développer, édifier, fonder, fortifier, gagner, relever, sauver. — Enrichir, rendre. *(V. pr.)* **I.** (S') enrichir, épargner.

Ruineux
Syn. **I.** Cher, coûteux, dispendieux, onéreux. **III.** Peu solide, peu sûr.
Ant. **I.** Économique, lucratif.

Ruisseler V. *Couler*

Rumeur
Syn. **I.** Bourdonnement, brouhaha, bruit, grondement, murmure. **II.** Effervescence, tumulte. — Nouvelles, opinion, potin, ragot. — Voix publique.
Ant. **I.** Silence, tranquillité.

Ruminer
Syn. **I.** Mâcher, régurgiter, remâcher. **III.** Apprendre, dévorer (son chagrin), machiner (un plan), méditer, penser à, réfléchir, repasser, repenser, ressasser, retourner et tourner dans sa tête, revenir sur.

Ant. **III.** Ignorer, négliger, omettre, oublier.

Rupture
Syn. **I.** Brisement, brisure, cassage, cassure, destruction, fracture. — Arrachement, déchirure. **III.** Annulation, dénonciation, infraction. — Décalage, écart. — Brouille, crise, désaccord, désagrégation, désunion, détérioration, discorde, dispute, dissension, dissentiment, dissidence, divorce, heurt, interruption, mésentente, mésintelligence, séparation.
Ant. **I.** Résistance, solidité. **III.** Accord, association, attachement, coalition, liaison, lien, union. — Compensation, équilibre, réconciliation.

Rural
Syn. **I.** Agreste, agricole, bucolique, campagnard, champêtre, pastoral, paysan, rustique.
Ant. **I.** Citadin, urbain.

Ruse
Syn. **I.** Adresse, artifice, astuce, cautèle, détour *(vén.),* diplomatie, duperie, feinte, ficelle *(fam.),* finesse, fourberie, fraude, habileté, intrigue, machiavélisme, machination, malice, manœuvre, méandre, perfidie, retour *(vén.),* roublardise, rouerie, stratagème, subterfuge, subtilité, tactique, trame, tromperie, truc *(fam.).* — Attrape-nigaud, chausse-trape, embûche, piège, rets. — Échappatoire, faux-fuyant.
Ant. **I.** Candeur, droiture, équité, franchise, loyauté, rectitude, simplicité, sincérité.

Rusé
Syn. **I.** Adroit, artificieux, astucieux, cauteleux, chafouin, diplomate, fin, finaud, fine mouche *(fam.),* fin merle *(pop.),* fourbe, futé, habile, machiavélique, madré, malicieux, malin, matois, normand, perfide, renard, retors, roublard, roué, subtil.
Ant. **I.** Candide, cordial, droit, franc,

honnête, loyal, simple, sincère. — Dupe, innocent, naïf, niais, nigaud.

Rustaud
Syn. **I.** Balourd, grossier, lourd, paysan, rustique, rustre, sauvage.
Ant. **I.** Courtois, délicat, distingué, fin, poli.

Rustique
Syn. **I.** Agreste, campagnard, champêtre, pastoral, paysan, rural. — Abrupt, balourd, fruste, inculte, lourd, rude, rustaud, rustre, sauvage. **II.** Fort, résistant, robuste, solide. — Brut, simple. *Ant.* **I.** Citadin, raffiné, urbain.

Rustre
Syn. **I.** Butor, goujat, malotru, rustaud. *Ant.* **I.** Gentilhomme.

Rutillant
Syn. **I.** Ardent, brasillant, brillant, éclatant, étincelant, flamboyant, fulgurant, rouge.
Ant. **I.** Blafard, blême, fané, mat, terne.

Rythme
Syn. **I.** Mesure, mouvement, tempo. — Accent, accord, assonance, cadence, césure, harmonie, mètre, nombre. **II.** Eurythmie. —· Arythmie. — Allure, succession, vitesse.

Rythmer
Syn. **I.** Accorder, cadencer, harmoniser, mesurer, scander.
Ant. **I.** Désaccorder, détonner.

Rythmique
Syn. **I.** Alternatif, mesuré, rythmé.
Ant. **I.** Arythmique.

S

Sabbat
Syn. **I.** Culte, fête des Juifs, repos, samedi. **III.** Agitation, bacchanale, bruit, chahut, charivari, danse, désordre, tapage, tohu-bohu, tumulte, vacarme.
Ant. **III.** Ordre, tranquillité.

Sable
Syn. **I.** Gravier, limon, sablon. — Arène, erg, falun, galet, paillette, silicium. — Alluvion, dépôt, désert, dune, grève, lise. — Sablière, sablonnière. **II.** Calcul. **III.** Action inutile, inconsistance, inconstance, mobilité, ruine.

Sabler
Syn. **I.** Couvrir de sable. — Décaper, dépolir, graver. — Mouler. **III.** Avaler d'un trait, boire, ingurgiter, lamper.
Ant. **I.** Désabler. **III.** Siroter.

Saborder
Syn. **I.** Caler, couler, crever, enfoncer, engloutir, faire sauter, naufrager, percer, perdre, sombrer, torpiller. **II.** Arrêter,

mettre fin, suspendre.
Ant. **I.** Renflouer, réparer. **II.** Maintenir, promouvoir.

Sabotage
Syn. **I.** Destruction, détérioration, gâchage, ruine.
Ant. **I.** Entretien, réparation.

Saboter
Syn. **I.** Bâcler, gâcher, gâter. — Abîmer, délabrer, désorganiser, détériorer, détruire, endommager, ruiner, secouer. **III.** Contrarier, neutraliser, nuire.
Ant. **I.** Améliorer, perfectionner. — Réparer, restaurer, rétablir. **III.** Aider, favoriser.

Sabrer
Syn. **I.** Abattre, charger, frapper. **III.** Bâcler, expédier, gâcher. — Biffer, critiquer, diminuer, écourter, effacer, raturer, réduire. — Refuser, renvoyer, sacquer.
Ant. **III.** Fignoler, soigner. — Augmenter, conserver. — Accepter, recevoir.

Sac
Syn. **I.** Besace, bissac, enveloppe, outre, poche, récipient, sachet. — Bourse, cartable, escarcelle, pochette, réticule, sac à main, serviette. — Carnassière, carnier, cartouchière, fauconnière, gibecière, havresac, musette, sabretache, sacoche. **II.** Follicule, saccule, vésicule, vessie. **I.** Pillage, saccage.

Saccade
Syn. **I.** À-coups, bond, cahot, heurt, saut, secousse, soubresaut, trépidation.
Ant. **I.** Continuité, régularité.

Saccadé
Syn. **I.** Brusque, cahoté, capricant, convulsif, coupé, discontinu, haché, heurté, hoquetant, incohérent, inégal, irrégulier, rompu, sautillant, secoué, spasmodique, trépidant.
Ant. **I.** Calme, continu, égal, immobile, régulier.

Saccage
Syn. **I.** Brigandage, déprédation, destruction, dévastation, invasion, pillage, rapine, ravage, razzia, ruine, sac, vandalisme. **II.** Bouleversement, chambardement, confusion.
Ant. **I.** Construction, édification, respect.

Saccager
Syn. **I.** Dérober, mettre à sac, piller, ravager, voler. **II.** Abîmer, bouleverser, chambarder, désoler, détruire, dévaster, dévorer, fourrager, mettre en désordre, raser, renverser, ruiner, saboter.
Ant. **I.** Épargner, restaurer, restituer, sauver. **II.** Conserver, maintenir, ranger, refaire.

Sacerdoce
Syn. **I.** Ministère, ordre, prêtrise. **III.** Apostolat, charge, fonction, mission.

Sacramentel
Syn. **I.** Religieux. **III.** Consacré, rituel, solennel.

Ant. **I.** Profane. **III.** Inhabituel, simple, vague.

Sacré
Syn. **I.** Béni, consacré, divin, hiératique, liturgique, religieux, saint. **II.** Inaliénable, intangible, interdit, inviolable, sacrosaint, séparé, vénérable. — Tabou *(péj.)*. — Extraordinaire *(fam.)*, maudit.
Ant. **I.** Impie, profane, sacrilège. **II.** Aliénable, changeant, variable.

Sacrer
Syn. **I.** *(V. tr.)* Bénir, consacrer, couronner, introniser, oindre. *(V. intr.)* Jurer *(fam.)*. **III.** Proclamer.

Sacrifice(s)
Syn. **I.** Holocauste, immolation, libation, lustration, oblation, offrande, rite, victime. — Hécatombe, taurobole. — Cène, eucharistie, messe, mort du Christ, propitiation, rédemption. **II.** Abandon, don, offre. — Abnégation, désintéressement, dessaisissement, dévouement, don de soi, renoncement, résignation. — *(Pl.)* Dépenses, privations, mortifications.
Ant. **II.** Attachement, intérêt. — Égoïsme, refus.

Sacrifier (et Se)
Syn. *(V. tr.)* **I.** Égorger, immoler, offrir, tuer. *(V. pr.)* **I.** (Se) détacher, (se) dévouer, (se) donner, mourir, (s') oublier, payer de sa personne. **II.** Abandonner, consacrer, (se) défaire de, donner, négliger, perdre, (se) priver, solder à bas prix. **III.** (Se) conformer à, faire la volonté de, obéir, suivre.
Ant. *(V. tr.)* **I.** Conserver, défendre. *(V. pr.)* (Se) révolter.

Sacrilège
Syn. **I.** Attentat, blasphème, crime, exécration, impiété, irrévérence, outrage, profanation, violation. **II.** Hérésie.
Ant. **I.** Dévotion, piété, respect, révérence, vénération.

Sacripant

Syn. **I.** Bandit, chenapan, coquin, gredin, vaurien, voyou.
Ant. **I.** Gentleman, monsieur.

Sadique

Syn. **I.** Barbare, cruel, féroce, inhumain, méchant, sauvage, tortionnaire. — Corrompu, déréglé, lascif, perverti.
Ant. **I.** Masochiste. — Décent, modeste, réservé.

Sagace

Syn. **I.** Avisé, clairvoyant, fin, intelligent, lucide, pénétrant, perspicace, prudent, subtil.
Ant. **I.** Aveugle, étourdi, naïf, obtus.

Sagacité

Syn. **I.** Clairvoyance, divination, finesse, intelligence, intuition, lucidité, pénétration, perspicacité, subtilité.
Ant. **I.** Aveuglement, lourdeur, stupidité.

Sage

Syn. **I.** Averti, avisé, circonspect, éclairé, équilibré, judicieux, mesuré, modéré, modeste, prudent, raisonnable, réfléchi, sensé, sérieux. **II.** Bon. — Chaste, honnête, pudique, réservé. — Calme, docile, gentil, obéissant, tranquille.
Ant. **I.** Déraisonnable, désobéissant, désordonné, fou, imprudent, insensé, irréfléchi. **II.** Mauvais. — Dévergondé, dissipé. — Insupportable, turbulent.

Sagesse

Syn. **I.** Bon sens, connaissance, discernement, philosophie, raison, sapience, vérité. **II.** Circonspection, maturité, mesure, modération, prudence. — Chasteté, continence, décence, honnêteté, pudeur, retenue, vertu. — Calme, docilité, obéissance, sérénité, tranquillité.
Ant. **I.** Absurdité, bêtise, déraison, folie, ignorance. — Extravagance, imprudence, inconséquence. — Débauche, désordre, dévergondage. — Turbulence.

Saigner

Syn. **(V. tr.) I.** Égorger, massacrer, tirer du sang, tuer. **III.** Affaiblir, dépouiller, épuiser, pressurer, rançonner. **(V. intr.) I.** Perdre du sang. **III.** Souffrir.

Saillant

Syn. **I.** Avancé, en relief, proéminent. **II.** Aigu, anguleux, globuleux. **III.** Évident, frappant, marquant, remarquable, vif.
Ant. **I.** Caché, creux, rentrant. **III.** Banal, insignifiant, négligeable.

Saillie

Syn. **I.** Angle, arête, aspérité, avance, avancée, avancement, bec, bosse, corne, coude, crête, éminence, éperon, protubérance, relief, ressaut. — Auvent, balcon, chapiteau, console, corniche, encorbellement, entablement. **II.** Caprice. — Boutade, mot, trait d'esprit.
Ant. **I.** Alignement, cavité, creux, fuite.

Saillir

Syn. **I.** Avancer, déborder, dépasser, (se) détacher, (se) profiler, surplomber. **II.** (S') accoupler, couvrir, monter, sauter, servir.
Ant. **I.** Disparaître, rentrer.

Sain

Syn. **I.** Florissant, fort, frais, (bien) portant, robuste, solide, valide. — Hygiénique, pur, salubre, salutaire, tonique. **III.** Indemne. — Clair, droit, équilibré, normal.
Ant. **I.** Blême, faible, frêle, malade. — Antihygiénique, contaminé, délétère, funeste, impur, malsain, pollué, vicié. **III.** Atteint. — Dangereux, déséquilibré, détraqué, morbide.

Sainement

Syn. **I.** Correctement, judicieusement, normalement, raisonnablement.
Ant. **I.** Bêtement, mal, stupidement.

Saint

Syn. **I.** *(Pers.) (N.)* Bienheureux, élu, glorieux, patron. *(Adj.)* Béatifié, canonisé,

glorifié, juste, parfait. — *(Ch.)* *(Adj.)*
Béni, consacré, dédié, sacré, sanctifié. —
Auguste, religieux, vénérable, vénéré.
Ant. **I.** Damné, maudit, pécheur. — Imparfait. — *(Ch.)* Profane. — Bas, méprisable.

Saisie
Syn. **I.** Abjudication, confiscation, embargo, enchère, expropriation, mainmise, séquestre. — Appropriation, capture, occupation, prise. *Ant.* **I.** Abandon, aliénation, évacuation, remise, restitution.

Saisir (et **Se)**
Syn. *(V. tr.)* **I.** (S') accrocher à, agripper, atteindre, attraper, (s') emparer, empoigner, gripper, happer, intercepter, prendre, tenir. — Agrafer *(fam.)*, appréhender, arrêter, capturer, conquérir, harponner *(fam.)*, pincer *(fam.)*. **II.** Confisquer, perquisitionner. **III.** Apercevoir, apprécier, comprendre, concevoir, découvrir, discerner, embrasser, entendre, pénétrer, percevoir, réaliser, voir. — Captiver, émouvoir, empoigner, étonner, frapper, impressionner. — Surprendre. *(V. pr.)* **I.** (S') approprier, (s') emparer, usurper. *Ant.* **I.** Lâcher, laisser, dessaisir. — Manquer, rater. **II.** Rendre, restituer.

Saisissement
Syn. **I.** Émoi, émotion, frisson, impression.

Salaire
Syn. **I.** Appointements, cachet, émoluments, gages, honoraires, indemnité, mensualité, paie, rémunération, solde, traitement, vacation. — Commission, gain, guelte, jeton de présence, pourboire, prime, profit, rétribution. **III.** Punition, récompense, tribut.

Salaud
Syn. *(N.)* **I.** Saligaud. **III.** Dégueulasse *(pop.)*, fumier *(pop.)*, salopard *(pop.)*. — Goujat, méchant, vilain.

Ant. **I.** Net, propre. **III.** Beau, gentil, noble.

Salé
Syn. **I.** Salin, saumâtre. **III.** Corsé, cru, grivois, grossier, licencieux, pimenté, poivré. — Cher, exagéré, excessif, sévère. *Ant.* **I.** Fade, insipide. **III.** Chaste, honnête, pudique. — (Bon) marché, modéré, raisonnable.

Saleté
Syn. **I.** Malpropreté, salissure, saloperie. — Boue, crasse, excréments, gâchis, gadoue, immondice, ordure. **III.** Impureté, obscénité, sordidité. — Canaillerie, grossièreté, injure, laideur, méchanceté, vilenie. *Ant.* **I.** Désinfection, netteté, propreté. **III.** Pureté. — Amabilité, beauté, compliment, politesse.

Salir
Syn. **I.** Abîmer, barbouiller, crotter, éclabousser, encrasser, gâter, graisser, maculer, noircir, poisser, polluer, souiller, tacher. **III.** Abaisser, avilir, calomnier, déshonorer, diffamer, flétrir, profaner, prostituer, ternir. *Ant.* **I.** Blanchir, curer, débarbouiller, décrasser, décrotter, désinfecter, détacher, laver, nettoyer, purifier. **III.** Élever, exalter, honorer, louanger.

Salle
Syn. **I.** Antichambre, entrée, hall. — Cabinet, chambre, enceinte, foyer, galerie, pièce, salon, séjour. **III.** Public, théâtre.

Salon(s)
Syn. **I.** Boudoir, fumoir, pièce (de réception). — Local, salle. — *(Pl.)* Société mondaine. **II.** Exposition, foire.

Salubre V. *Sain*

Saluer
Syn. **I.** Rendre hommage, respecter, vénérer. **II.** Visiter. **III.** Acclamer, ac-

cueillir, applaudir, honorer, ovationner, proclamer.
Ant. **III.** Huer, siffler.

Salut
Syn. **I.** Adieu, au revoir, bonjour, bonsoir, coup de chapeau, courbette, génuflexion, hommage, inclination (de tête), poignée de main, révérence, salamalecs, salutation(s), shake-hand. — Délivrance, libération, rétablissement, sauvegarde, sauvetage. — Bonheur, rachat, rédemption. **II.** Salve.
Ant. **I.** Huée. — Captivité, danger, péril. — Damnation, perdition.

Salutaire
Syn. **I.** Avantageux, bienfaisant, bon, efficace, profitable, propice, utile. — Sain, salubre.
Ant. **I.** Désastreux, fâcheux, funeste, mauvais, néfaste, pernicieux. — Malsain.

Sanatorium
Syn. **I.** Cure, préventorium, sana.

Sanctifier
Syn. **I.** Consacrer, mettre en état de grâce, rendre saint. **II.** Célébrer, fêter, reconnaître. — Diviniser, rendre noble, rendre sacré.
Ant. **I.** Profaner, souiller.

Sanction
Syn. **I.** Approbation, confirmation, consécration, ratification. — Amende, condamnation, répression. — Châtiment, peine, punition, récompense, rétorsion.
Ant. **I.** Désapprobation. — Démenti, impunité, refus.

Sanctionner
Syn. **I.** Accepter, adopter, approuver, confirmer, consacrer, entériner, homologuer, ratifier. — Punir, réprimer.
Ant. **I.** (Se) dédire, démentir, refuser. — Condamner, récompenser.

Sanctuaire
Syn. **I.** Chœur, lieu saint, saint des saints.

II. Église, temple. **III.** Asile, intimité, lieu fermé, sacré, secret.

Sang
Syn. **II.** Consanguin, descendance, hérédité, lignage, lignée, parenté, race, souche. **III.** Sacrifice, vie.

Sang-froid
Syn. **I.** Aplomb, assurance, audace, calme, courage, fermeté, flegme, froideur, impassibilité, maîtrise, patience, présence d'esprit, tranquillité. — (*Loc. : de sang-froid*) Avec préméditation, délibérément, de sens rassis, en connaissance de cause, la tête froide, volontairement.
Ant. **I.** Angoisse, délire, émotion, emportement, exaltation, excitation, frayeur, fureur.

Sanglant
Syn. **I.** Ensanglanté, saignant, sanguinolent. — Chaud, cruel, meurtrier. **II.** (*Couleur*) Purpurin, rouge, vermeil. **III.** Blessant, dur, injurieux, insultant, offensant, outrageant.
Ant. **III.** Bienveillant, doux, élogieux, tendre.

Sanglot
Syn. **I.** Hoquet, larme, pleur, soupir, spasme. **II.** Gémissement, plainte.
Ant. **I.** Rire, sourire.

Sanguin
Syn. **I.** Rouge, rougeaud.
Ant. **I.** Blafard, blême, pâle.

Sanguinaire
Syn. **I.** Barbare, cruel, féroce, sanglant, violent.
Ant. **I.** Bon, doux, humain, inoffensif, tendre.

Sans-abri
Syn. **I.** Sans-logis, sinistré.

Sans-cœur
Syn. **I.** Dur, endurci, impitoyable, insensible, méchant. — Paresseux, sans amour-propre.

Ant. **I.** Bienveillant, bon, compréhensif, indulgent, sensible. — Actif, fier.

Sans-façon
Syn. **I.** Audace, désinvolture, familiarité, inconvenance, sans-cérémonie, sans-gêne. — Franchise, simplicité.
Ant. **I.** Cérémonie, politesse, retenue. — Hypocrisie, recherche.

Saper V. *Ruiner*

Sarabande
Syn. **I.** Air, danse, farandole. **III.** Tapage, vacarme.

Sarcasme
Syn. **I.** Dérision, ironie, méchanceté, moquerie, persiflage, raillerie, satire.
Ant. **I.** Bienveillance, compliment, éloge, flatterie, indulgence.

Sarcastique
Syn. **I.** Acerbe, amer, caustique, diabolique, mauvais, méchant, moqueur, persifleur, railleur, sardonique, virulent.
Ant. **I.** Admiratif, aimable, bienveillant, bon, doux, élogieux, indulgent.

Sarcler
Syn. **I.** Arracher, biner, déraciner, désherber, échardonner, enlever, essarter, extirper, nettoyer.

Sarcophage
Syn. **I.** Cénotaphe, cercueil, monument, sépulcre, tombe, tombeau.

Sardonique V. *Sarcastique*

Sarment
Syn. **I.** Branche, rameau, tige.

Sas
Syn. **I.** Blutoir, claie, crible, tamis.

Sasser
Syn. **I.** Bluter, cribler, secouer, tamiser. **III.** Discuter, étudier, examiner.

Satanique
Syn. **I.** Démoniaque, diabolique, infernal, méchant, méphistophélique, pervers.

Ant. **I.** Angélique, bon, céleste, divin.

Satellite
Syn. **I.** Astre, planète. **II.** Engin (artificiel). **III.** Allié, dépendant, partisan.
Ant. **III.** Adversaire, autonome, ennemi, indépendant.

Satiété
Syn. **I.** Dégoût, rassasiement, réplétion, satisfaction, saturation.
Ant. **I.** Besoin, désir, envie. — Appétit, boulimie, soif.

Satiné
Syn. **I.** Brillant, glacé, lustré, soyeux.
Ant. **I.** Grossier, rude, rugueux.

Satire
Syn. **I.** Caricature, critique (moqueuse), diatribe, épigramme, libelle, pamphlet, philippique. — Dérision, moquerie, plaisanterie, raillerie.
Ant. **I.** Apologie, éloge.

Satirique
Syn. **I.** À l'emporte-pièce, caustique, malin, moqueur, mordant, pamphlétaire, persifleur, piquant, railleur.
Ant. **I.** Apologétique, approbatif, louangeur.

Satiriser V. *Railler*

Satisfaction
Syn. **I.** Compensation, gain de cause, pénitence, raison, réparation. — Bonheur, complaisance, contentement, douceur, euphorie, joie, plaisir, plénitude. — Assouvissement.
Ant. **I.** Refus. — Affliction, chagrin, désappointement, mécontentement, tristesse. — Avidité, désir, inassouvissement.

Satisfaire
Syn. **I.** *(V. tr.)* Apaiser, assouvir, calmer, combler, contenter, désaltérer, ébaucher, exaucer, payer, rassasier, remplir, (se) repaître, (se) soulager, soûler. — Arranger, complaire, convenir, plaire. *(V. intr.)* Ac-

complir, accorder, (s') acquitter de, correspondre, exécuter, faire droit, faire face à, fournir, observer, pourvoir, répondre, suffire.
Ant. **I.** Affamer, frustrer, mécontenter, priver. — (S') abstenir, manquer à, refouler, réprimer, (se) soustraire à.

Satisfait
Syn. **I.** Apaisé, assouvi, béat, comblé, content, heureux, rassasié, réalisé.
Ant. **I.** Avide, fâché, inassouvi, insatiable, insatisfait, mécontent.

Saturé
Syn. **I.** Neutralisé. **II.** Encombré, plein, rempli. — Dégoûté, fatigué, gavé, rassasié, repu, soûl.
Ant. **I.** Vide. **II.** Insatiable.

Saturer
Syn. **III.** Emplir, gorger, rassasier, regorger, remplir, soûler.
Ant. **III.** Affamer, enlever, ôter, priver.

Satyre
Syn. **I.** Chèvre-pied, faune. **III.** Cynique, débauché, exhibitionniste, lascif, lubrique, obscène, voyeur.
Ant. **III.** Chaste, édifiant, pur.

Sauf
Syn. *(Adj.)* **I.** Indemne, rescapé, sain, sauvé. **III.** Intact. — *(Prép.)* À l'exception de, à l'exclusion de, à part, excepté, fors, hormis, hors. — À moins de, quitte à, sans préjudice de, sous réserve de.
Ant. *(Adj.)* **I.** Blessé, endommagé, naufragé, perdu.

Sauf-conduit
Syn. **I.** Laissez-passer, passeport, permis, visa. — Sauvegarde.

Saugrenu
Syn. **I.** Absurde, bizarre, burlesque, étrange, inattendu, insolite, piquant, ridicule, singulier. — Inconvenant, insensé.
Ant. **I.** Acceptable, convenable, naturel, normal, ordinaire, vraisemblable.

Saut
Syn. **I.** Bond, bondissement, sautillement. — Cabriole, culbute, gambade, ruade, voltige. **II.** Cahot, ricochet, soubresaut, sursaut. — Cascade, chute, rapide. **III.** Interruption, mutation.

Saute
Syn. **I.** Changement, modification, variation, virement. **III.** Caprice.
Ant. **I.** Fixité, gradualité, régularité, uniformité. **III.** Constance.

Sauter
Syn. *(V. intr.)* **I.** Bondir, (s') élancer, (s') élever, (se) jeter, sautiller. — Sursauter, tressaillir, tressauter. — Éclater, exposer, voler en éclats. **II.** Assaillir, attaquer, saisir. **III.** Cabrioler, gambader, trépigner. *(V. tr.)* **I.** Enjamber, franchir, passer, traverser. **III.** Avaler, brûler, escamoter, omettre, oublier.
Ant. *(V. intr.)* **I.** Attendre, reculer. **II.** Défendre, épargner, sauver.

Sauteur
Syn. **I.** Acrobate, athlète, bateleur. **III.** Changeant, inconstant, instable, opportuniste, pantin, versatile.
Ant. **III.** Constant, sérieux, stable.

Sautillant
Syn. **I.** Capricant. **III.** Capricieux, haché, mobile, saccadé.
Ant. **III.** Calme, continu, égal, lié, régulier.

Sauvage
Syn. **I.** Fauve, inapprivoisé. — Barbare, primitif. — Abandonné, agreste, désert, farouche, inhabité, solitaire. **III.** Craintif, insociable, misanthrope. — Abrupt, âpre, bestial, brutal, brute, cruel, féroce, fruste, grossier, hagard, inculte, inhumain, mal dégrossi, rude.
Ant. **I.** Domestique, familier. — Civilisé, évolué, policé. — Fréquenté, habité, peuplé. **III.** Bon, délicat, poli, raffiné, sociable.

Sauvé

Syn. **I.** Guéri, rescapé, sauf. **III.** Saint.
Ant. **I.** Blessé, malade, mort, perdu. **III.** Damné.

Sauvegarde

Syn. **I.** Auspice, défense, égide, garantie, protection, soutien, tutelle. **III.** Abri, appui, asile, barrière, bouclier, boulevard, refuge, rempart.

Sauvegarder

Syn. **I.** Conserver, défendre, garder, maintenir, préserver, protéger, sauver.
Ant. **I.** Abandonner, attaquer, menacer, persécuter.

Sauve-qui-peut

Syn. **I.** Cri, débandade, déroute, désarroi, fuite, panique.
Ant. **I.** Discipline, ordre, permanence, résistance.

Sauver (et Se)

Syn. (V. tr.) **I.** Guérir, réchapper. — Conserver, garantir, garder, garer, mettre en sûreté, renflouer, sauvegarder. — Arracher, préserver, soustraire, tirer. — Racheter. *(V. pr.)* **I.** Faire son salut. **II.** Décamper, déguerpir, (s') échapper, (s') enfuir, (s') évader, fuir, partir, prendre congé, (se) retirer.
Ant. (V. tr.) **I.** Perdre, tomber malade. — Laisser, livrer. — Abandonner. — Damner. *(V. pr.)* **I.** (Se) donner. **II.** Demeurer, rester.

Savane *(can.)*

Syn. **I.** Terrain marécageux, humide.

Savant

Syn. (N.) **I.** Chercheur, découvreur, érudit, homme de science, humaniste, lettré, philosophe, sage, scientifique, spécialiste. *(Adj.)* **I.** Averti, avisé, cultivé, docte, éclairé, informé, instruit. **II.** Calé, compétent, documenté, fort, versé. — Ardu, compliqué, difficile, recherché. — Dressé, habile.

Ant. (N.) **I.** Amateur, âne, apprenti, buse, écolier, ignorant, illettré. *(Adj.)* **I.** Ignare, inculte, nul, superficiel. **II.** Incompétent. — Aisé, populaire, simple, vulgaire. — Indompté, malhabile.

Saveur

Syn. **I.** Bouquet, goût, fumet, sapidité, succulence. **III.** Agrément, charme, piment; piquant, sel.
Ant. **I.** Fadeur.

Savoir

Syn. (N.) **I.** Acquis, bagage *(fig.)*, compétence, connaissance(s), culture, curiosité, érudition, instruction, lumière, sagesse, science. *(V.)* **I.** Apprendre, connaître, découvrir, être au courant, être instruit de, goûter. **II.** Être capable, être en mesure, pouvoir.
Ant. (N.) **I.** Ignorance, incompétence. *(V.)* **I.** Douter, ignorer. **II.** Être incapable.

Savoir-faire

Syn. **I.** Adresse, art, compétence, doigté, entregent, expérience, habileté, tact.
Ant. **I.** Gaucherie, inhabileté, maladresse.

Savoir-vivre

Syn. **I.** Bienséance, civilité, convenance, courtoisie, décorum, délicatesse, doigté, éducation, égard, élégance, entregent, politesse, tact, urbanité, usage.
Ant. **I.** Grossièreté, impolitesse, sansgêne.

Savonner

Syn. **I.** Blanchir, laver, nettoyer. **III.** Engueuler, gourmander, réprimander, tancer.
Ant. **I.** Encrasser, salir.

Savourer

Syn. **I.** Boire, déguster, goûter, manger, sentir, tâter *(fam.)*. — (Se) délecter, jouir de, (se) régaler. **II.** Apprécier, (se) gargariser.
Ant. **I.** Abhorrer, rejeter, réprouver. **II.** Déprécier, mépriser.

Savoureux
Syn. **I.** Agréable, appétissant, bon, délectable, délicieux, extra, sapide, succulent. **III.** Intéressant. *Ant.* **I.** Amer, désagréable, fade, insipide, mauvais, répugnant. **III.** Ennuyeux.

Saynète
Syn. **I.** Comédie, divertissement, entracte, intermède, pièce en un acte, sketch.

Scabreux
Syn. **I.** Compliqué, dangereux, délicat, difficile, embarrassant, périlleux, risqué. **II.** Corsé, déplacé, grossier, incongru, inconvenant, indécent, licencieux, obscène. *Ant.* **I.** Facile. **II.** Convenable, décent, digne, pudique.

Scandale
Syn. **I.** Bruit, désordre, éclat, esclandre, tapage. — Choc, émotion, étonnement, honte, indignation. — Action impie, obstacle, occasion de péché, pierre d'achoppement. *Ant.* **I.** Bon exemple, édification.

Scandaleux
Syn. **I.** Choquant, déplorable, épouvantable, honteux, inconvenant, indigne, révoltant. *Ant.* **I.** Bienséant, convenable, correct, digne, édifiant, moral.

Scandaliser (et Se)
Syn. (V. tr.) **I.** Blesser, choquer, effaroucher, étonner, heurter, horrifier, indigner, offenser, offusquer, outrer. — Inciter au péché. *(V. pr.)* **I.** (Se) choquer, (s') indigner, (s') offenser. *Ant.* **I.** Charmer, édifier, émerveiller, plaire. — (S') enthousiasmer.

Scander
Syn. **II.** Battre la mesure, cadencer, rythmer. — Accentuer, détacher, marteler, ponctuer, souligner.

Sceau
Syn. **I.** Cachet, estampille, scellé, seing. — Blason. **III.** Coin, confirmation, empreinte, marque distinctive, signature.

Scélérat
Syn. (N.) **I.** Bandit, coquin, criminel, filou, fripon, homicide, larron, méchant, misérable, voleur. *(Adj.)* **I.** Infâme, perfide. **II.** Infidèle. *Ant.* **I.** *(N.)* Gentilhomme, gentleman, monsieur. *(Adj.)* Honorable, loyal, noble.

Sceller
Syn. **I.** Cacheter, estampiller, marquer. — Plomber. — Cimenter, enfermer, fermer, fixer, murer, plâtrer, souder. **III.** Affermir, authentiquer, confirmer, sanctionner. *Ant.* **I.** Décacheter. — Déplomber. — Dégager, desceller, montrer, ouvrir. **III.** Abroger, annuler.

Scénario
Syn. **I.** Argument, canevas, charpente, épisode, intrigue, mise en scène, présentation écrite. — Découpage, dialogue, synopsis. **II.** Plan, résumé, sommaire. **III.** Déroulement.

Scène
Syn. **I.** Planche(s), plateau, tréteau(x). **II.** Art dramatique, décor, représentation, théâtre. — Action, intrigue, partie d'un acte, tableau. — Démonstration, événement, scénario, séquence, spectacle. **III.** Algarade, altercation, colère, discussion, dispute, esclandre, querelle, réprimande, séance.

Scénique
Syn. **I.** Dramatique, théâtral.

Scepticisme
Syn. **I.** Défiance, doute, incertitude, incrédibilité, indifférence, nihilisme, pyrrhonisme, refus, soupçon. **II.** Désintéressement, dilettantisme, méfiance. *Ant.* **I.** Assurance, certitude, conviction,

crédulité, croyance, dogmatisme, foi, persuasion. **II.** Enthousiasme.

Sceptique
Syn. (N.) **I.** Athée, douteur, incrédule, irréligieux. *(Adj.)* **I.** Défiant, méfiant, soupçonneux. **II.** Désintéressé, dilettante. *Ant. (N.)* **I.** Croyant, fidèle. *(Adj.)* **I.** Certain, convaincu, crédule, croyant, dogmatique, sûr. **II.** Enthousiaste.

Schéma
Syn. **I.** Dessin, diagramme, plan, schème. – Forme, structure. **II.** Abrégé, canevas, ébauche, esquisse. *Ant.* **I.** Développement.

Schématique
Syn. **I.** Simplifié, sommaire. *Ant.* **I.** Complet, détaillé, nuancé.

Schismatique
Syn. **I.** Hérétique, orthodoxe. **II.** Dissident, séparatiste. *Ant.* **I.** et **II.** Unifié.

Schisme
Syn. **I.** Scission, séparation. **II.** Dissidence, division, rupture. *Ant.* **I.** Communion, unification. **II.** Accord, union.

Science V. *Savoir*

Scientifique
Syn. (N.) **I.** Savant, scientiste. *(Adj.)* **I.** Critique, méthodique, objectif, positif, rationnel. *Ant.* **I.** *(N.)* Ignorant. *(Adj.)* Empirique, irrationnel, subjectif.

Scier
Syn. **I.** Couper, débiter, découper, diviser, fendre, refendre, tronçonner. **II.** *(Fam.)* Ennuyer, fatiguer.

Scinder
Syn. **I.** Couper, déchirer, décomposer, disjoindre, diviser, fractionner, sectionner, séparer. *Ant.* **I.** Associer, unir.

Scintiller
Syn. **I.** Brasiller, briller, chatoyer, étinceler, flamboyer, luire, miroiter, rutiler. **III.** Clignoter, frissonner, palpiter.

Scission
Syn. **I.** Désaccord, dissidence, dissociation, division, morcellement, partage, schisme, sécession, séparation. *Ant.* **I.** Accord, association, coalition, concorde.

Sclérose
Syn. **I.** Artério-sclérose, durcissement, paralysie, tabès. **III.** Encroûtement, figement, immobilisme, inactivité, inertie, vieillissement. *Ant.* **I.** Amollissement. **III.** Activité, développement, entrain, mouvement, rajeunissement.

Score
Syn. **I.** Compte, décompte, marque, points, résultat.

Scorie
Syn. **I.** Déchet, mâchefer, résidu. – Matière volcanique, mélange, sous-produit. **III.** Déchet, médiocrité.

Scrupule
Syn. **I.** Délicatesse, doute, embarras, hésitation, incertitude, inquiétude. **II.** Appréhension, exactitude, exigence, fidélité, pudeur, rigueur, soin, souci. *Ant.* **I.** Certitude, cynisme, décision. **II.** Incurie, laxisme, négligence, nonchalance.

Scrupuleux
Syn. **I.** Consciencieux, correct, délicat, honnête, juste, strict. **II.** Attentif, exigeant, fidèle, méticuleux, minutieux, pointilleux, ponctuel, précis, soigneux, soucieux. *Ant.* **I.** Cynique, impudent, indélicat, large. **II.** Approximatif, insoucieux, négligent.

Scruter
Syn. **I.** Analyser, approfondir, chercher, creuser, étudier, examiner, explorer, fouiller, inspecter, observer, pénétrer, sonder. *Ant.* **I.** (Se) désintéresser, effleurer, ignorer, négliger, omettre.

Scrutin
Syn. **I.** Élection, suffrage, voix, votation, vote.

Sculpter
Syn. **I.** Buriner, ciseler, façonner, figurer, former, fouiller, tailler. **II.** Graver, modeler.

Sculpture
Syn. **I.** Bas-relief, décoration, glyptique, gravure, haut-relief. **II.** Buste, ébauche, figurisme, monument, statue, statuette, tête, torse.

Séance
Syn. **I.** Débat, délibération, réunion, session, vacation. — Audience. **II.** Durée de la pose, du travail, traitement. — Représentation, scène, spectacle.

Sec
Syn. **I.** Anhydre, aride, desséché, stérile, tari, vide. — Déshydraté, égoutté, épongé, essoré, essuyé, rassis, séché. **II.** Décharné, dur, pauvre. **III.** Aigre, brusque, désobligeant, dur, froid, glacial, indifférent, insensible, pincé, raide, rude. — Austère, autoritaire, bref, cassant, sévère, tranchant. *Ant.* **I.** Aqueux, frais, humide, moite, mouillé, vert. **II.** Gras, gros, fertile. **III.** Aimable, chaleureux, obligeant, sensible. — Doux, onctueux, patelin.

Sécher
Syn. **I.** Absorber, assécher, déshydrater, dessécher, drainer, éponger, essorer, essuyer, étancher, évaporer, faner, flétrir, grésiller, mettre à sec, racornir, tarir, vider. **II.** Étuver. **III.** Consoler, dépérir.

(s') ennuyer, languir, (se) morfondre, souffrir. *Ant.* **I.** Arroser, détremper, humecter, imbiber, inonder, mouiller.

Sécheresse
Syn. **I.** Anhydrie, aridité, dessication, siccité, tarissement. **III.** Brusquerie, dureté, insensibilité, rudesse. — Austérité, froideur, pauvreté, sévérité. — Absence de ferveur. *Ant.* **I.** Fraîcheur, humidité, hydratation. — Abondance, fécondité, fertilité, luxuriance. **III.** Attendrissement, bonté, compassion, sensibilité. — Cordialité, effusion, indulgence.

Second
Syn. *(Adj.)* **I.** Deuxième. — Inférieur, médiocre, mineur, secondaire. **II.** Autre, nouveau. *(N.)* **II.** Adjoint, aide, allié, alter ego, appui, assesseur, assistant, auxiliaire, bras droit, collaborateur, fondé de pouvoir, lieutenant. *Ant.* *(Adj.)* **I.** Premier, primitif. — Important, meilleur, principal, supérieur. **II.** Identique, semblable. *(N.)* **II.** Chef, commandant, contremaître, employeur, patron.

Secondaire
Syn. **I.** Accessoire, adventice, concomitant, incident, inférieur, insignifiant, mineur, négligeable, subalterne, subsidiaire. — Second degré. *Ant.* **I.** Capital, considérable, dominant, essentiel, fondamental, important, primordial, principal. — Primaire.

Seconder
Syn. **I.** Aider, appuyer, assister, collaborer, favoriser, secourir, soutenir. *Ant.* **I.** Contrarier, desservir, entraver, nuire.

Secouer (et Se)
Syn. *(V. tr.)* **I.** Agiter, ballotter, brimbaler, cahoter, ébranler, faire vibrer, hocher, mouvoir, remuer. **III.** Bousculer,

émouvoir, harceler, houspiller, inciter, malmener, maltraiter, morigéner, réprimander, tourmenter, traumatiser. — (S') affranchir, (se) libérer. *(V. pr.)* **I.** (S') activer, (s') animer, (se) dégourdir, (s') ébrouer, réagir, (se) réveiller, travailler, (se) trémousser. *Ant. (V. tr.)* **I.** Fixer, immobiliser, stabiliser. **III.** Apaiser, calmer, féliciter, louanger. *(V. pr.)* **I.** (S') engourdir, flâner, (se) laisser aller, (se) reposer.

Secourable
Syn. **I.** Bon, charitable, généreux, obligeant.
Ant. **I.** Égoïste, méchant, nuisible, préjudiciable.

Secourir
Syn. **I.** Aider, appuyer, assister, défendre, protéger, seconder, subvenir à. **II.** Soulager.
Ant. **I.** Abandonner, délaisser, laisser, nuire.

Secours
Syn. **I.** Aide, appui, assistance, coup de main *(fam.),* facilité, moyen, protection, réconfort, ressource, service, soutien. — *(Relig.)* Asile, grâce, providence. **II.** Aumône, bienfaisance, charité, don, entraide. — Allocation, attribution, subside, subvention. — Défense, renfort, rescousse, sauvetage, secourisme.
Ant. **I.** Abandon, déréliction, entrave, obstacle.

Secousse
Syn. **I.** À-coup, agitation, cahot, choc, commotion, ébranlement, heurt, mouvement brusque, saccade, soubresaut, spasme, tremblement, trépidation, tressaut. — Séisme. **III.** Choc, convulsion.
Ant. **I.** Accalmie, calme, repos, stabilité, tranquillité.

Secret
Syn. (Adj.) **I.** Abscons, anonyme, caché, clandestin, confidentiel, discret, dissimu-

lé, énigmatique, ésotérique, furtif, hermétique, ignoré, illicite, impénétrable, inconnaissable, inconnu, inexplicable, insondable, intime, invisible, latent, mystérieux, obscur, occulte, profond, renfermé, réservé, sibyllin. *(N.)* **I.** Arcane, arrière-pensée, cachotterie, coulisses, dédale, dessous, détour, énigme, fond, mystère, repli, tréfonds. **II.** Clef, formule, méthode, moyen, procédé, recette, truc *(fam.).* — Confidence, retenue, silence.
Ant. (Adj.) **I.** Accessible, apparent, connu, notoire, ostensible, ouvert, public, répandu, su, visible. *(N.)* **I.** Révélation.

Secrètement
Syn. **I.** À la dérobée, clandestinement, confidentiellement, en cachette, en catimini, furtivement, incognito, in petto, intérieurement, sous le manteau, subrepticement.
Ant. **I.** Ostensiblement, ouvertement.

Sectaire
Syn. **I.** *(N.)* Adepte, partisan, séide. — *(Adj.)* Étroit, exclusif, fanatique, intolérant, intransigeant, partial.
Ant. **I.** Éclectique, large, libéral, tolérant.

Secte
Syn. **I.** Association, école, église, groupe, **II.** Bande, clan, coterie, parti.

Secteur
Syn. **I.** Division, quartier, subdivision, zone. — *(Fam.)* Coin, endroit, lieu. — Circonspection, rayon. **II.** Domaine, partie.

Section
Syn. **I.** Coupe, profil. — Cellule, groupe. — Coupure, division, fraction, partie, portion, subdivision.
Ant. **I.** Entier, parallélisme, réunion, totalité, unité.

Sectionner
Syn. **I.** Couper, diviser, fractionner, morceler, partager, scinder, segmenter, séparer, subdiviser.

Ant. I. Adjoindre, ajouter, joindre, réunir, unir.

Séculaire
Syn. **I.** Ancestral, ancien, antique, centenaire, immémorial, millénaire, patriarcal, suranné, vénérable, vieux.
Ant. **I.** Jeune, moderne, neuf, nouveau, récent.

Séculier
Syn. **I.** Civil, laïque, profane, sécularisé, temporel.
Ant. **I.** Ecclésiastique, régulier.

Sécurité
Syn. **I.** Abandon, abri, assurance, calme, confiance, repos, sérénité, sûreté, tranquillité. **II.** Ordre, organisation,. police, services.
Ant. **I.** Agitation, anxiété, défiance, détresse, inquiétude, insécurité. — Danger.

Sédatif
Syn. **I.** Analgésique, antispasmodique, balsamique, calmant, hypnotique, lénifiant, narcotique, tranquillisant.
Ant. **I.** Excitant, irritant, stimulant.

Sédentaire
Syn. **I.** Assis, attaché à un lieu, fixe, immobile, permanent, stable, stationnaire. **II.** Casanier, pantouflard *(fam.)*.
Ant. **I.** Actif, bohème, mobile. **II.** Ambulant, errant, nomade.

Sédiment
Syn. **I.** Alluvion, couche, dépôt, formation, lie, limon, précipité, résidu, roche.

Séditieux
Syn. **I.** Agitateur, anarchiste, contestataire, émeutier, factieux, incendiaire, insoumis, insurgé, insurrectionnel, mutin, perturbateur, rebelle, révolté, subversif. **II.** Révolutionnaire, tumultueux.
Ant. **I.** Calme, docile, soumis. **II.** Contrerévolutionnaire, pacificateur, tranquille.

Sédition
Syn. **I.** Agitation, émeute, indiscipline,

insurrection, pronunciamento, putsch, révolte, soulèvement, troubles.
Ant. **I.** Calme, docilité, harmonie, obéissance, paix, soumission, tranquillité.

Séducteur
Syn. **I.** Corrupteur, don juan, enjôleur, galant, lovelace, suborneur. **II.** Charmeur, enchanteur, ensorceleur, fascinateur, magicien, séduisant.

Séduire
Syn. **I.** Abuser, corrompre, débaucher, décevoir, déshonorer, éblouir, égarer, mettre à mal, suborner, tromper. — Affriander, allécher, amorcer, appâter, attacher, attirer, cajoler, capter, captiver, charmer, circonvenir, conquérir, embobiner, engager, enjôler, entortiller, entraîner, faire briller, faire miroiter, fasciner, flatter, gagner, plaire, prendre, ravir, tenter.
Ant. **I.** Choquer, dégoûter, déplaire, détourner, écœurer, éloigner.

Séduisant
Syn. **I.** *(Pers.)* Agréable, aimable, beau, charmant, désirable. *(Ch.)* Affriolant, alléchant, attrayant, captivant, enchanteur, engageant, ravissant, tentant.
Ant. **I.** Abject, choquant, déplaisant, désagréable, effrayant, répugnant.

Segment
Syn. **I.** Portion. **II.** Anneau, article, division, fraction, fragment, ligne, métamère, morceau, partie, pièce, ramification, section, tronçon.
Ant. **I.** Entier, tout.

Segmenter V. *Sectionner*

Ségrégation
Syn. **I.** Discrimination, distinction, isolement, mise à part, séparation.
Ant. **I.** Confusion, égalité, mélange.

Seigneur
Syn. **I.** Châtelain, hobereau, sire, suzerain. — Cavalier, gentilhomme, monsieur,

noble. **III.** Généreux, riche. — Bonze, magnat, maître, pontife, prince, roi. — Dieu, souverain.
Ant. **I.** Serviteur, sujet, vassal. **III.** Créature.

Sein
Syn. **I.** Poitrine. — Buste, gorge, mamelle. — Entrailles, flanc, ventre. **III.** Centre, cœur, giron, milieu.
Ant. **III.** Dehors, extérieur.

Séisme
Syn. **I.** Secousse(s), tremblement de terre. **II.** Bouleversement, cataclysme, commotion, ébranlement.
Ant. **I.** Immobilité. **II.** Calme, ordre.

Séjour
Syn. **I.** Arrêt, pause, stage, villégiature. **II.** Demeure, domicile, endroit, habitation, maison, résidence.
Ant. **I.** Bannissement, exil.

Séjourner
Syn. **I.** (S') arrêter, (s') attarder, camper, demeurer, habiter, rester. — *(Ch.)* Croupir, stagner.
Ant. **I.** Partir, passer, quitter.

Sélection
Syn. **I.** Anthologie, choix, recueil, tri, triage.
Ant. **I.** Abstention, indifférence, neutralité.

Selon
Syn. **I.** Conformément à, d'après, suivant.
Ant. **I.** Contre, en dépit de.

Semblable
Syn. **I.** *(Adj.)* Analogue, approximatif, commun, comparable, conforme, homogène, identique, même, parallèle, pareil, ressemblant, similaire, symétrique, tel, tout comme. — *(N.)* Prochain.
Ant. **I.** Autre, différent, disparate, dissemblable, opposé.

Semblant
Syn. **I.** Apparence, dissimulation, feinte, manière, ombre, simulacre, tromperie. — *(Loc. verb.* Faire semblant de) Affecter, faire comme si, feindre, simuler.
Ant. **I.** Réel.

Sembler
Syn. **I.** Apparaître, avoir l'air, avoir la mine, donner l'illusion, donner l'impression, (se) montrer, paraître, passer pour, (se) présenter comme, ressembler à.
Ant. **I.** (Se) cacher, disparaître.

Semence
Syn. **I.** Ensemencement, reproduction, semailles, sémination. — Grain, graine, semis. **II.** Fécondation, sperme. **III.** Cause, germe.

Semer
Syn. **I.** Cultiver, emblaver, ensemencer, épandre, jeter, mettre en terre. **II.** Couvrir, embellir, joncher, parsemer, revêtir. **III.** Disséminer, propager, répandre. — Distancer, lâcher.
Ant. **I.** Cueillir, moissonner, récolter. **II.** Arrêter, limiter, restreindre, retenir. — Rejoindre.

Sémillant
Syn. **I.** Agréable, alerte, éveillé, fringant, gai, pétulant, vif.
Ant. **I.** Apathique, endormi, engourdi, lent, lourd.

Séminaire
Syn. **I.** École, établissement, institut. **II.** Pépinière. — Colloque, conférence, congrès, groupe de travail, réunion d'étude, symposium, table ronde.

Semonce
Syn. **I.** *(Mar.)* Ordre de montrer ses couleurs, de stopper, sommation. — Admonestation, avertissement, réprimande, reproche.
Ant. **I.** Compliment, éloge, félicitation, louange.

Sempiternel
Syn. **I.** Continuel, éternel, incessant, infini, perpétuel.
Ant. **I.** Court, temporaire.

Sénile
Syn. **I.** Affaibli, âgé, caduc, débile, décrépit, gâteux, usé, vieux.
Ant. **I.** Enfantin, fort, jeune, régénéré, robuste, sain.

Sens
Syn. **I.** Goût, odorat, ouïe, toucher, vue. – Bon sens, compréhension, discernement, intuition, raison, sagesse. – Avis, jugement, opinion, point de vue, sentiment. – Acception, portée, raison d'être, signification, signifié, valeur. – Dimension, direction, orientation, position. **II.** *(Pl.)* Chair, concupiscence, instinct, libido, sensualité, volupté.

Sensation
Syn. **I.** Émotion, impression, perception, sensibilité.
Ant. **I.** Impassibilité, indifférence, insensibilité.

Sensationnel
Syn. **I.** Étonnant, extraordinaire, formidable, remarquable, surprenant, terrible.
Ant. **I.** Ordinaire, simple.

Sensé
Syn. **I.** Droit, éclairé, fin. Judicieux, raisonnable, rationnel, sage.
Ant. **I.** Absurde, déraisonnable, extravagant, fou, insensé.

Sensibilité
Syn. **I.** Excitabilité, impression, impressionnabilité, réceptivité, sensation. – Affectivité, cœur, émotion, émotivité, fibre, passion, sentiment. **II.** Amour, attendrissement, compassion, humanité, pitié, sympathie, tendresse. – Sensiblerie, sentimentalité.
Ant. **I.** Insensibilité. **II.** Apathie, froideur. – Cruauté, dureté.

Sensible
Syn. **I.** Chatouilleux, fin, sensitif, sensoriel. – *(Ch.)* **II.** Apparent, appréciable, clair, évident, important, matériel, notable, palpable, perceptible, tangible, visible. – *(Pers.)* **I.** Délicat, douillet, émotif, fragile, impressionnable, nerveux, névralgique, vulnérable. **III.** Aimant, bon, compatissant, généreux, humain, tendre.
Ant. **I.** Inanimé, insensible. – *Ch.)* **II.** Caché, imperceptible, insaisissable, insignifiant, nul. – *(Pers.)* **I.** et **III.** Apathique, cruel, dur, froid, indifférent.

Sensuel
Syn. **I.** Animal, charnel, épicurien, érotique, impur, lascif, luxurieux, matériel, sybarite, voluptueux.
Ant. **I.** Ascétique, austère, cérébral, chaste, frigide, froid, pur, spirituel.

Sentence
Syn. **I.** Arrêt, condamnation, décret, jugement, verdict. – Adage, aphorisme, apophtegme, axiome, devise, dicton, maxime, pensée, proverbe.
Ant. **I.** Acquittement, pardon, rémission.

Sentencieux
Syn. **I.** Affecté, cérémonieux, dogmatique, emphatique, grave, maniéré, pompeux, proverbial, révérencieux, solennel.
Ant. **I.** Familier, léger, naturel, simple.

Senteur V. *Odeur*

Senti
Syn. **I.** Apprécié, conçu, expressif. – Convaincu, sensible, sincère.
Ant. **I.** Machinal, nébuleux, superficiel.

Sentier
Syn. **I.** Chemin, laie, layon, passage, piste, raccourci, raidillon, sente. **III.** Avenue *(fig.)*, voie.

Sentimental
Syn. **I.** Émouvant, excitant, remuant, touchant, troublant. – Amoureux, émotif, galant, impressionnable, mièvre, rê-

veur, romanesque, sensible, sensitif, tendre.
Ant. **I.** Actif, apathique, dur, froid, indifférent, insensible, pratique.

Sentinelle
Syn. **I.** Factionnaire, garde, gardien, guetteur, planton, surveillant, vedette, veilleur, vigie.

Sentir
Syn. **I.** Flairer, humer, percevoir, renifler. — Dégager, embaumer, exhaler, fleurer, puer *(fam.)*. **II.** Apprécier, comprendre, connaître, deviner, discerner, éprouver, goûter, juger, pressentir, prévoir, ressentir, soupçonner, subodorer. **III.** Indiquer, révéler. — Détester, endurer, haïr, subir.
Ant. **II.** (Se) désintéresser, méconnaître, repousser.

Séparation
Syn. **I.** Coupure, démembrement, désagrégation, disjonction, dislocation, dispersion, distinction, division. — Borne(s), cloison, démarcation, mur. — Dissidence, indépendance, schisme, scission, sécession, séparatisme. **II.** Éloignement, exil. **III.** Différenciation, discrimination, distinction. — Abandon, brouille, désunion, divorce, rupture.
Ant. **I.** Addition, assemblage, association, contact, jonction, réunion. **II.** Rapprochement, retour. **III.** Conciliation, mariage, réconciliation, union.

Séparatisme
Syn. **I.** Autonomie, dissidence, indépendance, sécession.
Ant. **I.** Fédéralisme, unionisme.

Séparer
Syn. **I.** Couper, détacher, disjoindre, diviser, écarter, isoler, morceler, partager, scinder, trier. — Analyser, dissocier, extraire. — Borner, cloisonner, délimiter. **III.** Différencier, discerner, distinguer. — Brouiller, désunir, divorcer, éloigner, rompre.

Ant. **I.** Assembler, attacher, confondre, englober, joindre, lier. **III.** Rapprocher, réunir, unir.

Septentrional
Syn. **I.** Arctique, boréal, glacial, hyperboréen, nordique, polaire.
Ant. **I.** Antarctique, austral, méridional, tempéré, torride.

Sépulcral
Syn. **I.** Caverneux, funèbre. **II.** Creux, froid, lugubre, obscur, sombre, sourd, souterrain, triste.
Ant. **II.** Brillant, éclairé, éclatant, élevé, vivant.

Sépulcre
Syn. **I.** Mausolée, tombe, tombeau.

Séquelle(s)
Syn. **I.** Complications, reliquat, suites. **III.** Conséquence, contrecoup, effet.

Séquestrer (et Se)
Syn. **I.** *(V. tr.)* Claquemurer, claustrer, cloîtrer, détenir, emprisonner, enfermer, garder, interner, isoler, renfermer. — *(V. pr.)* (Se) retirer.
Ant. **I.** *(V. tr.)* Élargir, lâcher, relâcher. — Livrer. — *(V. pr.)* (Se) montrer, sortir.

Serein
Syn. **I.** Beau, calme, clair, pur. **III.** Gai, heureux, paisible, placide, tranquille.
Ant. **I.** Nuageux, obscurci, sombre. **III.** Agité, anxieux, emporté, fougueux, inquiet, malheureux, triste, troublé.

Sérénade
Syn. **I.** Chant, concert, divertissement. **II.** *(Fam.)* Bruit, charivari, cris, tapage.
Ant. **I.** Aubade. **II.** Calme, silence.

Sérénité
Syn. **I.** Calme, équilibre, objectivité, paix, placidité, quiétude, tranquillité.
Ant. **I.** Agitation, angoisse, anxiété, appréhension, émotion, énervement, inquiétude, trouble.

Série

Syn. **I.** Alternance, assemblage, catalogue, catégorie, chaîne, classe, classement, collection, ensemble, énumération, jeu, kyrielle, succession, suite.
Ant. **I.** Confusion, désordre, fouilles, hors-série, pêle-mêle.

Sérier

Syn. **I.** Cataloguer, classer, classifier, diviser, échelonner, grouper, ranger.
Ant. **I.** Bloquer, déclasser, désassortir, mêler.

Sérieux

Syn. (Pers.) **I.** Appliqué, calme, digne, pondéré, posé, raisonnable, rassis, réfléchi, sage, soigneux, sûr. — Austère, froid, sévère, solennel. — Chaste, fidèle, rangé, réservé. — *(Ch.)* **I.** Bon, convenable, fondé, important, positif, réel, sincère, solide, valable, vrai. **II.** Critique, dangereux, dramatique, grave, inquiétant.
Ant. **I.** *(Pers.)* Badin, désinvolte, distrait, écervelé, étourdi, fantaisiste, frivole, inconséquent, irréfléchi, léger, négligent, puéril. — Amusant, chaleureux, enjoué, gai, simple. — Bohème, infidèle, irrégulier. — *(Ch.)* Bénin, faux, inacceptable, inconsistant, inoffensif, mauvais, négligeable, non fondé, nul, précaire, rassurant.

Sériner

Syn. **III.** Rabâcher, radoter, redire, réitérer, répéter, ressasser.
Ant. **III.** Cacher, dissimuler, garder, taire.

Serment

Syn. **I.** Affirmation, attestation, engagement, obligation, parole d'honneur, promesse, vœu. **II.** Protestation.
Ant. **I.** Parjure, trahison.

Sermon

Syn. **I.** Discours, homélie, prêche, prédication, prône. **II.** *(Péj.)* Exhortation, harangue, remontrance, réprimande, reproche, semonce.

Ant. **II.** Compliment, éloge, félicitation, louange.

Sermonner

Syn. **I.** Admonester, blâmer, catéchiser, conseiller, endoctriner, exhorter, gourmander, gronder, haranguer, moraliser, morigéner, réprimander, semoncer, tancer.
Ant. **I.** Complimenter, féliciter, louanger, louer.

Serpenter

Syn. **I.** (Se) dérouler, glisser, onduler, tourner. **III.** (S') insinuer.

Serpentin

Syn. (Adj.) **I.** Flexueux, ondoyant, onduleux, rampant, sinueux, tortueux.
Ant. **I.** Direct, droit, égal, uni.

Serré

Syn. **I.** Ajusté, collant, compact, dense, dru, entassé, épais, plein, pressé, resserré, tassé, touffu. **III.** Concis, court, précis, rigoureux. — Circonspect, difficile, prudent, vigilant. — Avare, chiche, économe, étroit, gêné, mesquin, parcimonieux, pingre, regardant.
Ant. **I.** Ample, large. — Allongé, clairsemé, élargi, épars, étendu, étiré, lâche. **III.** Approximatif, confus. — Aisé, imprudent. — Dépensier, dilapideur, dissipateur, gaspilleur, hasardeux, indulgent, prodigue.

Serrer (et Se)

Syn. (V. tr.) **I.** Cacher, enfermer, ménager, placer, plier, ranger, remiser. — Assembler, bloquer, boucler, coincer, comprimer, condenser, contracter, contraindre, côtoyer, crisper, empoigner, gêner, joindre, maintenir, mouler, pincer, presser, rapprocher, rétrécir, saisir, suivre, visser. — Caresser, embrasser, enlacer, étreindre, tenir. **III.** Étouffer, étrangler.
(V. pr.) **I.** (Se) blottir, (se) coller, (se) pelotonner, (se) rapprocher, (se) tasser, (se) soutenir. **III.** (Se) priver.

Ant. **I.** Allonger, déboucler, délier, desserrer, dilater, disséminer, écarter, éloigner, espacer, étendre, lâcher, libérer, ouvrir, relâcher.

Sertir
Syn. **I.** Chatonner, emboîter, encadrer, encastrer, enchâsser, monter. **III.** Insérer, intercaler.
Ant. **I.** Déboîter, démonter, dessertir, enlever. **III.** Ôter, retirer, retrancher.

Servage
Syn. **III.** Asservissement, dépendance, esclavage, servilité, servitude, sujétion.
Ant. **III.** Délivrance, indépendance, libération.

Servante
Syn. **I.** Bonne, domestique, femme de chambre, ménagère, soubrette. **III.** Desserte, étagère, lampe, support, table.
Ant. **I.** Directrice, patronne.

Serviable
Syn. **I.** Attentionné, bon, complaisant, empressé, obligeant, prévenant.
Ant. **I.** Égoïste, indifférent, mesquin.

Service(s)
Syn. **I.** Activité, administration, bureau, charge, desserte, direction, distribution, domesticité, emploi, entreprise, fonctionnement, occupation, office, organisation, organisme, personnel *(n.)* transport, travail, usage. — Assortiment. — *(Milit.)* Fonction, garde, quart, régiment. — *(Relig.)* Célébration, cérémonie, culte, funérailles, liturgie, messe, office. **II.** Aide, amabilité, appui, assistance, bienfait, complaisance, disposition, gracieuseté, faveur, obligeance, soin. — *(Pl.)* Bons offices.
Ant. **II.** Embarras, nuisance, obstacle.

Servile
Syn. **III.** Avilissant, bas, complaisant, honteux, humiliant, indigne, infamant, mortifiant, obséquieux, plat, rampant, vil.

— Calqué, pastiche.
Ant. **III.** Honorable, indépendant, libre, noble. — Original.

Servilité
Syn. **I.** Bassesse, complaisance, courbette, obséquiosité, prosternation.
Ant. **I.** Dignité, liberté, noblesse.

Servir (et Se)
Syn. **I.** *(V. tr.)* Aider, appuyer, donner, favoriser, fournir, honorer, obéir, pourvoir, présenter, seconder, secourir. — *(V. pr.)* (S') approvisionner, employer, exploiter, user de, utiliser.
Ant. **I.** Commander, désobliger, desservir, gêner, nuire.

Seulement
Syn. **I.** Au moins, cependant, encore, exclusivement, juste, mais, même, néanmoins, purement, rien que, simplement, toutefois, uniquement.
Ant. **I.** Davantage, de plus, en plus.

Sève
Syn. **III.** Activité, dynamisme, énergie, fermeté, force, puissance, sang, verdeur, vie, vigueur.
Ant. **III.** Débilité, faiblesse, impuissance, inactivité.

Sévère
Syn. **I.** Autoritaire, difficile, draconien, dur, exigeant, impitoyable, inexorable, inflexible, insensible, intransigeant, raide, rigide, rigoureux, strict. *(Ch.)* **II.** Aride, austère, dépouillé, fruste, grave, lourd, sec, sérieux, simple, sobre.
Ant. **I.** Aisé, commode, complaisant, compréhensif, doux, enjoué, facile, faible, flexible, indulgent, large, mou, sensible, souple. **II.** Agréable, badin, charmant, gracieux, léger, orné, plaisant.

Sévérité
Syn. **I.** Dureté, insensibilité, intransigeance, rigidité, rigorisme, rigueur, rudesse. **II.** Gravité, sérieux. *(Ch.)* Aridité, austérité, dépouillement, froideur.

Ant. **I.** Clémence, compréhension, douceur, faiblesse, indulgence, noblesse, sensibilité, souplesse. **II.** Badinage, légèreté. — Charme, grâce, ornementation.

Sévices
Syn. **I.** Blessures, brutalité, coups, cruauté, mauvais traitements, violences, voies de fait.
Ant. **I.** Douceur, humanité, indulgence, mansuétude.

Sévir
Syn. **I.** Châtier, punir, (exercer des) ravages, réprimer.
Ant. **I.** Dédommager, excuser, gâter, récompenser, tolérer.

Sevrer
Syn. **I.** Enlever, ôter, séparer. **II.** Frustrer, priver, retirer, supprimer.
Ant. **I.** Nourrir. **II.** Donner, gratifier.

Sexuel
Syn. **I.** Charnel, érotique, génital, physique, vénérien.

Sibérien
Syn. **III.** Boréal, froid, glacial, rigoureux.
Ant. **III.** Austral, chaud, clément, doux, torride, tropical.

Sibyllin
Syn. **I.** Caché, énigmatique, ésotérique, inspiré, mystérieux, obscur, prophétique, secret, symbolique, visionnaire, voilé.
Ant. **I.** Clair, connu, évident, positif, réaliste.

Sidéral
Syn. **I.** Astral, astronomique, cosmographique.
Ant. **I.** Terrestre.

Sidéré
Syn. **I.** Abasourdi, ébahi, éberlué, étonné, interloqué, stupéfait, stupéfié.

Siècle
Syn. **I.** Âge, ans, durée, époque, ère, période, temps. **II.** Lenteur. — *(Relig.)* Monde séculier.

Siège
Syn. **I.** Banc, banquette, bergère, canapé, chaise, divan, escabeau, fauteuil, pliant, pouf, stalle, strapontin, tabouret, trépied, trône. — Assise, cause, résidence. — Dignité, endroit, fonction, place. **II.** Administration centrale, assises, dignité, direction, lieu, place, quartier général, résidence, secrétariat général. — *(Milit.)* Assaut, attaque, blocus, encerclement, investissement. — Derrière, fondement.
Ant. **II.** *(Milit.)* Défense, délivrance, libération.

Siéger
Syn. **I.** Occuper une place, présider, tenir séance, trôner. **III.** Résider, (se) trouver.

Sieste
Syn. **I.** Méridienne, repos, somme. **II.** Assoupissement, sommeil.

Siffler,
Syn. *(V. intr.)* **I.** Siffloter. **II.** Chanter, chuinter, corner. *(V. tr.)* **I.** Appeler. **II.** Seriner. **III.** Signaler. — Conspuer, désapprouver, honnir, houspiller, huer.
Ant. *(V. tr.)* **III.** Acclamer, applaudir, approuver.

Signal
Syn. **I.** Annonce, appel, avertissement, avertisseur, circuit, code, disque, feux, geste, klaxon, indication, message, sémaphore, signe, son.

Signalé
Syn. **I.** Appréciable, distingué, glorieux, illustre, important, insigne, notable, remarquable.
Ant. **I.** Inaperçu, modeste, secondaire.

Signalement
Syn. **I.** Aperçu, description, désignation, identification, image, portrait, tableau.

Signaler (et Se)
Syn. **I.** *(V. tr.)* Annoncer, appeler, aver-

tir. — Citer, déceler, décrire, dénoncer, désigner, indiquer, marquer, mentionner, montrer, souligner. — *(V. pr.)* (Se) distinguer, (s') illustrer.
Ant. **I.** Cacher, ignorer, taire.

Signature
Syn. **I.** Contreseing, émargement, endos, endossement, griffe, paraphe, seing, souscription, visa. **II.** Marque, sceau.
Ant. **I.** Anonymat.

Signe
Syn. **I.** Annonce, appel, attribut, caractère, caractéristique, couleur, critérium, empreinte, figure, geste, indice, manifestation, marque, piste, preuve, promesse, signal, symbole, symptôme, trace, trait, vestige. — Armoiries, blason, emblème, insigne, sigle. **II.** Augure, présage, pronostic, prophétie.

Signer
Syn. **I.** Approuver, attester, certifier, contresigner, émarger, marquer, parapher, souscrire, viser. **II.** Conclure.

Significatif
Syn. **I.** Caractéristique, clair, éloquent, expressif, formel, manifeste, marquant, notoire, parlant, révélateur, signifiant, typique.
Ant. **I.** Confus, énigmatique, incompréhensible, indéterminé, insignifiant, obscur.

Signification
Syn. **I.** Acception, clef, contenu, définition, expression, portée, sens, valeur. — *(Dr.)* Dénonciation, notification.
Ant. **I.** Non-sens.

Signifier
Syn. **I.** Annoncer, déclarer, dénoter, désigner, dire, équivaloir, exprimer, impliquer, indiquer, manifester, marquer, témoigner, vouloir dire. **II.** Intimer, sommer. — *(Dr.)* Dénoncer, notifier.
Ant. **I.** Cacher, taire.

Silence
Syn. **I.** Arrêt, calme, chut !, interruption, motus, paix, pause, repos, soupir, tranquillité. — Mutisme, mystère, réticence, secret.
Ant. **I.** Agitation, bruissement, bruit, clameur, cohue, fracas, tapage, vacarme. — Bavardage, faconde, verbiage, volubilité. — Aveu, confession, discours, parole.

Silencieux
Syn. **I.** Aphone, coi, court, muet. **II.** Calme, discret, morne, placide, posé, réservé, réticent, secret, taciturne, tranquille. *(Lieu)* Endormi, feutré, insonore, ouaté, reposant.
Ant. **I.** Bavard, parlant. **II.** Criard, expansif, exubérant, tapageur, verbeux. — Bruyant, sonore, tumultueux.

Silhouette
Syn. **I.** Contour, croquis, dessin, forme, galbe, ligne, profil, tracé.

Sillage
Syn. **I.** Passage, trace, vestige.

Sillon
Syn. **I.** Raie, rainure, rayon, rigole, tranché. **II.** Cannelure, fente, fissure, ligne, pli, rayure, ride, scissure *(anat.)*, strie. **III.** Sillage, trace.

Sillonner
Syn. **I.** Creuser, rayer. **II.** Rider. — Courir, naviguer, parcourir, traverser.

Simagrées
Syn. **I.** Affectation, chichis, façons, grimaces, manières, minauderies, mines, pitreries, singeries.
Ant. **I.** Droiture, simplicité.

Simiesque
Syn. **I.** Contrefait, grimaçant, imitateur, simien.
Ant. **I.** Grave, naturel, sérieux.

Similaire
Syn. **I.** Analogue, approchant, approxi-

matif, assimilable, comparable, conforme, équivalent, homogène, pareil, proportionnel, ressemblant, semblable. — Synonyme. *Ant.* **I.** Contraire, différent, dissimilaire. — Antonyme.

Similitude
Syn. **I.** Affinité, analogie, communauté, conformité, corrélation, équivalence, harmonie, identité, parité, ressemblance, synonymie. *Ant.* **I.** Antonymie, contraste, différence, disparité, dissemblance, dissimilitude, distinction.

Simple
Syn. **I.** *(Pers.)* Droit, franc, honnête, humble, modeste, naturel. — Ordinaire, pur. — Arriéré, candide, crédule, idiot, inculte, ingénu, naïf, niais, primitif, simplet, simpliste, sot. — *(Ch.)* Élémentaire, indécomposable, indivisible, irréductible, pur, seul, un, unique. — Agreste, aisé, commode, compréhensible, dépouillé, facile, familier, frugal, rudimentaire, rustique, sobre, sommaire. *Ant.* **I.** *(Pers.)* Affecté, cérémonieux, compassé, fier, guindé, hypocrite, maniéré, orgueilleux. — Distingué, gradé, officiel. — Déluré, fin, futé, intelligent, poli, spirituel. — *(Ch.)* Combiné, complexe, compliqué, divers, double, multiple. — Ampoulé, difficile, emphatique, fastueux, luxueux, recherché, tourmenté.

Simplicité
Syn. **I.** Abandon, droiture, franchise, humilité, modestie, naturel, rondeur. — Candeur, crédulité, ingénuité, innocence, naïveté, niaiserie. — Austérité, dépouillement, sévérité, sobriété. — Facilité. *Ant.* **I.** Affectation, duplicité, fatuité, forfanterie, gloriole, infatuation, orgueil, ostentation, prétention, suffisance, vanité, vantardise. — Astuce, finesse, habileté, malice. — Complexité, complication,

difficulté, emphase, faste, luxe, raffinement, recherche.

Simplification
Syn. **I.** Abrégé, réduction, schématisation. *Ant.* **I.** Complication.

Simplifier
Syn. **I.** Faciliter, réduire, schématiser. *Ant.* **I.** Broder, compliquer, développer.

Simulacre
Syn. **I.** Évocation, idole, image. **II.** Apparence, apparition, fantôme, feinte, frime *(fam.)*, illusion, imitation, ombre, semblant, spectre, vision. *Ant.* **II.** Bonne foi, franchise, réalité, sincérité, vérité.

Simuler
Syn. **I.** Affecter, fausser, feindre, imiter, jouer, parodier, pasticher, (faire) semblant, tromper. *Ant.* **I.** Accomplir, effectuer, exécuter, réaliser.

Simultané
Syn. **I.** Coexistant, coïncident, commun, concomitant, synchrone, synchronique. *Ant.* **I.** Alternatif, successif.

Simultanément
Syn. **I.** À la fois, au même instant, avec, conjointement, de front, en même temps, ensemble. *Ant.* **I.** Successivement.

Sincère
Syn. **I.** Cordial, droit, franc, honnête, loyal, ouvert, véritable, vrai. **II.** Authentique, exact, fidèle, sérieux, véridique. *Ant.* **I.** et **II.** Affecté, dissimulé, fallacieux, faux, feint, fourbe, hypocrite, mensonger, menteur, simulé, sournois, spécieux, travesti, trompeur, truqué.

Sincérité
Syn. **I.** Bonne foi, droiture, franchise, loyauté, ouverture. **II.** Authenticité, exactitude, fidélité, véracité, vérité.

Ant. **I.** Affectation, artifice, astuce, comédie, déguisement, dissimulation, feinte, fourberie, hypocrisie, imposture, insincérité, tromperie. **II.** Fausseté, inexactitude, mensonge, trucage.

Singer
Syn. **I.** Affecter, contrefaire, copier, grimacer, imiter, mimer, (se) moquer, simuler.
Ant. **I.** Créer, inventer.

Singeries V. *Simagrées*

Singulariser (Se)
Syn. **I.** Différer, (se) distinguer, (se) faire remarquer, (se) particulariser, (se) signaler.
Ant. **I.** (Se) confondre, passer inaperçu, incognito.

Singularité
Syn. **I.** Anomalie, bizarrerie, caprice, curiosité, disparité, étrangeté, excentricité, exception, originalité.
Ant. **I.** Banalité, pluralité, simplicité.

Singulier
Syn. **I.** Anormal, bizarre, curieux, distinct, étonnant, étrange, excentrique, extraordinaire, individuel, original, particulier, rare, spécial, unique. *(N.)* Unité.
Ant. **I.** Banal, collectif, commun, général, naturel, normal, ordinaire, régulier, usuel. *(N.)* Pluriel. `

Sinistre
Syn. (N.) **I.** Catastrophe, dommages, fléau, incendie, inondation, naufrage, tremblement de terre. *(Adj.)* **I.** Affreux, dangereux, effrayant, funèbre, funeste, inquiétant, lugubre, macabre, malfaisant, mauvais, méchant, menaçant, redoutable, stupéfiant, terrifiant, tragique, triste. **II.** Lamentable, pernicieux, sombre.
Ant. (Adj.) **I.** Favorable, heureux, plaisant, rassurant.

Sinistré
Syn. **I.** Éprouvé, inondé *(n.),* malheureux, victime.
Ant. **I.** Chanceux, fortuné, veinard.

Sinueux
Syn. **I.** Courbe, détourné, flexueux, ondoyant, ondulé, onduleux, replié, serpentin. **III.** Tortueux.
Ant. **I.** Direct, droit, uni. **III.** Franc.

Sinuosité
Syn. **I.** *(Rare)* Courbure, galbe. — Anfractuosité, contour, coude, courbe, détour, lacet, méandre, onde, ondulation, pli, repli, retour.

Sirène
Syn. **I.** Alarme, corne, sifflet, signal. **III.** Charmeuse, enchanteresse, enjôleuse, séductrice.

Siroter
Syn. **I.** Boire, buvoter *(fam.),* déguster, savourer.
Ant. **I.** (S') abstenir, détester, rejeter.

Sirupeux
Syn. **I.** Collant, douceureux, doux, épais, fade, gluant, pâteux, poisseux, visqueux. **III.** Écœurant, facile.

Site
Syn. **I.** Emplacement, endroit, panorama, paysage, perspective, situation, spectacle, vue.

Situation
Syn. **I.** Disposition, emplacement, endroit, exposition, lieu, orientation. **II.** Bilan, circonstance(s), condition, conjoncture, emploi, état, fonction, place, position, poste, posture, prospérité.

Situé
Syn. **I.** Campé, exposé, orienté, placé, posté, sis.

Situer
Syn. **I.** Asseoir, bâtir, camper, classer, disposer, établir, exposer, fixer, installer, localiser, mettre, placer, poster, ranger.
Ant. **I.** Déplacer, mouvoir, transporter.

Slogan
Syn. **I.** Devise, formule.

Snobisme
Syn. **I.** Affectation, engouement, mode, mondanité, pose, singularité.
Ant. **I.** Naturel, simplicité.

Sobre
Syn. **I.** Abstinent, économe, frugal, mesuré, modéré, modeste, pondéré, réglé, réservé, restreint, retenu, tempérant. **II.** Austère, classique, concis, dépouillé, discret, simple.
Ant. **I.** Débauché, glouton, goinfre, goulu, gourmand, immodéré, insatiable, intempérant, ivrogne, passionné. **II.** Affecté, bavard, chamarré, compliqué, criard, emphatique, orné, prolixe, tapageur.

Sobriété
Syn. **I.** Abstinence, circonspection, continence, discrétion, économie, frugalité, mesure, modération, pondération, réserve, retenue, tempérance. **II.** Austérité, concision, dépouillement, discrétion, simplicité.
Ant. **I.** Excès, gloutonnerie, goinfrerie, gourmandise, intempérance, ivresse, ivrognerie. **II.** Complication, éclat, excentricité, prolixité, recherche.

Sobriquet
Syn. **I.** Qualificatif, surnom.
Ant. **I.** Nom propre.

Sociable
Syn. **I.** Accommodant, affable, agréable, aimable, apprivoisé, civil, civilisé, indulgent, liant, poli, social, traitable.
Ant. **I.** Acariâtre, farouche, grossier, impoli, incivilisé, insociable, insolent, misanthrope, sauvage, solitaire.

Socialisme
Syn. **I.** Collectivisme, communisme, étatisme, gauchisme, progressisme, radicalisme, social-démocratie, travaillisme. — Léninisme, maoïsme, marxisme, saint-simonisme.

Ant. **I.** Capitalisme, libéralisme.

Société (et En)
Syn. **I.** Civilisation, collectivité, communauté, communion (humaine), culture, État, humanité, monde, nation, peuple, religion. — Académie, assemblée, association, cercle, clan, club, compagnie, confrérie, congrégation, corps, Église, famille, groupe, groupement, institut, masse, ordre, organisme, parti, religion, réunion, secte, syndicat, tribu. — Affaire, cartel, commandite, compagnie, coopérative, corporation, entreprise, établissement, mutualité, mutuelle, raison (sociable), trust. **II.** Commerce *(vx* ou *litt.),* compagnie, fréquentation, rapport, relation. — Aristocratie, classe, entourage, gentry, grand monde, gratin, milieu, voisinage. — *(Loc.)* Avec, en commun, en compagnie, ensemble.
Ant. **I.** Ermitage, isolement, solitude. **II.** *(Loc.)* À part, seul.

Socle
Syn. **I.** Acrotère, appui, base, fondation, fondement, gaine, pied, piédestal, support. **II.** *(Géogr., géol.)* Plateau, plateforme, soubassement.
Ant. **I.** Cime, crête, faîte, pointe, sommet.

Sofa
Syn. **I.** Canapé, divan, lit, méridienne, ottomane.

Soi-disant
Syn. **II.** Censé, présumé, prétendu, supposé.
Ant. **II.** Authentique, vrai.

Soif
Syn. **I.** Altération, dipsomanie. **III.** Ambition, avidité, besoin, convoitise, cupidité, désir, impatience, insatisfaction, passion. — Fatigue.
Ant. **I.** Rafraîchissement. **III.** Rassasiement, satiété.

Soigner (et Se)
Syn. (V. tr.) **I.** Bichonner, câliner, chouchouter, choyer, cultiver, dorlotter, entretenir, gâter, (s'en) occuper, panser, traiter. **II.** Châtier, ciseler, fignoler, fouiller, lécher, limer, mitonner, peigner, raffiner, travailler. *(V. pr.)* **I.** (Se) guérir, (se) ménager. *Ant.* **I.** Abandonner, battre, brutaliser, malmener, maltraiter. **II.** bâcler, négliger.

Soigneux
Syn. **I.** Appliqué, attentif, consciencieux, diligent, exact, méthodique, méticuleux, minutieux, ordonné, précis, préoccupé, rangé, sérieux, soigné, soucieux. *Ant.* **I.** Désordonné, grossier, inappliqué, inattentif, indifférent, insouciant, négligent, sale.

Soin(s)
Syn. **I.** Application, conscience, effort, exactitude, minutie, ordre, précaution, propreté, secours, sérieux *(n.)*. – Cajolerie, douceur, gâterie. – *(Pl.)* Attention, égards, empressement, prévenance, service, sollicitude. – Cure, hygiène, thérapeutique, traitement. **II.** Charge, conduite, occupation, responsabilité, travail. *Ant.* **I.** Abandon, incurie, indifférence, insouciance, laisser-aller, légèreté, mépris, négligence, nonchalance.

Soldat
Syn. **I.** Combattant, conquérant, guerrier, militaire, vétéran, volontaire. – Artilleur, fantassin, parachutiste. **II.** Franc-tireur, guerillero, maquisard, partisan, résistant. **III.** Champion, défenseur, serviteur. *Ant.* **I.** Civil. **III.** Déserteur.

Solde(s)
Syn. (N.f.) **I.** Emolument, paie, rémunération, rétribution, salaire, traitement. *(N.m.)* **I.** Appoint, balance, bilan, complément, dette, différence, reliquat, reste. **II.** Règlement. – *(Pl.)* Braderie, écoulement, liquidation, vente au rabais. *Ant.* **I.** Dette, redevance.

Solder
Syn. **I.** Acquitter, écouler, liquider, payer, régler, vendre. *Ant.* **I.** Accumuler, augmenter, encaisser (s') endetter.

Solécisme
Syn. **I.** Erreur, faute, incorrection. *Ant.* **I.** Amendement, correction, réforme.

Solennel
Syn. **I.** Authentique, officiel, public. **III.** *(Péj.)* Affecté, auguste, cérémonieux, compliqué, éclatant, emphatique, fastueux, grandiose, grave, imposant, magistral, magnifique, majestueux, pompeux, pontifiant, révérencieux, sentencieux, somptueux, splendide. *Ant.* **I.** Familier, intime, privé. **III.** Humble, modeste, monotone, morne, simple.

Solenniser
Syn. **I.** Célébrer, exalter, fêter, honorer, louer. *Ant.* **I.** Mépriser, vilipender.

Solennité
Syn. **I.** Ampleur, apparat, célébration, cérémonial, cérémonie, emphase, fête, formalité, gravité, pompe. *Ant.* **I.** Humilité, simplicité, sobriété.

Solidaire
Syn. **I.** Associé, dépendant, engagé, joint, lié, obligé, uni. **II.** Responsable. *Ant.* **I.** Autonome, distinct, indépendant, libre, séparé. **II.** Irresponsable.

Solidarité
Syn. **I.** Association, camaraderie, dépendance, entraide, esprit de corps, fraternité, interdépendance, mutualité, partage, relation. *Ant.* **I.** Indépendance, individualisme.

Solide
Syn. **I.** Consistant, consolidé, dense, dur, durable, ferme, fixe, fort, incassable, inu-

sable, résistant, substantiel. — *(Pers.)* Costaud, énergique, fort, gaillard, increvable *(fam.)*, puissant, râblé, robuste, tenace, valide, vigoureux. **II.** Beau, bon, important, intense. **III.** Affermi, assuré, certain, enraciné, équilibré, exact, fidèle, immuable, indéfectible, indestructible, inébranlable, infrangible, invariable, positif, réel, sage, sensé, sérieux, stable, sûr. *Ant.* **I.** Fluide, gazeux, liquide. — Faible, flexible, fragile, inconsistant, malléable, médiocre, mou, pliant, souple, tendre. — *(Pers.)* Chétif, débile, délicat, frêle, malingre. **II.** Anodin, insignifiant, médiocre. **III.** Chimérique, creux, frivole, incertain, instable, précaire.

Solidifier
Syn. **I.** Cailler, coaguler, concréter, condenser, congeler, consolider, durcir, figer, fortifier, geler, raffermir, renforcer, renforcir. *Ant.* **I.** Désagréger, désunir, dissocier, ébranler, fluidifier, fondre, liquéfier, ramollir, vaporiser.

Solidité
Syn. **I.** Aplomb, assiette, consistance, force, résistance, rigidité, robustesse, stabilité, sûreté. **III.** Assurance, autorité, fermeté, netteté, rectitude, vigueur. *Ant.* **I.** Caducité, désagrégation, faiblesse, flexibilité, fluidité, précarité, rupture, souplesse. **III.** Fragilité, incertitude, inexactitude, instabilité.

Soliloque
Syn. **I.** Monologue. *Ant.* **I.** Dialogue.

Solitaire
Syn. (Adj.) **I.** *(Lieux)* Abandonné, claustral, dépeuplé, désert, désolé, écarté, inaccessible, inhabité, isolé, retiré, sauvage. — *(Pers.)* Esseulé, isolé, reclus, renfermé, seul. *(N.)* **I.** Anachorète, ermite, moine. **II.** Misanthrope, ours, sauvage. *(Spécial.)* Diamant, sanglier.

Ant. **I.** Accessible, commun, fréquenté, populaire, public. — Sociable.

Solitude
Syn. **I.** Désert, ermitage, thébaïde. — *(Pers.)* Abandon, délaissement, isolement, recueillement, retraite, séparation. *Ant.* **I.** Communauté, compagnie, société.

Sollicitation
Syn. **I.** Appel, demande, démarche, excitation, importunité, incitation, insistance, instance, invitation, invité, prière, requête, tentation. *Ant.* **I.** Éviction, exclusion, expulsion, refus, renvoi.

Solliciter
Syn. **I.** Appeler, attirer, briguer, demander, entraîner, exciter, implorer, importuner, inciter, inviter, mendier, plier, postuler, provoquer, quémander, quêter, réclamer, requérir, stimuler, tenter. *Ant.* **I.** Obtenir, refuser.

Solliciteur
Syn. **I.** Demandeur, importun, mendiant, quémandeur, quêteur, tapeur *(péj.)*. *Ant.* **I.** Donateur, fournisseur, pourvoyeur, prêteur, souscripteur.

Sollicitude
Syn. **I.** Affection, attention, dévouement, intérêt, soin, souci, vigilance. *Ant.* **I.** Dureté, froideur, hostilité, indifférence, malveillance.

Soluble
Syn. **I.** Liquéfiable. **II.** Résoluble. *Ant.* **I.** Insoluble.

Solution
Syn. **I.** *(Chim.)* Dissolution, soluté. **III.** Clef, moyen, réponse, résultat. — Aboutissement, achèvement, conclusion, dénouement, fin, issue, terminaison. *Ant.* **III.** Difficulté, problème, question. — Commencement.

Solvabilité
Syn. **I.** Certificat, crédit, garantie. **II.** Ducroire, solidarité.
Ant. **I.** Insolvabilité. **II.** Pauvreté. ruine.

Sombre
Syn. **I.** Foncé, noir, noirâtre. nuageux, obscur, opaque, orageux, voilé. **III.** *(Ch.)* Funèbre, funeste, inquiétant, sépulcral, sinistre, tragique. — *(Pers.)* Amer, atrabilaire, attristé, bilieux, contristé, endolori, hypocondre, mélancolique, morne, morose, pessimiste, taciturne. ténébreux, triste.
Ant. **I.** Blanc, brillant, clair. diaphane, éblouissant, éclairé, éclatant, illuminé. luisant, pâle. **III** Comique, divertissant, drôle, plaisant, riant. — Enjoué, gai. jovial, joyeux.

Sombrer
Syn. **I.** (S') abîmer. chavirer. couler. (s') enfoncer, (s') engloutir, faire naufrage, (s') immerger, périr. **II.** (S') écrouler, (s') enliser, (se) noyer. **III.** (S') absorber, (s') anéantir, disparaître, glisser, (se) perdre, tomber.
Ant. **I.** Flotter. **II.** Jaillir, sortir de. surgir. **III.** Apparaître, (se) montrer, paraître.

Sommaire
Syn. **I.** *(N.)* Abrégé, analyse, extrait, précis, résumé, schéma. — *(Adj.)* Bref, concis, court, élémentaire, expéditif, petit, rapide, rudimentaire, simple, succinct, superficiel.
Ant. **I.** *(N.)* Dissertation. — *(Adj.)* Complexe, détaillé, minutieux, long.

Sommation
Syn. **I.** Assignation, avertissement, citation, commandement, demande, injonction, intimation, mise en demeure, ordre, ultimatum.

Somme
Syn. (N.f.) **I.** Chiffre, fonds, montant, résultat. — *(Didact.)* Compendium, encyclopédie. **II.** Masse, quantité, volume. **III.**

Ensemble, total. *(N.m.)* **I.** Assoupissement, repos, roupillon *(pop.)*, sieste.
Ant. (N.f.) **I.** Part, partie, portion. *(N.m.)* **I.** Réveil, veille.

Sommeil
Syn. **I.** Assoupissement, demi-sommeil, dodo *(fam.)*, hypnose, léthargie, méridienne, narcose, roupillon *(pop.)*, sieste, somme, somnambulisme, somnolence, torpeur. **II.** Bâillement, engourdissement, fatigue, hibernation. **III.** Calme, inactivité, inertie, mort, repos.
Ant. **I.** Éveil, insomnie, réveil, veille. **III.** Activité, vigilance.

Sommeiller
Syn. **I.** (S') assoupir, dormir, (s') endormir, reposer, roupiller *(fam.)*, somnoler. **III.** (Se) cacher, (se) dissimuler.
Ant. **I.** (S') éveiller, (se) réveiller, veiller. **III.** Garder, guetter, surveiller.

Sommer
Syn. **I.** Assigner, avertir, citer, commander, contraindre, demander, enjoindre, forcer, mettre en demeure, ordonner, requérir, signifier.

Sommet
Syn. **I.** Aiguille, cime, crête, dent, extrémité, faîte, front, haut, pic, pointe, tête. **III.** Apogée, comble, perfection, pinacle, sommité, summum, suprématie, zénith.
Ant. **I.** Bas, base, col, fondation, fondement, pied, piédestal, socle. **III.** Bas, minimum.

Sommité
Syn. **I.** *(Vx)* Sommet. **III.** Autorité, célébrité, éminence, lumière, personnalité, puissance, vedette.
Ant. **I.** Profondeur, racine. **III.** Ignoré, inconnu, obscur.

Somnifère
Syn. **I.** Anesthésique, calmant, hypnotique, narcotique, soporifique. **II.** Endormant, ennuyant, ennuyeux, rasant *(fam.)*.

Ant. I. Excitant, stimulant. II. Amusant, distrayant.

Somnolence
Syn. I. Assoupissement, demi-sommeil, torpeur. III. Atonie, engourdissement, inaction, lenteur, mollesse.
Ant. I. Conscience, veille, vigilance.

Somnolent
Syn. I. Assoupi, courbatu, dormeur, endormi, engourdi, roupilleur *(fam.).* II. Inactif, lent, lourd, mou, traînant. III. Latent, muet.
Ant. I. Conscient, dispos, éveillé, réveillé. II. Actif, affairé, attentif, empressé, énergique, vif, vivant. III. Apparent, extériorisé, manifeste.

Somnoler
Syn. I. (S') assoupir, dormir, (s') endormir, reposer, roupiller *(fam.),* sommeiller.
Ant. I. (Se) réveiller.

Somptueux
Syn. I. Beau, éclatant, fastueux, luxueux, magnifique, opulent, pompeux, princier, riche, solennel, splendide, superbe.
Ant. I. Frugal, humble, modeste, pauvre, simple.

Somptuosité
Syn. I. Apparat, beauté, éclat, faste, luxe, magnificence, opulence, pompe, richesse, solennité, splendeur.
Ant. I. Mesure, modération, modestie, pauvreté, simplicité.

Son
Syn. I. Bruit, écho, murmure. — Accord, gamme, note, timbre, ton, tonalité. II. Cacophonie, canard, couac, désaccord.
Ant. I. Calme, mutisme, pause, silence.

Sondage
Syn. I. Exploration, forage, prospection. — *(Chir.)* Cathétérisme. — *(Mar.* et *géogr.)* Bathymétrie, brassiage. III. Enquête, investigation, recherche.

Sonder
Syn. I. Ausculter, creuser, descendre, examiner, explorer, forer, fouiller, mesurer, percer, prospecter. III. Analyser, approfondir, chercher, confesser, consulter, (s') enquérir, étudier, évaluer, interroger, pénétrer, pressentir, scruter, tâter.
Ant. III. Délaisser, (se) désintéresser, effleurer, ignorer, négliger, renoncer.

Songe
Syn. II. Cauchemar, chimère, fiction, illusion, imagination, phantasme, rêve, rêverie, utopie, vision.
Ant. II. Exactitude, existence, matérialité, réalité, vérité.

Songer
Syn. I. (S') aviser, considérer, envisager, espérer, évoquer, imaginer, méditer, penser, peser, projeter, réfléchir, repasser, rêver. II. (S') intéresser, (s') occuper, (se) préoccuper, (prendre) soin, veiller.
Ant. I. Ignorer, matérialiser, réaliser. II. Négliger, omettre, oublier.

Songeur
Syn. I. Absorbé, occupé, pensif, préoccupé, soucieux. *(N.)* Rêveur.
Ant. I. Distrait, indifférent, insouciant.

Sonner
Syn. (V. intr.) I. Bourdonner, carillonner, résonner, tinter. II. Corner, retentir, vibrer. III. Arriver. — Proclamer, vanter.
(V. tr.) I. Annoncer, appeler, claironner, jouer, signaler. II. *(Fam.)* Assommer, étourdir, frapper. III. Réprimander.
Ant. I. Assourdir, cacher, taire.

Sonnette
Syn. I. Carillon, cloche, clochette, sonnaille, sonnerie, timbre. II. Appel, avertisseur, drelin, grelot.

Sonore
Syn. I. Bruyant, carillonnant, éclatant, étourdissant, fort, résonnant, retentissant, tonitruant, tonnant, vibrant. III. *(Péj.)*

Ampoulé, emphatique, ronflant. *Ant.* **I.** Aphone, étouffé, insonore, mat, muet, secret, silencieux, sourd, terne. **III.** Simple, sobre.

Sophistique
Syn. **I.** Captieux, faux, frelaté, trompeur. **II.** Subtil. *Ant.* **I.** Authentique, certain, concluant, convaincant, exact, réel, véritable.

Sophistiqué
Syn. **III.** Affecté, alambiqué, compliqué, embarrassé. *(Néol.* et *spécial.)* Artificiel, élégant, raffiné. *Ant.* **III.** Naturel.

Soporifique V. *Somnifère*

Sorcier
Syn. **I.** Devin, magicien, nécromancien. **III.** Adroit, habile, malin.

Sordide
Syn. **I.** Crasseux, dégoûtant, malpropre, repoussant, répugnant, sale. **III.** Avare, chiche, crasse, honteux, ignoble, intéressé, ladre, mesquin, pingre, rapace. *Ant.* **I.** Agréable, attirant, attrayant, net, propre, pur, ragoûtant, **III.** Désintéressé, généreux, libéral, noble.

Sort
Syn. **I.** Charme, enchantement, ensorcellement, magie, maléfice, sortilège. — Apanage, avenir, condition, destin, destinée, état, étoile, fatalité, fatum, fortune, hasard, lot. **II.** Issue.

Sorte
Syn. **I.** Caractère, catégorie, classe, espèce, famille, forme, genre, groupe, nature, ordre, race, rang, variété. **II.** Condition, état, trempe. — Façon, manière.

Sortie
Syn. **I.** Débouché, issue, porte. — Balade, congé, départ, évasion, exode, promenade, tour. — Dégagement, échappement, écoulement, émergence, évacuation. **II.** Débours, décaissement, dépense.

—Parution, publication. **III.** Échappatoire. — Algarade, apostrophe, attaque, invective. *Ant.* **I.** Accès, entrée. — Arrivée, retour. — Obstruction, stagnation. **II.** Crédit, rentrée. **III.** Repartie, riposte.

Sortir
Syn. (V. intr.) **I.** *(Êtres vivants)* (S') absenter, débucher, débusquer, décamper, déguerpir, déloger, disparaître, (s') écarter, (s') échapper, (s') éclipser, (s') éloigner, (s') esquiver, évacuer, partir, (se) promener, quitter, (se) retirer. **II.** *(Ch.)* Abandonner, déborder, (se) dégager, dépasser, dérailler, émerger, (s') exhaler, jaillir, lever, percer, poindre, pousser, (se) répandre, saillir, sourdre, surgir. — Émaner, (être) issu de, naître de, provenir, résulter, venir de. **III.** (Être) édité, paraître, (être) produit, promulgué. *(V. tr.)* I. Accompagner, mener, promener. — Dégager, éliminer, enlever, expulser, extraire, ôter, tirer, vider *(pop.).* **III.** *(Néol.)* Éditer, lancer, produire, publier. *Ant. (V. intr.)* **I.** Accéder, entrer, rentrer. **II.** Croupir, (s') ensevelir. *(V. tr.)* **I.** Enfermer, enfoncer, enfouir, introduire, pénétrer, rentrer.

Sosie
Syn. **I.** Ménechme, pendant, réplique, ressemblant, semblable.

Sot
Syn. **I.** Benêt, bête, borné, crétin, dadais, étourdi, fat, idiot, imbécile, inintelligent, niais, nigaud, simple, stupide. **II.** *(Ch.)* Absurde, inepte, ridicule. *Ant.* **I.** Avisé, brillant, clairvoyant, éclairé, entendu, fin, intelligent, inventif, judicieux, perspicace, sagace, sage, sensé, spirituel, subtil. **II.** Fondé, raisonnable.

Sottise(s)
Syn. **I.** Absurdité, ânerie, baliverne, balourdise, bêtise, bévue, fatuité, faute, gaffe, idiotie, imbécillité, maladresse, stupidité. **II.** *(Pl.)* Injures, invectives.

Ant. I. Finesse, intelligence, prouesse. **II.** Compliments, éloges.

Soubresaut

Syn. I. Convulsion, mouvement, saccade, saut, secousse, spasme, sursaut, trépidation. **II.** Frisson, haut-le-corps, tressaillement. **III.** Agitation, trouble.

Souche

Syn. I. Cep, estòc, pivot, racine, tige. **III.** Descendance, dynastie, famille, génération, lignée, origine, provenance, race, source. − Étymologie. **Ant. III.** Anéantissement, disparition, extinction, fin, terme.

Souci

Syn. I. Agitation, alarme, anxiété, appréhension, bile, chagrin, crainte, incertitude, inquiétude, peine, perplexité, préoccupation, scrupule, sollicitude, tintouin, tourment, tracas. − Contrariété, désagrément, embarras, embêtement *(fam.)*, ennui, tribulation. **Ant. I.** Agrément, calme, indifférence, insouciance, joie, paix, quiétude, repos, sérénité, tranquillité.

Soucieux

Syn. I. Absorbé, agité, alarmé, angoissé, anxieux, chagrin, contrarié, craintif, ennuyé, inquiet, obsédé, pensif, perplexe, songeur, tourmenté, tracassé, troublé. − Attentif, consciencieux, occupé, préoccupé, soigneux. **Ant. I.** Calme, quiet, rasséréné, reposé, serein, tranquille. − Insouciant, insoucieux, indifférent.

Soudain

Syn. I. *(Adj.)* Brusque, foudroyant, immédiat, imprévu, inopiné, instantané, prompt, rapide, subit. − *(Adv.)* À l'instant, aussitôt, brusquement, graduellement, immédiatement, soudainement, subitement, tout à coup. **Ant. I.** *(Adj.)* Éloigné, languissant, lent, prévu, ralenti, retardé, tardif, traînard.

− *(Adv.)* Graduellement, lentement, plus tard, progressivement.

Souder

Syn. I. Aciérer, assembler, braser, coller, greffer, river. **II.** Joindre, réunir, unir. **Ant. I.** Décoller, dessouder, rompre, séparer. **II.** Désunir, disjoindre, diviser, isoler.

Soudoyer

Syn. I. Acheter, corrompre, enrôler, racoler, séduire, stipendier, suborner.

Souffle

Syn. I. Exhalation, haleine, halètement, respiration, soupir. **II.** Bouffée, bruit *(méd.)*, courant, effluve, émanation, exhalaison, poussée, rafale, vent. **III.** Âme, esprit, force, inspiration. **Ant. I.** Asphyxie, aspiration, inhalation. **II.** Fumigation.

Souffler

Syn. (V. intr.) I. Aspirer, (s') essouffler, exhaler, expirer, haleter, respirer. − Venter. **III.** (Se) reposer. *(V. tr.)* **I.** Détruire, éteindre. **II.** Enfler, gonfler, grossir. − Chuchoter, dire, escamoter, glisser, insinuer, murmurer. **III.** Dérober, enlever, prendre, ravir, voler. − Inspirer, insuffler, rappeler, remémorer, suggérer.

Soufflet

Syn. III. Affront, camouflet, claque *(fam.)*, gifle, humiliation, insulte, mortification, outrage, tape *(fam.)*. **Ant. III.** Accolade, attention, caresse, égard.

Souffrance

Syn. I. Affliction, désolation, douleur, indisposition, mal, malaise, martyre, peine, rage, supplice, torture, tourment. **Ant. I.** Bonheur, délice, joie, plaisir, réjouissance.

Souffrant

Syn. I. Dolent, faible, fatigué, indisposé, malade, maladif, souffreteux.

Ant. **I.** Guéri, rétabli, sain, vigoureux.

Souffreteux
Syn. **I.** Chétif, débile, égrotant, maladif, malingre, misérable, souffrant.
Ant. **I.** Florissant, sain, vigoureux.

Souffrir
Syn. **I.** *(V. tr.)* Endurer, éprouver, essuyer, ressentir, sentir, subir, supporter, tolérer. — Consentir. permettre. — *(Ch.)* Admettre. — *(V. intr.)* Languir, pâtir de, (être) victime de. — *(Ch.)* (S') abîmer, (se) détériorer.
Ant. **I.** *(V. tr.)* (Être) en bonne santé. — Défendre, interdire. — *(V. intr.)* Bénéficier, jouir.

Souhait
Syn. **I.** Aspiration, attente, demande, désir, envie, espérance, vœu. — Ambition, appétit, convoitise.
Ant. **I.** Crainte, imprécation, malédiction, maléfice, réprobation.

Souhaitable
Syn. **I.** Acceptable, désirable, enviable.
Ant. **I.** Désagréable, détestable, haïssable, ignoble, répugnant.

Souhaiter
Syn. **I.** Ambitionner, aspirer à, attendre, briguer, convoiter, désirer, envier, espérer, rechercher, rêver de, viser, vouloir.
Ant. **I.** Craindre, exécrer, maudire, refuser, regretter, repousser, réprouver.

Souiller
Syn. **I.** Contaminer, corrompre, éclabousser, encrasser, gangrener, gâter, graisser, infecter, maculer, noircir, poisser, polluer, salir, tacher, ternir. **III.** Avilir, calomnier, déshonorer, diffamer, entacher, flétrir, profaner, violer.
Ant. **I.** Blanchir, désinfecter, épurer, essuyer, laver, nettoyer, purger, purifier. **III.** Régénérer, sanctifier.

Souillure
Syn. **I.** Contamination, corruption,

crasse, éclaboussure, immondice, impureté, malpropreté, ordure, pollution, saleté, salissure, tache. **III.** Avilissement, crime, déshonneur, faute, flétrissure, péché, tare.
Ant. **I.** Désinfection, propreté, pureté. **III.** Décence, pudicité, réserve.

Soûl
Syn. **I.** Dégoûté, éméché, ivre, plein *(fam.),* rassasié, repu, rond *(pop.),* saturé. **III.** Enivré, grisé.
Ant. **I.** À jeun, désenivré, dessoûlé, sobre. **III.** Apathique, indifférent.

Soulagement
Syn. **I.** Adoucissement, allégement, apaisement, assouplissement, calme, décharge, délivrance, détente, euphorie, remède, repos. **III.** Aide, consolation, réconfort, secours.
Ant. **I.** Accablement, affliction, aggravation, alourdissement, excitation. **II.** Abandon, malheur, peine.

Soulager
Syn. **I.** Alléger, débarrasser, décharger, dégrever, délester, exonérer, ôter. **III.** Adoucir, aider, amoindrir, apaiser, atténuer, calmer, consoler, délivrer, diminuer, guérir, secourir, tempérer.
Ant. **I.** Accabler, aggraver, alourdir, charger, écraser, épuiser, fatiguer, gêner, opresser, opprimer, surcharger. **III.** Abandonner, contrarier, ennuyer, nuire.

Soulèvement
Syn. **I.** Affleurement, exhaussement, raz-de-marée, redressement. **III.** Agitation, déchaînement, émeute, insurrection, mutinerie, rébellion, révolte, révolution, sédition.
Ant. **I.** Abaissement, affaissement, dépression. **III.** Accord, apaisement, calme, conciliation, concorde, entente, pacification, tranquillité.

Soulever (et Se)
Syn. *(V. tr.)* **I.** Élever, enlever *(pop.),*

hausser, lever, monter, redresser, relever.
III. Agiter, ameuter, animer, déchaîner, déclencher, exalter, exciter, indisposer, occasionner, provoquer, susciter, transporter. — Poser, proposer. *(V. pron.)* **I.** (S') agripper, (se) déplacer, (se) lever. **III.** (S') insurger, remuer, (se) révolter. — (S') agiter.
Ant. **I.** Abaisser, affaisser, aplanir, déprimer. **III.** Apaiser, calmer, concilier, pacifier, tranquilliser.

Souligner
Syn. **I.** Marquer (d'un trait), ponctuer. **II.** Accentuer, (faire) ressortir. **III.** Appuyer, désigner, insister, montrer, noter, préciser, relever, signaler.
Ant. **III.** Écarter, passer outre, rejeter, reléguer.

Soumettre (et Se)
Syn. **I.** *(V. tr.)* Asservir, assujettir, conquérir, dominer, dompter, enchaîner, maîtriser, mâter, opprimer, ranger, réduire, subjuguer. — Apprivoiser, assouplir, discipliner, dresser. — Astreindre, contraindre, forcer, obliger, réglementer, subordonner. — Montrer, offrir, présenter, proposer. — Exposer, traiter. — *(V. pr.)* ₁(S') abaisser, accepter, acquiescer, céder, (se) conformer, déférer, fléchir, (s') incliner, (se) livrer, obéir, obtempérer, (se) plier, reconnaître, (se) rendre, (se) résigner, suivre.
Ant. **I.** *(V. tr.)* Affranchir, délivrer, émanciper, exciter, révolter, soulever. — Exempter. — *(V. pr.)* Désobéir, (s') obstiner, refuser, résister, (se) révolter.

Soumis
Syn. **I.** Assujetti, conquis, déférent, discipliné, docile, gouvernable, humble, obéissant, résigné, souple, subordonné.
Ant. **I.** Autonome, désobéissant, dominateur, entêté, indiscipliné, indocile, insoumis, insurgé, rebelle, récalcitrant, résistant.

Soumission
Syn. **I.** Aman, assujettissement, conquête, sujétion. — Dépendance, docilité, résignation, subordination. — *(Dr.)* Adjudication, convention, entreprise, marché, offre.
Ant. **I.** Autonomie, émancipation. — Commandement, désobéissance, entêtement, insoumission, mutinerie, résistance, révolte, soulèvement.

Soupçon
Syn. **I.** Apparence, conjecture, crainte, défiance, doute, méfiance, ombrage, suspicion. **II.** Idée, nuage, ombre, pointe.
Ant. **I.** Certitude, constatation, conviction, foi, persuasion, preuve, réalité.

Soupçonner
Syn. **I.** Conjecturer, (se) défier, deviner, (se) douter, entrevoir, flairer, imaginer, (se) méfier, penser, pressentir, présumer, redouter, subodorer *(fam.)*, supposer, suspecter.
Ant. **I.** (Se) confier, croire, voir.

Soupçonneux
Syn. **I.** Craintif, défiant, méfiant, ombrageux.
Ant. **I.** Confiant, convaincu, crédule, persuadé.

Souple
Syn. **I.** *(Ch.)* Élastique, flexible, maniable, mou. **II.** *(Corps)* Agile, aisé, décontracté, dégagé, léger, leste. **III.** *(Pers.)* Accommodant, adroit, compréhensif, docile, facile, liant, ondoyant.
Ant. **I.** Coriace, dur, ferme, raide, rigide. **II.** Gauche, lent, lourd. **III.** Autoritaire, buté, étroit, indépendant, indocile, inflexible.

Source(s)
Syn. **I.** Fontaine, geyser, jaillissement, puits, résurgence. **III.** Cause, commencement, ferment, foyer, germe, origine, principe. — Étymologie. — *(Pl.)* Documents, textes originaux.

Sourd
Syn. **I.** Dur d'oreille. **II.** *(Ch.)* Amorti, assourdi, caverneux, creux, étouffé, indistinct, voilé. — Doux, mat. **III.** *(Pers.)* Indifférent, inexorable, insensible. — *(Ch.)* Caché, secret, vague. — Clandestin, hypocrite, occulte, souterrain, ténébreux. *Ant.* **II.** Aigu, éclatant, net, retentissant, sonore.

Sourdre
Syn. **I.** Couler, filtrer, jaillir, sortir. **III.** (S') élever, (se) manifester, naître, résulter, surgir. *Ant.* **III.** (Se) cacher.

Sourire
Syn. *(N.)* Rire, risette. *(V. intr.)* *(Pers.)* **I.** Rire. — *(Ch.)* **III.** Convenir, enchanter, favoriser, plaire. *Ant.* **III.** Défavoriser, déplaire, empêcher.

Sournois
Syn. **I.** Cachottier, cauteleux, chafouin, dissimulé, faux, fourbe, hypocrite, rusé, trompeur. **II.** Caché, insidieux, perfide. **III.** *(Ch.)* Confus, secret, vague. *Ant.* **I.** et **II.** Candide, droit, expansif, franc, honnête, loyal, ouvert, sincère. **III.** Apparent, distinct, visible.

Souscrire
Syn. **I.** Contribuer, (s') engager, fournir, payer, verser. **III.** Accéder, accepter, acquiescer, adhérer, admettre, approuver, consentir. *Ant.* **I.** Émettre. **III.** Blâmer, condamner, désapprouver, refuser, rejeter, réprouver.

Sous-entendu
Syn. **I.** *(N.)* Allusion, insinuation, restriction, réticence. — *(Adj.)* Implicite, tacite. *Ant.* **I.** Explicite.

Soustraire (et Se)
Syn. *(V. tr.)* **V.** Oter *(V. pr.)* **I.** (S') affranchir, (se) dérober, échapper à, éluder, esquiver, (s') évader, éviter, fuir, (se) libérer, manquer à.

Ant. *(V. pr.)* **I.** Affronter, apparaître, chercher, poursuivre, rechercher, rencontrer, respecter, rester.

Soutenable
Syn. **I.** Défendable, plausible, possible, supportable *(vx).* *Ant.* **I.** Impossible, inadmissible, indéfendable, insoutenable, irréalisable.

Soutenir (et Se)
Syn. *(V. tr.)* **I.** Consolider, étançonner, étayer, maintenir, porter, résister à, supporter, tenir. **II.** Aider, appuyer, assister, continuer, défendre, encourager, favoriser, fortifier, nourrir, protéger, réconforter, remonter, secourir, stimuler, sustenter. — Affirmer, argumenter, assurer, attester, certifier, plaider. *(V. pr.)* **I.** (Se) tenir debout, droit. — (Se) maintenir, surnager, voler. **III.** (Se) continuer, durer, subsister. — (S') entraider. *Ant.* *(V. tr.)* **I.** Abandonner, affamer, délaisser, déserter, lâcher, nuire, quitter, renier, répudier. — Contester. *(V. pr.)* **I.** Chanceler. **III.** Cesser, diminuer. — (Se) combattre.

Soutenu
Syn. **I.** Appuyé, assidu, consécutif, constant, continu, défendu, obstiné, opiniâtre, persévérant, persistant, protégé, régulier, suivi. **II.** Élevé, noble. *Ant.* **I.** Abandonné, délaissé, démenti, déserté, inconstant, intermittent, irrégulier, lâché, renié. **II.** Familier.

Souterrain
Syn. *(Adj.)* **III.** Caché, obscur, secret, sombre, ténébreux. *Ant.* **III.** Aérien, en surface, superficiel.

Soutien
Syn. **I.** Adossement, armature, carcasse, charpente, colonne, échafaudage, étai, levier, pilier, sommier, soupente, soutènement, support, tréteau, voûte. **III.** Aide, appui, assistance, dépense, encourage-

ment, protection, secours. — Champion, défenseur.
Ant. **III.** Abandon, adversaire, embarras, entrave, nuisance, obstacle, opposant.

Soutirer
Syn. **I.** Clarifier, élier, transvaser, vider. **II.** Arracher, escroquer, extorquer, obtenir, ôter.
Ant. **I.** Ajouter, alimenter, approvisionner, combler, remplir. **II.** Rendre, restituer.

Souvenir (et Se)
Syn. (N.) **I.** Commémoration, mémoire, pensée, réminiscence, ressouvenance, souvenance. **II.** Arrière-goût, ombre, trace. — Cadeau, monument, plaque, relique, témoin, trophée. *(V. pr.)* **I.** Évoquer, (se) rappeler, reconnaître, (se) redire, (se) remémorer, (se) représenter, (se) ressouvenir, retenir, revoir.
Ant. (N.) **I.** Oubli. *(V. pr.)* **II.** Omettre, oublier, passer, sauter.

Souverain
Syn. (N.) **I.** Chef, empereur, monarque, potentat, roi, suzerain. **III.** Arbitre, maître. *(Adj.)* **I.** Absolu, omnipotent. — Indépendant, libre. — Divin, extrême, magistral, puissant, supérieur, suprême. **II.** Efficace, important, infaillible, sûr.
Ant. (N.) Sujet. *(Adj.)* **I.** Faible, limité. — Dépendant. — Humain, inférieur, infime. **II.** Anodin, inefficace, inopérant, médiocre.

Souveraineté
Syn. **I.** Autorité, domination, empire, omnipotence, pouvoir, puissance, royauté, suprématie, suzeraineté. **II.** Autonomie, indépendance. **III.** Empire *(fig.)*, maîtrise.
Ant. **I.** Assujettissement, infériorité, subordination, sujétion. — Anarchie. **II.** Dépendance, soumission, tutelle. **III.** Servitude.

Soyeux
Syn. **II.** Brillant, doux, fin, lisse, moelleux, satiné, velouté, velouteux.
Ant. **II.** Brut, rude, rugueux.

Spacieux
Syn. **I.** Ample, considérable, étendu, grand, haut, long, vaste.
Ant. **I.** Borné, étroit, exigu, limité, petit, resserré.

Spasme
Syn. **I.** Contorsion, contraction, convulsion, crampe, crispation, saccade, secousse, serrement.
Ant. **I.** Continuité, égalité, régularité, uniformité.

Spécial
Syn. **I.** Adéquat, caractéristique, distinct, individuel, particulier, personnel, propre, restreint. — Exceptionnel, exclusif, extraordinaire. **II.** Bizarre, original, singulier.
Ant. **I.** Collectif, général, générique, universel. — Quelconque. **II.** Commun, habituel, normal, ordinaire, régulier.

Spécialité
Syn. **I.** Branche, département, division, domaine, fief *(fig.)*, matière, métier, partie, sphère. **III.** Comportement *(fam.)*, manie.
Ant. **I.** Généralité.

Spécieux
Syn. **I.** Apparent, captieux, fallacieux, faux, séduisant, trompeur.
Ant. **I.** Franc, honnête, réel, sérieux, sincère, véritable, vrai.

Spécifier
Syn. **I.** Caractériser, définir, détailler, déterminer, énumérer, indiquer, mentionner, préciser.
Ant. **I.** Amplifier, généraliser.

Spécifique
Syn. **I.** Caractéristique, clair, distinct, net, particulier, précis, propre, spécial, typique.

Ant. **I.** Ambigu, confus, équivoque, identique, obscur.

Spécimen
Syn. **I.** Échantillon, exemplaire, exemple, modèle, représentant, type.

Spectacle
Syn. **I.** Aspect, attraction, divertissement, exhibition, féerie, panorama, représentation, revue, scène, séance, tableau, vue. — Chorégraphie, cinéma, music-hall, numéro, télévision, théâtre.

Spectaculaire
Syn. **I.** Frappant, impressionnant, sensationnel, théâtral.
Ant. **I.** Faible, insignifiant.

Spectateur
Syn. **I.** Assistant, auditeur, observateur, téléspectateur, témoin. — Auditoire, galerie, parterre, (le) public.
Ant. **I.** Acteur, exécutant, figurant.

Spectre
Syn. **I.** Apparence, apparition, chimère, esprit, fantôme, illusion, ombre, revenant, simulacre, vampire. **II.** Arc-en-ciel. — Radiation, réseau, résonance. **III.** Épouvantail, menace.
Ant. **I.** Réalité.

Spéculation
Syn. **I.** Étude, pensée, raisonnement, recherche, théorie. **II.** Affaire, arbitrage, commerce, entreprise, transaction. — Agiotage, boursicotage *(fam.,)* combinaison, jeu, trafic.
Ant. **I.** Pratique.

Sphère
Syn. **I.** Balle, bille, boule, globe. **III.** Champ (d'action), domaine, étendue, limite, matière, milieu, orbite, spécialité, zone.

Spirituel
Syn. **I.** Immatériel, incorporel. — Intérieur, religieux. — Allégorique, figuré, mystique, symbolique. — Abstrait, intellectuel. — Amusant, attique, brillant, comique, drôle, fin, humoristique, ingénieux, intelligent, malicieux, piquant, plaisant.
Ant. **I.** Charnel, matériel. — Mondain, temporel. — Littéral. — Concret, physique, sensible. — Benêt, ennuyant, idiot, imbécile, lourd, naïf, niais, plat, sot.

Spleen
Syn. **I.** Cafard, chagrin, dégoût, ennui, hypocondrie, mélancolie, neurasthénie, nostalgie, pessimisme, tristesse, vague à l'âme.
Ant. **I.** Enjouement, gaieté, joie, optimisme, plaisir.

Splendeur
Syn. **I.** Éclat, lumière. **III.** Apparat, beauté, gloire, lustre, luxe, magnificence, merveille, pompe, prospérité, richesse, somptuosité.
Ant. **I.** Obscurité, ténèbres. **II.** Déchéance, déclin, pauvreté, simplicité.

Splendide
Syn. **I.** Beau, clair, éclatant, magnifique, merveilleux, ravissant, rayonnant, riche, somptueux, superbe.
Ant. **I.** Affreux, humble, laid, modeste, obscur, terne.

Spolier
Syn. **I.** Déposséder, dépouiller, dilapider, frustrer, gruger, voler.
Ant. **I.** Rembourser, remettre, restituer.

Spontané
Syn. **I.** Cordial, direct, franc, libre, naturel, primesautier, rapide, sincère, volontaire. — *(Ch.)* Automatique, impulsif, inconscient, instinctif, involontaire.
Ant. **I.** Apprêté, calculateur, indécis, lent. — *(Ch.)* Conscient, délibéré, dicté, intentionnel, médité, obligé, prémédité, réfléchi, volontaire.

Sporadique
Syn. **I.** Dispersé, épars, irrégulier, isolé, local, restreint.
Ant. **I.** Concerté, constant, contagieux, continu, endémique, épidémique, général, propagé, régulier, répandu.

Sport
Syn. **I.** Amusement, culture physique, entraînement, exercice, jeu.
Ant. **I.** Inaction, repos.

Square
Syn. **I.** Enclos, jardin, parc, place.

Squelette
Syn. **I.** Carcasse, charpente, os, ossature, ossements. **III.** Architecture, canevas, plan, schéma, structure. − Momie.
Ant. **I.** Chair.

Stabilité
Syn. **I.** Aplomb, assiette, certitude, consistance, constance, continuité, durabilité, équilibre, fermeté, fixité, permanence, solidité, ténacité.
Ant. **I.** Altération, changement, débilité, déséquilibre, devenir, évolution, fluctuation, fragilité, incertitude, inconstance, instabilité, intermittence, modification, péril.

Stable
Syn. **I.** Constant, continu, durable, équilibré, ferme, fidèle, fixe, immobile, inaltérable, permanent, sédentaire, solide, stationnaire, tenace.
Ant. **I.** Altérable, branlant, changeant, déséquilibré, inconstant, instable, intermittent, passager, temporaire, variable.

Stage
Syn. **I.** Arrêt, passage, période, séjour, station. **II.** Apprentissage, formation, noviciat, préparation.

Stagnant
Syn. **I.** Croupissant, dormant, immobile, marécageux, mort. **III.** Inactif, inerte, langoureux, lent, stationnaire.

Ant. **I.** Agité, courant, mobile, variable. **III.** Actif, progressif, remuant, vigilant.

Station
Syn. **I.** Arrêt, attente, gare, halte, pause, place, station-service. − Centrale, poste (émetteur). − Lieu de séjour, thermes, ville d'eaux. **II.** Autel, cérémonie, chemin de croix, office, pèlerinage. − Attitude, position, posture.
Ant. **I.** Agitation, circulation, déplacement, vitesse.

Stationnaire
Syn. **I.** Immobile. **III.** Étale, fixe, inchangé, invariable, stable, stagnant. − Casanier, sédentaire.
Ant. **I.** Mobile. **III.** Instable, progressif, variable. − Ambulant, aventurier, nomade.

Stationnement
Syn. **I.** Arrêt. **II.** Garage, parc, parcage, parking.
Ant. **I.** Circulation.

Stationner
Syn. **I.** (S') arrêter, camper, demeurer, (se) fixer, (s') immobiliser, parquer, (se) parquer, rester, séjourner, stopper.
Ant. **I.** Circuler, courir, démarrer, marcher, (se) mouvoir, partir, remuer, rouler.

Statistique
Syn. **I.** État, évaluation, mesure. **II.** Classement, compte, dénombrement, groupement, recensement.

Statuer
Syn. **I.** Arrêter, décider, déclarer, disposer, établir, fixer, juger, ordonner, régler, résoudre, stipuler.

Stature
Syn. **I.** Carrure, charpente, dimension, grandeur, hauteur, mesure, port, taille. **III.** Importance, personnalité.

Statut(s)
Syn. **I.** Capacité, disposition, état, posi-

tion, situation (de fait). — *(Pl.)* Constitution, loi, ordonnance, règlement.

Stèle
Syn. **I.** Cippe, colonne, monument, pierre, tombe.

Stellaire
Syn. **I.** Astral, sidéral. **II.** Étoilé.

Steppe
Syn. **I.** Lande, pampa, plaine, prairie, toundra, veld.

Stéréotypé
Syn. **III.** Cliché *(part. passé)*, conventionnel, figé, habituel, immuable, invariable, moulé, répété, reproduit, tout fait. *Ant.* **I.** Inédit, nouveau, original.

Stérile
Syn. **I.** Infécond. **II.** Aride, désertique, désolé, desséché, improductif, inculte, infertile, ingrat, maigre, pauvre, sec. **III.** Inefficace, infructueux, inutile, nul, oiseux, vain. *Ant.* **I.** Fécond. **II.** Abondant, fertile, généreux, productif, prolifique, riche. **III.** Efficace, fructueux, utile.

Stériliser
Syn. **I.** Castrer, châtrer, émasculer, mutiler. — Aseptiser, assainir, désinfecter, étuver, pasteuriser. **II.** Appauvrir, assécher, dessécher, épuiser. *Ant.* **I.** Féconder. — Contaminer, infecter. **II.** Bonifier, enrichir, fertiliser.

Stérilité
Syn. **I.** Agénésie, infécondité. **II.** Aridité, infertilité, pauvreté. **III.** Inefficacité, inutilité. *Ant.* **I.** Conception, fécondité. **II.** Abondance, fertilité. **III.** Efficacité, utilité.

Stigmatiser
Syn. **I.** Marquer des stigmates. — Laisser des traces *(maladie)*. **II.** Balafrer. **III.** Blâmer, condamner, critiquer, flétrir, fustiger.

Ant. **III.** Défendre, honorer, louer, respecter.

Stimulant
Syn. (N.) **I.** Cordial, excitant, fortifiant, réconfortant, remontant, tonique. **III.** Aiguillon, encouragement, éperon. *(Adj.)* **I.** Analeptique, ranimant, vivifiant. **III.** Encourageant, exaltant. *Ant. (N.)* **I.** Anesthésique, calmant, tranquillisant. **III.** Découragement. *(Adj.)* **I.** Soporifique, stupéfiant. **III.** Décourageant, déprimant.

Stimuler
Syn. **I.** *(Méd.)* Accélérer, activer, aiguiser, doper, fortifier, réconforter, remonter, soutenir. — Aiguillonner, animer, encourager, enflammer, éprouver, éveiller, exciter, exhorter, fouetter, inciter, piquer, pousser à. *Ant.* **I.** Calmer, endormir, engourdir, étourdir. — Abattre, amortir, apaiser, arrêter, décourager, déprimer, immobiliser, lasser, stupéfier.

Stipendier V. *Soudoyer*

Stipulation
Syn. **I.** Accord, clause, condition, convention, engagement, énonciation, entente, pacte, précision, traité.

Stock
Syn. **I.** Approvisionnement, assortiment, dépôt, lot, provision, réserve.

Stoïque
Syn. **I.** Austère, calme, constant, courageux, dur, ferme, héroïque, impassible, imperturbable, inébranlable, insensible. *Ant.* **I.** Chancelant, faible, lâche, mou, nerveux, sensible, sensitif, susceptible.

Stopper
Syn. (V. intr.) **I.** Amarrer, (s') arrêter, mouiller. *(V. tr.)* **III.** Arrêter, bloquer, empêcher, juguler. *Ant.* **I.** Avancer, circuler, poursuivre, reprendre. **III.** Accélérer, continuer, débloquer, dégager.

Stratégie
Syn. **I.** Tactique. **II.** Diplomatie, manœuvre, plan, ruse, subtilité, tour.
Ant. **II.** Impéritie, inaptitude, incapacité, incompétence, inhabileté, maladresse.

Strict
Syn. **I.** *(Pers.)* Autoritaire, dur, minutieux, rigide, sévère. — *(Ch.)* Astreignant, correct, dépouillé, draconien, épuré, étroit, exact, précis, rigoureux. — *(Sens d'un mot)* Fort, littéral, propre.
Ant. **I.** Doux, faible, flexible, indulgent, mou. — Approximatif, élastique, facile, lâche. — Large.

Strident
Syn. **I.** Aigre, aigu, criard, éclatant, intense, perçant, sifflant, stridulant.
Ant. **I.** Caverneux, étouffé, sourd.

Strie(s)
Syn. **I.** Raie, rainure, rayure, sillon. — *(Archit.) (Pl.)* Cannelures.

Strophe
Syn. **I.** Couplet, quatrain, septain, sixain, stance, verset.

Structure
Syn. **I.** Agencement, armature, arrangement, composition, constitution, construction, contexture, disposition, forme, groupement, infrastructure, ordonnance, ordre, organisation, ossature *(fig.)*, superstructure, système.
Ant. **I.** Astructure.

Studieux
Syn. **I.** Appliqué, chercheur, fouilleur, laborieux, travailleur, zélé.
Ant. **I.** Dissipé, fainéant, inactif, indolent, inerte, nonchalant, oisif, paresseux.

Studio
Syn. **I.** Garçonnière, living-room. — Atelier, plateau. **II.** Cinéma d'essai. local.

Stupéfaction
Syn. **I.** Engourdissement, immobilité. **II.**
Consternation, ébahissement, étonnement, saisissement, stupeur, surprise.
Ant. **II.** Impassibilité, placidité, sang-froid, sérénité.

Stupéfait
Syn. **I.** Abasourdi, consterné, étonné, interdit, renversé, stupéfié, surpris.
Ant. **I.** Impassible, indifférent, rassuré, serein.

Stupéfiant
Syn. **I.** *(Adj.)* Épouvantable, étonnant, extraordinaire, renversant, surprenant, troublant. — *(N.)* Drogue, narcotique.
Ant. **I.** Calmant, encourageant, stimulant.

Stupéfié V. *Stupéfait*

Stupeur
Syn. **I.** Abattement, abrutissement, anéantissement, engourdissement, hébétude, immobilité, inertie, insensibilité. **II.** Consternation, effroi, épouvante, étonnement, horreur, peur, stupéfaction.
Ant. **I.** Calme, sang-froid, sérénité.

Stupide
Syn. **I.** Abruti, balourd, bête, borné, butor, crétin, engourdi, idiot, imbécile, inintelligent, lourdaud, niais, ramolli, ridicule, simple, sot. — Ébahi, étonné, hébété, interdit, stupéfait. — Absurde, inepte, insensé. **II.** Imprévu.
Ant. **I.** Adroit, animé, éclairé, fin, intelligent, lucide, perspicace, sensé, spirituel, subtil. — Judicieux. **II.** Évitable.

Stupidité
Syn. **I.** Bêtise, crétinisme, hébétude, idiotie, imbécillité, inintelligence, lourdeur, maladresse, niaiserie. **II.** Absurdité, ânerie, balourdise, crétinerie, sottise.
Ant. **I.** Adresse, intelligence, perspicacité, sens, subtilité. **II.** Esprit, finesse.

Style
Syn. **I.** Écriture, figure, langage, langue, phraséologie, procédé, rédaction, tour, tournure. **II.** Façon, facture, genre, goût,

manière, mode, originalité, ton, touche.

Styler
Syn. **I.** Accoutumer, dresser, former, habituer. **II.** Endoctriner, instruire.
Ant. **I.** Altérer, déformer, dénaturer, détériorer, détruire, falsifier, gâter.

Styliser
Syn. **I.** Idéaliser, schématiser, simplifier.
Ant. **I.** Amplifier, développer.

Suave
Syn. **I.** Agréable, bon, délicat, délicieux, doux, exquis, fin, gracieux, harmonieux, parfumé. **III.** Aimable.
Ant. **I.** Acide, âcre, amer, désagréable, fétide, rude. **III.** Choquant, déplaisant, fâcheux, offensant.

Suavité
Syn. **I.** Amabilité, candeur, délicatesse, délice, douceur, finesse, grâce.
Ant. **I.** Acidité, âcreté, aigreur, amertume, âpreté, dureté, rudesse.

Subalterne
Syn. **I.** Employé, inférieur, second, sous-ordre, subordonné. **II.** Médiocre, secondaire.
Ant. **I.** Chef, commandant, dirigeant, gouvernant, maître, patron, souverain, supérieur.

Subdiviser
Syn. **I.** Désunir, diviser, fractionner, fragmenter, morceler, partager, ramifier, répartir, sectionner, séparer.
Ant. **I.** Fusionner, grouper, rassembler, unifier, unir.

Subir
Syn. **I.** Accepter, endurer, éprouver, essuyer, expérimenter, recevoir, (se) résigner, ressentir, sentir, souffrir, (se) soumettre à, soutenir, supporter, tolérer.
Ant. **I.** Imposer, infliger, ordonner, prescrire, provoquer. — Refuser, repousser. — Agir, faire.

Subit
Syn. **I.** Brusque, immédiat, imprévu, inattendu, inopiné, instantané, rapide, soudain.
Ant. **I.** Averti, graduel, informé, lent, posé, prévu, progressif.

Subjectif
Syn. **I.** Individuel, partial, pensant, personnel.
Ant. **I.** Impersonnel, objectif, pensé.

Subjuguer
Syn. **I.** V. *Soumettre.* **II.** Charmer, conquérir, enchanter, envoûter, gagner, séduire.

Sublimation
Syn. **I.** Distillation, épuration, vaporisation, volatisation. **III.** Exaltation, purification, transformation.
Ant. **III.** Dépravation.

Sublime
Syn. **I.** Beau, divin, élevé, éminent, exceptionnel, extraordinaire, merveilleux, noble, parfait, supérieur, surhumain, transcendant.
Ant. **I.** Abominable, avili, bas, dégradant, grossier, grotesque, inférieur, laid, mauvais, méprisable, vil, vulgaire.

Sublimité
Syn. **I.** Beauté, élévation, grandeur, hauteur, noblesse, perfection, supériorité.
Ant. **I.** Bassesse, imperfection, infériorité, petitesse.

Submerger
Syn. **I.** Enfoncer, engloutir, ensevelir, envahir, inonder, noyer, plonger.
Ant. **I.** Apparaître, émerger, jaillir, surgir.

Subordination V. *Soumission*

Subordonné
Syn. **I.** *(N.)* Adjoint, employé, inférieur, sous-ordre, subalterne, sujet. — *(Adj.)* Dépendant, soumis.
Ant. **I.** Chef, commandant, directeur, di-

rigeant, dominant, gouvernant, maître, patron. — Autonome, indépendant, insubordonné.

Subordonner V. *Soumettre*

Subreptice
Syn. **I.** Caché, clandestin, dérobé, furtif, masqué, rampant, secret, sournois, souterrain. **II.** Déloyal, frauduleux, illégal, illicite. *Ant.* **I.** Ostensible! **II.** Droit, équitable, juste, justifié, légal, licite, régulier.

Subroger
Syn. **I.** Relever, remplacer, représenter, substituer. *Ant.* **I.** Continuer, durer, (se) maintenir, subsister.

Subséquent
Syn. **I.** Postérieur, suivant, ultérieur. *Ant.* **I.** Antécédent, antérieur, précédent.

Subside
Syn. **I.** Aide, allocation, appui, don, octroi, prêt, ressources, secours, subvention, vivres.

Subsidiaire
Syn. **I.** Accessoire, auxiliaire, suffragant, supplémentaire. *Ant.* **I.** Dominant, principal.

Subsistance
Syn. **I.** Aliment, approvisionnement, comestibles, entretien, nourriture, pain, ravitaillement, victuailles, vie.

Subsister
Syn. **I.** (Se) conserver, continuer, demeurer, durer, (s') entretenir, être, exister, (se) maintenir, persister, survivre, tenir, vivoter, vivre. *Ant.* **I.** (S') altérer, disparaître, mourir, périr.

Substance
Syn. **I.** Cause, contenu, corps, élément, essence, être, fond, fondement, matière, nature, objet, origine, principe, réalité,

sujet. **III.** Aliment, nourriture. *Ant.* **I.** Accident, apparence, attribut, esprit, forme, immatérialité.

Substantiel
Syn. **I.** Essentiel, important. **II.** Consistant, mangeable, matériel, nourrissant, nutritif, riche, solide. *Ant.* **I.** Accessoire, accidentel, insignifiant, secondaire. **II.** Affaiblissant, pauvre, spirituel.

Substitution
Syn. **I.** Changement, commutation, compensation, remplacement, transfert. — *(Dr.)* Donation, héritage, subrogation.

Subterfuge
Syn. **I.** Artifice, déguisement, détour, échappatoire, escoarderie, faux-fuyant, finasserie, tromperie. *Ant.* **I.** Bonne foi, droiture, justice, sincérité.

Subtil
Syn. **I.** Adroit, avisé, délié, fin, habile, inventif, pénétrant, perspicace, sagace. — *(Ch.)* Délicat, ingénieux, raffiné. **III.** Indiscernable, occulte, ténu. *Ant.* **I.** Balourd, borné, épais, facile, gauche, grossier, inhabile, lourd, maladroit, malhabile. **III.** Compréhensible, évident.

Subtiliser
Syn. **I.** *(V. tr.) (Fam.)* Attraper, dérober, escamoter, étouffer, volatiliser, voler. — *(V. intr.)* Raffiner. *(Péj.)* Sophistiquer. *Ant.* **I.** Remettre, rendre, restituer.

Subtilité
Syn. **I.** Adresse, délicatesse, finesse, habileté, raffinement, ruse. — Abstraction. argutie, artifice, chicane, chinoiserie, complication, difficulté, entortillage, équivoque, préciosité. *Ant.* **I.** Balourderie, bêtise, épaisseur, indélicatesse, lourdeur, maladresse. — Facilité, simplicité, simplification.

SUBVENIR

Subvenir
Syn. **I.** Aider, assister, fournir à, pourvoir, satisfaire, secourir, soulager, soutenir, subventionner, suffire.
Ant. **I.** Embarrasser, gêner, incommoder, nuire, priver.

Subvention
Syn. **I.** Aide, contribution, don, encouragement, secours, subside.
Ant. **I.** Charge, impôt, taxe.

Subversif
Syn. **I.** Destructeur, dissolvant *(fig.).* — Indiscipliné, révolutionnaire, séditieux.
Ant. **I.** Constructif, créateur. — Modéré, pacificateur, pacifique.

Subversion
Syn. **I.** Bouleversement, indiscipline, mutinerie, renversement, révolution, sédition.
Ant. **I.** Appui, concorde, construction, discipline, entente, modération, pacification, paix, sérénité.

Suc
Syn. **I.** Chyle, essence, jus, sève. **III.** Nourriture, quintessence, substance.

Succédané
Syn. **I.** Compensation, ersatz, remplacement.

Succéder (et Se)
Syn. **I.** *(V. intr.) (Pers.)* Hériter, relayer, remplacer, (se) substituer, supplanter, suppléer. *(Ch.)* Alterner avec, arriver, suivre. — *(V. pr.)* Alterner, continuer, (se) dérouler, (s') enchaîner, (se) produire, (se) suivre.
Ant. **I.** Accompagner, coexister, devancer, distancer, précéder.

Succès
Syn. **I.** Avantage, bonheur, bonne fortune, exploit, gain, lauriers, performance, prospérité, réussite, triomphe, victoire. **II.** Mode, vogue.
Ant. **I.** Avortement *(fig.),* catastrophe, dé-confiture, défaite, désastre, désavantage, échec, fiasco, four, insuccès, malchance, malheur, revers. **III.** Impopularité.

Successif
Syn. **I.** Consécutif, constant, continu, ininterrompu, régulier.
Ant. **I.** Discontinu, intermittent, irrégulier, saccadé, simultané.

Succession
Syn. **I.** Acquisition, biens, hérédité, héritage, legs, patrimoine, propriété, testament, vacance. **II.** Alternance, alternative, cascade, continuation, cortège, défilé, enchaînement, énumération, filiation, kyrielle, ordre, procession, série, suite.
Ant. **II.** Coexistence, immobilité, simultanéité.

Succinct
Syn. **I.** Abrégé, bref, court, dense, ramassé, schématique, serré, sommaire. **II.** *(Pers.)* Concis, laconique.
Ant. **I.** Abondant, étendu, long, prolongé. **II.** Prolixe, verbeux.

Succomber
Syn. **I.** (S') affaisser, faillir, mourir, périr. **III.** (S') abandonner, céder, fléchir.
Ant. **I.** Supporter, surmonter, vaincre. **III.** Résister.

Succulent
Syn. **I.** Agréable, bon, délectable, délicieux, excellent, exquis, savoureux. **III.** Nourrissant, riche, substantiel.
Ant. **I.** Âcre, aigre, amer, âpre, désagréable, mauvais.

Succursale
Syn. **I.** Agence, annexe, comptoir, dépendance, dépôt, filiale.

Sucer
Syn. **I.** Absorber, avaler, boire, exprimer, extraire, pomper, suçoter, téter.
Ant. **I.** Dégorger, régurgiter, rejeter.

Sucrerie *(can.)*
Syn. **I.** Érablière.

Suer
Syn. *(V. intr.)* **I.** Transpirer. **II.** Dégouliner, suinter. **III.** (S') embêter, (s') ennuyer, (s') exaspérer, (se) fatiguer, peiner, travailler. *(V. tr.)* **I.** Dégoutter, exsuder. **III.** Exhaler.
Ant. *(V. intr.)* **I.** Absorber, assécher, éponger, essuyer, sécher. **III.** (Se) reposer.

Sueur
Syn. **I.** Écume, moiteur, (en) nage, perspiration, sudation, suée, transpiration. **III.** Corvée, effort, labeur, peur, travail.
Ant. Absorption, assèchement.

Suffire
Syn. **I.** Apaiser, contenter, fournir, pourvoir, rassasier, satisfaire. **II.** Résister, supporter.
Ant. **I.** Faire défaut, manquer de. **II.** Rater.

Suffisance V. *Orgueil*

Suffisant
Syn. **I.** *(Ch.)* Assez, congru, convenable, honorable, modéré, raisonnable, satisfaisant. — *(Pers.)* V. *Orgueilleux.*
Ant. **I.** Incomplet, insuffisant, pas assez.

Suffocant
Syn. **I.** Accablant, asphyxiant, chaud, étouffant, torride. **III.** Crispant, énervant, étonnant, horripilant, indignant, irritant.
Ant. **I.** Frais, froid, supportable, tolérable. **III.** Aimable, apaisant, normal, ordinaire.

Suffrage
Syn. **I.** Élection, représentation, scrutin, voix, vote. **II.** Adhésion, approbation, avis, concours, opinion.
Ant. **I.** Veto. **II.** Désapprobation, opposition.

Suggérer
Syn. **I.** *(Pers.)* Conseiller, dicter, insinuer, inspirer, persuader, proposer, recommander, souffler, sous-entendre. **II.** *(Ch.)* Donner, enseigner, évoquer, (faire) penser à, susciter.
Ant. **I.** Déconseiller, détourner, dissuader. **II.** Chasser, éloigner, repousser.

Suggestion
Syn. **I.** Avertissement, avis, captation *(dr.)*, conseil, impulsion, influence, inspiration, instigation, proposition, recommandation. — Idée, image, pensée, projet. — *(Psycho.)* Auto-suggestion, hypnose, magnétisme, suggestibilité, télépathie.

Suicider (Se)
Syn. **I.** (Se) brûler la cervelle, (se) détruire, (se) donner la mort, (se) supprimer, (se) tuer. **III.** (Se) compromettre, (se) saborder, (s') user.

Suinter
Syn. **I.** Dégoutter, (s') échapper, (s') écouler, exsuder, filtrer, perler, pleurer, suer, transpirer, transsuder.
Ant. **I.** Absorder, éponger, pénétrer, sécher.

Suite
Syn. **I.** Appareil, cortège, équipage, escorte, file, procession, rangée, ribambelle. —Chaîne, chapelet, enfilade, séquence. — Alignement, alternance, continuité, énumération, kyrielle, liste, nomenclature, postérité, série, succession. — Cours, déroulement, développement, enchaînement, filiation, liaison, lien, ordre, persévérance. **II.** Aboutissement, conséquence, contrecoup, effet, prolongement, résultat, séquelles.
Ant. **I.** Incohérence, interruption. **II.** Cause, inconséquence, source.

Suivant
Syn. **I.** *(Adj.)* Autre, futur, postérieur, prochain, subséquent, ultérieur. — *(Prép.)* À proportion, à raison, conformément, dans la mesure où, d'après, en fonction.

en vertu, selon, subséquemment.
Ant. **I.** *(Adj.)* Antérieur, précédent, précurseur. — *(Prép.)* Contrairement, nonobstant.

Suivre
Syn. **I.** Accompagner, escorter, serrer, talonner. — Côtoyer, descendre, emprunter, longer, parcourir, prendre, remonter.
II. Épier, espionner, filer, observer, pister, poursuivre, surveiller. — Continuer,
remplacer, succéder. **III.** (S') abandonner
à, accomplir, adopter, comprendre, (se)
conformer, embrasser, fréquenter, imiter,
(se) joindre à, obéir, observer, prolonger, respecter.
Ant. **I.** Abandonner, dépasser, devancer,
précéder, prévenir. **II.** Délaisser, fuir. —
Lâcher, quitter. **III.** Abjurer, diriger,
(s') écarter, (s') éloigner, enfreindre,
(s') opposer, renier.

Sujet
Syn. (Adj.) **I.** Exposé à, susceptible de.
— Astreint, dépendant, enclin, obligé,
soumis, tributaire. *(N.)* **I.**Gouverné, inférieur. — Élève, homme. — Cause, fond,
idée, matière, motif, occasion, point, problème, question, raison, thème. **II.** Article, canevas, chapitre, intrigue. **III.** Co-
baye *(fig.)*, malade, patient.
Ant. (Adj.) **I.** Autonome, gouvernant, indépendant. *(N.)* **I.** Maître, souverain.

Sujétion V. *Soumission*

Summum
Syn. **I.** Apogée, comble, degré, faîte, ma-
ximum, sommet, zénith.
Ant. **I.** Minimum.

Superbe
Syn. **I.** Admirable, excellent, imposant,
magnifique, majestueux, parfait, ravissant, remarquable, somptueux, splendide, sublime. — Fier, glorieux, orgueilleux.
Ant. **I.** Affreux, banal, effroyable, laid,
ordinaire, vilain. — Humble, modeste.

Superfétation
Syn. **III.** Futilité, insignifiance, inutilité,
redondance, superfluité.
Ant. **III.** Besoin, nécessité, utilité.

Superficie
Syn. **I.** Aire, dimension, espace, étendue,
surface. **III.** Apparence.
Ant. **I.** et **III.** Fond, profondeur.

Superficiel
Syn. **III.** Apparent, extérieur, frivole, futile, inutile, léger, sommaire, vain.
Ant. **III.** Approfondi, essentiel, exhaustif,
intérieur, profond.

Superflu
Syn. **I.** Surabondant. **II.** Inutile, oiseux,
redondant, superfétatoire, vain.
Ant. **I.** et **II.** Essentiel, indispensable, nécessaire, utile.

Superfluité
Syn. **I.** Surabondance. **II.** Inutilité, luxe.
Ant. **I.** et **II.** Nécessité, utilité.

Supérieur
Syn. (N.) **I.** Chef, directeur, doyen, gardien, général, maître, patron, prieur.
(Adj.) **I.** Dominant, élevé, haut. **III.** Accompli, éminent, excellent, extra, incomparable, insigne, meilleur, prééminent,
prépondérant, remarquable, suprême,
transcendant, unique. — Arrogant, condescendant, dédaigneux, fier.
Ant. (N.) **I.** Employé, inférieur, subalterne, subordonné, sujet. *(Adj.)* **I.** Bas, inférieur, profond. **III.** Médiocre, mineur,
moindre, petit, secondaire. — Humble,
modeste, simple.

Superstition
Syn. **I.** Crédulité, fétichisme, illumi-
nisme, magie, naïveté.
Ant. **I.** Incrédulité, positivisme, réalisme.

Superviser
Syn. **I.** Contrôler, réviser, vérifier.
Ant. **I.** Laisser passer.

Supplanter
Syn. **I.** Déposséder, évincer, remplacer, (se) substituer, surpasser. — *(Ch.)* Éliminer.
Ant. **I.** Conserver, maintenir, stabiliser.

Suppléer
Syn. **I.** Ajouter, compléter, remédier à, remplacer, renforcer, réparer.
Ant. **I.** Diminuer, évincer, raccourcir, réduire, restreindre, retrancher.

Supplément
Syn. **I.** Accessoire, à-côté(s), addenda, addition, appendice, appoint, complément, excédent, extra, surcroît, surplus.
Ant. **I.** Déduction, diminution, réduction, restriction, soustraction.

Supplémentaire
Syn. **I.** Accessoire, additionnel, adventice, annexé, complémentaire, (d') extra, subsidiaire, supplétif, (de) surcroît, surérogatoire.
Ant. **I.** Réduit, régulier, retiré, soustrait.

Supplication
Syn. **I.** Adjuration, conjuration, déprécation, imploration, instance(s), obsécration, prière, requête.
Ant. **I.** Commandement, ordre, provocation.

Supplice
Syn. **I.** Douleur, exécution, martyre, mort, peine, sacrifice, souffrance, torture, tourment. — Châtiment, persécution, punition. **II.** *(Relig.)* Calvaire, damnation, géhenne, malédiction, purgatoire. **III.** Affliction, agacement, gêne, impatience, inquiétude, timidité.
Ant. **I.** Délice, réjouissance. — Compensation, récompense. **III.** Aisance, assurance, calme, repos.

Supplier
Syn. **I.** Adjurer, conjurer, demander, implorer, prier.
Ant. **I.** Enjoindre, ordonner, prescrire, sommer.

Supplique
Syn. **I.** Demande, imploration, invocation, prière, requête, sollicitation, supplication.
Ant. **I.** Commandement, ordre, sommation.

Support
Syn. **I.** Base, chantignole, chevalet, chèvre, cintre, colonne, étai, piédestal, pilier, poutre, pylône, socle, subjectile, trépied. **III.** Aide, appui, protection, soutien.
Ant. **III.** Entrave, obstacle.

Supportable
Syn. **I.** Acceptable, endurable, excusable, passable, tenable, tolérable.
Ant. **I.** Atroce, impossible, insupportable, intenable, intolérable, lourd.

Supporter
Syn. **I.** Appuyer, porter, soutenir, tenir. **II.** Accepter, admettre, endurer, éprouver, permettre, souffrir, subir, tolérer. **III.** Assumer, résister à, soutenir.
Ant. **I.** Enlever, retirer. **II.** Céder, défaillir, réprimer.

Supposé
Syn. **I.** Admis, censé, cru. — Apocryphe, conjectural, douteux, faux, imaginaire, incertain, présumé, prétendu, putatif, soidisant.
Ant. **I.** Absolu, assuré, authentique, confirmé, exact, fondé, réel, vrai.

Supposer
Syn. **I.** Conjecturer, croire, imaginer, inventer, penser, présumer. — *(Ch.)* Comporter, dénoter, impliquer, réclamer.
Ant. **I.** Affirmer, prouver. — Exclure.

Supposition
Syn. **I.** Conjecture, hypothèse, induction, présomption.
Ant. **I.** Affirmation, certitude, preuve.

Suppôt
Syn. **I.** Adepte, complice, partisan, serviteur.
Ant. **I.** Adversaire, élite.

Suppression

Syn. **I.** Abandon, abolition, abrogation, annulation, dérogation. **II.** Cessation, destruction, diminution, disparition, effacement, mutilation, privation, retranchement.

Ant. **I.** Addition, adjonction, ajout, confirmation, prolongation, ratification. **II.** Conservation, continuation, maintenance, maintien, réapparition.

Supprimer (et **Se**)

Syn. *(V. tr.)* **I.** Abolir, abroger, annuler, casser, révoquer. **II.** Anéantir, annihiler, arrêter, (faire) cesser, dérober, détruire, discontinuer, empêcher, épargner, étouffer, éviter. — Assassiner, éteindre, tuer. — Amputer, couper, éliminer, enlever, priver de, retirer. — Barrer, biffer, déléaturer, effacer, élaguer, expurger, ôter, rayer, retrancher. *(V. pr.)* **I.** (Se) suicider, (se) tuer.

Ant. **I.** Instituer, maintenir, proroger. **II.** Accroître, ajouter, conserver, garder, maintenir. — Sauvegarder. — Adjoindre, introduire, laisser.

Supputer

Syn. **I.** Apprécier, calculer, compter, coter, estimer, évaluer, examiner, peser, supposer.

Suprasensible

Syn. **I.** Abstrait, immatériel, insensible, surnaturel.

Ant. **I.** Concret, matériel, sensible, visible.

Suprématie

Syn. **I.** Hégémonie, omnipotence, prééminence, primauté. **II.** Ascendant, domination, maîtrise, prépondérance, supériorité.

Ant. **I.** Obéissance, sujétion. **II.** Infériorité.

Suprême

Syn. **I.** Divin, grand, parfait, puissant, souverain, supérieur, superlatif. **II.** Der-

nier, désespéré, extrême, final, ultime.

Ant. **I.** Imparfait, impuissant, inférieur, infime, moindre, petit. **II.** Initial, premier.

Sur

Syn. **I.** Acide, aigre, aigrelet, suret.

Ant. **I.** Doux.

Sûr

Syn. **I.** *(Pers.)* Assuré, certain, confiant, convaincu. — Bon, éprouvé, ferme, fidèle, solide, véritable. — *(Ch.)* Abrité, caché, garanti, gardé, imprenable, protégé, tranquille. — Efficace, immanquable, indéfectible, infaillible. — Assuré, authentique, avéré, certain, clair, établi, évident, exact, ferme, indubitable, manifeste, positif, vrai.

Ant. **I.** *(Pers.)* Méfiant, sceptique. — Défiant, frivole, hypocrite, incertain, infidèle. — *(Ch.)* Dangereux, exposé, périlleux. — Aléatoire, douteux, inefficace, précaire. — Confus, contestable, faux, illusoire, incertain, inexact, problématique, supposé, vague, variable.

Surabondance

Syn. **I.** Débauche, débordement, excès, exubérance, luxuriance, pléthore, prodigalité, profusion, redondance, superfluité, surcharge, surproduction.

Ant. **I.** Insuffisance, pénurie.

Surabondant

Syn. **I.** Abondant, diffus, excessif, extraordinaire, exubérant, luxuriant, pléthorique, superflu.

Ant. **I.** Dénué, pauvre, restreint.

Suranné

Syn. **I.** Ancien, antique, archaïque, arriéré, attardé, caduc, démodé, désuet, fini, passé, périmé, rococo, usé, vieilli, vieillot.

Ant. **I.** Actuel, moderne, neuf, nouveau, récent.

Surcharge

Syn. **I.** Addition, augmentation, excé-

dent. II. Retouche. III. Excès, pléthore, surcroît, surplus.
Ant. **I.** Allégement, dégrèvement, diminution, escompte, rabais, réduction, soulagement. **III.** Mesure, sobriété.

Surcharger
Syn. **I.** Accabler, alourdir, charger, écraser, encombrer, excéder, grever, imposer, obérer, surmener.
Ant. **I.** Alléger, décharger, dégrever, diminuer, enlever, soulager.

Surcroît
Syn. **I.** Augmentation, excédent, supplément, surcharge, surplus.
Ant. **I.** Diminution, soulagement.

Sûrement
Syn. **I.** À coup sûr, assurément, certainement, certes, indubitablement, sans faute.
Ant. **I.** Aucunement, douteusement, nullement.

Surestimer
Syn. **I.** Exagérer, gonfler, majorer, surévaluer, surfaire.
Ant. **I.** Déprécier, dépriser, mésestimer, sous-estimer.

Sûreté
Syn. **I.** Assurance, caution, gage, garant, garantie, précaution, précision, sécurité. — Ordre, police. **III.** Certitude, efficacité, fermeté, précision.
Ant. **I.** Danger, détresse, hasard, péril, risque. **III.** Crainte, hésitation, mollesse.

Surexcitation
Syn. **I.** Agitation, bouleversement, énervement, exaltation, irritation.
Ant. **I.** Apaisement, calme, impassibilité, placidité, quiétude, repos, sang-froid, sérénité, tranquillité.

Surexciter
Syn. **I.** Agiter, bouleverser, émouvoir, énerver, enfiévrer, exalter, exciter, irriter, stimuler.
Ant. **I.** Adoucir, apaiser, calmer.

Surface V. *Superficie*

Surfait
Syn. **I.** Abusif, démesuré, excessif, exorbitant, outré. **III.** Surestimé, surévalué, vanté.
Ant. **I.** Diminué, mesuré, modéré, raisonnable.

Surgir
Syn. **I.** Apparaître, (s') élancer, (s') élever, jaillir, (se) montrer, paraître, sortir, sourdre, survenir. **III.** (Se) manifester, naître, (se) présenter.
Ant. **I.** Décamper, disparaître, (s') évanouir, partir. **III.** Cacher.

Surhumain
Syn. **I.** Divin, extraordinaire, sublime, surnaturel, titanique. **II.** Difficile, excessif.
Ant. **I.** Coutumier, habituel, humain, naturel, ordinaire, usuel. **II.** Facile, simple.

Surmener
Syn. **I.** Accabler, épuiser, éreinter, excéder, fatiguer, forcer.
Ant. **I.** Délasser, détendre, reposer, tranquilliser.

Surmonter
Syn. **I.** Dépasser, franchir, surpasser, surplomber. **III.** Dominer, dompter, (l') emporter, maîtriser, résister à, triompher de, vaincre.
Ant. **I.** (Être) au-dessous de. **III.** Achopper, capituler, céder, choir, échouer, faiblir, fléchir, heurter, lâcher, plier.

Surnager
Syn. **I.** Flotter, (se) soutenir. **III.** (Se) maintenir, subsister, survivre.
Ant. **I.** Enfoncer, noyer, plonger. **III.** Périr, succomber, trépasser.

Surnaturel
Syn. **I.** Divin, immatériel, miraculeux, sacré, surhumain. **II.** Excessif, extraordinaire, magique, merveilleux, prodigieux.
Ant. **I.** Matériel, naturel, physique. **II.** Aisé, commun, facile, ordinaire.

Surnom
Syn. **I.** Pseudonyme, sobriquet.

Surpasser
Syn. **I.** Battre, dépasser, devancer, distancer, dominer, éclipser, (l') emporter sur, enfoncer *(fam.)*, excéder, outrepasser, surclasser.
Ant. **I.** Atteindre, égaler.

Surplomber
Syn. **I.** Avancer, culminer, déborder, dépasser, devancer, dominer, planer, saillir.
Ant. **I.** (Être) d'aplomb, baisser, descendre.

Surplus
Syn. **I.** Excédent, excès, gain, profit, reste, supplément, surcroît, surproduction.
Ant. **I.** Défaut, déficit, disette, insuffisance, manque, pénurie, perte.

Surprenant
Syn. **I.** Anormal, bizarre, curieux, déconcertant, épatant, étonnant, étrange, extraordinaire, imprévu, inattendu, incroyable, inopiné, merveilleux, remarquable, renversant, saisissant.
Ant. **I.** Attendu, commun, fréquent, naturel, normal, ordinaire, prévu, régulier.

Surprendre
Syn. **I.** Intercepter, pincer, prendre, saisir. — Déconcerter, ébahir, épater *(fam.)*, étonner, frapper. — Abuser, attaquer, attraper, tromper. **II.** Apercevoir, déceler, découvrir.
Ant. **I.** Avertir, aviser, instruire, prévenir.

Surpris V. *Stupéfait*

Surprise
Syn. **I.** Commotion, ébahissement, étonnement, saisissement, stupéfaction, stupeur. **II.** Cadeau, don, pochette surprise. — Surboum *(fam.)*, surprise-partie.

Sursauter
Syn. **I.** Bondir, réagir, tressaillir, tressauter.

Surseoir V. *Retarder*

Sursis
Syn. **I.** Ajournement, délai, étape, prolongation, prorogation, remise, répit, retard, suspension. .
Ant. **I.** Accomplissement, action, exécution.

Surveillance
Syn. **I.** Espionnage, garde, guet, inspection, observation, patrouille, protection, sentinelle, soin, veille, vigilance. — Conduite, contrôle, direction. — *(Méd.)* Évolution, postobservation, rappel, suite.

Surveiller
Syn. **I.** Contrôler, examiner, garder, inspecter, observer, suivre, veiller. **II.** Chaperonner, épier, espionner, filer, guetter, moucharder.
Ant. **I.** Abandonner, délaisser, ignorer, négliger.

Survenir
Syn. **I.** Advenir, apparaître, arriver, intervenir, (se) déclarer, (se) manifester, (se) montrer, (se) présenter, (se) produire, surgir.
Ant. **I.** Disparaître, (s') éclipser, (s') éloigner, (s') enfuir, (s') esquiver, partir, (se) retirer.

Survivance
Syn. **I.** Conservation, continuation, immortalité, maintien, survie, permanence, persistance. — Régénérescence, réveil.
Ant. **I.** Abandon, cessation, discontinuation, disparition.

Susceptible
Syn. **I.** Apte, capable, sujet à. **II.** Délicat, sensible. — Chatouilleux, impatient, irascible, irritable, ombrageux, pointilleux, prompt.
Ant. **I.** Inapte, incapable. **II.** Apathique, impassible, insensible. — Calme, débonnaire, endurant, patient.

Susciter
Syn. **I.** Amener, attirer, causer, créer, éveiller, exciter, faire naître, fomenter, occasionner, produire, provoquer, soulever.
Ant. **I.** Détourner, détruire, écarter, éloigner, éluder, empêcher, épargner, éviter.

Susdit
Syn. **I.** Dit, susdénommé, susmentionné, susnommé.
Ant. **I.** Signataire, soussigné.

Suspect
Syn. **I.** *(Pers.)* Douteux, équivoque, interlope, louche, soupçonné. — *(Ch.)* Apocryphe, problématique, véreux.
Ant. **I.** Certain, droit, franc, loyal, sincère, sûr, vrai.

Suspendre
Syn. **I.** Accrocher, appendre, fixer, pendre, soutenir. — Ajourner, arrêter, cesser, différer, discontinuer, interdire, interrompre, remettre, reporter, retarder, surseoir. — Destituer, mettre à pied.
Ant. **I.** Décrocher, dépendre. — Continuer, exécuter, maintenir, poursuivre, prolonger, reprendre.

Suspension
Syn. **I.** Lustre, plafonnier. — Abandon, ajournement, arrêt, cessation, délai,· discontinuation, interdiction, interruption, pause, retard, repos, trêve.
Ant. **I.** Achèvement, continuation, continuité, maintien.

Suspicion
Syn. **I.** Défiance, doute, méfiance, soupçon. — Appréhension, crainte, incrédulité.
Ant. **I.** Confiance, croyance, foi.

Sustenter (et Se)
Syn. **I.** *(V. tr.)* Alimenter, approvisionner, entretenir, nourrir, pourvoir. — *(V. pr.)* Manger, (se) nourrir, (se) restaurer, (se) soutenir.
Ant. **I.** Affamer, délaisser, priver.

Susurrer
Syn. **I.** Chuchoter, murmurer, souffler.
Ant. **I.** Crier, hurler, vociférer.

Suture
Syn. **I.** Couture, jonction, raccord, réunion. — *(Anat.)* Scissure, soudure.
Ant. **I.** Coupure, déchirure, désunion, disjonction, éloignement, séparation.

Suzerain V. *Souverain*

Svelte
Syn. **I.** Dégagé, délié, effilé, élancé, élégant, fin, léger, mince, souple.
Ant. **I.** Charnu, débraillé, épais, gros, inélégant, lourd, massif.

Symbole
Syn. **I.** Allégorie, apparence, attribut, comparaison, emblème, figure, image, insigne, marque, métaphore, représentation. — Algorithme, notation, signe. — Personnification. — *(Rel.)* Credo, formulaire.

Symbolique
Syn. **I.** Allégorique, emblématique, expressif, figuratif, figuré, métaphorique, mystique, spirituel.
Ant. **I.** Effectif, littéral, objectif, positif, réel.

Symétrie
Syn. **I.** Concordance, conformité, correspondance, équilibre, harmonie, ordonnance, ordre, pendant, régularité, uniformité.
Ant. **I.** Asymétrie, confusion, désordre, dissymétrie, irrégularité, mélange.

Sympathie
Syn. **I.** Affection, affinité, amitié, attirance, bienveillance, cordialité, estime, inclination, penchant. — Condoléances.
Ant. **I.** Animosité, antipathie, aversion, disparité, haine, indifférence, inimitié, mépris, mésestime, opposition, répugnance, ressentiment.

Sympathique
Syn. **I.** Agréable, aimable, amical, plaisant.
Ant. **I.** Antipathique, désagréable, déplaisant, haineux, hostile, indifférent, malveillant, rancunier.

Symptôme
Syn. **I.** Diagnostic, indice, manifestation, marque, présage, prodrome, signe, syndrome.
Ant. **I.** Certitude, évidence, réalité.

Syndicat
Syn. **I.** Association, groupement, coopérative, fédération, union.

Synthèse
Syn. **I.** Association, combinaison, composition, déduction, généralisation, reconstitution, réunion. — Abrégé, conclusion, résumé.
Ant. **I.** Analyse, dissociation, dissolution, élément, opposition. — Amplification, développement.

Système
Syn. **I.** Combinaison, doctrine, ensemble, idéologie, opinion, ordre, philosophie, principe, théorie, thèse. **II.** Manière, méthode, moyen, plan, procédé. — Appareil, dispositif, jeu. — Politique, régime.
Ant. **I.** Confusion, désordre, mélange.

T

Table
Syn. **I.** Bureau, comptoir, console, crédence, établi, étal, guéridon, meuble, pupitre, support. **II.** Chère, couvert, menu, nourriture, ordinaire *(n.)*, service. — Catalogue, index, inventaire, liste, répertoire, sommaire, tableau.

Tableau
Syn. **I.** Aquarelle, panneau, pastel, paysage, peinture, pochade, tableautin, toile. **II.** Affichage, cadre, support. — Liste, relevé, répertoire, série, table. **III.** Description, évocation, image, panorama, récit, représentation, scène, spectacle, vue.

Table ronde
Syn. **I.** Carrefour, conférence, débat, rencontre, réunion, symposium.

Tabou
Syn. **I.** Interdit, intouchable, sacré, sacrosaint.

Tache
Syn. **I.** Bavure, éclaboussure, empreinte, marque, pâté, saleté, salissure, souillure. **II.** Maille, moucheture, tacheture, tavelure, tiqueture. — Albugo, bleu ecchymose, envie, éphélide, naevus. **III.** Défaut, imperfection, ombre. — Déshonneur, impureté, péché, tare, vice.
Ant. **I.** Netteté, propreté. **III.** Perfection. — Innocence, pureté.

Tâche
Syn. **I.** Besogne, entreprise, œuvre, ouvrage, peine, travail. — Corvée, devoir, fonction, mission, obligation, rôle.
Ant. **I.** Relâche, relaxation, repos. — Divertissement, plaisir, récréation.

Tacher V. *Souiller*

Tâcher
Syn. **I.** (S') efforcer, essayer, (s') évertuer, prétendre à, tendre à, tenter de, travailler à, viser à.
Ant. **I.** Abandonner, éviter, négliger, omettre, oublier.

Tacheté
Syn. **I.** Bariolé, bigarré, grivelé, léopardé, marbré, marqué, marqueté, moucheté, piqué, piqueté, pommelé, rayé, taché, tavelé, tigré, tiqueté, veiné, vergeté, zébré.
Ant. **I.** Égal, uni, unicolore, uniforme.

Tacite
Syn. I. Implicite, inexprimé, muet, secret, silencieux, sous-entendu. II. Caché, dissimulé, masqué, subreptice.
Ant. I. Énoncé, exprimé, formel, manifeste. II. Connu, évident, ouvert, public.

Taciturne
Syn. I. Abattu, attristé, fermé, hypocondre, morne, morose, muet, renfermé, silencieux, sombre, songeur, triste.
Ant. I. Bavard, communicatif, disert, enjoué, expansif, exubérant, gai, joyeux, ouvert, parleur, réjoui, rieur.

Tact
Syn. I. Sensibilité, toucher (vx). III. Délicatesse, discrétion, doigté, finesse, goût, habileté, intuition, jugement, politesse, sagacité, savoir-faire, savoir-vivre.
Ant. I. Insensibilité. III. Gaucherie, grossièreté, impolitesse, indélicatesse, inhabileté, maladresse.

Tactique
Syn. I. Art, moyen, science. III. Marche à suivre, plan, politique, procédé, stratagème, stratégie.

Taillader
Syn. I. Balafrer, charcuter, couper, découper, entailler.
Ant. I. Assembler, coudre, unir.

Taille
Syn. I. Coupe, élagage, émondement, ravalement. — Tranchant. II. Taillis. I. Ceinture, grandeur, hauteur, stature. II. Dimension, format, grosseur, longueur, mesure. III. Envergure, importance.

Tailler
Syn. I. Couper, découper, diminuer, échancrer, rafraîchir (les cheveux), rogner, trancher. — Ébrancher, élaguer, émonder, ravaler. — Chantourner, ciseler, cliver, dégrossir, épanneler, équarrir, sculpter. II. Confectionner, créer, façonner.

Ant. I. Ajouter, assembler, augmenter, coudre, joindre, recoudre, réunir, unir. — Greffer.

Taillis V. Buisson

Taire (et Se)
Syn. (V. tr.) I. Cacher, celer, déguiser, dissimuler, enfouir, étouffer, garder, mentir, omettre, supprimer, voiler. (V. pr.) I. (S') abstenir (de parler), garder le silence, ne souffler mot. II. Arrêter, (se) calmer, cesser. III. (S') éteindre.
Ant. I. (V. tr.) Confesser, dévoiler, dire, divulguer, ébruiter, exprimer, montrer, publier. — (V. pr.) Bavarder, parler.

Talent
Syn. I. Aptitude, art, capacité, compétence, disposition, don, faculté, habileté, qualité. — Brio, distinction.
Ant. I. Inaptitude, incapacité, inhabileté. — Maladresse.

Talisman
Syn. I. Amulette, fétiche, mascotte, porte-bonheur, porte-chance. II. Totem. III. Charme.
Ant. I. Porte-malheur. III. Horreur, repoussoir.

Taloche V. Tape

Talonner
Syn. I. Poursuivre, presser, serrer de près, suivre. III. Harceler, importuner, tourmenter.
Ant. I. Abandonner, délaisser, déserter, lâcher, renoncer. III. Laisser.

Talus
Syn. I. Glacis, inclinaison, parapet, pente, remblai.
Ant. I. Déblai.

Tambouriner
Syn. I. Battre (du tambour). II. Frapper sur. III. Annoncer, publier, répandre.
Ant. III. Cacher, dissimuler, masquer, soustraire.

Tamis
Syn. **I.** Blutoir, chinois, crible, passoire, sas, van.

Tamiser
Syn. **I.** Bluter, cribler, passer, purifier, sasser, vanner. **II.** Adoucir, filtrer, pâlir, voiler. **III.** Épurer, trier, vérifier. *Ant.* **I.** Allier, amalgamer, incorporer, mélanger, mêler. **III.** Associer.

Tampon
Syn. **I.** Bouchon, cheville, pansement. **II.** Couvercle, dalle, fermeture. — Bâillon, tapon. — Buvard, cachet *(néol.).* **III.** Amortisseur, capiton, couverture, rembourrage.

Tamponner
Syn. **I.** Essuyer, étancher, frotter, nettoyer. **II.** Choquer, emboutir, heurter, télescoper. — Timbrer.

Tancer V. *Réprimander*

Tangible
Syn. **I.** Palpable, perceptible, sensible. **II.** Charnel, matériel. **III.** Certain, clair, compréhensible, évident, manifeste, réel. *Ant.* **I.** Impalpable, imperceptible, intangible. **II.** Immatériel. **III.** Douteux, incertain, invisible, mystérieux.

Tanière
Syn. **I.** Abri, antre, caverne, gîte, repaire, sous-terrain, terrier. **III.** Solitude.

Tanner
Syn. **II.** Brunir, hâler. **III.** *(Fam.)* Agacer, ennuyer, fatiguer, importuner, tourmenter. *Ant.* **III.** Amuser, charmer, désennuyer, distraire, égayer, plaire.

Tapage
Syn. **I.** Boucan *(pop.),* brouhaha, bruit, chahut, charivari, fracas, potin, raffut, ramdam, remue-ménage, sabbat, sérénade, tintamarre, tohu-bohu, tumulte, vacarme. **III.** Éclat, esclandre, scandale. —

Contraste, extravagance. *Ant.* **I.** Calme, repos, silence, tranquillité.

Tapageur
Syn. **I.** Bruyant, étourdissant, turbulent. **III.** Affecté, contrastant, criard, recherché, voyant. *Ant.* **I.** Calmant, posé, reposant, silencieux, tranquille. **III.** Austère, discret, modéré.

Tape
Syn. **I.** Calotte *(fam.),* claque *(fam.),* coup, gifle, soufflet, taloche. *Ant.* **I.** Cajolerie, câlinerie, caresse, délicatesse, flatterie.

Tapé
Syn. **I.** Aplati, mûr, pourri, séché. **II.** Fané, flétri. — Bien fait, réussi. **III.** *(Fam.)* Cinglé, fou. — Fatigué. *Ant.* **I.** Frais. **III.** Dispos.

Taper,
Syn. (Fam.) (V. tr.) **I.** Battre, claquer, cogner, frapper, gifler, heurter, souffleter. **II.** Tapoter. — Dactylographier, écrire (à la machine). — *(V. intr.)* **I.** Frapper. **III.** *(Taper sur, dans)* Agacer, critiquer, médire, plaire, réussir. *Ant.* **III.** Cajoler, caresser, choyer, dorloter, flatter.

Tapinois (En)
Syn. **I.** À la dérobée, en cachette, en catimini, hypocritement, secrètement, sournoisement, sous cape. *Ant.* **I.** Franchement, ouvertement. ..

Tapir (Se)
Syn. **I.** (Se) blottir, (se) cacher, (se) clapir, (se) dissimuler, (s') enfermer, (se) pelotonner, (se) ramasser, (se) réfugier, (se) retirer. *Ant.* **I.** (Se) dévoiler, (se) montrer, paraître, sortir.

Tapis
Syn. **I.** Carpette, chemin, descente, mo-

quette. **II.** Convoyeur, natte, paillasson, tapis roulant. **III.** Couche, surface.

Tapisser
Syn. **I.** Coller, décorer, enduire, garnir, orner, tendre. − Recouvrir, revêtir.
Ant. **I.** Découvrir, dégarnir, dénuder.

Taquin
Syn. **I.** Agaçant, malicieux, moqueur, pince-sans-rire.
Ant. **I.** Agréable, aimable, sérieux.

Tarabuster
Syn. **I.** Agacer, contrarier, ennuyer, fatiguer, harasser, harceler, houspiller, impatienter, importuner, tourmenter, tracasser.
Ant. **I.** Charmer, enchanter, plaire, réjouir, séduire.

Tarder V. *Retarder*

Tardif
Syn. **I.** Avancé. − Lent, d'arrière-saison.
Ant. **I.** Anticipé, matinal. − Hâtif, précoce.

Taré
Syn. **I.** Altéré, avarié, détérioré, gâté. **III.** Avili, corrompu, dépravé, perverti, sali, souillé, vicié.
Ant. **I.** Frais, sain. **III.** Immaculé, net, propre, pur.

Targuer (Se)
Syn. **I.** (S') applaudir, (s') attribuer, (se) flatter, (se) glorifier, (se) prévaloir, triompher, (se) vanter. − (Se) garantir, (se) protéger.
Ant. **I.** (S') humilier, (se) mortifier.

Tarif
Syn. **I.** Barème, droits, montant, prix, taux, taxe.

Tarir
Syn. (*V. tr.*)**I.** Assécher, dessécher, épuiser, sécher, tirer, vider. **II.** Achever, finir, terminer. (*V. intr.*) **III.** (S') arrêter, cesser, disparaître.

Ant. **I.** Approvisionner, bonder, combler, gaver, gorger, rassasier, remplir, saturer. **II.** Commencer. **III.** Continuer.

Tartufe (ou **Tartuffe**)
Syn. **I.** Bigot, faux dévot, hypocrite, imposteur, pharisien.
Ant. **I.** Franc, loyal, pieux, sincère.

Tas
Syn. **I.** Amas, accumulation, amoncellement, bloc, meule, monceau, pile. **III.** Abondance, beaucoup, masse, multitude.
Ant. **I.** Éparpillement. **III.** Disette, peu.

Tassé
Syn. **I.** Bourré, comprimé, contracté, groupé, pressé, serré. − Court, foulé, ramassé, ratatiné, recroquevillé, replet, tapé.
Ant. **I.** Allongé, dilaté, écarté, épars, étendu, étiré, répandu, vide.

Tasser (et Se)
Syn. (*V. tr.*) **I.** Accumuler, agglomérer, amasser, amonceler, bourrer, comprimer, entasser, grouper, presser, recroqueviller, réduire, serrer, taper. (*V. pr.*) **I.** (S') affaisser, (se) ramasser, (se) voûter. **III.** (*Fam.*) (S') arranger.
Ant. **I.** Disséminer, éparpiller, étendre, répandre.

Tâter
Syn. (*V. tr.*) **I.** Manier, palper, toucher. − Ausculter, sonder, vérifier. (*V. intr.*) **III.** Éprouver, essayer, expérimenter, goûter, savourer, tenter. − (S') assurer, reconnaître.
Ant. **I.** Comprimer, contracter, serrer.

Tâtonner
Syn. **I.** Tâter, toucher. **III.** Chercher, essayer, hésiter, lambiner.
Ant. **III.** Avancer, décider, déterminer, régler, résoudre, trancher.

Taudis
Syn. **I.** Bicoque, bouge, cambuse, galetas, masure, réduit, trou.

Taureau

Ant. **I.** Château, cottage, hôtel, manoir, palais, résidence.

Taureau
Syn. **I.** Bœuf, taurillon. **III.** Force, puissance, robustesse, vigueur.
Ant. **III.** *(Fam.)* Freluquet, gringalet, mauviette. — Débilité, faiblesse.

Taux
Syn. **I.** Cours, intérêt, montant, pair, pourcentage, proportion, tarif, taxe. — Évaluation, valeur.

Taverne
Syn. **I.** Buvette, cabaret, café, estaminet, gargote.

Taxe
Syn. **I.** Charge, contribution, droit, impôt, redevance, tarif, taxation, tribut.
Ant. **I.** Détaxe, remise.

Taxer
Syn. **I.** Fixer, prélever, tarifer. **III.** Accuser, blâmer, charger, inculper, reprocher. **II.** Appeler, estimer, qualifier.
Ant. **I.** Détaxer, exonérer.

Technique
Syn. **I.** *(N.)* Art, facture, manière, métier, moyen *(fam.)*, méthode *(fam.)*, procédé. — *(Adj.)* Spécial, spécialisé. — Pratique, utilitaire. — Professionnel.
Ant. **I.** *(N.)* Confusion, désarroi, désordre, impéritie, perturbation. — *(Adj.)* Commun, courant, général. — Esthétique, scientifique. — Amateur.

Teint
Syn. *(N.)* Mine et V. *Teinte.* *(Adj.)* **I.** Peint, teinté. **II.** Coloré, colorié, fardé, paré. **III.** Apparent, artificiel, superficiel, vernissé.
Ant. **II.** Décoloré, déteint. **III.** Naturel, pur.

Teinte
Syn. **I.** Carnation, coloris, couleur, fondu, nuance, teint, ton, tonalité. **III.** Apparence, aspect, dose.

Teinture
Syn. **I.** Colorant, coloration, couleur, émail, teint. **III.** Vernis.

Télécommunication
Syn. **I.** Émission, réception, transmission. — Poste, radio-communication, télégraphe, téléphone, télévision. **II.** Satellite.

Télégramme
Syn. **I.** Câble *(abrév.)*, câblogramme, dépêche, message, sans-fil.

Télégraphique
Syn. **I.** Par télégraphe. **II.** Abrégé, bref, court.

Télescoper
Syn. **I.** Emboîter, emboutir, enfoncer, frapper, heurter, tamponner. **III.** (S') affronter, choquer, contrarier, (s') interpénétrer.

Téméraire
Syn. **I.** Audacieux, aventureux, dangereux, entreprenant, hardi, hasardeux, imprudent, inconsidéré, irréfléchi, osé, présomptueux, risqué.
Ant. **I.** Craintif, défiant, lâche, peureux, timoré. — Averti, circonspect, précautionneux, prévoyant, prudent, réfléchi, sage.

Témérité
Syn. **I.** Audace, front, hardiesse, imprudence, présomption. — Courage, décision.
Ant. **I.** Crainte, défiance. — Circonspection, mesure, précaution, prévenance, prévoyance, prudence, réflexion.

Témoignage
Syn. **I.** Affirmation, attestation, aveu, déclaration, déposition, rapport. **II.** Démonstration, gage, hommage, manifestation, marque, preuve, protestation, reconnaissance, tribut.

Témoin
Syn. **I.** Assistant, auditeur, caution, déposant, spectateur. **III.** Pièce à conviction, preuve. — Débris, fossile, reste, souvenir.

Tempérament

Syn. **I.** Caractère, complexion, constitution, disposition, humeur, idiosyncrasie, inclination, nature, naturel, penchant, personnalité, tendance, trempe. — Salacité, sensualité. — Adoucissement, atténuation, compromis, modération.

Tempérant

Syn. **I.** Abstinent, chaste, continent, discret, frugal, mesuré, modéré, pondéré, sage, sobre.
Ant. **I.** Excessif, friand, glouton, goinfre, goulu, gourmand, incontinent, insatiable, intempérant, ivrogne.

Tempéré

Syn. **I.** *(Géogr.)* Doux, tiède. **III.** Adouci, atténué, calmé, mesuré, modéré, raisonnable, sage, simple, sobre.
Ant. **I.** Chaud, froid. **III.** Ardent, démesuré, emporté, enflammé, excité, fougueux, immodéré, intempéré, passionné, violent.

Tempête

Syn. **I.** Bourrasque, cyclone, intempérie(s), orage, ouragan, perturbation, rafale, simoun, sirocco, tourmente, trombe, typhon. **III.** Agitation, colère, déchaînement, difficulté, discussion, mécontentement, protestation, querelle, trouble. — Explosion, fracas.
Ant. **I.** Bonace, calme, éclaircie, embellie, sérénité. **III.** Paix, repos, tranquillité.

Tempétueux

Syn. **I.** Déchaîné, démonté, écumeux, houleux, orageux. **III.** Agité, coléreux, courroucé, furieux, impétueux, tourmenté, violent.
Ant. **I.** Beau, calme, serein, tranquille. **III.** Doux, modéré.

Temple V. *Église*

Temporaire

Syn. **I.** Bref, court, discontinu, fugace, fugitif, éphémère, intérimaire, momenta-

né, passager, précaire, provisoire, transitoire.
Ant. **I.** Constant, continu, définitif, durable, éternel, fixe, illimité, invariable, permanent, perpétuel, stable.

Temporel

Syn. **I.** Passager, périssable, transitoire. **II.** Civil, laïc, matériel, profane, séculier, terrestre.
Ant. **I.** Éternel. **II.** Ecclésiastique, religieux, spirituel.

Temporiser

Syn. **I.** Ajourner, atermoyer, attendre, biaiser, différer, hésiter, reculer, remettre, renvoyer, retarder, tergiverser, traîner.
Ant. **I.** Accélérer, activer, agir, choisir, (se) dépêcher, exécuter, expédier, (se) hâter, précipiter, presser.

Temps

Syn. **I.** Durée, temporalité. — Année, heure, jour, minute, mois, saison, seconde, semaine, siècle. — Âge, cycle, date, époque, ère, étape, génération, moment, occasion, période. — Avenir, futur, passé, présent. — Délai, loisir, pause, suspense. — Air, atmosphère, bonace, ciel, climat, intempérie, orage, température, tempête, vent.
Ant. **I.** Éternité, infinité, perpétuité.

Tenace

Syn. *(Ch.)* **I.** Adhérent, dur, fort, résistant, solide. **III.** Continu, durable, persistant, stable. *(Pers.)* **III.** Acharné, constant, entêté, ferme, obstiné, opiniâtre, persévérant, résolu, têtu.
Ant. *(Ch.)* **I.** Fragile. **III.** Fugace. *(Pers.)* **III.** Capricieux, changeant, inconstant, instable, lâche, mou, versatile.

Ténacité

Syn. **III.** Acharnement, constance, entêtement, fermeté, force, obstination, opiniâtreté, persévérance, résistance, solidité.
Ant. **III.** Caprice, faiblesse, fragilité, in-

TENAILLER

constance, instabilité, mollesse, versatilité.

Tenailler
Syn. **III.** Étreindre, oppresser, serrer, torturer, tourmenter.
Ant. **III.** Consoler, desserrer, dilater, soulager.

Tenancier
Syn. **I.** Fermier, métayer. — Administrateur, directeur, gérant, patron.

Tendance
Syn. **I.** Affinité, appétit, aspiration, attrait, disposition, goût, impulsion, inclination, instinct, penchant, pente *(fig.)* propension. **II.** Direction, mouvement, orientation, sens, tournure.
Ant. **I.** Antipathie, aversion, dégoût, répugnance.

Tendre
Syn. (Adj.) **I.** *(Ch.)* Amolli, délicat, faible, flexible, fragile, frais, malléable, mou, plastique, ramolli, souple. — *(Pers.)* Affectueux, aimant, amoureux, bon, câlin, caressant, délicat, doux, émotif, épris, humain, impressionnable, langoureux, passionné, romanesque, romantique, sensible, sentimental, susceptible, touchant.
Ant. **I.** *(Ch.)* Coriace, dur, rassis, résistant, sec. — *(Pers.)* Antipathique, cruel, froid, haineux, impitoyable, inflexible, inhumain, insensible, irascible, sévère, vindicatif.

Tendre
Syn. (Verbe) (V. tr.) **I.** Allonger, avancer, bander, contracter, déployer, disposer, dresser, étendre, étirer, présenter, raidir, tirer. **III.** Concentrer. *(V. intr.)* **I.** Aspirer à, chercher, désirer, (s') efforcer à, poursuivre, prétendre à, rechercher, soupirer à, travailler à, viser à. — Concourir, contribuer, converger, (s') orienter.
Ant. **I.** *(V. tr.)* Débander, décontracter, desserrer, détendre, relâcher. — *(V. intr.)*

558

Dédaigner, éviter, fuir, négliger, refuser, repousser. — Contrecarrer, diverger, (s') opposer.

Tendresse
Syn. **I.** Affection, amitié, amour, attachement, bonté, douceur, humanité, sensibilité, sympathie. — Attendrissement, cajolerie, caresse, effusion, épanchement.
Ant. **I.** Antipathie, dureté, froideur, méchanceté, rigidité, rigueur, rudesse, sévérité.

Ténébreux
Syn. **I.** Nocturne, noir, obscur, ombreux, opaque, sombre. **III.** Caché, difficile, impénétrable, incertain, incompréhensible, mystérieux, occulte, secret, sournois, souterrain. — *(Pers.)* Mélancolique, sombre, triste.
Ant. **I.** Brillant, clair, diaphane, éclairé, lumineux. **III.** Apparent, facile, ouvert. — *(Pers.)* Enjoué, gai, joyeux.

Teneur
Syn. **I.** Composition, contenu, libellé, texte.

Tenir (et Se)
Syn. (V. tr.) **I.** Avoir, conserver, détenir, occuper, posséder, prendre, saisir. — Comprendre, contenir, enclore, enfermer, entrer. — Embrasser, étreindre, serrer. **II.** Considérer comme, croire, dire, impliquer, regarder comme. **III.** Entretenir, garder, immobiliser, maintenir. — Maîtriser. *(V. intr.)* **I.** Adhérer, coller. — Continuer, durer, lutter, résister, subsister. — Appartenir, dépendre,, provenir, résulter, venir de. **II.** Être contigu. **III.** Être attaché, désirer, vouloir. *(V. pr.)* **I.** (S') accrocher, (s') agripper, (s') appuyer, (se) cramponner, (se) maintenir, (se) retenir. **II.** (Se) célébrer, habiter, (avoir) lieu, (se) trouver. — Être, rester. — (Se) conduire.
Ant. (V. tr.) **I.** Abandonner, lâcher, laisser, quitter. — Exclure. — Desserrer, re-

pousser. **II.** Ignorer. — Manquer à, rompre. **III.** (Se) soumettre. *(V. intr.)* (Se) détacher. — Céder, cesser, (se) désister, flancher, fléchir. (S') éloigner. — (Être) indifférent. — *(V. pr.)* **I.** Lâcher.

Tension
Syn. **I.** Contraction, pression, raideur, résistance. **III.** Application, attention, concentration, contention, préoccupation. — Incompréhension, mésintelligence. *Ant.* **I.** Assouplissement, laxité, relâchement. **III.** Abandon, détente, distraction, relâche, relaxation, repos. — Compréhension, entente.

Tentant
Syn. **I.** Alléchant, attirant, attrayant, captivant, charmant, désirable, enviable, excitant, séduisant, tentateur. *Ant.* **I.** Dégoûtant, repoussant, répugnant.

Tentation
Syn. **I.** Attirance, attrait, convoitise, désir, ensorcellement, envie, fascination, obsession, séduction, sollicitation. *Ant.* **I.** Antipathie, aversion, dédain, dégoût, indifférence, répulsion.

Tentative
Syn. **I.** Avance, démarche, effort, essai, recherche. — Attentat.

Tente
Syn. **I.** Abri, asile, chapiteau, refuge, tabernacle, taud *(mar.),* velum, wigwam. — Bivouac, campement.

Tenter
Syn. **I.** Chercher à, entreprendre, éprouver, essayer, expérimenter, hasarder, inciter, oser, risquer. — Allécher, attirer, charmer, plaire, séduire. *Ant.* **I.** Abandonner, cesser, hésiter, laisser, quitter, renoncer. — Repousser, répugner.

Ténu
Syn. **I.** Fin, menu, mince, petit. **II.** Déli-

cat, délié, fluet, gracile, grêle, léger. **III.** Subtil. *Ant.* **I.** Épais, gros. **II.** Compact, dense, dur, serré, touffu.

Tenue
Syn. **I.** Allure, costume, équipage, habillement, habit, livrée, mise, toilette, uniforme. — Attitude, conduite, correction, dignité, distinction, maintien, présentation, soin. — Direction, discipline, entretien, gestion, ordre. *Ant.* **I.** Négligence, relâchement. — Gaucherie, grossièreté, inconduite, incongruité, incurie.

Tergiverser V. *Temporiser*

Terme(s)
Syn. **I.** Aboutissement, achèvement, bout, but, dénouement, fin, issue, limite. — *(Dr.)* Date, délai, échéance, location. — *(Pl.)* Rapports, relations. — Expression, formule, mot, vocable. *Ant.* **I.** Bord, commencement, début, naissance, orée, source.

Terminaison (s)
Syn. **I.** *(Gram.)* Assonance, consonance, désinence, finale, rime, suffixe. — *(Pl.)* *(Anat.)* Extrémités (des nerfs).

Terminer
Syn. **I.** Achever, clore, clôturer, conclure, consommer, couronner, fermer, finir, lever, liquider, mourir. *Ant.* **I.** Amorcer, commencer, engager, entreprendre, ouvrir. — Allonger, continuer, durer, perpétuer, poursuivre.

Terne
Syn. **I.** Blafard, blême, décoloré, délavé, déteint, effacé, éteint, fade, fané, flétri, livide, mat, mort, obscur, pâle, sombre. **III.** Ennuyeux, froid, incolore, inexpressif, insignifiant, insipide, morne. *Ant.* **I.** Animé, brillant, coloré, éclatant, étincelant, frais, luisant, poli, radieux, rougeaud. **III.** Expressif, intéressant, savoureux.

Ternir
Syn. **I.** Altérer, décolorer, effacer, faner, obscurcir. **III.** Avilir, entacher, flétrir, salir, souiller, tacher.
Ant. **I.** Aviver, éclaircir, polir, redorer. **III.** Briller, exalter, honorer, réhabiliter.

Terrain
Syn. **I.** Champ, lopin, relief, sol, terre, terroir. — Emplacement, fonds. lieu, piste, propriété.

Terrasse
Syn. **I.** Belvédère, esplanade, plateforme, promenade, toit. **II.** Balcon, devanture, galerie, véranda. — Gradins *(géol.)*.

Terrasser
Syn. **I.** Abattre, battre (à plate couture), démolir, dompter, foudroyer, mater, réduire, renverser, vaincre. **III.** Accabler, atterrer, bouleverser, consterner.
Ant. **I.** Redresser, rétablir. **III.** Rassurer, relever, renforcer.

Terre
Syn. **I.** Globe, monde, planète. — Continent, contrée, île, pays, possessions, région, territoire. — Campagne, champs, glèbe, terroir. — Boue, glaise, humus, levée, poussière, remblai, sol, terrain, terreau, tumulus. **II.** Bien-fonds, domaine, héritage, propriété.
Ant. **I.** Ciel. — Air, mer.

Terrer (Se)
Syn. (V. pr.) **I.** (Se) blottir, (s') enfouir, (s') enterrer. **III.** (Se) cacher, (se) dissimuler, (s') isoler.
Ant. **I.** et **III.** (Se) découvrir, (se) montrer, sortir.

Terreur
Syn. **I.** Affolement, angoisse, consternation, crainte, effroi, épouvante, frayeur, horreur, panique, peur, stupéfaction, stupeur, terrorisme.
Ant. **I.** Assurance, béatitude, calme, douceur, quiétude.

Terreux
Syn. **I.** Sale, souillé. **III.** Blafard, blême, cadavérique, incolore, livide, morne, pâle, terne.
Ant. **I.** Net, propre. **III.** Clair, coloré.

Terrible
Syn. (Ch.) **I.** Affreux, atroce, effrayant, effroyable, épouvantable, redoutable, tragique. **III.** *(Fam.)* Excessif, extraordinaire, féroce, formidable, grand, violent. *(Pers.)* **III.** Agressif, désagréable, importun, turbulent.
Ant. (Ch.) **I.** et **III.** Bon, calme, doux, faible, rassurant, serein. *(Pers.)* **III.** Agréable, débonnaire, discret, tranquille.

Terrier
Syn. **I.** Abri, antre, asile, cachette, gîte, refuge, repaire, retraite, tanière, trou.

Terrifier V. *Terroriser*

Territoire(s)
Syn. **I.** Arrondissement, canton, circonspection, commune, contrée, district, État, pays, région, réserve. — Domaine, espace, parage. — *(Pl.)* Possessions.

Terroriser
Syn. **I.** Affoler, alarmer, apeurer, atterrer, consterner, effarer, effaroucher, effrayer, épouvanter, intimider, pétrifier, terrifier, troubler. — Oppresser, tourmenter.
Ant. **I.** Aider, calmer, consoler, rasséréner, rassurer, soulager, tranquilliser.

Terrorisme
Syn. **I.** Attentat, épouvante, excès, intimidation, menace, subversion, terreur, violence.
Ant. **I.** Apaisement, concorde, entente, harmonie, humanité, paix, union.

Tertre
Syn. **I.** Butte, élévation, éminence, escarpement, hauteur, monticule. **II.** Tumulus.
Ant. **I.** Cavité, creux, trou.

Test
Syn. **I.** Carapace, coque, coquille, cuirasse, enveloppe, tégument. — Analyse, biopsie, contrôle, enquête, épreuve, essai *(méd.),* expérience *(lab.),* fait témoin.

Tête
Syn. **I.** Boule *(fam.),* caboche *(fam.),* cerveau, cervelle, ciboulot *(fam.),* crâne, front, visage. **II.** Chapeau, chevet, cime, pont, premier, sommet. — Bon sens, esprit, intelligence, lucidité, mémoire, raison, réflexion. **III.** Autorité, chef, directeur, leader. — Commencement, début. *Ant.* **I.** Pied, queue. **II.** Arrière, dernier. — Bêtise, folie, sottise. **III.** Administré, employé, subalterne, subordonné. — Conclusion, fin.

Tête-à-tête
Syn. **I.** *(Adv.)* Face à face, nez à nez, seul à seul, vis-à-vis. — *(N.)* Colloque, conciliabule, conversation, dialogue, entretien, entrevue, rencontre.

Téter
Syn. **I.** Allaiter, nourrir, sucer, suçoter.

Têtu
Syn. **I.** Acharné, buté, entêté, insoumis, obstiné, opiniâtre, récalcitrant, rétif, tenace, volontaire. **II.** Fermé. *Ant.* **I.** Compréhensif, docile, facile, flexible, malléable, obéissant, soumis, souple.

Texte
Syn. **I.** Contenu, énoncé, formule, libellé, livret, parole, rédaction, sujet, teneur. — Document, exégèse, manuscrit, original, source. — Citation, extrait, fragment, morceau, page, passage.

Textuel
Syn. **I.** Authentique, conforme, exact, littéral, mot à mot. *Ant.* **I.** Altéré, contourné, déformé, inexact, modifié, travesti.

Texture
Syn. **I.** Tissage *(vx).* **II.** Constitution, contexture, disposition, structure. **III.** Agencement, arrangement, assemblage, composition, coordination, harmonie, liaison, ordre. *Ant.* **III.** Dérangement, désordre.

Théâtral
Syn. **I.** Comique, dramatique. **II.** Émouvant, fantastique, passionnant, scénique, spectaculaire. **III.** Affecté, ampoulé, artificiel, emphatique, forcé, outré. *Ant.* **III.** Naturel, simple.

Théâtre
Syn. **I.** Amphithéâtre, planches, plateau, rampe, salle, scène, tréteaux. — Matinée, première, répertoire, représentation, spectacle, troupe. — Comédie, drame, farce, mélodrame, music-hall, opéra, revue, tragédie, tragi-comédie, vaudeville. **II.** Décor, écran. **III.** Cadre, lieu.

Thème
Syn. **I.** Fond, idée, matière, objet, proposition, sujet. **II.** Leitmotiv, motif *(mus.).* — Traduction.

Théologique
Syn. **I.** Divin, religieux. *Ant.* **I.** Agnostique, athée.

Théorique
Syn. **I.** Abstrait, conceptuel, hypothétique, idéal, méthodique, rationnel, spéculatif, systématique. **II.** Imaginaire, inutilisable, irréalisable, irréel. *Ant.* **I.** Clinique, empirique, expérimental, pratique, vécu. — Agissant, efficace, éprouvé, expérimenté, réel.

Thérapeutique
Syn. **I.** *(Adj.)* Curatif, médical, médicinal. — *(N.)* Chirurgie, cure, médecine, médicament, médication, régime, remède, soins, traitement.

Thésauriser
Syn. **I.** Accumuler, amasser, amonceler,

capitaliser, cumuler, économiser, emmagasiner, entasser, épargner, réserver. *Ant.* **I.** Dépenser, dilapider, disperser, dissiper, gaspiller, partager, prodiguer, répandre.

Thèse
Syn. **I.** Doctrine, idéologie, opinion, théorie. — Mémoire, ouvrage, traité. — Argument, assertion, développement, preuve, proposition, raisonnement, sujet. *Ant.* **I.** Antithèse, controverse, opposition.

Thorax
Syn. **I.** Coffre *(fam.),* poitrine, torse, tronc.

Thuriféraire
Syn. **I.** Encenseur. **III.** Courtisan, flagorneur, flatteur, laudateur, louangeur. *Ant.* **I.** Critique, franc, sincère.

Tiède
Syn. **I.** Attiédi, doux, modéré, tempéré. **III.** Apathique, indifférent, mou, neutre, nonchalant. *Ant.* **I.** Bouillant, brûlant, frais, froid. **III.** Ardent, chaleureux, enflammé, fanatique, fervent.

Tiers
Syn. (Adj.) **I.** Troisième *(vx). (N.)* **I.** Arbitre, intermédiaire, médiateur, négociateur, témoin, troisième personne. **II.** Étranger, inconnu, intrus, surarbitre.

Tigré V. *Tacheté*

Timbre
Syn. **I.** Cachet, empreinte, estampille, marque, sceau, tampon, vignette. — Cloche, clochette, sonnerie, sonnette. **II.** Son, sonorité, voix.

Timide
Syn. **I.** Craintif, faible, hésitant, indécis, inquiet, irrésolu, peureux, pusillanime, scrupuleux, timoré, tremblant. **II.** Confus, embarrassé, gauche, gêné, honteux, humble, maladroit, modeste.

Ant. **I.** Assuré, audacieux, brave, courageux, décidé, déterminé, énergique, entreprenant, ferme, hardi, impératif. **II.** Cynique, effronté, osé, outrecuidant.

Timidité
Syn. **I.** Appréhension, crainte, faiblesse, hésitation, peur, pusillanimité, scrupule. **II.** Confusion, embarras, gaucherie, gêne, honte, modestie. *Ant.* **I.** Assurance, audace, bravoure, courage, décision, hardiesse. **II.** Aplomb, culot *(fam.),* cynisme, outrecuidance, sans-gêne, témérité.

Timoré
Syn. **I.** Craintif, délicat, indécis, inquiet, pusillanime, scrupuleux, timide. *Ant.* **I.** Audacieux, brave, effronté, entreprenant, fort, hardi, présomptueux, téméraire.

Tintamarre V. *Tapage*

Tinter
Syn. **I.** Résonner, sonner. **II.** Corner, retentir. **III.** Bourdonner.

Tintouin
Syn. **I.** Vacarme. **III.** *(Fam.)* Anxiété, aria, désagrément, difficulté, embarras, inquiétude, mal, préoccupation, souci, tracas. *Ant.* **III.** Foi, repos, sécurité.

Tiqueté V. *Tacheté*

Tirade
Syn. **I.** Couplet, développement, laisse, monologue, réplique. **II.** Déclamation, emphase.

Tirage
Syn. **I.** Étirage, tréfilage. — Désignation, hasard, loterie. — Édition, exemplaire, gravure, impression, imprimerie, photographie, photogravure, publication, réédition, réimpression, reproduction. **III.**

Difficulté, friction, frottement, tiraillement *(péj.)*.

Tirailler

Syn. **I.** Secouer, tirer. **III.** Accabler, ballotter, déchirer, déranger, écarteler, ennuyer, harceler, houspiller, importuner, inquiéter, solliciter, tourmenter. *Ant.* **I.** Débarrasser, dégager, libérer. **III.** Amuser, calmer, laisser, rassurer.

Tire *(can.)*

Syn. **I.** Confiserie à la mélasse ou au sirop d'érable.

Tiré

Syn. **I.** Ajusté, tendu. — Imprimé, tracé. **II.** Abattu, allongé, amaigri, diaphane, émacié, étiré, fatigué, maigre, malingre, souffrant, souffreteux. *Ant.* **I.** Détendu, relâché. **II.** Bien portant, dispos, engraissé, en santé, gras, grossi, reposé.

Tirer

Syn. **I.** Allonger, distendre, étendre, étirer, raidir, tendre. — Imprimer, reproduire, tracer. — Amener, arracher, attirer, dégager, délivrer, dépêtrer, enlever, exprimer, extraire, gagner, obtenir, ôter, percevoir, produire, profiter, recevoir, recueillir, retirer, sortir, soutirer. — Entraîner, haler, remorquer, touer, traîner. **II.** Abattre, décharger, décocher, dégainer, descendre *(fam.)*, envoyer, lancer, viser. **III.** Conclure, déduire, dégager, élaborer, inférer, interpréter. — Dériver, emprunter, prendre, provenir, puiser. *Ant.* **I.** Détendre, relâcher. — Chasser, écarter, éloigner, enfermer, enfoncer, pousser, repousser.

Tisonner

Syn. **I.** Activer, animer, attiser, fourgonner, raviver, remuer. **III.** Accélérer, presser. *Ant.* **I.** Amortir, éteindre. **III.** Ralentir.

Tissu

Syn. **I.** Habit, vêtement. — Drap, étoffe, filet, toile, tricot, tulle. **II.** Membrane, texture. **III.** Agencement, enchaînement, enchevêtrement, mélange, réseau, suite, tissure.

Titanesque

Syn. **I.** Colossal, cyclopéen, démesuré, énorme, étonnant, excessif, extraordinaire, formidable, gigantesque, grandiose, prodigieux, surhumain. *Ant.* **I.** Chétif, humble, insignifiant, modeste, modique, nabot, nain, petit, pygméen.

Titiller

Syn. **I.** Chatouiller, effleurer. **III.** Caresser. *Ant.* **I.** Persécuter, torturer, tourmenter.

Titre(s)

Syn. **I.** Appellation, charge, dignité, distinction, droit. — Fonction, grade, honneur, noblesse, nom, office, qualification, qualité. — Acte, billet, brevet, certificat, diplôme, document, effet, instrument, parchemin, patente, pièce. — Désignation, en-tête, frontispice, intitulé *(n.)*, manchette, nom, rubrique, sujet. — *(Pl.)* Actions, bons, obligations, papiers, valeurs.

Tituber

Syn. **I.** (Se) balancer, chanceler, flageoler, vaciller. **II.** Buter, chopper, fléchir, glisser, trébucher. *Ant.* **I.** (S') affermir, marcher droit, (se) redresser.

Titularisé

Syn. **I.** Désigné, honoré, investi, nommé, qualifié, titré. *Ant.* **I.** Déposé, destitué, limogé, révoqué.

Tohu-bohu

Syn. **I.** V. *Tapage.* **III.** Chaos, confusion, désarroi, désordre. *Ant.* **I.** Calme, harmonie, paix. **III.** Ordre.

Toile
Syn. **I.** Tenture, tissu. **II.** Peinture, tableau. − Décor, écran, fond, rideau *(vx)*. **III.** Filet, piège, réseau.

Toilette(s)
Syn. **I.** Coiffeuse, meuble, poudreuse, table. − Ajustement, chiffon, costume, habillement, mise, parure, tenue, vêtement. − Ablutions, soins (de propreté). − *(Pl.)* Cabinets d'aisance, lavabos. **II.** Astiquage.
Ant. **I.** Débraillé, déshabillé, négligé.

Toiser
Syn. **I.** Mesurer *(vx).* **II.** Apprécier, estimer, jauger. **III.** Considérer, dévisager, examiner, lorgner, reluquer.
Ant. **III.** (Se) détourner, ignorer.

Toit
Syn. **I.** Comble, couverture, terrasse, toiture, verrière. **II.** Abri, asile, demeure, domicile, habitation, logement, maison, résidence. − Hospitalité.
Ant. **I.** Cave. **II.** Sans-abri.

Tolérable
Syn. **I.** Admissible, endurable, excusable, supportable.
Ant. **I.** Désagréable, ennuyeux, impossible, insupportable, intolérable.

Tolérance
Syn. **I.** Libéralisme, liberté. − Acquiescement, compréhension, indulgence, largeur d'esprit, non-violence, patience.
Ant. **I.** Défense, despotisme, étroitesse, impatience, intolérance, intransigeance, mesquinerie, violence.

Tolérant
Syn. **I.** Compréhensif, débonnaire, doux, facile, humain, indulgent, large (d'esprit), libéral, patient, respectueux.
Ant. **I.** Borné, dogmatique, étroit, exclusif, fanatique, inhumain, intolérant, intransigeant, mesquin.

Tolérer
Syn. **I.** Approuver, autoriser, excuser,

justifier, pardonner, passer, permettre. − Endurer, souffrir, subir, supporter. **II.** Accepter, admettre quelqu'un.
Ant. **I.** Défendre, désapprouver, empêcher, interdire, prohiber, proscrire, réprimer. − Contraindre, forcer. **II.** Refuser.

Tombeau
Syn. **I.** Caveau, cénotaphe, cercueil, mausolée, monument, pierre, sarcophage, sépulcre, stèle, tombe. **III.** Disparition, fin, mort, ruine.

Tomber
Syn. (Pers.) **I.** (S') abattre, achopper, (s') affaisser, (s') allonger, (s') aplatir *(fam.),* basculer, broncher, chanceler, choir, chopper, chuter, culbuter, débouler *(fam.),* dégringoler, (s') étaler, (s') étendre, glisser, tituber, trébucher, vaciller. − Se rendre, mourir, périr, (être) renversé, succomber, (être) tué, vaincu. **II.** Arriver, (se) présenter, survenir, venir. **III.** Déchoir, dégénérer, (se) ruiner. − Pécher. *(Ch.)* **I.** (S') abîmer, couler, crouler, (se) détacher, dévaler, (s') ébouler, (s') écrouler, (s') effondrer, graviter, (se) jeter, pleuvoir, (se) renverser, rouler. − (S') abaisser, descendre, pendre, (se) réduire. **II.** (S') abîmer, (s') affaiblir, (s') apaiser, baisser, (se) calmer, cesser, décliner, diminuer, échouer. **III.** (S') anéantir, disparaître, (se) dissiper, (s') évanouir.
Ant. (Pers.) **I.** (Se) maintenir, (se) relever, (se) tenir. −Tenir bon, vaincre. − Vivre. **III.** (S') élever, ennoblir, monter, remonter. *(Ch.)* **I.** Résister, tenir. **II.** Accroître, continuer, demeurer, remonter, réussir. **III.** Apparaître, (se) montrer, paraître, reparaître.

Tome
Syn. **I.** Division, tomaison. **II.** Livre, ouvrage, volume.

Ton
Syn. **I.** Corde, hauteur, note, son, toni-

que, voix. — Accent, expression, fermeté, inflexion, intonation, modulation, timbre, tonalité. **II.** Couleur, degré, intensité, nuance, teinte. — Forme, manière, procédé, style. — Air, convenance, goût, note. — Énergie, force, importance, vigueur. *Ant.* **II.** Inconvenance, langueur.

Tondre
Syn. **I.** Brouter, couper, dénuder. **II.** Ébarber, égaliser, élaguer, tailler. **III.** Déposséder, dépouiller, exploiter *(fam.)*, voler. *Ant.* **II.** Greffer. **III.** Embellir, garnir, orner, restituer.

Tonique
Syn. **I.** Apéritif, cordial, excitant, fortifiant, réconfortant, reconstituant, remontant, renforcissant, réparateur, roboratif, stimulant. *Ant.* **I.** Adynamique, amollissant, atone, débilitant.

Tonitruant
Syn. **I.** Bruyant, éclatant, énorme, étourdissant, résonnant, retentissant, sonore, (de) stentor, tonnant. *Ant.* **I.** Agréable, assourdi, atone, délicat, doux, exquis, faible, inaudible, sourd, suave, tempéré.

Tonnant V. *Tonitruant*

Tonner
Syn. **I.** Gronder, rouler. **II.** Éclater. **III.** Crier, fulminer, menacer. *Ant.* **III.** Chuchoter, murmurer.

Topique
Syn. **I.** Caractéristique, convenable, significatif, spécifique, typique. *Ant.* **I.** Général, incorrect, insignifiant.

Topographie
Syn. **I.** Carte, description, dessin, plan, représentation. — Configuration, géographie, relief (d'un lieu).

Toquade
Syn. **I.** Caprice, emballement, engoue-

ment, entêtement, folie, goût, inclination, lubie, manie, marotte, passion. *Ant.* **I.** Impartialité, indifférence, pondération, sagesse, soumission.

Toqué
Syn. **I.** Bizarre, cinglé, dérangé, déséquilibré, détraqué, extravagant, fêlé, fou, hébété, hurluberlu, idiot, imbécile, insensé, maboul, maniaque, sot, stupide, timbré. *Ant.* **I.** Équilibré, fin, habile, ingénieux, intelligent, sain, spirituel, subtil.

Toquer (et Se)
Syn. **I.** (*V. intr.*) Cogner *(fam.)*, déranger, frapper, heurter. — *(V. pr.)* (S') amouracher, (s') engouer, (s') enticher, (s') éprendre. *Ant.* **I.** (Se) déprendre, (se) détacher, détester.

Torche
Syn. **I.** Brandon, flambeau, flamme, lampe, luminaire, tison, torchère.

Torchonner
Syn. **I.** Essuyer, frotter, nettoyer. **III.** Bâcler, gâcher, saboter, torcher. *Ant.* **III.** (S') appliquer, parachever, soigner.

Tordre (et Se)
Syn. (*V. tr.*) **I.** Bistourner, boudiner, contourner, cordeler, corder, courber, (se) décomposer, déformer, distordre, enrouler, entortiller, fausser, forcer, gaucher, tortiller, tourner, tresser. — Câbler, mouliner, retordre. **II.** Serrer, torturer. *(V. pr.)* **I.** (Se) courber, (se) plier, (se) replier, serpenter, (se) tortiller. **III.** Pouffer, rire, (se) tortiller. *Ant.* **I.** Déborder, détortiller, détourner, redresser.

Tornade V. *Tempête*

Torpeur
Syn. **I.** Assoupissement, atonie, engourdissement, léthargie, somnolence. **II.** Abattement, abrutissement, accablement

démoralisation, dépression, écrasement, inaction, prostration. *Ant.* **I.** Action, activité, agitation, animation, ardeur, énergie, enthousiasme, éveil, force, vigueur.

Torréfier
Syn. **I.** Griller, rôtir. **III.** Brûler *(fam.)*, calciner, carboniser, dessécher. *Ant.* **III.** Arroser, baigner, éteindre, mouiller, tremper.

Torrentiel
Syn. **I.** Diluvien, torrentueux. **III.** Abondant, copieux, violent. *Ant.* **III.** Calme, lent, modéré, raisonnable, retenu, tranquille.

Torride
Syn. **I.** Ardent, brûlant, chaud, desséchant, embrasé, équatorial, thermal, tropical. — Accablant, cuisant, dévorant, étouffant, suffocant, surchauffé. **II.** Extrême. *Ant.* **I.** Frais, froid, modéré, tempéré. **II.** Ordinaire.

Torse
Syn. **I.** Buste, poitrine, thorax, tronc.

Tort (et À)
Syn. **I.** *(N.)* Défaut, démérite, erreur, faiblesse, faute. — Détriment, dommage, injustice, lésion, mal, outrage, préjudice. — *(Loc. adv.)* Faussement, indûment, injustement. — Inconsidérément. *Ant.* **I.** Bienfait, droit, raison. — Justice. — *(Loc. adv.)* À juste titre, justement.

Tortillage
Syn. (Fam.) **III.** Détour, échappatoire, embarras, entortillage, faux-fuyant, galimatias, subterfuge, subtilité. *Ant.* **III.** Clarté, droiture, franchise, rectitude, sincérité, vérité.

Tortionnaire
Syn. (N.) **I.** Bourreau, tyran. *(Adj.)* **II.** Barbare, cruel, féroce, inhumain, inique, sanguinaire, violent. **III.** Impitoyable.

Ant. (Adj.) **II.** Bienveillant, bon, débonnaire, humain, sensible, tendre.

Tortu
Syn. **I.** Arqué, bancal, bossu, croche, difforme, disgracieux, tordu, tors. **III.** Contourné, faux, retors, tortueux. *Ant.* **I.** Détors, redressé. **II.** Droit.

Tortueux
Syn. **I.** Anfractueux, croche, inextricable, serpentin, sinueux. **III.** Contourné, déloyal, dissimulé, faux, fourbe, hypocrite, oblique, retors, rusé. *Ant.* **I.** Direct, droit. **III.** Franc, loyal, net, ouvert, sincère, vrai.

Torturant
Syn. **I.** Angoissant, brûlant, crucifiant, cuisant, déchirant, désolant, douloureux, intolérable, poignant, térébrant, tourmentant. *Ant.* **I.** Adoucissant, apaisant, calmant, rassurant, réconfortant, reposant.

Torture
Syn. **I.** Avilissement, barbarie, martyre, question, supplice, tourment, violence. **II.** Douleur, mal, peine, souffrance. **III.** Gêne, remords. *Ant.* **II.** Béatitude, bonheur, joie, plaisir.

Torturer
Syn. **I.** Crucifier, martyriser, persécuter, supplicier, tenailler, terroriser, tourmenter violenter. **III.** Agiter, alambiquer, altérer, défigurer, dénaturer, interpréter, transformer. — Embarrasser, forcer, impatienter, ravager. *Ant.* **I.** Amuser, guérir, soigner. — Respecter, restituer. **III.** Apitoyer, consoler, plaire.

Tôt
Syn. **I.** Aussitôt, bientôt, de bonne heure, incessamment, tout de suite, vite. *Ant.* **I.** Tard.

Total
Syn. **I.** *(Adj.)* Absolu, complet, entier, gé-

néral, global, intégral, parfait, plein, universel. − Unanime. − *(N.)* Chiffre, somme, tout. − Ensemble, masse, totalité.
Ant. **I.** *(Adj.)* Divisé, fractionnaire, fragmentaire, incomplet, partiel. − *(N.)* Part, partie.

Totaliser
Syn. **I.** Additionner. − Assembler, compter, grouper, rassembler, réunir.
Ant. **I.** Diviser, séparer, soustraire.

Totalité (et En)
Syn. **I.** Ensemble, généralité, intégralité, intégrité, masse, plénitude, somme, total, tout, universalité. − Unanimité. − *(Loc.)* Au complet, en bloc, en entier, intégralement, totalement.
Ant. **I.** Division, fraction, partie, portion, section. − Partiellement.

Touchant
Syn. **I.** Attendrissant, bouleversant, déchirant, émouvant, frappant, impressionnant, passionnant, pathétique, poétique, poignant, saisissant, tendre, tragique, troublant.
Ant. **I.** Apathique, comique, froid, gai, indifférent, réjouissant, révoltant.

Touche
Syn. **I.** Épreuve, essai. **II.** Contraste, expression, genre, forme, main, manière, patte *(fam.)*, peinture, style, ton, tour. − *(Pop.)* Allure, dégaine, tournure. − Note *(mus.)*. **III.** Pierre de touche.

Toucher
Syn. (V. tr. dir.) **I.** Atteindre, attraper, blesser, caresser, chatouiller, coudoyer, effleurer, frapper, froisser, heurter, joindre, manier, palper, rencontrer, tâter, tâtonner, tripoter. − Faire vibrer, jouer, pincer, racler, sonner. − Accoster, atterrir, (faire) escale, mouiller, relâcher. **II.** Cumuler, encaisser, gagner, percevoir, recevoir, recouvrir, recueillir. **III.** Peindre. − Affecter, apitoyer, attendrir, émouvoir, impressionner, intéresser, persua-

der, piquer, saisir, troubler. − Concerner, regarder, rouler sur. *(V. intr. dir.)* **I.** (S') emparer, entamer, porter la main sur, prendre, utiliser. **III.** (Porter) atteinte, (se) mêler de, (s') occuper de. − Arriver à atteindre. *(Ch.)* **I.** Confiner à, (être) contigu. *(N.)* **I.** Attouchement, contact, palpation, sensation, tact, touche.
Ant. **I.** Écarter, (s') éloigner, éviter, fuir. **II.** Donner, manquer, omettre, rater, rejeter. **III.** Durcir, endurcir, (laisser) froid, mécontenter, rebuter.

Touer
Syn. **I.** Haler, remorquer, tirer, traîner.
Ant. **I.** Pousser, propulser, refouler.

Touffu
Syn. **I.** Dense, dru, épais, feuillu, fourni, fourré, impénétrable, massif, pressé, serré. **II.** Hirsute. **III.** Abondant, chargé, complexe, compliqué, comprimé, efflorescent, embrouillé, encombré, exubérant, luxuriant.
Ant. **I.** Clair, clairsemé, effeuillé, lâche, léger, pénétrable, rare, raréfié. **III.** Concis, maigre, simple.

Toujours
Syn. **I.** Assidûment, (sans) cesse, constamment, continuellement, éternellement, généralement, invariablement, perpétuellement, (sans) relâche, (sans) répit.
Ant. **I.** Exceptionnellement, jamais, parfois.

Tour
Syn. (N.m.) **I.** Bordure, cercle, circonférence, contour, mesure, périmètre, périphérie, pourtour, révolution, rotation, roue, spire, torsion. **II.** Allée et retour, balade, circuit, croisière, détour, excursion, parcours, périple, promenade, randonnée, ronde, sortie, tournée, voyage. **III.** Place, priorité, rang, rôle. − Adresse, artifice, cabriole, combine, exploit, habileté, malice, métier, pirouette, stratagème, truc, virevolte. − Allure, aspect,

expression, façon, forme, manière, marche, style, tournure. — Attrape, blague, escamotage, espièglerie, farce, niche, ruse. *Ant.* **I.** Centre, intérieur, milieu. **III.** Maladresse. — Sérieux.

Tourbillonner
Syn. **I.** Tourner, tournoyer. **II.** Pirouetter, pivoter. **III.** (S') agiter.

Touriste
Syn. **I.** Explorateur, visiteur, voyageur. — Estivant, étranger, excursionniste, promeneur, vacancier. *Ant.* **I.** Casanier, résidant, sédentaire.

Tourment
Syn. **I.** Martyre, oppression, souffrance, supplice, torture. — Affliction, affres, agitation, angoisse, anxiété, chagrin, désolation, douleur, ennui, fardeau, inquiétude, malaise, peine, souci, tracas, trouble. *Ant.* **I.** Aise, amusement, calme, consolation, contentement, délice, joie, paix, plaisir, quiétude, repos, sérénité, tranquillité.

Tourmenté
Syn. **I.** *(Pers.)* Agité, anxieux, coupable, fiévreux, inquiet, perplexe, soucieux, troublé. **II.** *(Site)* Accidenté, bosselé, déchiqueté, découpé, déformé, irrégulier, montagneux, montueux, mouvementé, vallonné. **III.** *(Style)* Chargé, compliqué, contourné, recherché, tarabiscoté, torturé. *Ant.* **I.** Calme, consolé, impassible, reposé, serein, tranquille. **II.** Égal, plat, proportionné, régulier. **III.** Simple, sobre.

Tourmenter (et Se)
Syn. **I.** *(V. tr.)* Assaillir, brutaliser, déchirer, maltraiter, martyriser, molester, oppresser, persécuter, torturer. — Agacer, angoisser, désespérer, ennuyer, excéder, harceler, houspiller, impatienter, importuner, inquiéter, irriter, obséder, préoccuper, poursuivre, ronger, talonner, tara-

buster, tenailler, tracasser, troubler, turlupiner *(fam.).* — Agiter, dévorer, travailler. *(V. pr.)* (Se) chagriner, (s') inquiéter, (se) tracasser. *Ant.* **I.** Aider, amuser, apaiser, consoler, défendre, divertir, rasséréner, rassurer.

Tournailler
Syn. **I.** Errer, rôder, tourner, tournicoter *(fam.),* tourniquer. **II.** Épier, espionner. *Ant.* **I.** (S') éloigner, éviter.

Tourné
Syn. **I.** Acide, aigre, altéré, caillé, détérioré, fermenté, gâté, sur. **III.** Fait (de telle manière). *Ant.* **I.** Doux, suave, sucré.

Tournée
Syn. **I.** Excursion, inspection, promenade, reconnaissance, visite, voyage. **II.** Tour, virée *(fam.).* — Consommations *(pop.).*

Tourner
Syn. (V. tr.) I. Actionner, agiter, arrondir, façonner, fonctionner, remuer, retourner. — Contourner, doubler. — Braquer, diriger, disposer, exposer, mettre, orienter. **II.** Filmer, jouer. **III.** Agencer, appliquer, arranger, exprimer, interpréter, présenter. — Changer, transformer. — Éluder, escamoter, esquiver, éviter, parer. *(V. intr.)* I. Graviter, pirouetter, pivoter, rouler, toupiller, tourbillonner, tournailler, tournicoter, tourniquer, tournoyer, virer, virevolter, volter. **II.** Évoluer, marcher. **III.** (Se) dérouler. *Ant. (V. tr.)* I. Arrêter, paralyser. — Détourner. — Cacher, désorienter. **III.** Déranger, dérégler. — Demeurer, maintenir. — Affronter. *(V. intr.)* I. Dérouler, étaler. **II. et III.** (S') arrêter, régresser.

Tournoi
Syn. **I.** Carrousel, combat, fantasia, joute. **II.** Composition, concours, jeu. **III.** Assaut, lutte.

Ant. III. Camaraderie, crainte, entente, peur.

Tournoyer V. *Tourner*

Tournure
Syn. I. Disposition, expression, façon, forme, manière, style, tour. — Air, allure, apparence, aspect, extérieur, tenue. III. Cours, direction, évolution, marche, tendance.

Tout
Syn. I. *(Adj.)* Chacun, chaque, complet, entier, intégral, plein. — *(N.)* Collection, ensemble, intégrité, total, totalité, univers. — *(Adv.)* Absolument, bien, complètement, entièrement, exactement, extrêmement, intégralement, pleinement, totalement.
Ant. I. *(Pron. et adj.)* Aucun, nul, rien. — *(N.)* Division, élément, fraction, lot, morceau, part, partie, pièce. — *(Adv.)* Partiellement, séparément.

Toutefois
Syn. I. Cependant, mais, néanmoins, nonobstant, pourtant, seulement.
Ant. I. Jamais, toujours.

Toute-puissance
Syn. I. Absolutisme, autorité, domination, omnipotence, pouvoir, souveraineté, suprématie, suzeraineté. — Efficacité, force, influence.
Ant. I. Faiblesse, impuissance.

Toux
Syn. I. Toussotement. — Enrouement, rhume.

Toxique
Syn. *(N.)* I. Poison, toxine, venin, virus. *(Adj.)* I. Dangereux, délétère, empoisonnant, malsain, mortel, nocif, vénéneux, venimeux. II. Corrompu, irrespirable.
Ant. *(Adj.)* I. Assaini, sain, salubre, salutaire, vital.

Trac
Syn. I. Angoisse, appréhension, crainte,

doute, frousse *(fam.)*, peur, trouille *(fam.)*.
Ant. I. Aisance, assurance, calme, désinvolture, hardiesse, quiétude, témérité.

Tracas
Syn. I. Agitation, aria *(fam.)*, contrariété, dérangement, difficulté, embarras, ennui, fatigue, inquiétude, peine, préoccupation, souci, tintouin *(fam.)*, tourment, tracasserie, trouble.
Ant. I. Calme, débarras, joie, plaisir, quiétude, sérénité, soulagement, tranquillité.

Tracasser V. *Tourmenter*

Tracasseries
Syn. I. Chicanes, difficultés, ennuis, querelles, tracas.
Ant. I. Accords, avantages, bienfaits, ententes.

Trace
Syn. I. Cicatrice, empreinte, foulée, impression, indice, marque, ornière, pas, passée, piste, reste, signe, sillage, stigmate, tache, traînée, trait, vestige, voie. III. Apparence, exemple, lueur, mémoire, ombre, sillon, souvenir.

Tracé
Syn. I. Contour, dessin, ébauche, esquisse, figure, forme, graphique, linéaments, plan. II. Chemin, itinéraire, ligne, littoral, parcours, trajet.

Tracer
Syn. I. Circonscrire, décrire, dessiner, ébaucher, écrire, esquisser, former, formuler, frayer, inscrire, marquer, représenter, tirer. II. Bornoyer, jalonner, piqueter. III. Dépeindre, retracer. — Déterminer, indiquer.

Tradition
Syn. I. *(Relig.)* Croyance, doctrine, pratique, rites. — *(Hist.)* Coutume, culture, habitude, héritage, transmission, us, usages. — Folklore, légende, mythe. — *(Dr.)*

Délivrance, livraison.
Ant. **I.** Innovation.

Traditionnel
Syn. **I.** Classique, consacré, fondé, héréditaire, légendaire, orthodoxe, proverbial. — Accoutumé, conformiste, conventionnel, coutumier, habituel, rituel, usuel. *Ant.* **I.** Exceptionnel, inaccoutumé, inhabituel, nouveau, rare, unique.

Traduction
Syn. **I.** Adaptation, interprétation, paraphrase, transposition. — Explication, thème, version. **II.** Expression, représentation.

Traduire
Syn. **I.** Comprendre, déchiffrer, gloser, rendre, transposer. **II.** Éclaircir, expliquer, interpréter. — *(Dr.)* Appeler, assigner, citer, convoquer, déférer, mener. **III.** Exprimer, manifester, montrer, peindre, trahir. *Ant.* **III.** Cacher, déguiser, maquiller, voiler.

Trafic
Syn. **I.** Agiotage, commerce, fricotage, malversation, maquignonnage, simonie, traite, tripotage. **II.** Circulation, écoulement, mouvement, roulage, transport. *Ant.* **I.** Blocus, boycottage, concurrence, embargo. **II.** Embouteillage, encombrement.

Trafiquer
Syn. **I.** Acheter, combiner, fricoter, maquignonner, négocier, spéculer, tripoter. **II.** Falsifier, frelater. **III.** (Se) prostituer.

Tragédie
Syn. **I.** Drame, jeu, pièce. **III.** Calamité, catastrophe, événement, malheur. *Ant.* **I.** Bouffonnerie, comédie, farce. **III.** Bienfait, bonheur, félicité.

Tragique
Syn. **I.** Dramatique. **II.** Angoissant, effroyable, émouvant, empoignant, épou-

vantable, funeste, grave, pathétique, sombre, terrible, triste. — Emphatique, théâtral. *Ant.* **I.** Bouffon, burlesque, comique. **II.** Bienfaisant, enjoué, gai, heureux. — Naturel, simple.

Trahir
Syn. **I.** Abandonner, dénoncer, déserter, lâcher, livrer, renier, vendre. **II.** Décevoir, dénaturer, desservir, manquer à, tromper. — Découvrir, dévoiler, divulguer, révéler. **III.** Déceler, indiquer, manifester, montrer, traduire. *Ant.* **I.** Aider, défendre, garder, protéger, respecter, seconder, servir, soutenir. **II.** Désabuser, détromper, (être) fidèle. — Cacher, dissimuler.

Trahison
Syn. **I.** Abandon, défection, délation, dénonciation, désertion. **II.** Bassesse, déloyauté, fourberie, perfidie, traîtrise. — Adultère, inconstance, infidélité, reniement. *Ant.* **I.** et **II.** Aide, constance, fidélité, foi, loyauté, sincérité, soutien.

Train
Syn. **I.** Allure, cours, marche, mouvement, progression, vitesse. — Chemin de fer, convoi, locomotive, radeau, rail, rame, voie, voiture, wagon. **II.** Commodité, dépenses, domesticité. — Agitation, bruit, tapage. *Ant.* **II.** Calme, paix, sérénité.

Traînant
Syn. **I.** Lambin, languissant, lent, monotone, prolongé, tardif, traînard. **II.** Pendant. *Ant.* **I.** Alerte, hâtif, preste, prompt, rapide, sec, vif.

Traînard
Syn. **II.** Dernier, flâneur, lambin, lent, musard, négligent, paresseux, retardataire.

Ant. II. Avancé, diligent, exact, expéditif, ponctuel, soigneux, vigilant, zélé.

Traînasser
Syn. **I.** Errer, flâner, lambiner, musarder, muser, paresser, traîner, vaguer.
Ant. **I.** Accélérer, activer, dépêcher, hâter, précipiter, presser.

Traîner (et Se)
Syn. (V. tr.) **I.** Amener, conduire, déplacer, haler, remorquer, tirer, touer. **II.** Emmener, emporter, entraîner, trimbaler. — Supporter. *(V. intr.)* **I.** Pendre. — Durer, (s') éterniser, (se) prolonger, tarder. — Languir. — Errer, flâner, lanterner, traînailler, traînasser, vagabonder. *(V. pr.)* **I.** Ramper. **II.** (Se) vautrer. **III.** (S') abaisser, supplier.
Ant. (V. tr.) **I.** Pousser, soulever. **II.** Suivre. — *(V. intr.)* Abréger, écourter, expédier. — (Se) dépêcher, filer. *(V. pr.)* **I.** Courir. **III.** (S') élever, obtenir.

Traire
Syn. **I.** Extraire, soutirer, tirer.

Trait(s)
Syn. **I.** Corde, courroie, lanière. — Jet, projectile. — Barre, ligne, rature, rayure, tiret. — *(Pl.)* Air, aspect, expression, mine, physionomie, visage. **II.** Longe. — Coup. **III.** Caractère, caractéristique, marque, signe. — Éclair, étincelle, illumination, mot, pensée, saillie. —Brocard, épigramme, flèche, pointe, raillerie, sarcasme.
Ant. **III.** Bourde, niaiserie.

Traitable
Syn. **I.** Accommodant, bon, commode, complaisant, conciliant, doux, facile, gentil, maniable, sociable.
Ant. **I.** Acariâtre, difficile, entêté, exigeant, farouche, incommode, inflexible, irascible, intraitable, rude.

Traite
Syn. **I.** Billet, échange, lettre de change.

— Chemin, distance, parcours, trajet. — Mulsion. — Commerce, esclavage, trafic.

Traité
Syn. **I.** Cours, discours, dissertation, livre, ouvrage. — *(Dr. internat.)* Accord, capitulation, charte, contrat, convention, engagement, entente, marché, pacte, paix, transaction, union.
Ant. **I.** Désaccord, désunion, dissentiment, interdiction, refus.

Traitement
Syn. **I.** Cure, médication, remède, soins, thérapeutique. — Accueil, comportement. — Conditionnement, manipulation, opération, procédé. — Appointements, émoluments, gages, gain, honoraires, indemnité, paie, projet, rémunération, salaire, solde.

Traiter
Syn. (V. tr.) **I.** Agir envers, (se) conduire envers. — Accueillir, convier, recevoir, régaler. — Soigner. — Conditionner, manipuler. — Aborder, développer, discuter, examiner, exposer. **II.** Appeler, qualifier. *(V. intr.)* **I.** Parler de. — Négocier, parlementer.
Ant. **I.** Abandonner, éviter, fuir.

Traître
Syn. (N.) **I.** Délateur, déserteur, espion, félon, judas, parjure, renégat, transfuge. —Lâche, perfide, scélérat. *(Adj.)* **I.** Déloyal, faux, fourbe, infidèle, trompeur. **II.** Dangereux, sournois.
Ant. **I.** Droit, fidèle, honnête, loyal, probe, sincère, sûr.

Traîtrise
Syn. **I.** Bassesse, déloyauté, félonie, fourberie, hypocrisie, lâcheté, perfidie, sournoiserie, trahison. **II.** Danger.
Ant. **I.** Amitié, droiture, fidélité, honnêteté, loyauté, probité, sincérité. **II.** Sécurité.

Trajectoire
Syn. **I.** Courbe, jet, ligne, orbite, parabole, plan, portée, trajet. **II.** Évolution.

Trajet

Syn. **I.** Chemin, cheminement, circuit, course, distance, itinéraire, marche, parcours, route, tour, tracé, traite, traversée, voyage.

Tramer

Syn. *(V. tr.)* **I.** Fabriquer, tisser. **III.** Combiner, comploter, conjurer, conspirer, fricoter *(fam.)*, machiner, manigancer, organiser, ourdir. — *(V. pr.)* **III.** (S') apprêter, (se) préparer.
Ant. **III.** Avertir, aviser, contrecarrer, déclarer, dénoncer, dévoiler, éclairer, informer, prévenir, signaler.

Tranchant

Syn. (Adj.) **I.** Acéré, affilé, aigu, aiguisé, coupant, dur, rude. **III.** Absolu, affirmatif arbitraire, audacieux, autoritaire, cassant, décidé, décisif, dictatorial, doctoral, dogmatique, impérieux, incisif, intransigeant, péremptoire, prompt, sec, tranché. *(N.)* **I.** Arme, coupant, fil, lame, taille. **II.** Tranche. **III.** Argument, procédé.
Ant. **I.** Contondant, ébréché, émoussé, épointé. **III.** Amène, avenant, débonnaire, disposé, doux, nuancé.

Tranche

Syn. **I.** Coupe, darne, division, fraction, lamelle, lèche, morceau, part, partie, portion, quartier, rond, rondelle. **II.** Ados, bord, côté, tête.
Ant. **I.** Bloc, ensemble, entier, tout, unité.

Tranché

Syn. **I.** Coupé, divisé, sectionné. **III.** Apparent, différent, distinct, franc, marqué, net, remarquable, séparé, tranchant. — Absolu, carré, catégorique, décisif, péremptoire.
Ant. **III.** Confus, continué, équivoque, hésité, incertain, indécis, indistinct, nuancé, prolongé, vague.

Tranchée(s)

Syn. **I.** Abri, canal, cavité, creux, excavation, fossé, rigole, sillon, terrassement,

trou. — *(Milit.)* Circonvallation, fortification, retranchement, sape. **II.** Chemin, entaille. — *(Pl.)* Coliques, crampes, douleurs.

Trancher

Syn. (V. tr.) **I.** Couper, diviser, hacher, rogner, séparer, tailler. — Abattre, décapiter, décoller, égorger, guillotiner. **III.** Abréger, arbitrer, briser, décider, définir, (s') exprimer, fixer, interrompre, juger, régler, résoudre. *(V. intr.)* **III.** Contraster, (se) détacher, détonner, (se) distinguer, ressortir.
Ant. **I.** Joindre, prolonger, rapprocher, unir. **III.** Hésiter. *(V. intr.)* **III.** Nuancer.

Tranquille

Syn. (Lieux) **I.** Calme, dormant, immobile, mort, paisible, reposant, silencieux, stagnant. *(Pers.)* **I.** Béat, coi, confiant, égal, gentil, limpide, placide, posé, rassis, sage, serein. **II.** Assuré, certain, rassuré, sûr.
Ant. (Lieux) Agité, bruyant, étourdissant, fatigant, tumultueux. *(Pers.)* **I.** Emporté, fougueux, furieux, remuant, surmené, turbulent, vif. **II.** Anxieux, défiant, incertain, inquiet, ombrageux, tourmenté, troublé.

Tranquillité

Syn. **I.** Accalmie, bonace, calme, embellie, silence. — Apaisement, ataraxie, calme, certitude, concorde, confiance, égalité, harmonie, impassibilité, paix, placidité, quiétude, repos, sang-froid, sécurité, sérénité.
Ant. **I.** Agitation, bruit, tapage, tempête. — Affolement, alarme, angoisse, anxiété, appréhension, défiance, désordre, détresse, effroi, fatigue, inquiétude, ombrage, tourment, trouble.

Transaction

Syn. **I.** *(Dr.)* Acte, composition, concordat, contrat, convention, entente. — *(Écon.)* Affaires, circulation, commerce, échange, marché, opération. — Accord, arrangement, compromis, concession.

Transborder
Syn. **I.** Charger, décharger, passer, transférer, transporter.
Ant. **I.** Garder, fixer, retenir.

Transcendant
Syn. **I.** Élevé, éminent, sublime, supérieur, suprême. — Extérieur à. — Incommensurable.
Ant. **I.** Élémentaire, immanent. — Intérieur. — Algébrique.

Transcendantal
Syn. **I.** Abstrait, métaphysique. **II.** Essentiel, inaccessible (au commun).
Ant. **I.** Concret, empirique, physique. **II.** Accessible, connu.

Transcription
Syn. **I.** Copie, double, duplicata, enregistrement, fac-similé, notation, relevé, report, reproduction, translitération. — *(Mus.)* Arrangement.
Ant. **I.** Original.

Transe(s)
Syn. **I.** *(Pl.)* Affres, alarme, angoisse, anxiété, appréhension, crainte, effroi, émotion, épouvante, frayeur, inquiétude, peur. **II.** *(Sing.)* Crise, délire. — Énervement, enthousiasme, exaltation, excitation, inspiration, transport.
Ant. **I.** Assurance, calme, sérénité, sûreté, tranquillité.

Transférer
Syn. **I.** Aliéner, changer, déplacer, transborder, transfuser, transporter, transvaser, vendre, virer. **II.** Remettre, reporter. **III.** Étendre, projeter. — Céder, transmettre.
Ant. **I.** Conserver, fixer, garder, laisser, mettre, placer, stabiliser.

Transfert
Syn. **I.** *(Dr.)* Acte, aliénation, cession, répercussion, transmission, vente, virement.

II. Déplacement, passage, translation, transport. **III.** Identification, projection.
Ant. **I.** Conservation, stabilisation.

Transformation
Syn. **I.** Adaptation, altération, amélioration, aménagement, avatar, changement, conversion, développement, évolution, métamorphose, modification, renouvellement, rénovation, transfiguration, transmutation.
Ant. **I.** Fixité, maintien, permanence.

Transformer (et Se)
Syn. **I.** *(V. tr.)* Adapter, améliorer, arranger, changer, élaborer, moderniser, modifier, renouveler, rénover, transfigurer. — Altérer, défigurer, déformer, dénaturer, réduire, trahir, travestir. — *(Transformer en)* Convertir, métamorphoser, muer en, transmuer. — *(V. pr.)* (S') améliorer, changer, dégénérer, (se) déguiser, (se) moderniser, tourner à, en.
Ant. **I.** Maintenir, persister, rester (le même).

Transfuge
Syn. **I.** Déserteur, judas, traître. **II.** Dissident. — Déloyal, faux, fourbe, perfide, trompeur.
Ant. **I.** Fidèle. **II.** Constant, loyal, persévérant, probe, sincère, sûr.

Transgresser
Syn. **I.** Contrevenir à, déroger à, désobéir à, enfreindre, outrepasser, rompre, sortir de, violer.
Ant. **I.** (Se) conformer à, obéir, observer, respecter.

Transi
Syn. **I.** Engourdi, figé, frissonnant, gelé, glacé, grelottant, morfondu, pénétré. **II.** Effrayé, languissant, paralysé, saisi.
Ant. **I.** Chaud, dégourdi, échauffé, réchauffé. **II.** Ardent, audacieux, entreprenant, vif.

Transiger
Syn. **I.** (S') accommoder, (s') accorder,

(s') arranger, composer, convenir, (s') entendre, négocier, traiter. **III.** Capituler, céder, concéder, (s') incliner, pactiser. *Ant.* **I.** et **III.** Arrêter, contrecarrer, contredire, contremander, disconvenir, (s') entêter, objecter, (s') opiniâtrer, (s') opposer, résister.

Transition
Syn. **I.** Changement, évolution, intermédiaire, liaison, passage, variante. **II.** Acheminement, degré, pont, stade. — Fondu *(cinéma)*. *Ant.* **I.** Continuité, permanence, stabilité.

Transitoire
Syn. **I.** Contingent, court, éphémère, fugace, fugitif, intérimaire, momentané, passager, provisoire, temporaire, temporel. *Ant.* **I.** Durable, éternel, long, permanent, stable.

Translucide
Syn. **I.** Clair, cristallin, dépoli, diaphane, limpide, perméable, transparent. *Ant.* **I.** Imperméable, obscur, opaque, sombre, voilé.

Transmettre
Syn. **I.** *(Dr.)* Céder, concéder, déléguer, donner, laisser, léguer, négocier, renvoyer, rétrocéder, transférer. **II.** Communiquer, conduire, diffuser, entraîner, envoyer, expédier, fournir, imprimer, infuser *(fig.)*, inoculer *(fig.)*, (faire) parvenir, passer, propager. — Contaminer, véhiculer. *Ant.* **I.** Acquérir, conserver, garder, hériter, recevoir, retenir.

Transmis
Syn. **I.** Cédé, communiqué, donné, légué, transféré. — Héréditaire, traditionnel. **II.** Contagieux, épidémique, propagé. *Ant.* **I.** Conservé, gardé, entretenu, maintenu, perpétué, préservé, reçu, réservé. **II.** Intransmissible.

Transmission
Syn. **I.** Aliénation, cession, dévolution, donation, hérédité, héritage, passation, succession, transfert, vente. **II.** Communication, diffusion, émission, envoi, propagation, retransmission, tradition. — Contagion, contamination, épidémie. *Ant.* **I.** Conservation, maintien, réception.

Transmuer
Syn. **I.** Changer, convertir, transformer, transmuter. *Ant.* **I.** Conserver, maintenir, préserver.

Transparent
Syn. **I.** Cristallin, limpide, perméable, vaporeux, vitré. **II.** Diaphane, translucide. **III.** Clair, évident, léger, net. *Ant.* **I.** Opaque, trouble. **II.** Brumeux, épais. **III.** Caché, obscur.

Transpercer
Syn. **I.** Pénétrer, percer, perforer, traverser, trouer. **III.** Atteindre, fendre.

Transpirer
Syn. **I.** Exhaler, secréter, suer, suinter. **III.** Paraître, percer, (se) répandre, révéler, transparaître. *Ant.* **III.** Cacher, éviter, taire.

Transplanter
Syn. **I.** Dépoter, greffer, planter, repiquer. **III.** Acclimater, changer, déménager, déplacer, émigrer, exiler, installer, transférer, transporter.

Transport(s)
Syn. **I.** *(Dr.)* Cession, délégation. — Autobus, aviation, camionnage, cargaison, circulation, commerce, communication(s), courrier, déménagement, déplacement, expédition, exportation, factage, fret, importation, ligne, locomotion, manutention, messagerie, métro, mouvement, navigation, passage, pipe-line, port, portage, poste, roulage, trafic, train, transfert, transit, translation. **III.** Agitation, ardeur, délire, effusion, élan, émo-

tion, emportement, enthousiasme, exalta-
tion, excitation, extase, ivresse, ravisse-
ment, transe.
Ant. **I.** Conservation, garde, maintien. —
Arrêt, immobilité, stationnement. **III.**
Apathie, impassibilité, indifférence.

Transporté
Syn. **I.** V. *Transporter.* **III.** Amoureux,
emballé, enflammé, enivré, enthousias-
mé, enthousiaste, éperdu, illuminé, ivre
de, passionné, ravi, soulevé.
Ant. **III.** Calme, chagriné, contristé, flegmatique, froid, impassible, indifférent,
insensible, peiné, tranquille.

Transporter
Syn. **I.** Amener, apporter, camionner,
charrier, charroyer, colporter, conduire,
débarder, déménager, déplacer, emporter, exporter, livrer, manipuler, mener,
passer, porter, traîner, transborder, transférer, transmettre, transplanter, trimbaler
(fam.), véhiculer, voiturer. **II.** Déporter,
envoyer, expédier, reléguer. — Introduire,
transposer. —Reporter, virer. **III.** Animer,
charmer, électriser, emballer, enivrer, enlever, enthousiasmer, entraîner, exalter,
exciter, ravir, saisir, soulever.
Ant. **I.** Demeurer, fixer, laisser, placer,
rester. **III.** Contrarier, contrister, désenchanter, ennuyer, refroidir.

Transposer
Syn. **I.** Déplacer, intervertir, inverser,
renverser. — Changer, modifier, traduire.
Ant. **I.** Laisser (en place), maintenir.

Transvaser
Syn. **I.** Déverser, soutirer, transvider, verser. — Décanter, dépoter. **II.** Transférer.

Transversal
Syn. **I.** Latitudinal, oblique.
Ant. **I.** Longitudinal.

Trapu
Syn. **I.** Costaud, court, gros, large, râblé,
ramassé, robuste, solide. **II.** Épais, lourd,
massif.

Ant. **I.** Élancé, fluet, gracile, grand,
mince.

Traquer
Syn. **I.** Fouiller. **II.** Assiéger, cerner, entourer, forcer, harceler, maudire, pourchasser, poursuivre, presser, talonner,
tracasser.
Ant. **II.** Fuir, laisser, libérer, quitter, relâcher.

Traumatisme
Syn. **I.** *(Méd.)* Choc, troubles. —
Blessure, fêlure. **III.** Émotion, violence.

Travail
Syn. **I.** Action, activité, besogne, boulot
(fam.), chantier, corvée, entreprise, entretien, façon, facture, labeur, main-d'œuvre, occupation, opération, production,
rendement, réparation, service, tâche. —
Emploi, fonction, gagne-pain, métier,
profession, spécialité. **II.** Devoir, écrit,
étude, livre, œuvre, ouvrage, recherche.
— Affaissement, gauchissement. — Fermentation. — Accouchement, enfantement, gésine. **III.** Difficulté, fatigue,
peine.
Ant. **I.** Chômage, débrayage, détente,
grève, immobilisation, inaction, inactivité, loisir, oisiveté, paresse, pause, repos,
vacances.

Travailler
Syn. *(V. tr.)* **I.** Cultiver, élaborer, fabriquer, façonner, manœuvrer, préparer. **II.**
Aiguiser, ciseler, fignoler, ouvrager, ou-
vrer, peigner, soigner. **III.** Agiter, exciter,
fatiguer, gêner, inquiéter, préoccuper,
ronger, tourmenter, tracasser, troubler.
(V. intr.) **I.** Agir, besogner, (être) em-
ployé/engagé, exercer (un métier), faire,
fonctionner, gagner, (s') occuper, peiner,
produire, rendre, servir. — *(Fam. et pop.)*
Boulonner, (se) crever, gratter, suer, trimer, turbiner. **II.** Apprendre, bûcher
(fam.), composer, écrire, étudier, piocher
(fam.), potasser *(fam.).* (Se) déformer,

(se) déjeter, gauchir, gondoler, retrécir. —
(S') efforcer de, tâcher, tendre à. **III.** Fermenter.
Ant. **I.**(S')amuser, chômer, (se) détendre,
(se) distraire, dormir, flâner, paresser,
(se) relaxer, (se) reposer.

Travailleur
Syn. **I.** *(N.)* Artisan, journalier,
manœuvre, marin, ouvrier, prolétaire,
salarié. — *(Adj.)* Acharné, actif, appliqué,
bûcheur, consciencieux, courageux,
diligent, laborieux, piocheur *(fam.)*,
studieux.
Ant. **I.** Chômeur, désœuvré, fainéant, flâneur, inactif, indolent, musard, nonchalant, oisif, paresseux.

Travers
Syn. *(N.)* **I.** Largeur. **III.** Bizarrerie,
caprice, défaut, imperfection.
Ant. **III.** Conformité, droiture, perfection, qualité, régularité.

Traverse
Syn. **I.** Raccourci. — Longrine *(chemin de
fer).* **III.** Contrariété, épreuve, obstacle,
opposition, revers.

Traversée
Syn. **I.** Trajet, voyage. **II.** Passage.

Traverser
Syn. **I.** Franchir, parcourir, passer, pénétrer, percer, perforer, sillonner, transpercer. **II.** Barrer, couper, croiser. **III.** Passer
par, (se) présenter.
Ant. **I.** Boucher, effleurer, obstruer.

Traversier *(can.)*
Syn. **I.** Bateau passeur, bateau traversier,
ferry-boat.

Travestir
Syn. **I.** Costumer, défigurer, déguiser,
masquer, recouvrir, voiler. **II.** Altérer,
changer, déformer, falsifier, fausser, métamorphoser, modifier, pallier.
Ant. **I.** Démasquer.

Trébucher
Syn. **I.** Achopper, broncher, buter, chanceler, chavirer, osciller, tituber, vaciller.
III. Céder, faiblir, faillir.
Ant. **I.** (Se) maintenir, (se) remonter, (se)
tenir. **III.** Résister, tenir.

Tremblant
Syn. **I.** Chancelant, flageolant, frissonnant, transi, tremblotant, vacillant. **II.**
Chevrotant. **III.** Alarmé, apeuré, craintif,
effrayé, humble, trembleur.
Ant. **I.** Ferme, immobile, stable. **III.**
Brave, courageux, effronté, hardi, rasséréné.

Trembler
Syn. **I.** (S') agiter, chanceler, ébranler,
flageoler, frémir, frissonner, grelotter, remuer, trembloter, vaciller, vibrer. **II.**
Chevroter. **III.** (S') alarmer, appréhender, avoir peur, (se) cacher, craindre,
(s') effrayer, redouter.
Ant. **III.** (S') affirmer, affronter, (se) hasarder, (se) rassurer.

Trémousser (Se)
Syn. **I.** (S') activer, (s') agiter, (se) dandiner, frétiller, gigoter, remuer, sautiller,
(se) tortiller. **III.** (Se) débattre, (se) démener, (se) dépenser.
Ant. **I.** Apaiser, (s') arrêter, (se) reposer.
III. (Se) ménager.

Trempe
Syn. **I.** Recuit, revenu. **III.** Caractère, endurance, énergie, fermeté, force, nature,
qualité, résistance, valeur, vigueur.
Ant. **III.** Faiblesse, fragilité, mollesse,
nullité, timidité.

Tremper
Syn. *(V. tr.)* **I.** Couper, détremper, humecter, imbiber, immerger, imprégner,
mélanger, mouiller, plonger, saucer, verser. **III.** Aguerrir, durcir, fortifier. — *(V.
intr.)* **I.** Baigner, mariner. **III.** (Être)
complice de, fricoter, (se) mêler,
participer à.

Ant. **I.** Assécher, éponger, essuyer, sécher.

Trépas
Syn. **I.** Décès, fin, mort.
Ant. **I.** Commencement, naissance, résurrection, vie.

Trépassé
Syn. **I.** Décédé, défunt, disparu, éteint, mort.
Ant. **I.** Existant, ressuscité, sauf, sauvé, survivant, vif, vivace, vivant.

Trépidation
Syn. **I.** Agitation, ébranlement, oscillation, secousse, tremblement, vibration. **II.** Ronronnement.
Ant. **I.** Calme, quiétude, résignation, sérénité, tranquillité.

Trésor
Syn. **I.** Argent, biens, fortune, magot, richesses. **II.** Épargne, finance, fisc. **III.** Collection, filon, mine, musée, ouvrage, perle, réserve, ressource, source.
Ant. **I.** Dénûment, dépouillement, dette, infortune, misère, pauvreté. **III.** Camelote, pacotille.

Tressaillement
Syn. **I.** Agitation, frémissement, frisson, haut-le-corps, mouvement, saisissement, secousses, soubresaut, sursaut, tremblement.
Ant. **I.** Apathie, flegme, froideur, indifférence, indolence, inertie, insensibilité, insouciance.

Tressaillir et **Tressauter** V. *Sursauter*

Tresser
Syn. **I.** Arranger, assembler, cordonner, entrelacer, natter, nouer, ourdir. **III.** Glorifier, louer.
Ant. **I.** Défaire, délier, desserrer, détresser, relâcher.

Trêve
Syn. **I.** Armistice, arrêt, cessation, cessez-le-feu, interruption, prorogation, repos, suspension, tranquillité. **III.** Relâche, répit.
Ant. **I.** Continuation, continuité, occupation, permanence, perpétuité, prolongement, suite. **III.** Reprise.

Tribu
Syn. **I.** Bande, clan, division, ethnie, famille, groupe, horde, peuplade, quartier, société. **III.** Coterie, parti, smala.

Tribulations
Syn. **I.** Adversités, afflictions, contrariétés, épreuves, mésaventures, peines, revers, soucis, tourments, vicissitudes.
Ant. **I.** Bienfaits, dons, faveurs, grâces, succès.

Tribunal
Syn. **I.** Aréopage, assises, chambre, conseil, cour, droit, juge, jugement, juridiction, justice. — Palais, parquet, prétoire, siège. **II.** Confessionnal, justice (de Dieu).

Tribune(s)
Syn. **I.** Ambon, balcon, chaire, console, estrade, galerie, plate-forme, tréteau. **II.** *(Pl.)* Public. **III.** Éloquence, manifestation, publication.

Tribut
Syn. **I.** Charge, contribution, imposition, impôt, obligation, redevance, rétribution. — Exaction. **III.** Hommage.
Ant. **I.** Cadeau, don, donation, gratuité, libéralité.

Tributaire
Syn. **I.** Assujetti, dépendant, soumis, sujet, vassal. — Affluent.
Ant. **I.** Affranchi, autonome, délivré, émancipé, indépendant, insoumis, libéré, libre.

Tricher
Syn. **I.** Duper, frauder, frustrer, leurrer, trahir, tromper, voler.
Ant. **I.** Défendre, favoriser, justifier, légiférer.

Trier

Syn. **I.** Choisir, distinguer, élire, sélectionner. — Assembler, assortir, classer, démêler, extraire, répartir, séparer.
Ant. **I.** Confondre, fusionner, mélanger, mêler, varier.

Trimbaler V. *Transporter*

Trimer V. *Travailler*

Trinquer

Syn. **I.** Boire, choquer les verres, lever son verre à, porter (une santé/un toast). — (Se) choquer, frapper, (se) heurter, taper *(fam.)*.

Triomphal

Syn. **I.** Chaleureux, éclatant, enthousiaste, glorieux, glorifié, magnifique, pompeux, retentissant, solennel, triomphant.
Ant. **I.** Caché, distant, éloigné, glacial, humble, indifférent, obscur, retiré, simple, solitaire, terne.

Triomphant

Syn. **I.** Glorieux, vainqueur, victorieux. **II.** Content, éclatant, heureux, jubilant, radieux.
Ant. **I.** Vaincu. **II.** Sombre, triste.

Triomphe

Syn. **I.** Acclamation, avantage, enthousiasme, gloire, honneur, ovation, réussite, succès, victoire. **II.** Apothéose, consécration.
Ant. **I.** Chute, déconfiture, défaite, déroute, échec.

Triompher

Syn. **I.** Battre, conquérir, défaire, dominer, dompter, écraser, (l') emporter, gagner, maîtriser, réussir, surmonter, vaincre. **II.** Exceller, (s') imposer. — (S') applaudir, (se) flatter, (se) glorifier, (se) prévaloir, (se) targuer, (se) vanter. — Exulter, jubiler, (se) réjouir.
Ant. **I.** Céder, échouer, perdre, (se) rendre, succomber, tomber. — Rater. —

(S') humilier. — (S') affliger, (se) désoler.

Tripot

Syn. **I.** Antre, bouge, repaire, trou. — Maison de jeu.

Tripotage

Syn. **III.** Agiotage, arrangement, combinaison, cuisine *(fam.)*, fraude, fricotage, intrigue, malversation, manigance, manipulation, trafic, tromperie.

Tripoter

Syn. (V. tr.) **II.** Manier, palper, tâter, toucher. *(V. intr.)* **III.** Fricoter, spéculer, trafiquer.

Trique

Syn. **I.** Bâton, gourdin, matraque, rondin.

Triste

Syn. (Pers.) **I.** Abattu, accablé, affecté, affligé, amer, atrabilaire, attristé, chagrin, découragé, désolé, endolori, éploré, mélancolique, morne, morose, navré, peiné, sombre, taciturne. **II.** Consterné, élégiaque, funèbre, lugubre, malheureux. *(Ch.)* **I.** Affligeant, affreux, cruel, déchirant, déplorable, désolant, douloureux, émouvant, fâcheux, funeste, grave, lamentable, maussade, pénible, regrettable, rude, sinistre, tragique.
Ant. (Pers.) **I.** Allègre, content, enjoué, exubérant, gai, heureux, jovial, joyeux, radieux, rieur. *(Ch.)* **I.** Amusant, comique, divertissant, drôle, égayant, hilarant, réconfortant, réjouissant, vif.

Tristesse

Syn. **I.** Abattement, accablement, affliction, amertume, cafard *(fam.)*, chagrin, dégoût, dépression, deuil, douleur, ennui, épreuve, grisaille, inquiétude, lassitude, mélancolie, neurasthénie, nostalgie, peine, souffrance, spleen.
Ant. **I.** Agrément, allégresse, charme, contentement, délice, enjouement, entrain, euphorie, gaieté, hilarité, joie, jo-

vialité, liesse, plaisir, rayonnement, réjouissance.

Triturer
Syn. **I.** Broyer, écraser, égruger, moudre piler, pulvériser. **II.** Malaxer, manier, pétrir. **III.** Maltraiter, troubler.

Trivial
Syn. **I.** Bas, choquant, grossier, obscène, ordurier, populacier, sale, vulgaire. — Banal, commun, connu, courant, ordinaire, plat, rebattu, usé. *Ant.* **I.** Correct, distingué, élégant, élevé, noble, poli, sublime. — Exceptionnel, moderne, nouveau, rare, supérieur.

Troc
Syn. **I.** Change, échange. — Brocante, commerce, trafic.

Trombe
Syn. **I.** Bourrasque, cyclone, ouragan, rafale, tempête, tornade, tourmente, typhon. **II.** Cataracte, déluge, pluie. *Ant.* **I.** Bonace, brise, calme, zéphyr.

Tromper (et Se)
Syn. **I.** *(V. tr.)* Abuser, attraper, berner, décevoir, déjouer, duper, endormir, feindre, jouer, leurrer, mentir, mystifier, piper, trahir. — Escroquer, exploiter, flouer, frauder, frustrer, rouler, tricher, voler. — *(V. pr.)* Confondre, (s') égarer, errer, faillir, (se) fourvoyer, (s') illusionner, (se) leurrer, (se) méprendre. — Avoir tort. *Ant.* **I.** Aider, assister, avertir, désabuser, détromper, instruire, protéger, renseigner. — Avoir raison.

Trompeter
Syn. *(V. intr.)* **I.** Glatir. *(V. tr.)* **III.** Bruire, colporter, corner, crier, divulguer, publier. *Ant.* **III.** Cacher, dissimuler, taire.

Trompeur
Syn. *(Adj. et n.)* **I.** *(Pers.)* Dupeur, exploiteur, fraudeur, tricheur. — Artificieux, déloyal, faussaire, fourbe, hypocrite, menteur, perfide. — *(Ch.)* Captieux, fallacieux, faux, illusoire, insidieux, mensonger, spécieux. *Ant.* **I.** Dupe, simple. — Droit, franc, honnête, probe, sincère, vrai.

Tronçon
Syn. **I.** Fraction, fragment, morceau, part, partie, section. **II.** Portion. **III.** Lambeau. *Ant.* **I.** Bloc, entier, intégrité, total, tout.

Trône
Syn. **I.** Siège. **II.** Autorité, empire, puissance, royauté, souveraineté.

Tronqué
Syn. **I.** Coupé, diminué, raccourci, réduit, retranché, rogné, supprimé. — Altéré, dénaturé, faussé, imparfait. **III.** Altéré, amputé, déformé, dénaturé, diminué, écourté, estropié, falsifié, faussé, imparfait, incomplet, mutilé, retranché. *Ant.* **I.** Gardé, maintenu, reconstitué. **III.** Complet, entier, intégral, parfait, redressé, rétabli, total.

Trophée
Syn. **I.** Butin, capture, coupe, dépouille(s), médaille, oscar, panoplie, prise, prix, proie, récompense, souvenir. **II.** Succès, triomphe, victoire. **III.** Signe, témoignage.

Tropical V. *Torride*

Trou
Syn. **I.** Brèche, cavité, creux, crevasse, excavation, fente, fosse, ouverture, perforation, trouée. **II.** Chas. — *(Aviat.)* Cheminée. — Bled, coin, prison *(pop)*, terrier, village (éloigné). — Banqueroute, déficit, faillite, lacune, manque, oubli, vide. *Ant.* **I.** Bosse.

Troublant
Syn. **I.** Ahurissant, bouleversant, déconcertant, embarrassant, embrouillant,

émouvant, ensorcelant, excitant, impressionnant, inquiétant, remuant, surprenant.
Ant. **I.** Apaisant, calmant, consolant, rassérénant, rassurant, reposant, tranquillisant.

Trouble(s)
Syn. *(Adj.)* **I.** Boueux, fangeux, vaseux. **II.** Brumeux, dépoli, nuageux. **III.** Équivoque, hypocrite, inavouable, louche, menaçant, obscur, suspect, vague. *(N.)* **I.** Anarchie, bouleversement, conflit, désordre, remue-ménage, tumulte. — *(Pl.)* Désordre, émeute, insurrection, manifestation, mutinerie, révolte, soulèvement. **II.** Affolement, agitation, désarroi, détresse, perplexité. — Dérangement, désorganisation. — Étourdissement, malaise, syncope, vertige.
Ant. *(Adj.)* **I.** Clair, limpide, transparent. **II.** Distinct, net, perçant. **III.** Évident, franc, pur, sincère. *(N.)* **I.** Accord, apaisement, calme, équilibre. — Ordre, paix, repos. **II.** Bonheur, impassibilité, maîtrise de soi, sang-froid, sérénité. — Arrangement, organisation. — Bien-être, euphorie.

Troubler
Syn. **I.** Agiter, brouiller, obscurcir. **II.** Déranger, dérégler, désorganiser, interdire, interrompre, perturber. **III.** Abasourdir, affliger, affoler, ahurir, bouleverser, confondre, déconcerter, décontenancer, démonter, désarçonner, désorienter, effarer, égarer, embarrasser, émouvoir, impressionner, inquiéter, intimider, remuer, saisir, toucher.
Ant. **I.** Clarifier, éclaircir, éclairer, purifier. **II.** Arranger, ordonner, organiser. **III.** Apaiser, calmer, consoler, rasséréner, rassurer, tranquilliser.

Trouée
Syn. **I.** Brèche, cavité, ouverture, percée, trou, vide. **II.** Clairière, déchirure, échappée. **III.** Chemin, passage, situation.

Troupe(s)
Syn. **I.** Association, bande, caravane, cortège, ensemble, foule, groupe, groupement, multitude, rassemblement, réunion, troupeau *(péj.).* — *(Milit.)* Bataillon, brigade, colonne, compagnie, escadron, escouade, régiment, section, unité. — *(Pl.)* Armées, forces (armées).

Troupeau
Syn. **II.** *(Péj.)* Foule, groupe, multitude, peuple, rassemblement, réunion, troupe.

Trousse
Syn. **I.** Étui, nécessaire, poche, portefeuille, trousseau.

Trousseau
Syn. **I.** Dot, effets, habits, nécessaire, parures, vêtements. — Porte-clefs, trousse.

Trouvaille
Syn. **I.** Découverte. **III.** Création, idée, invention, rencontre.
Ant. **III.** Banalité, cliché, platitude, lieu (commun).

Trouver
Syn. *(V. tr.)* **I.** Apercevoir, atteindre, avoir, déceler, découvrir, dénicher, dépister, détecter, déterrer *(fig.),* obtenir, pêcher *(fam.),* (se) procurer, rencontrer, surprendre, tomber sur, toucher. **II.** (S') aviser, concevoir, créer, déchiffrer, élucider, imaginer, inventer, percer, résoudre. **III.** Éprouver, sentir. *(V. pr.)* **I.** Assister, être. — Exister, (s') offrir, (se) présenter, (se) rencontrer. **III.** (S') avérer, demeurer, figurer, résider, (se) révéler.
Ant. **I.** Chercher, égarer, (s') enquérir, oublier, perdre, rechercher.

Truc
Syn. **I.** *(Fam.)* Adresse, astuce, combine, ficelle, habileté, jeu, moyen, procédé, ruse, secret, stratagème, subterfuge, tour, truquage.

Truchement
Syn. **I.** Porte-parole, représentant. **II.**

Aide, moyen, voie. **III.** Entremise, intermédiaire, interprète.

Truisme
Syn. **I.** Banalité, évidence, lapalissade, vérité.
Ant. **I.** Doute, incertitude, inexactitude.

Truquer
Syn. **I.** Altérer, changer, contrefaire, dénaturer, falsifier, fausser, maquiller, modifier, piper. **III.** Feindre, tricher, tromper.
Ant. **I.** Corriger, redresser, replacer, rétablir. **III.** Désabuser, détromper.

Trust
Syn. **I.** Accaparement, association, cartel, concentration, consortium, entente, holding, monopole.

Tuant
Syn. **I.** Abrutissant, assommant *(fam.)*, énervant, ennuyeux, épuisant, éreintant, exténuant, importun, fatigant, harassant, pénible.
Ant. **I.** Amusant, égayant, fortifiant, opportun, plaisant, reposant.

Tube
Syn. **I.** Canal, conduit, conduite, cylindre, pipeline, tuyau. — Éprouvette, pipette, siphon. — *(Méd.)* Canule, drain. **II.** Emballage.

Tuer (et Se)
Syn. (V. tr.) **I.** Abattre, achever, assassiner, assommer, décimer, descendre *(pop.)*, écraser, égorger, empoisonner, étouffer, étrangler, exécuter, expédier, exterminer, foudroyer, fusiller, immoler, liquider, lyncher, massacrer, noyer, pendre, poignarder, sacrifier, supprimer, zigouiller *(pop.)*. **III.** Accabler, dégrader, renverser, ruiner. — Éreinter, exténuer, fatiguer, user. *(V. pr.)* **I.** Crever *(pop.)*, (se) suicider. — (S') entre-tuer. **III.** Compromettre sa santé, (se) nuire, (s') user. — (S') évertuer.

Ant. **I.** Aider, animer, épargner, relever, remettre, sauver, soigner, tonifier, vivifier.

Tuerie
Syn. **I.** Abattage, boucherie, carnage, destruction, extermination, hécatombe, immolation, massacre.

Tuméfié
Syn. **I.** Bouffi, boursouflé, enflé, gonflé, gros, tumescent, turgescent.
Ant. **I.** Dégonflé, désenflé, diminué.

Tumeur
Syn. **I.** Éminence, enflure, excroissance, gonflement, protubérance, saillie, tuméfaction. — Cancer, fibrome, kyste, polype, sarcome.

Tumulte
Syn. **I.** Brouhaha, bruit, chahut, charivari, clameur, désordre, émeute, fracas, hourvari, rumeur, sabbat, tapage, tintamarre, tohu-bohu, vacarme. **III.** Agitation, bouillonnement, effervescence, trouble.
Ant. **I.** Calme, harmonie, murmure, ordre, paix, quiétude, silence, tranquillité. — Apaisement, équilibre, repos, sérénité.

Tumultueux
Syn. **I.** Agité, bouillonnant, bruyant, chaotique, désordonné, étourdissant, mouvementé, orageux, tapageur.
Ant. **I.** Calme, ordonné, quiet, silencieux, tranquille.

Tuque *(can.)*
Syn. **I.** Bonnet de laine (qui se porte l'hiver).

Turbulent
Syn. **I.** Agité, bondissant, bruyant, chahuteur, désordonné, dissipé, espiègle, frétillant, impétueux, pétillant, remuant, sémillant, tapageur, vif.
Ant. **I.** Calme, coi, discipliné, paisible, posé, réservé, sage, silencieux, tranquille.

TURGESCENT

Turgescent V. *Tuméfié*

Turlupiner V. *Tourmenter*

Turpitude
Syn. **I.** Bassesse, déshonneur, honte, horreur, ignominie, indignité, infamie, lâcheté, vilenie.
Ant. **I.** Gloire, honnêteté, honneur, loyauté, noblesse, probité, respect, vertu.

Tutélaire
Syn. **I.** Auxiliaire, bienfaisant, bon, défenseur, favorable, patronal, protecteur, providentiel, secourable, serviable, utile.
Ant. **I.** Agresseur, barbare, brutal, cruel, injuste, méchant, oppresseur, tyrannique.

Tutelle
Syn. **I.** Administration, appui, autorité, curatelle *(dr.)*, garde, patronage, protection, providence, sauvegarde, secours, soutien. **II.** Assujettissement, contrainte, dépendance, direction, lisières, surveillance, vigilance.
Ant. **I.** et **II.** Autonomie, émancipation, indépendance, liberté.

Tuteur
Syn. **I.** Appui, curateur, défenseur, gardien, protecteur, soutien, surveillant. **II.** Appui, armature, échalas, étai, friquet, perche, rame, tige.
Ant. **I.** Interdit, mineur, pupille.

Tuyau
Syn. **I.** V. *Tube.* **III.** *(Fam.)* Indication, information, renseignement.

Type
Syn. **I.** Archétype, canon, échantillon, étalon, gabarit, idéal, modèle, norme, prototype, spécimen, standard. **II.** Classe, espèce, famille, genre, groupe. **III.** Exemple, figure, personnification, représentant,

symbole. — Original. — *(Fam.)* Bonhomme, être, homme, individu.
Ant. **I.** Collectivité, généralité. **III.** Copie.

Typique
Syn. **I.** Caractérisé, caractéristique, distinctif, original, particulier, remarquable, spécifique. — Allégorique, symbolique.
Ant. **I.** Banal, commun, fréquent, général, ordinaire, répandu, usuel.

Tyran
Syn. **I.** Autocrate, despote, dictateur, dominateur, maître, oppresseur, persécuteur, usurpateur.
Ant. **I.** Libérateur, protecteur. — Esclave.

Tyrannie
Syn. **I.** Absolutisme, arbitraire, asservissement, autocratie, despotisme, dictature, domination, oppression, persécution, usurpation. **II.** Autoritarisme, barbarie, cruauté, férocité, inhumanité. — *(Ch.)* Influence, servitude.
Ant. **I.** Dépendance, esclavage, servilité, soumission. — Liberté, protection. **II.** Bonté, clémence, douceur, humanisme, justice, libéralisme.

Tyrannique
Syn. **I.** Absolu, arbitraire, autocratique, autoritaire, barbare, cruel, despotique, dictatorial, dominateur, féroce, impitoyable, injuste, oppressif, opprimant, violent. **III.** Assujettissant, pesant.
Ant. **I.** Bon, clément, complaisant, compréhensif, débonnaire, doux, favorable, humain, indulgent, libéral, sensible. **III.** Léger, plaisant.

Tzigane ou **Tsigane**
Syn. **I.** Bohémien, gipsy, gitan, romanichel.

U

Ulcère
Syn. **I.** Blessure, brûlure, lésion, plaie.
III. Affliction, peine, ressentiment.
Ant. **III.** Consolation, joie.

Ulcéré
Syn. **I.** Altéré, exulcéré. **III.** Aigri, affligé,
blessé, chagriné, déchiré, froissé, irrité,
meurtri, peiné, vexé.
Ant. **I.** Guéri. **III.** Adouci, apaisé, consolé, remonté, soulagé.

Ultérieur
Syn. **I.** Consécutif, futur, postérieur, subséquent, successeur, suivant.
Ant. **I.** Antécédent, antérieur, passé, précédent, précurseur.

Ultérieurement
Syn. **I.** Après, ensuite, par la suite, plus
tard, postérieurement.
Ant. **I.** Antérieurement, autrefois, avant,
jadis, précédemment, premièrement.

Ultimatum
Syn. **I.** Avertissement, impératif, injonction, ordre, sommation. **II.** Mise en demeure, ukase.
Ant. **I.** Accommodement, accord, arrangement, entente.

Ultime
Syn. **I.** Dernier, extrême, final, suprême.
Ant. **I.** Initial, premier.

Un
Syn. **I.** Distinct, exclusif, isolé, premier,
rare, seul, unique. — Indivis, simple. **III.**
Communauté, fusion, union.
Ant. **I.** Commun, divers, divisé, fréquent,
multiple, plusieurs, répandu, répété, varié.

Unanime
Syn. **I.** Absolu, collectif, commun, com-
plet, entier, général, total, universel.
Ant. **I.** Contradictoire, divisé, partagé.

Uni
Syn. **I.** Attaché, confondu, joint, lié, re-
lié, réuni. — Aplani, cohérent, égal, homogène, lisse, nivelé, plan, plat, poli, ras.
— Pareil, simple, uniforme. **II.** Calme,
doux, monotone, tranquille. **III.** Ami,
amoureux, cordial, fraternel, intime, ma-
rié, sympathisant.
Ant. **I.** Contraire, désuni, discordant, opposé, séparé. — Abrupt, accidenté, âpre,
inégal, ondulé, raboteux, rêche, rude, rugueux, uniforme. — Chiné, nuancé, rayé.
II. Divertissant, variée. **III.** Ennemi, hostile.

Uniforme
Syn. **I.** *(Adj.)* Continu, droit, égal, homogène, identique, invariable, même, monotone, pareil, plat, régulier, semblable,
simple, uni. — *(N.)* Costume, habit, vêtement.
Ant. **I.** *(Adj.)* Changeant, différent, discontinu, dissemblable, distinct, divers, divisé, inégal, irrégulier, nuancé, raboteux,
varié.

Uniformité
Syn. **I.** Égalité, identité, régularité, res-
semblance. **II.** Monotonie.
Ant. **I.** Diversité, inégalité, variété. **II.**
Contraste.

Union
Syn. **I.** Assemblage, cohérence, fusion,
jonction, rapprochement, réunion, unité.
— *(Spécialt.)* Accouplement. — Alliance,
association, bloc, confédération, entente,
fédération, groupe, groupement, ligue,
parti, rassemblement. **III.** Accord, amitié,
attachement, communion, concorde, fraternité, intelligence, intimité, harmonie,
liaison, mariage, sympathie.
Ant. **I.** Désunion, dispersion, division,
éloignement, opposition, rupture, sépara-

tion. **III**. Antipathie, désaccord, discorde, dissension, divorce, mésentente.

Unique
Syn. **I**. Exclusif, isolé, seul, singulier, spécial, un. **II**. Exceptionnel, extraordinaire, incomparable, inconnu, incroyable, irremplaçable, précieux, rare, remarquable, supérieur, transcendant. — *(Fam.)* Curieux, extravagant, impayable, inouï. *Ant.* **I**. Différent, divers, multiple. **II**. Banal, commun, connu, coutumier, fréquent, habituel, ordinaire, répandu, usuel.

Unir (et S')
Syn. (V. tr.) **I**. Accoler, annexer, assembler, assortir, confondre, fondre, fusionner, grouper, joindre, lier, mêler, rapprocher, rassembler, relier, souder, unifier. — *(Spécialt.)* Accoupler. **II**. Accorder, agréger, allier, associer, fédérer, liguer, marier, réunir. *(V. pr.)* **II**. Adhérer, (se) coaliser, (se) solidariser. *Ant.* **I**. et **II**. Désunir, disjoindre, disperser, diviser, éloigner, isoler, opposer, séparer.

Unité
Syn. **I**. Identité, individualité, particularité, simplicité, singularité, uniformité. — Cohérence, cohésion, ensemble, homogénéité, régularité. — Fraction, mesure, nombre, quantité. **II**. Unification. — *(Milit.)* V. *Troupe*. **III**. Accord, équilibre, harmonie. *Ant.* **I**. Diversité, dualité, pluralité. — Hétérogénéité. **III**. Désaccord, déséquilibre, division.

Univers
Syn. **I**. Ciel, cosmos, création, espace, macrocosme, monde, terre, tout. **III**. Champ d'activité, domaine, milieu, orbite, sphère. — Ensemble.

Universel
Syn. **I**. Astral, céleste, cosmique. — Commun, cosmopolite, étendu, général, mondial, oecuménique, planétaire, unanime.

II. Absolu, complet, encyclopédique, entier, illimité, infini, omniscient, total. *Ant.* **I**. et **II**. Individuel, limité, local, particulier, partiel, personnel, régional, restreint, singulier.

Urbain
Syn. **I**. Citadin, municipal. *Ant.* **I**. Agreste, campagnard, champêtre, paysan, rural, villageois.

Urbanité
Syn. **I**. Affabilité, aménité, bienséance, civilité, civisme, courtoisie, éducation, politesse, savoir-faire. *Ant.* **I**. Âpreté, grossièreté, impolitesse, incivilité, inconvenance, rudesse, sauvagerie.

Urgent
Syn. **I**. Instant *(adj.)*, pressant, pressé. — Imminent, important, nécessaire, rapide. *Ant.* **I**. Éloigné, lointain.

Urne
Syn. **I**. Réceptacle, récipient, vase. — Boîte, élection.

Usage
Syn. **I**. Affectation, application, consommation, dépense, destination, emploi, jouissance, possession, profit, service, utilisation, utilité. — Coutume, habitude, manière, mode, routine, tradition, us. **II**. Activité, exercice, fonction, fonctionnement, pratique. — Bienséance, civilité, convenance, éducation, politesse, savoir-vivre. *Ant.* **I**. Désuétude, inutilité, non-usage.

Usager
Syn. (Adj.) **I**. Courant, habituel, personnel, utile. *(N.)* **II**. Utilisateur.

Usé
Syn. **I**. Avachi, déformé, défraîchi, délabré, éculé, élimé, éraillé, fané, fatigué, fruste, mûr, rapé, usagé, vétuste, vieux, et V. *User*. **II**. Affaibli, décrépit, démodé, diminué, émoussé, épuisé, éteint, fini. —

Banal, commun, désuet, rebattu, usagé, vieilli.
Ant. **I.** Amélioré, rafraîchi, renouvelé, réparé, restauré. **II.** Avivé, rajeuni, ravivé. — Neuf, original.

User (et S')
Syn. (V. tr.) **I.** Consommer, dépenser, disposer, employer, prendre, recourir à, (se) servir, utiliser. — Abîmer, altérer, détériorer, élimer, émousser, entamer, épointer, flétrir, froisser, râper, ronger, ruiner. **II.** Effriter, limer, polir, roder. **III.** Affaiblir, amoindrir, consumer, diminuer, épuiser, gâter, miner. *(V. pr.)* **III.** (S') épuiser, (se) fatiguer. *(Ch.)* **I.** (Se) détériorer.
Ant. (V. tr.) **I.** (S') abstenir, améliorer, laisser, rafraîchir, rénover, réparer, restaurer. **III.** Accroître, augmenter, fortifier. *(V. pr.)* **I.** (Se) conserver, (se) ménager, (se) reposer.

Usine
Syn. **I.** Atelier, boutique, centrale, établissement, fabrique, industrie, manufacture.

Usuel
Syn. **I.** Commun, consacré, courant, employé, familier, fréquent, habituel, ordinaire, usité, utilisé.
Ant. **I.** Archaïque, désuet, exceptionnel, inusité, rare.

Usure
Syn. **I.** Exploitation, gain, intérêt, prêt, profit, vol. — Amoindrissement, dégradation, détérioration, éraillement, érosion, fatigue.
Ant. **I.** Honnêteté, probité. — Augmentation, entretien, fraîcheur, jeunesse, maintien, lustre, soin.

Usurper
Syn. **I.** *(V. tr.)* Accaparer, (s') approprier, (s') arroger, (s') attribuer, (s') emparer, prendre, saisir, spolier. — *(V. intr.)* *(Usurper sur)* Empiéter sur, envahir.
Ant. **I.** Abandonner, céder, concéder, donner, laisser, remettre, rendre.

Utile
Syn. **I.** Avantageux, bon, commode, expédient, favorable, indispensable, nécessaire, opportun, précieux, salutaire. — Efficace, fécond, fructueux, profitable, rémunérateur.
Ant. **I.** Dommageable, inefficace, inutile, nuisible, nul, parasite, préjudiciable, stérile, superflu.

Utilitaire
Syn. **I.** Commun, positif, pratique, réaliste, utilitariste. **II.** *(Péj.)* Égoïste, intéressé, mesquin.
Ant. **I.** Idéaliste, inutile, théorique. **II.** Désintéressé, généreux, gratuit.

Utopie
Syn. **I.** Apparence, chimère, fantaisie, fantasme, fausseté, fiction, idéal, illusion, imagination, mirage, mythe, rêve, rêverie, roman, songe.
Ant. **I.** Matérialité, objectivité, réalisation, réalité, vérité.

Utopique
Syn. **I.** Apparent, chimérique, creux, fantaisiste, faux, idéal, illusoire, imaginaire, impossible, insensé, irréalisable, romanesque, supposé, vain.
Ant. **I.** Certain, existant, possible, pratique, raisonnable, réalisable, réel, sûr, véritable, vrai.

V

Vacance(s)
Syn. **I.** Congé. détente. liberté. loisir. pause. relâche. repos. – *(Dr.)* Interruption. suspension. vacation. **II.** Emploi. fonction. place. poste. siège. situation (libre). – Abandon. disponibilité. inoccupation.
Ant. **I.** Besogne. exercice. labeur. occupation. ouvrage. rentrée. travail.

Vacant
Syn. **I.** Abandonné. cédé. délaissé. déserté. disponible. évacué. inoccupé. laissé. libre. ouvert. quitté. (terrain) vague. vide.
Ant. **I.** Employé. encombré. habité. occupé. pris. reçu. réintégré. rempli.

Vacarme V. *Tumulte*

Vacciner
Syn. **I.** Immuniser. inoculer. piquer contre *(fam.)*. **III.** *(Être vacciné contre)*. *(Fam.)* Guérir de, (être) préservé de.

Vacher
Syn. **I.** Berger. bouvier. gardien. guide. pasteur. pastoureau. pâtre.

Vacillant
Syn. **I.** Branlant. chevrotant. croulant. flottant. fragile. mobile. ondoyant. pliant. variable. V. *Vaciller*. **III.** Ballotté. changeant. débile. défaillant. embarrassé. faible. hésitant. incertain. indécis. instable. irrésolu. versatile.
Ant. **I.** Ferme, fixe, fort, immobile, inflexible, puissant, solide. **III.** Assuré, constant, décidé, déterminé, énergique, ferme, résolu, sûr, vigoureux.

Vaciller
Syn. **I.** Balancer. branler. chanceler. chavirer. cligner. clignoter. faiblir. fléchir. osciller. remuer. tituber. tourner. trembler. trembloter. **III.** Changer. hésiter.
Ant. **I.** Ancrer, (être d') aplomb, arrêter,

immobiliser. stabiliser. **III.** (S') affermir. (s') endurcir. (se) fortifier. persévérer.

Vagabond
Syn. (N.) **I.** Bohème. chemineau. clochard. flâneur, rôdeur, romanichel, tzigane. **II.** Aventurier, voyageur. *(Adj.)* **I.** Errant, itinérant, nomade. **III.** Débridé, dépravé, déréglé, désordonné, dévergondé, dissipé, fantaisiste, flottant.
Ant. **I.** Sédentaire. **III.** Austère, digne, discipliné, intègre, modéré, retenu.

Vague
Syn. (N.) **I.** Eau, flot, houle, lame, moutons *(fig.)*, onde, ondulation. **III.** Génération, masse, mouvement, nappe, tendance. – À-coup, afflux, assaut, marée, offensive, série. – Clair-obscur, confusion, imprécision, indécision, indétermination. *(Adj.)* **I.**(*Réalité sensible*). Inculte, vacant. – Confus, flou, imperceptible, incertain, indécis, indistinct, obscur, vaporeux. **III.** Amphigourique, approximatif, brumeux *(fig.)*, douteux, faible, flottant, fumeux *(fig.)*, hésitant, imparfait, imprécis, indéfini, indéfinissable, indéterminé, indiscernable, lointain, nébuleux *(fig.)*, sourd, trouble, voilé.
Ant. (N.) **III.** Évidence, immobilisme, inertie, marasme, paralysie, précision, stagnation. *(Adj.)* **I.** Cultivé, entretenu, occupé. – Clair, défini, distinct, perceptible. **III.** Certain, déterminé, évident, net, précis, saisissable, sûr.

Vaillance
Syn. **I.** Audace, bravoure, courage, hardiesse, héroïsme, générosité, intrépidité, prouesse, valeur.
Ant. **I.** Couardise, crainte, faiblesse, lâcheté, mollesse, peur, poltronnerie, timidité.

Vaillant

Syn. **I.** Audacieux, brave, courageux, généreux, héroïque, intrépide, résolu, valeureux. **II.** Travailleur. — Valide, vert, vigoureux.

Ant. **I.** Couard, faible, hésitant, inquiet, irrésolu, lâche, mou, paresseux, peureux, poltron. **II.** Indolent. — Chétif, maladif.

Vain

Syn. **I.** Inconséquent, inconsistant, inefficace, infructueux, inopérant, inutile, stérile, superficiel, superflu. **III.** Dérisoire, frivole, fugace, futile, insignifiant, négligeable, oiseux, puéril, vide. — Chimérique, creux, fantaisiste, faux, hypothétique, illusoire, imaginaire. — *(Pers.)* Fat, léger, orgueilleux, vaniteux.

Ant. **I.** Concret, effectif, efficace, important, positif, productif, profond, sérieux, utile. **III.** Humble, modeste. — Grave, important, sérieux. — Fondé, réel, vrai. — Humble, modeste, posé.

Vaincre

Syn. **I.** Abattre, accabler, anéantir, battre, conquérir, défaire, disperser, écraser, enfoncer *(fam.)*, forcer, terrasser, triompher. **II.** Dominer, dompter, maîtriser, mater, surmonter.

Ant. **I.** Capituler, céder.

Vaincu

Syn. **I.** Battu, défait, écrasé, fuyard, perdant, rendu, terrassé. **II.** Subjugué. — Défaitiste, lâche, résigné.

Ant. **I.** Gagnant, héros, vainqueur, victorieux. **II.** Charmeur. — Encouragé, remonté, résistant.

Vainqueur

Syn. (N.) **I.** Conquérant, dominateur, triomphateur. — Champion, gagnant, lauréat. *(Adj.)* **I.** Supérieur, victorieux. **II.** Prétentieux, suffisant, triomphant.

Ant. **I.** Anéanti, battu, défait, dominé, dompté, écrasé, maté, terrassé, vaincu.

Vaisseau

Syn. **I.** Bateau, bâtiment, navire, paquebot. — Nef (d'une église). — Artère, canal, conduit, tube, veine.

Valable

Syn. **I.** *(Dr.)* Légal, réglementaire, régulier, valide. **II.** Acceptable, admissible, convenable, passable, plausible, recevable, sérieux. **III.** Avantageux, autorisé, efficace, notable, précieux, qualifié, salutaire.

Ant. **I.** Illégal, invalide, irrégulier, périmé. — Contestable. — Inefficace, nul.

Valétudinaire V. *Maladif*

Valeur(s)

Syn. (Pers.) **I.** Capacité, classe, distinction, envergure, force, grandeur, mérite, moralité, qualité(s), trempe. — Bravoure, vaillance. *(Ch.)* **I.** Appréciation, cote, cours, coût, équivalent, estimation, évaluation, marché, prix, validité. — *(Finances. Pl.)* Action, billet, effet, obligation, papier(s), part, rente, titre. — Sens, signification *(linguistique).* **III.** Efficacité, importance, intérêt, nécessité, portée, utilité. — Mesure. — *(Pl.)* But, idéal, morale, norme.

Ant. (Pers.) **I.** Médiocrité, nullité, vide, zéro. — Faiblesse, lâcheté. *(Ch.)* **I.** Invalidité, non-valeur. **III.** Inefficacité, inutilité, médiocrité.

Valeureux V. *Vaillant*

Valide

Syn. **I.** Costaud *(pop.),* dispos, en bonne forme, fort, gaillard, ingambe, (bien) portant, robuste, sain, vert *(fig.).*
— Admis, approuvé, bon, légal, réglementaire, régulier, valable.

Ant. **I.** Faible, impotent, infirme, invalide, malade. — Illégal, irrégulier, nul, périmé.

Valider

Syn. **I.** Accepter, admettre, agréer, ap-

prouver, certifier, confirmer, entériner, homologuer, légaliser, ratifier, régulariser, sanctionner, souscrire.
Ant. I. Annihiler, annuler, contester, débouter, dénoncer, désapprouver, invalider, récuser, renvoyer.

Vallée
Syn. I. Combe, gorge, ravin, val, vallée. — Bassin.
Ant. I. Colline, plateau, mont, montagne.

Valoir
Syn. (V. intr.) I. Coûter, égaler, équivaloir à, évaluer, revenir à, (se) vendre. III. (Être) digne de, mériter. *(V. tr.)* I. Attirer, concilier, exploiter, procurer, produire, rapporter.
Ant. I. Affaiblir, altérer, amoindrir, déprécier, détruire, diminuer, discréditer, rabattre.

Vandale
Syn. I. Barbare. III. Démolisseur, destructeur, dévastateur, iconoclaste, ravageur, sauvage.
Ant. III. Bâtisseur, constructeur, créateur, doux, honnête.

Vanité
Syn. I. Caducité, futilité, inanité, inutilité, néant, vide. — Amour-propre, fatuité, gloriole, jactance, orgueil, ostentation, prétention, suffisance.
Ant. I. Efficacité, utilité, valeur. — Délicatesse, humilité, modestie, réserve, simplicité, timidité.

Vaniteux
Syn. I. Arrogant, fat, fier, hautain, infatué, m'as-tu-vu, orgueilleux, pédant, présomptueux, prétentieux, suffisant, vain.
Ant. I. Humble, modeste, simple.

Vantard
Syn. I. Bluffeur, bravache, exalté, fanfaron, gascon, hâbleur, matamore, menteur, orgueilleux, rodomont.
Ant. I. Conciliant, humble, modeste, réservé, retiré, taciturne, timide.

Vanter (et Se)
Syn. I. *(V. tr.)* Acclamer, applaudir, approuver, célébrer, chanter *(fig.)*, encenser, exalter, féliciter, flatter, glorifier, louanger, louer, magnifier, préconiser, prôner, recommander. — *(V. pr.)* Bluffer, (se) croire, exagérer, (se) faire valoir, (se) glorifier.
Ant. I. Abaisser, blâmer, calomnier, critiquer, dénigrer, dénoncer, déshonorer, diffamer, discréditer, rabattre, reprocher. — (S') humilier, minimiser.

Vaporeux
Syn. I. Brumeux, flou, fondu, fumeux, nébuleux. II. Aérien, éthéré, fin, léger, transparent, volatil. III. Changeant, douteux, flottant, indécis, indéterminé, obscur, vague.
Ant. I. Clair, éclairci, éclairé, limpide, net. II. Épais, lourd, opaque, solide. III. Absolu, lucide, positif, sérieux, stable.

Vaquer
Syn. I. (S') adonner à, (s') appliquer à, (s') intéresser à, (se) livrer à, (s') occuper de, travailler à.
Ant. I. (S') absenter, (s') abstenir, chômer, (s') éloigner, négliger, omettre, paresser, (se) récuser, refuser, remettre.

Vareuse
Syn. I. Blouse, blouson, gilet, veste.

Variable
Syn. I. Changeant, différent, discontinu, divers, flottant, incertain, indécis, inégal, instable, irrégulier, mobile, vacillant, variant, varié. III. Bizarre, capricieux, fantaisiste, léger, lunatique, versatile.
Ant. I. Constant, continu, ferme, fixe, identique, immuable, invariable, précis, régulier, solide, stable, stationnaire. III. Fidèle, persévérant, sûr.

Variation(s)
Syn. I. Alternance, alternative, amplitude, changement, différence, écart, évolution, inégalité, modification, mou-

vement, mutation *(biol.),* oscillation, transformation, vicissitudes. **II.** Variété. **III.** Caprice, fluctuation, saute. *Ant.* **I.** Continuité, persistance, uniformité, unité. **III.** Constance.

Varié
Syn. **I.** Bariolé, bigarré, marbré, marqueté, moiré, multicolore, nuancé, panaché, rayé, taché, tigré. — Accidenté, complexe, différent, distinct, divers, étendu, hétéroclite, hétérogène, mâtiné, mélangé, mêlé, multiple, nombreux, vaste. — Changeant, modifié, transformé. *Ant.* **I.** Continu, égal, inchangé, incolore, monotone, pareil, régulier, routinier, semblable, symétrique, uni, uniforme, unique.

Varier
Syn. **I.** *(V. tr.)* Bigarrer, changer, diversifier, nuancer. — Alterner, assoler *(agric.).* — *(V. intr.)* Changer, différer, diverger, (s') échelonner, (se) modifier, osciller. *Ant.* **I.** Concorder, continuer, maintenir, régulariser, unifier, uniformiser.

Variété
Syn. **I.** Bigarrure, changement, différence, diversité, modulation, renouvellement, variante. **II.** *(Sc. nat.)* Classification, embranchement, espèce, forme, genre, groupe, manière, sorte, type. — Assortiment, collection, mélange(s), mosaïque. *Ant.* **I.** Continuation, égalité, monotonie, ressemblance, uniformité, unité.

Vase
Syn. **I.** *(N.f.)* Boue, fange, limon. *(N.m.)* Carafe, cruche, jarre, porte-bouquet, pot, potiche, récipient, urne. — Amphore, canope, coupe, cratère, lécythe. — Burette, calice, ciboire, patène.

Vaseux
Syn. **I.** Boueux, bourbeux, fangeux, marécageux. **III.** *(Fam.)* Abruti, embarrassé, endormi, faible, fatigué, languissant,

lourd, mal fichu, mou. — Imprécis, obscur, vague. *Ant.* **I.** Clair, limpide. **III.** Alerte, dispos, éveillé, (en) forme, léger. — Net, précis.

Vaste
Syn. **I.** Ample, énorme, étendu, grand, immense, large, spacieux. — Abondant, appréciable, considérable, fécond, gros, important, nombreux, riche. *Ant.* **I.** Étroit, exigu, limité, petit, restreint. — Modéré, modeste, rare, simple.

Vaticinateur
Syn. **I.** Devin, prophète, sorcier. **II.** Clairvoyant.

Vaticiner
Syn. **I.** Deviner, prédire, présager, prophétiser. **II.** Annoncer, prévoir. *Ant.* **I.** Ignorer, (se) taire. **II.** Errer, (se) tromper.

Vaurien
Syn. **I.** Canaille, chenapan, coquin, crapule, fripon, fripouille, galapiat, garnement, gredin, libertin, pendard, rossard, sacripant, voyou. *Ant.* **I.** Gentilhomme, monsieur.

Vautré
Syn. **I.** Allongé, couché, échoué, étendu, renversé, roulé, traîné. **II.** Abandonné. **III.** Repu.

Vécu
Syn. **I.** Réel, vivant, vrai. **II.** Accompli, ancien, antérieur, disparu, écoulé, éloigné, envolé, éteint, expiré, lointain, mort, oublié, passé, reculé, révolu, vieux. *Ant.* **I.** Abstrait, fictif, idéal, imaginaire. **II.** Actuel, futur, naissant, nouveau, postérieur, proche, récent.

Vedette
Syn. **I.** Factionnaire, sentinelle. **III.** (En) évidence, (en) valeur, (en) vue. — Artiste, astre *(fig.),* célébrité, étoile, héros, notabilité, personnage, personnalité, prima donna, star.

Ant. **III.** Médiocrité, nullité.

Végéter
Syn. **III.** Croupir, (s') encroûter *(péj.)*, (s') engourdir, (s') étioler, languir *(péj.)*, stagner, traîner, vivoter *(péj.)*. *Ant.* **III.** Activer, avancer, (s') enrichir, progresser, réussir, travailler.

Véhément
Syn. **I.** Ardent, bondissant, chaleureux, effréné, emporté, enflammé, enthousiaste, exalté, excessif, fougueux, impétueux, intense, passionné, vif, vigoureux. — Âpre, brusque, brutal, cassant, désobligeant, dur, rigoureux, rude, violent, virulent. *Ant.* **I.** Découragé, déprimé, faible, froid, langoureux, lent, tiède. — Accommodant, commode, doux, obligeant, patient, retenu.

Véhiculer
Syn. **I.** Charroyer, conduire, mener, promener, transporter, voiturer. **III.** Transmettre.

Veille(s)
Syn. **I.** Éveil, garde, insomnie, quart, surveillance. **II.** *(Pl.)* Fatigues, occupations, soins, travaux. — Hier, vigile. *Ant.* **I.** Hypnotisme, sommeil. **II.** Lendemain.

Veillée
Syn. **I.** Après-souper, réception, réunion, soirée, veille. *Ant.* **I.** Matin, matinée, nuit.

Veiller
Syn. **I.** *(V. tr.)* (Être de) garde, garder, rester auprès, soigner. — *(V. intr.)* *(Veiller à)* (Faire) attention, (prendre) garde, (s') occuper de, pourvoir à, (prendre) soin de, songer à. — *(Veiller sur)* Couver *(fig.)*, garder, préserver, protéger, surveiller. *Ant.* **I.** Abandonner, dormir, lâcher, laisser, négliger, oublier, quitter.

Veilleur
Syn. **I.** Gardien, sentinelle, surveillant, vigie.

Veine
Syn. **I.** Canal, vaisseau. — *(Géol.)* Filon, gisement, sillage. — Nervure. **III.** Bonheur, chance, disposition, hasard, humeur, inspiration, réussite, verve. *Ant.* **III.** Déveine, échec, guigne, malchance.

Veiné
Syn. **I.** Bigarré, marbré, rayé, strié, tigré, zébré. *Ant.* **I.** Uni, unicolore.

Velléité
Syn. **I.** Désir, esquisse, fantaisie, idée, intention, prétention, projet, tendance, tentative. *Ant.* **I.** Décision, détermination, précision, résolution.

Véloce
Syn. **I.** Agile, alerte, léger, preste, rapide, vif. *Ant.* **I.** Hésitant, lambin, lent, lourd, pesant.

Vélocité
Syn. **I.** Agilité, prestesse, promptitude, rapidité, souplesse, vitesse, vivacité. *Ant.* **I.** Apathie, flegme, indolence, inertie, lenteur, lourdeur, maladresse, mollesse, ralentissement.

Velouté
Syn. **I.** Cotonneux, doux, duveté, duveteux, floconneux, laineux, lisse, ouateux, poli, satiné. **II.** Moelleux, onctueux, soyeux. *Ant.* **I.** Âpre, dur, grossier, raboteux, rêche, rude, rugueux.

Velu
Syn. **I.** Barbu, chevelu, hirsute, moustachu, poilu, villeux. **II.** Velouté. *Ant.* **I.** Chauve, glabre, imberbe, rasé.

Venaison
Syn. **I.** Chasse, gibier. — Chair, graisse, viande.

Vénal
Syn. **I.** Achetable *(péj.)*, corruptible, cupide, intéressé, mercantile, mercenaire, vendu. *Ant.* **I.** Honnête, incorruptible, intègre, scrupuleux.

Vendeur
Syn. **I.** Agent, commerçant, commis, commissionnaire, débitant, dépositaire, détaillant, employé, fournisseur, grossiste, marchand, négociant, producteur, trafiquant *(péj.)*, voyageur de commerce. **II.** Exportateur. *Ant.* **I.** Acheteur, acquéreur, chaland, client, déposant, pratique. **II.** Importateur.

Vendre (et Se)
Syn. *(V. tr.)* **I.** Adjuger, aliéner, bazarder *(fam.)*, brader, brocanter, céder, commercer, débiter, (se) défaire, détailler, écouler, fournir, liquider, sacrifier, solder, transférer. **II.** Échanger, exporter, placer, trafiquer *(péj.)*. **III.** Dénoncer, donner, livrer, trahir. *(V. pr.)* **I.** (S') écouler, (s') enlever, (s') épuiser. *Ant.* **I.** Acheter, acquérir, conserver, donner, garder, payer, racheter, retenir. **III.** Aider, cacher, sauver, vanter.

Vénéneux
Syn. **I.** Délétère, destructeur, nocif, toxique, venimeux, vireux. **III.** Empoisonné, mauvais. *Ant.* **I.** Bon, guérissant, hygiénique, médicinal, renforcissant, sain.

Vénérable
Syn. **I.** Ancien, patriarcal, respectable, sacré, saint. — Aimé, apprécié, considéré, estimé, honoré, réputé, respecté, révéré. *Ant.* **I.** Canaille, méprisable, misérable.

Vénérer
Syn. **I.** Adorer, craindre, honorer, respecter, révérer. **II.** Aimer, considérer, estimer. *Ant.* **I.** et **II.** Blasphémer, dédaigner, délaisser, déprécier, haïr, mépriser, mésestimer, repousser.

Vengeance
Syn. **I.** Châtiment, punition. — Rancune, réparation, représailles, ressentiment, rétorsion, revanche, riposte, talion, vendetta. *Ant.* **I.** Conciliation, indulgence, miséricorde, oubli, pardon.

Venger (et Se)
Syn. **I.** *(V. tr.)* Châtier, laver, punir, réparer. — Corriger, frapper, redresser. — *(V. pr.)* Compenser, (se) dédommager. *Ant.* **I.** Oublier, pardonner.

Véniel
Syn. **II.** Excusable, insignifiant, léger, minime, petit. *Ant.* **I.** Grave, gros, mortel.

Venimeux
Syn. **I.** Envenimé, toxique, vénéneux. **III.** Empoisonné, fielleux, haineux, malfaisant, malveillant, méchant, médisant, perfide. *Ant.* **III.** Bienfaisant, bienveillant, bon, excellent, inoffensif, louangeur.

Venir
Syn. **I.** Aborder, accourir, aller, (s') amener *(pop.)*, approcher, arriver, avancer, (se) rapprocher, (se) rendre. **II.** Apparaître, découler, dériver, descendre de, émaner, naître, parvenir, pousser, procéder, (se) produire, provenir, sortir de, succéder, survenir. — Concevoir, imaginer, penser, (se) présenter. *Ant.* **I.** Déguerpir, disparaître, (s') enfuir, mourir, partir, quitter.

Vent(s)
Syn. **I.** Agitation (de l'air), air, alizé, aquilon, autan, bise, blizzard, bourrasque, brise, cyclone, grain, mistral, noroît,

rafale, simoun, sirocco, souffle, suroît, tourbillon, tourmente, zéphyr. **II.** *(Pl.)* Flatuosité, gaz intestinaux, pet(s). **III.** Nouvelle, rumeur. → Courant, mouvement, tendance, vogue. — Vanité. *Ant.* **I.** Accalmie, bonace, embellie. — Calme, sérénité, tranquillité.

Vente
Syn. **I.** Aliénation, cession, commerce, débit, débouché, écoulement, marché, placement, transfert, transmission. — Braderie, liquidation, rabais, solde. *Ant.* **I.** Achat, acquisition.

Ventilation
Syn. **I.** Aérage, aération. **III.** *(Compt.)* Répartition.

Ventre
Syn. **I.** Abdomen, entrailles, intestin. — Sein, utérus. — *(Fam.* et *pop.)* Bédaine, bedon, panse.

Ventru
Syn. **I.** Bedonnant *(fam.)*, dodu, gras, gros, obèse, pansu, patapouf *(fam.)*, replet, ventripotent. — *(Ch.)* Bombé, renflé. *Ant.* **I.** Efflanqué, étiré, maigre, malingre. — Creux, plat.

Venue
Syn. **I.** Arrivée, naissance, retour. **II.** Approche, avènement. **III.** Apparition, croissance, jet, manifestation. — *(Allées et venues).* Démarches. *Ant.* **I.** Départ, éloignement. **II.** Intermittence, interruption. **III.** Disparition.

Véracité V. *Vérité*

Verbe
Syn. **I.** Catégorie grammaticale. — Expression, mot, parole, ton. **II.** Langage, langue. *(Théol.)* **I.** Logos, parole de Dieu. **II.** Le Christ. *Ant.* **I.** Mutisme, réticence, silence.

Verbeux
Syn. **I.** *(Pers.)* Abondant, bavard, intaris-

sable, prolixe. **II.** *(Langage)* Délayé, diffus,·épars, filandreux, redondant. *Ant.* **I.** Aride, bref, concis, court, laconique, lapidaire. **II.** Dense.

Verbiage
Syn. **I.** Babillage, baragouinage, bavardage, délayage, loquacité, prolixité, remplissage, verbosité. *Ant.* **I.** Brièveté, concision, densité, discrétion, retenue.

Verdâtre
Syn. **I.** Glauque, olivâtre, vert.

Verdeur
Syn. **I.** Acidité. **III.** Âpreté, crudité, liberté, mordant, spontanéité. — Fraîcheur, jeunesse, sève *(fig.),* vigueur. *Ant.* **I.** Maturité. **III.** Délicatesse, douceur, réserve. — Débilité, faiblesse, vieillesse.

Verdict
Syn. **I.** Déclaration, jugement, résolution, sentence. **II.** Avis, décision, diagnostic, opinion.

Verdir
Syn. **I.** Devenir/rendre vert, pousser, verdoyer. **III.** Blêmir.

Verdure
Syn. **II.** Arbres, feuillage, gazon, herbes, plantes, végétation.

Véreux
Syn. **I.** Gâté, piqué. **III.** Douteux, immoral, louche, malhonnête, mauvais, méchant, perverti, suspect. *Ant.* **III.** Bon, consciencieux, honnête, loyal, moral, probe, pur, sain, vertueux.

Vergogne (Sans)
Syn. **I.** Sans honte/pudeur/scrupule. — Dévergondé, effronté.

Véridique V. *Vrai*

Vérification
Syn. **I.** Analyse, confirmation, considération, contrôle, épreuve, essai, examen,

expérience, expertise, inspection, recensement, reconnaissance, révision, revue.

Vérifier

Syn. **I.** Analyser, apurer, (s') assurer de, collationner, confirmer, considérer, constater, contrôler, éprouver, essayer, examiner, expérimenter, expertiser, inspecter, justifier, prouver, repasser, réviser, revoir. *Ant.* **I.** Contredire, infirmer.

Véritable V. *Vrai*

Vérité

Syn. **I.** Authenticité, certitude, évidence, exactitude, justesse, objectivité, réalité, valeur, vrai *(n.).* — Axiome, dogme, postulat, principe, truisme. — Fidélité, franchise, lucidité, sagesse, sincérité, véracité. *Ant.* **I.** Absurdité, apparence, blague *(péj.),* bourde *(fam.),* contre-vérité, erreur, fausseté, fiction, ignorance, illusion, invention, mensonge, rêve, tromperie.

Vermeil

Syn. **I.** Carmin, pourpre, rouge. — Fleuri, rubicond. *Ant.* **I.** Blafard, blême, pâle.

Verni

Syn. **I.** Laqué, vernissé. **II.** Brillant, éclatant, glacé, lisse, luisant, lustré, rayonnant, reluisant. **III.** *(Fam.)* Chanceux, veinard. *Ant.* **II.** Brumeux, grossier, mat, rude, rugueux, sombre.

Vernis

Syn. **I.** Enduit, laque, mordant. **II.** Éclat, lustre. **III.** Apparence, brillant, dehors, superficiel, teinte, teinture. *Ant.* **III.** Fond.

Verrouiller

Syn. **I.** Barricader, cadenasser, fermer. **II.** Enfermer, incarcérer. *Ant.* **I.** Déverrouiller, ouvrir. **II.** Délivrer, élargir, libérer.

Versant

Syn. **I.** Côte, déclivité, descente, inclinaison, pente. — Adret *(sud),* ubac *(nord).* **III.** Déclin, face. *Ant.* **I.** (Surface) plane, plateau.

Versatile

Syn. **I.** Capricieux, changeant, divers, fantasque, flottant, incertain, inconsistant, inconstant, indécis, inégal, infidèle, instable, irrégulier, irrésolu, lunatique, vacillant, variable, volage. *Ant.* **I.** Certain, constant, convaincu, égal, équilibré, ferme, immuable, invariable, obstiné, persévérant, persistant, posé, raisonnable, régulier, résolu, stable.

Versatilité

Syn. **I.** Caprice, changement, fantaisie, hésitation, incertitude, inconstance, indécision, indétermination, instabilité, irrésolution, mobilité. *Ant.* **I.** Constance, entêtement, obstination, opiniâtreté, persévérance, régularité, stabilité.

Verser

Syn. **I.** Basculer, capoter, chavirer, coucher, renverser. —Instiller, mettre, offrir, servir, transvaser, transvider. **II.** Pleurer. — Déverser, épandre, répandre. **III.** Dépenser, prodiguer. — *(Fin.* et *comm.)* Donner, fournir, payer, souscrire. — Annexer, déposer. — Tomber. *Ant.* **I.** Redresser, rétablir. — Éponger. **III.** Ménager. — Percevoir.

Vert

Syn. **I.** Glauque, olivâtre, pers, verdâtre, verdoyant. — Blême, bleu, livide, pâle. **II.** Acide, aigre, âpre, cru, dur, frais, nouveau, sur, verdelet. **III.** *(Pers.)* Alerte, gaillard, jeune, sain, vaillant, vif, vigoureux. — Fort, rude, sévère, violent. — *(Langage)* Argotique, cru, épicé, grivois, leste, libre, licencieux. *Ant.* **II.** Blet, desséché, mort, mou, mûr, sec, séché. **III.** Âgé, faible, malade, sénile, vieux. — Doux. — Distingué, grave, poli, respectueux, sérieux.

Vertige
Syn. **I.** Déséquilibre, éblouissement, étourdissement, tournis *(fam.)*, trouble. **III.** Égarement, folie, frisson, fumées, griserie, ivresse. *Ant.* **I.** Aplomb, équilibre, stabilité. **III.** Flegme, indifférence, mesure, placidité.

Vertigineux
Syn. **I.** Éblouissant, élevé, étourdissant, fougueux, haut, rapide, torrentueux. **III.** Démesuré, excessif, extraordinaire, fantastique, formidable *(fam.)*, grand, inouï, renversant. *Ant.* **I.** Apaisant, calme, lent, tranquille. **III.** Commun, ordinaire, petit.

Vertu
Syn. **I.** Conscience, devoir, dignité, disposition (permanente), habitus, perfection, sagesse, sainteté. — Austérité, bonté, chasteté, continence, droiture, honnêteté, intégrité, loyauté, modestie, probité, pudeur, pudicité, pureté, virginité. — *(Théol.)* Charité, espérance, foi. — *(Card.)* Force, justice, prudence, tempérance. **III.** Effet, efficacité, énergie, faculté, influence, qualité, pouvoir, propriété. *Ant.* **I.** Crime, débauche, désordre, honte, immoralité, imperfection, impureté, inconduite, indignité, infamie, libertinage, lâcheté, licence, souillure, vice.

Vertueux
Syn. **I.** Consciencieux, honnête, méritant, moral, sage. — Austère, chaste, droit, intègre, loyal, probe, pudique, pur, retenu. — *(Ch.)* Beau, bon, édifiant, méritoire, moral. *Ant.* **I.** Corrompu, criminel, débauché, désordonné, dissipé, dissolu, immoral, impudique, impur, indigne, infâme, léger, libertin, licencieux, malhonnête, mauvais, scandaleux, vicieux.

Verve
Syn. **I.** Abondance, brio, éloquence, enthousiasme, esprit, fantaisie, humour, imagination, inspiration. *Ant.* **I.** Aridité, froideur, platitude, stérilité.

Vestiges
Syn. **I.** Débris, décombres, restes, ruines, souvenirs, traces. **III.** Apparences, marques.

Vêtement
Syn. **I.** Accoutrement *(péj.)*, affaire(s), affublement *(péj.)*, ajustement, complet, costume, effets, garde-robe, guenille, habillement, habits, haillon, linge *(pop.)*, livrée, mise, nippes *(fam. et pop.)*, tenue, toilette, uniforme. **III.** Enveloppe, manteau, parure. *Ant.* **I.** Nudité.

Vétéran
Syn. **I.** Combattant, soldat. **II.** Ancien, chevronné, doyen, vieux. *Ant.* **II.** Apprenti, arrivant, commençant, jeune, nouveau, novice.

Vétille
Syn. **I.** Bagatelle, détail, frivolité, futilité, insignifiance, minutie, puérilité, rien. *Ant.* **I.** Gravité, importance, intérêt, poids, sérieux, utilité.

Vêtir (et Se)
Syn. (V. tr.) **I.** Accoutrer *(péj.)*, affubler *(péj.)*, ajuster, arranger, attifer *(fam.)*, costumer, endosser, fagoter *(fam.)*, habiller, mettre, nipper *(fam. et pop.)*, revêtir. **III.** Envelopper, munir. *(V. pr.)* **I.** (Se) couvrir, (s') équiper, (s') habiller. *Ant.* **I.** Dépouiller, déshabiller, dévêtir, enlever, ôter, retirer.

Veto
Syn. **I.** Opposition, refus. *Ant.* **I.** Assentiment.

Veule
Syn. **I.** Abattu, amorphe, apathique, atone, avachi, faible, flasque, ignoble, indigne, indolent, lâche, mou, nonchalant, vache *(pop.)*.

Ant. **I.** Actif, alerte, brave, constant, courageux, digne, dur, énergique, ferme, fort.

Vexatoire
Syn. **I.** Blessant, désobligeant, humiliant, inquisitorial, insultant, irritant, mortifiant, oppressif, vexant.
Ant. **I.** Attentif, consolant, plaisant, sympathique.

Vexer (et Se)
Syn. **I.** *(V. tr.)* Blesser, choquer, contrarier, déplaire, désobliger, froisser, heurter, humilier, indisposer, insulter, mécontenter, mortifier, offenser, offusquer, peiner, piquer. — *(V. pr.)* **(Se)** fâcher, (se) formaliser, (se) froisser.
Ant. **I.** Attirer, charmer, complaire à, consoler, contenter, enchanter, flatter, plaire à, ravir, réjouir, satisfaire.

Viable
Syn. **I.** Sain, vivace, vivant. **II.** Dur, fort. **III.** Durable.
Ant. **I.** Inanimé, mort, non viable. **III.** Précaire.

Vibrant
Syn. **I.** Aigu, éclatant, fort, frémissant, oscillant, résonnant, retentissant, sonore, tremblant. **II.** Autoritaire, éloquent, ferme, volontaire. **III.** Ardent, chaleureux, émouvant, pathétique, sensible, touchant.
Ant. **I.** Étouffé, sourd. **III.** Froid, tiède.

Vice
Syn. **I.** Abjection, débauche, dépravation, dérèglement, dévergondage, immoralité, inconduite, libertinage, luxure, mal, perversité. **II.** Défaut, défectuosité, difformité, faiblesse, imperfection, insuffisance, malfaçon, manie, travers.
Ant. **I.** Austérité, bien, chasteté, édification, innocence, morale, pureté, sainteté, vertu. **II.** Perfection, qualité.

Vicier
Syn. **I.** Altérer, annuler *(dr.)*, corrompre,

dénaturer, empester, empoisonner, gangrener, gâter, polluer, souiller.
Ant. **I.** Améliorer, amender, assainir, conserver, garder, préserver, purifier.

Vicieux
Syn. **I.** Corrompu, débauché, dépravé, déréglé, dévergondé, dissolu, immoral, libertin, pervers, taré. **II.** Coupable, libidineux. — Rétif. **III.** Défectueux, fautif, impropre, incorrect, mauvais.
Ant. **I.** Austère, digne, honnête, intègre, loyal, noble, probe, pur, vertueux. **II.** Chaste. — Docile. **III.** Bon, correct, propre.

Vicissitudes
Syn. **I.** Agitations, événements, revirements, tribulations, variations.
Ant. **I.** Bonheur, calme, paix, régularité.

Victime
Syn. **I.** Holocauste, hostie. **II.** Bouc émissaire, jouet *(fig.),* martyr, proie *(fig.),* souffre-douleur. — Blessé, mort, tué.
Ant. **II.** Bourreau, meurtrier. — Rescapé.

Victoire
Syn. **I.** Avantage, conquête, gain, réussite, succès, triomphe. **II.** Lauriers, palmes, trophée.
Ant. **I.** Capitulation, défaite, déroute, échec, insuccès, malchance, perte, revers.

Victorieux
Syn. **I.** Conquérant, gagnant, glorieux, lauréat, premier, triomphant, triomphateur, vainqueur.
Ant. **I.** Défait, déshonoré, écrasé, perdant, terrassé, vaincu.

Vide
Syn. *(Adj.)* **I.** Abandonné, débarrassé, dénudé, dépeuplé, dépouillé, désempli, désert, disponible, évacué, inhabité, inoccupé, libre, nu, vacant. **III.** Creux, futile, insignifiant, inutile, nul, oiseux, vain.
(N.) **I.** Blanc, cavité, creux, distance, espace, fente, interruption, lacune, man-

que, ouverture, trou. **III.** Absence, futilité, inanité, inutilité, néant, perte, privation, rien, vacuité, vanité. — Désert, solitude.
Ant. **I.** Bourré, comble, complet, empli, entier, habité, meublé, occupé, peuplé, plein, rempli. **III.** Comblé, grave, important, riche, sérieux. *(N.)* **I.** Occupation, plein *(n.)*, plénitude, remplissage. **III.** Utilité, valeur. — Compagnie, société.

Vider (et Se)
Syn. (V. tr.) **I.** Débarrasser, déblayer, dépeupler, dépouiller, désemplir, désobstruer, dessécher, écoper, enlever, évacuer, nettoyer, retirer, transvaser, transvider, verser, vidanger. — *(Spécialt.)* Absorber, boire, consommer, épuiser, soutirer, tarir, tirer. **II.** *(Fam.)* Abandonner, chasser, congédier, déloger, expulser, mettre à la porte, renvoyer. **III.** Achever, clore, décider, enterrer, finir, liquider, régler, résoudre, terminer. — *(Fam.)* Fatiguer. *(V. pr.)* **I.** Dégorger, déverser, (s') écouler. **III.** (S') épancher. — (Se) régler.
Ant. **I.** Alimenter, combler, emplir, envahir, peupler, remplir. **II.** Employer, engager, garder.

Vie
Syn. **I.** Être, existence, souffle. — Fécondation, reproduction. — Entrain, santé, vigueur, vitalité. **II.** Durée, jours. — Destin, destinée, sort. — Alimentation, argent, nourriture, pitance *(fam.)*. **III.** Activité, animation, chaleur, mouvement, vivacité. — Autobiographie, biographie, hagiographie, histoire, mémoires, monographie.
Ant. **I.** Mort, néant. **II.** Fin, terme. **III.** Apathie, faiblesse, impuissance, indolence, nonchalance.

Vieil et Vieux
Syn. **I.** *(Adj.) (Pers.)* Âgé, caduc, décrépit, sénile, vieilli. — *(Ch.)* Ancestral, antique, archaïque, démodé, dépassé, éloigné, fatigué, historique, immémorial, lointain, passé, primitif, révolu, suranné,

usagé, usé, vétuste, vieillot. — *(N.)* Ancien, croulant *(fam.)*, patriarche, vénérable. vétéran, vieillard
Ant. **I.** *(Pers.)* Adolescent, commençant, enfant, jeune, jouvenceau, juvénile, mineur, novice. — *(Ch.)* Frais, moderne, neuf, nouveau, récent.

Vieillesse
Syn. **I.** *(Pers.)* Âge, ancienneté, caducité, déclin, décrépitude, longévité, sénescence, sénilité, troisième âge, vieillissement. — Gériatrie, gérontologie. — *(Ch.)* Antiquité, archaïsme, vétusté.
Ant. **I.** *(Pers.)* Enfance, jeunesse, virilité. — *(Ch.)* Modernisme, nouveauté, primeur.

Vieilli
Syn. **I.** *(Ch.)* Antique, archaïque, arriéré, attardé, démodé, dépassé, désuet, reculé, rouillé, suranné, usé, vieillot. **II.** *(Pers.)* Abîmé, cassé, chenu, courbé, décrépit, défraîchi, écrasé, éteint, fané, flétri, ravagé, ridé.
Ant. **I.** *(Ch.)* Actuel, amélioré, neuf, nouveau, rafraîchi, rénové, réparé, repoli, rétabli. **II.** *(Pers.)* Alerte, droit, rajeuni, régénéré.

Vieillir
Syn. (V. intr.) (Pers.) **I.** Affaiblir, avancer (en âge), baisser, blanchir, décliner, défraîchir, faner, flétrir, rider. **II.** Changer. — Moisir. **III.** (Être) dépassé. *(Ch.)* **I.** Affiner, mûrir. **II.** Dater. *(V. tr.)* Désavantager.
Ant. **I.** (Se) conserver, rafraîchir, rajeunir.

Vierge
Syn. **I.** *(N.)* Demoiselle, jeune fille, pucelle, vestale. — Madone, Notre-Dame. — *(Adj.)* Angélique, chaste, innocent, intact, pur, vertueux, virginal. **II.** Blanc, immaculé, net, neuf, nouveau. — Inculte, inexploré, vide.
Ant. **I.** Débauché, impudique, impur, in-

décent, taré, vicieux. **II.** Sale, souillé, terni, touché, utilisé. — Chargé, exploré, foulé, fréquenté.

Vif
Syn. **I.** Vivant. **II.** *(Pers.)* Actif, agile, alerte, allègre, animé, ardent, chaleureux, dégourdi, délié, déluré, dispos, expéditif, gaillard, ingambe, léger, pétillant, pétulant, preste, prompt, remuant, sémillant, vigoureux. — *(Esprit)* Brillant, éveillé, intelligent, ouvert, pénétrant. — Amer, brusque, coléreux, dur, emporté, irascible, irrité, violent. — *(Ch.* et *sentiments)* Aigu, âpre, brûlant, cuisant, fort, fougueux, frais, frétillant, fringant, intense, marqué, perçant, pur, sensible, soutenu. — *(Style)* Coloré, énergique, incisif, mordant, nerveux, piquant, pressé. — *(Peint.)* Criard, cru, éclatant, voyant. — *(Mus.)* Allegro, animato, rapide, vivace.
Ant. **I.** Défunt, mort. **II.** *(Pers.)* Abruti, amorphe, apathique, effacé, endormi, engourdi, froid, indolent, inerte, lambin, lourd, mou, nonchalant, paresseux, traînard. — *(Esprit)* Borné, lent, médiocre, obtus. — Doux, patient, souple. — *(Ch.* et *sent.)* Amorti, émoussé, faible, tiède. — *(Style)* Fade, mièvre, pesant, plat. — *(Peint.)* Doux, estompé, fondu, tamisé. — *(Mus.)* Adagio, lento.

Vigie
Syn. **II.** Garde, guet, observation, sentinelle, surveillance, veilleur.

Vigilant
Syn. **I.** Alerte, attentif, avisé, circonspect, précautionneux, prudent, réfléchi.
Ant. **I.** Écervelé, endormi, étourdi, imprudent, irréfléchi.

Vigoureux
Syn. **I.** Costaud *(fam.),* fort, gaillard, nerveux, puissant, résistant, robuste, sain, solide, valide, vert *(fig.),* vivace, vivant. **II.** Efficace, énergique, ferme, hardi, mâle, tranché, violent, virulent.

Ant. **I.** Chétif, débile, faible, frêle, maladif, usé. **II.** Abattu, hésitant, incertain, mièvre, mollasse, mou.

Vigueur
Syn. **I.** Ardeur, chaleur, énergie, fermeté, force, hardiesse, netteté, puissance, véhémence, virilité. **II.** Application, usage. **III.** Sève.
Ant. **I.** Atonie, débilité, délicatesse, douceur, faiblesse, légèreté, mièvrerie, mollesse. **II.** Abandon, désuétude.

Vil
Syn. **I.** Abject, bas, grossier, ignoble, indigne, infâme, lâche, laid, méprisable, mesquin, misérable, monstrueux, servile, sordide.
Ant. **I.** Appréciable, beau, bon, digne, estimable, généreux, honnête, honorable, intègre, loyal, noble, vertueux. **II.** Cher.

Vilain
Syn. **I.** Affreux, coupable, déplaisant, désagréable, déshonnête, détestable, disgracieux, grossier, hideux, horrible, insupportable, laid, mauvais, méchant, sale *(fam.).*
Ant. **I.** Agréable, beau, bon, convenable, digne, distingué, gentil, honnête, joli, plaisant, poli, sage.

Vilenie
Syn. **II.** Bassesse, infamie, injure, lâcheté, méchanceté, saleté.
Ant. **II.** Élévation, générosité, noblesse.

Vilipender
Syn. **III.** Attaquer, bafouer, calomnier, décrier, honnir, salir, vitupérer.
Ant. **III.** Acclamer, applaudir, honorer, laver, louer, relever, vanter.

Ville
Syn. **I.** Agglomération, cité, métropole. **II.** Municipalité.
Ant. **I.** Campagne, canton, contrée, village.

Villégiature
Syn. I. Campagne, séjour de repos, vacances.

Vinaigré
Syn. I. Acide, piquant, sur.
Ant. I. Doux, sucré.

Vindicatif
Syn. I. Acharné, haineux, irréconciliable, rancunier, vengeur. II. Punitif.
Ant. I. Conciliant, indulgent, miséricordieux, patient.

Viol
Syn. I. Attentat, outrage, violence. II. Profanation.

Violation
Syn. I. Atteinte, contravention, dérogation, infraction, outrage, profanation, transgression.
Ant. I. Obéissance, observance, respect, soumission.

Violence
Syn. I. *(Pers.)* Agressivité, animosité, brutalité, colère, contrainte, dureté, force, fougue, irascibilité, virulence. II. — *(Actes)* Attentat, coups, profanation, sévices, torture, viol. — *(Ch.)* Ardeur, déchaînement, énergie, frénésie, fureur, furie, impétuosité, intensité, puissance, véhémence, vivacité.
Ant. I. *(Pers.)* Apathie, douceur, indulgence, mesure, modération, non-violence, patience, persuasion. II. *(Ch.)* Calme, lenteur, mollesse, paix.

Violent
Syn. I. *(Pers.* et *sentiments)* — Agressif, aigu, âpre, ardent, brusque, brutal, cassant, coléreux, cruel, cuisant, dur, énergique, farouche, fougueux, frénétique, impétueux, impulsif, irascible, puissant, rude, truculent, véhément, vif, virulent. II. *(Ch.)* Déchaîné, effréné, épouvantable, excessif, extrême, fort, furieux, grand, intense, terrible.

Ant. I. *(Pers.)* Débonnaire, doux, indulgent, lent, mou, pacifique, patient, résigné, tolérant. II. *(Ch.)* Anodin, bénin, calme, faible, léger.

Violenter
Syn. I. Brusquer, contrarier, forcer, obliger, tyranniser, violer. III. Altérer, dénaturer, torturer.
Ant. I. Aider, contenter, favoriser, protéger. III. Conserver, respecter.

Violer
Syn. I. Contrevenir, déroger, désobéir, enfreindre, manquer à, transgresser. — Blesser, déflorer, forcer, outrager, profaner, prostituer, souiller, trahir, violenter.
Ant. I. (Se) conformer, obéir, observer, (se) soumettre. — Consacrer, honorer, respecter.

Virer
Syn. I. *(V. intr.)* Changer, pirouetter, pivoter, tourner, virevolter. — *(V. tr.)* Faire tourner. — *(Fin.)* Transporter, verser.
Ant. I. Continuer, rester.

Vireux V. *Vénéneux*

Virginal V. *Vierge*

Virginité
Syn. III. Candeur, chasteté, innocence, pureté, vertu.
Ant. III. Débauche, impudicité, impureté, souillure, vice.

Viril
Syn. I. Mâle, masculin. II. Actif, brave, courageux, énergique, ferme, fort, résolu.
Ant. I. Féminin. II. Efféminé, hésitant, lâche, mou, peureux, veule.

Virilité
Syn. I. Masculinité. II. Courage, énergie, fermeté, force, valeur, vigueur.
Ant. I. Féminité. II. Faiblesse, froideur, impuissance, mollesse, peur.

Virtualité
Syn. I. Potentialité, pouvoir. — Éventua-

lité, possibilité, probabilité, puissance.
Ant. **I.** Impossibilité, impuissance, incapacité. — Actualité, réalité.

Virulence V. *Violence*

Visage
Syn. **I.** Face, figure, tête. **II.** Air, apparence, expression, mine, physionomie. — Personne. **III.** Caractère, forme, image.

Viser
Syn. **I.** Ajuster, bornoyer, braquer, coucher (en joue), mirer, pointer. **II.** Concerner, intéresser, regarder, toucher. **III.** Ambitionner, aspirer à, chercher, convoiter, désirer, envier, poursuivre, prétendre à, rechercher, souhaiter, soupirer, tendre à, vouloir.
Ant. **I.** Manquer, rater. **III.** (S') abstenir, décliner, dédaigner, écarter, (s') opposer, refuser, renoncer.

Visible
Syn. **I.** Apercevable, distinct, manifeste, observable, perceptible, sensible. **II.** Clair, évident, incontestable, net, ostensible, patent, sûr, voyant.
Ant. **I.** Caché, couvert, dérobé, imperceptible, invisible. **II.** Douteux, faux, mystérieux, obscur, secret.

Vision
Syn. **I.** Perception, vue. **II.** Apparition, révélation. **III.** Clairvoyance, conception, évocation, idée, image, intuition, représentation. — Chimère, fantasme, fantôme, folie, hallucination, mirage, rêve, rêverie, songe, spectre.
Ant. **I.** Aveuglement, cécité. **III.** Réalité.

Visionnaire
Syn. **I.** *(N.)* Devin, halluciné, illuminé, rêveur, songe-creux, utopiste, voyant. — *(Adj.)* Bizarre, chimérique, déraisonnable, extravagant, fou, insensé, lunatique.
Ant. **I.** *(N.)* Réalisateur. — *(Adj.)* Fin, intelligent, positif, réaliste, sensé, sérieux.

Visite
Syn. **I.** Audience, démarche, entrevue, réception, rencontre, tête-à-tête. **II.** Excursion, tour, tourisme, tournée, voyage. — Contrôle, descente, expertise, fouille, inspection, perquisition, ronde. — Consultation, examen.

Visiter
Syn. **I.** Fréquenter, (aller) saluer, voisiner. — (Se) rendre auprès. **II.** Examiner, fouiller, inspecter, perquisitionner, sonder.

Visiteur
Syn. **I.** Contrôleur, enquêteur, envoyé (spécial), examinateur, inspecteur, perquisitionneur. **II.** Estivant, excursionniste, explorateur, touriste, vacancier, voyageur. — Hôte, visite.

Visqueux
Syn. **I.** Adhérent, collant, épais, gluant, gommeux, gras, huileux, poisseux, sirupeux. **III.** *(Péj.)* Douteux, répugnant.
Ant. **I.** Fluide. **III.** Alléchant, désirable.

Visser
Syn. **I.** Assujettir, attacher, fixer, immobiliser, joindre, river, serrer.
Ant. **I.** Détacher, dévisser, disjoindre, séparer.

Vital
Syn. **I.** Nourrissant, nutritif, réconfortant, stimulant, tonique, vivifiant. **III.** Essentiel, fondamental, indispensable, primordial, principal.
Ant. **I.** Dévitalisé. **III.** Accessoire, secondaire.

Vitalité
Syn. **I.** Vie. **II.** Ardeur, dynamisme, efficacité, endurance, énergie, entrain, force, résistance, vigueur, vivacité.
Ant. **I.** et **II.** Apathie, faiblesse, impuissance, langueur, léthargie, mollesse.

Vite
Syn. *(Adj.)* **I.** *(Sport)* Agile, alerte, leste,

preste, rapide, véloce. — *(Adv.)* Aussitôt, bientôt, brusquement, dare-dare *(fam.)*, en hâte, hâtivement, incontinent, précipitamment, prestement, promptement, rapidement, rondement, subito, tôt, vivement. — Prestissimo *(mus.)*, presto. **II.** Immédiatement, subitement, tout de suite.
Ant. **I.** *(Adj.)* Engourdi, lent. — *(Adv.)* Doucement, lentement, longtemps, mollement, nonchalamment, piano *(fam.)*, posément. — Lento *(mus.)*.

Vitesse
Syn. **I.** Agilité, célérité, rapidité, vélocité. **II.** Diligence, hâte, précipitation, promptitude, vivacité. — Accélération, allure, erre *(vx)*, train.
Ant. **I.** Lenteur, lourdeur, ralenti. **II.** Ralentissement.

Vitre
Syn. **I.** Carreau, glace, verre. **II.** Fenêtre, pare-brise, vitrine.

Vitré
Syn. **I.** Clair, éclairé, transparent. — Diaphane, perméable, translucide.
Ant. **I.** Embrouillé, embrumé, épais, obscur, opaque, sombre, ténébreux, vitreux, voilé.

Vitreux
Syn. **I.** Vitré. **II.** Blafard, blême, brumeux, cadavérique, décoloré, éteint, livide, noyé, pâle, terne, terreux, voilé.
Ant. **II.** Animé, brillant, clair, coloré, vif, vivace, vivant.

Vitupérer
Syn. **I.** *(V. tr.)* Blâmer, vilipender. — *(V. intr.)* Déblatérer, (s') emporter, (s') indigner, pester, protester.
Ant. **I.** Approuver, féliciter, louer.

Vivace
Syn. **I.** Animé, dur, fort, généreux, résistant, robuste, vif, vigoureux, vivant. **III.**

Ancré, durable, enraciné, ferme, indestructible, persistant, tenace.
Ant. **I.** Annuel *(bot.)*, caduc, chétif, faible, frêle, grêle, menu, mou. **III.** Changeant, éphémère, fragile.

Vivacité
Syn. **I.** Activité, agilité, alacrité, animation, ardeur, brio, chaleur, éclat, entrain, exubérance, force, fraîcheur, gaieté, intensité, pétulance, prestesse, promptitude, rapidité, sémillance, vigueur, vitalité. — Emportement, fougue, humeur, mordant, violence.
Ant. **I.** Apathie, calme, débilité, faiblesse, indolence, insouciance, langueur, lenteur, lourdeur, mollesse, nonchalance.

Vivant
Syn. **I.** Animé, existant, fort, organisé, remuant, viable, (en) vie, vif, vital, vivace. **II.** Ressemblant. — Actif, actuel, agissant, durable, expressif, parlant. — Ranimé, ressuscité, sauf, sauvé, survivant.
Ant. **I.** Défunt, inanimé, inerte, inorganique, mort. **II.** Différent. — Disparu, fade, morne. — Abattu, écrasé, endormi, engourdi.

Vivifiant
Syn. **I.** Aiguillonnant, cordial, exaltant, excitant, fortifiant, nourrissant, ranimant, réconfortant, stimulant, tonique. **III.** Encourageant, généreux.
Ant. **I.** Affaiblissant, amollissant, débilitant, écrasant, empoisonnant, énervant, étouffant, mortel, tuant.

Vivoir *(can.)*
Syn. **I.** Living-room, salle de séjour.

Vivre(s)
Syn. *(V. intr.)* **I.** Croître, durer, être, exister, palpiter, renaître, respirer, ressusciter, revivre, subsister. — Consommer, (se) nourrir, végéter, vivoter. — Agir, cohabiter, (se) consacrer, demeurer, (être) fixe, loger, résider. *(V. tr.)* **I.** Couler, mener, passer, traverser. **III.** Éprouver, ex-

périmenter, sentir. *(N.pl.)* **I.** Aliments, denrées, nourriture, provisions, victuailles. *Ant.* **I.** Cesser, disparaître, mourir.

Vocable
Syn. **I.** Dénomination, mot, nom, parole. — Appellation, patronage, protection, sauvegarde, tutelle.

Vocabulaire
Syn. **I.** V. *Dictionnaire.* **II.** Correction, expression, langage, langue, mot, nomenclature, terminologie.

Vocation
Syn. **I.** Appel, attrait, désir, disposition, goût, inclination, penchant, tendance. — Aptitude, don, facilité. **II.** Destination, mission, rôle.

Vociférer
Syn. **I.** Crier, gueuler *(pop)*, hurler, tonitruer.
Ant. **I.** Endurer, patienter, (se) résigner, (se) taire.

Vœu(x)
Syn. **I.** Engagement, promesse, serment. **II.** *(Pl.)* Désir, souhait. — Avis, intention, résolution.
Ant. **I.** Désengagement, indifférence, reniement. **II.** Refus, rejet. — Décision.

Vogue
Syn. **I.** Cours, crédit, engouement, faveur, mode, notoriété, popularité, renom, renommée, succès.
Ant. **I.** Désuétude, discrédit, impopularité, obscurité, oubli.

Voguer
Syn. **I.** Cingler, naviguer. **II.** Ballotter, errer, flotter.

Voie
Syn. **I.** Artère, avenue, boulevard, chemin, passage, route, rue. — *(Anat.)* Canal, conduit, rameau, vaisseau. **II.** Direction, indication. — Carrière, ligne, sen-

tier. **III.** Galaxie, nébuleuse. — Dessein, entremise, façon, intermédiaire, manière, milieu, moyen.

Voilé
Syn. **I.** Caché, invisible, recouvert. **II.** Enroué, estompé, sourd, tamisé, vitreux. **III.** Atténué, déguisé, discret, dissimulé, imperceptible, incompréhensible, masqué, mystérieux, obscur, secret, terne, trouble.
Ant. **I.** Découvert, dévoilé, évident, visible. **II.** Clair, éclatant, limpide, net, pur, sonore, voyant. **III.** Accusé, aisé, compréhensible, dénoncé, direct, facile, franc.

Voiler (et Se)
Syn. *(V. tr.)* **I.** Abriter, cacher, couvrir, envelopper. **II.** Assombrir, aveugler, dérober (à la vue), éclipser, embrumer, estomper, noyer, obscurcir, souiller, ternir. **III.** Atténuer, celer, déguiser, diminuer, dissimuler, farder, masquer, taire. *(V. pr.)* **I.** Disparaître, (s') embrouiller, (s') éteindre, (se) troubler.
Ant. **I.** Découvrir, développer, dévoiler, montrer. **II.** Éclaircir, nettoyer. **III.** Comprendre, déceler, enseigner, expliquer, extérioriser.

Voir (et Se)
Syn. *(V. tr.)* **I.** Apercevoir, dévisager, discerner, distinguer, embrasser, entrevoir, fixer, observer, percevoir, regarder, reluquer. — *(Spectacle)* Assister à, considérer, contempler, découvrir, étudier, remarquer, surprendre, visionner. — Parcourir, visiter, voyager. — *(Conn. concrète.)* Fréquenter, recevoir, rencontrer, trouver. — Consulter, examiner. **II.** Contrôler, inspecter, inventorier, noter, vérifier. **III.** *(Conn. abstraite)* Apprendre, comprendre, concevoir, constater, démontrer, envisager, imaginer, juger, prévoir, prouver, (se) représenter. *(V. pr.)* **I.** (Se) regarder. — (S') aboucher, communiquer, conférer, (se) fréquenter, (se) rencontrer, (se) réunir. **III.** (Se) considérer, (se) figurer,

(s') imaginer, (se) représenter. — Arriver, paraître, (se) présenter, (se) produire, (se) trouver.
Ant. (V. tr.) **I.** Aveugler. — (S') abstenir, manquer à, négliger. *(V. pr.)* **III.** (S') éblouir, (s') illusionner, (se) méprendre, (se) tromper.

Voisin
Syn. **I.** À côté, adjacent, attenant, avoisinant, contigu, environnant, juxtaposé, limitrophe, prochain, proche, rapproché. **II.** Tangent. **III.** Apparenté, approchant, approximatif, ressemblant, semblable. *Ant.* **I.** Distancé, distant, écarté, éloigné, espacé, lointain. **III.** Différent, opposé.

Voisinage
Syn. **I.** Abords, alentours, approches, contact, contiguïté, entourage, environs, mitoyenneté, parages, proximité, quartier. *Ant.* **I.** Éloignement.

Voiturer V. *Véhiculer*

Voix
Syn. **I.** Chant, cri, parole, son. **II.** Bruit. — Accord, approbation, suffrage, vote. **III.** Appel, avertissement, impulsion, inspiration. — Avis, conseil, opinion, sentiment, suggestion. — Forme *(gramm.)*.

Vol
Syn. **I.** Appropriation, brigandage, cambriolage, détournement, escroquerie, larcin, maraudage, pillage, rapine. — Décollage, envol, essor, traversée. **III.** Fuite.

Volage
Syn. **I.** Capricieux, changeant, étourdi, frivole, inconstant, infidèle, instable, léger, versatile. *Ant.* **I.** Constant, fidèle, persévérant, sérieux, stable.

Voler
Syn. (V. intr.) **I.** (S') élever, (s') envoler, monter, planer, voleter, voltiger. **II.** Survoler. — Accourir, courir, (se) presser.

III. Éclater, (s') écouler, (s') élancer, (s') émanciper, flotter, fuir, (se) propager. *(V. tr.) (Q.q.ch.)* **I.** (S') approprier, dérober, détourner, dilapider, distraire, (s') emparer, extorquer, filouter, marauder, piquer *(fam. et pop.)*, prendre, rafler *(fam. et pop.)*, ravir, soustraire, soutirer, subtiliser, usurper. **III.** (S') attribuer, copier, plagier. *(Q.q.n)* **I.** Cambrioler, délester, déposséder, dépouiller, détrousser, dévaliser, escroquer, flouer, gruger, léser, piller, rouler, spolier. **II.** Exploiter, frauder, frustrer, tromper. — Enlever, kidnapper. *Ant.* **I.** Accorder, céder, donner, livrer, offrir, procurer, redonner, remettre, rendre, restituer, sacrifier.

Voleur
Syn. **I.** Brigand, cambrioleur, détrousseur, malandrin, malfaiteur, pickpocket, pillard, vide-gousset. **II.** Aigrefin, coquin, déprédateur, escroc, filou, gredin, spoliateur, tripoteur. **III.** Pirate, rapace, requin. *Ant.* **I.** Bienfaiteur, gardien, homme honnête, soutien.

Volontaire
Syn. **I.** Arrêté, bénévole, délibéré, intentionnel, libre, prémédité, spontané, voulu. — Décidé, énergique, ferme, obstiné, opiniâtre, résolu, tenace, vigoureux. — *(Péj.)* Capricieux, désobéissant, entêté, têtu. *Ant.* **I.** Automatique, forcé, imposé, instinctif, involontaire, obligatoire, réflexe, rétribué. **II.** Découragé, indolent, irrésolu, mou. **III.** Docile, flexible, obéissant, soumis, tendre, traitable.

Volonté(s)
Syn. **I.** Volition, vouloir. — Décret *(fig.)*, désir, dessein, détermination, exigence, intention, souhait. — Autorité, caractère, courage, cran *(fam.)*, décision, énergie, fermeté, force, initiative, opiniâtreté, résolution, ténacité, vigueur. **II.** Bienveillance, malveillance. — *(Pl.)* Caprices,

ordres, testament.
Ant. **I.** Couardise, crainte, découragement, faiblesse, frousse, indolence, lâcheté, mollesse, peur, poltronnerie.

Volontiers
Syn. **I.** Aisément, bien, de bon cœur, de bonne grâce, de bon gré, facilement, gracieusement, habituellement, ordinairement, oui, (avec) plaisir.
Ant. **I.** À contrecœur, de force, forcément, nullement.

Volte-face
Syn. **I.** Contremarche, conversion *(milit.)*, pirouette. **III.** Changement, évolution, palinodie, revirement, virevolte.
Ant. **III.** Équilibre, habitude, routine, stabilité.

Volubilité
Syn. **I.** Abondance, bagout *(fam.)*, éloquence, facilité, faconde, loquacité, rapidité, verbosité.
Ant. **I.** Aridité, bégaiement, mutisme, retenue, silence.

Volume
Syn. **I.** Bouquin *(fam.)*, livre, ouvrage, tome. — Ampleur, calibre, capacité, contenance, cubage, débit, dimension, grosseur, importance, intensité, masse, quantité.

Volumineux
Syn. **I.** Abondant, colossal, considérable, développé, énorme, épais, grand, gros, immense, important, imposant, large. **II.** Embarrassant, encombrant.
Ant. **I.** Court, étroit, exigu, limité, menu, minime, minuscule, petit, ténu.

Volupté
Syn. **I.** Débauche, délices, enivrement, ivresse, jouissance, orgasme, plaisir. **II.** Délectation, joie.
Ant. **I.** Ascétisme, continence, décence, douleur, froideur, humilité, innocence, vertu.

Voluptueux
Syn. **I.** *(Pers.)* Charnel, épicurien, lascif, libertin, passionné, sensuel, sybarite. — *(Ch.)* Agréable, amollissant, caressant, délicieux, doux, érotique, savoureux, séduisant.
Ant. **I.** Austère, chaste, continent, froid, humble, indifférent, innocent, pur, vertueux. — Ascétique, décent, désagréable, pudique, réfrigérant, répugnant.

Vomir
Syn. **I.** Dégobiller *(pop.)*, dégorger, évacuer, expulser, régurgiter, rejeter, rendre, restituer *(fam.)*. **II.** Cracher, projeter. **III.** Débiter, exécrer, honnir, injurier, lancer, proférer.
Ant. **I.** Absorber, boire, conserver, garder, manger. **II.** Retenir. **III.** Cacher, excuser, taire, vanter.

Vorace
Syn. **I.** Affamé, avide, glouton, goinfre, goulu, gourmand, insatiable.
Ant. **I.** Contenté, frugal, rassasié, repu, satisfait, sobre.

Voracité
Syn. **I.** Appétit, avidité, gloutonnerie, goinfrerie, gourmandise, insatiabilité.
Ant. **I.** Frugalité, modération, sobriété.

Vote
Syn. **I.** Avis, opinion, suffrage, voix. — Consultation, élection, plébiscite, référendum, scrutin, votation. — Adoption.
Ant. **I.** Abstention, boycott.

Voter
Syn. **I.** Adopter, aller aux urnes, choisir, décider, élire, plébisciter, ratifier.
Ant. **I.** (S') abstenir, annuler, boycotter.

Vouer (et Se)
Syn. **I.** *(V. tr.)* Consacrer, dédier, donner, jurer, offrir, promettre. — Appliquer, condamner, destiner, employer, prédestiner. — *(V. pr.)* (S') adonner, (se) consacrer, (se) dévouer.

Vouloir
Syn. (*V. intr.*) **I.** (Se) déterminer, (se) résoudre. (*V. tr.*) **I.** Arrêter, commander,
décider, défendre, exiger, interdire, ordonner, permettre, prescrire, réclamer,
refuser, tenir à. — Accepter, acquiescer,
aimer, consentir, demander, désirer, rêver, souhaiter. **II.** Ambitionner, convoiter, prétendre, viser à.
Ant. **I.** Débouter, décliner, dédaigner,
écarter, exclure, mésestimer, récuser, refuser, rejeter.

Voyage
Syn. **I.** Balade, circuit, croisière, déplacement, excursion, expédition, exploration,
navigation, odyssée, parcours, passage,
pèlerinage, pérégrination, périple, promenade, randonnée, route, tour, tourisme, tournée, trajet, traversée, va-et-
vient.
Ant. **I.** Demeure, détention, foyer, immobilité, isolement, solitude.

Voyager
Syn. **I.** Bourlinguer, circuler, courir le
monde, (se) déplacer, excursionner, naviguer, pérégriner, (se) promener, rouler
(sa bosse), (se) transporter, voir du pays.
III. Vagabonder.
Ant. **I.** Demeurer, rester.

Voyageur
Syn. **I.** Excursionniste, explorateur, glo-
be-trotter, passager, pèlerin, promeneur,
représentant, touriste, vacancier, visiteur.
— Cosmopolite, étranger, nomade, vagabond.
Ant. **I.** Ermite, sédentaire, solitaire.

Voyant
Syn. (*N.*) **I.** Augure, cartomancien, clairvoyant, devin, devinateur, illuminé, inspiré, magicien, prophète, sibylle, sorcier,
spirite, visionnaire. **II.** Plaque, signal.
(*Adj.*) **I.** Clair, clairvoyant, distinct, lucide, manifeste, visible. — (*Péj.*) Coloré,
criant, criard, éclatant, tapageur, tape-à-
l'œil, vif.

Ant. (*N.*) Aveugle. (*Adj.*) Caché, obscur,
retiré, voilé. — Discret, foncé, neutre, sobre.

Voyou
Syn. **I.** Canaille, crapule, galopin, garnement, grossier, malhonnête, truand, vaurien.
Ant. **I.** Délicat, distingué, honnête, loyal,
probe.

Vrai
Syn. **I.** Assuré, authentique, avéré, certain, confirmé, conforme, démontré, effectif, évident, exact, existant, fidèle, fondé, incontestable, juste, objectif, positif,
pur, réel, sérieux, sûr, véridique, véritable. **II.** Essentiel, principal, unique. —
(*Pers.*) Franc, loyal, sincère.
Ant. **I.** Apparent, artificiel, douteux, erroné, factice, fantaisiste, faux, feint, forcé,
illusoire, imaginaire, imité, incertain, inexact, inexistant, inventé, irréel, mensonger, postiche. **II.** Accessoire, secondaire.
— Fourbe, hypocrite, trompeur.

Vraiment
Syn. **I.** Assurément, certainement, certes,
effectivement, évidemment, formelle-
ment, franchement, indiscutablement,
réellement, sérieusement, sûrement, véri-
tablement.
Ant. **I.** Aucunement, inutilement, nullement.

Vraisemblable
*Syn.***I.** Apparent, croyable, naturel, plausible, possible, probable, soutenable. **II.**
Rationnel, vrai.
Ant. **I.** et **II.** Imaginaire, impossible, improbable, incroyable, insoutenable, invraisemblable, mystérieux.

Vue
Syn. **I.** Regard, vision. **II.** Belvédère,
coup d'œil, étendue, observatoire, ouverture, panorama, paysage. — Cinéma, dessin, image, photo, scène, spectacle, tableau. **III.** Aperçu, aspect, conception,

idée, opinion, optique, perspective, point de vue. — Ambition, but, dessein, intention, projet, visée.
Ant. I. Cécité, noirceur, ténèbres. III. Aveuglement.

Vulgaire
Syn. I. Commun, courant, populaire, usuel. II. Banal, insignifiant, ordinaire, quelconque, rebattu, simple. — *(Péj.)* Bas, effronté, grossier, polisson, populacier, trivial. *Ant.* I. Savant, scientifique. II. Compliqué, élevé, important, original, recherché, remarquable. — Délicat, digne, dis-

tingué, fin, noble, poli, raffiné, réservé.

Vulgariser
Syn. I. Communiquer, démocratiser, diffuser, distribuer, divulguer, enseigner, étendre, populariser, propager, publier, répandre, révéler. *Ant.* I. Arrêter, omettre, refuser, restreindre, soustraire, taire.

Vulnérable
Syn. I. Fragile, frêle, sensible. II. Attaquable, dangereux, incertain. *Ant.* I. Blindé, cuirassé, dur, immunisé, insensible, invulnérable, fort, vigoureux. II. Inattaquable, sûr.

W

Wagon
Syn. I. Fourgon, plateau, plate-forme, truck, véhicule, voiture. — Benne, lorry, wagonnet.

Week-end
Syn. I. Fin de semaine.

Wigwam
Syn. I. Chaumière, hutte, tente, village.

X

Xénophobe
Syn. I. Chauvin, nationaliste, raciste, séparatiste.

Ant. I. Xénophile.

Y

Yacht
Syn. I. Bateau de plaisance, voilier.

Z

Zébré V. *Tacheté*

Zélateur
Syn. I. Adepte, apôtre, diffuseur, disci-

ple, partisan, propagandiste, propagateur, prosélyte.
Ant. I. Adversaire, antagoniste, dénigreur, ennemi.

Zèle
Syn. **I.** Activité, apostolat, application, ardeur, assiduité, attachement, attention, dévouement, diligence, empressement, émulation, enthousiasme, entrain, fanatisme, ferveur, flamme, intrépidité, passion, persévérance, promptitude, prosélytisme, soin, travail, vigilance, vivacité. *Ant.* **I.** Apathie, froideur, inactivité, inconstance, indifférence, indolence, laisser-aller, lenteur, mollesse, négligence, nonchalance, tiédeur.

Zélé
Syn. **I.** Actif, agissant, appliqué, ardent, assidu, attentif, chaleureux, courageux, dévoué, diligent, empressé, enflammé, enthousiaste, fervent, passionné, persévérant, travailleur, vigilant. *Ant.* **I.** Froid, indifférent, indolent, négligent, tiède.

Zénith
Syn. **I.** Haut. **III.** Apogée, cime, comble, sommet. *Ant.* **I.** Nadir. **III.** (Au) bas.

Zéro
Syn. **I.** Aucun, néant, rien. **III.** Nullité. *Ant.* **III.** Valeur.

Zig-zag
Syn. **II.** Crochet, détour, lacet, tournant. *Ant.* **I.** Ligne droite.

Zigzaguer
Syn. **I.** Chanceler, tituber, vaciller. **III.** Louvoyer.

Zone
Syn. **I.** Arrondissement, district, division, espace, partie, pays, quartier, région, secteur, territoire. **II.** Bande, ceinture. — Bidonville, faubourg (misérable). **III.** Domaine, sphère.